Collins Atlas y By

Atlas y Byd

Addasiad Cymraeg o *Collins Student Atlas*
Sixth Edition a gyhoeddwyd yn 2018 gan Collins

Argraffnod HarperCollins Publishers
Westerhill Road
Bishopbriggs
Glasgow G64 2QT

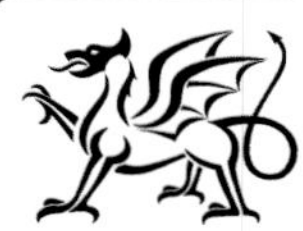

Ariennir yn Rhannol gan **Lywodraeth Cymru**
Part Funded by **Welsh Government**

Cyhoeddwyd dan nawdd Cynllun Adnoddau
Addysgu a Dysgu CBAC

Argraffiad Cymraeg cyntaf 2018
© Testun yr argraffiad Cymraeg: CBAC 2018

© HarperCollins Publishers 2018
Mapiau © Collins Bartholomew Ltd 2018

Mae cofnod catalog ar gyfer y llyfr hwn ar gael gan y Llyfrgell Brydeinig.

ISBN 978-1-86085-695-2

10 9 8 7 6 5 4 3 2 1

Argraffwyd yn y DU

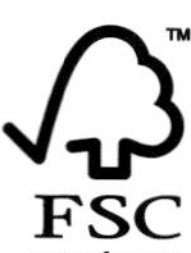

MIX
Paper from
responsible sources
FSC™ C007454
FSC
www.fsc.org

Cynhyrchir y llyfr hwn ar bapur sydd wedi ei ardystio'n
annibynnol er mwyn sicrhau bod coedwigoedd yn cael
eu rheoli'n gyfrifol.

Am ragor o wybodaeth: www.harpercollins.co.uk/green

Mae'r mapiau yn yr atlas hwn yn deillio o gronfeydd data digidol Collins Bartholomew.
Gall Collins Bartholomew, prif gyflenwr annibynnol gwybodaeth ddaearyddol y DU, ddarparu
gwasanaeth mapio digidol, addas ac o'r radd flaenaf i amrywiaeth o farchnadoedd.
Am fwy o wybodaeth:
Ffôn: +44 (0) 208 307 4515
e-bost: collinsbartholomew@harpercollins.co.uk

Os hoffech roi sylwadau ar unrhyw agwedd ar y
llyfr hwn, cysylltwch â ni gan ddefnyddio'r cyfeiriad
uchod neu ewch ar lein.

www.collins.co.uk
e-bost: collinsmaps@harpercollins.co.uk

Cydnabyddiaeth

Adolygiad Ystadegol BP o Egni'r Byd
Adran Economeg a Materion Cymdeithasol y CU, Is-adran Poblogaeth
Arolwg Daearegol Prydain
Arsyllfa Llifogydd Dartmouth, UDA
Bwrdd Datblygu Amaeth a Garddwriaeth y DU
Cyngor Meysydd Awyr Rhyngwladol
Data bathymetrig: The GECBO Digital Atlas, a gyhoeddwyd gan y
 British Oceanographic Data Centre ar ran IOC ac IHO, 1994
Global Footprint Network National Footprint Accounts, 2017
 (http://data.footprintnetwork.org)
Grŵp Banc y Byd
Hawlfraint Gwasanaeth Coedwig Gogledd Iwerddon
IUCN Red List of Threatened Species™
Llywodraeth Awstralia
Llywodraeth y DU (gov.uk) – gwybodaeth sector cyhoeddus wedi'i
 thrwyddedu o dan Drwydded Agored y Llywodraeth v.30

Panel Rhynglywodraethol ar Newid yn yr Hinsawdd
Rhaglen Ddatblygu'r CU (UNDP)
Rhaglen Peryglon Daeargrynfeydd USGS
Sefydliad Adnoddau'r Byd
Sefydliad Bwyd a Diwylliant y CU
Sefydliad Daearyddiaeth ac Ystadegau Brasil
Sefydliad Twristiaeth y Byd
Swyddfa Cyfrifiad UDA
Swyddfa Dywydd y DU
Swyddfa Ystadegau Gwladol y DU
Undeb Telathrebu Rhyngwladol
UNHCR (Asiantaeth y CU dros Ffoaduriaid)
US Bureau of Labor Statistics
US Energy Information Administration
USGS Mineral Resources Program
Ystadegau Masnach Nwyddau'r UN

Cydnabyddiaeth delweddau

t4 Richard Cooke/Alamy (fertigol); A.P.S. (UK)/Alamy (arosgo);
t5 Tîm Ymateb Cyflym MODIS, NASA/GSFC (Delwedd loeren yr Alpau);
t6 Arsyllfa'r Ddaear NASA (Corwynt Sandy); t6 Adran Synhwyro o
Bell NOAA (New Jersey); **t7** Arsyllfa'r Ddaear NASA (Y byd yn y nos);
t7 NASA/USGS (Manila), NASA/Science Photo Library (Llyn Tchad);
t19 PlanetObserver/Science Photo Library; **t25** daulon/Shutterstock
(Diagram nwyon tŷ gwydr); **t41** Data gan Marc Imhoff, NASA GSFC a
Christopher Elvidge, NOAA NGDC. Llun gan Craig Mayhew a Robert
Simmon, NASA GSFC; **t59** Project Science NASA/NOAA GOES;
t76–77 NASA/Arsyllfa'r Ddaear; **t91** NASA/Ron Beck, Cangen Systemau
Lloeren Canolfan Data Eros USGS; **t133** Tîm Gwyddoniaeth Landsat
Science NASA; **t149** Canolfan Ofod Johnson NASA

Symbolau map

Defnyddir symbolau, ar ffurf pwyntiau, llinellau neu ardaloedd, ar fapiau i ddangos lleoliad nodweddion penodol a gwybodaeth amdanynt.

Gall lliw a maint symbol roi syniad am y math o nodwedd a'i maint cymharol.

Mae allwedd ar bob tudalen yn egluro ystyr y symbolau map. Mae'r symbolau a ddefnyddir ar fapiau cyfeiriadol i'w gweld yma.

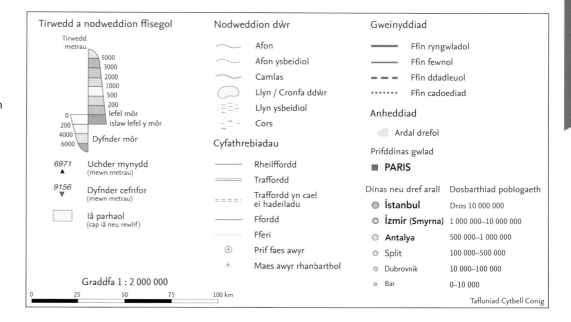

Tirwedd a nodweddion ffisegol

Tirwedd metrau
5000
3000
2000
1000
500
200
0 lefel môr
200 islaw lefel y môr
4000
6000 Dyfnder môr

6971 ▲ Uchder mynydd (mewn metrau)

9156 ▼ Dyfnder cefnfor (mewn metrau)

Iâ parhaol (cap iâ neu rewlif)

Graddfa 1 : 2 000 000

0   25   50   75   100 km

Nodweddion dŵr
Afon
Afon ysbeidiol
Camlas
Llyn / Cronfa ddŵr
Llyn ysbeidiol
Cors

Cyfathrebiadau
Rheilffordd
Traffordd
Traffordd yn cael ei hadeiladu
Ffordd
Fferi
⊕ Prif faes awyr
✈ Maes awyr rhanbarthol

Gweinyddiad
Ffin ryngwladol
Ffin fewnol
Ffin ddadleuol
Ffin cadoediad

Anheddiad
Ardal drefol

Prifddinas gwlad
■ PARIS

Dinas neu dref arall | Dosbarthiad poblogaeth
◉ İstanbul | Dros 10 000 000
◎ İzmir (Smyrna) | 1 000 000–10 000 000
◌ Antalya | 500 000–1 000 000
○ Split | 100 000–500 000
○ Dubrovnik | 10 000–100 000
∘ Bar | 0–10 000

Tafluniad Cytbell Conig

Mathau o fapiau

Defnyddir llawer o fathau o fapiau yn yr atlas i ddangos mathau gwahanol o wybodaeth. Mae'r math o fap, ei symbolau a'i liwiau wedi'u dewis yn ofalus i ddangos thema pob map ac i'w wneud yn hawdd ei ddeall. Mae esboniad o'r prif fathau o fapiau isod.

Mae **mapiau gwleidyddol** yn cynnig trosolwg o faint a lleoliad gwledydd mewn ardal benodol, fel cyfandir. Mae sgwariau lliw yn nodi prifddinasoedd gwledydd. Mae cylchoedd lliw yn dynodi dinasoedd neu drefi eraill.

Mae **mapiau ffisegol neu fapiau tirwedd** yn defnyddio lliw i ddangos cefnforoedd, moroedd, afonydd, llynnoedd, ac uchder y tir. Rhoddir enwau ac uchderau prif dirffurfiau hefyd.

Mae **mapiau ffisegol/gwleidyddol** yn dod â'r wybodaeth sydd yn y ddau fath o fap sy'n cael eu disgrifio uchod at ei gilydd. Maent yn dangos tirwedd a nodweddion ffisegol yn ogystal â ffiniau gwledydd, dinasoedd a threfi mawr, ffyrdd, rheilffyrdd a meysydd awyr.

Darn o dudalen 69

Darn o dudalen 78

Darn o dudalen 98

Mae **mapiau dosbarthiad** yn defnyddio lliwiau, symbolau, neu raddliwio gwahanol i ddangos lleoliad a dosbarthiad nodweddion dynol neu naturiol. Yn y map hwn, mae symbolau'n nodi dosbarthiad dinasoedd mwyaf y byd.

Mae **mapiau lliw graddedig** yn defnyddio lliwiau neu raddliwio i ddangos testun neu thema a mesur o'i werth. Yn gyffredinol, mae'r gwerthoedd uchaf wedi'u graddliwio â'r lliwiau mwyaf tywyll. Yn y map hwn, defnyddir lliwiau i ddangos nifer y bobl sy'n defnyddio'r rhyngrwyd am bob cant o bobl.

Mae **mapiau isopleth** yn defnyddio llinellau tenau i ddangos dosbarthiad nodwedd. Mae isopleth yn pasio trwy leoedd o'r un gwerth. Gall isoplethau ddangos nodweddion fel tymheredd (isotherm), gwasgedd aer (isobar) neu uchder tir (cyfuchlinedd). Mae gwerth y llinell wedi'i ysgrifennu arni fel rheol. Ar bob ochr y llinell bydd y gwerth yn uwch neu yn is.

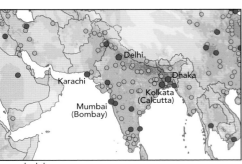

Darn o dudalen 131

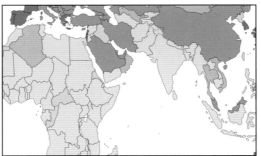

Darn o dudalen 148

Darn o dudalen 36

Graffiau ac Ystadegau

Mae graffiau yn ffordd weledol o gyflwyno gwybodaeth ystadegol.
Mae mathau gwahanol o graffiau yn yr atlas hwn. Mae rhai graffiau wedi'u dylunio er mwyn cyflwyno gwybodaeth benodol.

Graff llinell

Cyflogaeth y DU mewn amaethyddiaeth, 2000–2016 o dudalen 27

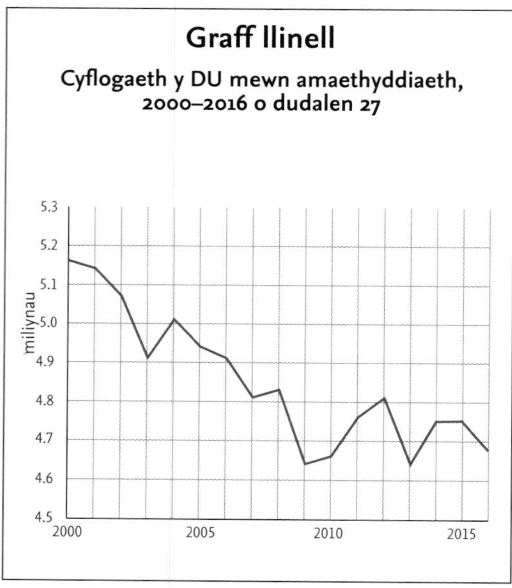

Graff bar

Poblogaeth y DU yn ôl grŵp oedran o dudalen 31

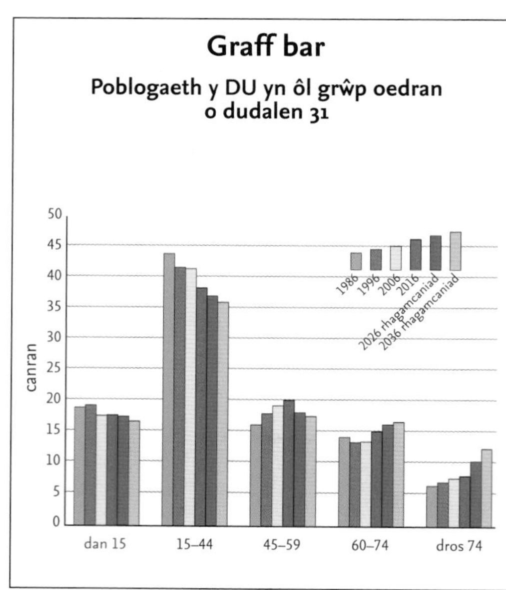

Graff hinsawdd

Hinsawdd Sevilla o dudalen 36

Mae graff hinsawdd yn cynnwys gwybodaeth am y tymereddau blynyddol cyfartalog a'r glawiad blynyddol cyfartalog mewn lleoliad penodol. Mae'r graff isod yn dangos tymereddau cyfartalog uchaf ac isaf Sevilla am flwyddyn.

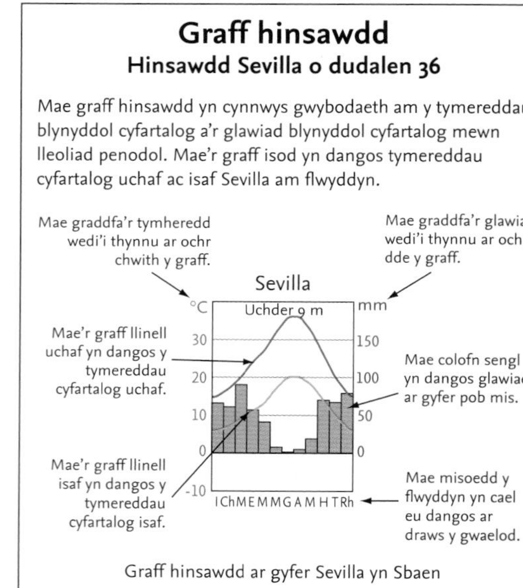

Mae graddfa'r tymheredd wedi'i thynnu ar ochr chwith y graff.

Mae graddfa'r glawiad wedi'i thynnu ar ochr dde y graff.

Mae'r graff llinell uchaf yn dangos y tymereddau cyfartalog uchaf.

Mae colofn sengl yn dangos glawiad ar gyfer pob mis.

Mae'r graff llinell isaf yn dangos y tymereddau cyfartalog isaf.

Mae misoedd y flwyddyn yn cael eu dangos ar draws y gwaelod.

Graff hinsawdd ar gyfer Sevilla yn Sbaen

Siart cylch

Cynhyrchiant olew yn y Dwyrain Canol, 2015 o dudalen 93

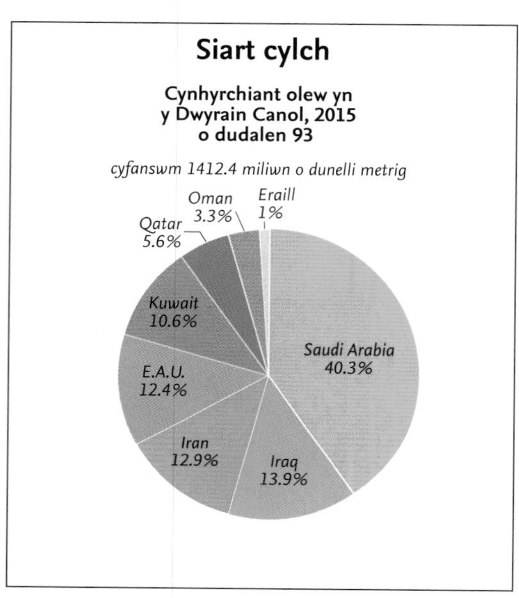

Cylchoedd wedi'u stacio

Y dinasoedd mwyaf poblog yn UDA, 2015 o dudalen 64

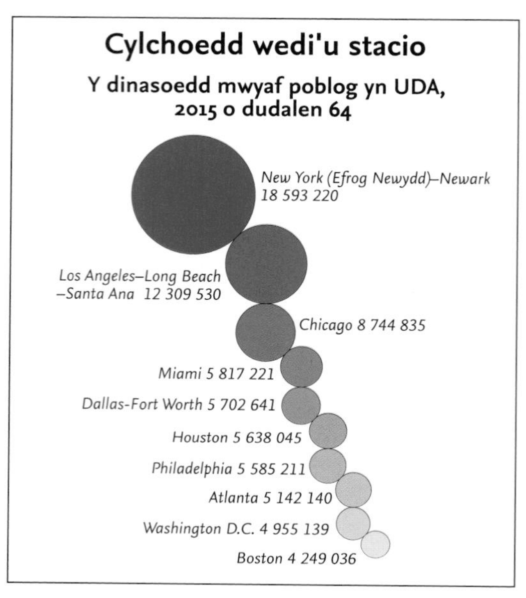

Pyramid poblogaeth

Strwythur poblogaeth Singapore o dudalen 90

Dynion   Menywod

Mae pob sgwâr llawn yn cynrychioli 1% o gyfanswm y boblogaeth

Trwy'r atlas hwn fe welwch setiau o ystadegau ar ffurf tablau sy'n dangos gwerthoedd a dangosyddion sy'n ymwneud â themâu'r mapiau.

Mae tablau ystadegau hinsawdd, ystadegau poblogaeth, dangosyddion gwledydd, gwerthoedd masnach, etc. yn rhai o'r tablau a welir trwy'r atlas hwn.

Poblogaeth yn ôl gwlad

Gwlad	Poblogaeth 2016 (miloedd)	Dwysedd (pobl y km sgwâr)
Lloegr	55 268	424
Cymru	3113	150
Yr Alban	5405	69
Gogledd Iwerddon	1862	137
Y Deyrnas Unedig	65 648	271

Y 5 cydgrynhoad trefol mwyaf, 2015

Cydgrynhoad trefol	Poblogaeth
Tōkyō (Japan)	38 001 018
Delhi (India)	25 703 168
Shanghai (China)	23 740 778
Mumbai (India)	21 042 538
Beijing (China)	20 383 994

Vancouver	Ion	Chw	Maw	Ebr	Mai	Meh	Gor	Awst	Medi	Hyd	Tach	Rhag
Tymheredd – uchaf (°C)	5	7	10	14	18	21	23	23	18	14	9	6
Tymheredd – isaf (°C)	0	1	3	4	8	11	12	12	9	7	4	2
Glawiad – (mm)	218	147	127	84	71	64	31	43	91	147	211	224

Baner	Gwlad	Prifddinas	Poblogaeth cyfanswm 2015	Dwysedd pobl y km sgwâr 2015	Cyfradd geni y 1000 poblogaeth 2015
	Samoa	Apia	193 000	68	25
	San Marino	San Marino	32 000	525	8
	São Tomé a Príncipe	São Tomé	190 000	197	34
	Saudi Arabia	Riyadh	31 540 000	14	20

Lledred

Pellter yw lledred, wedi'i fesur mewn graddau, i'r gogledd ac i'r de o'r Cyhydedd. Mae llinellau lledred yn amgylchynu'r byd mewn cyfeiriad dwyrain–gorllewin. Mae'r pellter rhwng llinellau lledred yn gyfartal bob amser. Paralelau lledred yw'r enw arall arnynt. Gan fod cylchedd y Ddaear yn mynd yn llai tua'r pegynau, mae'r llinellau lledred yn fyrrach wrth fynd yn agosach at y pegynau.

Hydred

Pellter yw hydred, wedi'i fesur mewn graddau, i'r dwyrain ac i'r gorllewin o Feridian Greenwich (prif feridian). Mae llinellau hydred yn cysylltu'r pegynau mewn cyfeiriad gogledd–de. Gan fod y llinellau'n cysylltu'r pegynau, yr un hyd ydynt bob amser, ond mae'r pellter rhyngddynt ar ei fwyaf ar y Cyhydedd ac ar ei leiaf ar y pegynau. Meridianau hydred yw'r enw arall ar y llinellau hyn.

Dod o hyd i leoedd

Wrth dynnu llinellau lledred a hydred ar fap, maent yn ffurfio grid, sy'n edrych fel patrwm o sgwariau. Defnyddir y patrwm hwn i ddod o hyd i leoedd ar fap. Mae'r lledred yn cael ei nodi cyn yr hydred bob tro (e.e. 42°G 78°Gn).

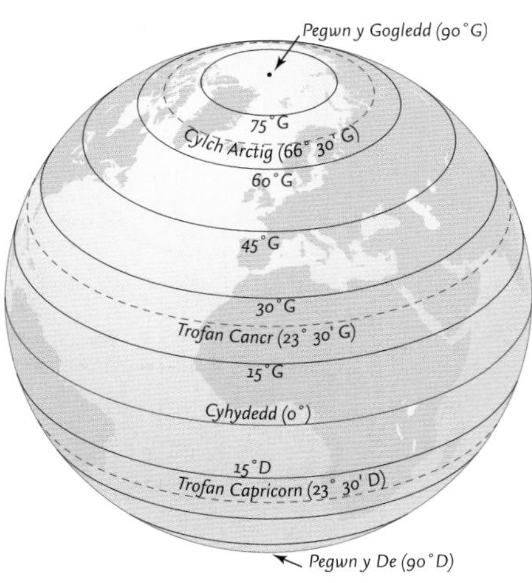

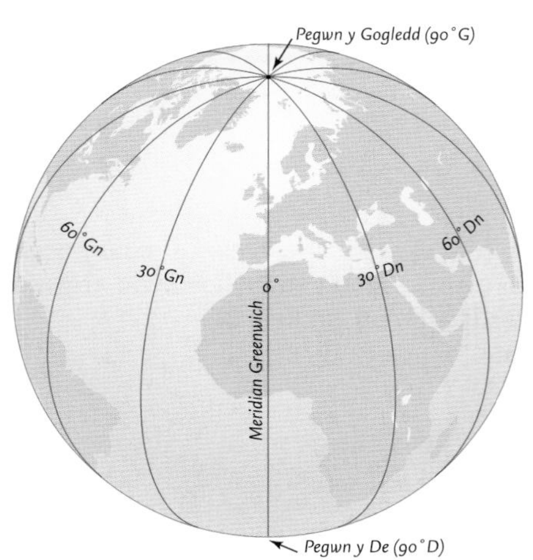

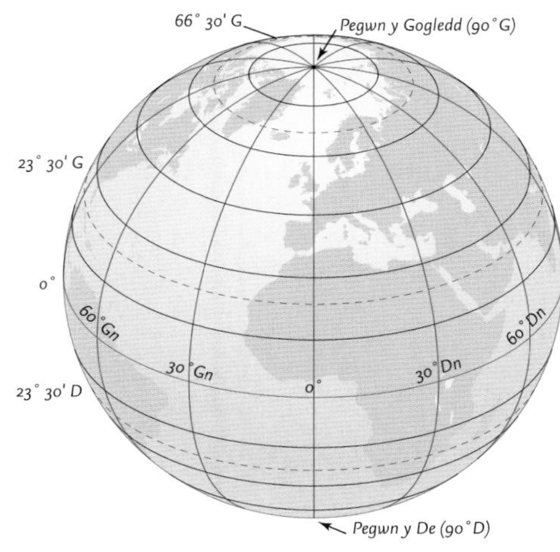

Mae gan bob llinell lledred rif rhwng 0° a 90° a chyfeiriad, naill ai i'r gogledd neu i'r de o'r Cyhydedd. Mae'r Cyhydedd ar ledred 0°. Mae Pegwn y Gogledd 90° i'r gogledd ac mae Pegwn y De 90° i'r de. Mae 'gogwydd' y Ddaear wedi rhoi pwysigrwydd arbennig i rai llinellau lledred.

Maent yn cynnwys:
- y Cylch Arctig ar 66° 30' i'r gogledd
- y Cylch Antarctig ar 66° 30' i'r de
- Trofan Cancr ar 23° 30' i'r gogledd
- Trofan Capricorn ar 23° 30' i'r de

Mae'r Cyhydedd hefyd yn rhannu'r Ddaear yn ddau hanner. Yr hanner sydd i'r gogledd o'r Cyhydedd yw **Hemisffer y Gogledd**. Yr hanner sydd i'r de o'r Cyhydedd yw **Hemisffer y De**.

Mae hydred yn dechrau ar hyd Meridian Greenwich (prif feridian), ar 0°, yn Llundain, Lloegr. Ar ochr gyferbyn y Ddaear y mae'r meridian 180°, sef y Ddyddlinell Ryngwladol. I'r gorllewin o'r prif feridian y mae Canada, yr Unol Daleithiau, a Brasil; i'r dwyrain o'r prif feridian y mae'r Almaen, India a China. Mae gan bob llinell hydred rifau rhwng 0° a 180° a chyfeiriad, naill ai i'r dwyrain neu i'r gorllewin o'r prif feridian.

Gall Meridian Greenwich a'r Ddyddlinell Ryngwladol gael eu defnyddio i rannu'r byd yn ddau hanner. Yr hanner sydd i'r gorllewin o Feridian Greenwich yw **Hemisffer y Gorllewin**. Yr hanner sydd i'r dwyrain o Feridian Greenwich yw **Hemisffer y Dwyrain**.

Trwy nodi lledred ac yna hydred lle, mae'n llawer haws dod o hyd iddo. Mae'n hawdd dod o hyd i bwynt A ar y map (isod) oherwydd ei fod yn union ar ledred 58° i'r gogledd o'r Cyhydedd a hydred 4° i'r gorllewin o Feridian Greenwich (58°G 4°Gn).

I leoli lle yn fwy manwl byth, mae'n bosibl rhannu pob gradd o ledred a hydred yn unedau llai o'r enw munudau ('). Mae 60 munud ym mhob gradd. Ar y map (isod) mae Halkirk hanner (neu 30/60) y ffordd heibio i ledred 58°G, a hanner (neu 30/60) y ffordd heibio i hydred 3°Gn. Felly, lledred Halkirk yw 58 gradd 30 munud i'r gogledd, a'i hydred yw 3 gradd 30 munud i'r gorllewin. Yn gryno, 58°30'G 3°30'Gn yw hyn. Mae'r lledred a'r hydred ar gyfer pob lle a nodwedd sy'n cael eu henwi ar y mapiau i'w cael yn y mynegai.

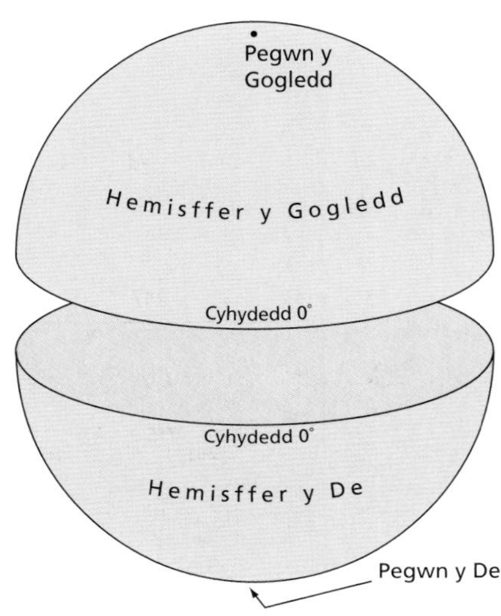

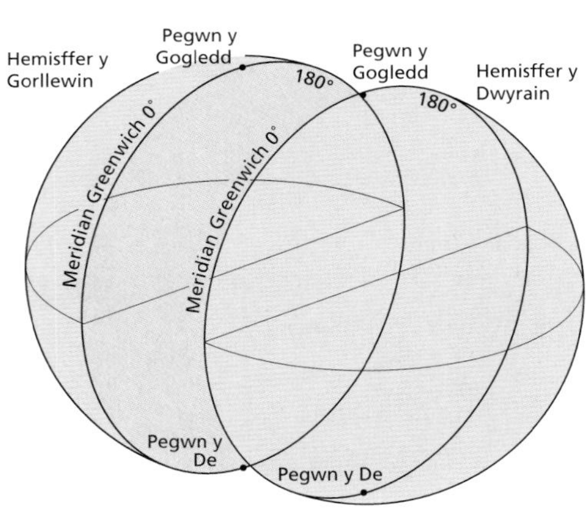

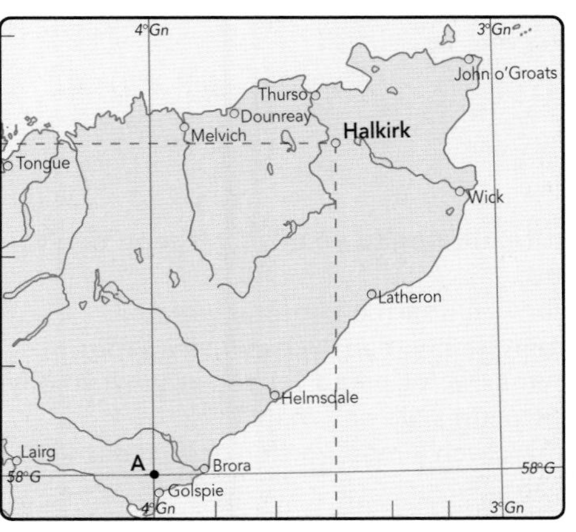

Graddfa

I lunio map o unrhyw ran o'r byd, rhaid lleihau'r arwynebedd i faint tudalen yn yr atlas hwn, map ffyrdd plygadwy, neu fap topograffig. Bydd graddfa map yn dangos faint y cafodd yr arwynebedd ei leihau.

Gellir defnyddio graddfa map i ddarganfod yr union bellter rhwng dau neu fwy o leoedd neu union faint arwynebedd ar fap. Bydd y raddfa yn dangos y berthynas rhwng pellteroedd ar y map a phellteroedd ar y ddaear.

Ffyrdd o ddisgrifio graddfa

Graddfa geiriau: Gallwch chi ddisgrifio graddfa mewn geiriau, e.e. mae un centimetr ar y map yn cynrychioli 100 cilometr ar y ddaear.

Llinell raddfa: Mae llinell gyda'r raddfa wedi'i marcio arni yn ffordd hawdd o gymharu pellteroedd ar y map â phellteroedd ar y ddaear.

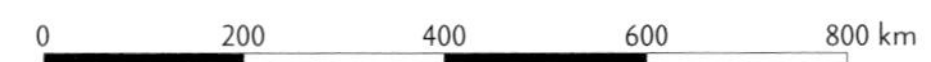

Graddfa gymarebol: Mae'r dull hwn yn defnyddio rhifau i gymharu pellteroedd ar y map â phellteroedd ar y ddaear, e.e. 1:40 000 000. Mae hyn yn golygu bod un centimetr ar y map yn cynrychioli 40 miliwn centimetr ar y ddaear. Mae'r rhif hwn yn rhy fawr i olygu llawer i'r rhan fwyaf o bobl, felly rydym yn trosi centimetrau yn gilometrau trwy eu rhannu â 100 000 sy'n hafal i 400 o gilometrau.

Graddfa map a gwybodaeth ar fap

Mae graddfa map yn pennu faint o wybodaeth a all gael ei dangos ar y map.

Wrth i'r arwynebedd sy'n cael ei ddangos ar fap gynyddu, bydd y manylion sydd ar y map, a chywirdeb y map, yn lleihau.

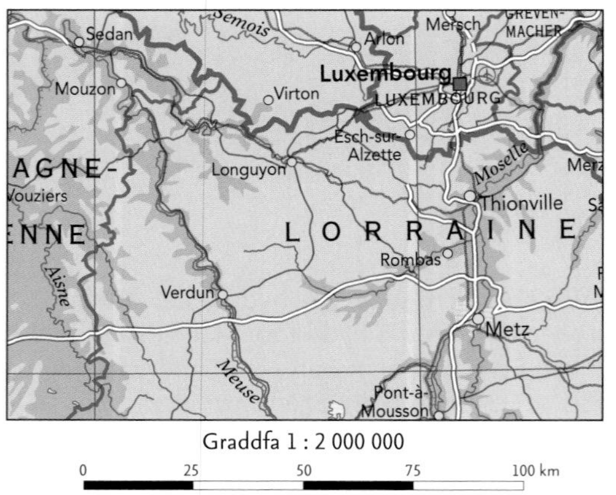

Graddfa 1 : 2 000 000

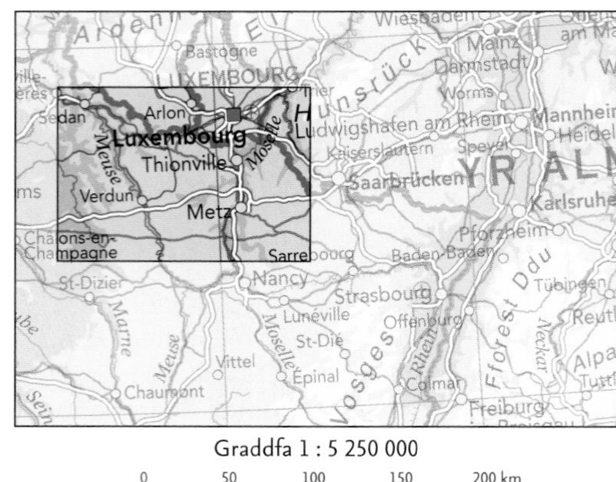

Graddfa 1 : 5 250 000

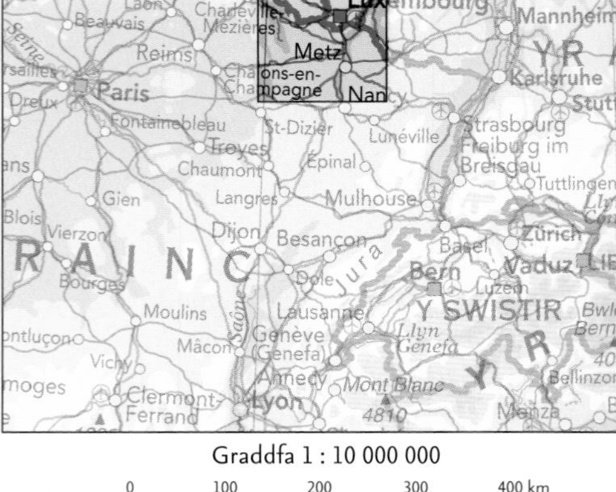

Graddfa 1 : 10 000 000

Graddfa map a gwybodaeth ar fap

Mae'r cyfarwyddiadau isod yn dangos i chi sut i bennu'r pellter rhwng lleoedd ar fap, ac yna trwy ddefnyddio'r llinell raddfa, i bennu'r pellter gwirioneddol ar y ddaear.

Mesur pellteroedd llinell-syth:
1. rhowch ymyl darn o bapur ar y ddau le ar y fap,
2. ar y papur, rhowch farc wrth y naill le a'r llall,
3. rhowch y papur ar hyd y llinell raddfa,
4. mesurwch y pellter ar y ddaear gan ddefnyddio'r raddfa.

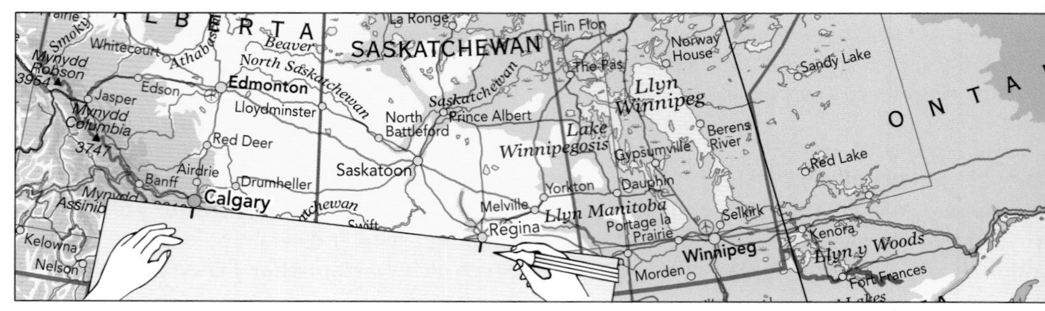

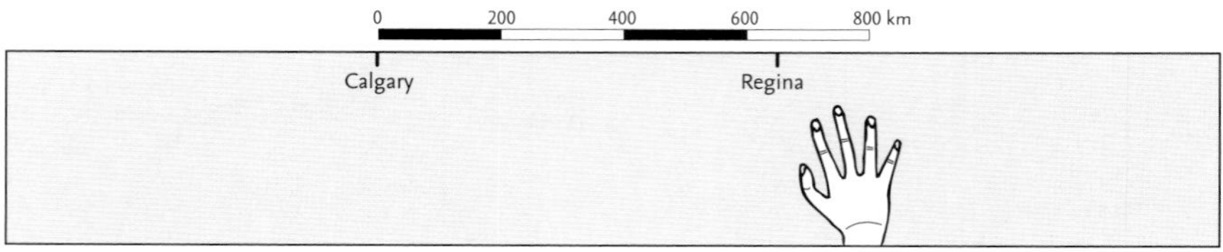

Mesur pellteroedd yn dilyn y troeon neu'r ffordd:
1. rhowch ddarn o bapur ar y map a marciwch y man cychwyn ar y papur,
2. symudwch y papur fel bod yr ymyl yn dilyn y troeon sydd ar y map,
3. marciwch y man gorffen ar eich darn o bapur,
4. rhowch y papur ar y llinell raddfa a darllenwch y pellter gwirioneddol yn dilyn ffordd neu reilffordd.

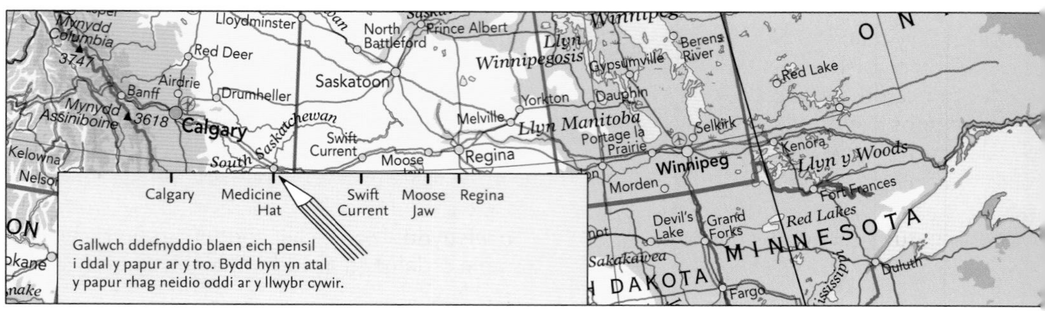

Mae dangos y Ddaear, sy'n sffêr, fel map gwastad wedi bod yn her i wneuthurwyr mapiau. Mae tafluniad map yn ffordd o ddangos arwynebedd wyneb y Ddaear ar ddarn gwastad o bapur. Mae sawl math o dafluniadau map. Nid yw'r un ohonynt yn dangos y Ddaear â manwl gywirdeb perffaith. Mae pob tafluniad map yn aflunio arwynebedd, siâp, cyfeiriad neu bellter.

Tafluniadau Silindrog

Llunnir tafluniadau silindrog trwy daflunio arwyneb y glôb neu'r sffêr (y Ddaear) ar silindr sydd yn prin gyffwrdd ag ymylon allanol y glôb hwnnw. Mae Mercator a Times yn enghreifftiau o dafluniadau silindrog.

Tafluniad Mercator (gweler tudalennau 102–103 am enghraifft o'r tafluniad hwn)

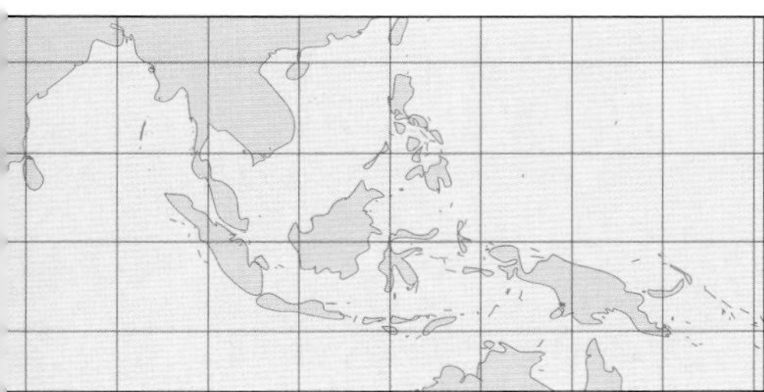

Mae Tafluniad Mercator yn ddefnyddiol ar gyfer ardaloedd sy'n agos i'r Cyhydedd a 15° i'r gogledd neu i'r de o'r Cyhydedd, lle mae aflunio siâp ar ei leiaf. Mae'r tafluniad yn ddefnyddiol ar gyfer mordwyo, oherwydd bod y cyfeiriadau'n cael eu plotio fel llinellau syth.

Tafluniad Eckert IV (gweler tudalennau 116–117 am enghraifft o'r tafluniad hwn)

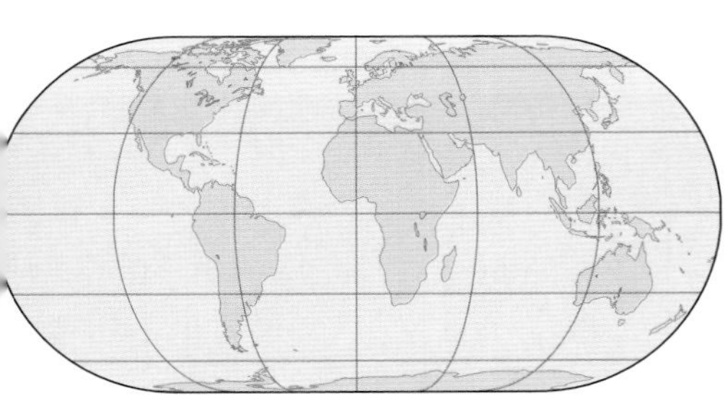

Tafluniad arwynebedd-hafal yw Eckert IV. Mae tafluniadau arwynebedd-hafal yn ddefnyddiol ar gyfer mapiau thematig o'r byd lle mae'n bwysig dangos meintiau cymharol y cyfandiroedd yn gywir. Mae gan Eckert IV feridian canolog syth (yn wahanol i'r mathau eraill sy'n grwm), ac mae hyn yn gymorth i awgrymu natur sfferaidd y ddaear.

Tafluniadau Conig

Llunnir tafluniadau conig trwy daflunio arwyneb glôb neu sffêr (y Ddaear) ar gôn sydd yn prin gyffwrdd ag ymylon allanol y glôb hwnnw. Mae Tafluniad Conig Cytbell a Thafluniad Conig Arwynebedd-hafal Albers yn enghreifftiau o dafluniadau conig.

Tafluniad Conig Cytbell (gweler tudalennau 54–55 am enghraifft o'r tafluniad hwn)

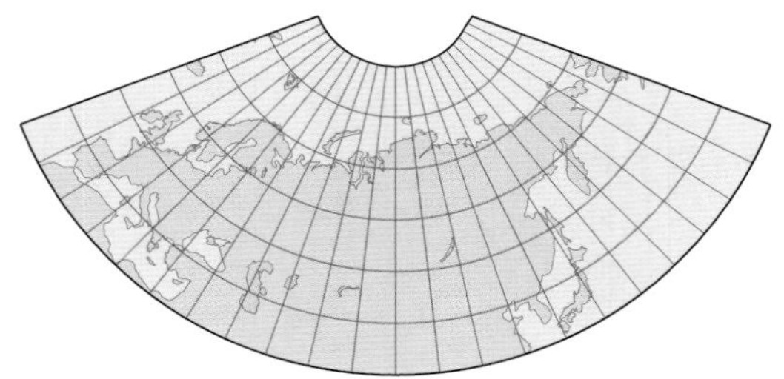

Mae tafluniadau conig yn fwyaf defnyddiol ar gyfer yr ardaloedd rhwng 30° a 60° i'r gogledd ac i'r de o'r Cyhydedd ac iddynt hyd dwyrain–gorllewin hirach na hyd gogledd–de (fel Canada ac Ewrop). Mae'r meridianau'n syth a'r un pellter oddi wrth ei gilydd.

Tafluniad Cydffurfiol Lambert (gweler tudalennau 60–61 am enghraifft o'r tafluniad hwn)

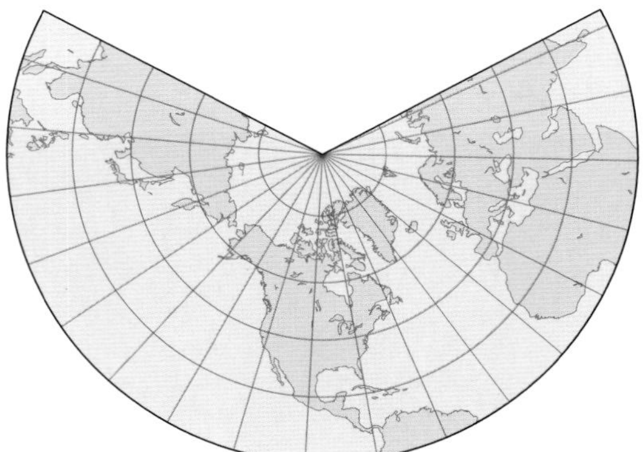

Mae Tafluniad Cydffurfiol Conig Lambert yn cynnal graddfa gywir ar hyd un neu ddau baralel safonol (llinellau lledred). Mae onglau rhwng lleoliadau ar arwynebedd y Ddaear yn cael eu dangos yn gywir. Felly, mae'n cael ei ddefnyddio ar gyfer siartiau awyrennol a mapiau topograffig graddfa fawr mewn llawer o wledydd. Mae'n cael ei ddefnyddio hefyd i fapio ardaloedd ac iddynt faint dwyrain–gorllewin mwy na'u maint gogledd–de.

Tafluniadau Asimwthol

Llunnir tafluniadau asimwthol trwy daflunio arwyneb y glôb neu sffêr (y Ddaear) ar blân sy'n cyffwrdd â'r glôb yn un man yn unig. Rhai enghreifftiau o dafluniadau asimwthol yw Tafluniad Asimwthol Arwynebedd-hafal Lambert a Thafluniad Stereograffig Pegynol.

Tafluniad Stereograffig Pegynol (gweler tudalen 112 am enghraifft o'r tafluniad hwn)

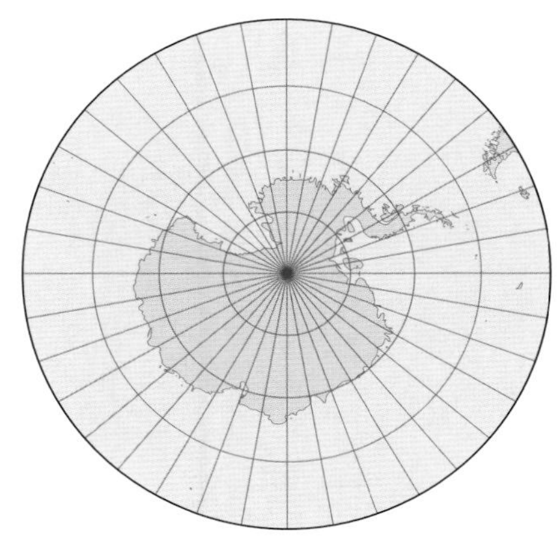

Mae tafluniadau asimwthol yn ddefnyddiol ar gyfer ardaloedd â dimensiynau dwyrain–gorllewin a gogledd–de tebyg, fel Antarctica ac Awstralia.

Tafluniad Asimwthol Arwynebedd-hafal Lambert (gweler tudalennau 108–109 am enghraifft o'r tafluniad hwn)

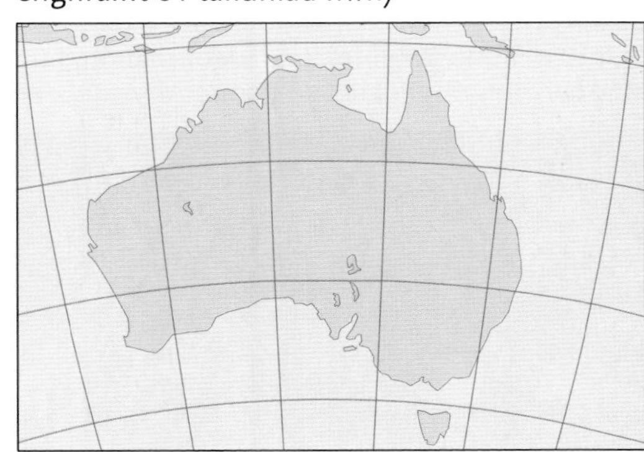

Mae'r tafluniad hwn yn ddefnyddiol ar gyfer ardaloedd â dimensiynau dwyrain–gorllewin a gogledd–de tebyg, fel Awstralia.

Awyrluniau

Lluniau o'r tir sydd fel arfer yn cael eu tynnu oddi ar awyrennau yw awyrluniau. Mae dau fath o awyrluniau, sef awyrluniau fertigol ac awyrluniau arosgo.

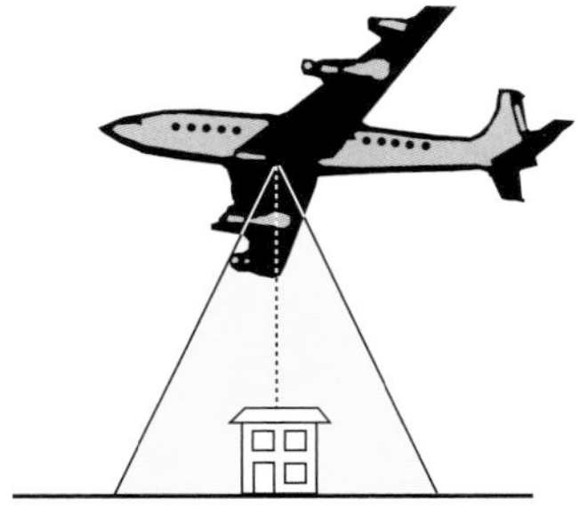

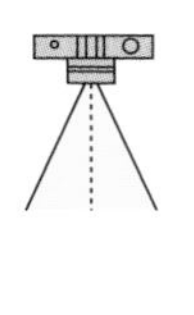

Safle'r camera ar gyfer awyrlun fertigol

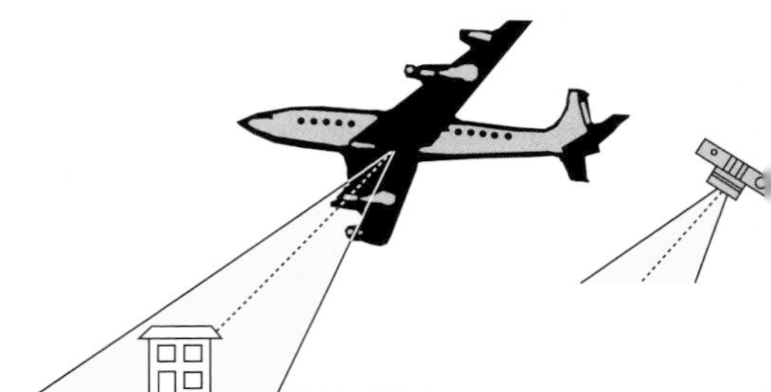

Safle'r camera ar gyfer awyrlun arosgo

Tynnir awyrluniau fertigol o gamera digidol sydd wedi'i osod o dan awyren. Mae'r camera wedi'i gyfeirio yn syth i lawr at y ddaear. Dangosir gwrthrychau o uchder a gall fod yn anodd eu hadnabod.

Mae awyrluniau fertigol yn dangos yr un olwg o'r tir â map graddfa fawr. Mae cartograffwyr yn defnyddio awyrluniau fertigol i'w helpu i wneud mapiau topograffigol 1 : 50 000.

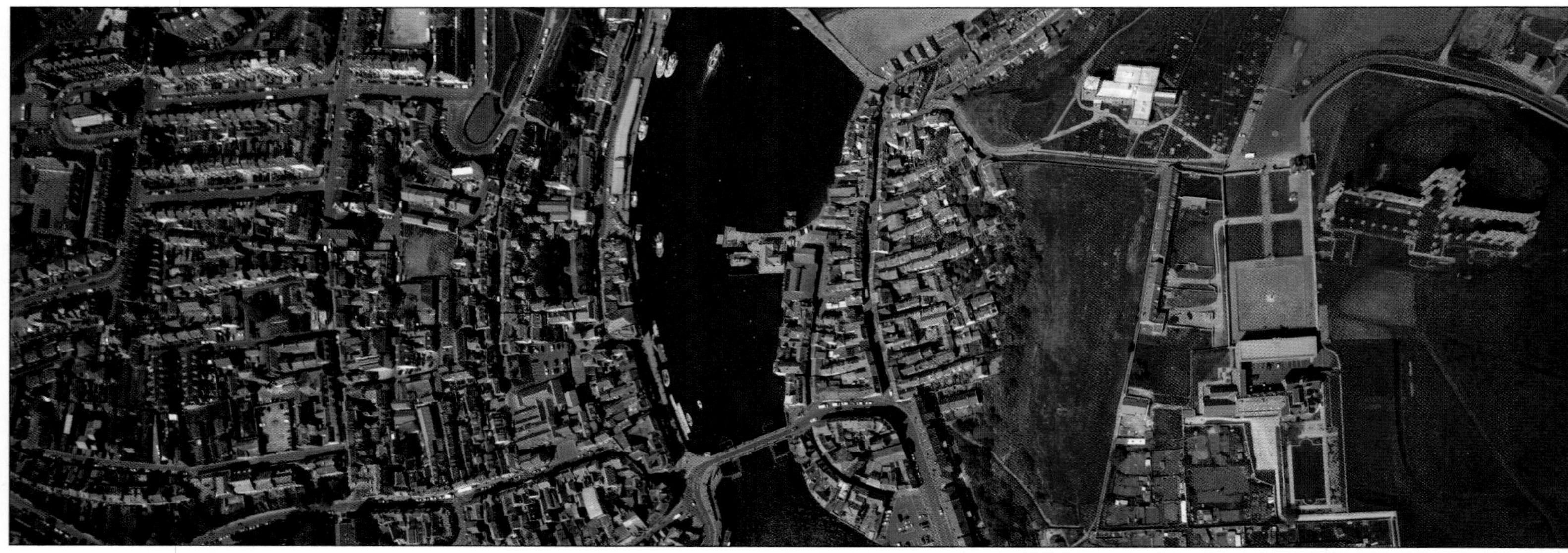

Awyrlun fertigol o Whitby, Gogledd Efrog

Tynnir awyrluniau arosgo o gamera sydd wedi'i osod ar ongl i'r ddaear. Mae'n haws adnabod gwrthrychau mewn awyrluniau arosgo. Ceir dau fath o awyrluniau arosgo: rhai ongl uchel a rhai ongl isel. Mae awyrlun ongl uchel yn dangos arwynebedd mawr o'r tir.

Fel arfer, gallwch weld y gorwel. Mewn awyrluniau ongl isel, nid yw'n bosibl gweld y gorwel. Mae arwynebedd y tir a ddangosir fel arfer yn llawer llai.

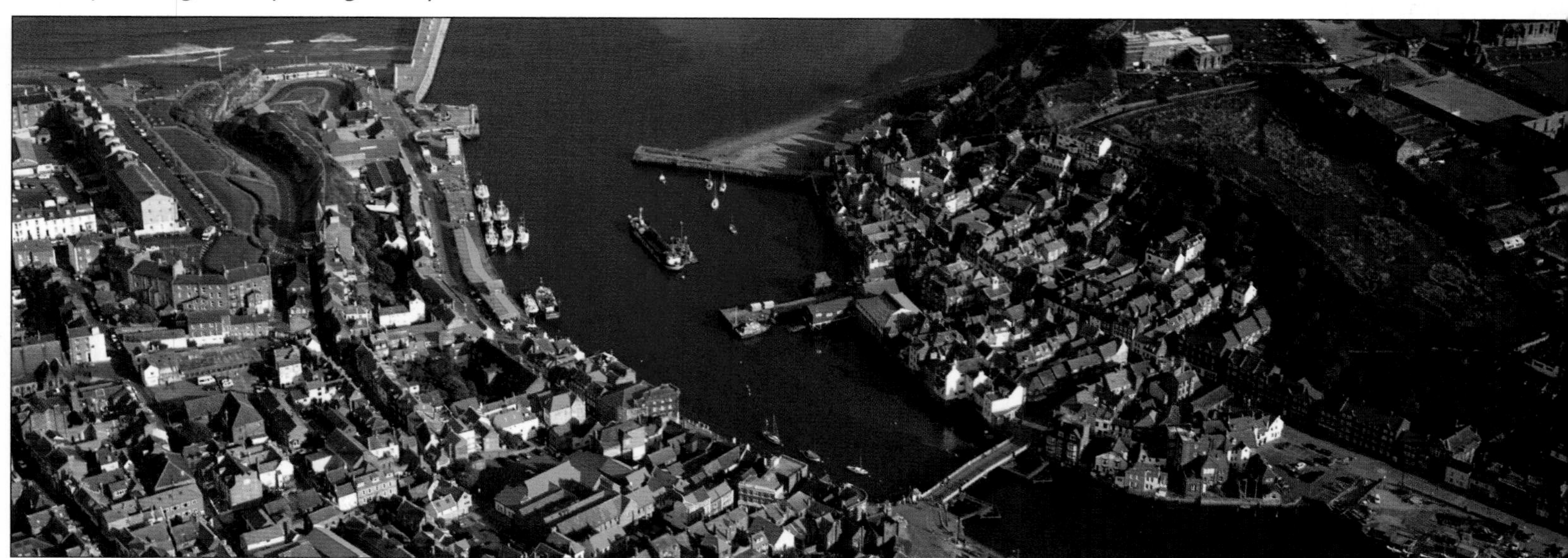

Awyrlun arosgo ongl isel o'r un arwynebedd yn Whitby, Gogledd Efrog

Cysyniadau GIS

Mae GIS (System Gwybodaeth Ddaearyddol) yn set o offer y'n gallu cael eu defnyddio i gasglu, storio, adalw, addasu ac arddangos data gofodol. Gall data gofodol ddod o nifer o ffynonellau gan gynnwys mapiau presennol, delweddau lloeren, awyrluniau neu ddata wedi'u casglu o arolygon GPS (System Leoli Byd-Eang).

Mae GIS yn cysylltu'r wybodaeth hon â'i lleoliad go iawn yn y byd c yn gallu arddangos hyn mewn cyfres o haenau y gallwch wedyn ddewis eu dangos neu beidio neu eu cyfuno gan ddefnyddio cyfrifiadur.

Gall GIS ddefnyddio gwybodaeth ofodol mewn tair ffordd.
Map sy'n gasgliad o haenau sy'n cynnwys symbolau. Mae'r llun ar y dde yn dangos nifer o haenau GIS.
Fel gwybodaeth ddaearyddol mewn cronfa ddata, wedi'i storio ar gyfrifiadur.
Fel set o offer sy'n creu setiau data daearyddol newydd trwy ddefnyddio data daearyddol presennol sydd wedi'i storio.

Defnyddio GIS

Gall GIS gael ei defnyddio mewn llawer ffordd i helpu datrys problemau, canfod patrymau, gwneud penderfyniadau a chynllunio ar gyfer datblygiad. Er enghraifft, efallai bydd llywodraeth newydd eisiau adeiladu ardal busnes newydd mewn anheddiad. Byddai GIS yn gallu rhoi gwybodaeth ar: y nifer o bobl sy'n byw yn yr ardal, llwybrau cludiant, incwm cyfartalog y boblogaeth, a'r mathau o nwyddau mae pobl yn eu prynu. Mae'n bosibl defnyddio GIS i ganfod sawl tŷ sydd wedi'i adeiladu ar orlifdir. Gallai'r wybodaeth hon ddylanwadu ar gynlluniau argyfwng neu adleoli tai.

Termau GIS

Data gofodol: mae data gofodol yn disgrifio lleoliad a siâp nodweddion. Gallwch chi weld y nodweddion hyn ar fap neu ar sgrin cyfrifiadur.

Data priodoleddau: mae data priodoleddau yn disgrifio neu'n ychwanegu gwybodaeth am nodwedd, megis: niferoedd poblogaeth, enwau lleoedd, ystadegau hinsawdd. Gellir storio data priodoleddau mewn tablau neu fel testun o fewn GIS. Mae data priodoleddau yn cynnwys data rhastr a data fector.

Data fector: mae data fector yn cynrychioli nodweddion fel pwyntiau, llinellau ac arwynebedd, e.e. copaon mynyddoedd, ffonydd, aneddiadau.

Data rhastr: mae data rhastr yn cynrychioli nodweddion map fel celloedd mewn grid. Gellir storio pwyntiau, llinellau ac arwynebeddau ar ffurf celloedd grid. Mae delwedd loeren yn enghraifft o ddata rhastr.

Haenau GIS

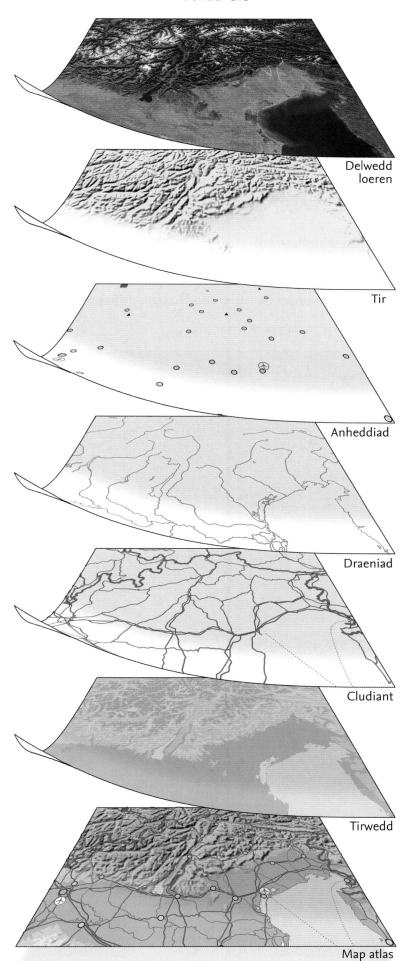

Delwedd loeren

Tir

Anheddiad

Draeniad

Cludiant

Tirwedd

Map atlas

Enghraifft o haenau gwahanol sy'n gallu cael eu storio a'u defnyddio mewn GIS.

Delweddau lloeren

Mae delweddau sy'n cael eu tynnu gan nifer mawr o loerennau arsyllu'r Ddaear yn cynnig golygfeydd unigryw o'r Ddaear. Synhwyro o bell yw'r enw am y wyddor o gasglu a dehongli delweddau o'r fath. Mae daearyddwyr yn defnyddio delweddau wedi'u tynnu o uchder mawr uwchlaw y Ddaear i bennu patrymau, tueddiadau a nodweddion sylfaenol arwyneb y Ddaear. Mae sganwyr a synwyryddion o fathau gwahanol yn cael eu gosod ar loerennau er mwyn casglu gwybodaeth am y Ddaear. Landsat a SPOT yw'r lloerennau mwyaf adnabyddus.

Mae synwyryddion lloeren yn canfod pelydriad electromagnetig – pelydrau X, golau uwchfioled, lliwiau gweladwy a signalau microdon. Gellir prosesu'r data hyn i roi gwybodaeth am briddoedd, defnydd tir, daeareg, llygredd a phatrymau tywydd.

Trychinebau naturiol

Mae sawl defnydd i ddelweddau lloeren. Un yw cymharu dwy ddelwedd er mwyn archwilio'r ffyrdd mae cyflwr ardal wedi newid dros gyfnod o amser. Gall delweddau lloeren a dynnwyd cyn ac ar ôl digwyddiad naturiol fel llif neu storm ffyrnig ddangos maint y difrod a helpu o ran cynllunio mewn argyfwng.

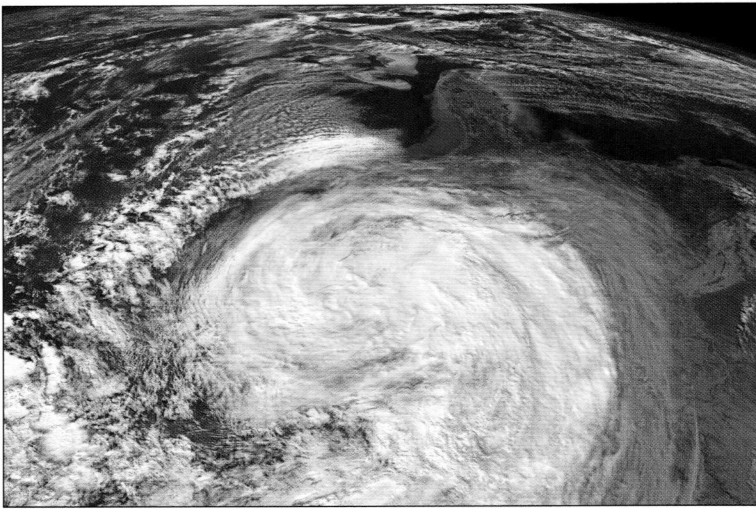

Delwedd loeren sy'n dangos Corwynt Sandy dros ogledd ddwyrain UDA, yn 2012. Mae delweddau lloeren yn helpu pobl i baratoi ar gyfer trychinebau naturiol fel seiclonau a llifogydd. Mae gwyddonwyr tywydd yn defnyddio delweddau lloeren i'w helpu wrth wneud rhagolygon o'r tywydd.

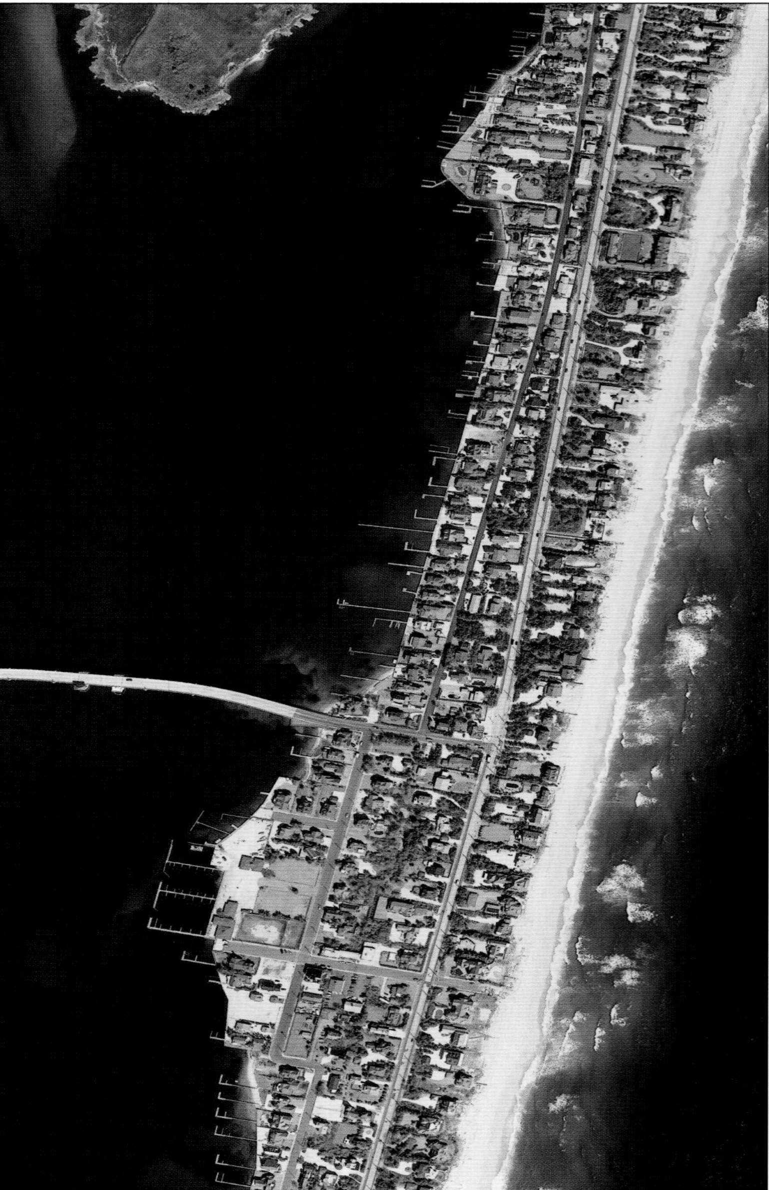

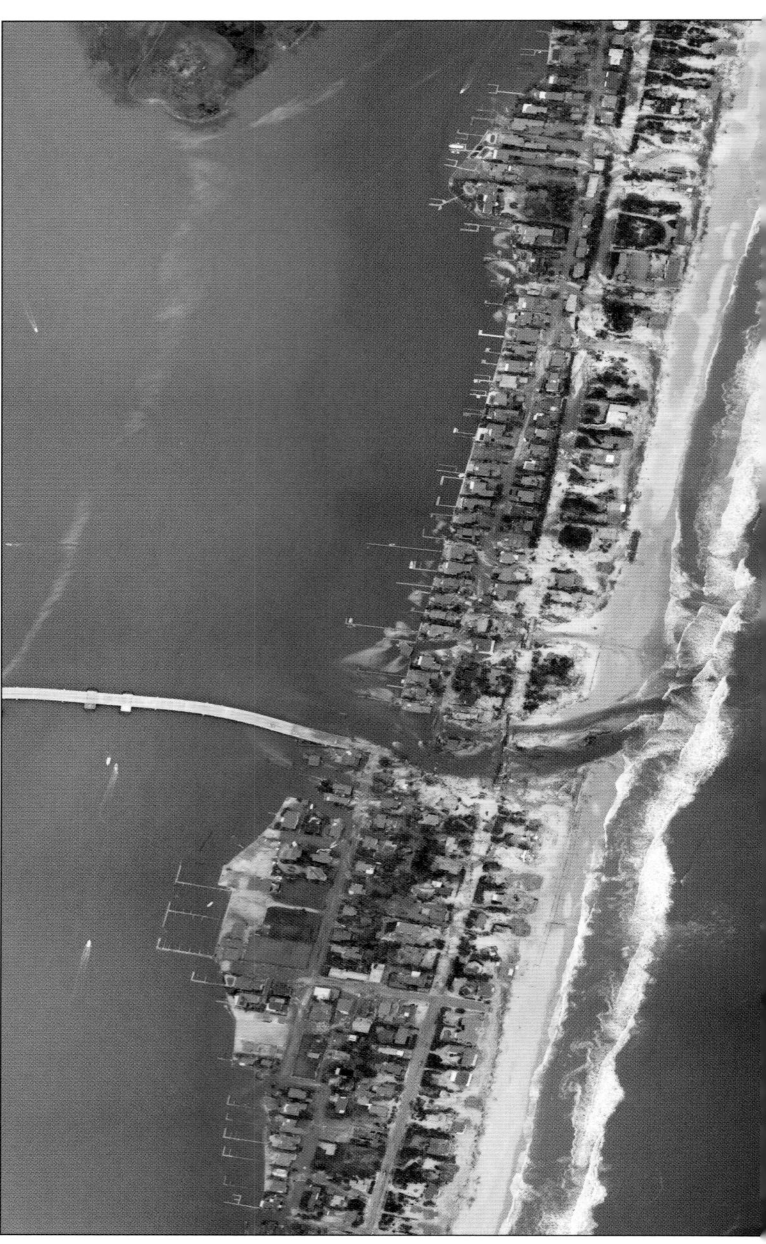

Ym mis Hydref 2012, achoswyd difrod sylweddol a marwolaethau yn y Caribî ac yn nwyrain UDA gan effeithiau Corwynt Sandy. Mae'r ddwy ddelwedd loeren uchod yn dangos rhan o dref Mantoloking ar arfordir New Jersey cyn ac ar ôl y teiffŵn.

byd yn y nos

Crëwyd y ddelwedd ar y dde trwy defnyddio casgliad o ddelweddau lloeren oedd yn recordio maint y golau oedd yn cael ei allyrru gan aneddiadau dynol. Mae inasoedd a llinellau cludiant yn cael eu amlygu fel darnau o olau disglair. Mae iffeithdiroedd, coedwigoedd, llynnoedd mynyddoedd uchel yn cael eu goleuo'n vael neu'n gwbl dywyll. Mae'r ddelwedd peren hon yn amlygu clystyrau trefol, a ellir ystyried hyn fel dangosydd atblygiad.

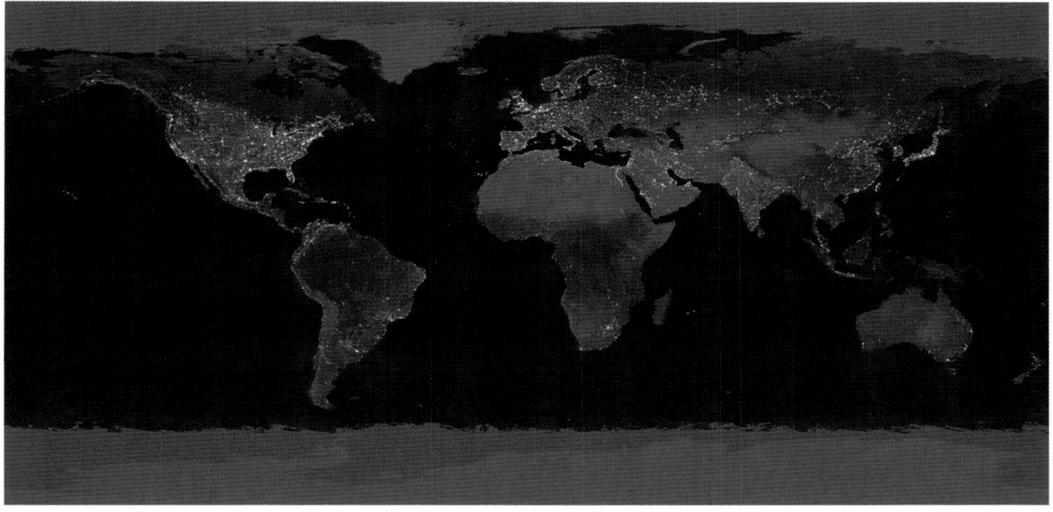

Y byd yn y nos

wf y ddinas

Mae'r ddwy ddelwedd loeren ar y dde yn angos sut mae dinas Manila, prifddinas ilipinas, wedi tyfu. Gwelir maint yr ardal refol yn 1989 ac yn 2012 yn y delweddau hyn. Manila yw gwlad fwyaf poblog y byd.

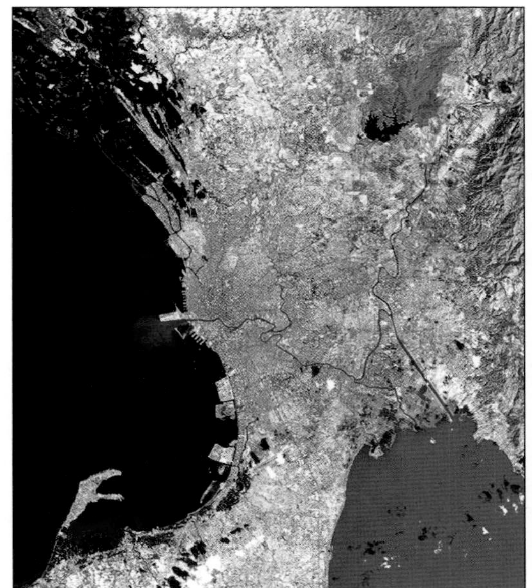

Manila 1989

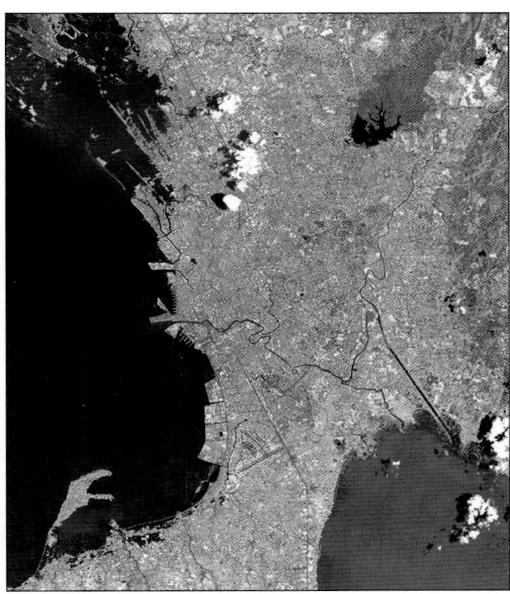

Manila 2012

Newid yn yr hinsawdd

Gellir defnyddio delweddau lloeren a dynnwyd ros gyfnod o amser er mwyn adnabod ffeithiau newid yn yr hinsawdd. Er enghraifft, all cyfres o ddelweddau lloeren ddangos pa nor bell mae llenni iâ wedi encilio, neu sut nae traethlinau llynnoedd a moroedd wedi ewid dros gyfnod penodol o amser.

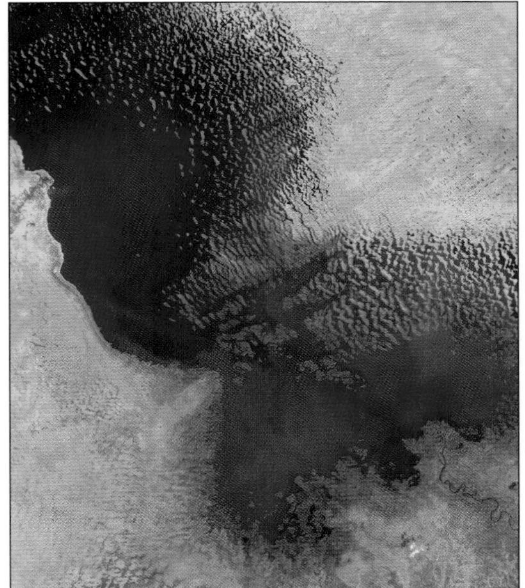

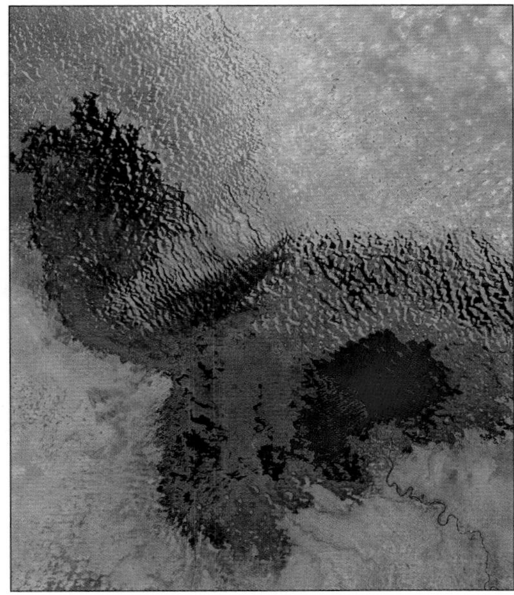

Delweddau lloeren yn dangos lleihad ym maint Llyn Tchad dros gyfnod o amser

Y Deyrnas Unedig: De Ddwyrain Lloegr

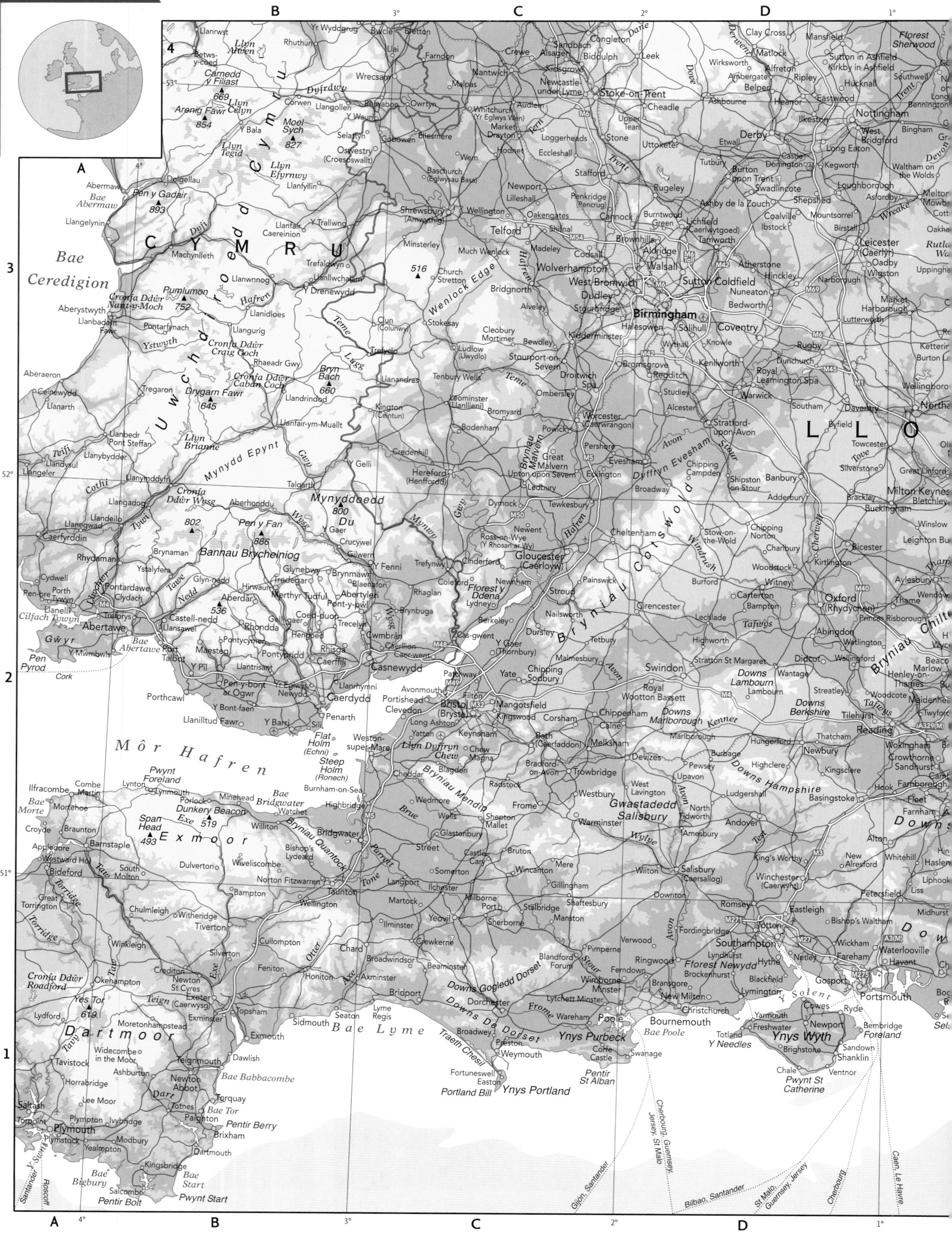
A
B
C
D
1
2
3
4
4°
3°
2°
1°
53°
52°
51°
C Y M R U
L L O
Bae Ceredigion
Môr Hafren
Bae Lyme
Y Solent
Bae Abermaw
Cilfach Tywyn
Bae Abertawe
Bae Bridgwater
Bae Morte
Bae Babbacombe
Bae Tor
Bae Bigbury
Bae Start
Bae Poole
Uwchdiroedd Cymru
Mynydd Epynt
Mynyddoedd Du
Bannau Brycheiniog
Wenlock Edge
Bryniau Malvern
Dyffryn Evesham
Cotswold
Bryniau Cotswold
Bryniau Mendip
Bryniau Quantock
Exmoor
Dartmoor
Gwastadedd Salisbury
Downs Marlborough
Downs Berkshire
Downs Lambourn
Downs Hampshire
Downs Gogledd Dorset
Downs De Dorset
Fforest Newydd
Fforest y Ddena
Fforest Sherwood
Bryniau Chiltern
Ynys Wyth
Ynys Purbeck
Ynys Portland
Portland Bill
Traeth Chesil
Pentir St Alban
Pwynt St Catherine
Y Needles
Pentir Berry
Pentir Bolt
Pwynt Start
Pwynt Foreland
Span Head 493
Dunkery Beacon 519
Yes Tor 619
Pen y Fan 886
Pen y Gadair 893
Arenig Fawr 854
Carnedd y Filiast 669
Moel Sych 827
Pumlumon 752
Drygarn Fawr 645
Bryn Bach 660
Gŵyr
Pen Pyrod
Cork
Flat Holm (Echni)
Steep Holm (Ronech)
Birmingham
Bristol (Bryste)
Caerdydd
Abertawe
Casnewydd
Gloucester (Caerloyw)
Oxford (Rhydychen)
Southampton
Portsmouth
Plymouth
Exeter (Caerwysg)
Bournemouth
Poole
Nottingham
Derby
Leicester (Caerlŷr)
Coventry
Wolverhampton
Stoke-on-Trent
Reading
Swindon
Bath (Caerfaddon)
Salisbury (Caersallog)
Winchester (Caerwynt)
Worcester (Caerwrangon)
Hereford (Henffordd)
Shrewsbury (Amwythig)
Aberystwyth
Caerfyrddin
Wrecsam
Telford
Cheltenham
Weymouth
Torquay
Taunton
Yeovil
Bridgwater
Barnstaple
Weston-super-Mare
Milton Keynes
Northampton
Cherbourg, Guernsey, Jersey, St Malo
Gijón, Santander
Bilbao, Santander
St Malo, Guernsey, Jersey
Cherbourg
Caen, Le Havre
Santander
Roscoff

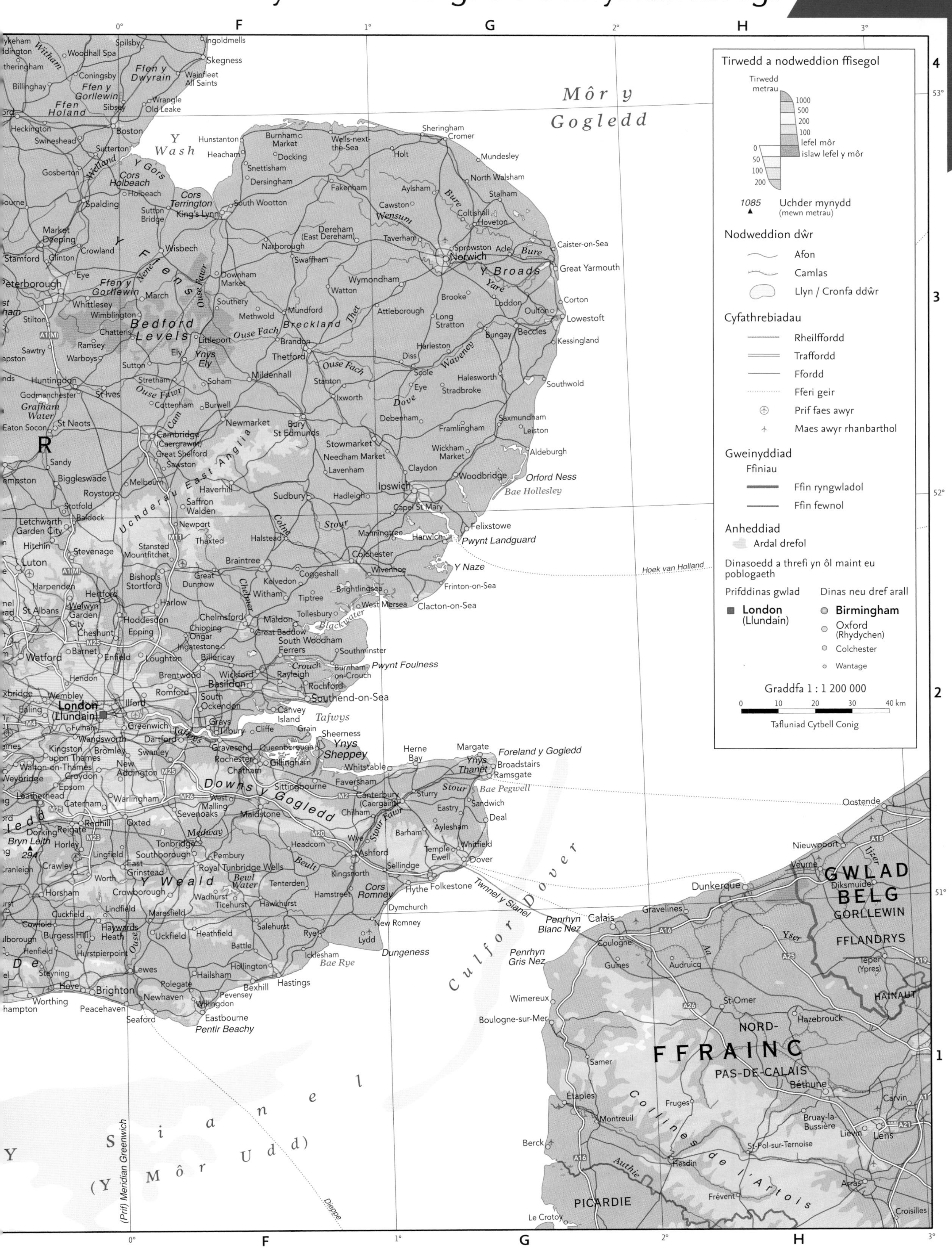

Tirwedd a nodweddion ffisegol

Tirwedd
metrau

1000
500
200
100
50
0 lefel môr
islaw lefel y môr

1085 ▲ Uchder mynydd
(mewn metrau)

Nodweddion dŵr

Afon
Camlas
Llyn / Cronfa ddŵr

Cyfathrebiadau

Rheilffordd
Traffordd
Ffordd
Fferi geir
⊕ Prif faes awyr
✈ Maes awyr rhanbarthol

Gweinyddiad

Ffiniau
Ffin ryngwladol
Ffin fewnol

Anheddiad

Ardal drefol

Dinasoedd a threfi yn ôl maint eu poblogaeth

Prifddinas gwlad | Dinas neu dref arall

■ London (Llundain) | ● Birmingham
| ◉ Oxford (Rhydychen)
| ◎ Colchester
| ○ Wantage

Graddfa 1 : 1 200 000

0   10   20   30   40 km

Tafluniad Cytbell Conig

Y Deyrnas Unedig: Cymru a De Orllewin Lloegr

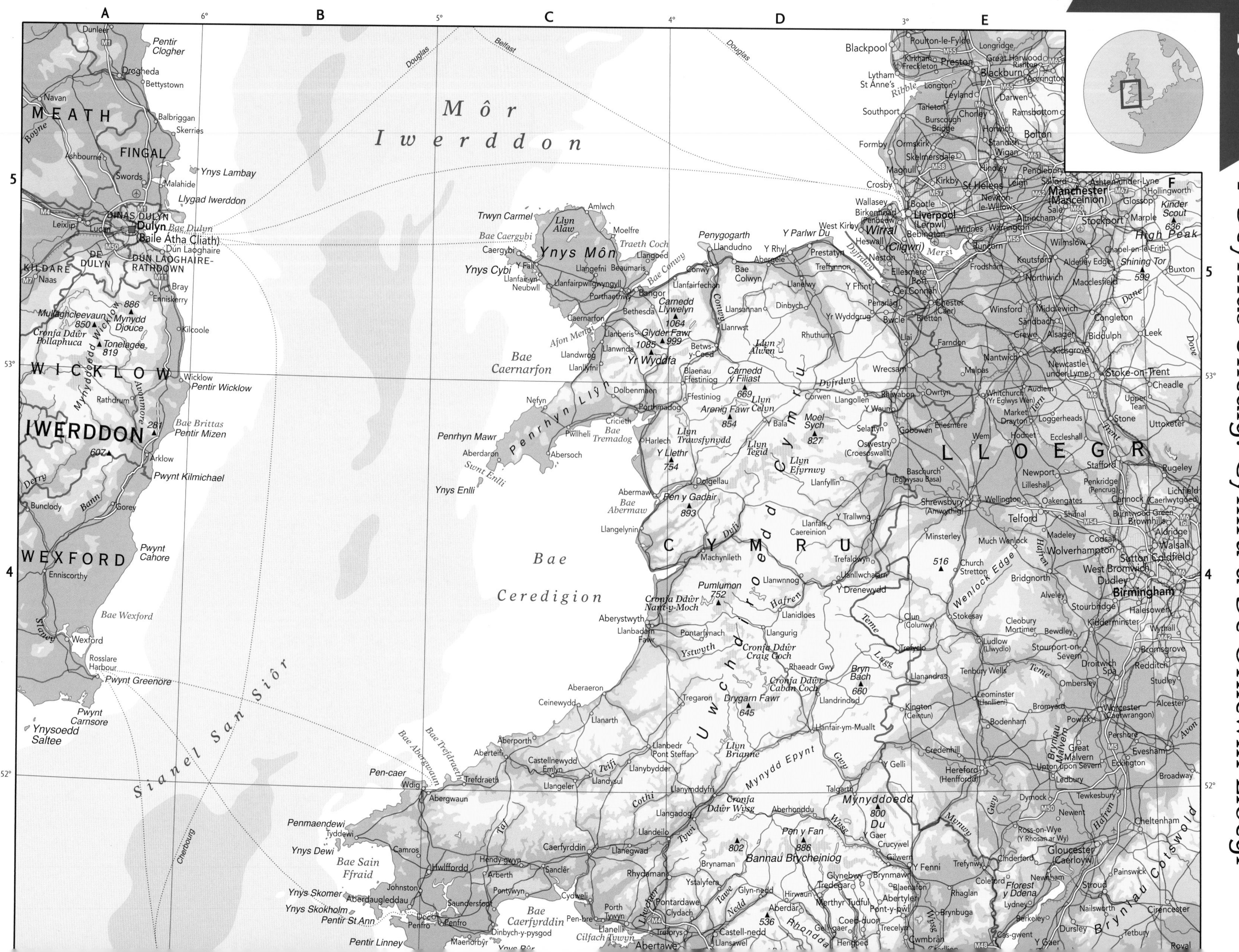

Môr Iwerddon
Bae Ceredigion
Sianel San Siôr
CYMRU
LLOEGR
IWERDDON
MEATH
FINGAL
WICKLOW
WEXFORD
KILDARE
Ynys Môn
Bae Caernarfon
Penrhyn Llŷn
Bae Caerfyrddin
Bae Sain Ffraid
Mynyddoedd Cambria
Uwchdiroedd Cymru
Mynydd Epynt
Mynyddoedd Du
Bannau Brycheiniog
Bryniau Cotswold
Wenlock Edge
Yr Wyddfa
Pumlumon
Birmingham
Manchester (Manceinion)
Liverpool (Lerpwl)
Dulyn (Baile Átha Cliath)
Blackpool
Preston
Blackburn
Bolton
Stoke-on-Trent
Chester (Caer)
Wrecsam
Shrewsbury (Amwythig)
Telford
Wolverhampton
Hereford (Henffordd)
Gloucester (Caerloyw)
Cheltenham
Bangor
Caernarfon
Caergybi
Llandudno
Aberystwyth
Caerfyrddin
Hwlffordd
Abertawe
Wexford
Arklow
Wicklow
Drogheda

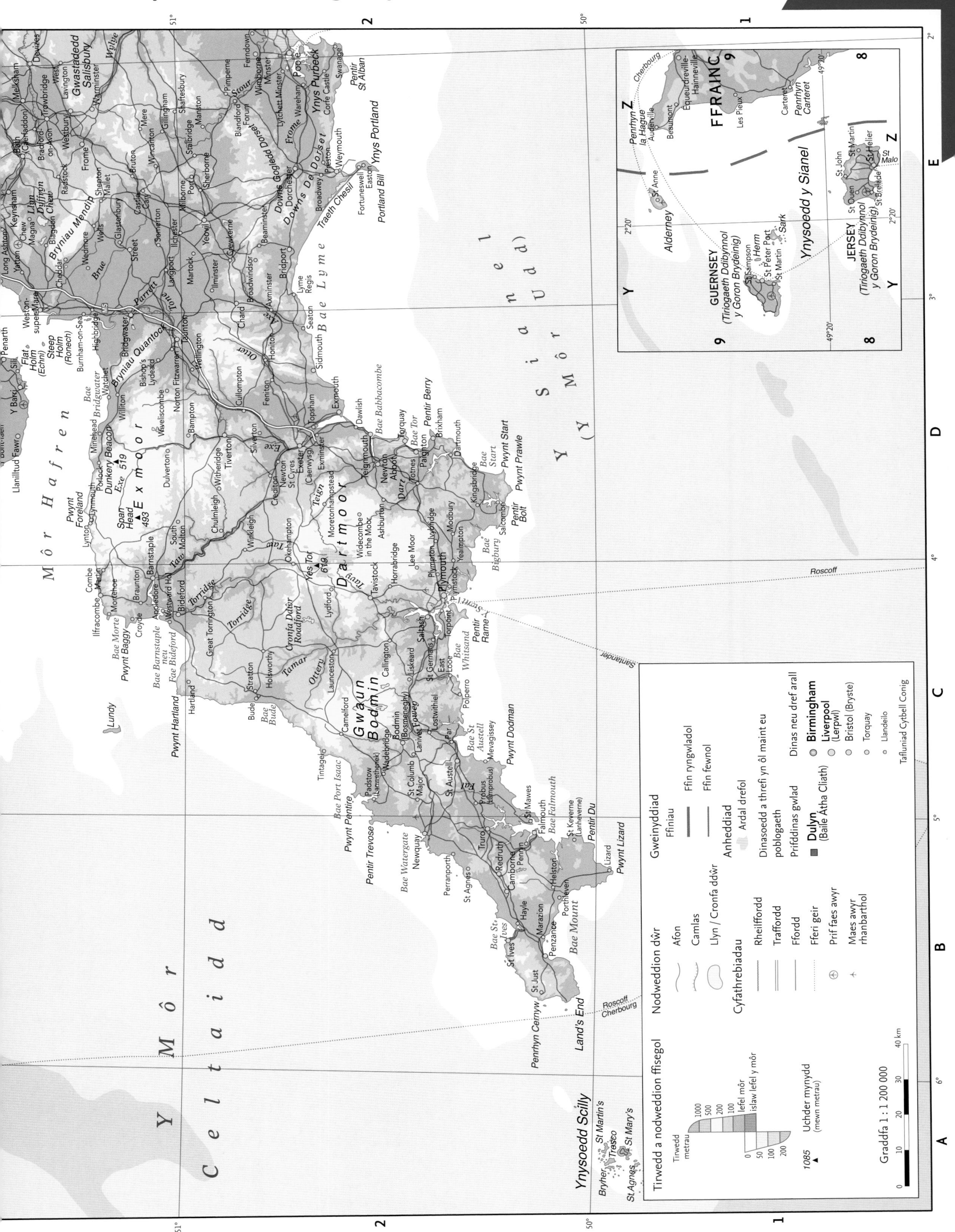
Tirwedd a nodweddion ffisegol
Tirwedd metrau
1000
500
200
100
lefel môr
islaw lefel y môr
0
50
100
200
1085 Uchder mynydd (mewn metrau)
Graddfa 1 : 1 200 000
0 10 20 30 40 km
Nodweddion dŵr
Afon
Camlas
Llyn / Cronfa ddŵr
Cyfathrebiadau
Rheilffordd
Trafford
Ffordd
Fferi geir
Prif faes awyr
Maes awyr rhanbarthol
Gweinyddiad
Ffiniau
Ffin ryngwladol
Ffin fewnol
Anheddiad
Ardal drefol
Dinasoedd a threfi yn ôl maint eu poblogaeth
Prifddinas gwlad
Dinas neu dref arall
Dulyn (Baile Átha Cliath)
Birmingham
Liverpool (Lerpwl)
Bristol (Bryste)
Torquay
Llandeilo
Tafluniad Cytbell Conig
Y Môr Celtaidd
Môr Hafren
Y Sianel (Y Môr Udd)
Bae Lyme
Ynysoedd Scilly
Land's End
Penrhyn Cernyw
Pwynt Lizard
Gwaun Bodmin
Dartmoor
Exmoor
Bryniau Quantock
Bryniau Mendip
Gwastadedd Salisbury
Downs Dorset
Ynys Purbeck
Ynys Portland
Lundy
Plymouth
Exeter (Caerwysg)
Taunton
Truro
Penzance
Barnstaple
Torquay
Weymouth
Poole
Bath (Caerfaddon)
Weston-super-Mare
Roscoff
Cherbourg
Santander
FFRAINC
Ynysoedd y Sianel
Alderney
GUERNSEY (Tiriogaeth Ddibynnol y Goron Brydeinig)
JERSEY (Tiriogaeth Ddibynnol y Goron Brydeinig)
Sark
Herm
St Peter Port
St Helier
Penrhyn la Hague
Penrhyn Carteret

Y Deyrnas Unedig: Gogledd Lloegr

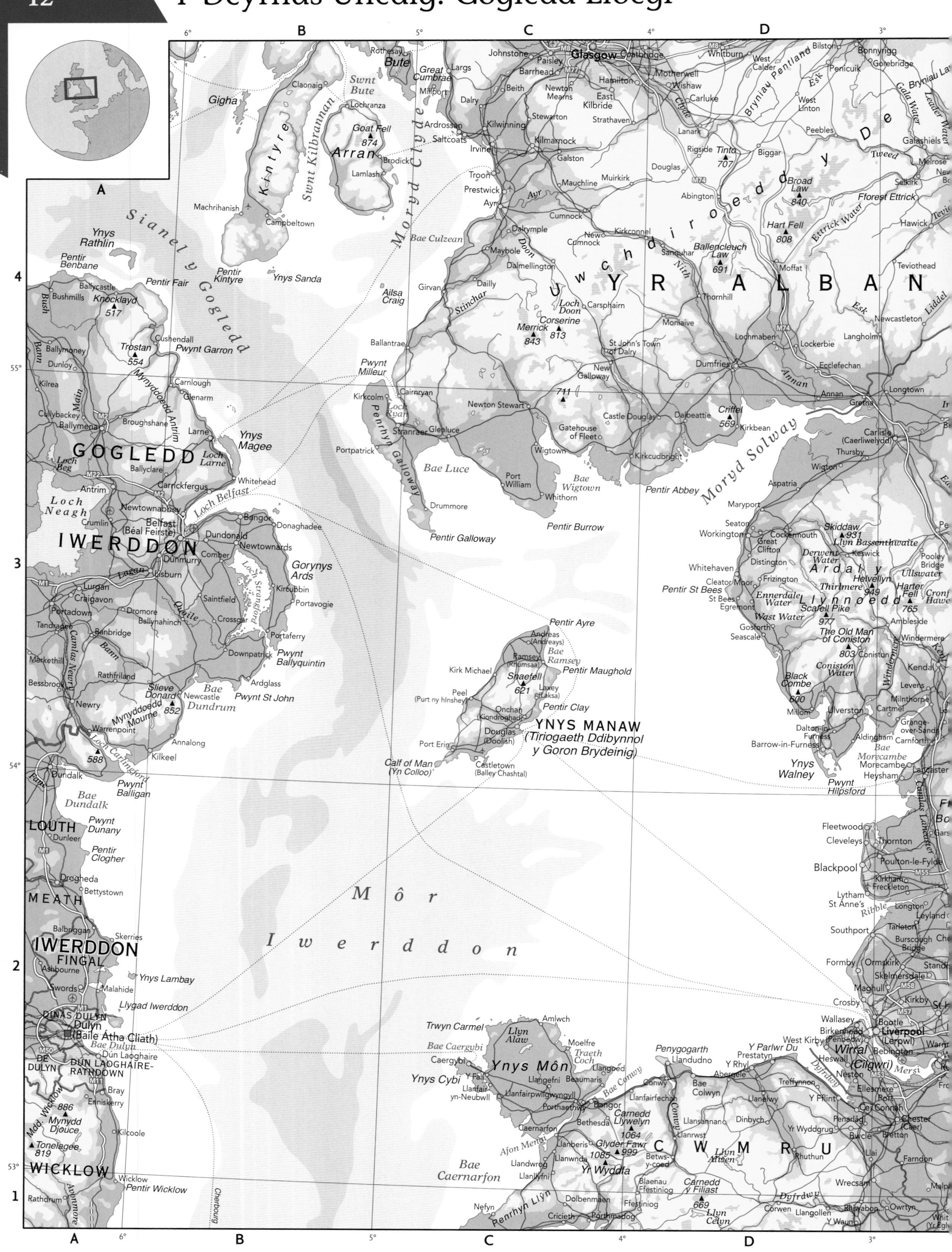

6°
B
5°
C
4°
D
3°
A
Gigha
Kintyre
Sunt Kilbrannan
Swnt Bute
Bute
Rothesay
Claonaig
Lochranza
Goat Fell
874
Arran
Brodick
Lamlash
Great Cumbrae
Largs
Millport
Moryd Clyde
Ardrossan
Saltcoats
Irvine
Kilwinning
Dalry
Beith
Johnstone
Paisley
Barrhead
Glasgow
Coatbridge
Motherwell
Wishaw
Hamilton
Newton Mearns
East Kilbride
Stewarton
Strathaven
Carluke
Kilmarnock
Galston
Troon
Prestwick
Ayr
Mauchline
Muirkirk
Cumnock
Lanark
Douglas
Tinto
707
Biggar
Abington
Machrihanish
Campbeltown
Sianel y Gogledd
Ynys Rathlin
Pentir Benbane
Pentir Fair
Pentir Kintyre
Ynys Sanda
Ailsa Craig
Girvan
Bae Culzean
Dalrymple
Maybole
Dalmellington
Dailly
Stinchar
Doon
New Cumnock
Kirkconnel
Sanquhar
Nith
Whitburn
West Calder
Bilston
Bonnyrigg
Gorebridge
Penicuik
West Linton
Bryniau Pentland
Esk
Peebles
Galashiels
Tweed
Melrose
Selkirk
Broad Law
840
Fforest Ettrick
Hart Fell
808
Ettrick Water
Hawick
Ballencleuch Law
691
Moffat
Teviothead
Ucheldiroedd y De
Y R A L B A N
Thornhill
Moniaive
Loch Doon
Carsphairn
Merrick
843
Corserine
813
St John's Town of Dalry
New Galloway
Lochmaben
Lockerbie
Langholm
Newcastleton
Liddel
Dumfries
Ecclefechan
Annan
Gretna
Longtown
Ballantrae
Pwynt Milleur
Cairnryan
Kirkcolm
Loch Ryan
Newton Stewart
711
Castle Douglas
Dalbeattie
Criffel
569
Kirkbean
Gatehouse of Fleet
Stranraer
Glenluce
Portpatrick
Penrhyn Galloway
Bae Luce
Wigtown
Port William
Whithorn
Bae Wigtown
Kirkcudbright
Pentir Abbey
Moryd Solway
Carlisle (Caerliwelydd)
Thursby
Wigton
Aspatria
Maryport
Drummore
Pentir Galloway
Pentir Burrow
Seaton
Workington
Cockermouth
Great Clifton
Skiddaw
931
Llyn Bassenthwaite
Keswick
Pooley Bridge
Derwent Water
Ullswater
Distington
Whitehaven
Cleator Moor
Frizington
Ardal y Llynnoedd
Helvellyn
949
Harter Fell
765
Pentir St Bees
St Bees
Egremont
Ennerdale Water
Thirlmere
Scafell Pike
977
Wast Water
Ambleside
Gosforth
Seascale
The Old Man of Coniston
803
Coniston
Windermere
Coniston Water
Kendal
Black Combe
600
Levens
Millom
Milnthorpe
Ulverston
Cartmel
Grange-over-Sands
Dalton-in-Furness
Aldingham
Carnforth
Barrow-in-Furness
Bae Morecambe
Morecambe
Heysham
Lancaster
Ynys Walney
Pwynt Hilpsford
Bushmills
Ballycastle
Knocklayd
517
Bush
Bann
Ballymoney
Trostan
554
Cushendall
Pwynt Garron
Dunloy
Mynyddoedd Antrim
Carnlough
Glenarm
Kilrea
Main
Cullybackey
Ballymena
Broughshane
Larne
Ynys Magee
Loch Larne
GOGLEDD
Loch Beg
Ballyclare
Carrickfergus
Whitehead
Antrim
Loch Neagh
Newtownabbey
Loch Belfast
Bangor
Donaghadee
Crumlin
Belfast (Béal Feirste)
Dundonald
Newtownards
IWERDDON
Dunmurry
Comber
Loch Strangford
Gorynys Ards
Lagan
Lisburn
Lurgan
Craigavon
Kircubbin
Saintfield
Portavogie
Portadown
Dromore
Ballynahinch
Crossgar
Quoile
Tandragee
Banbridge
Camlas Newry
Portaferry
Markethill
Bann
Downpatrick
Pwynt Ballyquintin
Rathfriland
Ardglass
Bessbrook
Slieve Donard
Newcastle
Bae Dundrum
Pwynt St John
Newry
Mynyddoedd Mourne
852
Warrenpoint
Annalong
Loch Carlingford
588
Kilkeel
Dundalk
Fane
Pwynt Balligan
Bae Dundalk
LOUTH
Pwynt Dunany
Dunleer
Pentir Clogher
Drogheda
Bettystown
MEATH
Balbriggan
Skerries
IWERDDON
FINGAL
Ashbourne
Ynys Lambay
Swords
Malahide
Llygad Iwerddon
DINAS DULYN
Dulyn (Baile Átha Cliath)
Bae Dulyn
Dún Laoghaire
DE DULYN
DÚN LAOGHAIRE-RATHDOWN
Bray
Enniskerry
886
Mynydd Djouce
Mdd. Wicklow
Kilcoole
Tonelagee
819
WICKLOW
Wicklow
Pentir Wicklow
Rathdrum
Avonmore
Cherbourg
Pentir Ayre
Andreas (Andreays)
Ramsey (Rhumsaa)
Bae Ramsey
Pentir Maughold
Kirk Michael
Snaefell
621
Laxey (Laksa)
Peel (Purt ny hInshey)
Pentir Clay
Onchan (Kiondroghad)
Douglas (Doolish)
YNYS MANAW
(Tiriogaeth Ddibynnol y Goron Brydeinig)
Port Erin
Calf of Man (Yn Colloo)
Castletown (Balley Chashtal)
Môr Iwerddon
Fleetwood
Cleveleys
Thornton
Blackpool
Poulton-le-Fylde
Kirkham
Freckleton
Lytham St Anne's
Ribble
Longton
Southport
Tarleton
Leyland
Burscough Bridge
Formby
Ormskirk
Skelmersdale
Maghull
Kirkby
Crosby
Wallasey
Birkenhead (Penbedw)
Bootle
Liverpool (Lerpwl)
West Kirby
Bebington
Wirral (Cilgwri)
Mersi
Heswall
Neston
Ellesmere Port
Prestatyn
Y Parlwr Du
Y Rhyl
Abergele
Penygogarth
Llandudno
Trwyn Carmel
Amlwch
Llyn Alaw
Moelfre
Traeth Coch
Bae Caergybi
Caergybi
Ynys Môn
Llangoed
Beaumaris
Ynys Cybi
Y Fali
Llangefni
Llanfair-yn-Neubwll
Llanfairpwllgwyngyll
Porthaethwy
Bangor
Bae Conwy
Conwy
Llanfairfechan
Bae Colwyn
Llanelwy
Treffynnon
Y Fflint
Dyfrdwy
Conwy
Carnedd Llywelyn
1064
Bethesda
Llansannan
Dinbych
Caernarfon
Yr Wyddgrug
Penarlâg
Caer (Chester)
Bwcle
Bretton
Afon Menai
Llanberis
Glyder Fawr
999
1085
Llanrwst
C W M R U
Llyn Alwen
Rhuthun
Llai
Farndon
Bae Caernarfon
Llandwrog
Llanwnda
Llanllyfni
Yr Wyddfa
Betws-y-coed
Blaenau Ffestiniog
Carnedd y Filiast
669
Wrecsam
Dyfrdwy
Nefyn
Penrhyn Llŷn
Dolbenmaen
Cricieth
Porthmadog
Ffestiniog
Llyn Celyn
Corwen
Llangollen
Rhiwabon
Owrtyn
Y Waun

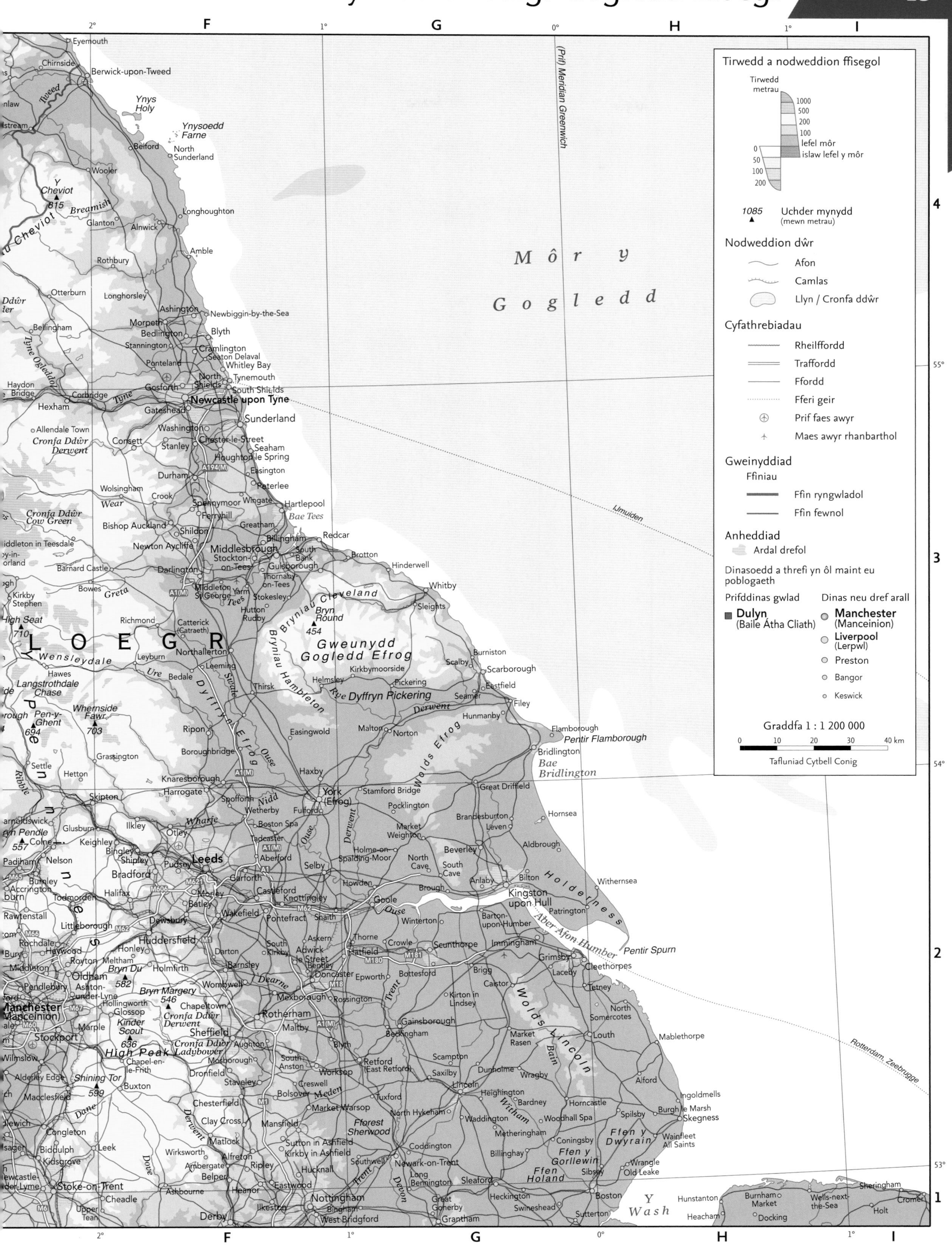

Tirwedd a nodweddion ffisegol

Tirwedd
metrau

1000
500
200
100
lefel môr
islaw lefel y môr
0
50
100
200

1085 ▲ Uchder mynydd
(mewn metrau)

Nodweddion dŵr

〜 Afon

≈ Camlas

◯ Llyn / Cronfa ddŵr

Cyfathrebiadau

Rheilffordd

Traffordd

Ffordd

Fferi geir

⊕ Prif faes awyr

✈ Maes awyr rhanbarthol

Gweinyddiad

Ffiniau

Ffin ryngwladol

Ffin fewnol

Anheddiad

◇ Ardal drefol

Dinasoedd a threfi yn ôl maint eu poblogaeth

Prifddinas gwlad

■ **Dulyn**
(Baile Átha Cliath)

Dinas neu dref arall

◉ **Manchester**
(Manceinion)

◎ **Liverpool**
(Lerpwl)

◦ Preston

◦ Bangor

∘ Keswick

Graddfa 1 : 1 200 000

0   10   20   30   40 km

Tafluniad Cytbell Conig

Y Deyrnas Unedig: Gogledd Iwerddon a De'r Alban

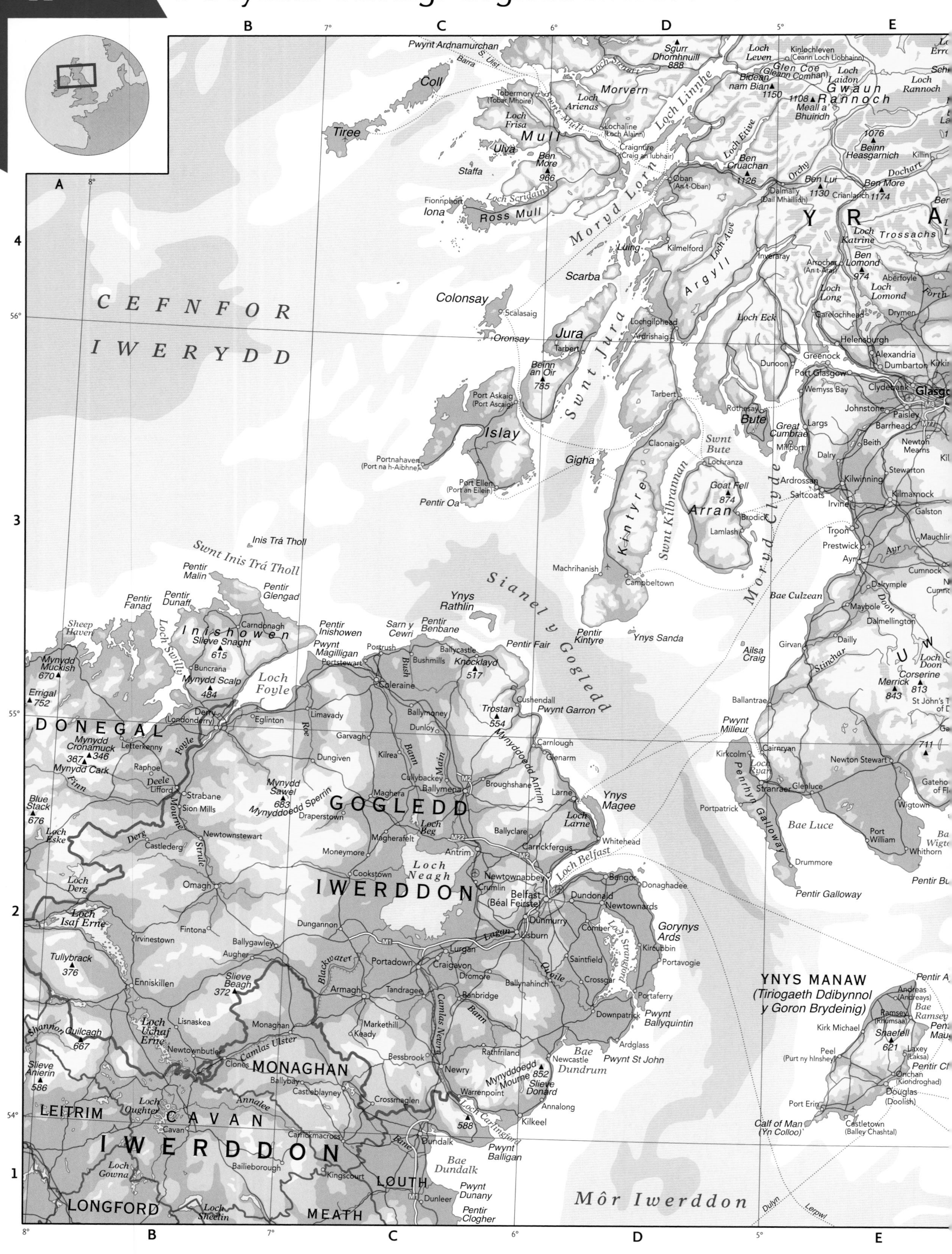
CEFNFOR IWERYDD
GOGLEDD IWERDDON
IWERDDON
DONEGAL
LEITRIM
CAVAN
MONAGHAN
LONGFORD
MEATH
LOUTH
YNYS MANAW
(Tiriogaeth Ddibynnol y Goron Brydeinig)
Môr Iwerddon
Sianel y Gogledd
Moryd Clyde
Moryd Lorn
Swnt Jura
Swnt Inis Trá Tholl
Mull
Ross Mull
Coll
Tiree
Iona
Ulva
Staffa
Colonsay
Oronsay
Jura
Scarba
Luing
Islay
Gigha
Kintyre
Arran
Bute
Argyll
Morvern
Gwaun Rannoch
Inishowen
Loch Foyle
Loch Neagh
Loch Belfast
Ynys Rathlin
Ynys Sanda
Ailsa Craig
Ynys Magee
Gorynys Ards
Penrhyn Galloway
Bae Luce
Bae Culzean
Bae Dundrum
Bae Dundalk
Glasgow
Belfast (Béal Feirste)
Derry (Londonderry)
Douglas (Doolish)
Oban (An t-Oban)
Tobermory (Tobar Mhoire)
Campbeltown
Stranraer
Newry
Armagh
Omagh
Enniskillen
Coleraine
Ballymena
Lisburn
Bangor
Larne
Dundalk
Ben More 966
Ben Lui 1130
Ben Cruachan 1126
Ben Lomond 974
Beinn an Oir 785
Goat Fell 874
Merrick 843
Slieve Donard 852
Snaefell 621
Errigal 752
Sperrin
Mynyddoedd Mourne
Mynyddoedd Antrim
Pentir Malin
Pentir Kintyre
Pentir Galloway
Pwynt Ardnamurchan
Calf of Man (Yn Colloo)
Dulyn
Lerpwl

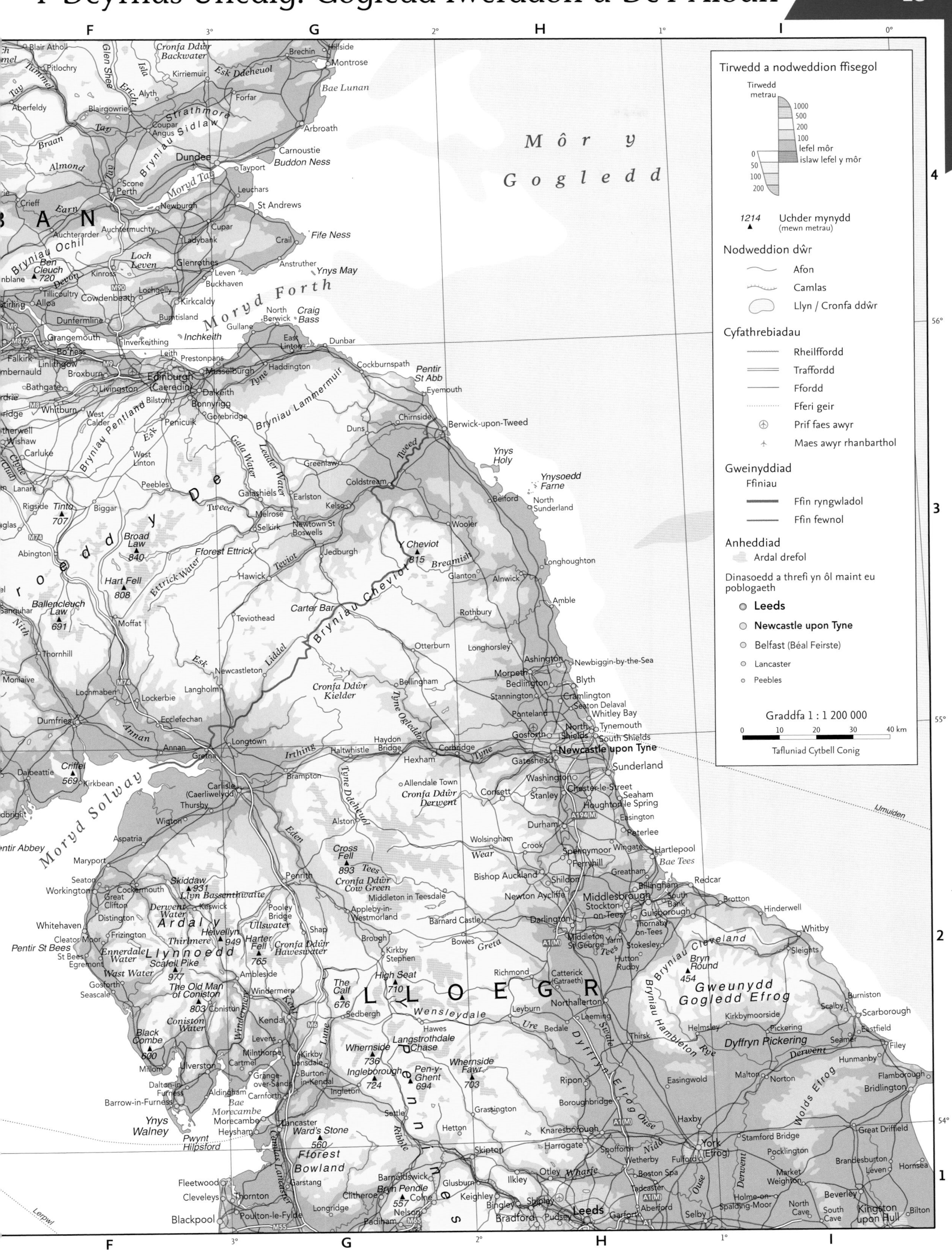

Tirwedd a nodweddion ffisegol

Tirwedd
metrau

1000
500
200
100
0   lefel môr
islaw lefel y môr
50
100
200

1214 ▲ Uchder mynydd
(mewn metrau)

Nodweddion dŵr

〜 Afon

Camlas

Llyn / Cronfa ddŵr

Cyfathrebiadau

Rheilffordd

Traffordd

Ffordd

Fferi geir

⊕ Prif faes awyr

✈ Maes awyr rhanbarthol

Gweinyddiad

Ffiniau

Ffin ryngwladol

Ffin fewnol

Anheddiad

Ardal drefol

Dinasoedd a threfi yn ôl maint eu poblogaeth

⬤ Leeds

⬤ Newcastle upon Tyne

◉ Belfast (Béal Feirste)

○ Lancaster

○ Peebles

Graddfa 1 : 1 200 000

0   10   20   30   40 km

Tafluniad Cytbell Conig

Môr y Gogledd

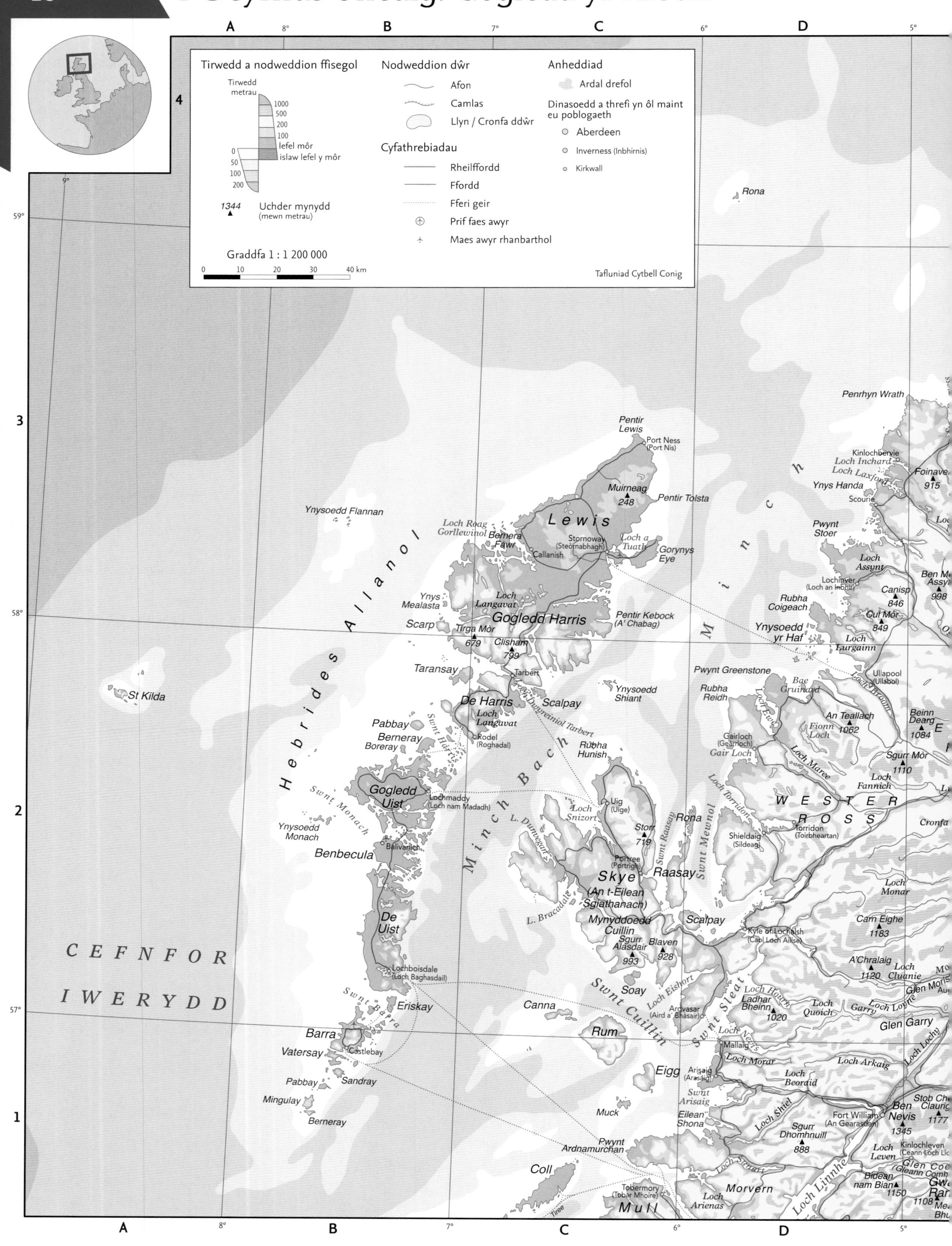

Tirwedd a nodweddion ffisegol

Tirwedd
metrau

1000
500
200
100
0 lefel môr
islaw lefel y môr
50
100
200

▲ 1344   Uchder mynydd
(mewn metrau)

Graddfa 1 : 1 200 000

0   10   20   30   40 km

Nodweddion dŵr

〰 Afon

Camlas

Llyn / Cronfa ddŵr

Cyfathrebiadau

Rheilffordd

Ffordd

Fferi geir

⊕ Prif faes awyr

✈ Maes awyr rhanbarthol

Anheddiad

Ardal drefol

Dinasoedd a threfi yn ôl maint
eu poblogaeth

◉ Aberdeen

◎ Inverness (Inbhirnis)

○ Kirkwall

Tafluniad Cytbell Conig

CEFNFOR
IWERYDD

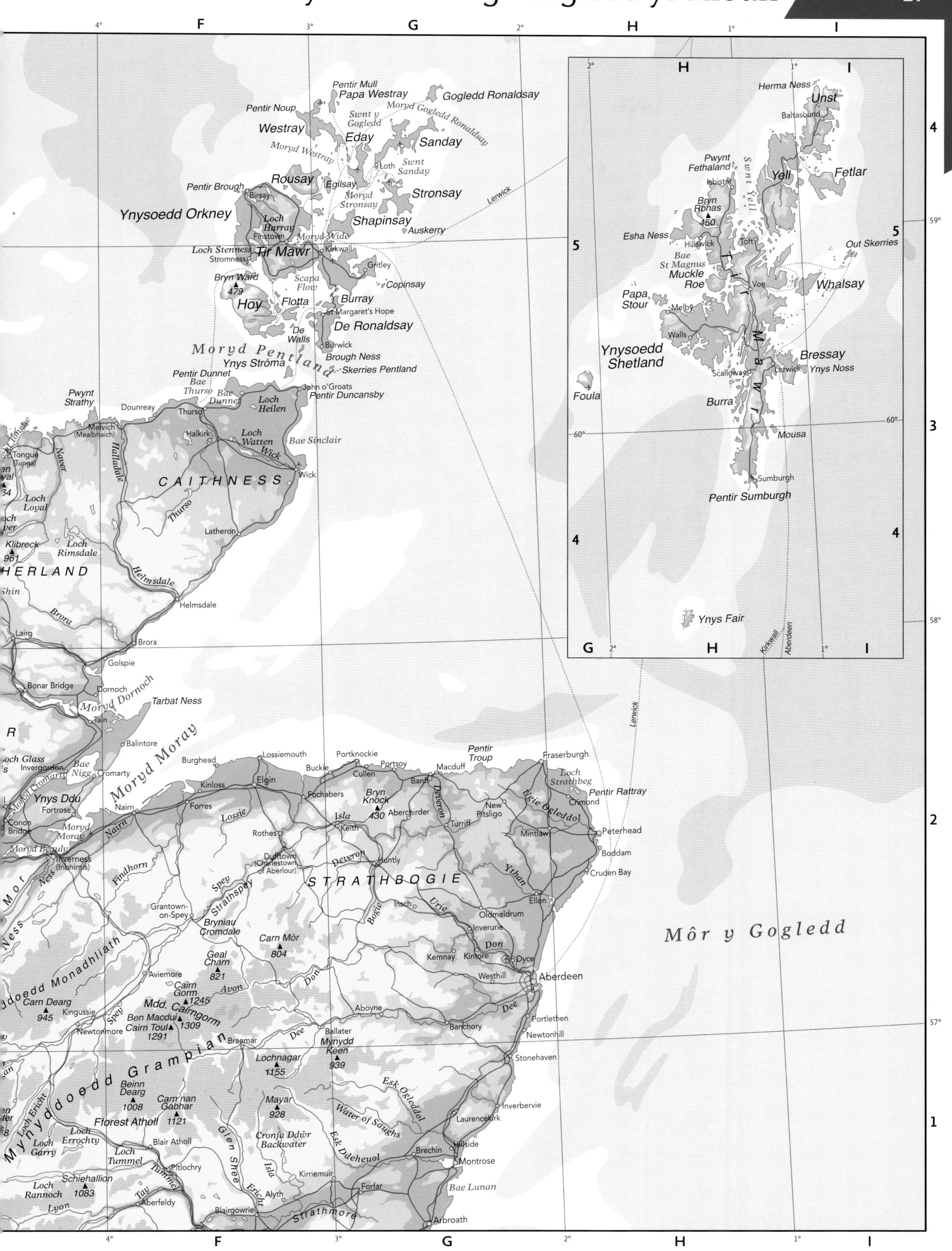
Ynysoedd Orkney
Papa Westray
Gogledd Ronaldsay
Westray
Eday
Sanday
Rousay
Stronsay
Shapinsay
Tir Mawr
Kirkwall
Stromness
Hoy
Flotta
Burray
De Ronaldsay
Moryd Pentland
Ynys Stròma
Pentir Duncansby
Thurso
Wick
CAITHNESS
Helmsdale
Brora
Golspie
Dornoch
Moryd Dornoch
Tarbat Ness
Moryd Moray
Lossiemouth
Elgin
Nairn
Inverness
Fraserburgh
Peterhead
STRATHBOGIE
Aberdeen
Môr y Gogledd
Mdd. Cairngorm
Mynydd Grampian
Stonehaven
Montrose
Arbroath
Forfar
Ynysoedd Shetland
Unst
Yell
Fetlar
Whalsay
Bressay
Lerwick
Foula
Ynys Fair
Pentir Sumburgh

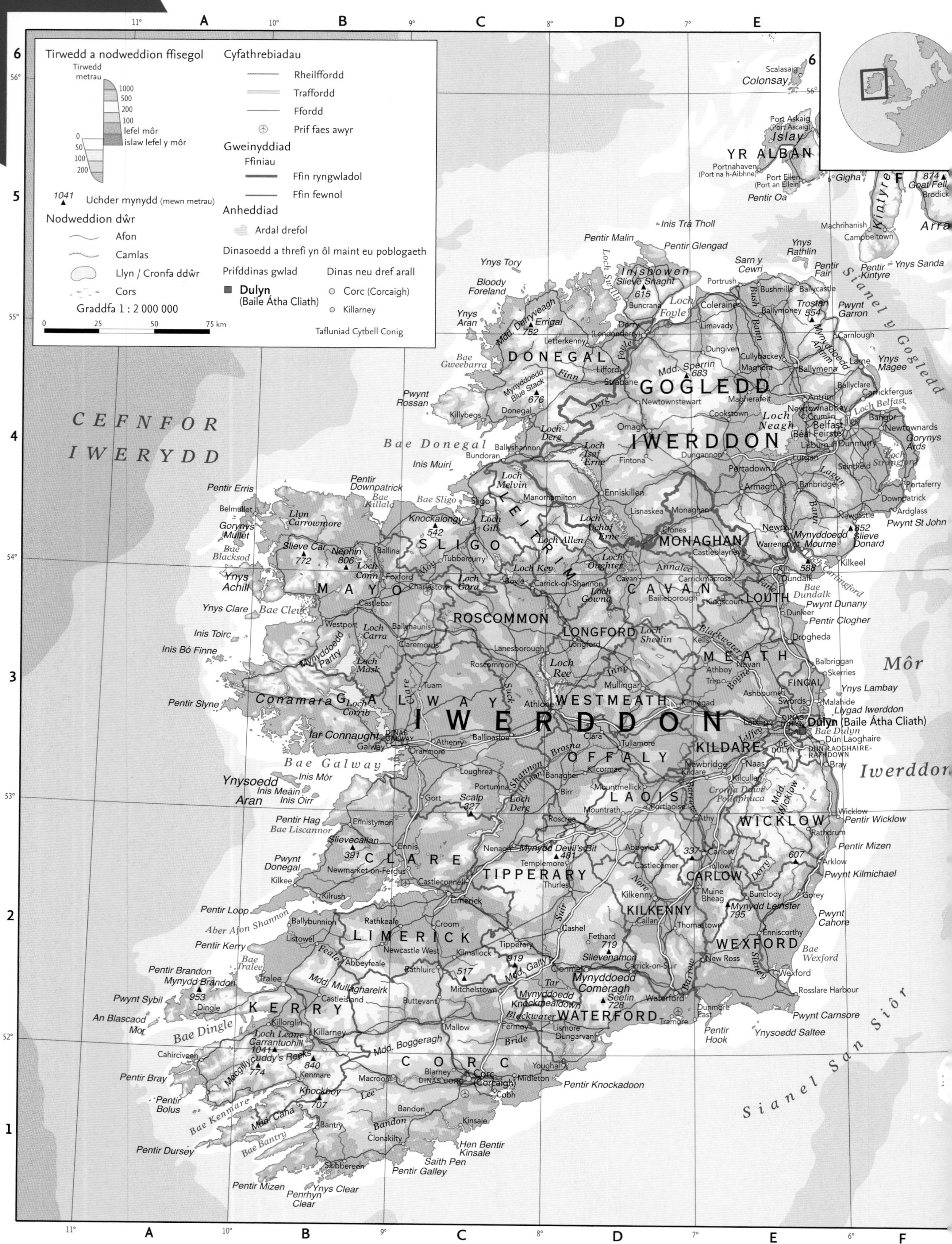

Tirwedd a nodweddion ffisegol

Tirwedd metrau
1000
500
200
100
0 lefel môr
50 islaw lefel y môr
100
200

▲ 1041 Uchder mynydd (mewn metrau)

Nodweddion dŵr
Afon
Camlas
Llyn / Cronfa ddŵr
Cors

Graddfa 1 : 2 000 000

0   25   50   75 km

Cyfathrebiadau
Rheilffordd
Traffordd
Ffordd
⊕ Prif faes awyr

Gweinyddiad
Ffiniau
Ffin ryngwladol
Ffin fewnol

Anheddiad
Ardal drefol

Dinasoedd a threfi yn ôl maint eu poblogaeth

Prifddinas gwlad   Dinas neu dref arall
■ **Dulyn**   ○ Corc (Corcaigh)
(Baile Átha Cliath)   ○ Killarney

Tafluniad Cytbell Conig

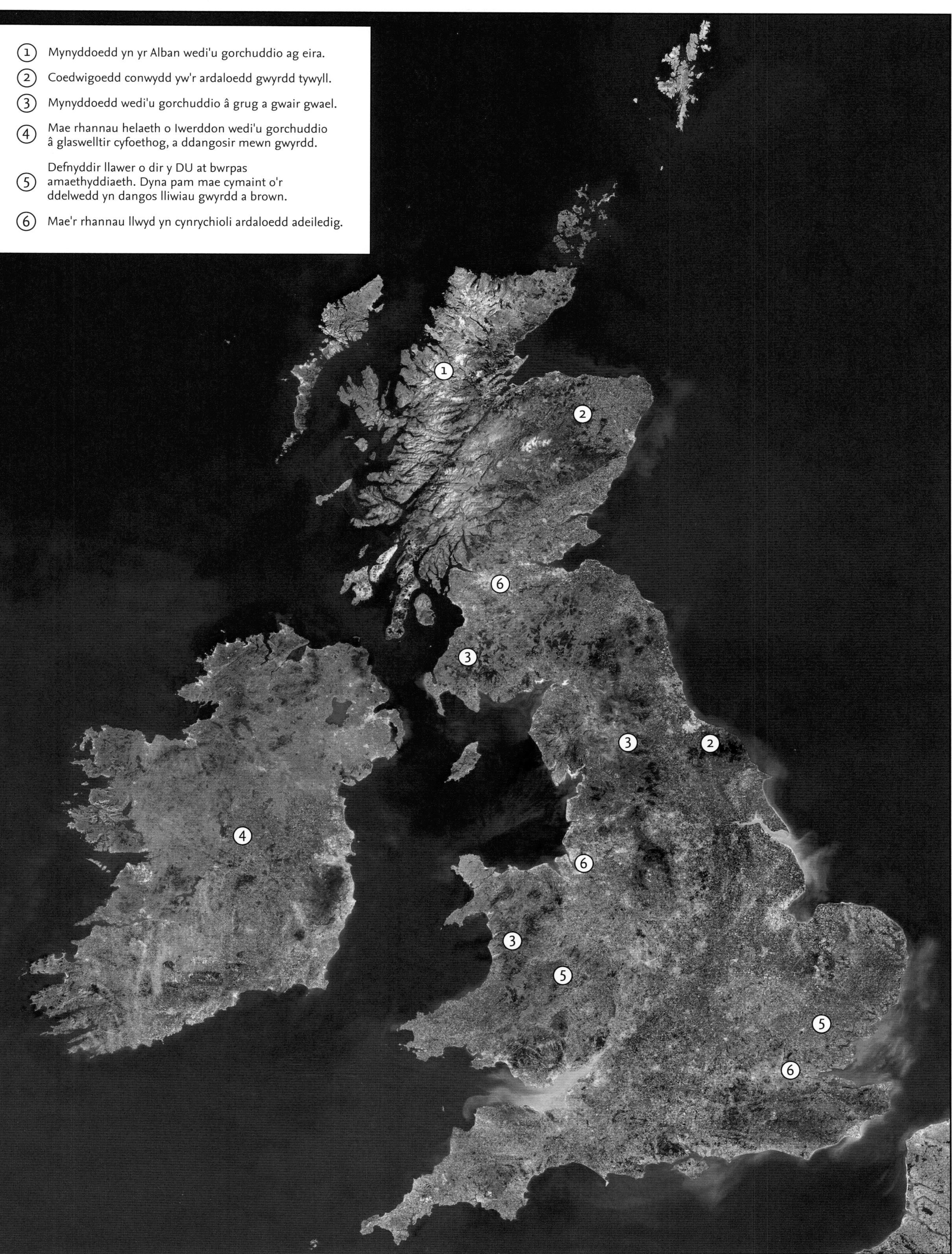

1. Mynyddoedd yn yr Alban wedi'u gorchuddio ag eira.

2. Coedwigoedd conwydd yw'r ardaloedd gwyrdd tywyll.

3. Mynyddoedd wedi'u gorchuddio â grug a gwair gwael.

4. Mae rhannau helaeth o Iwerddon wedi'u gorchuddio â glaswelltir cyfoethog, a ddangosir mewn gwyrdd.

5. Defnyddir llawer o dir y DU at bwrpas amaethyddiaeth. Dyna pam mae cymaint o'r ddelwedd yn dangos lliwiau gwyrdd a brown.

6. Mae'r rhannau llwyd yn cynrychioli ardaloedd adeiledig.

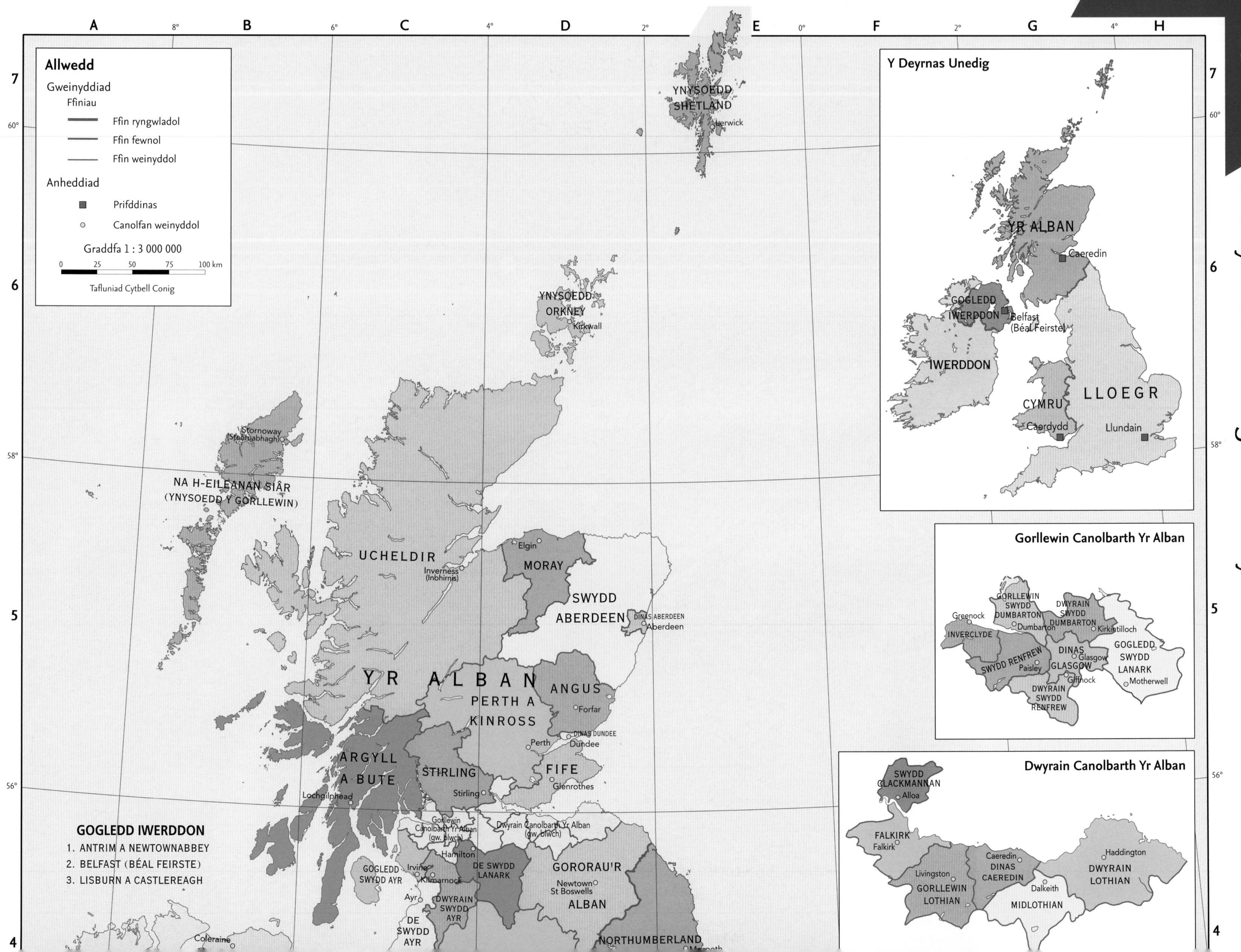

Y Deyrnas Unedig

YR ALBAN

Caeredin

Belfast
(Béal Feirste)

GOGLEDD
IWERDDON

IWERDDON

LLOEGR

Llundain

CYMRU

Caerdydd

Gorllewin Canolbarth Yr Alban

GOGLEDD
SWYDD
LANARK

DWYRAIN
SWYDD
DUMBARTON

GORLLEWIN
SWYDD
DUMBARTON

Kirkintilloch

DINAS
GLASGOW

Glasgow

Giffnock

DWYRAIN
SWYDD
RENFREW

SWYDD
RENFREW

Paisley

Dumbarton

Motherwell

INVERCLYDE

Greenock

Dwyrain Canolbarth Yr Alban

Haddington

DWYRAIN
LOTHIAN

Dalkeith

MIDLOTHIAN

Caeredin
DINAS
CAEREDIN

Livingston

GORLLEWIN
LOTHIAN

SWYDD
CLACKMANNAN

Alloa

FALKIRK

Falkirk

YNYSOEDD
SHETLAND

Lerwick

YNYSOEDD
ORKNEY

Kirkwall

NA H-EILEANAN SIÂR
(YNYSOEDD Y GORLLEWIN)

Stornoway
(Steòrnabhagh)

UCHELDIR

Elgin

MORAY

SWYDD
ABERDEEN

DINAS ABERDEEN
Aberdeen

Inverness
(Inbhirnis)

ANGUS

Forfar

DINAS DUNDEE
Dundee

YR   ALBAN

PERTH A
KINROSS

Perth

FIFE

Glenrothes

STIRLING

Stirling

ARGYLL
A BUTE

Lochgilphead

Dwyrain Canolbarth Yr Alban
(gw. blwch)

Gorllewin
Canolbarth Yr Alban
(gw. blwch)

Hamilton

DE SWYDD
LANARK

GORORAU'R
ALBAN

Newtown/
St Boswells

NORTHUMBERLAND

Kilmarnock

GOGLEDD
SWYDD AYR

Irvine

Ayr

DE
SWYDD
AYR

DWYRAIN
SWYDD
AYR

GOGLEDD IWERDDON

1. ANTRIM A NEWTOWNABBEY
2. BELFAST (BÉAL FEIRSTE)
3. LISBURN A CASTLEREAGH

Coleraine

Allwedd

Gweinyddiad

Ffiniau

Ffin ryngwladol

Ffin fewnol

Ffin weinyddol

Anheddiad

◼ Prifddinas

○ Canolfan weinyddol

Graddfa 1 : 3 000 000

0   25   50   75   100 km

Tafluniad Cybell Conig

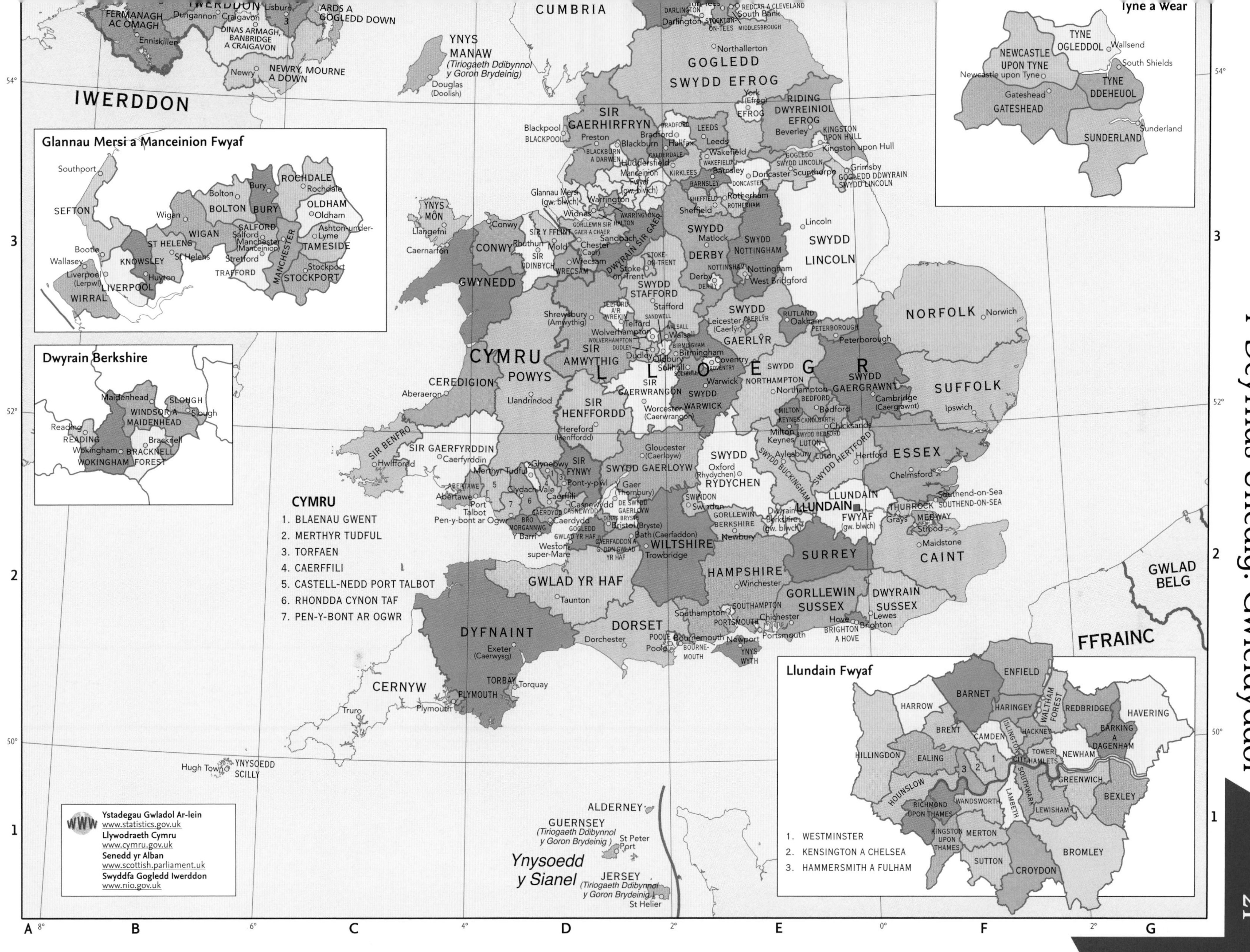
Tyne a Wear
Glannau Mersi a Manceinion Fwyaf
Dwyrain Berkshire
Llundain Fwyaf
1. WESTMINSTER
2. KENSINGTON A CHELSEA
3. HAMMERSMITH A FULHAM
CYMRU
1. BLAENAU GWENT
2. MERTHYR TUDFUL
3. TORFAEN
4. CAERFFILI
5. CASTELL-NEDD PORT TALBOT
6. RHONDDA CYNON TAF
7. PEN-Y-BONT AR OGWR
Ystadegau Gwladol Ar-lein
www.statistics.gov.uk
Llywodraeth Cymru
www.cymru.gov.uk
Senedd yr Alban
www.scottish.parliament.uk
Swyddfa Gogledd Iwerddon
www.nio.gov.uk
IWERDDON
CUMBRIA
YNYS MANAW
(Tiriogaeth Ddibynnol y Goron Brydeinig)
CYMRU
LLOEGR
FFRAINC
GWLAD BELG
Ynysoedd y Sianel
GUERNSEY
JERSEY
ALDERNEY
YNYSOEDD SCILLY
NORFOLK
SUFFOLK
ESSEX
CAINT
SURREY
HAMPSHIRE
DORSET
GWLAD YR HAF
DYFNAINT
CERNYW
POWYS
GWYNEDD
CEREDIGION
SIR GAERFYRDDIN
SIR BENFRO
SWYDD LINCOLN
GOGLEDD SWYDD EFROG
SIR GAERHIRFRYN

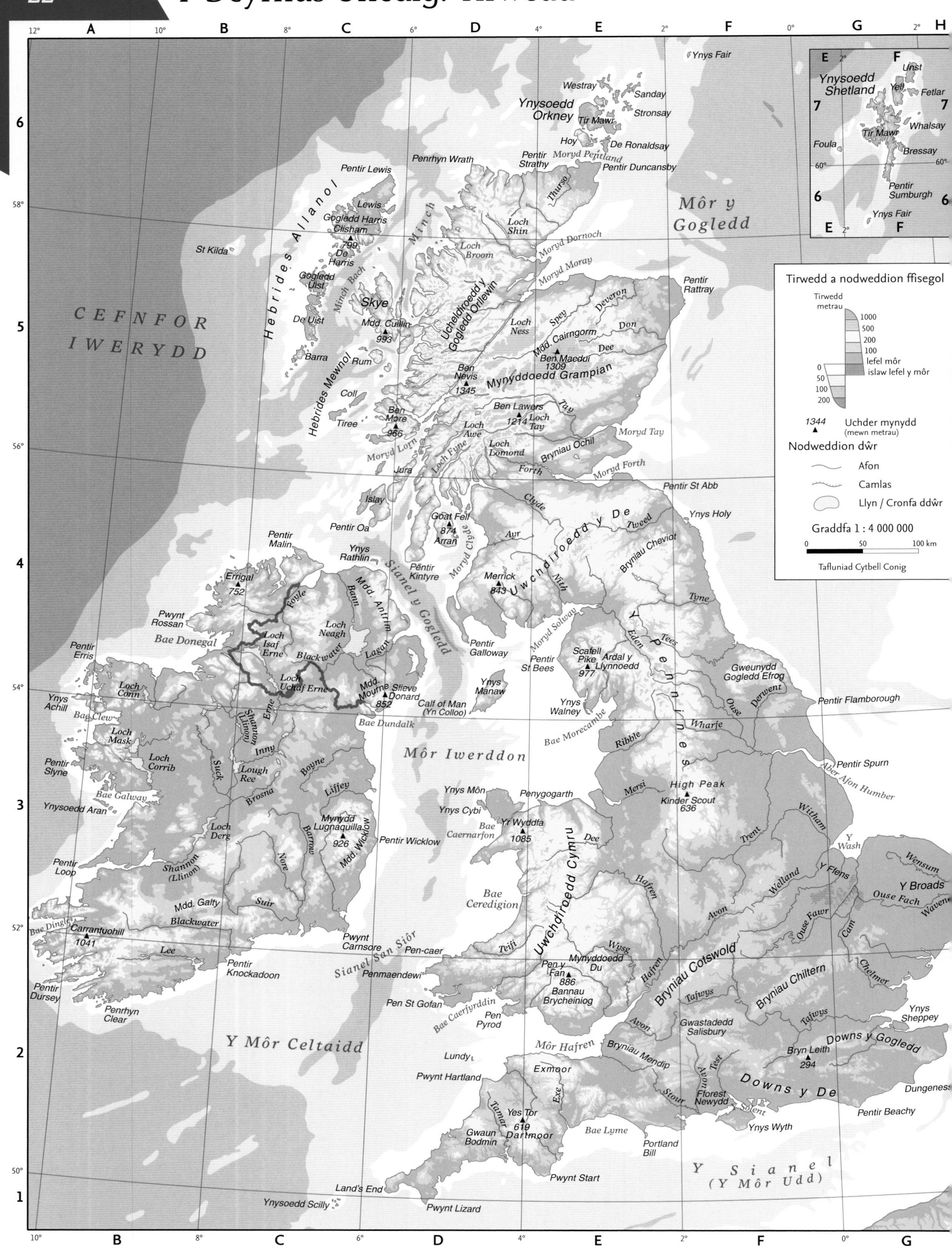

Tirwedd a nodweddion ffisegol

Tirwedd
metrau

1000
500
200
100
0 lefel môr
islaw lefel y môr
50
100
200

1344 ▲ Uchder mynydd
(mewn metrau)

Nodweddion dŵr

Afon

Camlas

Llyn / Cronfa ddŵr

Graddfa 1 : 4 000 000

0   50   100 km

Tafluniad Cytbell Conig

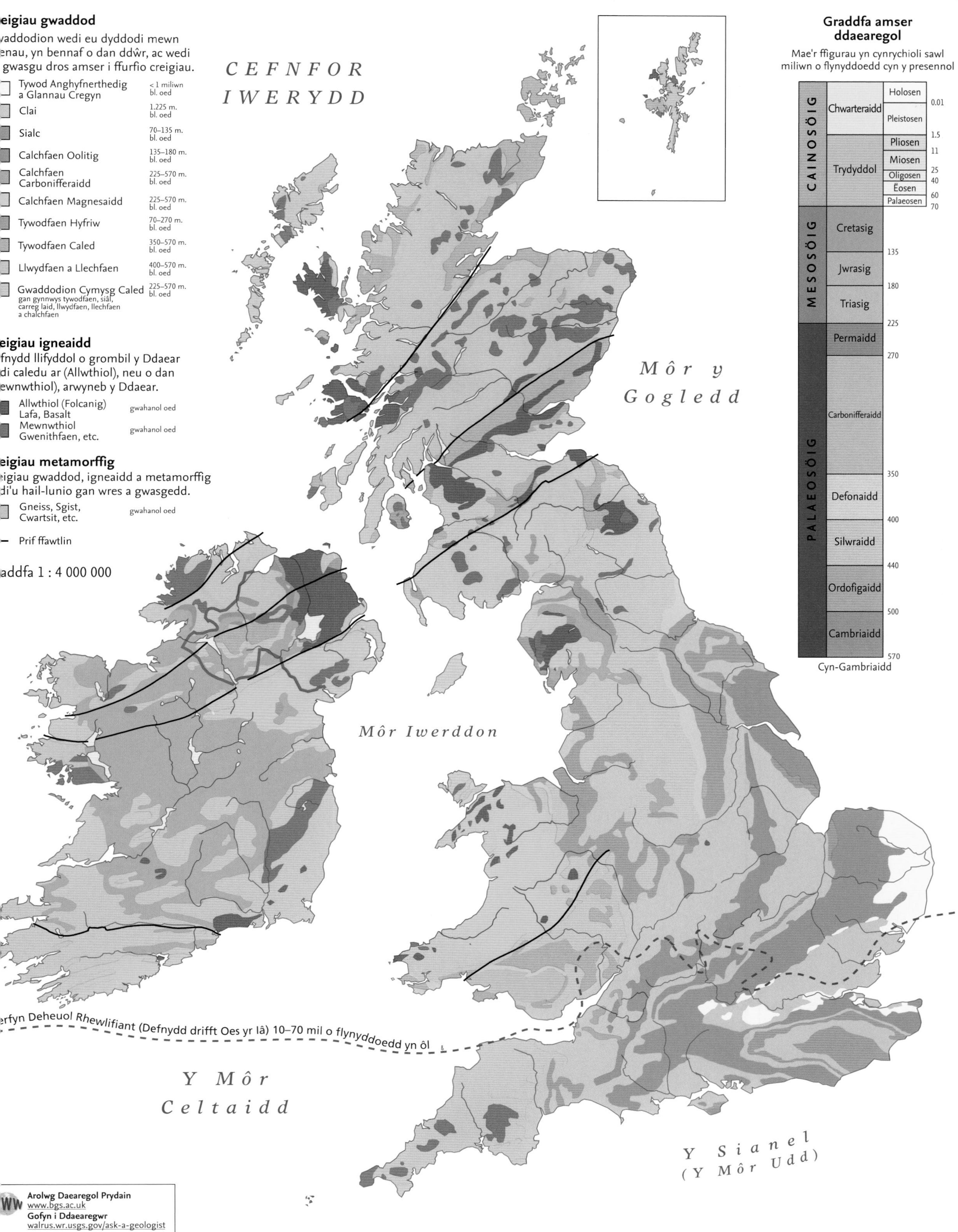

eigiau gwaddod

vaddodion wedi eu dyddodi mewn
enau, yn bennaf o dan ddŵr, ac wedi
gwasgu dros amser i ffurfio creigiau.

Tywod Anghyfnerthedig a Glannau Cregyn	< 1 miliwn bl. oed
Clai	1.225 m. bl. oed
Sialc	70–135 m. bl. oed
Calchfaen Oolitig	135–180 m. bl. oed
Calchfaen Carbonifferaidd	225–570 m. bl. oed
Calchfaen Magnesaidd	225–570 m. bl. oed
Tywodfaen Hyfriw	70–270 m. bl. oed
Tywodfaen Caled	350–570 m. bl. oed
Llwydfaen a Llechfaen	400–570 m. bl. oed
Gwaddodion Cymysg Caled	225–570 m. bl. oed

gan gynnwys tywodfaen, siâl,
carreg laid, llwydfaen, llechfaen
a chalchfaen

eigiau igneaidd

fnydd llifyddol o grombil y Ddaear
di caledu ar (Allwthiol), neu o dan
ewnwthiol), arwyneb y Ddaear.

Allwthiol (Folcanig) Lafa, Basalt	gwahanol oed
Mewnwthiol Gwenithfaen, etc.	gwahanol oed

eigiau metamorffig

reigiau gwaddod, igneaidd a metamorffig
di'u hail-lunio gan wres a gwasgedd.

Gneiss, Sgist, Cwartsit, etc.	gwahanol oed

— Prif ffawtlin

addfa 1 : 4 000 000

CEFNFOR
IWERYDD

Môr y
Gogledd

Môr Iwerddon

erfyn Deheuol Rhewlifiant (Defnydd drifft Oes yr Iâ) 10–70 mil o flynyddoedd yn ôl

Y Môr
Celtaidd

Y Sianel
(Y Môr Udd)

**Graddfa amser
ddaearegol**

Mae'r ffigurau yn cynrychioli sawl
miliwn o flynyddoedd cyn y presennol

CAINOSÖIG	Chwarteraidd	Holosen	0.01
		Pleistosen	
	Trydyddol	Pliosen	1.5
		Miosen	11
		Oligosen	25
		Éosen	40
		Palaeosen	60
			70
MESOSÖIG	Cretasig		
			135
	Jwrasig		
			180
	Triasig		
			225
PALAEOSÖIG	Permaidd		
			270
	Carbonifferaidd		
			350
	Defonaidd		
			400
	Silwraidd		
			440
	Ordofigaidd		
			500
	Cambriaidd		
			570

Cyn-Gambriaidd

WW **Arolwg Daearegol Prydain**
www.bgs.ac.uk
Gofyn i Ddaearegwr
walrus.wr.usgs.gov/ask-a-geologist

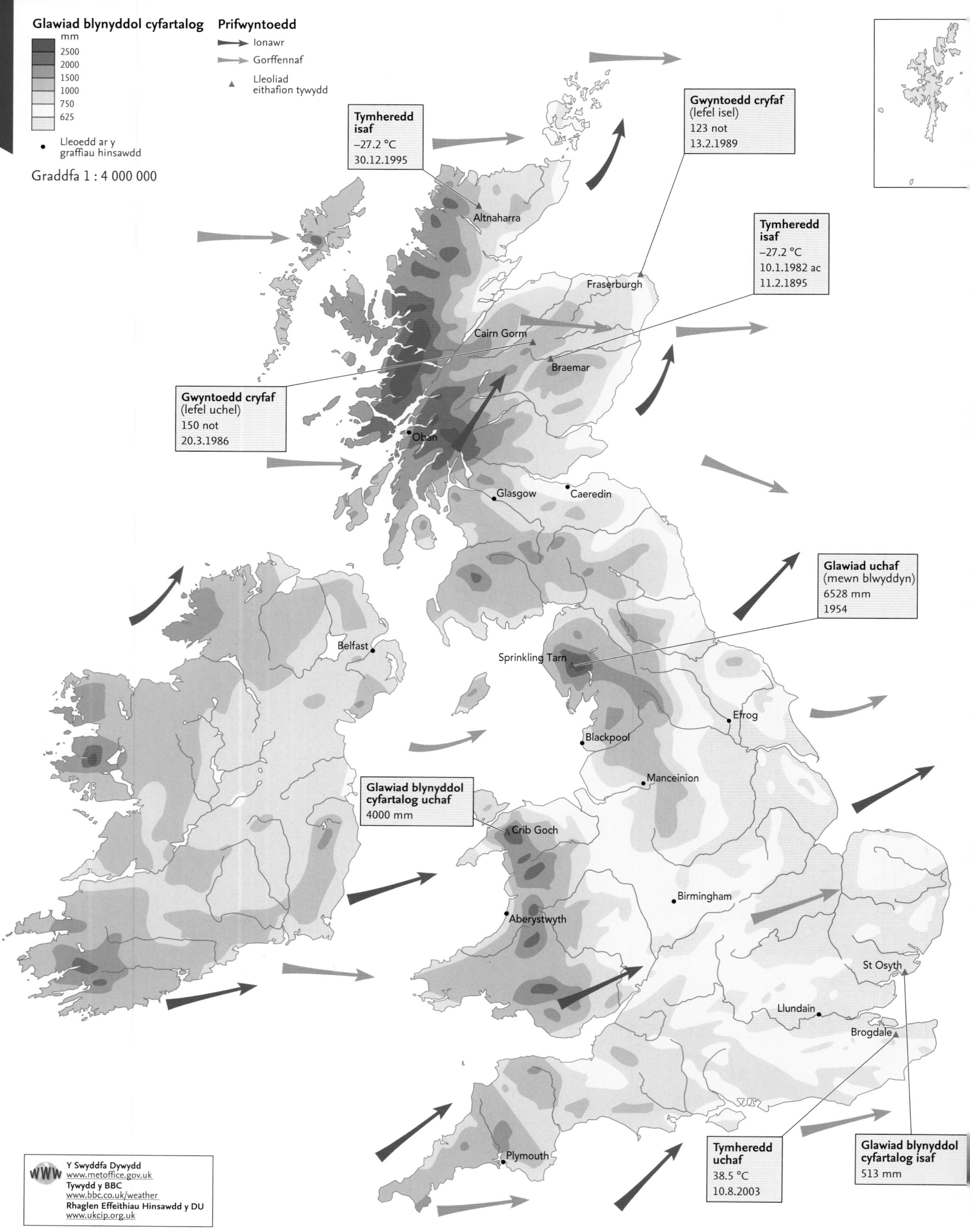

Glawiad blynyddol cyfartalog

mm
2500
2000
1500
1000
750
625

- Lleoedd ar y graffiau hinsawdd

Graddfa 1 : 4 000 000

Prifwyntoedd

→ Ionawr
→ Gorffennaf
▲ Lleoliad eithafion tywydd

Tymheredd isaf
−27.2 °C
30.12.1995

Gwyntoedd cryfaf
(lefel isel)
123 not
13.2.1989

Tymheredd isaf
−27.2 °C
10.1.1982 ac
11.2.1895

Gwyntoedd cryfaf
(lefel uchel)
150 not
20.3.1986

Glawiad uchaf
(mewn blwyddyn)
6528 mm
1954

Glawiad blynyddol cyfartalog uchaf
4000 mm

Tymheredd uchaf
38.5 °C
10.8.2003

Glawiad blynyddol cyfartalog isaf
513 mm

Altnaharra
Fraserburgh
Cairn Gorm
Braemar
Oban
Glasgow
Caeredin
Belfast
Sprinkling Tarn
Efrog
Blackpool
Manceinion
Crib Goch
Birmingham
Aberystwyth
St Osyth
Llundain
Brogdale
Plymouth

www Y Swyddfa Dywydd
www.metoffice.gov.uk
Tywydd y BBC
www.bbc.co.uk/weather
Rhaglen Effeithiau Hinsawdd y DU
www.ukcip.org.uk

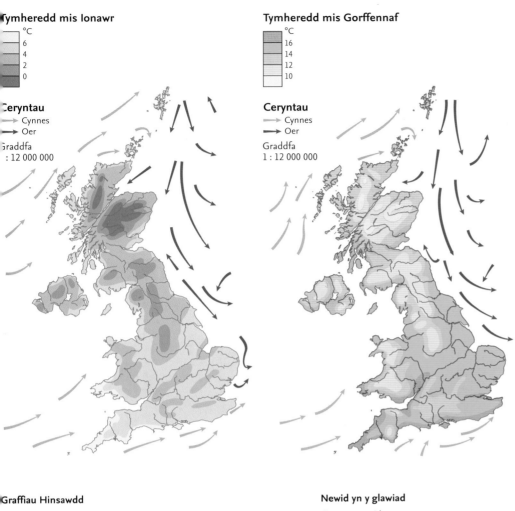

Tymheredd mis Ionawr

°C
6
4
2
0

Ceryntau
→ Cynnes
→ Oer

Graddfa
1 : 12 000 000

Tymheredd mis Gorffennaf

°C
16
14
12
10

Ceryntau
→ Cynnes
→ Oer

Graddfa
1 : 12 000 000

Graffiau Hinsawdd

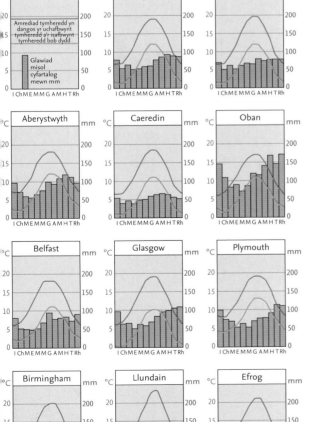

Lle

Amrediad tymheredd yn dangos yr uchafbwynt tymheredd a'r isafbwynt tymheredd bob dydd

Glawiad misol cyfartalog mewn mm

Blackpool

Manceinion

Aberystwyth

Caeredin

Oban

Belfast

Glasgow

Plymouth

Birmingham

Llundain

Efrog

Newid yn y glawiad

Canran y newid 1913–2013

dros 10
2.5–10
0–2.5
−5–0

Graddfa 1 : 12 000 000

Newid yn yr hinsawdd

Mae hinsawdd y Ddaear wedi newid ar nifer o raddfeydd amser mewn ymateb i ffactorau naturiol.

Mae'r Haul yn gyrru ein hinsawdd

1. Mae'r rhan fwyaf o olau haul yn mynd trwy'r atmosffer ac yn cynhesu'r Ddaear.

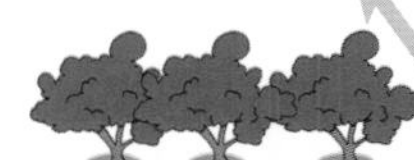

2. Mae'r Ddaear yn allyrru pelydriad isgoch. Mae'r rhan fwyaf yn dianc trwy'r gofod ac yn oeri'r Ddaear.

3. Ond mae ychydig o'r pelydriad isgoch yn cael ei ddal gan nwyon yn yr aer ac mae hyn yn lleihau'r effaith oeri.

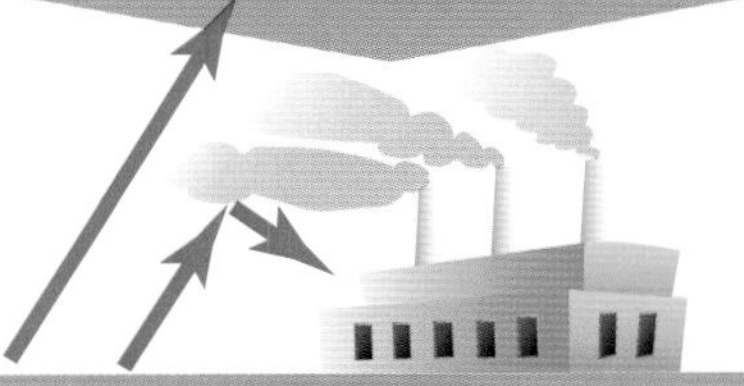

Dyna'r effaith tŷ gwydr.

Yr enw ar y nwyon sy'n gyfrifol am hyn yw nwyon tŷ gwydr. Mae'r rhain yn cynnwys:

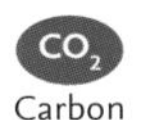

CO_2	CH_4	O_3	H_2O	N_2O
Carbon Deuocsid	Methan	Oson	Anwedd Dŵr	Ocsid Nitrus

Mae nwyon tŷ gwydr mor effeithiol wrth gadw'r Ddaear yn gynnes fel y bydd unrhyw newidiadau yn effeithio ar dymheredd y Ddaear.

Newid yn yr hinsawdd

Yn ystod yr ugeinfed ganrif dechreuodd ein hinsawdd newid yn gyflym.

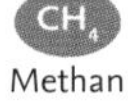

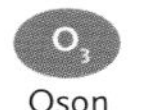

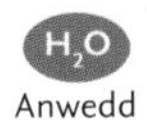

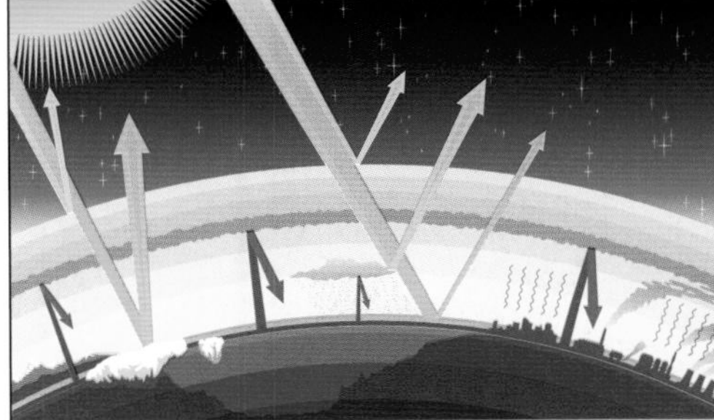

Pa ffactorau sy'n achosi i'r hinsawdd gynhesu?

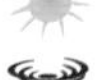

 Mwy o egni o'r haul.

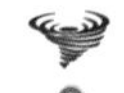

 Digwyddiadau naturiol mawr e.e. El Niño.

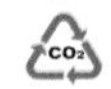

 Cynnydd mewn nwyon tŷ gwydr.

Mae tystiolaeth mai cynnydd yn y nifer o nwyon tŷ gwydr yn yr atmosffer sy'n bennaf gyfrifol am y cynhesu dros y 100 mlynedd diwethaf.

Mae nwyon tŷ gwydr yn digwydd yn naturiol ond mae gweithgareddau dynol wedi cynyddu maint carbon deuocsid, methan a rhai nwyon eraill.

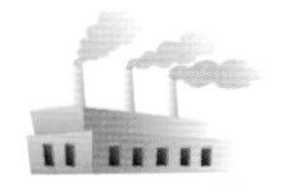

Llosgi tanwyddau ffosil fel glo, nwy ac olew.

Newidiadau mewn defnydd tir fel clirio coedwigoedd er mwyn cynhyrchu cnydau.

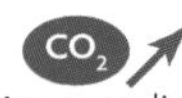

Mae crynodiadau carbon deuocsid wedi cynyddu tua 40% ers 1750.

Mae cylchred garbon naturiol yn ein hinsawdd. Fodd bynnag, nid yw hyn yn egluro'r cynnydd mewn CO_2 yn yr atmosffer.

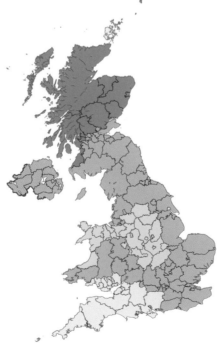

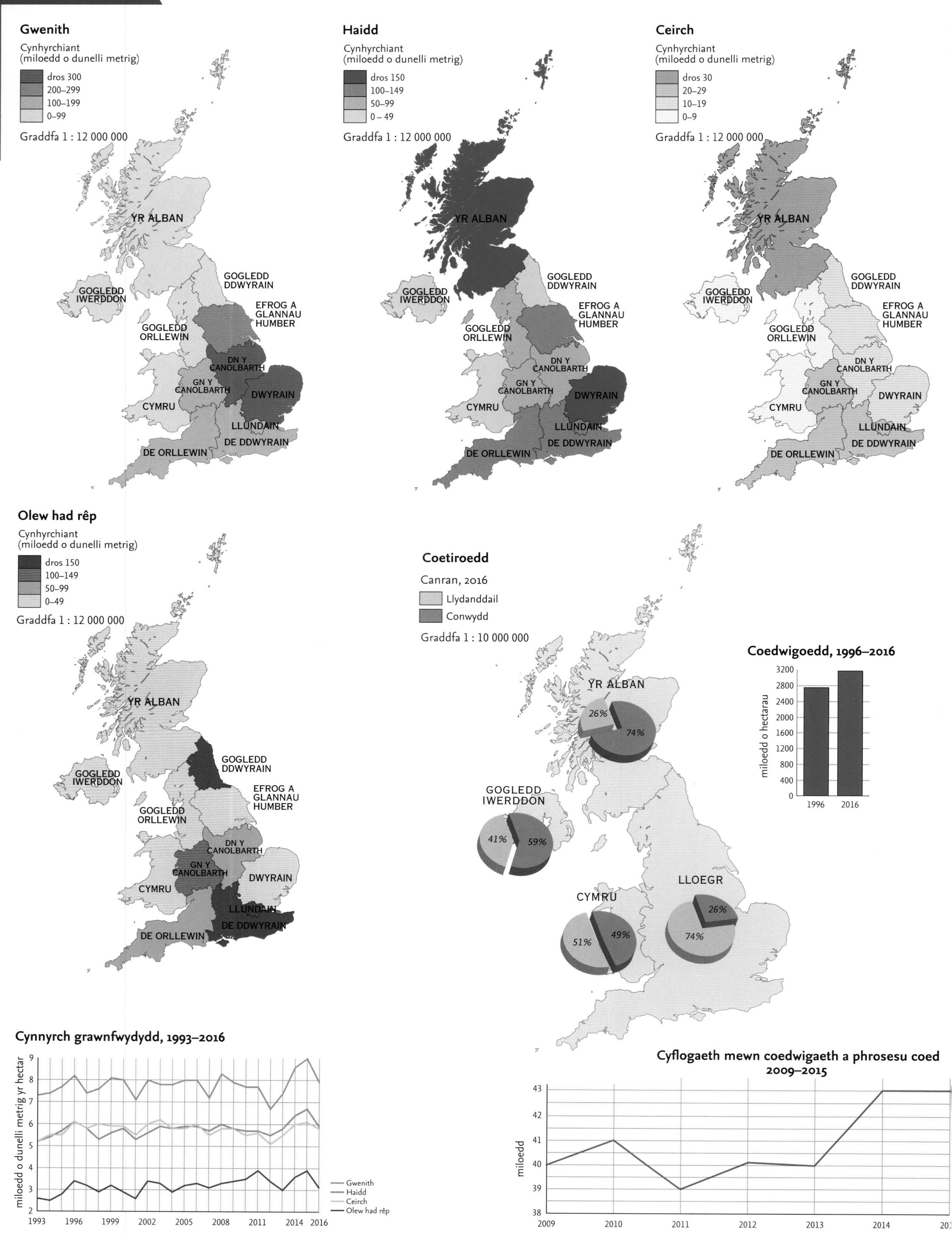

Gwenith

Cynhyrchiant
(miloedd o dunelli metrig)

- dros 300
- 200–299
- 100–199
- 0–99

Graddfa 1 : 12 000 000

Haidd

Cynhyrchiant
(miloedd o dunelli metrig)

- dros 150
- 100–149
- 50–99
- 0 – 49

Graddfa 1 : 12 000 000

Ceirch

Cynhyrchiant
(miloedd o dunelli metrig)

- dros 30
- 20–29
- 10–19
- 0–9

Graddfa 1 : 12 000 000

Olew had rêp

Cynhyrchiant
(miloedd o dunelli metrig)

- dros 150
- 100–149
- 50–99
- 0–49

Graddfa 1 : 12 000 000

Coetiroedd

Canran, 2016

- Llydanddail
- Conwydd

Graddfa 1 : 10 000 000

Coedwigoedd, 1996–2016

miloedd o hectarau

Cynnyrch grawnfwydydd, 1993–2016

miloedd o dunelli metrig yr hectar

- Gwenith
- Haidd
- Ceirch
- Olew had rêp

**Cyflogaeth mewn coedwigaeth a phrosesu coed
2009–2015**

miloedd

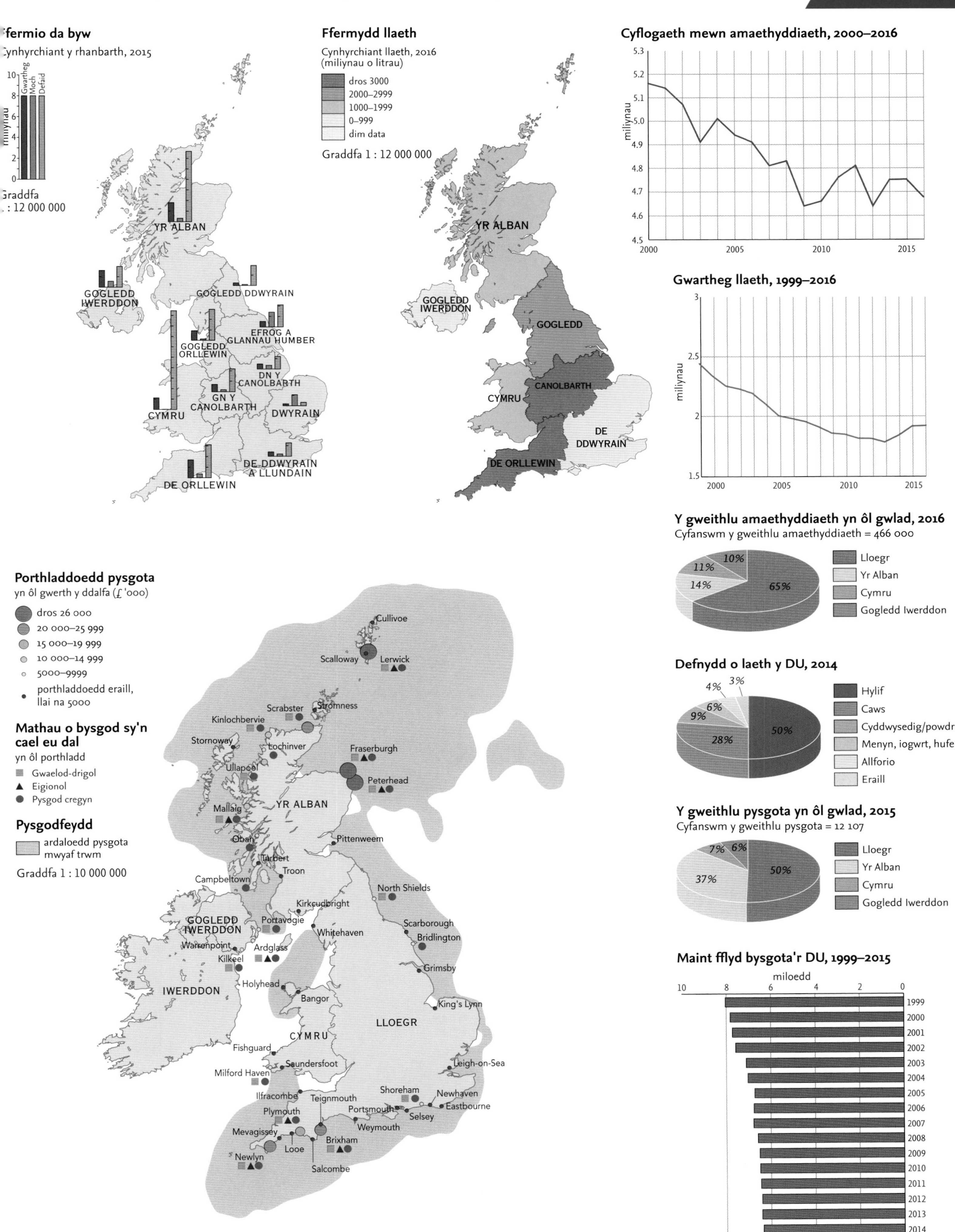

fermio da byw
Cynhyrchiant y rhanbarth, 2015

miliynau
Gwartheg
Moch
Defaid

Graddfa
1 : 12 000 000

Ffermydd llaeth
Cynhyrchiant llaeth, 2016
(miliynau o litrau)

- dros 3000
- 2000–2999
- 1000–1999
- 0–999
- dim data

Graddfa 1 : 12 000 000

YR ALBAN
GOGLEDD IWERDDON
GOGLEDD
CYMRU
CANOLBARTH
DE DDWYRAIN
DE ORLLEWIN

Cyflogaeth mewn amaethyddiaeth, 2000–2016

miliynau

Gwartheg llaeth, 1999–2016

miliynau

Y gweithlu amaethyddiaeth yn ôl gwlad, 2016
Cyfanswm y gweithlu amaethyddiaeth = 466 000

- 65% Lloegr
- 10% Yr Alban
- 11% Cymru
- 14% Gogledd Iwerddon

Defnydd o laeth y DU, 2014

- 50% Hylif
- 28% Caws
- 9% Cyddwysedig/powdrau
- 6% Menyn, iogwrt, hufen
- 4% Allforio
- 3% Eraill

Y gweithlu pysgota yn ôl gwlad, 2015
Cyfanswm y gweithlu pysgota = 12 107

- 50% Lloegr
- 37% Yr Alban
- 7% Cymru
- 6% Gogledd Iwerddon

Porthladdoedd pysgota
yn ôl gwerth y ddalfa (£ '000)

- dros 26 000
- 20 000–25 999
- 15 000–19 999
- 10 000–14 999
- 5000–9999
- porthladdoedd eraill, llai na 5000

Mathau o bysgod sy'n cael eu dal
yn ôl porthladd

- Gwaelod-drigol
- Eigionol
- Pysgod cregyn

Pysgodfeydd
- ardaloedd pysgota mwyaf trwm

Graddfa 1 : 10 000 000

Cullivoe
Scalloway
Lerwick
Scrabster
Stromness
Kinlochbervie
Stornoway
Lochinver
Ullapool
Fraserburgh
Peterhead
Mallaig
YR ALBAN
Oban
Pittenweem
Tarbert
Troon
Campbeltown
North Shields
Kirkcudbright
Portavogie
Scarborough
GOGLEDD IWERDDON
Whitehaven
Bridlington
Warrenpoint
Ardglass
Kilkeel
Grimsby
IWERDDON
Holyhead
Bangor
King's Lynn
LLOEGR
CYMRU
Fishguard
Saundersfoot
Leigh-on-Sea
Milford Haven
Ilfracombe
Shoreham
Newhaven
Teignmouth
Portsmouth
Eastbourne
Plymouth
Weymouth
Selsey
Mevagissey
Brixham
Looe
Newlyn
Salcombe

Maint fflyd bysgota'r DU, 1999–2015

miloedd

1999
2000
2001
2002
2003
2004
2005
2006
2007
2008
2009
2010
2011
2012
2013
2014
2015

Cyflogaeth yn ôl sector economaid, 2017

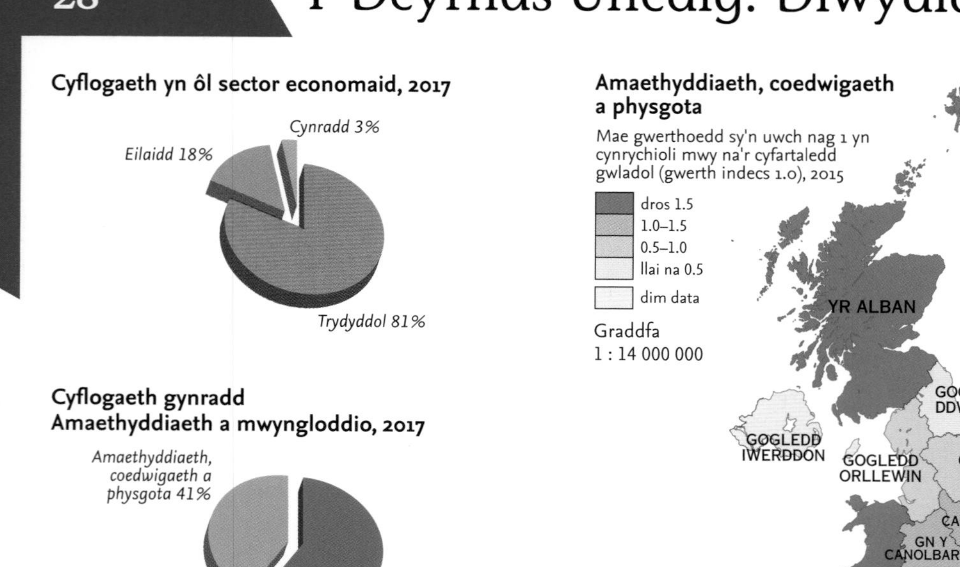

Cynradd 3%
Eilaidd 18%
Trydyddol 81%

Cyflogaeth gynradd
Amaethyddiaeth a mwyngloddio, 2017

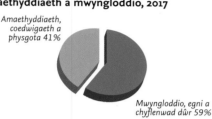

Amaethyddiaeth, coedwigaeth a physgota 41%
Mwyngloddio, egni a chyflenwad dŵr 59%

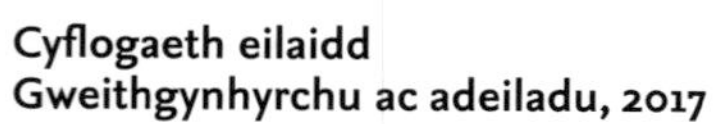

Cyflogaeth eilaidd
Gweithgynhyrchu ac adeiladu, 2017

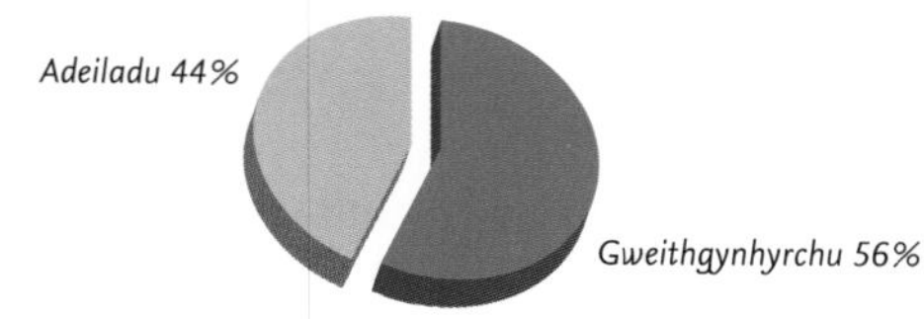

Adeiladu 44%
Gweithgynhyrchu 56%

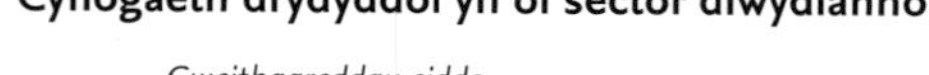

Cyflogaeth drydyddol yn ôl sector diwydiannol

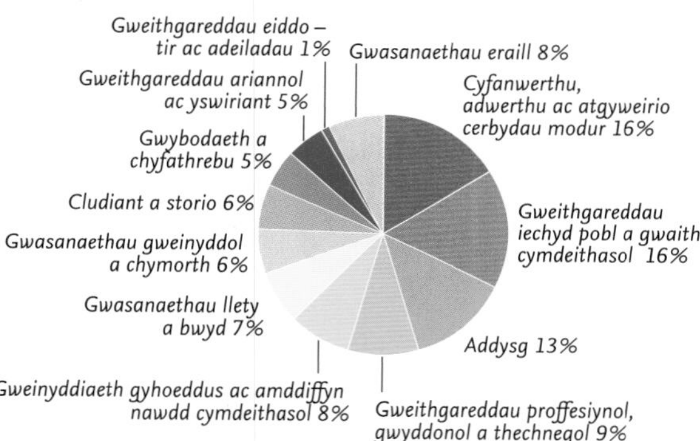

Gweithgareddau eiddo – tir ac adeiladau 1%
Gweithgareddau ariannol ac yswiriant 5%
Gwybodaeth a chyfathrebu 5%
Cludiant a storio 6%
Gwasanaethau gweinyddol a chymorth 6%
Gwasanaethau llety a bwyd 7%
Gweinyddiaeth gyhoeddus ac amddiffyn nawdd cymdeithasol 8%
Gwasanaethau eraill 8%
Cyfanwerthu, adwerthu ac atgyweirio cerbydau modur 16%
Gweithgareddau iechyd pobl a gwaith cymdeithasol 16%
Addysg 13%
Gweithgareddau proffesiynol, gwyddonol a thechnegol 9%

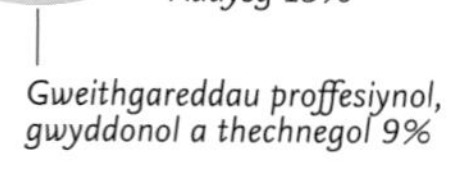

Diweithdra yn y DU, 2002–2016

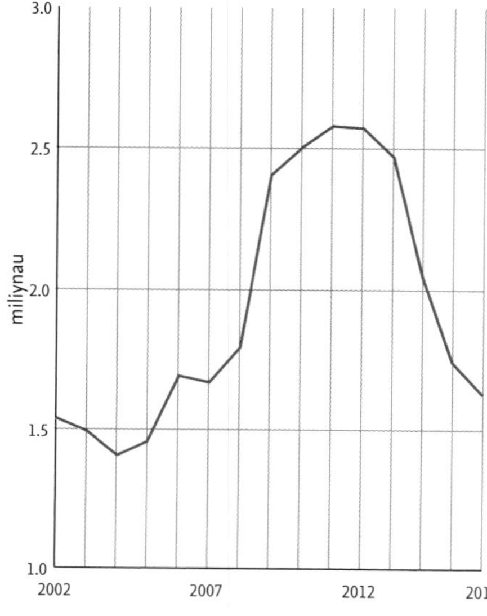

miliynau

Amaethyddiaeth, coedwigaeth a physgota

Mae gwerthoedd sy'n uwch nag 1 yn cynrychioli mwy na'r cyfartaledd gwladol (gwerth indecs 1.0), 2015

- dros 1.5
- 1.0–1.5
- 0.5–1.0
- llai na 0.5
- dim data

Graddfa
1 : 14 000 000

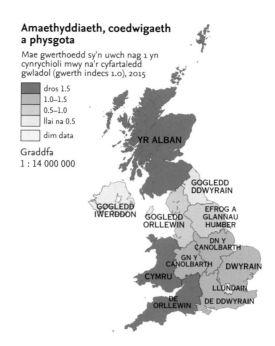

Cynhyrchu cemegion

Mae gwerthoedd sy'n uwch nag 1 yn cynrychioli mwy na'r cyfartaledd gwladol (gwerth indecs 1.0), 2015

- dros 1.5
- 1.0–1.5
- 0.5–1.0
- llai na 0.5
- dim data

Graddfa 1 : 14 000 000

Cynhyrchu cerbydau modur, trelars a threlars rhannol

Mae gwerthoedd sy'n uwch nag 1 yn cynrychioli mwy na'r cyfartaledd gwladol (gwerth indecs 1.0), 2015

- dros 1.5
- 1.0–1.5
- 0.5–1.0
- llai na 0.5
- dim data

Graddfa 1 : 14 000 000

Cynhyrchu tecstilau

Mae gwerthoedd sy'n uwch nag 1 yn cynrychioli mwy na'r cyfartaledd gwladol (gwerth indecs 1.0), 2015

- dros 1.5
- 1.0–1.5
- 0.5–1.0
- llai na 0.5
- dim data

Graddfa
1 : 14 000 000

Cynhyrchu cynhyrchion cyfrifiadurol, electronig ac optegol

Mae gwerthoedd sy'n uwch nag 1 yn cynrychioli mwy na'rcyfartaledd gwladol (gwerth indecs 1.0), 2015

- dros 1.5
- 1.0–1.5
- 0.5–1.0
- llai na 0.5
- dim data

Graddfa 1 : 14 000 000

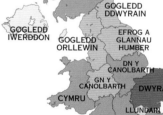

Gweithgareddau gwasanaethau ariannol, ac eithrio yswiriant a chronfeydd pensiynau

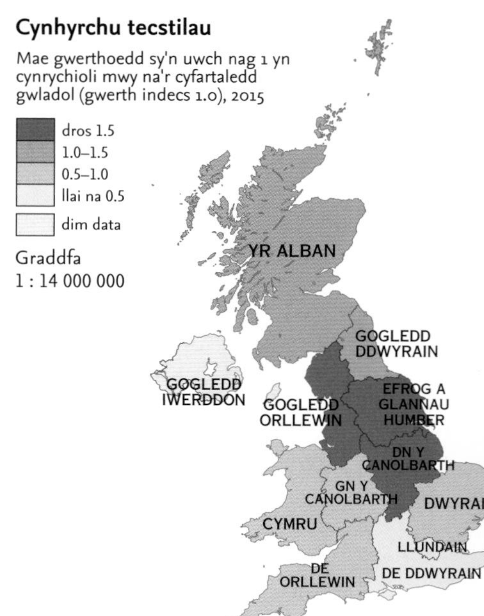

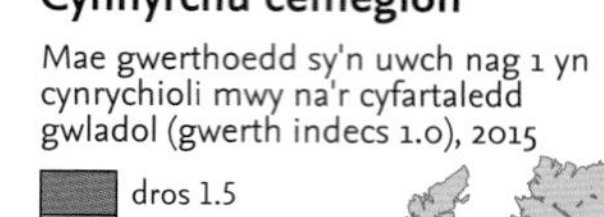

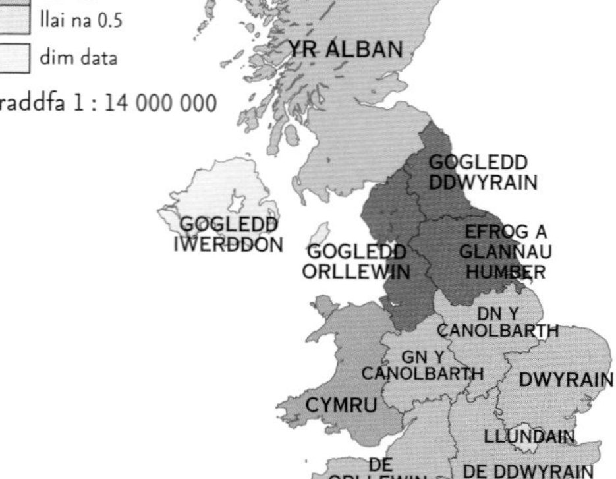

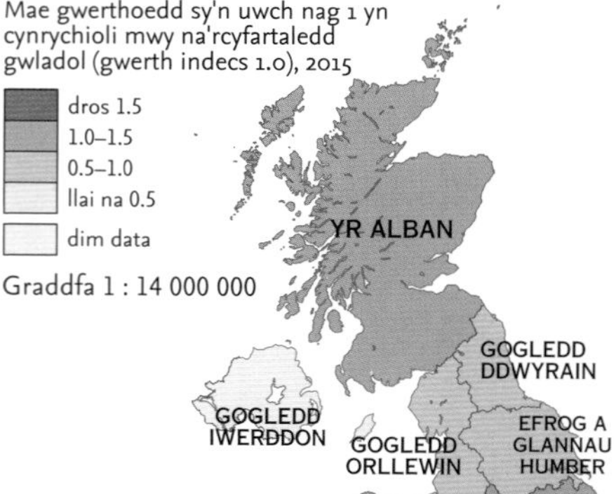

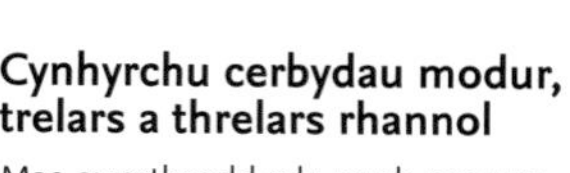

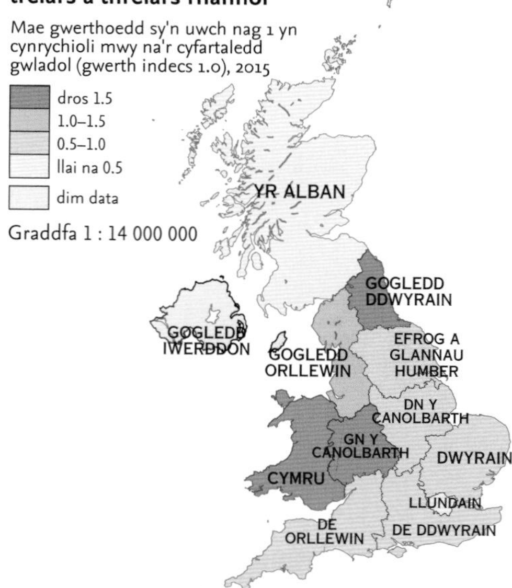

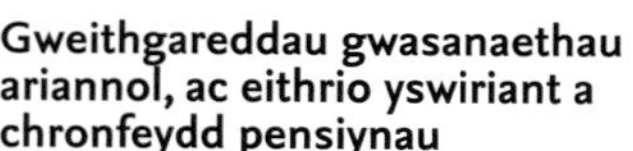

Mae gwerthoedd sy'n uwch nag 1 yn cynrychioli mwy na'r cyfartaledd gwladol (gwerth indecs 1.0), 2015

- dros 1.5
- 1.0–1.5
- 0.5–1.0
- llai na 0.5
- dim data

Graddfa 1 : 14 000 000

Mapiau: YR ALBAN, GOGLEDD IWERDDON, GOGLEDD DDWYRAIN, GOGLEDD ORLLEWIN, EFROG A GLANNAU HUMBER, DN Y CANOLBARTH, GN Y CANOLBARTH, CYMRU, DWYRAIN, LLUNDAIN, DE ORLLEWIN, DE DDWYRAIN

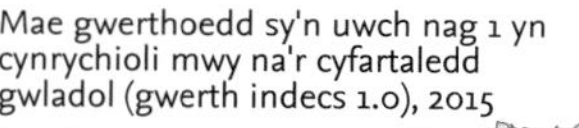

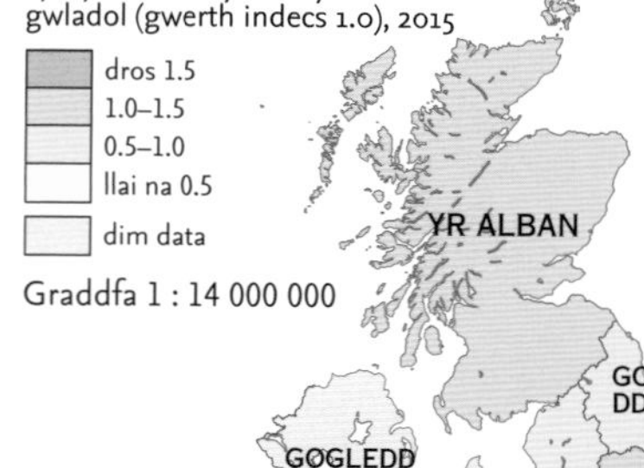

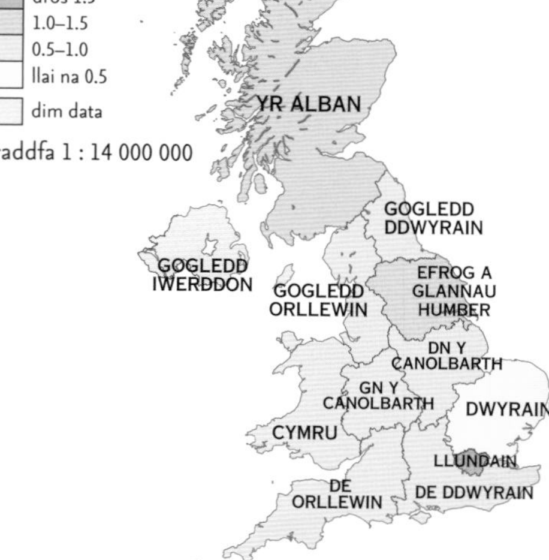

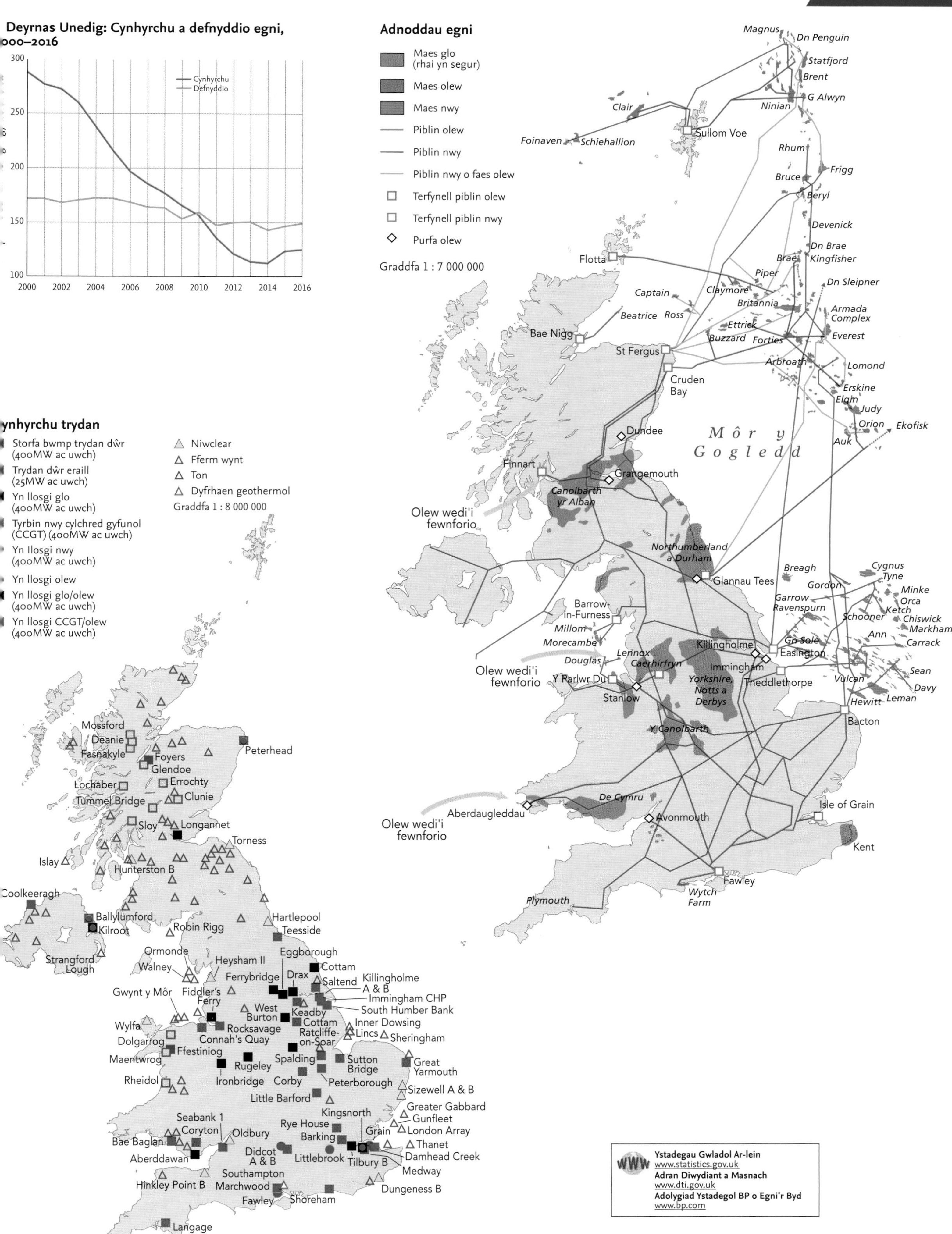

Deyrnas Unedig: Cynhyrchu a defnyddio egni, 000–2016

Cynhyrchu
Defnyddio

Adnoddau egni

- Maes glo (rhai yn segur)
- Maes olew
- Maes nwy
- Piblin olew
- Piblin nwy
- Piblin nwy o faes olew
- ☐ Terfynell piblin olew
- ☐ Terfynell piblin nwy
- ◇ Purfa olew

Graddfa 1 : 7 000 000

ynhyrchu trydan

- Storfa bwmp trydan dŵr (400MW ac uwch)
- Trydan dŵr eraill (25MW ac uwch)
- Yn llosgi glo (400MW ac uwch)
- Tyrbin nwy cylchred gyfunol (CCGT) (400MW ac uwch)
- Yn llosgi nwy (400MW ac uwch)
- Yn llosgi olew
- Yn llosgi glo/olew (400MW ac uwch)
- Yn llosgi CCGT/olew (400MW ac uwch)

- △ Niwclear
- △ Fferm wynt
- △ Ton
- △ Dyfrhaen geothermol

Graddfa 1 : 8 000 000

Môr y Gogledd

Olew wedi'i fewnforio

Olew wedi'i fewnforio

Olew wedi'i fewnforio

Y Deyrnas Unedig: Poblogaeth a Mudo

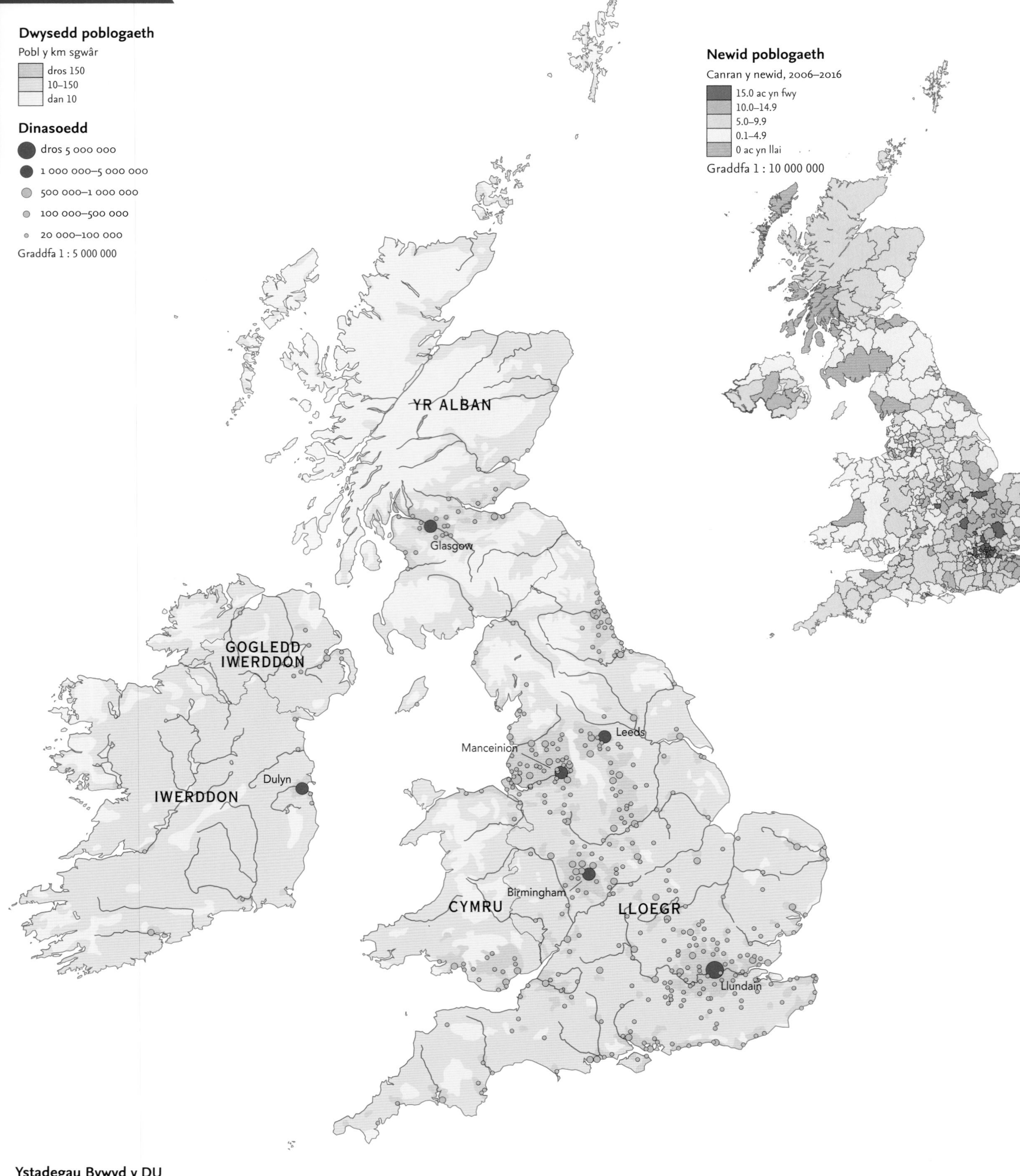

Dwysedd poblogaeth

Pobl y km sgwâr

- dros 150
- 10–150
- dan 10

Dinasoedd

- dros 5 000 000
- 1 000 000–5 000 000
- 500 000–1 000 000
- 100 000–500 000
- 20 000–100 000

Graddfa 1 : 5 000 000

Newid poblogaeth

Canran y newid, 2006–2016

- 15.0 ac yn fwy
- 10.0–14.9
- 5.0–9.9
- 0.1–4.9
- 0 ac yn llai

Graddfa 1 : 10 000 000

YR ALBAN

Glasgow

GOGLEDD IWERDDON

IWERDDON

Dulyn

Leeds

Manceinion

CYMRU

Birmingham

LLOEGR

Llundain

Ystadegau Bywyd y DU

Disgwyliad oes	Cyfradd geni	Cyfradd marw	Marwolaethau babanod	Cyfradd diweithdra	Pobl nad ydynt mewn addysg na chyflogaeth
82 oed	**1.2%** 11.9 y 1000 o bobl	**0.9%** 9.3 y 1000 o bobl	**0.4%** 3.9 ym mhob 1000 o enedigaethau byw	**4.9%** o'r gweithlu	**11.1%** o bobl 16–24 oed

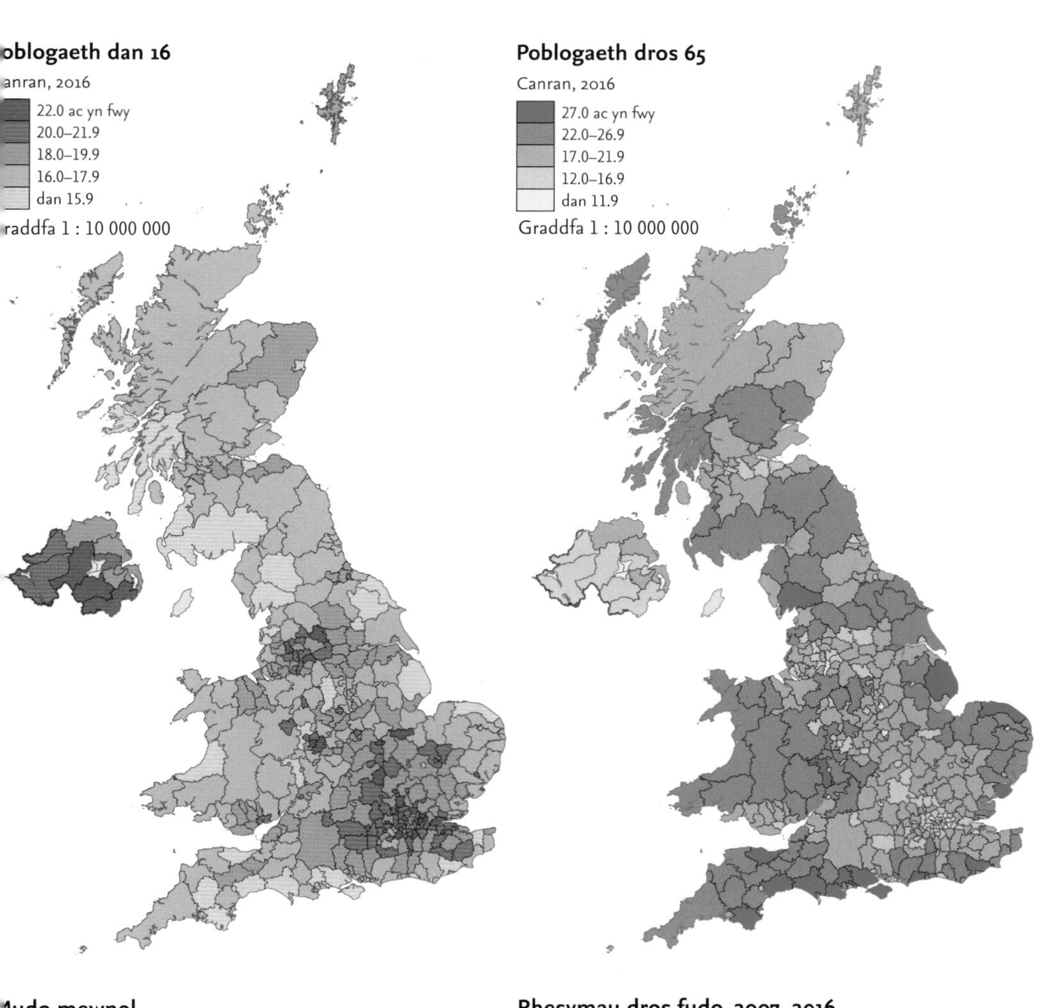

Poblogaeth dan 16
Canran, 2016

- 22.0 ac yn fwy
- 20.0–21.9
- 18.0–19.9
- 16.0–17.9
- dan 15.9

Graddfa 1 : 10 000 000

Poblogaeth dros 65
Canran, 2016

- 27.0 ac yn fwy
- 22.0–26.9
- 17.0–21.9
- 12.0–16.9
- dan 11.9

Graddfa 1 : 10 000 000

Strwythur poblogaeth

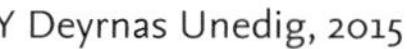

Y Deyrnas Unedig, 2015

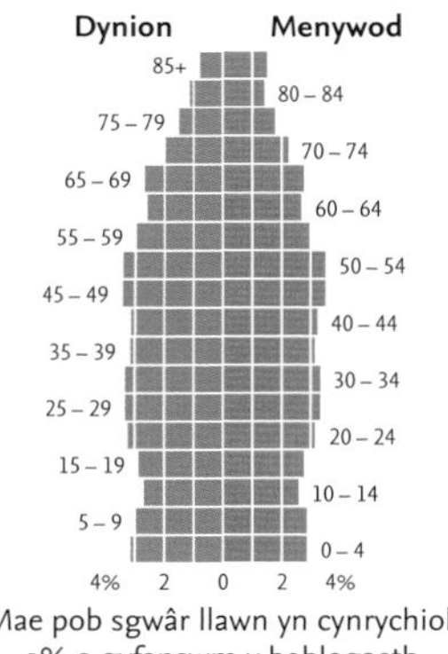

Dynion — Menywod

85+, 80–84, 75–79, 70–74, 65–69, 60–64, 55–59, 50–54, 45–49, 40–44, 35–39, 30–34, 25–29, 20–24, 15–19, 10–14, 5–9, 0–4

4% 2 0 2 4%

Mae pob sgwâr llawn yn cynrychioli
1% o gyfanswm y boblogaeth

Y Deyrnas Unedig, 2050

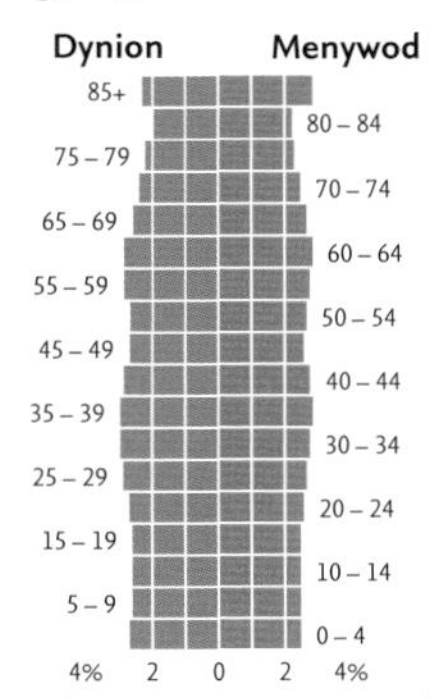

Dynion — Menywod

85+, 80–84, 75–79, 70–74, 65–69, 60–64, 55–59, 50–54, 45–49, 40–44, 35–39, 30–34, 25–29, 20–24, 15–19, 10–14, 5–9, 0–4

4% 2 0 2 4%

Mae pob sgwâr llawn yn cynrychioli
1% o gyfanswm y boblogaeth

Mudo mewnol

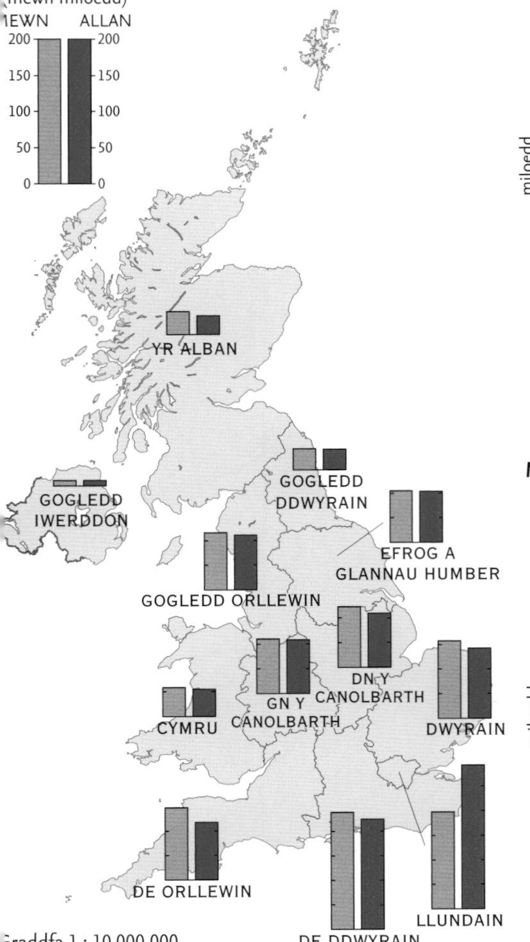

Nifer y bobl sy'n mudo, 2016 (mewn miloedd)

MEWN — ALLAN

YR ALBAN

GOGLEDD DDWYRAIN

EFROG A GLANNAU HUMBER

GOGLEDD ORLLEWIN

GOGLEDD IWERDDON

DN Y CANOLBARTH

GN Y CANOLBARTH

CYMRU

DWYRAIN

DE ORLLEWIN

DE DDWYRAIN

LLUNDAIN

Graddfa 1 : 10 000 000

Rhesymau dros fudo, 2007–2016

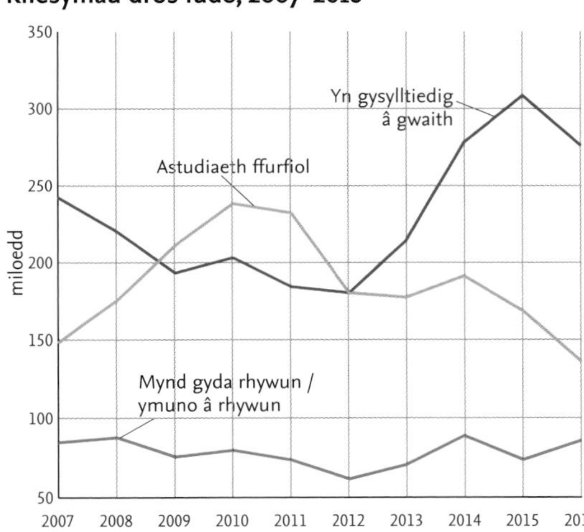

Yn gysylltiedig â gwaith

Astudiaeth ffurfiol

Mynd gyda rhywun / ymuno â rhywun

miloedd

2007 2008 2009 2010 2011 2012 2013 2014 2015 2016

Mudo rhyngwladol, 2007–2016

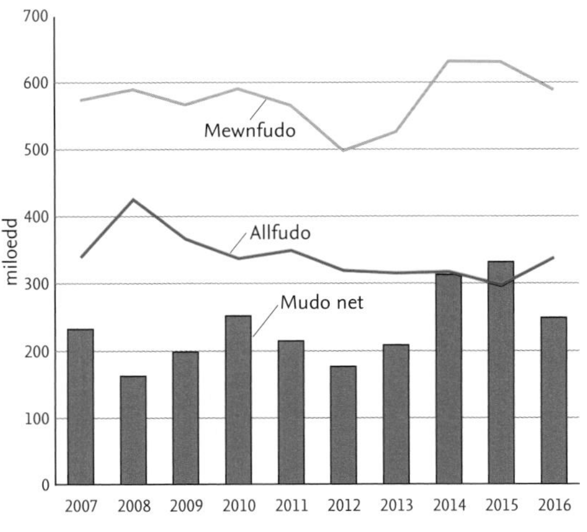

Mewnfudo

Allfudo

Mudo net

miloedd

2007 2008 2009 2010 2011 2012 2013 2014 2015 2016

Poblogaeth yn ôl grwpiau ethnig, 2016

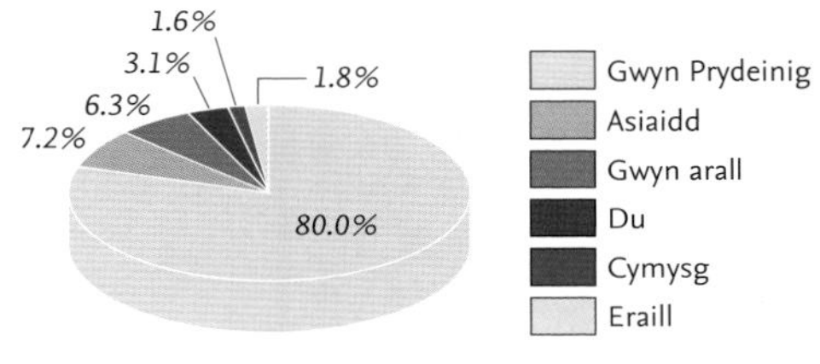

- 1.6%
- 3.1%
- 6.3%
- 7.2%
- 1.8%
- 80.0%

- Gwyn Prydeinig
- Asiaidd
- Gwyn arall
- Du
- Cymysg
- Eraill

Poblogaeth yn ôl gwlad, 2016

Gwlad	Poblogaeth 2016 (miloedd)	Dwysedd (pobl y km sgwâr)
Lloegr	55 268	424
Yr Alban	5405	69
Cymru	3113	150
Gogledd Iwerddon	1862	137
Y Deyrnas Unedig	**65 648**	**271**

Poblogaeth yn ôl grŵp oedran

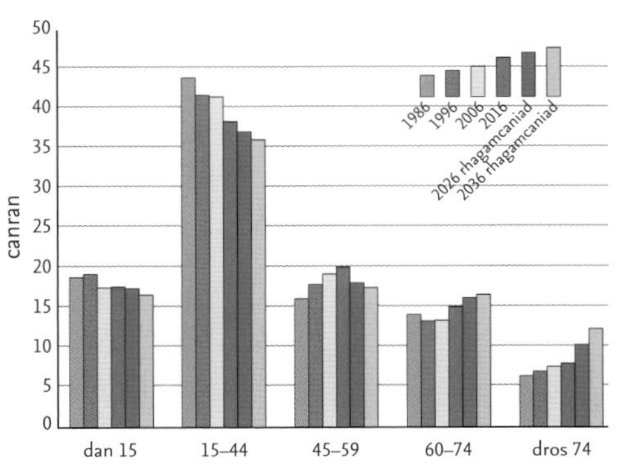

canran

1986, 1996, 2006, 2016, 2026 rhagamcaniad, 2036 rhagamcaniad

dan 15   15–44   45–59   60–74   dros 74

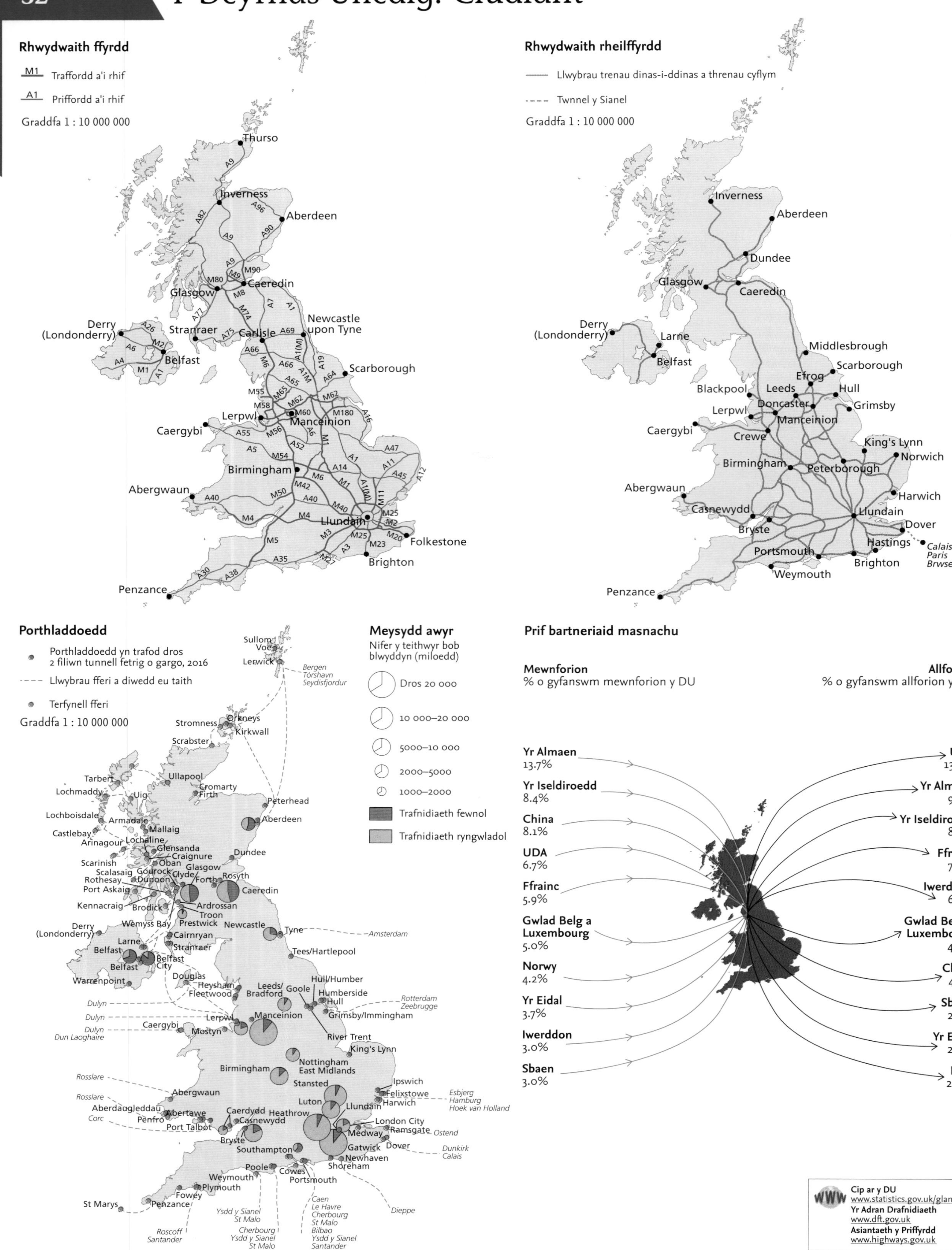

Rhwydwaith ffyrdd

M1 Traffordd a'i rhif

A1 Priffordd a'i rhif

Graddfa 1 : 10 000 000

Rhwydwaith rheilffyrdd

——— Llwybrau trenau dinas-i-ddinas a threnau cyflym

- - - - Twnnel y Sianel

Graddfa 1 : 10 000 000

Porthladdoedd

● Porthladdoedd yn trafod dros 2 filiwn tunnell fetrig o gargo, 2016

- - - Llwybrau fferi a diwedd eu taith

● Terfynell fferi

Graddfa 1 : 10 000 000

Meysydd awyr
Nifer y teithwyr bob blwyddyn (miloedd)

Dros 20 000

10 000–20 000

5000–10 000

2000–5000

1000–2000

Trafnidiaeth fewnol

Trafnidiaeth ryngwladol

Prif bartneriaid masnachu

Mewnforion
% o gyfanswm mewnforion y DU

Yr Almaen
13.7%

Yr Iseldiroedd
8.4%

China
8.1%

UDA
6.7%

Ffrainc
5.9%

Gwlad Belg a Luxembourg
5.0%

Norwy
4.2%

Yr Eidal
3.7%

Iwerddon
3.0%

Sbaen
3.0%

Allfo...
% o gyfanswm allforion y...

U...
13...

Yr Alm...
9...

Yr Iseldiro...
8...

Ffr...
7...

Iwerdd...
6...

Gwlad Be... Luxembo...
4...

Ch...
4...

Sb...
2...

Yr E...
2...

...
2...

Cip ar y DU
www.statistics.gov.uk/glan...
Yr Adran Drafnidiaeth
www.dft.gov.uk
Asiantaeth y Priffyrdd
www.highways.gov.uk

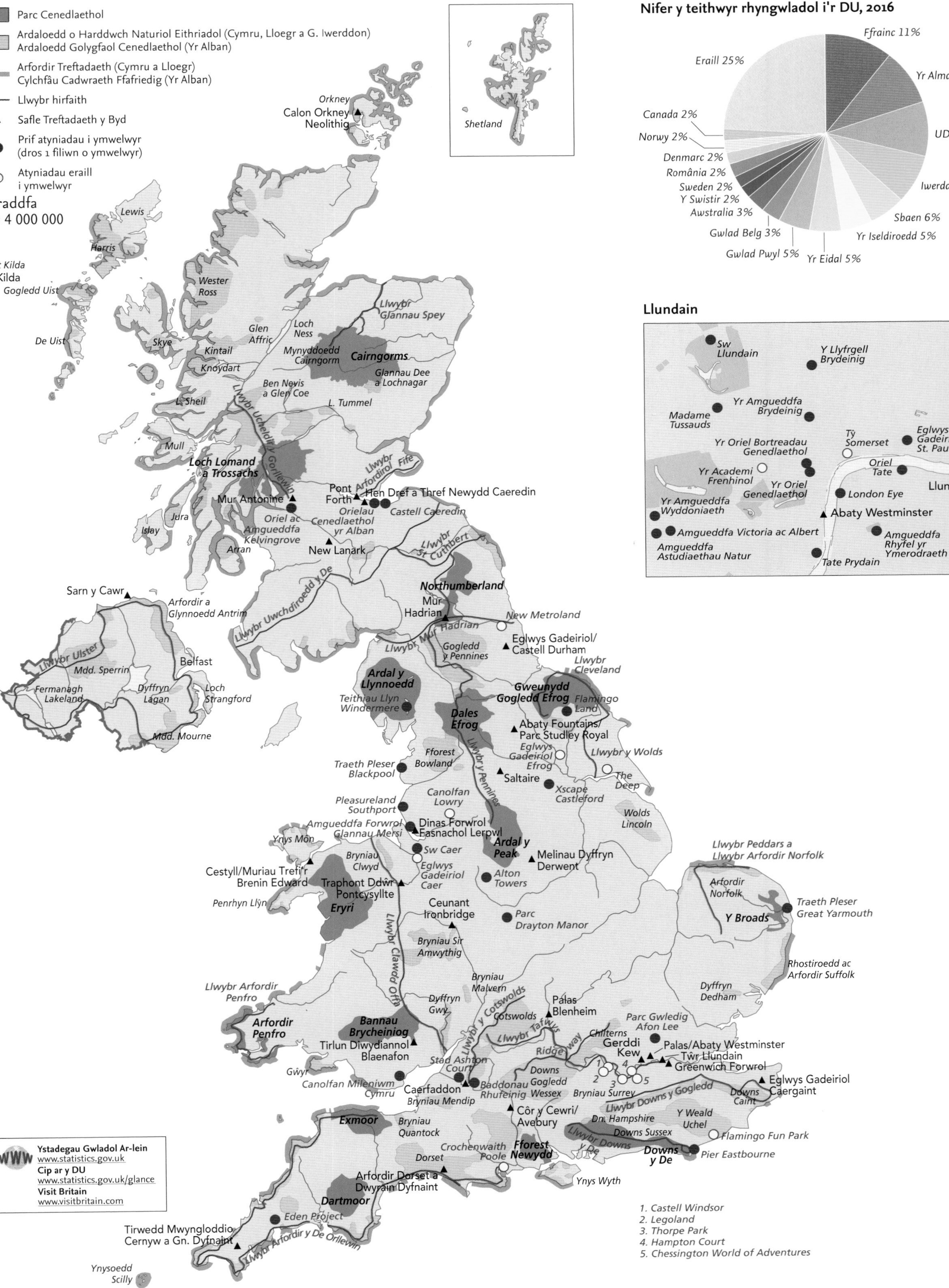

Parc Cenedlaethol

Ardaloedd o Harddwch Naturiol Eithriadol (Cymru, Lloegr a G. Iwerddon)
Ardaloedd Golygfaol Cenedlaethol (Yr Alban)

Arfordir Treftadaeth (Cymru a Lloegr)
Cylchfâu Cadwraeth Ffafriedig (Yr Alban)

Llwybr hirfaith

▲ Safle Treftadaeth y Byd

● Prif atyniadau i ymwelwyr
(dros 1 filiwn o ymwelwyr)

○ Atyniadau eraill
i ymwelwyr

Graddfa
1 : 4 000 000

Nifer y teithwyr rhyngwladol i'r DU, 2016

Ffrainc 11%
Yr Almaen 9%
UDA 9%
Iwerddon 8%
Sbaen 6%
Yr Iseldiroedd 5%
Yr Eidal 5%
Yr Eidal 5%
Gwlad Pwyl 5%
Gwlad Belg 3%
Awstralia 3%
Y Swistir 2%
Sweden 2%
România 2%
Denmarc 2%
Norwy 2%
Canada 2%
Eraill 25%

Llundain

1. Castell Windsor
2. Legoland
3. Thorpe Park
4. Hampton Court
5. Chessington World of Adventures

Ystadegau Gwladol Ar-lein
www.statistics.gov.uk
Cip ar y DU
www.statistics.gov.uk/glance
Visit Britain
www.visitbritain.com

Tirwedd a nodweddion ffisegol

Tirwedd
metrau

5000
3000
2000
1000
500
200
lefel môr
islaw lefel
y môr

0
200
4000
6000

Iâ parhaol
(cap iâ neu rewlif)

Graddfa 1 : 25 000 000

0   250   500 km

Tafluniad Cytbell Conig

Trawstoriad

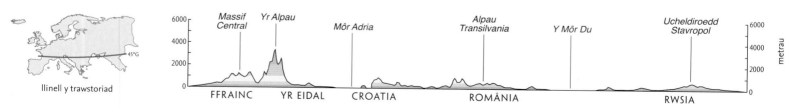

llinell y trawstoriad

Massif Central   Yr Alpau   Môr Adria   Alpau Transilvania   Y Môr Du   Ucheldiroedd Stavropol

6000   4000   2000   0

metrau   6000   4000   2000   0

FFRAINC   YR EIDAL   CROATIA   ROMÂNIA   RWSIA

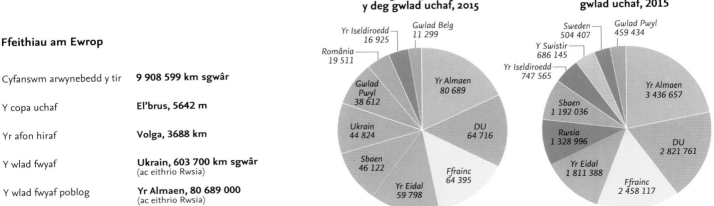

Ffeithiau am Ewrop

Cyfanswm arwynebedd y tir	**9 908 599 km sgwâr**
Y copa uchaf	**El'brus, 5642 m**
Yr afon hiraf	**Volga, 3688 km**
Y wlad fwyaf	**Ukrain, 603 700 km sgwâr** (ac eithrio Rwsia)
Y wlad fwyaf poblog	**Yr Almaen, 80 689 000** (ac eithrio Rwsia)

Poblogaeth yn ôl gwlad, y deg gwlad uchaf, 2015

Yr Iseldiroedd 16 925
Gwlad Belg 11 299
Románia 19 511
Gwlad Pwyl 38 612
Ukrain 44 824
Sbaen 46 122
Yr Eidal 59 798
Ffrainc 64 395
DU 64 716
Yr Almaen 80 689

Poblogaeth mewn miloedd

IGC yn ôl gwlad, y deg gwlad uchaf, 2015

Sweden 504 407
Gwlad Pwyl 459 434
Y Swistir 686 145
Yr Iseldiroedd 747 565
Sbaen 1 192 036
Rwsia 1 328 996
Yr Eidal 1 811 388
Ffrainc 2 458 117
DU 2 821 761
Yr Almaen 3 436 657

IGC mewn miliynau o $ UDA

Ewrop: Hinsawdd

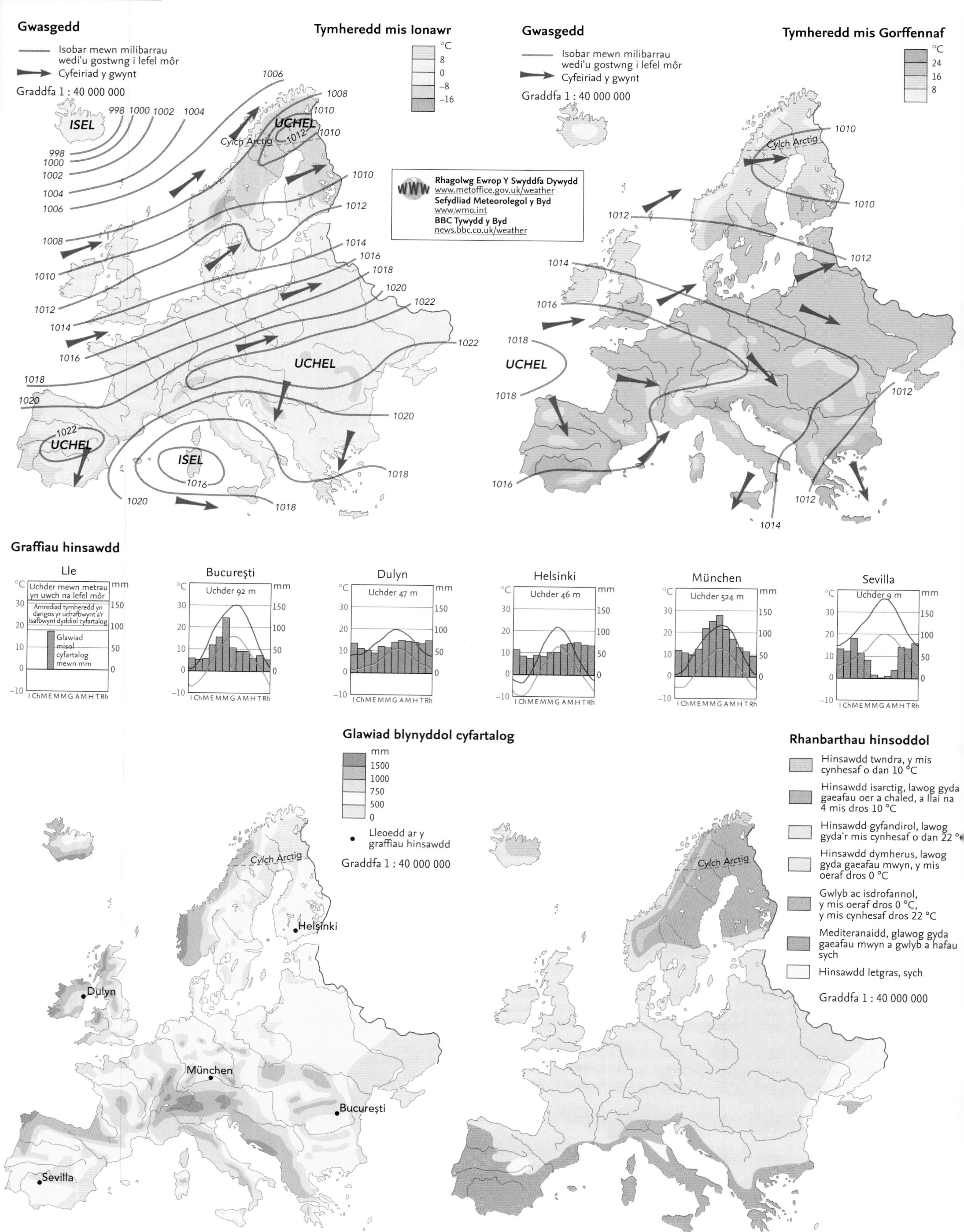

Gwasgedd

— Isobar mewn milibarrau
wedi'u gostwng i lefel môr

➤ Cyfeiriad y gwynt

Graddfa 1 : 40 000 000

Tymheredd mis Ionawr

°C
8
0
−8
−16

Gwasgedd

— Isobar mewn milibarrau
wedi'u gostwng i lefel môr

➤ Cyfeiriad y gwynt

Graddfa 1 : 40 000 000

Tymheredd mis Gorffennaf

°C
24
16
8

Rhagolwg Ewrop Y Swyddfa Dywydd
www.metoffice.gov.uk/weather
Sefydliad Meteorolegol y Byd
www.wmo.int
BBC Tywydd y Byd
news.bbc.co.uk/weather

Graffiau hinsawdd

Lle

°C   Uchder mewn metrau   mm
yn uwch na lefel môr

Amrediad tymheredd yn
dangos yr uchafwynt a'r
isafbwynt dyddiol cyfartalog

Glawiad
misol
cyfartalog
mewn mm

I ChM E M M G A M H T Rh

Bucureşti — Uchder 92 m

Dulyn — Uchder 47 m

Helsinki — Uchder 46 m

München — Uchder 524 m

Sevilla — Uchder 9 m

Glawiad blynyddol cyfartalog

mm
1500
1000
750
500
0

• Lleoedd ar y
graffiau hinsawdd

Graddfa 1 : 40 000 000

Rhanbarthau hinsoddol

Hinsawdd twndra, y mis
cynhesaf o dan 10 °C

Hinsawdd isarctig, lawog gyda
gaeafau oer a chaled, a llai na
4 mis dros 10 °C

Hinsawdd gyfandirol, lawog
gyda'r mis cynhesaf o dan 22 °

Hinsawdd dymherus, lawog
gyda gaeafau mwyn, y mis
oeraf dros 0 °C

Gwlyb ac isdrofannol,
y mis oeraf dros 0 °C,
y mis cynhesaf dros 22 °C

Mediteranaidd, glawog gyda
gaeafau mwyn a gwlyb a hafau
sych

Hinsawdd letgras, sych

Graddfa 1 : 40 000 000

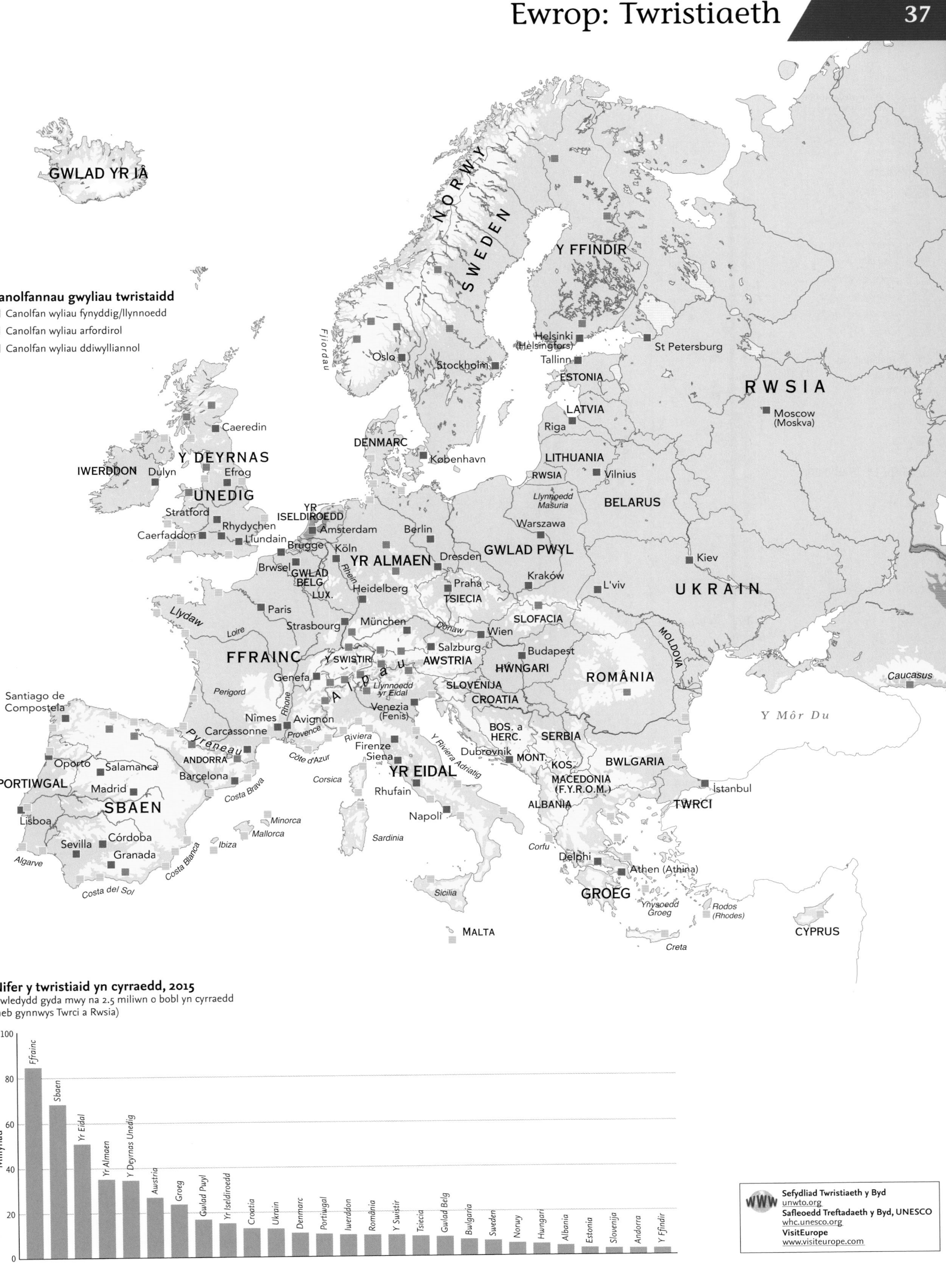

GWLAD YR IÂ

Canolfannau gwyliau twristaidd

- Canolfan wyliau fynyddig/llynnoedd
- Canolfan wyliau arfordirol
- Canolfan wyliau ddiwylliannol

N O R W Y

S W E D E N

Y FFINDIR

Fjordau

Oslo

Stockholm

Helsinki (Helsingfors)

Tallinn

St Petersburg

RWSIA

Moscow (Moskva)

ESTONIA

LATVIA

Riga

LITHUANIA

Vilnius

RWSIA

Llynnoedd Masuria

BELARUS

Warszawa

GWLAD PWYL

Kiev

Kraków

L'viv

UKRAIN

MOLDOVA

Caucasus

DENMARC

København

Caeredin

Y DEYRNAS

IWERDDON

Dulyn

Efrog

UNEDIG

Stratford

Rhydychen

Caerfaddon

Llundain

YR ISELDIROEDD

Amsterdam

Berlin

Dresden

Praha

TSIECIA

YR ALMAEN

Köln

Brwsel

GWLAD BELG

LUX.

Heidelberg

Brugge

SLOFACIA

Wien

AWSTRIA

Donaw

Salzburg

München

Budapest

HWNGARI

ROMÂNIA

Paris

FFRAINC

Llydaw

Loire

Strasbourg

Y SWISTIR

Genefa

Alpau

Perigord

Rhein

Rhône

Llynnoedd yr Eidal

Venezia (Fenis)

SLOVENIJA

CROATIA

BOS. a HERC.

Dubrovnik

SERBIA

MONT.

KOS.

MACEDONIA (F.Y.R.O.M.)

ALBANIA

Istanbul

TWRCI

BWLGARIA

Y Môr Du

Santiago de Compostela

Nîmes

Avignon

Provence

Carcassonne

Pyreneau

ANDORRA

Barcelona

Côte d'Azur

Riviera

Firenze

Siena

YR EIDAL

Rhufain

Napoli

Corsica

Corfu

Delphi

Athen (Athina)

GROEG

Costa Brava

Y Riviera Adriatig

Oporto

Salamanca

Madrid

SBAEN

PORTIWGAL

Lisboa

Sevilla

Córdoba

Granada

Algarve

Costa del Sol

Costa Blanca

Ibiza

Minorca

Mallorca

Sardinia

Sicilia

MALTA

Creta

Ynysoedd Groeg

Rodos (Rhodes)

CYPRUS

Nifer y twristiaid yn cyrraedd, 2015
gwledydd gyda mwy na 2.5 miliwn o bobl yn cyrraedd
(eb gynnwys Twrci a Rwsia)

Miliynau

Ffrainc · Sbaen · Yr Eidal · Yr Almaen · Y Deyrnas Unedig · Awstria · Groeg · Gwlad Pwyl · Yr Iseldiroedd · Croatia · Ukrain · Denmarc · Portiwgal · Iwerddon · Românía · Y Swistir · Tsiecia · Gwlad Belg · Bulgaria · Sweden · Norwy · Hungari · Albania · Estonia · Slovenija · Andorra · Y Ffindir

WWW
Sefydliad Twristiaeth y Byd
unwto.org
Safleoedd Treftadaeth y Byd, UNESCO
whc.unesco.org
VisitEurope
www.visiteurope.com

Ewrop: Gweithgaredd Economaidd

Defnydd tir

- Diwydiannol a threfol
- Tir cnydau
- Tir cnydau, glaswelltir a choetir
- Glaswelltir a thir pori
- Glaswelltir a choetir
- Coedwig dymherus
- Coedwig gonwydd
- Tir prysg neu ddiffeithdir
- Twndra

● Canolfan drefol

Diwydiant echdynnol

- Olew
- Nwy
- Glo

Graddfa 1 : 25 000 000

Perm
Oslo
Stockholm
Helsinki
St Petersburg
Tallinn
Kazan
Gothenburg
Nizhniy Novgorod
Samara
Riga
Moscow (Moskva)
København
Vilnius
Minsk
Glasgow
Manceinion
Birmingham
Rotterdam
Bremen
Hambwrg
Gdansk
Warszawa
Volgograd
Llundain
Berlin
Łódź
Essen-Dortmund
Dresden
Wrocław
Kiev
Le Havre
Zwickau
Praha
Katowice
Paris
Metz
Saarbrücken
L'viv
Donets'k
Strasbourg
Linz
Bratislava
Rostov-na-Donu
Wien
Budapest
Odessa
Lyon
Milano
Ljubljana
Grenoble
Zagreb
Bordeaux
Bologna
Beograd
Bucuresti
Oviedo
Toulouse
Marseille
Sofiya
Bilbao
Rhufain
İstanbul
Madrid
Barcelona
Napoli
Bari
Lisboa
Thessaloniki
Valencia
Sevilla
Cartagena
Piraeus

Cynhyrchiant olew, 2015

Rwmânia 2.5% | Eraill 5.9%
Yr Eidal 3.5%
Denmarc 4.8%
Y Deyrnas Unedig 28.3%
Norwy 55%

Cyfanswm: 159.9 miliwn o dunelli metrig

Cynhyrchiant nwy naturiol, 2015

Gwlad Pwyl 1.6 % | Eraill 1.2%
Denmarc 1.8%
Yr Eidal 2.4%
Yr Almaen 2.8%
Rwmânia 4.1%
Y Deyrnas Unedig 15.7%
Yr Iseldiroedd 17%
Norwy 46.4%

Cyfanswm: 227.4 miliwn o dunelli metrig o gyfwerth olew

Cynhyrchiant glo, 2015

Hwngari 0.9% | Sbaen 0.7%
Rwmânia 2.8% | Eraill 4.5%
Y Deyrnas Unedig 3.2%
Bwlgaria 3.5%
Groeg 3.5%
Serbia 4.3%
Ukrain 9.7%
Tsiecia 9.7%
Gwlad Pwyl 31.8%
Yr Almaen 25.4%

Cyfanswm: 169 miliwn o dunelli metrig o gyfwerth olew

Traul egni yn ôl tanwydd, 2015

Trydan dŵr 6.8%
Egni adnewyddadwy 7.5%
Egni niwclear 12.0%
Glo 16.4%
Olew 34.8%
Nwy naturiol 22.5%

Cynhyrchiant amaethyddol yn ôl pwysau, 2014

- Ceirch
- Rhygwenith
- Cyw iâr
- Afalau
- Tomatos
- Grawnwin
- Cig moch
- Had rêp
- Hadau blodau'r haul
- Haidd
- Tatws
- India corn
- Betys siwgr
- Llaeth
- Gwenith

Miliynau o dunelli metrig (0, 50, 100, 150, 200, 250)

Cynhyrchiant amaethyddol yn ôl gwerth, 2013

- Afalau
- Had rêp
- Hadau blodau'r haul
- Olifau
- Tomatos
- Wyau
- Haidd
- Cyw iâr
- India corn
- Grawnwin
- Tatws
- Cig eidion
- Cig moch
- Gwenith
- Llaeth

Biliynau o ddoleri (0, 20, 40, 60, 80, 100, 120)

Cyflogaeth mewn diwydiant, 2015

Canran o gyfanswm cyflogaeth

- 30.0–39.9
- 20.0–29.9
- 10.0–19.9
- 5.0–9.9
- Dim data

Graddfa 1 : 50 000 000

GWLAD YR IÂ
NORWY
SWEDEN
Y FFINDIR
ESTONIA
LATVIA
RWSIA
LITHUANIA
RWSIA
BELARUS
IWERDDON
Y DEYRNAS UNEDIG
DENMARC
YR ISELDIROEDD
GWLAD PWYL
UKRAIN
GWLAD BELG
YR ALMAEN
LUX.
TSIECIA
SLOFACIA
MOL.
FFRAINC
SWISTIR
AWSTRIA
HWNGARI
ROMÂNIA
SL.
CROATIA
B. a H.
SERBIA
BWLGARIA
ANDORRA
MON.
KOS.
MAC.
PORTUGAL
SBAEN
YR EIDAL
ALBANIA
TWRCI
GROEG
MALTA

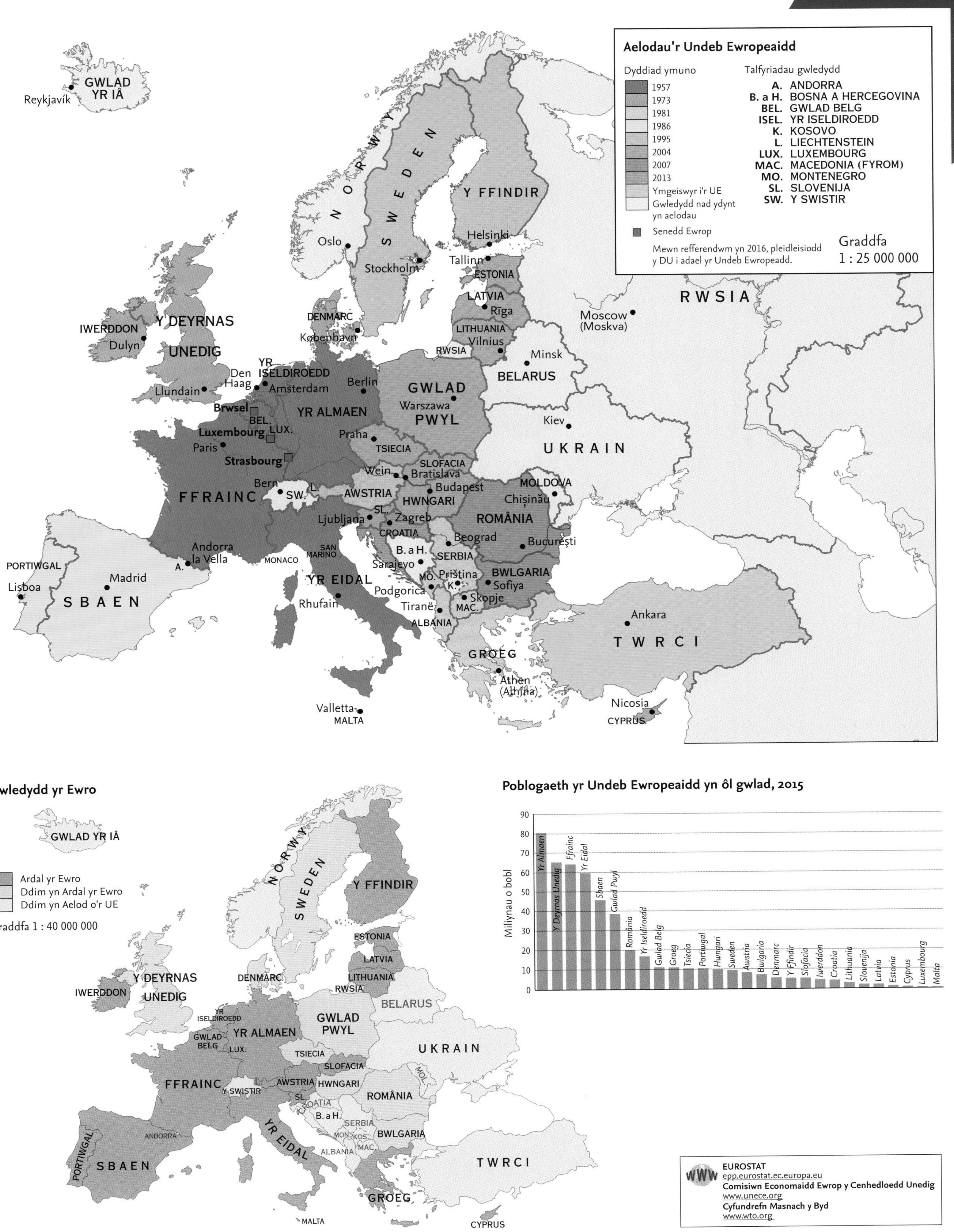

Aelodau'r Undeb Ewropeaidd

Dyddiad ymuno
1957
1973
1981
1986
1995
2004
2007
2013
Ymgeiswyr i'r UE
Gwledydd nad ydynt yn aelodau
Senedd Ewrop

Mewn refferendwm yn 2016, pleidleisiodd y DU i adael yr Undeb Ewropeadd.

Talfyriadau gwledydd
A. ANDORRA
B. a H. BOSNA A HERCEGOVINA
BEL. GWLAD BELG
ISEL. YR ISELDIROEDD
K. KOSOVO
L. LIECHTENSTEIN
LUX. LUXEMBOURG
MAC. MACEDONIA (FYROM)
MO. MONTENEGRO
SL. SLOVENIJA
SW. Y SWISTIR

Graddfa
1 : 25 000 000

wledydd yr Ewro

GWLAD YR IÂ

Ardal yr Ewro
Ddim yn Ardal yr Ewro
Ddim yn Aelod o'r UE

raddfa 1 : 40 000 000

Poblogaeth yr Undeb Ewropeaidd yn ôl gwlad, 2015

WWW EUROSTAT
epp.eurostat.ec.europa.eu
Comisiwn Economaidd Ewrop y Cenhedloedd Unedig
www.unece.org
Cyfundrefn Masnach y Byd
www.wto.org

Ewrop: Poblogaeth

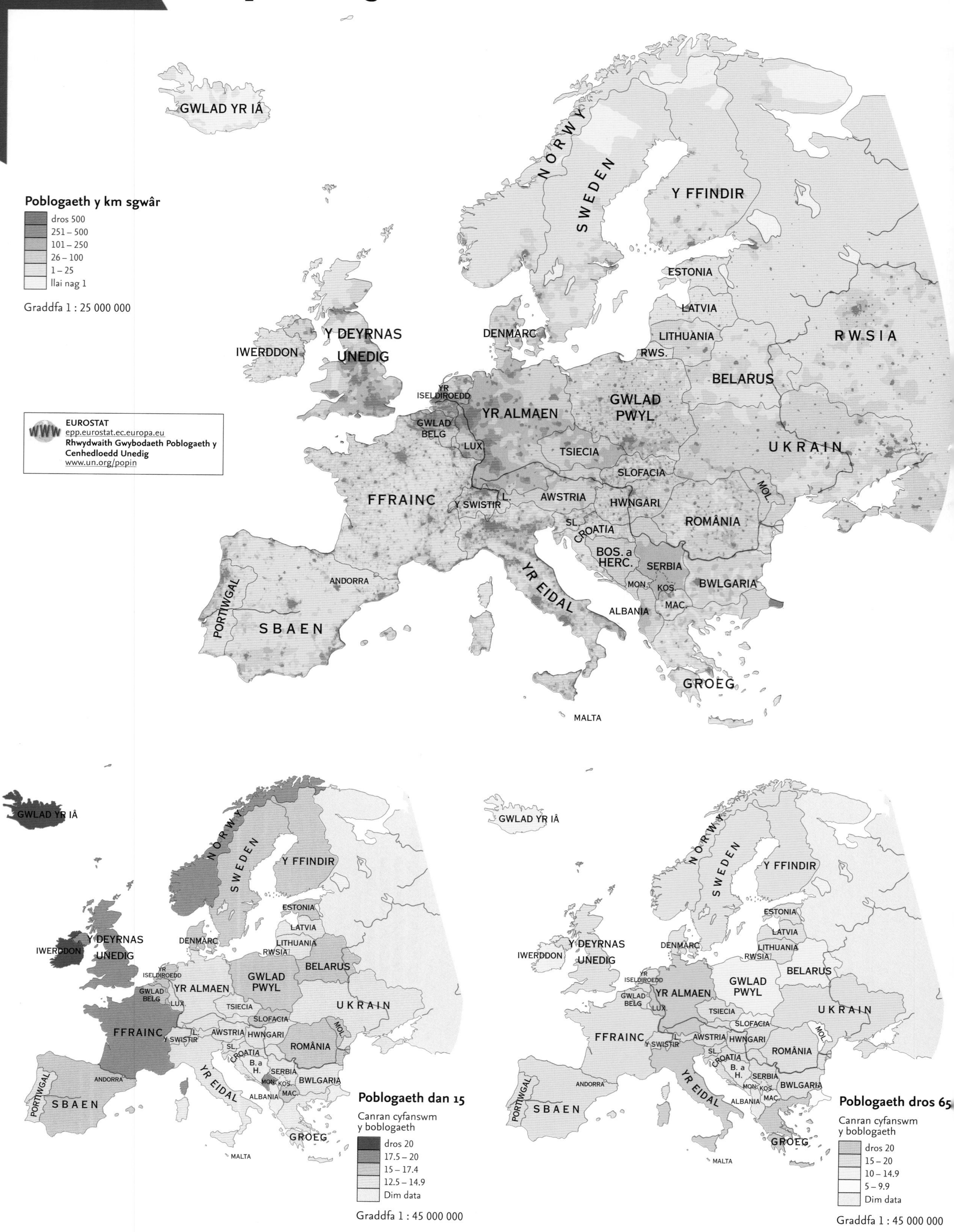

Poblogaeth y km sgwâr

- dros 500
- 251 – 500
- 101 – 250
- 26 – 100
- 1 – 25
- llai nag 1

Graddfa 1 : 25 000 000

EUROSTAT
epp.eurostat.ec.europa.eu
Rhwydwaith Gwybodaeth Poblogaeth y
Cenhedloedd Unedig
www.un.org/popin

GWLAD YR IÂ

NORWY

SWEDEN

Y FFINDIR

ESTONIA

LATVIA

LITHUANIA

RWS.

RWSIA

BELARUS

IWERDDON

Y DEYRNAS UNEDIG

DENMARC

YR ISELDIROEDD

YR ALMAEN

GWLAD PWYL

GWLAD BELG

LUX

UKRAIN

FFRAINC

Y SWISTIR

L.

TSIECIA

SLOFACIA

AWSTRIA

HWNGARI

MOL.

ROMÂNIA

SL.

CROATIA

BOS. a HERC.

SERBIA

MON.

KOS.

MAC.

ALBANIA

BWLGARIA

PORTIWGAL

ANDORRA

SBAEN

YR EIDAL

GROEG

MALTA

Poblogaeth dan 15

Canran cyfanswm y boblogaeth

- dros 20
- 17.5 – 20
- 15 – 17.4
- 12.5 – 14.9
- Dim data

Graddfa 1 : 45 000 000

GWLAD YR IÂ

NORWY

SWEDEN

Y FFINDIR

ESTONIA

LATVIA

LITHUANIA

RWSIA

BELARUS

IWERDDON

Y DEYRNAS UNEDIG

DENMARC

YR ISELDIROEDD

GWLAD BELG

LUX

YR ALMAEN

GWLAD PWYL

UKRAIN

FFRAINC

Y SWISTIR

L

TSIECIA

SLOFACIA

AWSTRIA

HWNGARI

MOL

ROMÂNIA

SL.

CROATIA

B. a H.

MON.

SERBIA

MAC.

BWLGARIA

ALBANIA

PORTIWGAL

ANDORRA

SBAEN

YR EIDAL

GROEG

MALTA

Poblogaeth dros 65

Canran cyfanswm y boblogaeth

- dros 20
- 15 – 20
- 10 – 14.9
- 5 – 9.9
- Dim data

Graddfa 1 : 45 000 000

GWLAD YR IÂ

NORWY

SWEDEN

Y FFINDIR

ESTONIA

LATVIA

LITHUANIA

RWSIA

BELARUS

Y DEYRNAS UNEDIG

IWERDDON

DENMARC

YR ISELDIROEDD

GWLAD BELG

LUX

YR ALMAEN

GWLAD PWYL

UKRAIN

FFRAINC

SWISTIR

L.

TSIECIA

SLOFACIA

AWSTRIA

HWNGARI

MOL

ROMÂNIA

SL.

CROATIA

B. a H.

SERBIA

KOS.

MAC.

BWLGARIA

ALBANIA

PORTIWGAL

ANDORRA

SBAEN

YR EIDAL

GROEG

MALTA

Neuadau dinasoedd Ewrop yn y nos

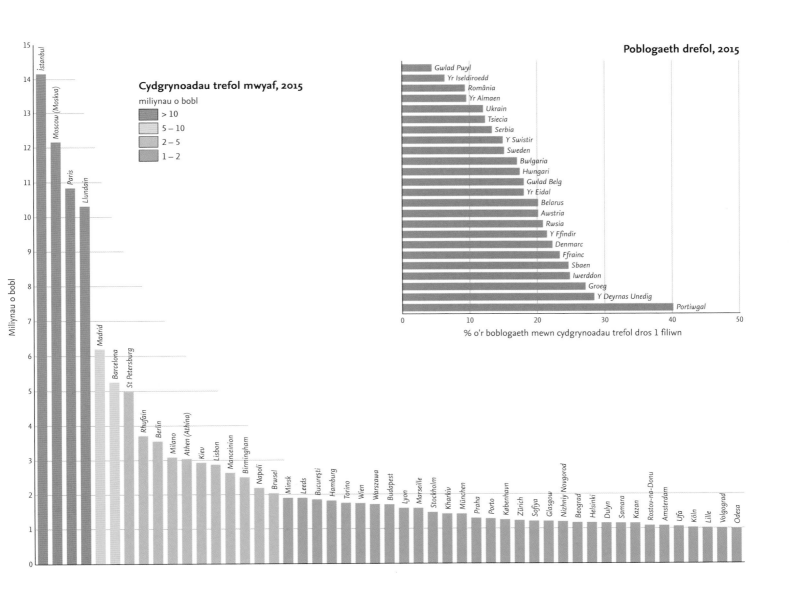

Cydgrynoadau trefol mwyaf, 2015

miliynau o bobl

- > 10
- 5 – 10
- 2 – 5
- 1 – 2

Miliynau o bobl

Istanbul, Moscow (Moskva), Paris, Llundain, Madrid, Barcelona, St. Petersburg, Rhufain, Berlin, Milano, Athen (Athina), Kiev, Lisbon, Manceinion, Birmingham, Napoli, Brwsel, Minsk, Leeds, Bucureşti, Hamburg, Torino, Wien, Warszawa, Budapest, Lyon, Marseille, Stockholm, Kharkiv, München, Praha, Porto, København, Zürich, Sofiya, Glasgow, Nizhniy Novgorod, Beograd, Helsinki, Dulyn, Samara, Kazan, Rostov-na-Donu, Amsterdam, Ufa, Köln, Lille, Volgograd, Odesa

Poblogaeth drefol, 2015

Gwlad Pwyl, Yr Iseldiroedd, Românja, Yr Almaen, Ukrain, Tsiecia, Serbia, Y Swistir, Sweden, Bwlgaria, Hwngari, Gwlad Belg, Yr Eidal, Belarus, Awstria, Rwsia, Y Ffindir, Denmarc, Ffrainc, Sbaen, Iwerddon, Groeg, Y Deyrnas Unedig, Portiwgal

% o'r boblogaeth mewn cydgrynoadau trefol dros 1 filiwn

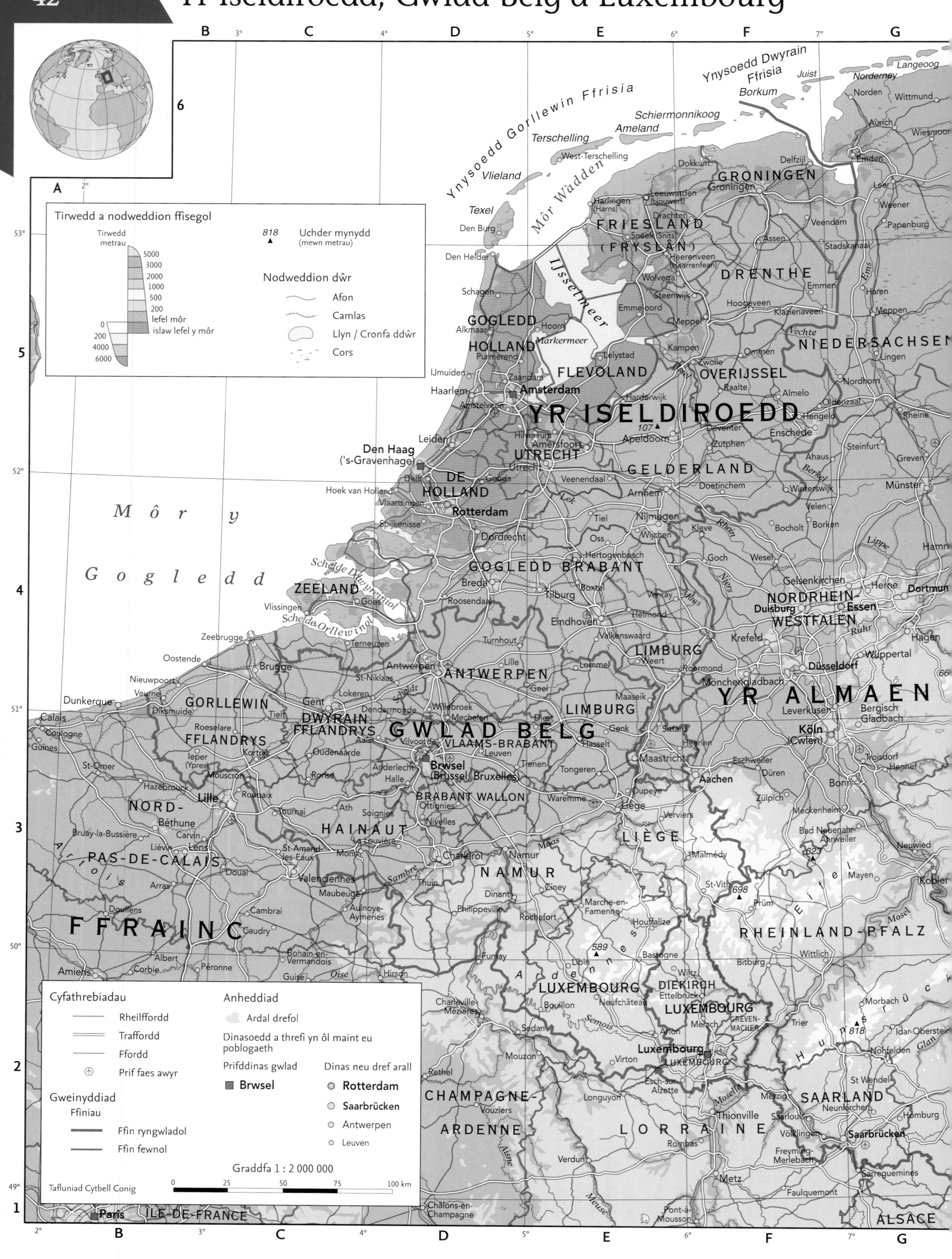

Tirwedd a nodweddion ffisegol

Tirwedd metrau

5000
3000
2000
1000
500
200
0 lefel môr
200 islaw lefel y môr
4000
6000

▲818 Uchder mynydd
(mewn metrau)

Nodweddion dŵr

Afon
Camlas
Llyn / Cronfa ddŵr
Cors

Cyfathrebiadau

Rheilffordd
Traffordd
Ffordd
⊕ Prif faes awyr

Gweinyddiad
Ffiniau
Ffin ryngwladol
Ffin fewnol

Taflunjad Cytbell Conig

Anheddiad
Ardal drefol

Dinasoedd a threfi yn ôl maint eu poblogaeth

Prifddinas gwlad
■ Brwsel

Dinas neu dref arall
● Rotterdam
● Saarbrücken
○ Antwerpen
○ Leuven

Graddfa 1 : 2 000 000

0   25   50   75   100 km

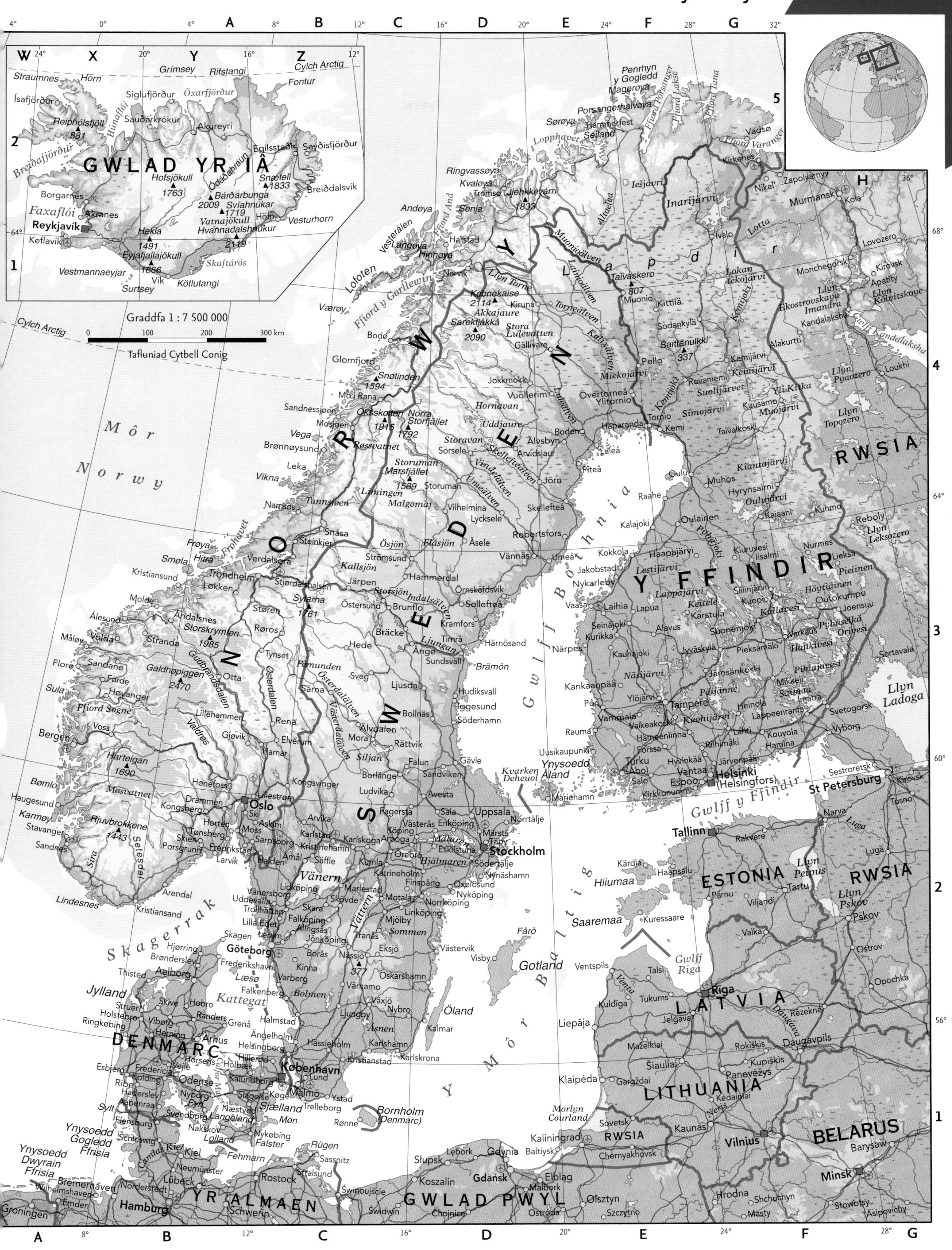

GWLAD YR IÂ

Straumnes · Horn · Grímsey · Rifstangi · Cylch Arctig · Fontur
Ísafjörður · Siglufjörður · Öxarfjörður
Reiphólsfjöll · Sauðárkrókur · Akureyri
881 · Egilsstaðir · Seyðisfjörður
Breiðafjörður · Ódáðahraun · Snæfell · Breiðdalsvík
Hofsjökull · 1833
1763 · Bárðarbunga · Vesturhorn
2009 · Sviahnúkar · Höfn
Borgarnes · 1719
Faxaflói · Akranes · Hekla · Vatnajökull · Hvannadalshnúkur
Reykjavík · 1491 · 2119
Keflavík · Eyjafjallajökull
1666
Vestmannaeyjar · Vík · Skaftárós
Surtsey · Kötlutangi

Graddfa 1 : 7 500 000

0   100   200   300 km

Tafluniad Cytbell Conig

Môr Norwy

Cylch Arctig

NORWY

SWEDEN

Y FFINDIR

RWSIA

ESTONIA

LATVIA

LITHUANIA

BELARUS

DENMARC

YR ALMAEN

GWLAD PWYL

Reykjavík · Oslo · Stockholm · København · Helsinki (Helsingfors) · Tallinn · Riga · Vilnius · St Petersburg · Minsk

Môr Baltig

Gwlff Bothnia

Gwlff y Ffindir

Gwlff Riga

Skagerrak · Kattegat

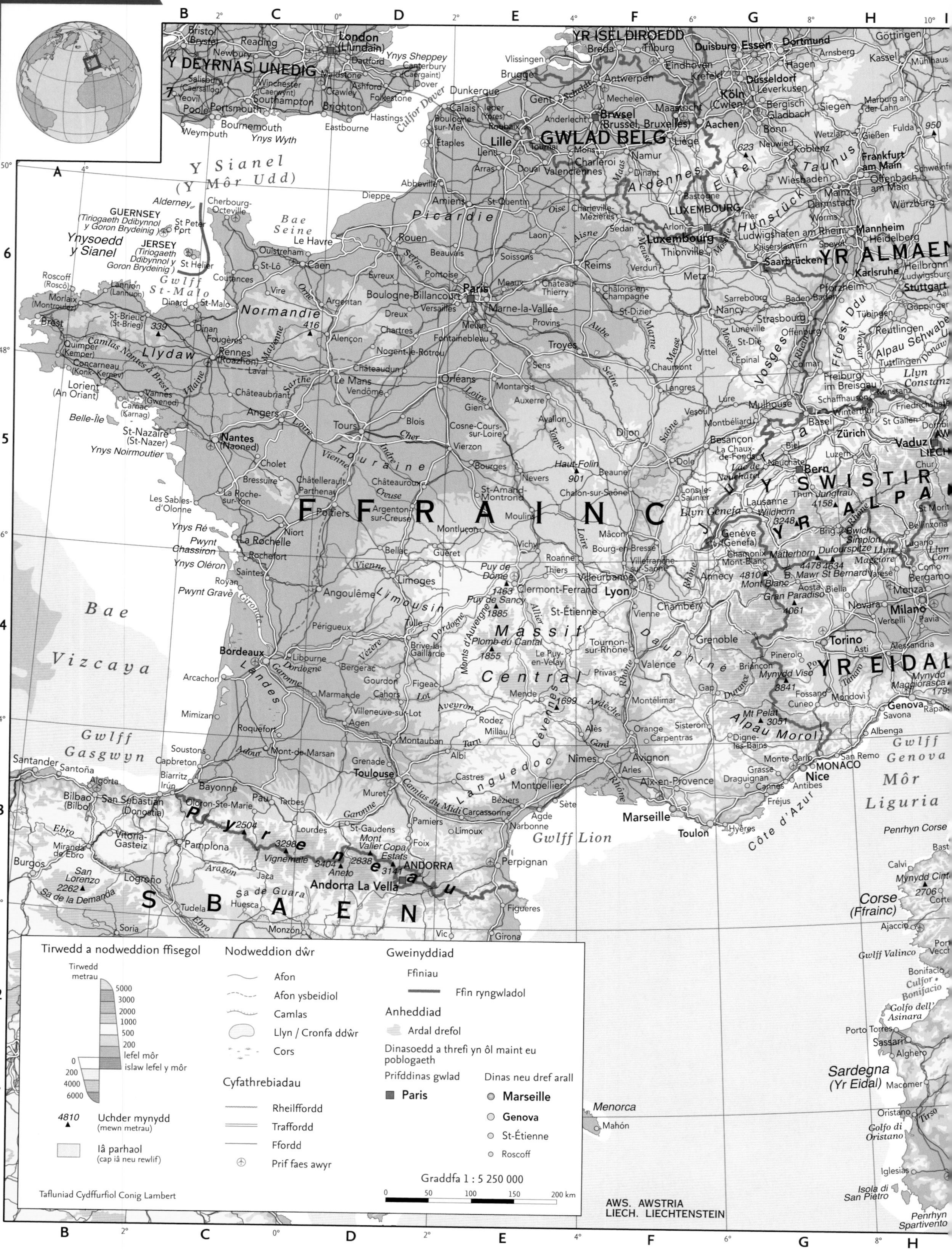

Legend — Tirwedd a nodweddion ffisegol

Tirwedd metrau

5000
3000
2000
1000
500
200
0 lefel môr
200 islaw lefel y môr
4000
6000

4810 ▲ Uchder mynydd (mewn metrau)

Iâ parhaol (cap iâ neu rewlif)

Nodweddion dŵr

Afon
Afon ysbeidiol
Camlas
Llyn / Cronfa ddŵr
Cors

Cyfathrebiadau

Rheilffordd
Traffordd
Ffordd
⊕ Prif faes awyr

Gweinyddiad

Ffiniau
Ffin ryngwladol

Anheddiad

Ardal drefol

Dinasoedd a threfi yn ôl maint eu poblogaeth

Prifddinas gwlad
■ Paris

Dinas neu dref arall
● Marseille
● Genova
○ St-Étienne
○ Roscoff

Graddfa 1 : 5 250 000

0   50   100   150   200 km

AWS. AWSTRIA
LIECH. LIECHTENSTEIN

Tafluniad Cydffurfiol Conig Lambert

Major labels: Y DEYRNAS UNEDIG · GWLAD BELG · YR ISELDIROEDD · YR ALMAEN · FFRAINC · SBAEN · YR EIDAL · Y SWISTIR · YR ALPAU · Paris · Lyon · Marseille · Toulouse · Bordeaux · Nantes · Normandie · Llydaw · Picardie · Massif Central · Languedoc · Pyrenêau · Corse (Ffrainc) · Sardegna (Yr Eidal)

Water features: Y Sianel (Y Môr Udd) · Bae Seine · Gwlff St-Malo · Bae Vizcaya · Gwlff Gasgwyn · Gwlff Lion · Môr Liguria · Culfor Dover

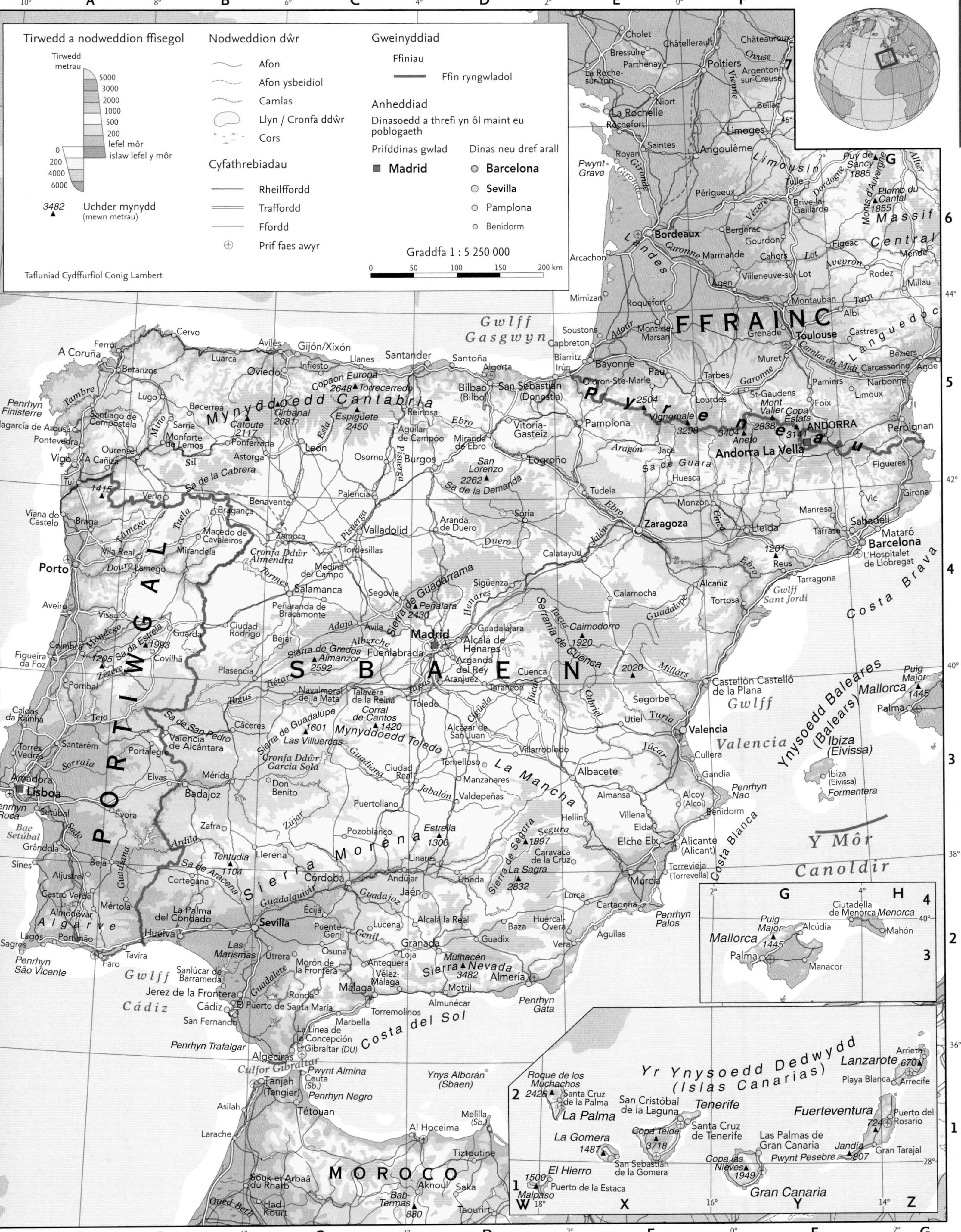
Tirwedd a nodweddion ffisegol
Tirwedd metrau
5000
3000
2000
1000
500
200
lefel môr
islaw lefel y môr
0
200
4000
6000
3482 Uchder mynydd (mewn metrau)
Nodweddion dŵr
Afon
Afon ysbeidiol
Camlas
Llyn / Cronfa ddŵr
Cors
Cyfathrebiadau
Rheilffordd
Traffordd
Ffordd
Prif faes awyr
Gweinyddiad
Ffiniau
Ffin ryngwladol
Anheddiad
Dinasoedd a threfi yn ôl maint eu poblogaeth
Prifddinas gwlad
Madrid
Dinas neu dref arall
Barcelona
Sevilla
Pamplona
Benidorm
Graddfa 1 : 5 250 000
0 50 100 150 200 km
Tafluniad Cydffurfiol Conig Lambert
SBAEN
PORTIWGAL
FFRAINC
MOROCO
ANDORRA
Andorra La Vella
Gwlff Gasgwyn
Mynyddoedd Cantabria
Pyreneau
Sierra de Guadarrama
Sierra Morena
Sierra Nevada
Mynyddoedd Toledo
La Mancha
Serranía de Cuenca
Massif Central
Landes
Limousin
Languedoc
Y Môr Canoldir
Gwlff Valencia
Gwlff Sant Jordi
Gwlff Cádiz
Culfor Gibraltar
Costa Brava
Costa Blanca
Costa del Sol
Algarve
Ynysoedd Baleares (Balears)
Mallorca
Menorca
Ibiza (Eivissa)
Formentera
Yr Ynysoedd Dedwydd (Islas Canarias)
Lanzarote
Fuerteventura
Gran Canaria
Tenerife
La Gomera
La Palma
El Hierro
Lisboa
Porto
Madrid
Barcelona
Valencia
Sevilla
Zaragoza
Bilbao (Bilbo)
Málaga
Murcia
Córdoba
Granada
Valladolid
Salamanca
Toledo
Bordeaux
Toulouse
Perpignan
Penrhyn Finisterre
Penrhyn Trafalgar
Penrhyn São Vicente
Penrhyn Gata
Penrhyn Palos
Penrhyn Nao
Penrhyn Negro
Pwynt Almina
Gibraltar (DU)
Ceuta (Sb.)
Melilla (Sb.)
Tanjah (Tangier)
Ynys Alborán (Sbaen)
Mulhacén 3482
Aneto 3404
Pico de Teide 3718

Canolbarth Ewrop

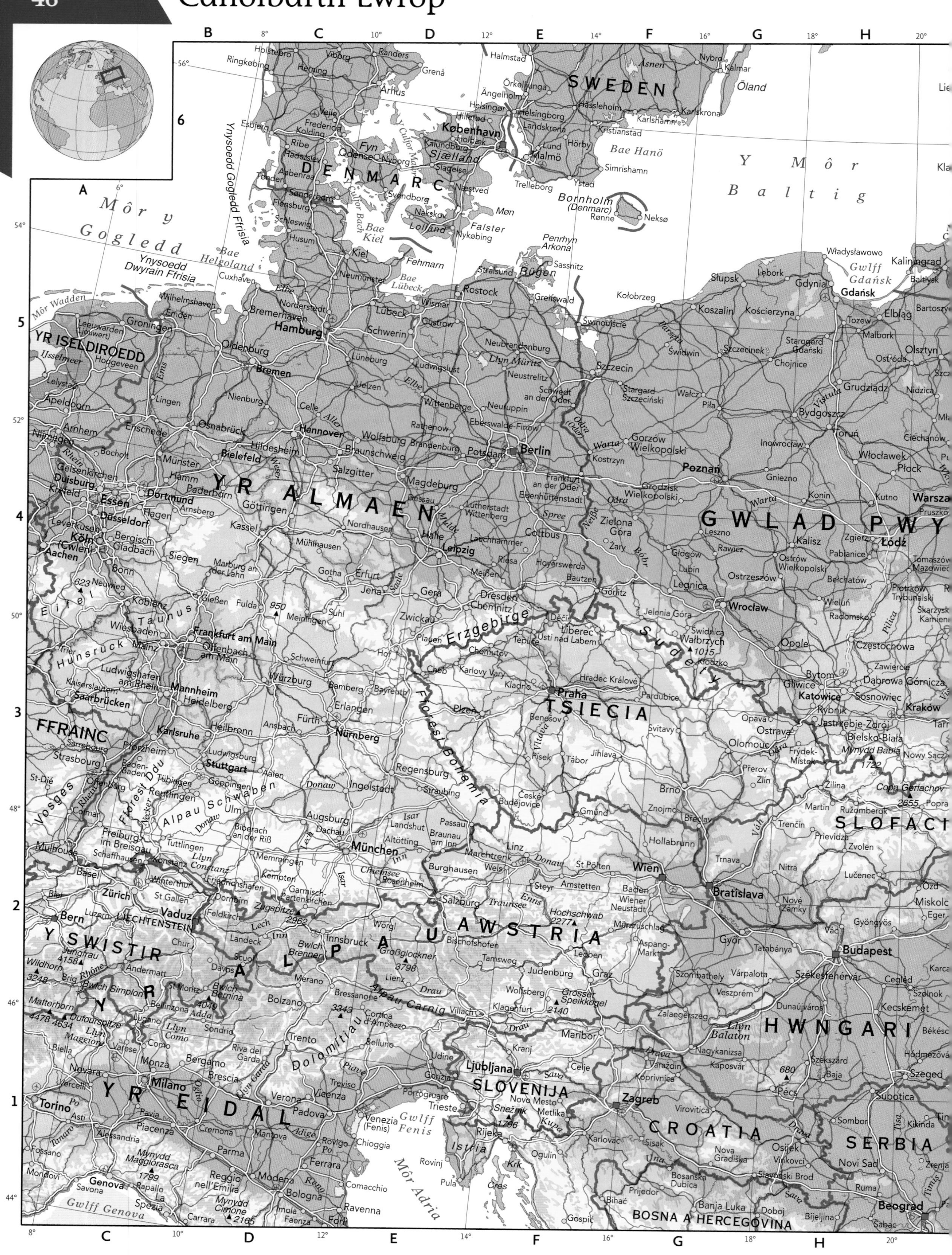
SWEDEN
DENMARC
YR ISELDIROEDD
YR ALMAEN
GWLAD PWYL
TSIECIA
FFRAINC
AWSTRIA
Y SWISTIR
LIECHTENSTEIN
SLOFACIA
HWNGARI
SLOVENIJA
CROATIA
SERBIA
BOSNA A HERCEGOVINA
YR EIDAL
Y Môr Baltig
Môr y Gogledd
Môr Adria
Gwlff Genova
Gwlff Fenis
Gwlff Gdańsk
Bae Hanö
Bae Kiel
Bae Lübeck
Bae Helgoland
Môr Wadden
Ynysoedd Gogledd Ffrisia
Ynysoedd Dwyrain Ffrisia
Y Culfor Bach
Y Culfor Mawr
Alpau Schwaben
Forest Ddu
Fforest Bohemia
Erzgebirge
Sudety
Taunus
Hunsrück
Eifel
Vosges
Y R A L P A U
Alpau Carnig
Dolomitiau
Berlin
Praha
Wien
Budapest
Bratislava
København
Ljubljana
Zagreb
Beograd
Hamburg
München
Milano
Torino
Genova
Venezia (Fenis)
Köln (Cwlen)
Frankfurt am Main
Bern
Vaduz
Warszawa
Łódź
Gdańsk
Kraków
Wrocław
Poznań

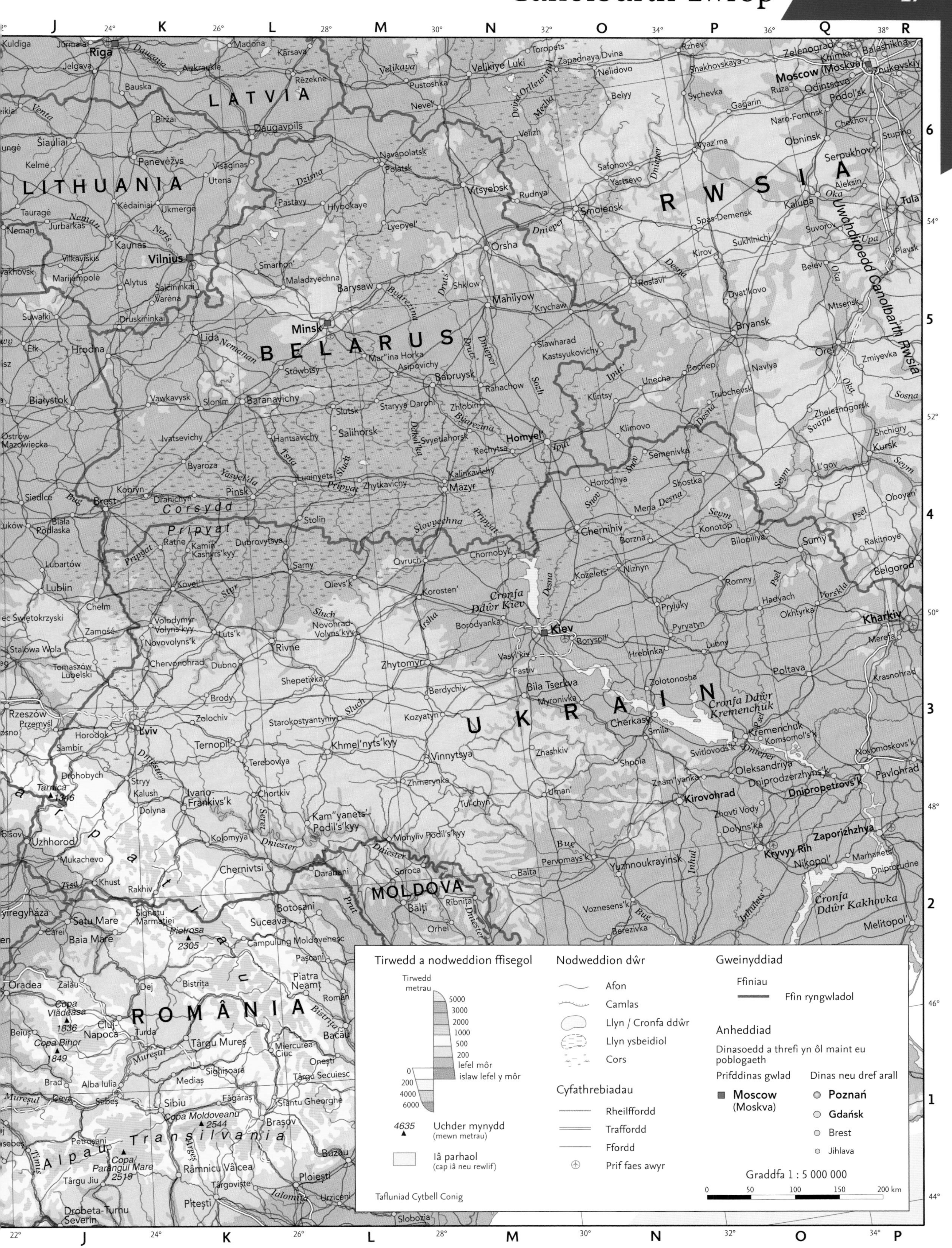

LATVIA

LITHUANIA

BELARUS

RWSIA

UKRAIN

MOLDOVA

ROMÂNIA

Transilvania

Allwedd

Tirwedd a nodweddion ffisegol

Tirwedd
metrau

5000
3000
2000
1000
500
200
lefel môr
islaw lefel y môr
0
200
4000
6000

▲ 4635 Uchder mynydd
(mewn metrau)

Iâ parhaol
(cap iâ neu rewlif)

Tafluniad Cytbell Conig

Nodweddion dŵr

〰 Afon

〰 Camlas

◯ Llyn / Cronfa ddŵr

Llyn ysbeidiol

Cors

Cyfathrebiadau

Rheilffordd

Traffordd

Ffordd

⊕ Prif faes awyr

Gweinyddiad

Ffiniau

Ffin ryngwladol

Anheddiad

Dinasoedd a threfi yn ôl maint eu poblogaeth

Prifddinas gwlad

■ Moscow
(Moskva)

Dinas neu dref arall

● Poznań

● Gdańsk

○ Brest

○ Jihlava

Graddfa 1 : 5 000 000

0   50   100   150   200 km

Basn y Môr Canoldir

6

LIECH. LIECHTENSTEIN
LUX. LUXEMBOURG

Bae Vizcaya

A 10° 45°

Penrhyn Finisterre
A Coruña
Santiago de Compostela
Pontevedra
Vigo
Tui
Braga
Bragança
Lugo
Ourense
Ponferrada
León
Oviedo
Gijón (Xixón)
Santander
San Sebastián (Donostia)
Mynyddoedd Cantabria
Bilbao (Bilbo)
Vitoria-Gasteiz
Miranda de Ebro
Burgos
Palencia
Valladolid
Zamora
Salamanca
Ávila
Segovia
Madrid
Guadalajara
Alcalá de Henares
Soria
Logroño
Pamplona
Zaragoza
Calatayud
Lleida
Sabadell
Barcelona
Tarragona
Tortosa
Castellón de la Plana (Castelló)
Valencia
Albacete
Villarrobledo
Valdepeñas
Ciudad Real
Puertollano
Córdoba
Jaén
Linares
Andújar
Sierra Morena
SBAEN
Guadiana
Badajoz
Mérida
Zafra
Beja
Évora
Portalegre
Lisboa
Setúbal
Sines
Lagos
Faro
Penrhyn São Vicente
Cádiz
Jerez de la Frontera
Sevilla
Huelva
Algeciras
Gibraltar (DU)
Málaga
Almería
Granada
Mulhacén 3482
Sierra Nevada
Lorca
Cartagena
Murcia
Alicante (Alacant)
Elche (Elx)
Gandía
Formentera
Ibiza (Eivissa)
Ibiza (Eivissa)
Ynysoedd Baleares (Balears)
Palma
Manacor
Alcúdia
Mallorca
Menorca
Mahón

PORTWGAL
Porto
Douro
Coimbra
Viseu
Guarda
Covilhã
Tagus

FFRAINC
Brest
St-Malo
St-Brieuc (St-Brieg)
Quimper (Kemper)
Lorient (An Oriant)
Vannes (Gwened)
St-Nazaire (St-Nazer)
Nantes (Naoned)
Rennes (Roazhon)
Caen
Alençon
Le Mans
Angers
Loire
Tours
Blois
Orléans
Vierzon
Châteauroult
Poitiers
La Rochelle
Saintes
Angoulême
Périgueux
Brive-la-Gaillarde
1885
Bordeaux
Garonne
Bayonne
Pau
Tarbes
Anelo 3404
Pyreneau
ANDORRA Andorra La Vella
Figueres
Girona
Perpignan
Narbonne
Béziers
Montpellier
Nîmes
Marseille
Toulon
Aix-en-Provence
Cannes
Nice
MONACO Monte-Carlo
Digne-les-Bains
Gap
Avignon
Montélimar
Valence
Grenoble
Chambéry
Lyon
St-Étienne
Montauban
Toulouse
Rodez
Mende
Cahors
Montluçon
Moulins
Vichy
Clermont-Ferrand
Massif Central
Alès
Rouen
Beauvais
Paris
Dreux
Versailles
Chartres
Fontainebleau
Gien
Dijon
Mâcon
Bourges
Sens
Laon
Reims
Charleville-Mézières
Châlons-en-Champagne
Troyes
Chaumont
Langres
Besançon
Dole
Lausanne
Genève
Bern
Neuchâtel
Basel
Zürich
Luzern
Y SWISTIR
Llyn Geneva
Annecy
Mont Blanc 4810
Bwlch Bernina
Bellinzona
Lugano
St-Dizier
Metz
Nancy
Lunéville
Épinal
Mulhouse
Strasbourg
Freiburg im Breisgau
Jura

LUX. Luxembourg
Frankfurt am Main
Mannheim
Karlsruhe
Stuttgart
Nürnberg
Regensburg
Landshut
Augsburg
München
Salzburg
Ulm
Tübingen
Rosenheim
Innsbruck
Freiburg
Bern
Vaduz LIECH.
YR ALMAEN
AWS...
Großglockner
4040
Klagenfurt
Kran
SLOV...
Udine
Lju...
Rijeka
Pula
YR ALPAU
Dolomitiau
Bolzano
Trento
Mefano
Bergamo
Vicenza
Padova
Venezia (Fenis)
Milano
Monza
Novara
Pavia
Verona
Torino
Cuneo
Savona
Genova
La Spezia
Parma
Reggio nell'Emilia
Modena
Bologna
Ferrara
Ravenna
Forlì
Rimini
San Marino
SAN MARINO
Firenze
Pisa
Livorno
Perugia
Ancona
Terni
Viterbo
Civitavecchia
Vatican City
Rhufain (Roma)
Latina
Napoli
Saler...
YR EIDAL

Môr Liguria
Gwlff Genova
Ynys Capraia
Bastia
Corse (Ffrainc)
Ajaccio
Bonifacio
Bonifacio
Ynys Elba
Culfor
Olbia
Sassari
Oristano
Nuoro
Sardegna (Yr Eidal)
Cagliari
Penrhyn Spartivento
Penrhyn Carbonara
Môr Tirreno

Gwlff Gasgwyn
Roquefort

Gwlff Valencia
Y MÔR

TANJAH (Tanger)
Larache
Ksar el Kebir
Kénitra
Rabat
Dar el Beida (Casablanca)
Settat
Khouribga
Beni Mellal
Azrou
MEROCO
Atlas Mawr
Ouarzazate
Béchar
Abadla
Hammada du Drâa
Figuig
Er Rachidia
Bouârfa
Aïn Sefra
Mecheria
El Bayadh
Atlas Sahara
Laghouat
Ghardaïa
Ouargla
Hassi Messaoud
El Oued
Touggourt
ALGERIA
Bordj Omer Driss
Illizi
Ceuta (Sb.)
Tétouan
Al Hoceima
Melilla (Sb.)
Nador
Chaouen
Ouezzane
Sidi Kacem
Taza
Meknès
Al Fas (Fez)
Taourirt
Oujda
Tlemcen
Taourirt
Khenifra
Khouribga
Atlas Canol
Sidi Bel Abbès
Mascara
Tiaret
Relizane
Ech Chélif
Oran
Mostaganem
Beni-Saf
Ghazaouet
Tizi Ouzou
Al Jazā'ir (Alger)
Blida
Médéa
Ksar El Boukhari
Djelfa
El Meghaïer
Biskra
Batna
Aïn Beïda
Tébessa
Khenchela
Mynyddoedd Nementcha
Chott Melrhir
El Meghaïer
Daraj
Ghadâmis
Bordj Messaouda
Bejaïa
Skikda
Constantine
Guelma
Annaba
Souk Ahras
Jendouba
Kairouan
M'Saken
Sousse
Menzel Bourguiba
Bizerte
Penrhyn Bon
Tunis
Nabeul
Gwlff Hammamet
TUNISIA
Sfax
Gabès
Zarzis
Medenine
Gwlff Gabès
Tozeur
Chott el Jerid
Gafsa
Kasserine
Sétif
El Eulma
Aïn Beïda
Bou Saâda
Sidi Bel Abbès
Chott ech Chergui
Chott el Hodna

Trapani
Marsala
Caltanissetta
Agrigento
Gela
Palermo
Sicilia
Ynysoedd Lip...
Ynys Pantelleria
Valletta
MAL...

Zuwārah
Tarābulus (Tripoli)
Al Khums
Mişr...
Al Jawsh
Gharyān
Nālūt
Jādū
Mizdah
Al Qado...
TRIPOLITANIA
Al Hamādah al Hamrā'
Wādi B...
Banī...
Birāk
Sabhā
Awbārī
Idhān Awbārī

Key

Tirwedd a nodweddion ffisegol

Tirwedd metrau
5000
3000
2000
1000
500
200
lefel môr
islaw lefel y môr
0
200
4000
6000

4810 ▲ Uchder mynydd (mewn metrau)

Cyfathrebiadau
— Rheilffordd
— Ffordd
⊕ Prif faes awyr

Nodweddion dŵr
〜 Afon
〜 Afon ysbeidiol
〜 Camlas
Llyn / Cronfa ddŵr
Llyn ysbeidiol
Cors

Gweinyddiad
Ffiniau
— Ffin ryngwladol
-- Ffin ddadleuol
··· Ffin cadoediad

Anheddiad
Dinasoedd a threfi yn ôl maint eu poblogaeth

Prifddinas gwlad
■ El Qâhira (Cairo)

* Prifddinas ddadleuol

Dinas neu dref arall
● İstanbul
● Napoli
○ Valencia
○ Avignon
○ Faro

Graddfa 1 : 10 000 000
0 100 200 300 400 km

Tafluniad Cytbell Conig

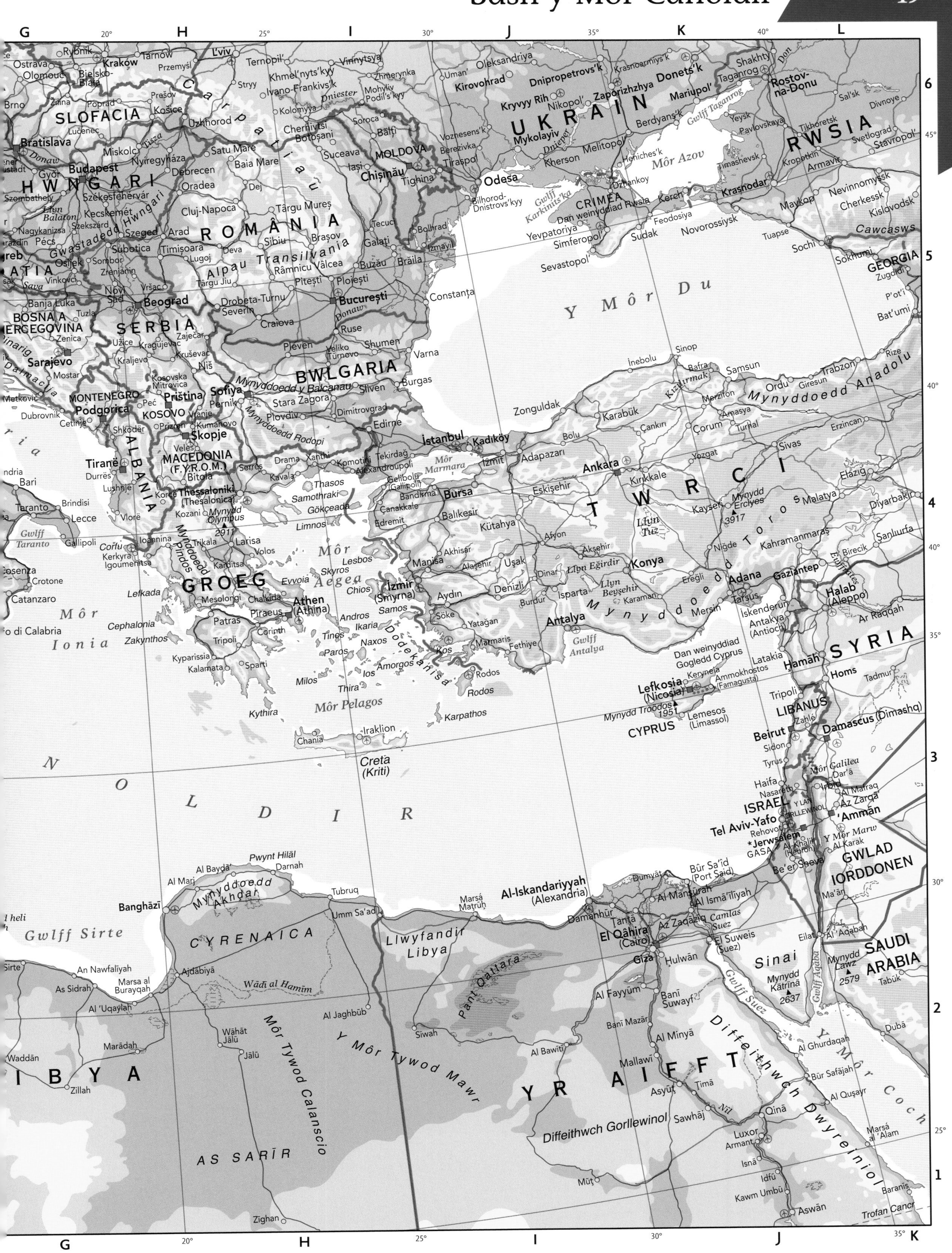
UKRAIN
RWSIA
SLOFACIA
HWNGARI
ROMÂNIA
MOLDOVA
SERBIA
BOSNA A HERCEGOVINA
MONTENEGRO
KOSOVO
ALBANIA
MACEDONIA (F.Y.R.O.M.)
BWLGARIA
GROEG
TWRCI
GEORGIA
SYRIA
LIBANUS
ISRAEL
GWLAD IORDDONEN
SAUDI ARABIA
CYPRUS
YR AIFFT
LIBYA
Y Môr Du
Môr Azov
Môr Aegea
Môr Marmara
Môr Ionia
Môr Pelagos
Môr Canoldir
Y Môr Coch
Y Môr Marw
Môr Galilea
Gwlff Sirte
Gwlff Taranto
Gwlff Antalya
Gwlff Suez
Gwlff Aqaba
Gwlff Taganrog
Gwlff Karkinits'ka
Carpatiau
Alpau Transilvania
Mynyddoedd y Balcanau
Mynyddoedd Rodopi
Mynyddoedd Pindos
Mynyddoedd Anadolu
Mynyddoedd Toros
Mynydd Akhdar
Cawcasws
Crimea
Dodekanisa
Cyrenaica
Sinai
Llwyfandir Libya
Y Môr Tywod Mawr
Môr Tywod Calanscio
As Sarīr
Pant Qattara
Diffeithwch Gorllewinol
Diffeithwch Dwyreiniol
Dan weinyddiad Rwsia
Dan weinyddiad Gogledd Cyprus
Trofan Cancr
Kraków
Budapest
Beograd
București
Sofiya
Skopje
Tiranë
Athen (Athina)
Istanbul
Ankara
Beirut
Damascus (Dimashq)
Halab (Aleppo)
Lefkosia (Nicosia)
Tel Aviv-Yafo
Jerwsalem
'Ammān
Al-Iskandariyyah (Alexandria)
El Qâhira (Cairo)
Chişinău
Odesa
Sevastopol'
Simferopol'
Izmir (Smyrna)
Creta (Kriti)
Rodos
Kos
Thira
Mynydd Olympus 2917
Mynydd Erciyes 3917
Mynydd Troodos 1951
Mynydd Katrinā 2637
Mynydd Lawz 2579
Llyn Balaton
Llyn Tuz
Llyn Eğirdir
Llyn Beyşehir
Donaw
Dniester
Dnieper
Don
Nîl
Ewffrates
Kızılırmak
Sava
Tisza
Camlas Suez
Pwynt Hilāl
G H I J K L
1 2 3 4 5 6
20° 25° 30° 35° 40° 45°

Tirwedd a nodweddion ffisegol

Tirwedd metrau
5000
3000
2000
1000
500
200
0 lefel môr
islaw lefel y môr
200
4000
6000

3917 Uchder mynydd
(mewn metrau)

Nodweddion dŵr

Afon
Afon ysbeidiol
Camlas
Llyn / Cronfa ddŵr
Llyn ysbeidiol
Cors

Cyfathrebiadau

Rheilffordd
Trafffordd
Ffordd
Prif faes awyr

Gweinyddiad

Ffiniau
Ffin ryngwladol
Ffin ddadleuol
Ffin cadoediad

Anheddiad

Dinasoedd a threfi yn ôl maint eu poblogaeth

Prifddinas gwlad
Athen

Dinas neu dref arall
İstanbul
Bursa
Antalya
Split
Dubrovnik

Graddfa 1 : 5 000 000

0   50   100   150 km

Tafluniad Cytbell Conig

Countries

CROATIA
BOSNA A HERCEGOVINA
MONTENEGRO
SERBIA
KOSOVO
MACEDONIA (F.Y.R.O.M.)
ALBANIA
BWLGARIA
ROMÂNIA
GROEG

Seas and water features

Môr Adria
Môr Ionia
Y MÔR CANOL
Môr Thraki
Môr Pelagos
Gwlff Patras
Gwlff Corinth
Gwlff Thermai
Gwlff Messinia
Gwlff Lakonia
Gwlff Saros
Gwlff İzmir
Culfor Otranto
Ynysoedd Ionia
Dardanelles

Mountains

Alpau Transilfania
Mynyddoedd y Balcanau
Mynyddoedd Rodopi
Mynyddoedd Pindos
Alpau Dinarig
Dalmatia

Cities and towns

Zagreb, Karlovac, Rijeka, Ogulin, Krk, Cres, Pag, Metlika, Novo Mesto, Snežnik 1796, Metlika, Kuna, Sisak, Virovitica, Pécs, Baja, Subotica, Szeged, Arad, Lipova, Timişoara, Deva, Alba Iulia, Sibiu, Mediaş, Sighişoara, Miercurea-Ciuc, Oneşti, Sfântu Gheorghe, Târgu Secuiesc

Bihać, Prijedor, Bosanska Dubica, Banja Luka, Doboj, Bijeljina, Tuzla, Loznica, Šabac, Beograd, Pančevo, Vršac, Zrenjanin, Kikinda, Sombor, Osijek, Nova Gradiška, Slavonski Brod, Vinkovci, Ruma, Novi Sad, Subotica

Timişoara, Lugoj, Caransebeş, Reşiţa, Orşova, Drobeta-Turnu Severin, Târgu Jiu, Petroşani, Copa Parângul Mare 2519, Copa Moldoveanu 2544, Braşov, Focşani, Buzău, Ploieşti, Târgovişte, Piteşti, Râmnicu Vâlcea, Slatina, Craiova, Calafat, Corabia, Turnu Măgurele, Zimnicea, Giurgiu, Ruse, Bucureşti, Urziceni, Slobozia, Silistra, Donaw

Jajce, Travnik, Zenica, Gornji Vakuf, Ploćno 2228, Sarajevo, Srebrenica, Zvornik, Valjevo, Kragujevac, Užice, Kruševac, Zaječar, Negotin, Lom, Vratsa, Montana, Vidin

Split, Makarska, Brač, Hvar, Korčula, Mljet, Dubrovnik, Metković, Mostar, Foča, Prijepolje, Novi Pazar, Nikšić, Podgorica, Cetinje, Bar, Durmitor Tara 2522, Bijelo Polje, Kolašin

Šibenik, Zadar, Knin, Sinj, Vaganski Vrh 1758, Gospić, Dinara 1758, Vis

Copa Jezerce 2694, Llyn Shkodër, Shkodër, Prizren, Peć, Kosovska Mitrovica, Priština, Vranje, Leskovac, Niš, Pirot, Kyustendil, Pernik, Sofiya, Botevgrad, Panagyurishte, Musala 2925, Pazardzhik, Plovdiv, Asenovgrad, Kazanlŭk, Karlovo, Stara Zagora, Sliven, Yambol, Elkhovo, Khaskovo, Kŭrdzhali, Smolyan, Edirne, Babaeski, Uzunköprü, Keşan

Bistra 2650, Tetovo, Skopje, Gostivar, Kumanovo, Kočani, Veles, Štip, Strumica, Blagoevgrad, Sandanski, Petrich, Serres, Drama, Xanthi, Komotini, Kavala, Alexandroupoli

Lezhë, Peshkopi, Debar, Kičevo, Durrës, Tiranë, Elbasan, Ohrid, Llyn Ohrid, Bitola, Llyn Prespa, Florina, Kastoria, Kozani, Veroia, Edessa, Polykastro, Kilkis, Katerini, Thessaloniki (Thesalonica), Polygyros, Thasos, Samothraki, Gökçeada, İmroz, Çanakkale, Gelibolu (Gallipoli), Limnos

Lushnjë, Berat, Korçë, Patos, Vlorë, Gjirokastër, Sarandë, Smolikas 2637, Ioannina, Igoumenitsa, Grevena, Larisa, Trikala, Karditsa, Pineios, Mynydd Olympus 2911, Ossa 1978, Katerini, Volos, Agios Efstratios, Lesbos, Mytilini, Ayvalık

Brindisi, Lecce, Otranto, Gallipoli, Penrhyn Santa Maria di Leuca, Corfu, Kerkyra, Lefkada, Preveza, Arta, Mesolongi, Achelous, Amfissa, Oiti 2152, Lamia, Parnassos 2457, Levadeia, Chalkida, Evvoia, Skyros, Psara, Chios, Karşıyaka, Buca, Bornova, Urla

Cephalonia, Zakynthos, Pyrgos, Kyparissia, Pylos, Kalamata, Sparti, Tripoli, Nafplio, Corinth, Patras, Kyllini 2376, Megara, Nea Liosia, Piraeus, Athen (Athina), Marathonas, Pwynt Kafireas, Andros, Tinos, Kea, Kythnos, Syros, Ermoupoli, Cyclades, Paros, Naxos, Ikaria, Samos, Kuşadası

Gwlff Lakonia, Neapoli, Pwynt Tainaro, Pwynt Maleas, Kythira, Milos, Ios, Amorgos, Thira, Kasos, Karpathos, Dodekanisa, Kos

Antikythira, Pwynt Spatha, Chania, Kastelli, Rethymno, Idi 2456, Iraklion, Creta (Kriti), Agios Nikolaos, Sitela

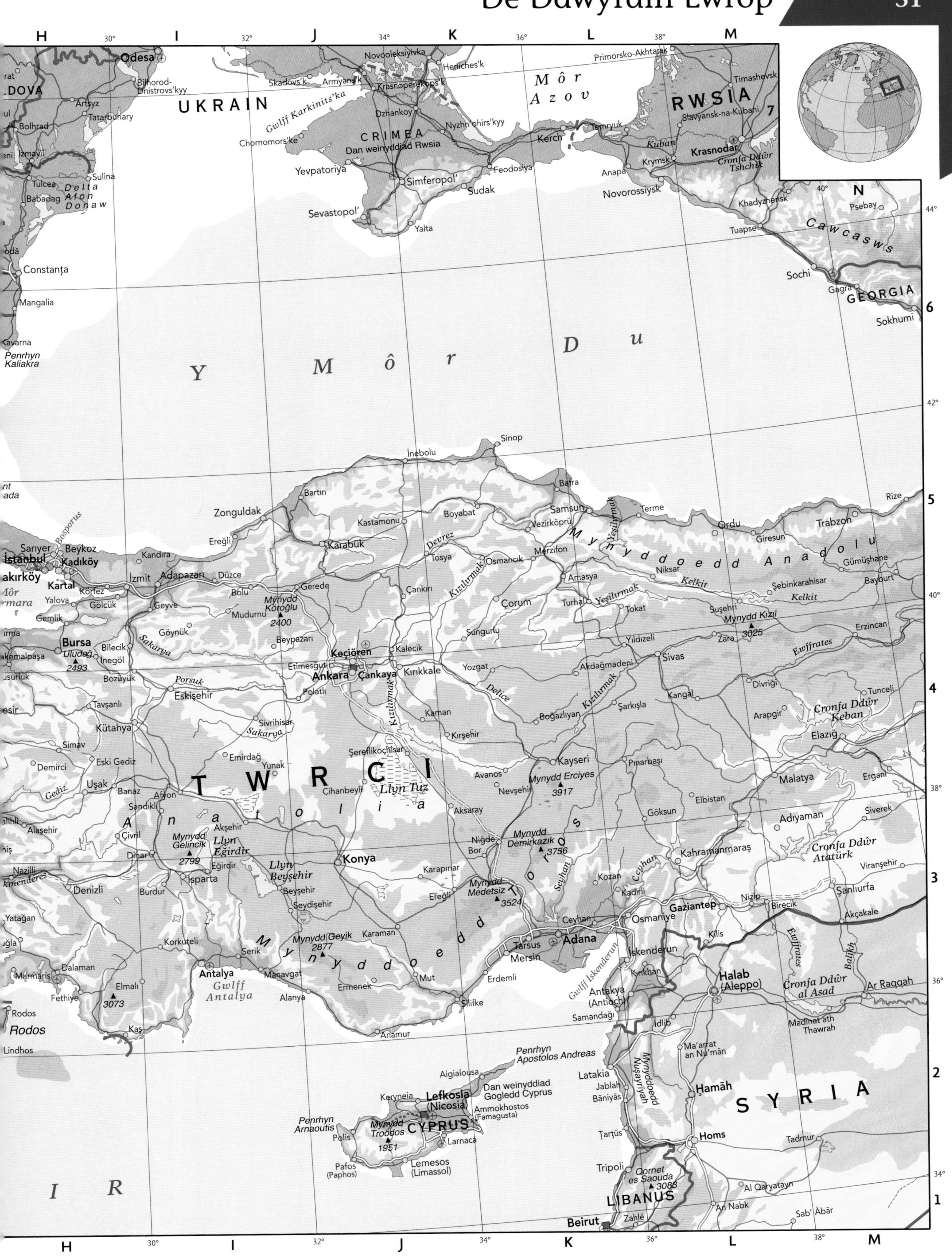

H   30°   I   32°   J   34°   K   36°   L   38°   M

Odesa

DOVA

UKRAIN

Novooleksiyivka
Skadovs'k
Armyans'k
Heniches'k
Primorsko-Akhtarsk

Bilhorod-
Dnistrovs'kyy

Artsyz
Tatarbunary

Krasnoperekops'k

Timashevsk

**Môr
Azov**

RWSIA

Bolhrad

Izmayil

Chornomors'ke

CRIMEA
Dan weinyddiad Rwsia

Dzhankoy

Nyzhn'ohirs'kyy

Kerch

Temryuk

Slavyansk-na-Kubani

Kuban

7

Sulina
Tulcea

Delta
Afon
Donaw

Babadag

Yevpatoriya

Simferopol'

Feodosiya

Anapa

Krymsk

Krasnodar

Cronfa Ddŵr
Tshchik

Sudak

Novorossiysk

N

Constanța

Sevastopol'

Yalta

Khadyzhensk

Psebay

40°

44°

Mangalia

Kavarna

Cawcasws

Penrhyn
Kaliakra

Tuapse

Sochi

Gagra

GEORGIA

Sokhumi

6

Y   M ô r   D u

42°

Sinop

İnebolu

Bafra

Samsun

Terme

Ordu

Rize

5

Zonguldak

Bartın

Boyabat

Vezirköprü

Trabzon

Kastamonu

Karabük

Devrez

Giresun

Ereğli

Mynyddoedd Anadolu

Gümüşhane

Sarıyer
Beykoz

Kandıra

Adapazarı

Düzce

Gerede

Tosya

Osmancık

Merzifon

Niksar

Şebinkarahisar

Bayburt

İstanbul
Kadıköy

İzmit

Amasya

Kelkit

40°

akırköy
Kartal

Körfez
Gölcük

Geyve

Bolu

Çankırı

Çorum

Turhal
Yeşilırmak

Tokat

Suşehri

Kelkit

Erzincan

Yalova

Mynydd
Köroğlu
2400

Mudurnu

Sungurlu

Yıldızeli

Zara

Mynydd Kızıl
3025

marya
Gemlik

Bursa

Bilecik
İnegöl

Göynük

Beypazarı

Keçiören

Kalecik

Yozgat

Akdağmadeni

Sivas

Divriği

Tunceli

kemalpaşa

Uludağ
2493

Bozüyük

Porsuk

Etimesgut
Ankara Çankaya

Kırıkkale

Delice

Kızılırmak

Kangal

Arapgir

Cronfa Ddŵr
Keban

usurluk

Eskişehir

Polatlı

Kaman

Şarkışla

Elazığ

esir

Tavşanlı

Sakarya

Kırşehir

Boğazlıyan

Kızılırmak

Ergani

Kütahya

Sivrihisar

Avanos

Kayseri

Pınarbaşı

Malatya

38°

Simav

Emirdağ

Yunak

Şereflikoçhisar

Siverek

Demirci
Eski Gediz

Gediz

Uşak

Banaz

T W R C I

Cihanbeyli

Llyn Tuz

Nevşehir

Mynydd Erciyes
3917

Elbistan

Göksun

allıh
Alaşehir

Afyon

A n a t o l i a

Aksaray

Adıyaman

Nazilli
menderes

Çivril

Sandıklı

Akşehir

Mynydd
Gelincik
2799

Llyn
Eğirdir

Eğirdir

Niğde
Bor

Mynydd
Demirkazık 3756

Kahramanmaraş

Cronfa Ddŵr
Atatürk

Viranşehir

Denizli

Dinar

Isparta

Llyn
Beyşehir

Beyşehir

Konya

Karapınar

T o r o s

Kozan

Ceyhan

Gaziantep

Şanlıurfa

Nizip

Birecik

Ewffrates

Balıkh

Yatağan

Burdur

Seydişehir

Ereğli

Mynydd
Medetsiz
3524

Kadirli

Osmaniye

Kilis

Akçakale

gla

Korkuteli

Mynydd Geyik
2877

Karaman

Ceyhan

Adana

Tarsus

İskenderun

Kırıkhan

Halab
(Aleppo)

Cronfa Ddŵr
al Asad

Ar Raqqah

36°

Marmaris
Fethiye

Antalya

Serik

Manavgat

Mut

Mersin

Erdemli

Gwlff İskenderun

Antakya
(Antioch)

İdlib

Madīnat ath
Thawrah

Elmalı

Gwlff
Antalya

Alanya

Ermenek

Silifke

Samandağı

Rodos

3073

Kaş

Anamur

M y n y d d o e d d

Ma'arrat
an Nu'mān

Rodos

Líndhos

Penrhyn
Apostolos Andreas

Latakia

Jablah

Mynyddoedd
Nuşayrīyah

Ḥamāh

S Y R I A

2

Aigialousa

Dan weinyddiad
Gogledd Cyprus

Bāniyās

Keryneia
Lefkosia
(Nicosia)

Ammokhostos
(Famagusta)

Ḥoms

Penrhyn
Arnaoutis

Mynydd
Troödos
1951

CYPRUS

Larnaca

Ţarţūs

Tadmur

Polis

Qornet
es Saouda
3088

Al Qaryatayn

34°

Pafos
(Paphos)

Lemesos
(Limassol)

Tripoli

Zahlé

LIBANUS

An Nabk

I R

Beirut

Homs

Sab' Ābār

1

H   30°   I   32°   J   34°   K   36°   L   38°   M

Dwyrain Ewrop

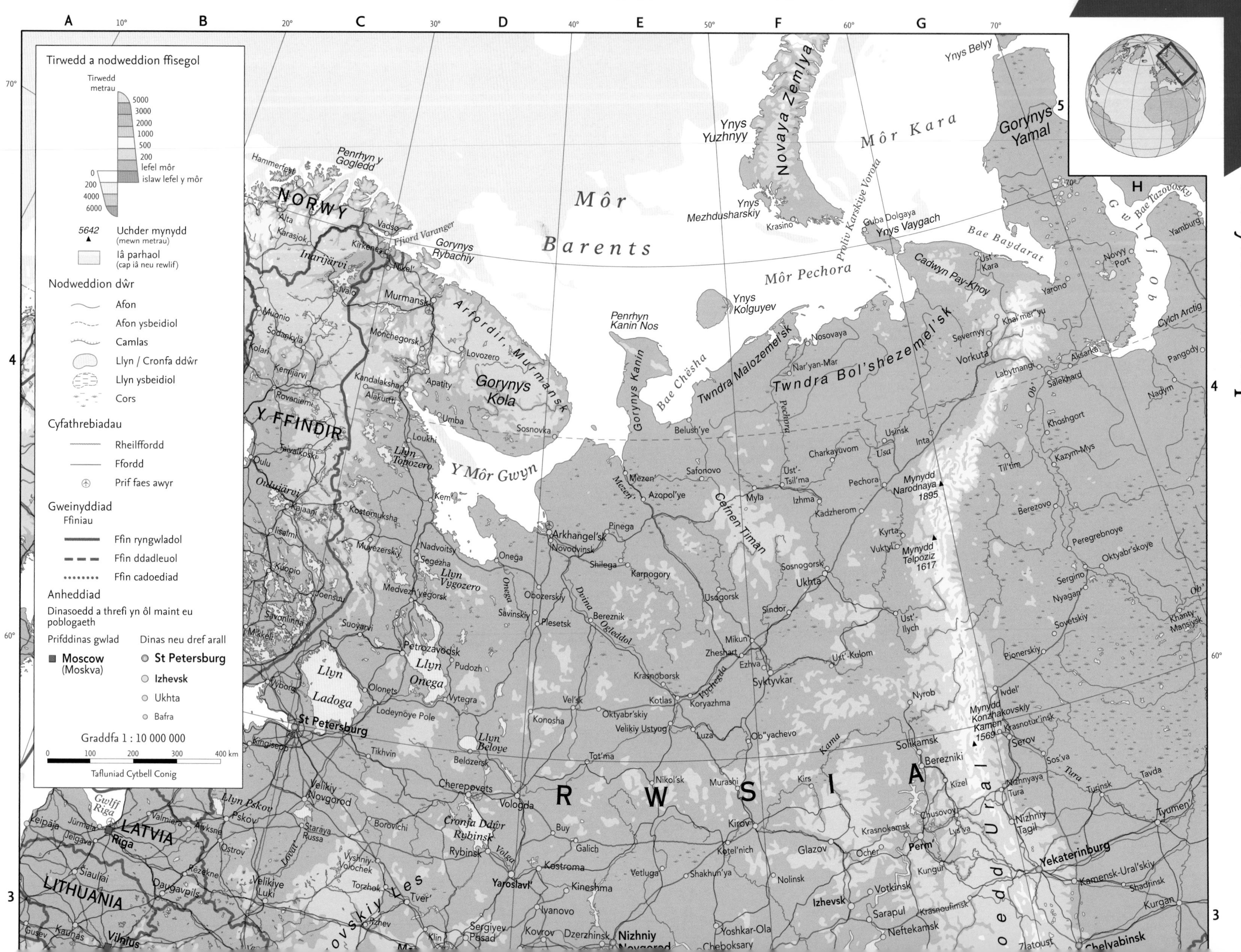
Tirwedd a nodweddion ffisegol
Tirwedd metrau
5000
3000
2000
1000
500
200
lefel môr
islaw lefel y môr
0
200
4000
6000
5642
Uchder mynydd (mewn metrau)
Iâ parhaol (cap iâ neu rewlif)
Nodweddion dŵr
Afon
Afon ysbeidiol
Camlas
Llyn / Cronfa ddŵr
Llyn ysbeidiol
Cors
Cyfathrebiadau
Rheilffordd
Ffordd
Prif faes awyr
Gweinyddiad
Ffiniau
Ffin ryngwladol
Ffin ddadleuol
Ffin cadoediad
Anheddiad
Dinasoedd a threfi yn ôl maint eu poblogaeth
Prifddinas gwlad
Dinas neu dref arall
Moscow (Moskva)
St Petersburg
Izhevsk
Ukhta
Bafra
Graddfa 1 : 10 000 000
0
100
200
300
400 km
Tafluniad Cytbell Conig
Môr Barents
Môr Kara
Môr Pechora
Y Môr Gwyn
Novaya Zemlya
Ynys Vaygach
Ynys Kolguyev
Ynys Belyy
Ynys Yuzhnyy
Ynys Mezhdusharskiy
Gorynys Yamal
Gorynys Kola
Gorynys Kanin
Gorynys Rybachiy
Penrhyn Kanin Nos
Penrhyn y Gogledd
Bae Baydarat
Bae Chësha
Bae Tazovskiy
Gwlff Ob
Gwlff Riga
Proliv Karskiye Vorota
Twndra Bol'shezemel'sk
Twndra Malozemel'sk
Cefnen Timan
Cadwyn Pay-Khoy
Arfordir Murmansk
Mynydd Narodnaya 1895
Mynydd Telpoziz 1617
Mynydd Konzhakovskiy Kamen 1569
Llyn Ladoga
Llyn Onega
Llyn Vygozero
Llyn Topozero
Llyn Beloye
Llyn Pskov
Cronfa Ddŵr Rybinsk
Pechora
Mezen'
Dvina Ogleddol
Onega
Vychegda
Kama
Volga
Ob
Tura
Lovat'
NORWY
Y FFINDIR
LATVIA
LITHUANIA
R W S I A
oedd Ural
St Petersburg
Arkhangel'sk
Murmansk
Vologda
Yaroslavl'
Kostroma
Perm'
Izhevsk
Yekaterinburg
Chelyabinsk
Syktyvkar
Ukhta
Vorkuta
Salekhard
Kirov
Petrozavodsk
Velikiy Novgorod
Tver'
Pskov
Riga
Vilnius
Nizhniy Novgorod

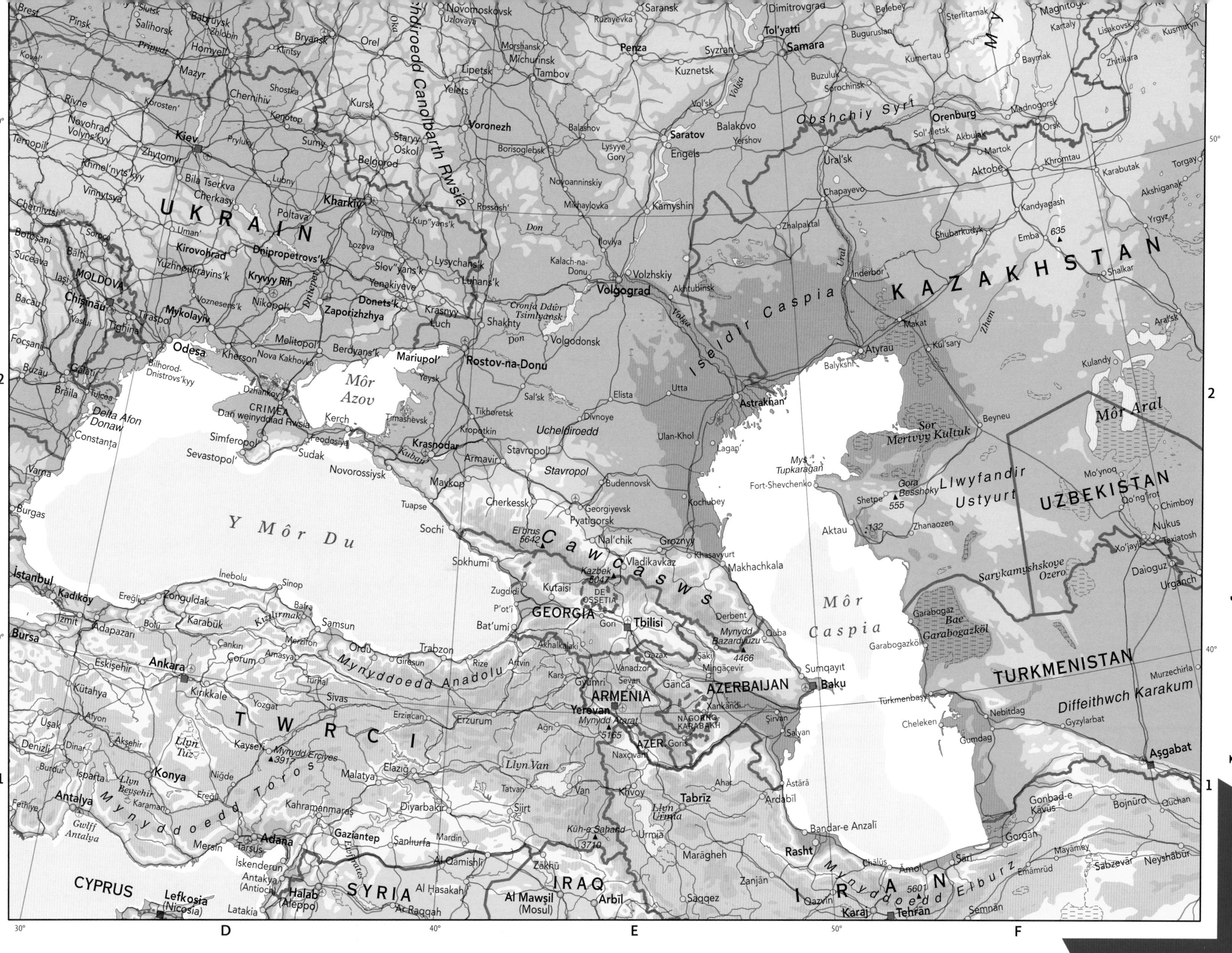
KAZAKHSTAN
UZBEKISTAN
TURKMENISTAN
UKRAIN
MOLDOVA
GEORGIA
ARMENIA
AZERBAIJAN
TWRCI
SYRIA
IRAQ
IRAN
CYPRUS
Y Môr Du
Môr Azov
Môr Caspia
Môr Aral
Iseldir Caspia
Cawcasws
Ucheldiroedd Canolbarth Rwsia
Obshchiy Syrt
Llwyfandir Ustyurt
Diffeithwch Karakum
Mynyddoedd Toros
Mynyddoedd Anadolu
Mynyddoedd Elburz
Ucheldiroedd Stavropol
Llyn Van
Llyn Urmia
Llyn Tuz
Gwlff Antalya
Delta Afon Donaw
CRIMEA
Dan weinyddiad Rwsia
Cronfa Ddŵr Tsimlyansk
Bae Garabogazköl
Sarykamyshskoye Ozero
Sor Mertvyy Kultuk
Volgograd
Rostov-na-Donu
Astrakhan'
Baku
Tbilisi
Yerevan
Ankara
İstanbul
Kiev
Odesa
Kharkiv
Chişinău
Tehrān
Aşgabat
Samara
Saratov
Voronezh
Penza
Tambov
Orenburg
Aktobe
Atyrau
Aktau
Krasnodar
Stavropol'
Groznyy
Makhachkala
Sochi
Trabzon
Samsun
Konya
Adana
Antalya
Bursa
Lefkosia (Nicosia)
Halab (Aleppo)
Al Mawşil (Mosul)
Tabrīz
Rasht
Simferopol'
Sevastopol'
Mariupol'
Donets'k
Dnipropetrovs'k
Zaporizhzhya
Kryvyy Rih
Mykolayiv
Kirovohrad
Zhytomyr
Cherkasy
Poltava
Sumy
El'brus 5642
Kazbek 5047
Mynydd Ararat 5165
Mynydd Erciyes 3917
Mynydd Bazardyuzu 4466
Kūh-e Sahand 3710
5601
1
2
D
E
F
30°
40°
50°

Rwsia

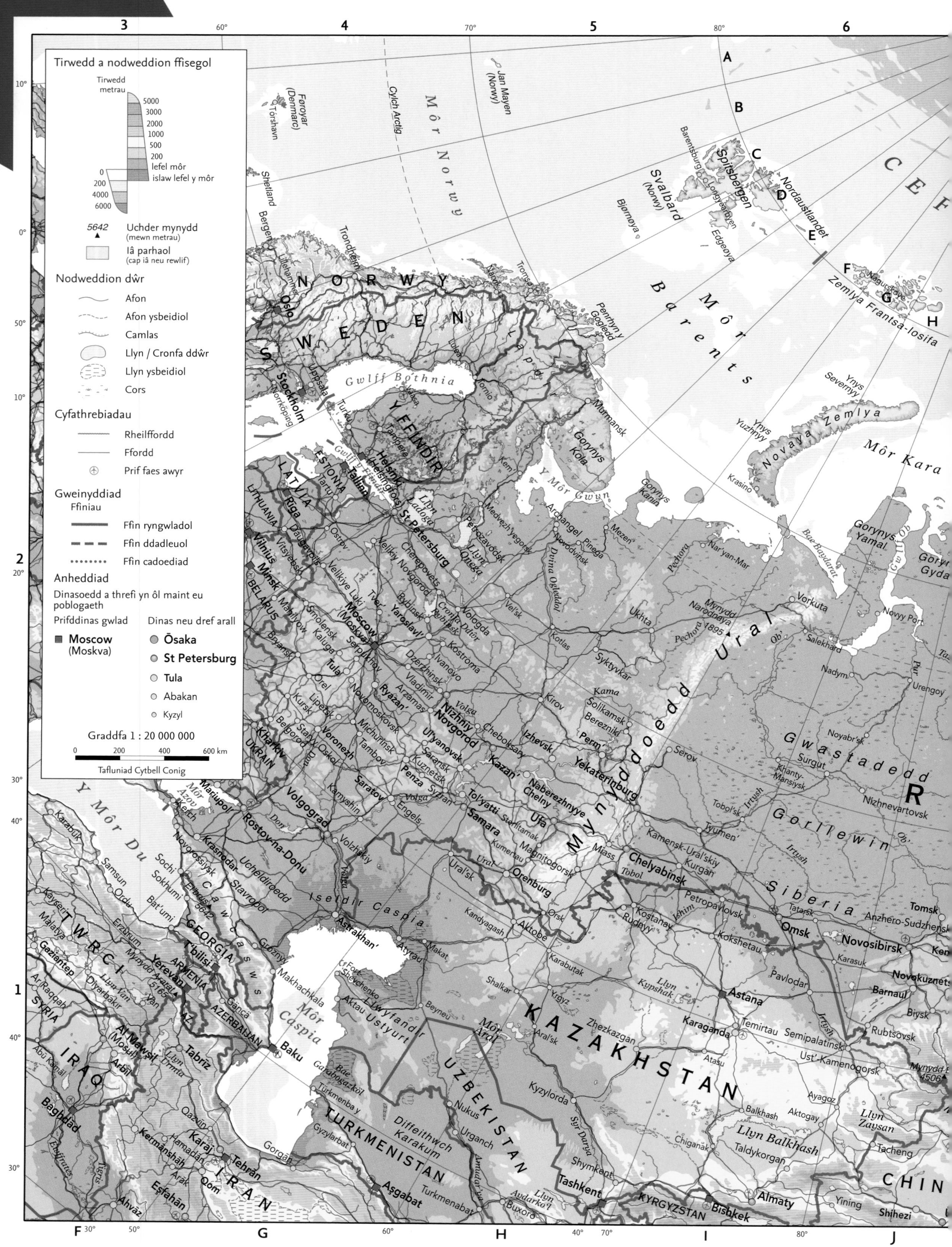
Tirwedd a nodweddion ffisegol
Tirwedd metrau
5000
3000
2000
1000
500
200
lefel môr
islaw lefel y môr
0
200
4000
6000
5642 Uchder mynydd (mewn metrau)
Iâ parhaol (cap iâ neu rewlif)
Nodweddion dŵr
Afon
Afon ysbeidiol
Camlas
Llyn / Cronfa ddŵr
Llyn ysbeidiol
Cors
Cyfathrebiadau
Rheilffordd
Ffordd
Prif faes awyr
Gweinyddiad
Ffiniau
Ffin ryngwladol
Ffin ddadleuol
Ffin cadoediad
Anheddiad
Dinasoedd a threfi yn ôl maint eu poblogaeth
Prifddinas gwlad
Dinas neu dref arall
Moscow (Moskva)
Ōsaka
St Petersburg
Tula
Abakan
Kyzyl
Graddfa 1 : 20 000 000
0 200 400 600 km
Tafluniad Cytbell Conig
3
4
5
6
60°
70°
80°
Môr Norwy
Môr Barents
Môr Kara
Y Môr Gwyn
Gwlff Bothnia
Cylch Arctig
Jan Mayen (Norwy)
Føroyar (Denmarc)
Tórshavn
Shetland
Bergen
Svalbard (Norwy)
Spitsbergen
Nordaustlandet
Edgeøya
Bjørnøya
Zemlya Frantsa-Iosifa
Novaya Zemlya
Ynys Severnyy
Ynys Yuzhnyy
Gorynys Kola
Gorynys Yamal
NORWY
SWEDEN
Y FFINDIR
ESTONIA
LATVIA
LITHUANIA
BELARUS
UKRAIN
GEORGIA
ARMENIA
AZERBAIJAN
TWRCI
SYRIA
IRAQ
IRAN
TURKMENISTAN
UZBEKISTAN
KAZAKHSTAN
KYRGYZSTAN
Oslo
Stockholm
Helsinki
Tallinn
Riga
Vilnius
Minsk
St Petersburg
Moscow (Moskva)
Murmansk
Archangel
Nizhniy Novgorod
Kazan'
Perm'
Yekaterinburg
Samara
Volgograd
Rostov-na-Donu
Chelyabinsk
Omsk
Novosibirsk
Tomsk
Astana
Karaganda
Almaty
Bishkek
Tashkent
Aşgabat
Baku
T'bilisi
Yerevan
Tehrān
Baghdad
Y Môr Du
Môr Caspia
Môr Aral
Mynyddoedd Ural
Iseldir Caspia
Gwastadedd Gorllewin Siberia
Llyn Balkhash
Llyn Ladoga
Llyn Onega
Y Cawcasws
F
G
H
I
J
1
2

K   6   80°   5   70°   4

U.D.A.

Cylch Arctig
Pwynt
Hope
Gorynys
Seward
160°

Môr
Chukchi

Culfor Bering

60°

Ynys Wrangel

Iul'tin
Gorynys
Chukchi

Ynys
St Lawrence

Ynys St Matthew

170°

Môr Dwyrain Siberia

Ambarchik

180°

A   R   C   T   I   G

Ynysoedd
Novoya Sibir'   Ynys
Novaya Sibir'

Ynys Komsomolets

K

Ynys Oktyabr'skoy
Revolyutsii

Ynys Bol'shevik

Culfor Vil'kitskogo

evernaya
Zemlya

Ynys
Kotel'nyy

Ynys
Bol'shoy
Lyakhovskiy

3

Mor
Laptev

Môr
Bering

Gorynys Taymyr
Mynyddoedd Byrranga
Gogledd Siberia

Nordvik
Gwlff Khatanga
Gwlff
Olenek

Gwlff Yana

Kazach'ye

Siednekolymsk   Kolyma

Malyy Anyuy

Bol'shoy Aluy

Omolon

Veltkaya

Egvekinot

Anadyr'

Cadwyn Koryak

Gorynys

170°

Khatanga

Olenek   Tiksi

Yana

Verkhoyansk

Mama   Mynydd Pobeda
3003

Cadwyn Cherskogo

Seymchan

Oksukchan

Gizhiga

Kamenskoye

Gwlff
Olyutor

Gwlff Karagin

Sopka
Klyuchevskaya
4750

50°

Kheta

Khatanga

Kotuy

Popigav

Anabar

Bulun

Adycha

Indigirka

Stretka   Palatka

Magadan

Gwlff
Shelikov

Palana

Gorynys

Ust'-Kamchatsk

Kamchatka

Mynyddoedd
Kamen
1678

il'sk

Siberia

Olenek

Muna

Lena

Verkhnevilyuysk   Vilyuy

Allakh-Yun

Okhotsk

Môr
Okhotsk

Petropavlovsk-
Kamchatskiy

Llyn
Puntay

Olenek

Llwyfandir

Vilyuy

Marttha

Nyurba

Yakutsk

Ust'-Maya

Maya

Ozernovskiy

160°

Tembenchi

Tunguska

Tura

Siberia

Canolbarth

Chernyshevskiy
Mirnyy

Lena

Olekminsk

Aldan

Uchur

Ayan

Ynysoedd
Shantar

Okha

Severo-Kuril'sk

Tunguska

Chunya

S   I   A

Lena

Vitim

Olekma

Maya

Cadwyn Dzhugdzhur

Sakhalin

50°

Angara

Podkamennaya Tunguska

Siberia

Ust'-Ilimsk

Ust'-Kut

Cadwyn Stanovoy

Uda

Amgun

Aleksandrovsk-
Sakhalinskiy

Culfor Tatar

Poronaysk

Uglegorsk

Ynysoedd Kuril

2

insk

Kansk   Bratsk

Lena

Tynda

Zeya

Amur

Komsomol'sk
na-Amure

Yuzhno-Sakhalinsk

Krasnoyarsk

Nizhneudinsk

Skovorodino

Amur

Svobodnyy

Khabarovsk

Korsakov

Nakkanai

Kuril'sk
Fe'i gweipyddir gan
Rwsia a'i hawlio
gan Japan.

150°

bakan

Sayan
Dwyreiniol

Usol'ye-
Sibirskoye

Llyn
Baikal

Kachug

Sretensk

Karymskoye

Blagoveshchensk

Bei'an   Yichun   Amur

Jiamusi

Hokkaidō

Asahikawa

Asahi-
dake
2290

Kushiro

Gorllewinol

Irkutsk

Chita

Da   Hinggan Ling

Fuyu

MANCHURIA

Jixi

Sapporo

Hakodate

Hachinohe

40°

Kyzyl

Ulan-Ude

Cadwyn Yablonovyy

Borzya

Llyn Hulun

Daqing

Llyn
Khanka

Ussuriysk

Vladivostok

Nakhodka

Aomori

Akita

Sendai

Llyn
Hövsgöl

Kyakhta

Hulun Buir

Qiqihar

Harbin

Mudanjiang

Yanji

Ch'ŏngjin

Niigata

Tokyo

140°

Llyn
Uvs

Javarthushuu

Choybalsan

Ulanhot

Jilin

Changchun

Kimch'aek

Yokohama

Nagoya

vd

Ulan Bator

MONGOLIA

Tongliao

CHINA

Yanji

GOGLEDD
KOREA

JAPAN

Altai   Altay

Bayanhongor

Arvayheer

Xilinhot

Chifeng

Shenyang

Anshan

Fushun

Dandong

P'yŏngyang

Osaka

Kyoto

Môr
Japan

1

K   100°   L   110°   M   120°   40°   N   130°   O

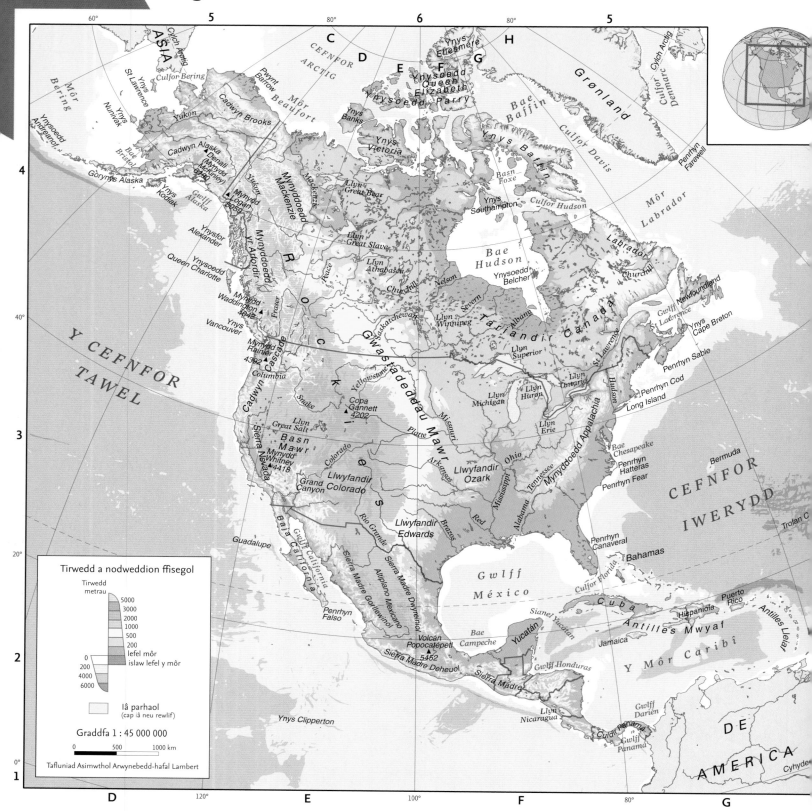

Tirwedd a nodweddion ffisegol

Tirwedd metrau

5000
3000
2000
1000
500
200
lefel môr
islaw lefel y môr
0
200
4000
6000

Iâ parhaol
(cap iâ neu rewlif)

Graddfa 1 : 45 000 000

0   500   1000 km

Tafluniad Asimwthol Arwynebedd-hafal Lambert

Trawstoriad

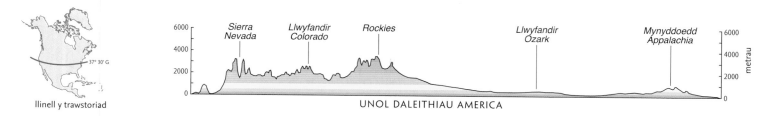

llinell y trawstoriad

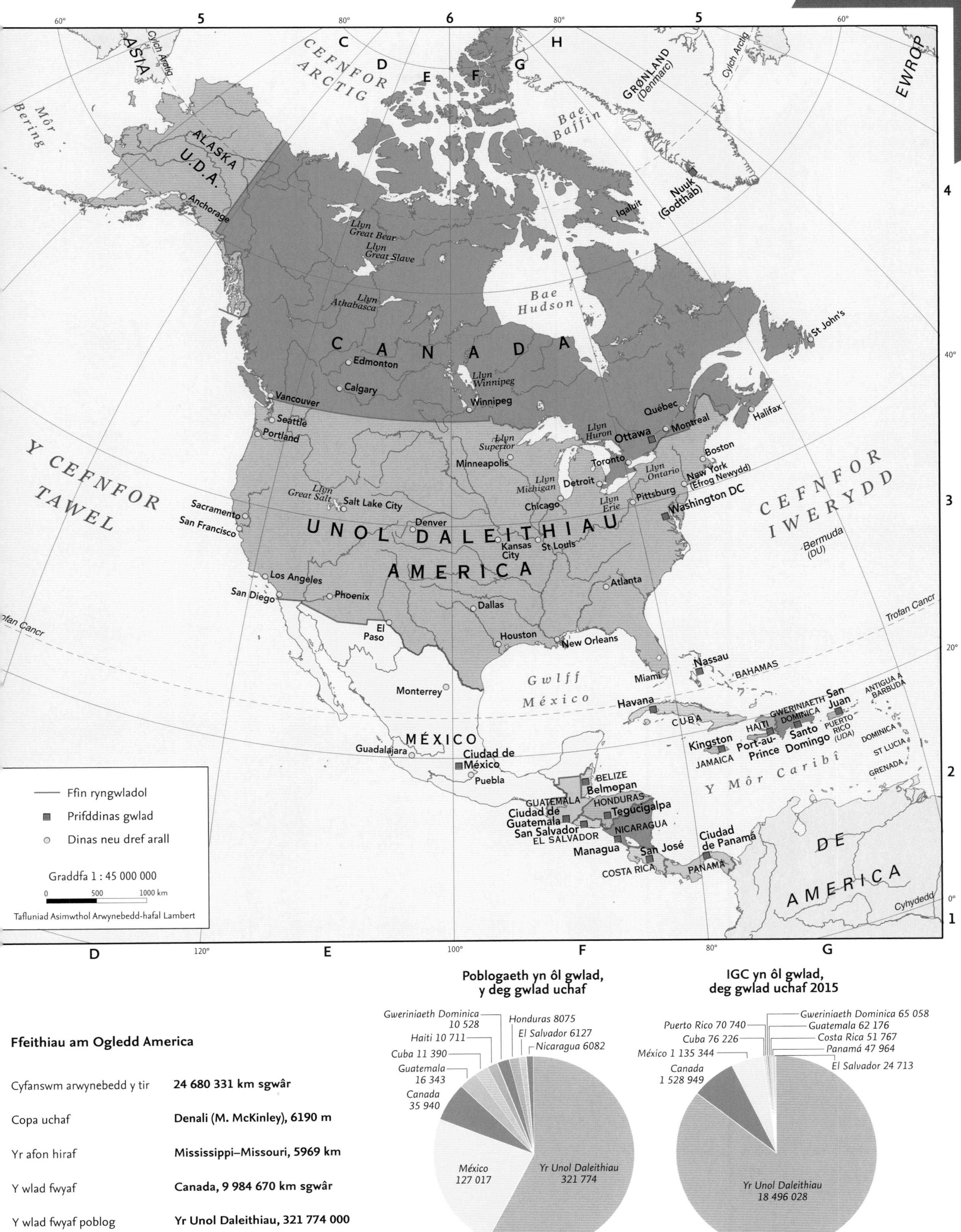

Ffeithiau am Ogledd America

Cyfanswm arwynebedd y tir	**24 680 331 km sgwâr**
Copa uchaf	**Denali (M. McKinley), 6190 m**
Yr afon hiraf	**Mississippi–Missouri, 5969 km**
Y wlad fwyaf	**Canada, 9 984 670 km sgwâr**
Y wlad fwyaf poblog	**Yr Unol Daleithiau, 321 774 000**

Poblogaeth yn ôl gwlad, y deg gwlad uchaf

- Gweriniaeth Dominica 10 528
- Haiti 10 711
- Cuba 11 390
- Guatemala 16 343
- Canada 35 940
- Honduras 8075
- El Salvador 6127
- Nicaragua 6082
- México 127 017
- Yr Unol Daleithiau 321 774

Poblogaeth mewn miloedd

IGC yn ôl gwlad, deg gwlad uchaf 2015

- Puerto Rico 70 740
- Cuba 76 226
- México 1 135 344
- Canada 1 528 949
- Gweriniaeth Dominica 65 058
- Guatemala 62 176
- Costa Rica 51 767
- Panamá 47 964
- El Salvador 24 713
- Yr Unol Daleithiau 18 496 028

IGC mewn miliynau o $ UDA

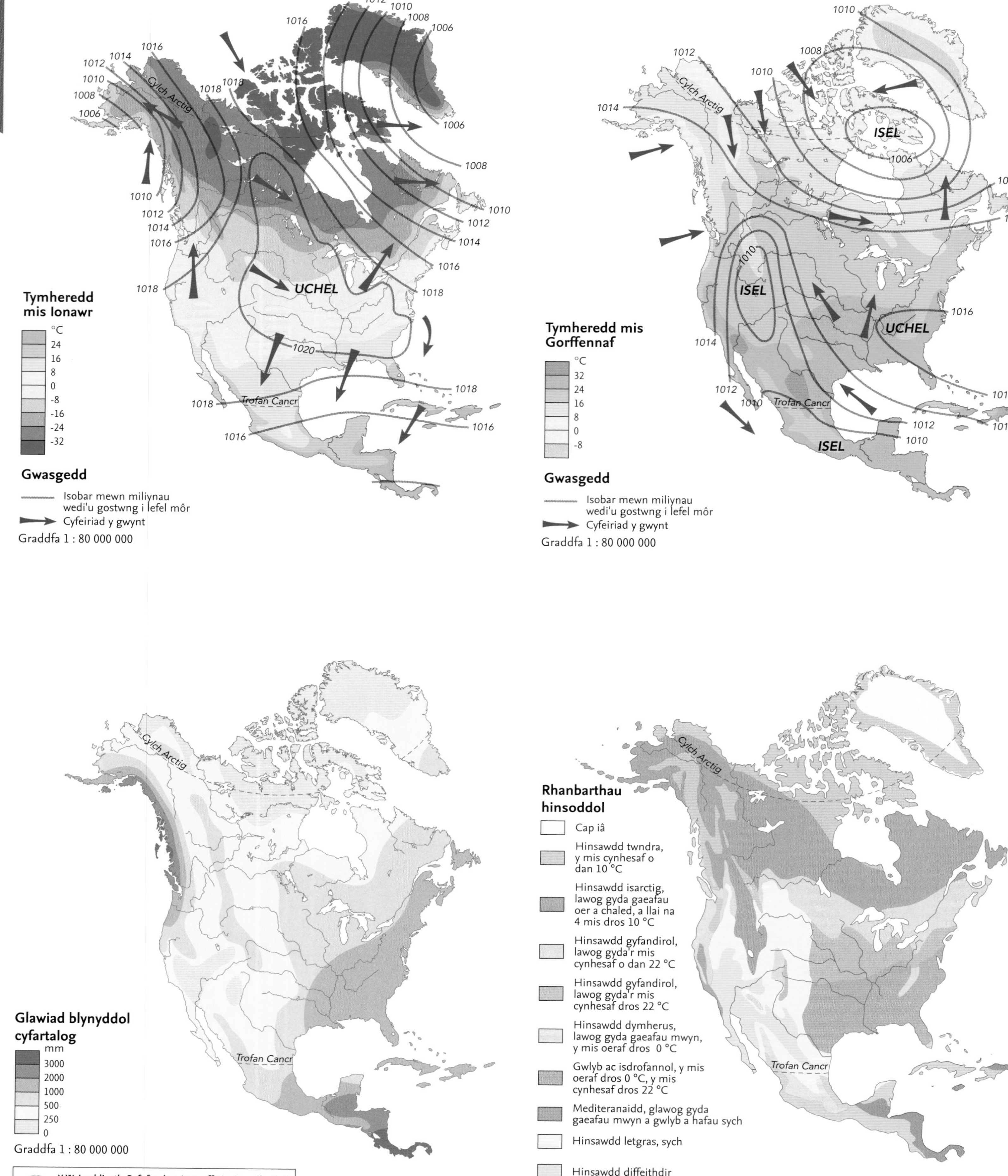

Tymheredd mis Ionawr

°C
24
16
8
0
-8
-16
-24
-32

Gwasgedd

Isobar mewn miliynau wedi'u gostwng i lefel môr

Cyfeiriad y gwynt

Graddfa 1 : 80 000 000

Tymheredd mis Gorffennaf

°C
32
24
16
8
0
-8

Gwasgedd

Isobar mewn miliynau wedi'u gostwng i lefel môr

Cyfeiriad y gwynt

Graddfa 1 : 80 000 000

Glawiad blynyddol cyfartalog

mm
3000
2000
1000
500
250
0

Graddfa 1 : 80 000 000

WWW **Y Weinyddiaeth Gefnforol ac Atmosfferig Genedlaethol**
www.noaa.gov
Rhagolwg Gogledd America Y Swyddfa Dywydd
www.metoffice.gov.uk/weather
Sefydliad Meteorolegol y Byd
www.wmo.int
BBC Tywydd y Byd
news.bbc.co.uk/weather

Rhanbarthau hinsoddol

Cap iâ

Hinsawdd twndra, y mis cynhesaf o dan 10 °C

Hinsawdd isarctig, lawog gyda gaeafau oer a chaled, a llai na 4 mis dros 10 °C

Hinsawdd gyfandirol, lawog gyda'r mis cynhesaf o dan 22 °C

Hinsawdd gyfandirol, lawog gyda'r mis cynhesaf dros 22 °C

Hinsawdd dymherus, lawog gyda gaeafau mwyn, y mis oeraf dros 0 °C

Gwlyb ac isdrofannol, y mis oeraf dros 0 °C, y mis cynhesaf dros 22 °C

Mediteranaidd, glawog gyda gaeafau mwyn a gwlyb a hafau sych

Hinsawdd letgras, sych

Hinsawdd diffeithdir

Hinsawdd lawog drofannol heb unrhyw aeaf, y mis oeraf dros 18 °C

Hinsawdd lawog drofannol, yn wlyb drwy'r flwyddyn

Graddfa 1 : 80 000 000

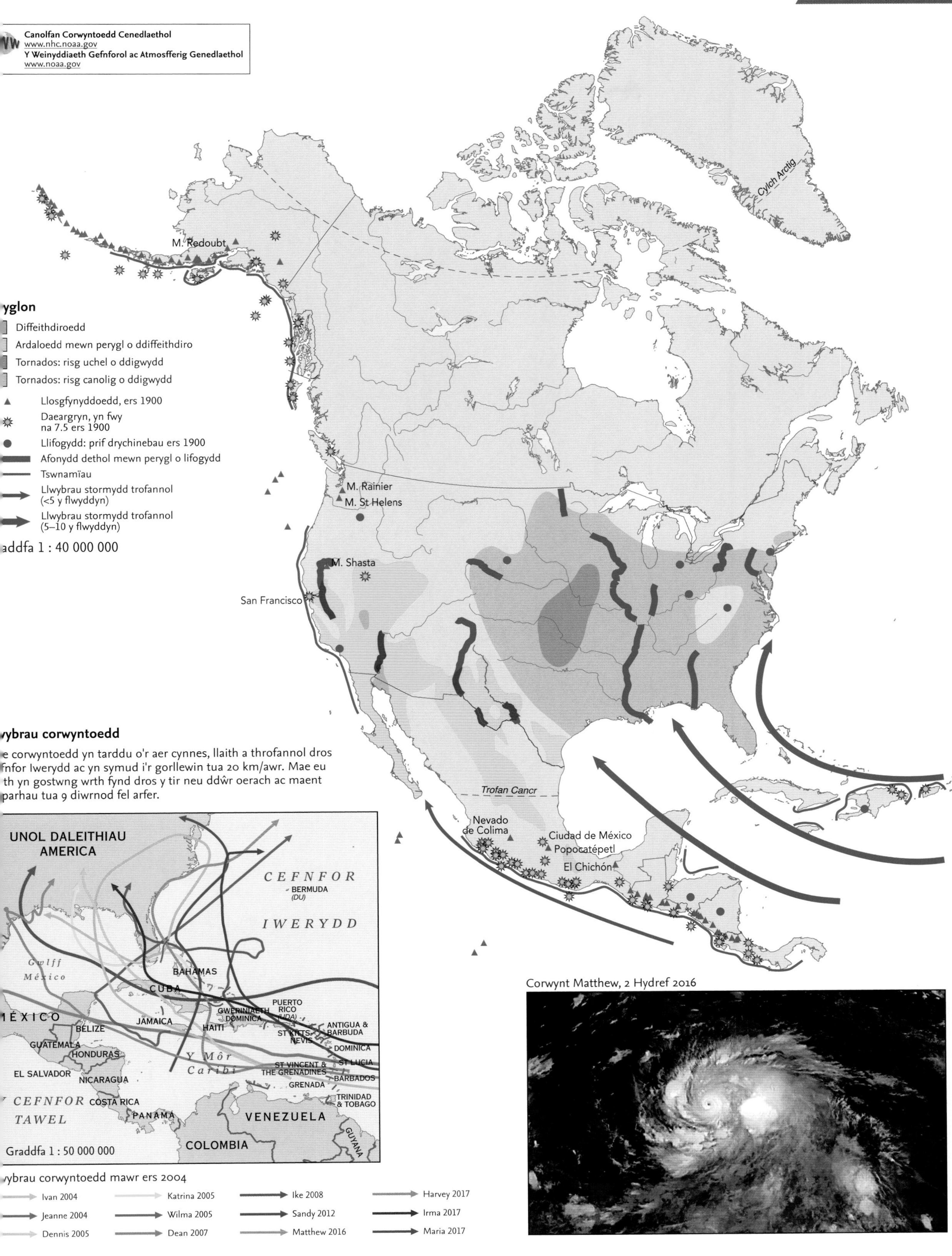

Canolfan Corwyntoedd Cenedlaethol
www.nhc.noaa.gov
Y Weinyddiaeth Gefnforol ac Atmosfferig Genedlaethol
www.noaa.gov

Peryglon

- Diffeithdiroedd
- Ardaloedd mewn perygl o ddiffeithdiro
- Tornados: risg uchel o ddigwydd
- Tornados: risg canolig o ddigwydd
- ▲ Llosgfynyddoedd, ers 1900
- ✳ Daeargryn, yn fwy na 7.5 ers 1900
- ● Llifogydd: prif drychinebau ers 1900
- ━ Afonydd dethol mewn perygl o lifogydd
- ━ Tswnamïau
- → Llwybrau stormydd trofannol (<5 y flwyddyn)
- ➔ Llwybrau stormydd trofannol (5–10 y flwyddyn)

Graddfa 1 : 40 000 000

Llwybrau corwyntoedd

Mae corwyntoedd yn tarddu o'r aer cynnes, llaith a throfannol dros Gefnfor Iwerydd ac yn symud i'r gorllewin tua 20 km/awr. Mae eu nerth yn gostwng wrth fynd dros y tir neu ddŵr oerach ac maent yn parhau tua 9 diwrnod fel arfer.

M. Redoubt

M. Rainier
M. St Helens

M. Shasta

San Francisco

Cylch Arctig

Trofan Cancr

Nevado de Colima
Ciudad de México
Popocatépetl
El Chichón

UNOL DALEITHIAU AMERICA

CEFNFOR IWERYDD

BERMUDA (DU)

Gwlff México

BAHAMAS

CUBA

MÉXICO

BELIZE

GUATEMALA

HONDURAS

EL SALVADOR

NICARAGUA

CEFNFOR TAWEL

COSTA RICA

PANAMA

JAMAICA

HAITI

GWERINIAETH DOMINICA

PUERTO RICO (UDA)

ST KITTS NEVIS

ANTIGUA & BARBUDA

DOMINICA

ST LUCIA

ST VINCENT & THE GRENADINES

BARBADOS

GRENADA

TRINIDAD & TOBAGO

Y Môr Caribi

VENEZUELA

COLOMBIA

GUYANA

Graddfa 1 : 50 000 000

Llwybrau corwyntoedd mawr ers 2004

→ Ivan 2004	→ Katrina 2005	→ Ike 2008	→ Harvey 2017
→ Jeanne 2004	→ Wilma 2005	→ Sandy 2012	→ Irma 2017
→ Dennis 2005	→ Dean 2007	→ Matthew 2016	→ Maria 2017

Corwynt Matthew, 2 Hydref 2016

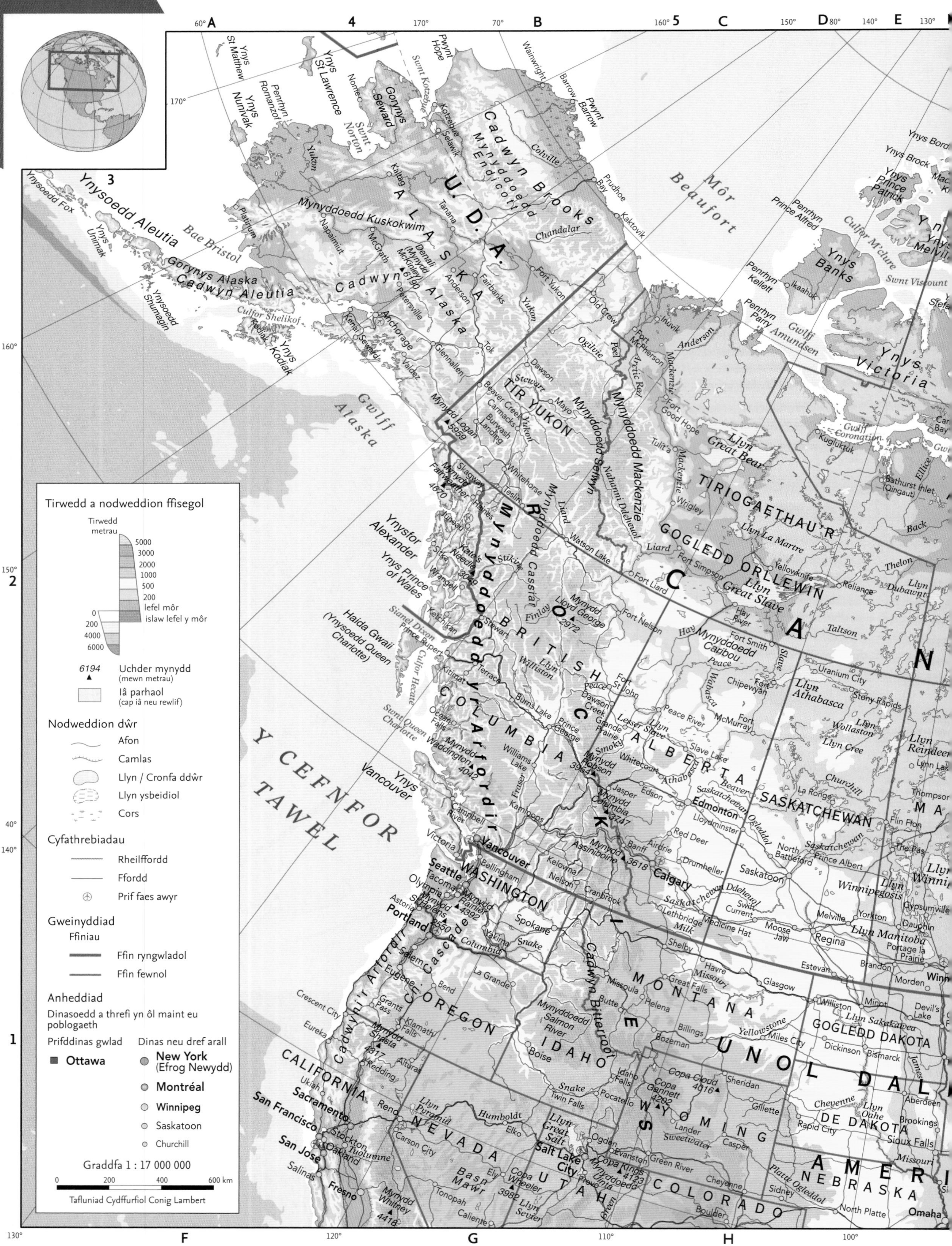

Tirwedd a nodweddion ffisegol

Tirwedd
metrau

5000
3000
2000
1000
500
200
lefel môr
islaw lefel y môr
0
200
4000
6000

▲ 6194 Uchder mynydd
(mewn metrau)

Iâ parhaol
(cap iâ neu rewlif)

Nodweddion dŵr

Afon

Camlas

Llyn / Cronfa ddŵr

Llyn ysbeidiol

Cors

Cyfathrebiadau

Rheilffordd

Ffordd

⊕ Prif faes awyr

Gweinyddiad

Ffiniau

Ffin ryngwladol

Ffin fewnol

Anheddiad

Dinasoedd a threfi yn ôl maint eu poblogaeth

Prifddinas gwlad   Dinas neu dref arall

■ **Ottawa**   ● **New York**
(Efrog Newydd)

● **Montréal**

● **Winnipeg**

○ Saskatoon

○ Churchill

Graddfa 1 : 17 000 000

0   200   400   600 km

Tafluniad Cydffurfiol Conig Lambert

100° I 90° J 80° K 70° L 60° M 50° N 40° O 80° 30° P 5 20° Q 70° 4 R 60°

GRØNLAND (KALAALLIT NUNAAT) (*Denmarc*)

GWLAD YR IÂ

Reykjavik
Keflavik
Faxaflói
Ísafjörður

Cadwyn British Empire
Ynys Axel Heiberg
Ynys Amund Ringnes
Ynys Ellesmere
Culfor Nares
Penrhyn Parry
Thule
Penrhyn York
Bae Melville

Swnt Jones
Ynys Cornwallis
Ynys Devon
Swnt Lancaster
Ynys Somerset
Gorynys Brodeur
Arctic Bay
Gorynys Borden
Ynys Bylot
Mittimatalik

Bae Baffin

Gulff Boothia
Gorynys Bothia
Ynys Prince Charles
Ynys Baffin
Clyde River
Bae Home

Cylch Arctig Tir y Brenin Christian IX

Culfor Denmarc

3700 Gunnbjørn Field

Uummannaq
Upernavik
Saqqaq
Qeqertarsuaq
Ynys Disko
Qasigiannguit

Sisimiut

Repulse Bay
Basn Foxe
Gorynys Melville
Hall Beach
Ynys Prince Charles
Cap la Penny
Pangnirtung
Swnt Cumberland
Penrhyn Dyer
Culfor Davis
Maniitsoq

Ynys Southampton
Coral Harbour
Sianel Foxe
Llyn Nettilling
Gorynys Foxe
Llyn Amadjuak
Iqaluit
Bae Frobisher
Ynys Resolution
Swnt Frobisher

Nuuk (Godthåb)
Paamiut
Qaqortoq
Nanortalik
Penrhyn Farewell

Kyst Frederick VI Kyst

Mòr Labrador

CEFNFOR IWERYDD

Culfor Fisher
Ynys Coats
Culfor Hudson
Salluit
Gorynys Ungava
Kangiqsujuaq
Penrhyn Chidley
Ynys Akpatok

Ynys Mansel
Bae Ungava
Kangiqsualujjuaq
Kangirsuk

NEWFOUNDLAND A LABRADOR

A D A

Puvirnituq
Ynysoedd Ottawa
Inukjuak
Feuilles
George
Kuujjuaq
Baleine
Nain
Penrhyn Harrison

Bae Hudson
Penrhyn Churchill
churchill

Cronfa Dŵr Smallwood
Schefferville
Churchill
Happy Valley-Goose Bay
Port Hope Simpson
St Anthony
Petit Mécatina
Culfor Belle

Fort Severn
Ynysoedd Belcher
Penrhyn Henrietta Maria
Bae James
Winisk
Llyn à l'Eau Claire
Caniapiscau
Labrador City Wabush
Gagnon
Newfoundland
Grand Falls-Windsor
Gander
Bonavista
St John's

Big Trout Lake
Severn
Cronfa Dŵr La Grande 2
Chisasibi
Cronfa Dŵr La Grande 3
Cronfa Dŵr La Grande 4
Caniapiscau
QUÉBEC
Cronfa Dŵr Manicouagan
Sept-Îles
Havre-St-Pierre
Corner Brook
Channel-Port-aux-Basques
Penrhyn Race

Fort Albany
Ynys Akimiski
Eastmain
Eastmain
Llyn Mistassini
Mistissini
Baie-Comeau
Ynys Anticosti
St-Pierre a Miquelon (Ffrainc)

ONTARIO
Moosonee
Albany
Moose
Llyn Evans
Missinaibi
Chibougamau
Cronfa Dŵr Gouin
Gaspé
Gorynys Gaspé
Gwlff St Lawrence
Culfor Cabot

Sioux Lookout
Dy Lake
Hurricana
Rimouski
Bathurst
P.E.I.
Sydney
Ynys Cape Breton

Llyn Nipigon
Nipigon
Kapuskasing
Grundhog
Timmins
Amos
Val-d'Or
Roberval
Jonquière
Rivière-du-Loup
Edmundston
NEW BRUNSWICK (NOUVEAU-BRUNSWICK)
Moncton
Charlottetown
Truro
Ynys Sable

Thunder Bay
Isle Royale
Chapleau
Kirkland Lake
Chicoutimi
Québec
Presque Isle
Fredericton
Saint John
NOVA SCOTIA
Halifax

Frances
Llyn Superior
Duluth
Sault Sainte Marie
Sudbury
North Bay
Trois-Rivières
Montréal
Sherbrooke
MAINE
Bangor
Bae Fundy
Yarmouth
Penrhyn Sable

Marquette
Escanaba
Ottawa
Ottawa
Burlington
Mynydd Washington
Portland
Penrhyn Cod

MIAU
Eau Claire
Green Bay
Llyn Michigan
Traverse City
Bay City
Flint
Llyn Huron
Georgian Bae
Peterborough
Kingston
Oshawa
NEW YORK
VER. 1918 N.H.
Augusta
Concord
Boston

WISCONSIN
La Crosse
Milwaukee
MICHIGAN
Grand Rapids
Toronto
Hamilton
Llyn Ontario
Rochester
Syracuse
EFROG NEWYDD
Albany
Springfield
MASS.
Providence
R.I.

Cedar Rapids
Iowa City
Rockford
Chicago
Gary
South Bend
Detroit
London
Buffalo
Llyn Erie
Erie
Scranton
Allentown
Trenton
Hartford
CO.
Long Island
New York (Efrog Newydd)

Toledo
Cleveland
Akron
PENN.

CO.	CONNECTICUT
MASS.	MASSACHUSETTS
N.H.	NEW HAMPSHIRE
P.E.I.	PRINCE EDWARD ISLAND
PENN.	PENNSYLVANIA
R.I.	RHODE ISLAND
VER.	VERMONT

90° J 80° K 70° L 60° M

Unol Daleithiau America

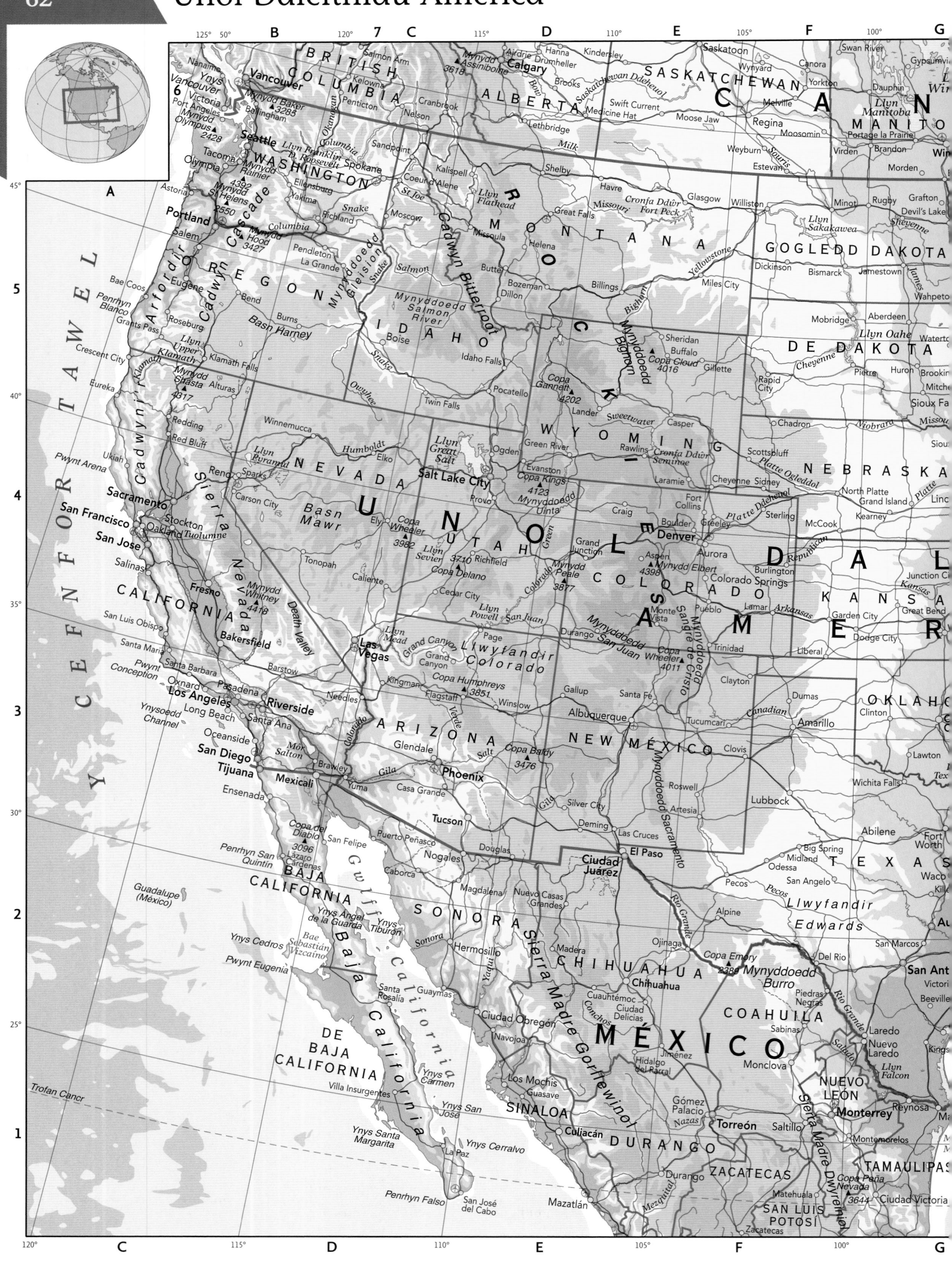

BRITISH COLUMBIA
ALBERTA
SASKATCHEWAN
MANITOBA
CANADA
WASHINGTON
OREGON
IDAHO
MONTANA
WYOMING
NEVADA
UTAH
COLORADO
CALIFORNIA
ARIZONA
NEW MEXICO
GOGLEDD DAKOTA
DE DAKOTA
NEBRASKA
KANSAS
TEXAS
UNOL DALEITHIAU AMERICA
ROCKIES
MÉXICO
BAJA CALIFORNIA
DE BAJA CALIFORNIA
SONORA
CHIHUAHUA
COAHUILA
NUEVO LEÓN
TAMAULIPAS
SINALOA
DURANGO
ZACATECAS
SAN LUIS POTOSÍ
Y CEFNFOR TAWEL
Gwlff California
Seattle
Portland
San Francisco
San Jose
Sacramento
Los Angeles
San Diego
Tijuana
Mexicali
Las Vegas
Phoenix
Tucson
Salt Lake City
Denver
El Paso
Ciudad Juárez
Chihuahua
Monterrey
Torreón
Culiacán
Calgary
Vancouver
Victoria
Mynydd Baker 3285
Mynydd Rainier 4392
Mynydd St Helens 2550
Mynydd Hood 3427
Mynydd Shasta 4317
Mynydd Whitney 4418
Copa Wheeler 3982
Copa Gannett 4202
Copa Cloud 4016
Copa Kings 4123
Mynydd Elbert 4398
Mynydd Peale 3877
Copa Wheeler 4011
Copa Humphreys 3851
Copa Baldy 3476
Copa Emory 2388
Copa Peña Nevada 3644
Copa del Diablo 3096
Mynydd Assiniboine 3618
Mynydd Olympus 2428
Cadwyn Cascade
Cadwyn Bitterroot
Sierra Nevada
Sierra Madre Gorllewinol
Sierra Madre Dwyreiniol
Mynyddoedd Bighorn
Mynyddoedd San Juan
Mynyddoedd Sacramento
Mynyddoedd Burro
Sangre de Cristo
Llwyfandir Colorado
Llwyfandir Edwards
Basn Mawr
Basn Harney
Llyn Great Salt
Llyn Powell
Llyn Mead
Death Valley
Grand Canyon
Trofan Cancr
Rio Grande
Colorado
Columbia
Snake
Yellowstone
Missouri
Arkansas
Platte Ogleddol
Platte Ddeheuol
Penrhyn Blanco
Pwynt Arena
Pwynt Conception
Pwynt Eugenia
Penrhyn Falso
Ynys Cedros
Guadalupe (México)
Ynys Santa Margarita
Ynys Tiburón
Ynys Angel de la Guarda
Ynysoedd Channel

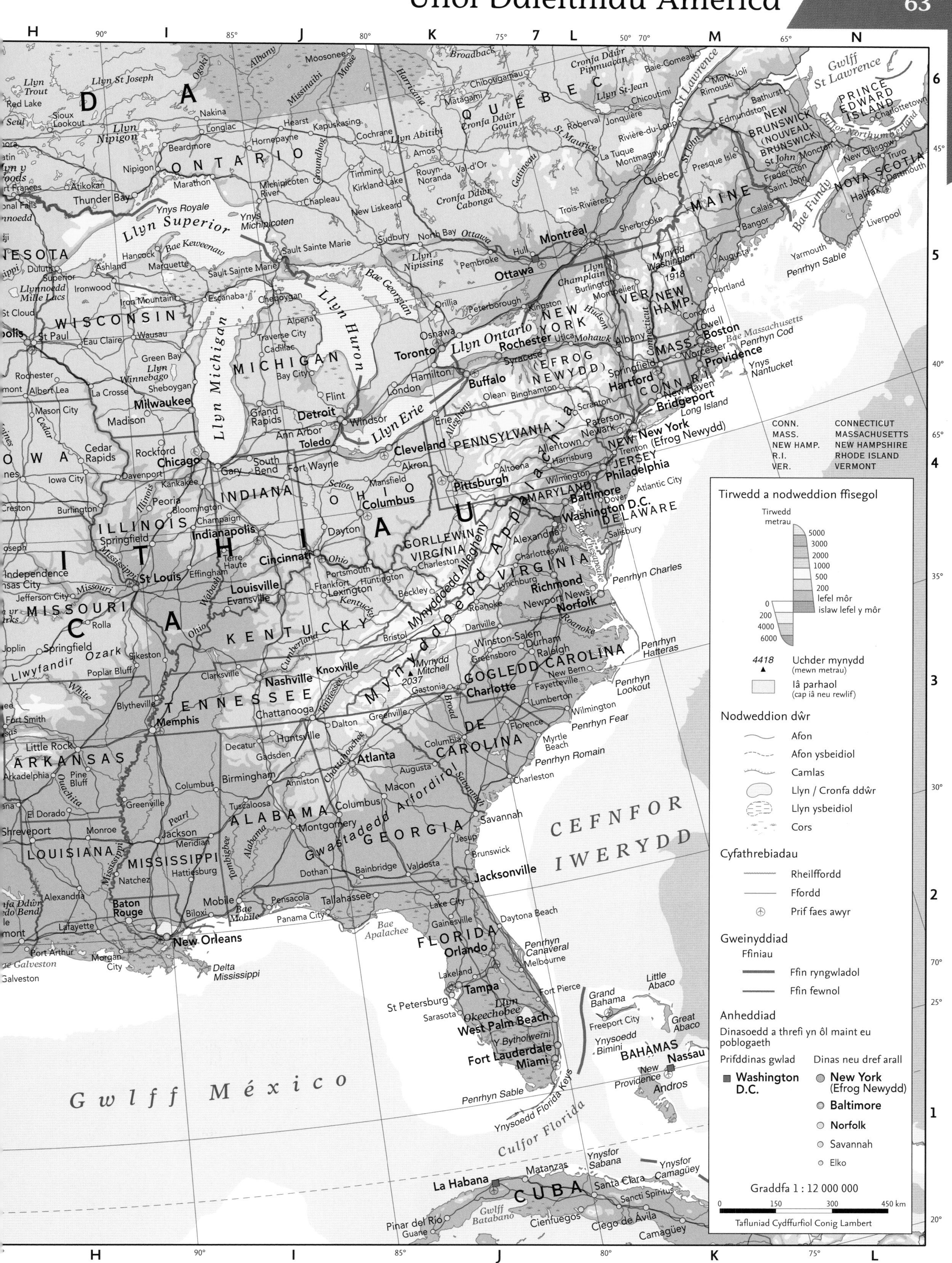

UNOL DALEITHIAU
CANADA
ONTARIO
QUÉBEC
NEW BRUNSWICK (NOUVEAU-BRUNSWICK)
PRINCE EDWARD ISLAND
NOVA SCOTIA
MINNESOTA
WISCONSIN
MICHIGAN
IOWA
ILLINOIS
INDIANA
OHIO
MISSOURI
KENTUCKY
TENNESSEE
ARKANSAS
LOUISIANA
MISSISSIPPI
ALABAMA
GEORGIA
FLORIDA
DE CAROLINA
GOGLEDD CAROLINA
VIRGINIA
GORLLEWIN VIRGINIA
PENNSYLVANIA
NEW YORK (EFROG NEWYDD)
NEW JERSEY
MARYLAND
DELAWARE
CONN.
R.I.
MASS.
VER.
NEW HAMP.
MAINE
BAHAMAS
CUBA
Llyn Superior
Llyn Michigan
Llyn Huron
Llyn Erie
Llyn Ontario
Llyn Nipigon
Llyn St Joseph
Llyn Nipissing
Llyn Champlain
Llyn St-Jean
Llyn Abitibi
Llyn Okeechobee
Bae Georgian
Bae Keweenaw
Bae Fundy
Bae Massachusetts
Bae Chesapeake
Bae Mobile
Bae Apalachee
Gwlff St Lawrence
Gwlff México
Gwlff Batabano
CEFNFOR IWERYDD
Culfor Florida
Mynyddoedd Appalachia
Mynyddoedd Allegheny
Gwastadedd Arfordirol
Llwyfandir Ozark
Mynydd Washington 1918
Mynydd Mitchell 2037
Penrhyn Cod
Penrhyn Sable
Penrhyn Charles
Penrhyn Hatteras
Penrhyn Lookout
Penrhyn Fear
Penrhyn Romain
Penrhyn Canaveral
Delta Mississippi
Ynysoedd Florida Keys
Ynysoedd Bimini
Ynys Nantucket
Ynys Royale
Long Island
Washington D.C.
Ottawa
Montréal
Québec
Toronto
Chicago
Detroit
New York (Efrog Newydd)
Boston
Philadelphia
Baltimore
Pittsburgh
Cleveland
Atlanta
Miami
New Orleans
Nassau
La Habana
CONN. CONNECTICUT
MASS. MASSACHUSETTS
NEW HAMP. NEW HAMPSHIRE
R.I. RHODE ISLAND
VER. VERMONT
Tirwedd a nodweddion ffisegol
Tirwedd metrau
5000
3000
2000
1000
500
200
lefel môr
islaw lefel y môr
0
200
4000
6000
4418 Uchder mynydd (mewn metrau)
Iâ parhaol (cap iâ neu rewlif)
Nodweddion dŵr
Afon
Afon ysbeidiol
Camlas
Llyn / Cronfa ddŵr
Llyn ysbeidiol
Cors
Cyfathrebiadau
Rheilffordd
Ffordd
Prif faes awyr
Gweinyddiad
Ffiniau
Ffin ryngwladol
Ffin fewnol
Anheddiad
Dinasoedd a threfi yn ôl maint eu poblogaeth
Prifddinas gwlad
Washington D.C.
Dinas neu dref arall
New York (Efrog Newydd)
Baltimore
Norfolk
Savannah
Elko
Graddfa 1 : 12 000 000
0 150 300 450 km
Tafluniad Cydffurfiol Conig Lambert

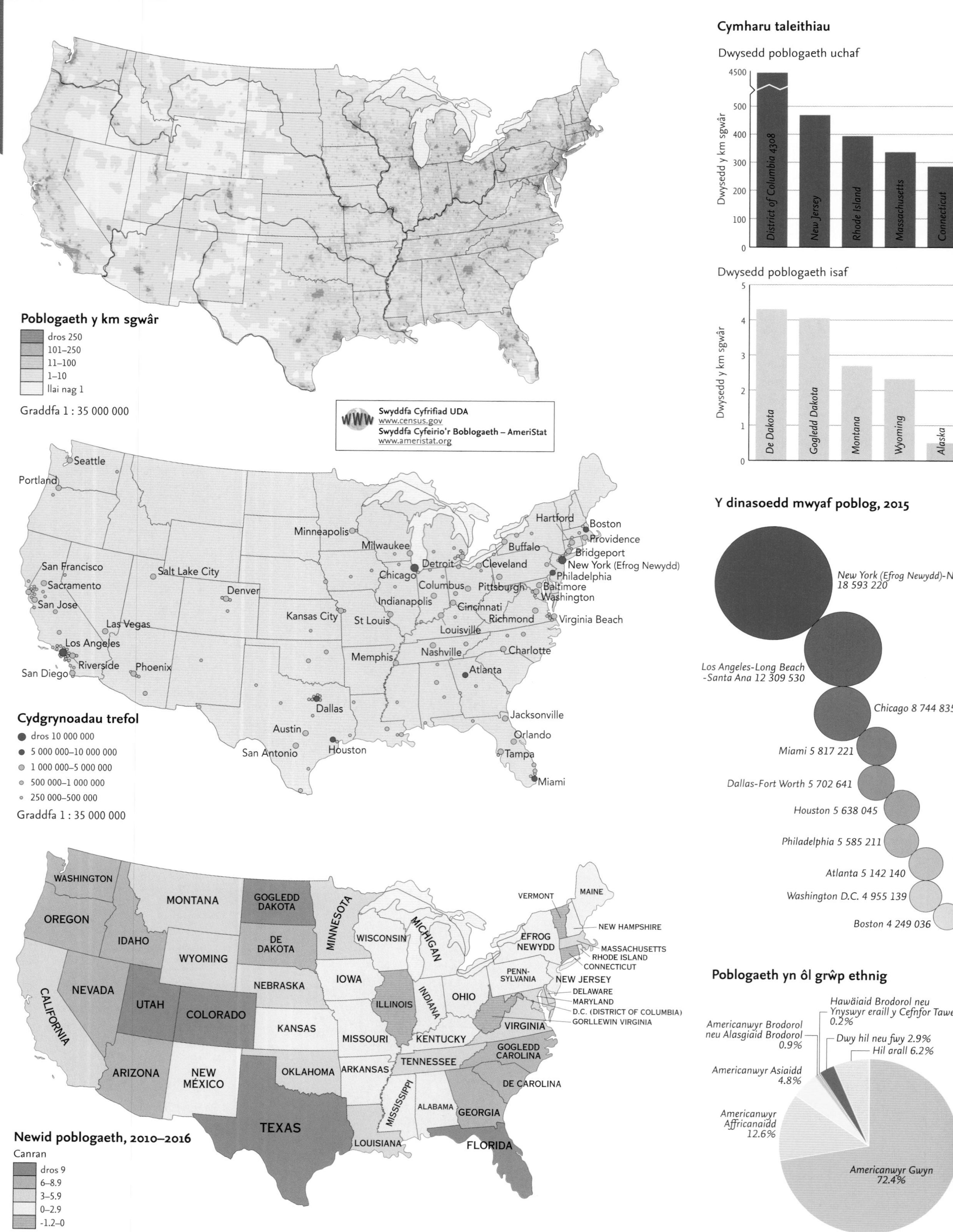

Poblogaeth y km sgwâr

- dros 250
- 101–250
- 11–100
- 1–10
- llai nag 1

Graddfa 1 : 35 000 000

Swyddfa Cyfrifiad UDA
www.census.gov
Swyddfa Cyfeirio'r Boblogaeth – AmeriStat
www.ameristat.org

Seattle
Portland
Minneapolis
Milwaukee
Hartford
Boston
Providence
Buffalo
Bridgeport
Detroit
Cleveland
New York (Efrog Newydd)
San Francisco
Salt Lake City
Chicago
Philadelphia
Sacramento
Denver
Columbus
Pittsburgh
Baltimore
San Jose
Indianapolis
Cincinnati
Washington
Las Vegas
Kansas City
St Louis
Richmond
Los Angeles
Louisville
Virginia Beach
Riverside
Phoenix
Memphis
Nashville
Charlotte
San Diego
Atlanta
Dallas
Jacksonville
Austin
Orlando
San Antonio
Houston
Tampa
Miami

Cydgrynoadau trefol

- dros 10 000 000
- 5 000 000–10 000 000
- 1 000 000–5 000 000
- 500 000–1 000 000
- 250 000–500 000

Graddfa 1 : 35 000 000

WASHINGTON
MONTANA
GOGLEDD DAKOTA
MINNESOTA
VERMONT
MAINE
OREGON
IDAHO
WYOMING
DE DAKOTA
WISCONSIN
MICHIGAN
EFROG NEWYDD
NEW HAMPSHIRE
MASSACHUSETTS
RHODE ISLAND
CONNECTICUT
NEBRASKA
IOWA
PENN-SYLVANIA
NEW JERSEY
DELAWARE
CALIFORNIA
NEVADA
UTAH
COLORADO
ILLINOIS
INDIANA
OHIO
MARYLAND
D.C. (DISTRICT OF COLUMBIA)
GORLLEWIN VIRGINIA
KANSAS
MISSOURI
KENTUCKY
VIRGINIA
ARIZONA
NEW MÉXICO
OKLAHOMA
ARKANSAS
TENNESSEE
GOGLEDD CAROLINA
MISSISSIPPI
ALABAMA
GEORGIA
DE CAROLINA
TEXAS
LOUISIANA
FLORIDA

Newid poblogaeth, 2010–2016

Canran

- dros 9
- 6–8.9
- 3–5.9
- 0–2.9
- -1.2–0

Graddfa 1 : 35 000 000

Cymharu taleithiau

Dwysedd poblogaeth uchaf

Dwysedd y km sgwâr

4500
500
400
300
200
100
0

District of Columbia 4308 | New Jersey | Rhode Island | Massachusetts | Connecticut

Dwysedd poblogaeth isaf

Dwysedd y km sgwâr

5
4
3
2
1
0

De Dakota | Gogledd Dakota | Montana | Wyoming | Alaska

Y dinasoedd mwyaf poblog, 2015

New York (Efrog Newydd)-Ne
18 593 220

Los Angeles-Long Beach
-Santa Ana 12 309 530

Chicago 8 744 835

Miami 5 817 221

Dallas-Fort Worth 5 702 641

Houston 5 638 045

Philadelphia 5 585 211

Atlanta 5 142 140

Washington D.C. 4 955 139

Boston 4 249 036

Poblogaeth yn ôl grŵp ethnig

Hawäiaid Brodorol neu
Ynyswyr eraill y Cefnfor Tawel
0.2%

Americanwyr Brodorol
neu Alasgiaid Brodorol
0.9%

Dwy hil neu fwy 2.9%

Hil arall 6.2%

Americanwyr Asiaidd
4.8%

Americanwyr
Affricanaidd
12.6%

Americanwyr Gwyn
72.4%

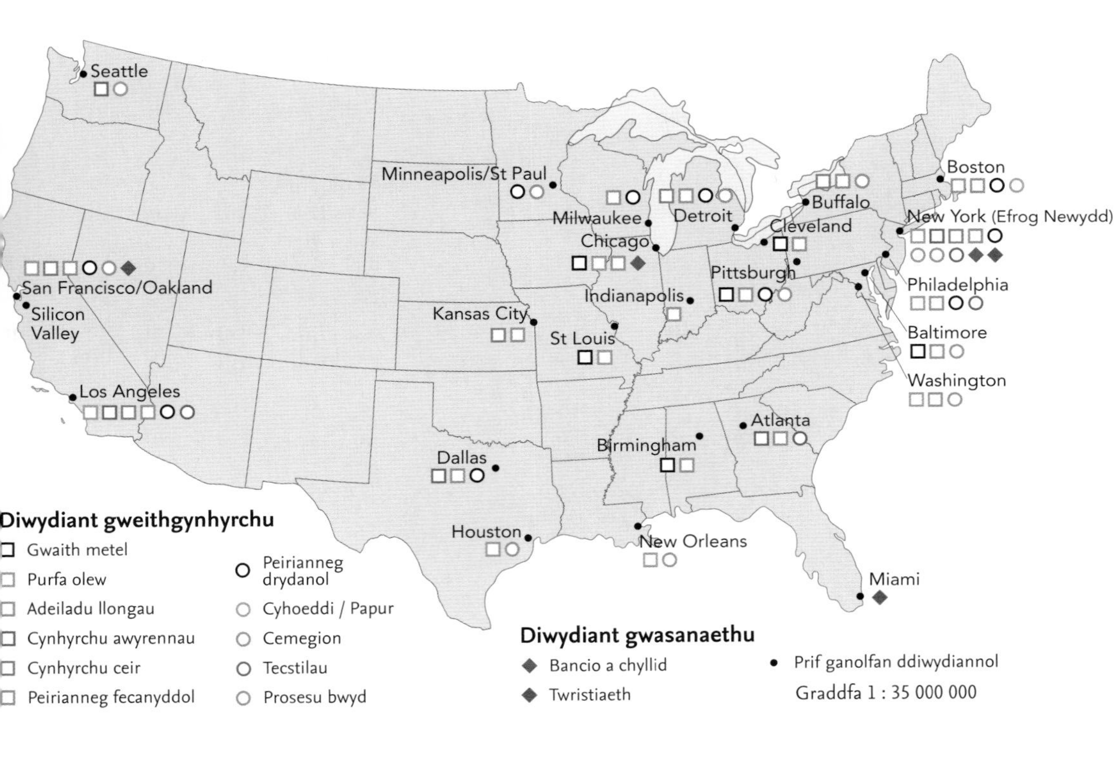

Diwydiant gweithgynhyrchu

☐ Gwaith metel
☐ Purfa olew
☐ Adeiladu llongau
☐ Cynhyrchu awyrennau
☐ Cynhyrchu ceir
☐ Peirianneg fecanyddol

○ Peirianneg drydanol
○ Cyhoeddi / Papur
○ Cemegion
○ Tecstilau
○ Prosesu bwyd

Diwydiant gwasanaethu

◆ Bancio a chyllid
◆ Twristiaeth

• Prif ganolfan ddiwydiannol

Graddfa 1 : 35 000 000

Gwerthiannau gweithgynhyrchu, 2003–2014

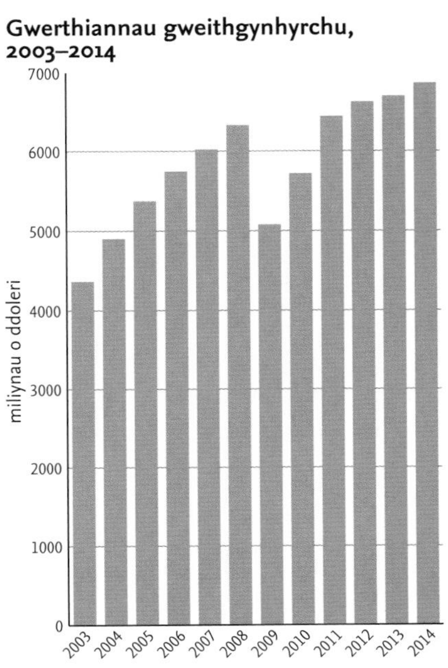

miliynau o ddoleri

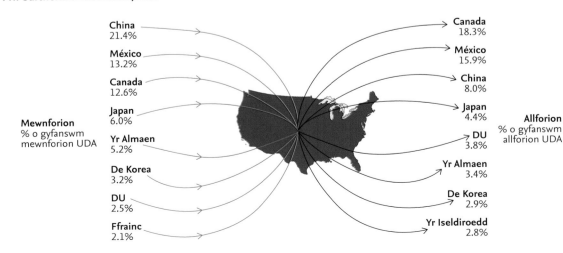

Diweithdra, 2017

Canran

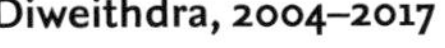

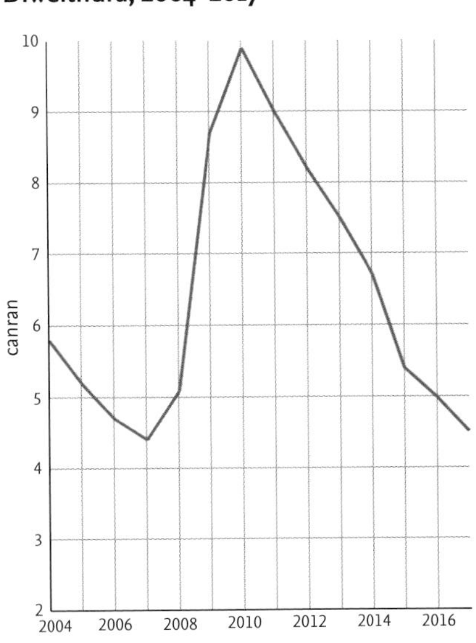

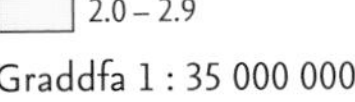

■ 6.0 – 6.9
■ 5.0 – 5.9
■ 4.0 – 4.9
■ 3.0 – 3.9
■ 2.0 – 2.9

Graddfa 1 : 35 000 000

Diweithdra, 2004–2017

canran

Prif bartneriaid masnachu, 2016

Mewnforion
% o gyfanswm mewnforion UDA

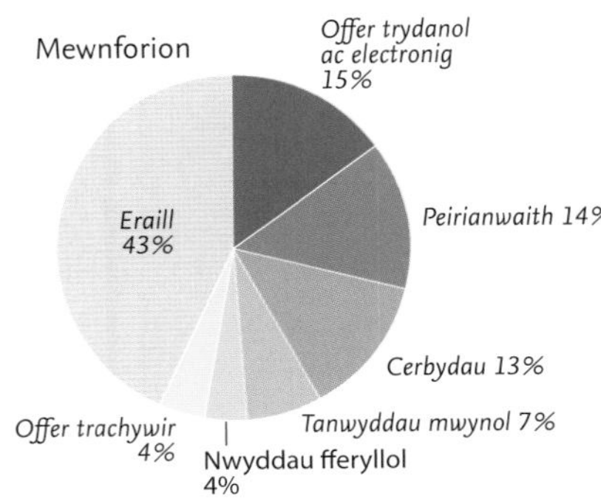

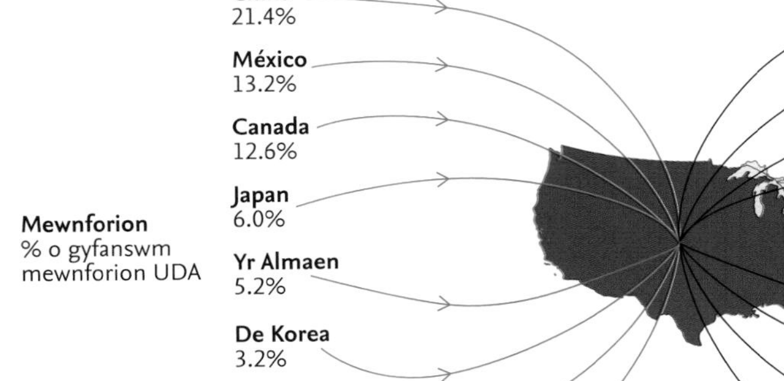

China 21.4%
México 13.2%
Canada 12.6%
Japan 6.0%
Yr Almaen 5.2%
De Korea 3.2%
DU 2.5%
Ffrainc 2.1%

Allforion
% o gyfanswm allforion UDA

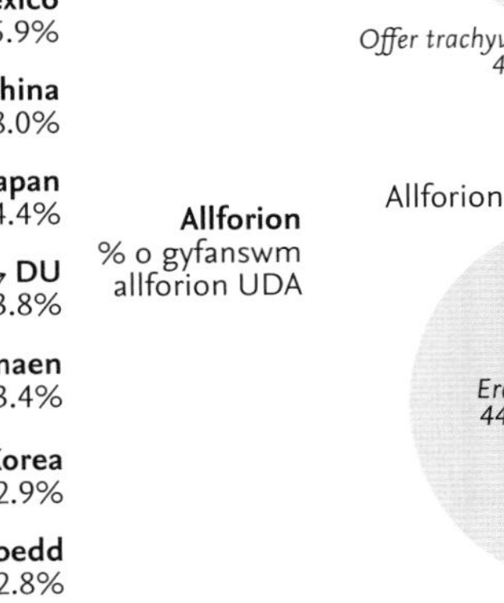

Canada 18.3%
México 15.9%
China 8.0%
Japan 4.4%
DU 3.8%
Yr Almaen 3.4%
De Korea 2.9%
Yr Iseldiroedd 2.8%

Masnach, 2016

Mewnforion

Offer trydanol ac electronig 15%
Peirianwaith 14%
Cerbydau 13%
Tanwyddau mwynol 7%
Nwyddau fferyllol 4%
Offer trachywir 4%
Eraill 43%

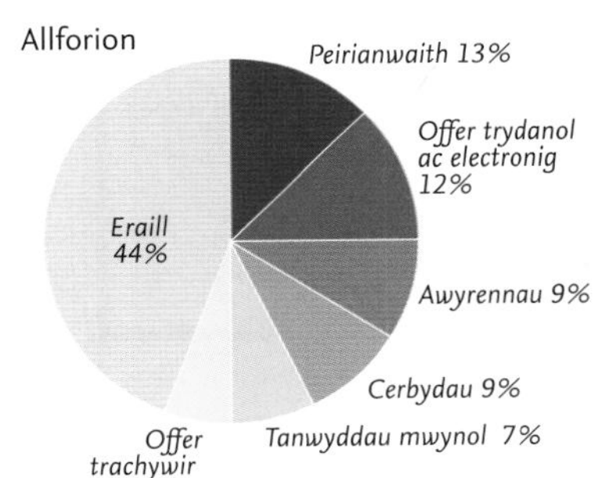

Allforion

Peirianwaith 13%
Offer trydanol ac electronig 12%
Awyrennau 9%
Cerbydau 9%
Tanwyddau mwynol 7%
Offer trachywir 6%
Eraill 44%

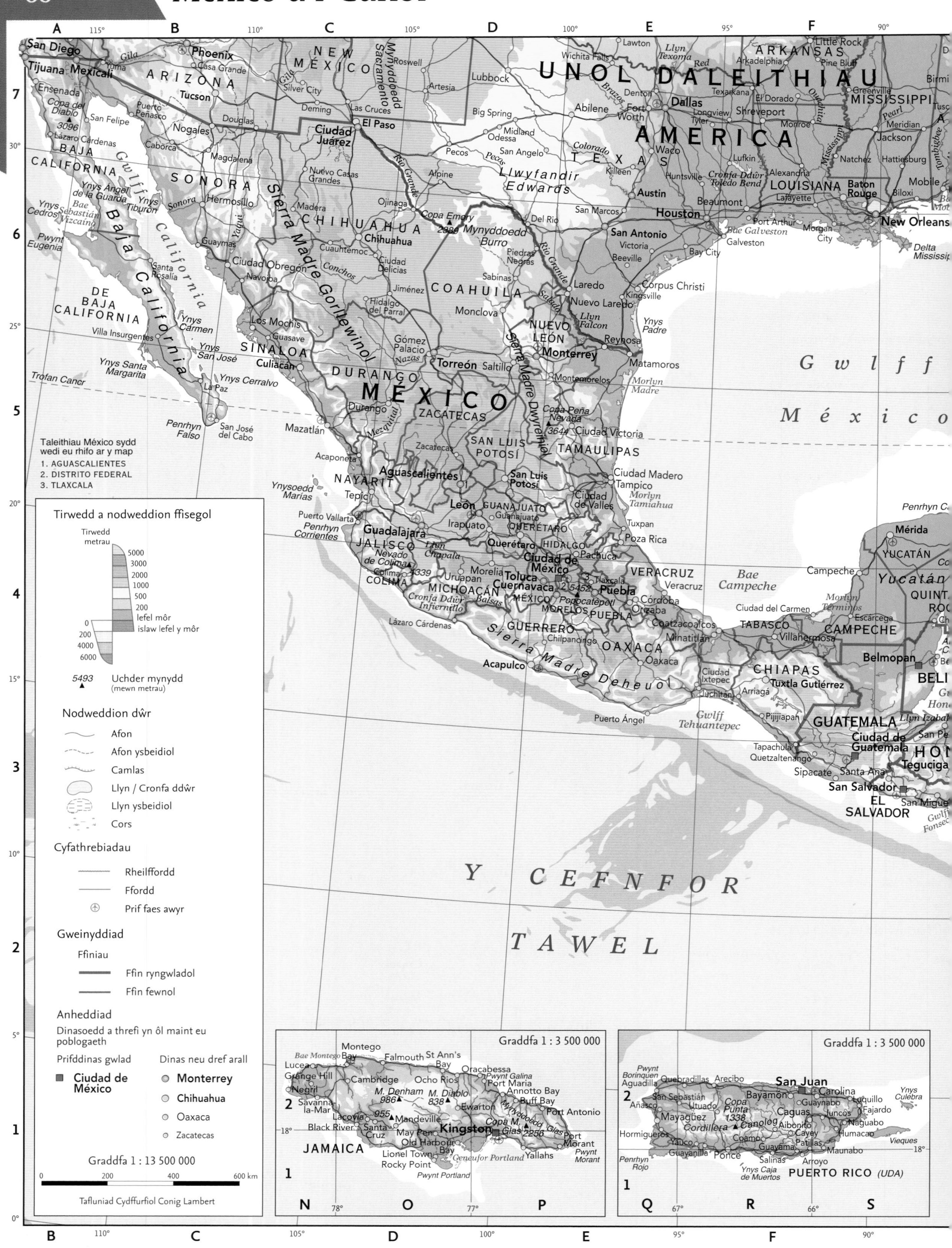

México a'r Caribî

Taleithiau México sydd wedi eu rhifo ar y map
1. AGUASCALIENTES
2. DISTRITO FEDERAL
3. TLAXCALA

Tirwedd a nodweddion ffisegol

Tirwedd metrau
5000
3000
2000
1000
500
200
lefel môr
islaw lefel y môr
0
200
4000
6000

5493 ▲ Uchder mynydd (mewn metrau)

Nodweddion dŵr

Afon
Afon ysbeidiol
Camlas
Llyn / Cronfa ddŵr
Llyn ysbeidiol
Cors

Cyfathrebiadau

Rheilffordd
Ffordd
⊕ Prif faes awyr

Gweinyddiad

Ffiniau
Ffin ryngwladol
Ffin fewnol

Anheddiad

Dinasoedd a threfi yn ôl maint eu poblogaeth

Prifddinas gwlad
■ Ciudad de México

Dinas neu dref arall
◉ Monterrey
◉ Chihuahua
○ Oaxaca
○ Zacatecas

Graddfa 1 : 13 500 000

0   200   400   600 km

Tafluniad Cydffurfiol Conig Lambert

Graddfa 1 : 3 500 000

Graddfa 1 : 3 500 000

H   80°   I   75°   J   70°   K   65°   L

CEFNFOR IWERYDD

Dalton · Greenville · Lumberton
Atlanta · Florence · Wilmington
Augusta · Columbia · Penrhyn Fear
Macon · **CAROLINA** · Myrtle Beach
Columbus · **DE** · Penrhyn Romain
Montgomery · **Arfordirol** · Charleston
GEORGIA · Savannah
Bainbridge · Jesup
Panama City · Valdosta · Brunswick
Tallahassee · Jacksonville

Bermuda (DU) · Hamilton

FLORIDA
Bae Apalachee · Lake City · Daytona Beach
Gainesville
Orlando · Melbourne
Lakeland · Fort Pierce
St Petersburg · **Tampa** · Grand Bahama · Little Abaco
Sarasota · Freeport City · Great Abaco
Llyn Okeechobee
West Palm Beach · Ynysoedd Bimini · Eleuthera
Fort Lauderdale · Andros · **BAHAMAS**
Miami · New Providence · **Nassau** · Ynys Cat
Penrhyn Sable · San Salvador
Swnt Exuma · Rum Cay
Ynysoedd Florida · Exuma Cays · Ynys Long
Culfor Florida · Great Exuma · Ynys Ynys Crooked
Ynys Crooked

Trofan Cancr

CUBA · Matanzas · Ynysfor Sabana
La Habana · Santa Clara · Ynysfor Camagüey
Pinar del Río · Cienfuegos · Sancti Spíritus · Ynys Acklins
Guane · Ciego de Ávila · Camagüey · Mayaguana
Ynys Juventud · Ynysfor Los Canarreos · Ynysfor Jardines de la Reina · Las Tunas · Holguín · Ynys Little Inagua · Ynysoedd Turks a Caicos (DU)
Guacanayabo · Bayamo · Great Inagua · Grand Turk · Ynysoedd Turks
Gwlff Batabanó · Sa Maestra · Baracoa
Little Cayman · 1994 Copa Turquino · Guantánamo · **Hispaniola** · Port-de-Paix · Cap-Haïtien · Santiago
Grand Cayman · Cayman Brac · Penrhyn Cruz · Santiago de Cuba · Copa Duarte 3175 · Santo Domingo · San Juan · Ynysoedd Virgin (DU) · Anegada (DU) · Anguilla (DU)
Ynysoedd Cayman (DU) · Gonaives · **HAITI** · **GWERINIAETH** · Mayagüez · Ynysoedd Virgin Maarten (UDA) (Yr Isel.) · Sint Maarten (Ffr.) · St-Martin (Ffr.) · St-Barthélemy (Ffr.)
Montego Bay · Port-au-Prince · **DOMINICA** · Ponce · **PUERTO RICO** (UDA) · ST KITTS A NEVIS · **ANTIGUA A BARBUDA** · **St John's**
JAMAICA · Jérémie · Jacmel · Ynys Mona · Montserrat (DU) · Antigua · Guadeloupe (Ffr.)
Les Cayes · Ynys Beata · Penrhyn Beata · Basse-Terre · Marie-Galante (Ffr.)
Kingston · Sianel Jamaica · **DOMINICA** · Roseau
Sianel Windward · Sianel Mona · Martinique (Ffr.) · Fort-de-France
Môr · **Mwyaf** · Castries · ST LUCIA
Caribî · Kingstown · **Bridgetown**
ST VINCENT A'R GRENADINES · **BARBADOS**
Antilles Lleiaf · GRENADA · St George's
Cayos Miskitos · Tobago
Ynys Providencia (Colombia) · Curaçao (Yr Isel.) · Bonaire (Yr Isel.) · Ynys Blanquilla (Ven.) · **TRINIDAD A TOBAGO**
Cord. Isabela · Ynys San Andrés (Colombia) · Aruba (Yr Isel.) · Ynys Orchila (Ven.) · Ynys Margarita · **Port of Spain** · Trinidad
Río Grande · Ynysoedd Maíz (Nic.) · Pwynt Gallinas · Ynysoedd Los Roques (Ven.) · Ynys La Tortuga
NICARAGUA · Pwynt Perlas · Gorynys Guajira · Gwlff Venezuela · Coro · Maiquetía · Cumaná · Gorynys Paria
Punta Gorda · Ríohacha · Punto Fijo · Barcelona · Maturín
Llyn Nicaragua · Santa Marta · Maicao · **Maracaibo** · **Caracas** · Tigre
San Juan · **Barranquilla** · Valledupar · Cabimas · Barquisimeto · **Valencia** · Maracay · Zaraza · El Tigre · Ciudad Guayana
COSTA RICA · **Cartagena** · Sincelejo · Llyn Maracaibo · Acarigua · Valle de la Pascua · Delta Orinoco
San José · Camlas Panamá · Gwlff Morrosquillo · Valera · Guanare · San Fernando de Apure · Ciudad Bolívar
Chirripó 3819 · Gwlff Mosquitos · Montería · Mérida · Copa Bolívar 5007 · Barinas · **VENEZUELA** · Ciudad Guayana
Bae Coronado · Colón · Turbo · Cúcuta · San Cristóbal · Orinoco · Cronfa Ddŵr Guri · El Callao
Gorynys Osa · **PANAMÁ** · Gwlff Darién · Cúcuta · La Paragua
Gwlff Chiriquí · David · **Ciudad de Panamá** · Gwlff Panamá · **Bucaramanga** · Meta · Mynydd Yaví 2285 · La Gran Sabana
Ynys Coiba · Aguadulce · Pwynt Mala · Medellín · Sierra Nevada del Cocuy 5493 · Meta · **Ucheldiroedd Guiana**
Gwlff Cupica · Quibdó · Tunja · Guaviare · Orinoco · Sa Parima
Manizales · Villavicencio · **Bogotá** · Mynyddoedd Pakaraima
Pereira · Ibagué
Armenia · **COLOMBIA**
Buenaventura · Palmira · Neiva
Cali · Gorllewinol · Canolog · Dwyreiniol
Tumaco · Florencia · Copa Neblina 3014 · **BRASIL**
Cyhydedd

Inset maps:

T   61°   U
2 · Pwynt Cap · Gros Islet · Cap Marquis
Castries · 14° · Anse-la-Raye · Dennery
ST LUCIA · Canaries · Micoud
1 · Soufrière · Choiseul · Vieux Fort
· Laborie · Pwynt y De
Graddfa 1 : 2 000 000

V   59° 30'   W
2 · Pwynt y Gogledd · **BARBADOS** · 13° 15'
Speightstown · Holetown · Six Cross Roads
Bridgetown · Bae Carlisle · Oistins · The Crane
1 · Pwynt y De
Graddfa 1 : 2 000 000

Graddfa 1 : 2 500 000
2 · Pwynt Chupara · Matelot · Pwynt Galera
Diego Martin · Cadwyn y Gogledd
VENEZUELA · **Port of Spain** · Tunapuna · Arima · Bae Matura
San Juan · Arouca · Sangre Grande
Gwlff Paria · Chaguanas · Caroni · Pwynt Manzanilla
10° 30' · **Trinidad** · Couva · Bae Cocos
California · Tabaquite · Pwynt Guatuaro
TRINIDAD A TOBAGO · San Fernando · Río Claro · Pierreville · Bae Mayaro
La Brea · Prince's Town · Ortoire · Pwynt Galeota
1 · Point Fortin · Penal · Siparia
Bonasse · 62° · Icacos Pt · Siparia · 61° 30' · X · Y · 61° · Z · 10°

85°   80°   75°   70°   65°

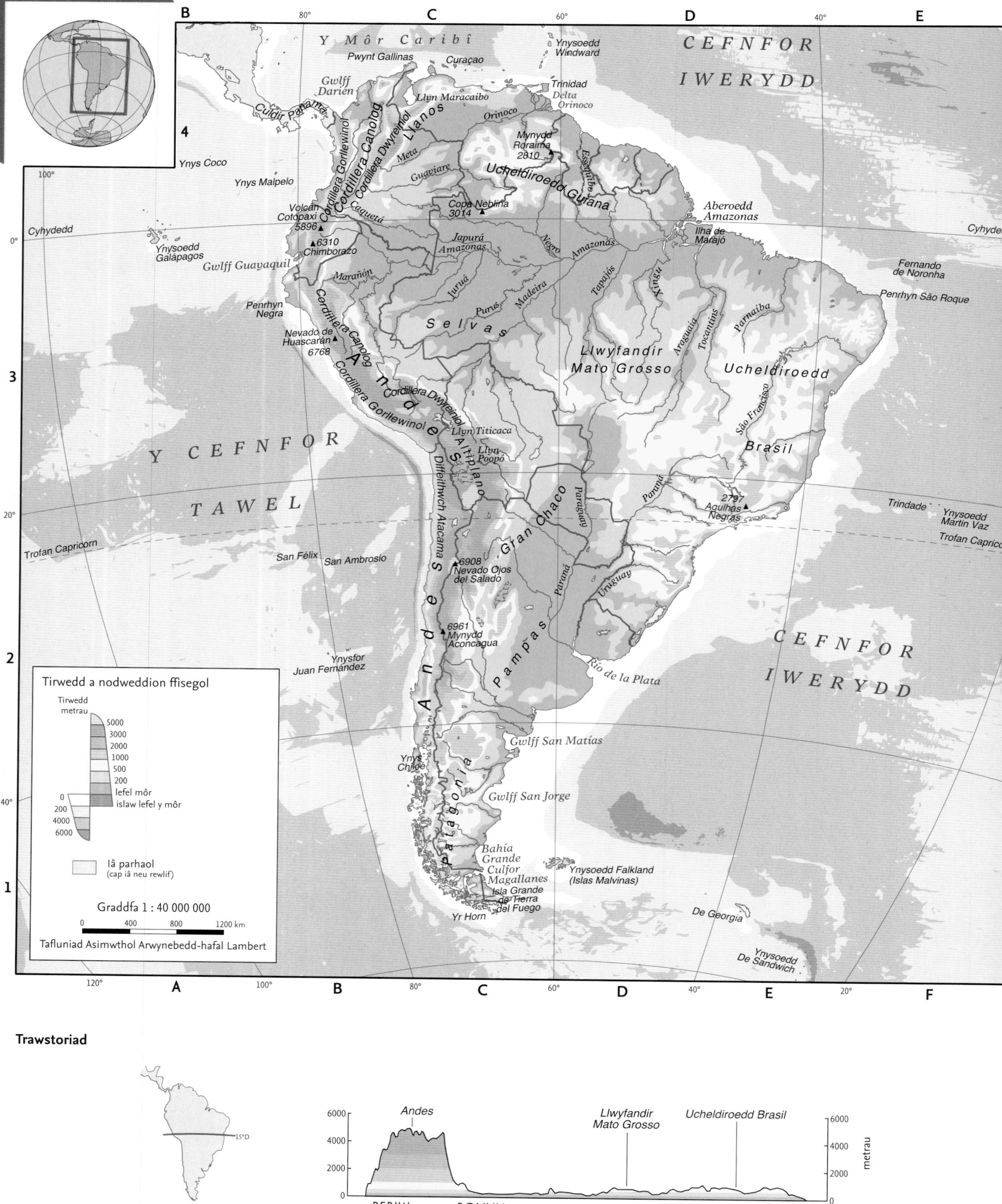

Tirwedd a nodweddion ffisegol

Tirwedd
metrau

5000
3000
2000
1000
500
200
lefel môr
0
islaw lefel y môr
200
4000
6000

Iâ parhaol
(cap iâ neu rewlif)

Graddfa 1 : 40 000 000

0   400   800   1200 km

Tafluniad Asimwthol Arwynebedd-hafal Lambert

Trawstoriad

Ilinell y trawstoriad

ANDES — Llwyfandir Mato Grosso — Ucheldiroedd Brasil

PERIW — BOLIVIA — BRASIL

Allwedd:
— Ffin ryngwladol
■ Prifddinas gwlad
○ Dinas neu dref arall

Graddfa 1 : 40 000 000

0   400   800   1200 km

Tafluniad Asimwthol Arwynebedd-hafal Lambert

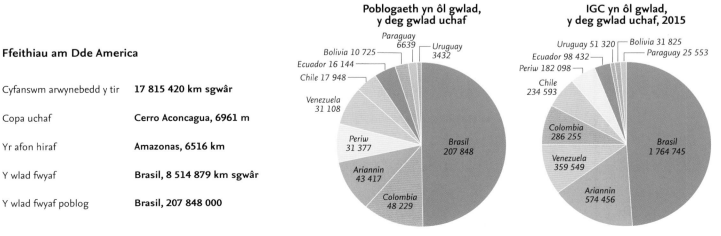

Ffeithiau am Dde America

Cyfanswm arwynebedd y tir	**17 815 420 km sgwâr**
Copa uchaf	**Cerro Aconcagua, 6961 m**
Yr afon hiraf	**Amazonas, 6516 km**
Y wlad fwyaf	**Brasil, 8 514 879 km sgwâr**
Y wlad fwyaf poblog	**Brasil, 207 848 000**

Poblogaeth yn ôl gwlad, y deg gwlad uchaf

Paraguay 6639
Uruguay 3432
Bolivia 10 725
Ecuador 16 144
Chile 17 948
Venezuela 31 108
Periw 31 377
Ariannin 43 417
Colombia 48 229
Brasil 207 848

Poblogaeth mewn miloedd

IGC yn ôl gwlad, y deg gwlad uchaf, 2015

Uruguay 51 320
Bolivia 31 825
Ecuador 98 432
Paraguay 25 553
Periw 182 098
Chile 234 593
Colombia 286 255
Venezuela 359 549
Ariannin 574 456
Brasil 1 764 745

IGC mewn miliynau o $ UDA

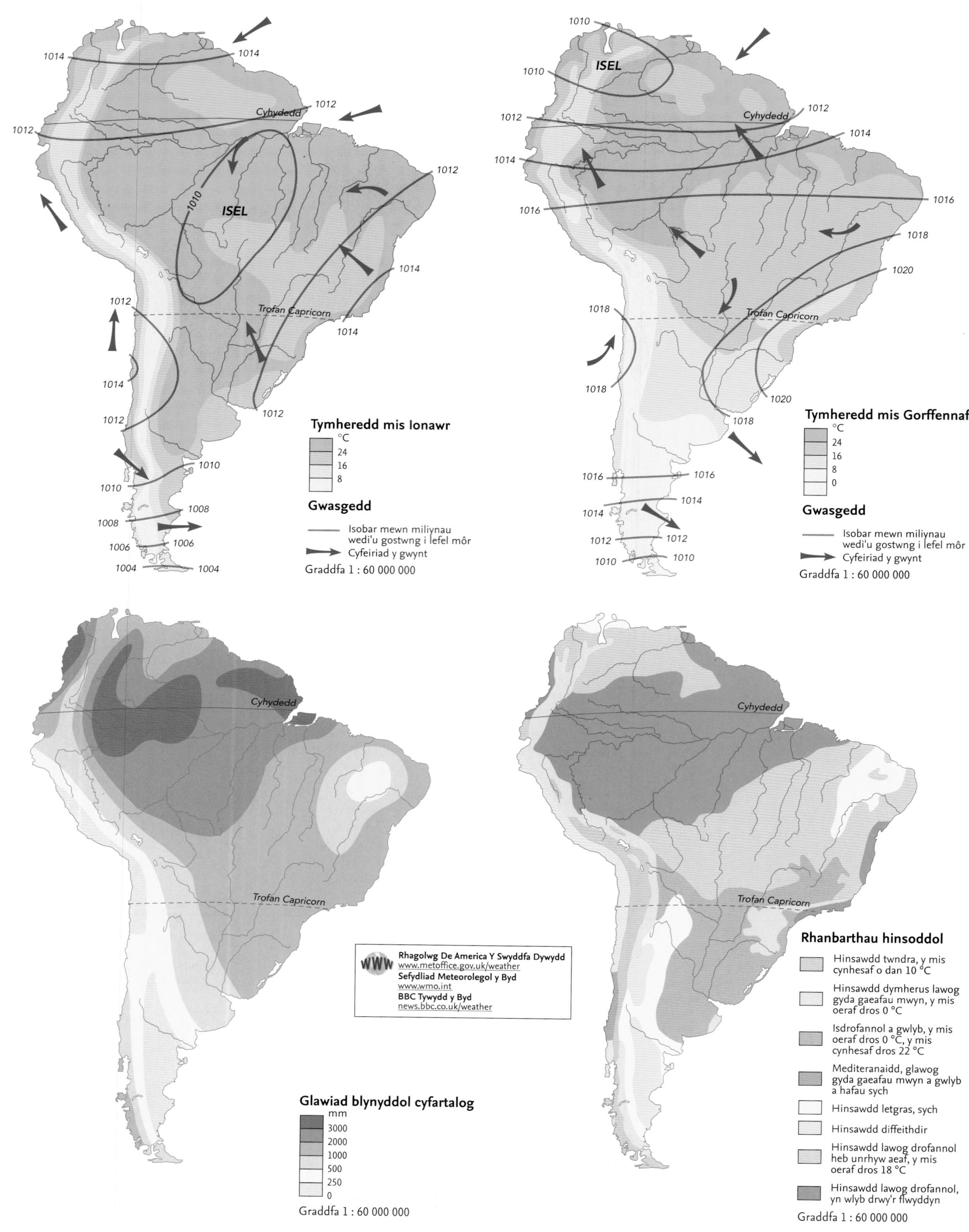

Tymheredd mis Ionawr

°C
24
16
8

Gwasgedd

Isobar mewn miliynau
wedi'u gostwng i lefel môr
Cyfeiriad y gwynt

Graddfa 1 : 60 000 000

Tymheredd mis Gorffennaf

°C
24
16
8
0

Gwasgedd

Isobar mewn miliynau
wedi'u gostwng i lefel môr
Cyfeiriad y gwynt

Graddfa 1 : 60 000 000

WWW **Rhagolwg De America Y Swyddfa Dywydd**
www.metoffice.gov.uk/weather
Sefydliad Meteorolegol y Byd
www.wmo.int
BBC Tywydd y Byd
news.bbc.co.uk/weather

Glawiad blynyddol cyfartalog

mm
3000
2000
1000
500
250
0

Graddfa 1 : 60 000 000

Rhanbarthau hinsoddol

Hinsawdd twndra, y mis
cynhesaf o dan 10 °C

Hinsawdd dymherus lawog
gyda gaeafau mwyn, y mis
oeraf dros 0 °C

Isdrofannol a gwlyb, y mis
oeraf dros 0 °C, y mis
cynhesaf dros 22 °C

Mediteranaidd, glawog
gyda gaeafau mwyn a gwlyb
a hafau sych

Hinsawdd letgras, sych

Hinsawdd diffeithdir

Hinsawdd lawog drofannol
heb unrhyw aeaf, y mis
oeraf dros 18 °C

Hinsawdd lawog drofannol,
yn wlyb drwy'r flwyddyn

Graddfa 1 : 60 000 000

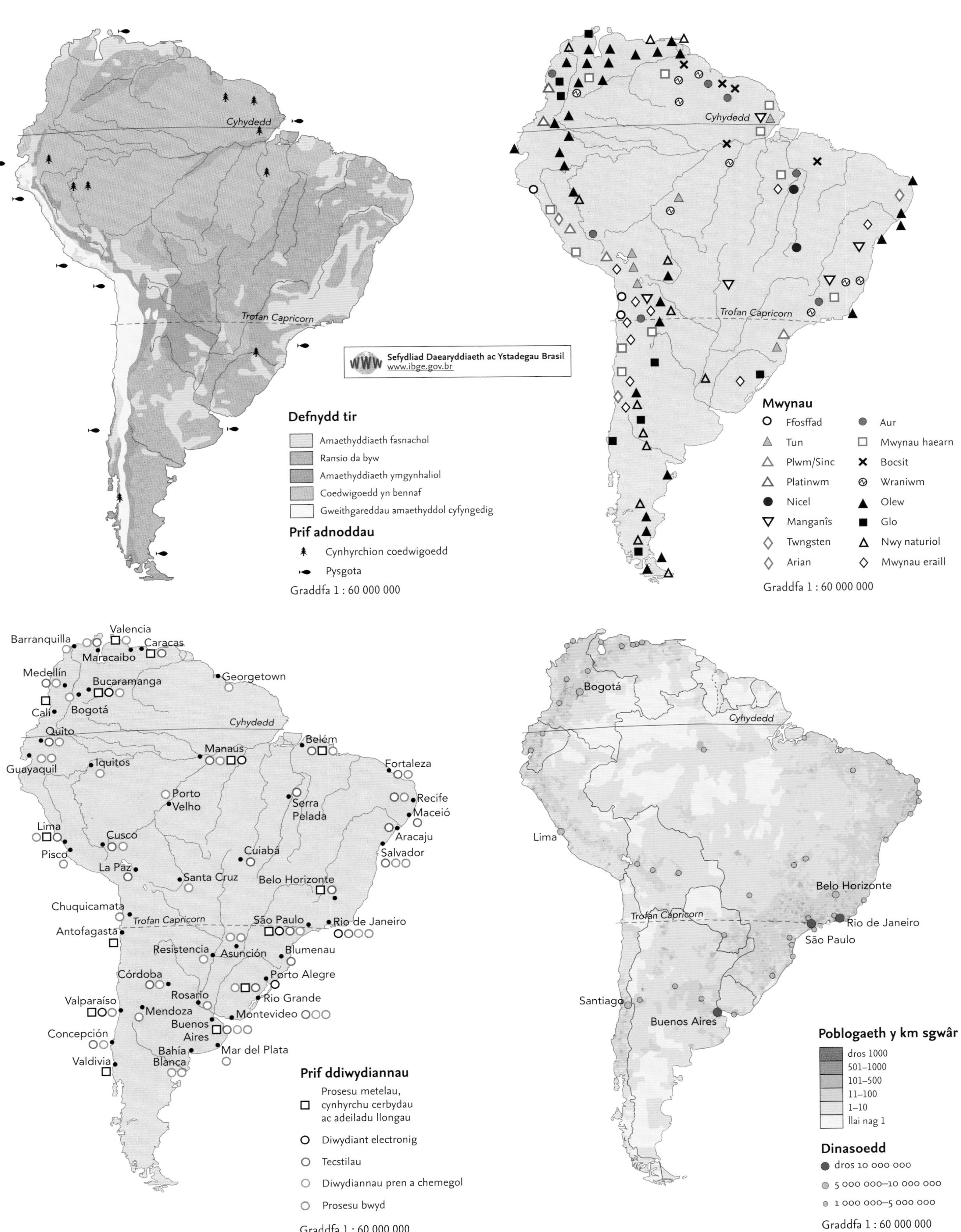

Sefydliad Daearyddiaeth ac Ystadegau Brasil
www.ibge.gov.br

Defnydd tir

- Amaethyddiaeth fasnachol
- Ransio da byw
- Amaethyddiaeth ymgynhaliol
- Coedwigoedd yn bennaf
- Gweithgareddau amaethyddol cyfyngedig

Prif adnoddau

- Cynhyrchion coedwigoedd
- Pysgota

Graddfa 1 : 60 000 000

Mwynau

- ○ Ffosffad
- ▲ Tun
- △ Plwm/Sinc
- △ Platinwm
- ● Nicel
- ▽ Manganîs
- ◇ Twngsten
- ◇ Arian
- ● Aur
- □ Mwynau haearn
- ✕ Bocsit
- ⊗ Wraniwm
- ▲ Olew
- ■ Glo
- △ Nwy naturiol
- ◇ Mwynau eraill

Graddfa 1 : 60 000 000

Prif ddiwydiannau

- □ Prosesu metelau, cynhyrchu cerbydau ac adeiladu llongau
- ◯ Diwydiant electronig
- ◯ Tecstilau
- ◯ Diwydiannau pren a chemegol
- ◯ Prosesu bwyd

Graddfa 1 : 60 000 000

Poblogaeth y km sgwâr

- dros 1000
- 501–1000
- 101–500
- 11–100
- 1–10
- llai nag 1

Dinasoedd

- ● dros 10 000 000
- ● 5 000 000–10 000 000
- ● 1 000 000–5 000 000

Graddfa 1 : 60 000 000

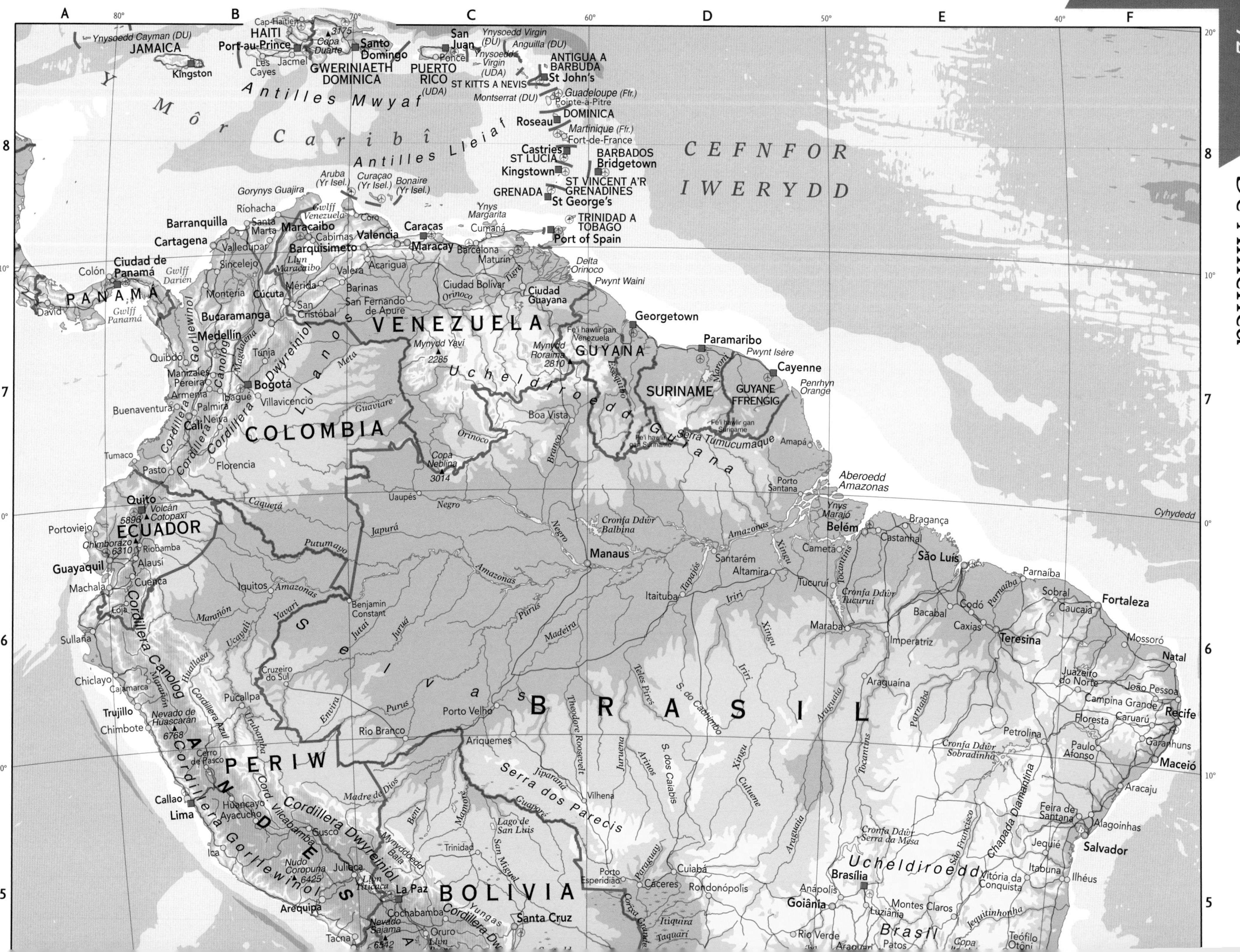
CEFNFOR IWERYDD
Môr Caribî
Antilles Lleiaf
Antilles Mwyaf
VENEZUELA
COLOMBIA
ECUADOR
PERIW
BOLIVIA
BRASIL
PANAMÁ
GUYANA
SURINAME
GUYANE FFRENGIG
JAMAICA
HAITI
GWERINIAETH DOMINICA
PUERTO RICO (UDA)
TRINIDAD A TOBAGO
BARBADOS
Caracas
Bogotá
Quito
Lima
La Paz
Brasília
Georgetown
Paramaribo
Cayenne
Manaus
Belém
São Luís
Fortaleza
Recife
Salvador
Teresina
Natal
Maceió
Goiânia
Santa Cruz
Guayaquil
Medellín
Cali
Barranquilla
Cartagena
Maracaibo
Kingston
Port-au-Prince
Santo Domingo
San Juan
Port of Spain
Bridgetown
Ciudad de Panamá
Ucheldiroedd Guyana
Ucheldiroedd Brasil
Cordillera Canolog
Cordillera Dwyreiniol
Cordillera Gorllewinol
Amazonas
Orinoco
Aberoedd Amazonas
Selvas
Llanos
Andes
Cyhydedd

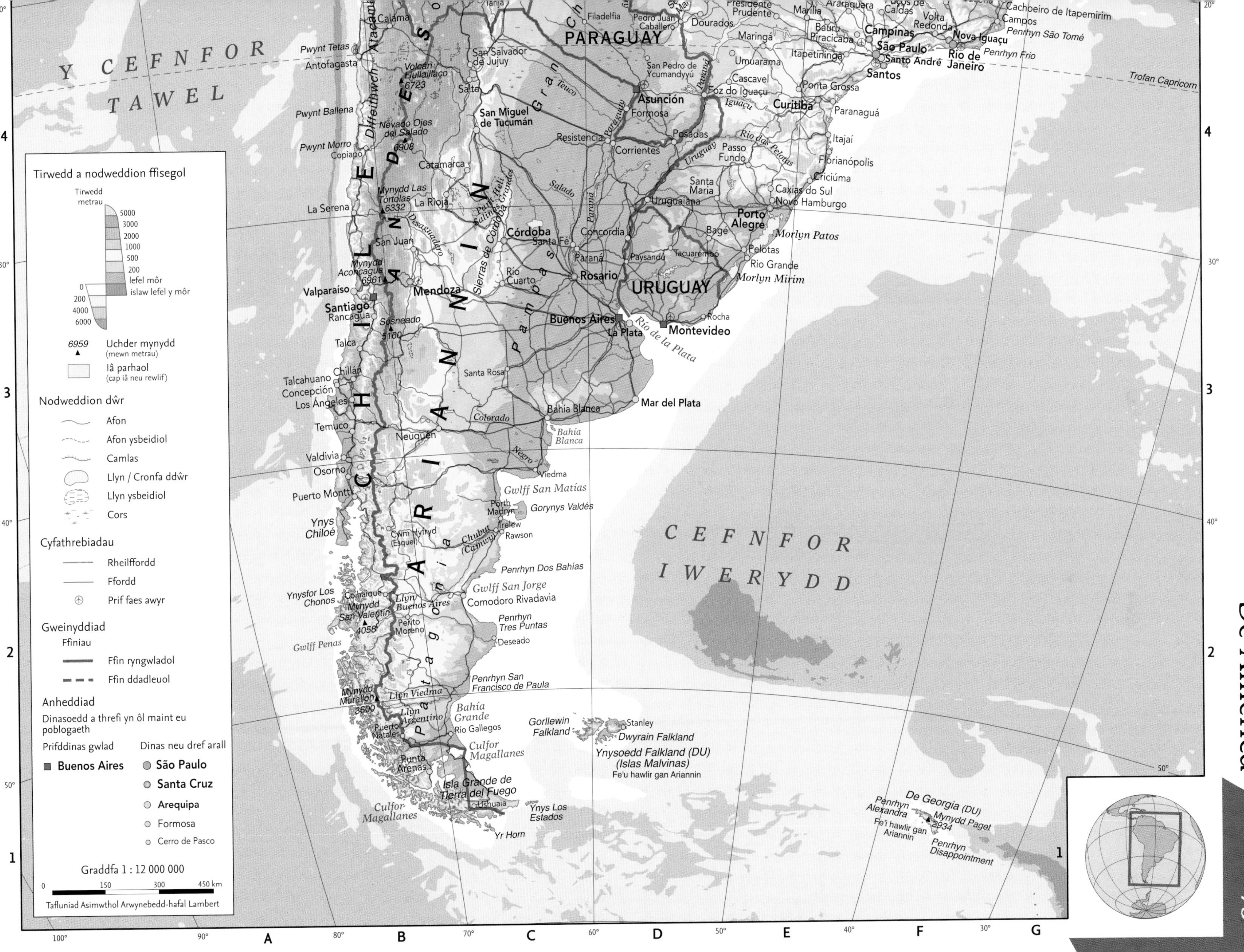
Y CEFNFOR TAWEL
CEFNFOR IWERYDD
Trofan Capricorn
CHILE
ANDES
ARIANNIN
PARAGUAY
URUGUAY
Gran Chaco
Pampas
Patagonia
Asunción
Montevideo
Buenos Aires
La Plata
Mar del Plata
Rosario
Córdoba
Santa Fé
Paraná
Concordia
Corrientes
Resistencia
Posadas
Formosa
San Miguel de Tucumán
Salta
San Salvador de Jujuy
Catamarca
La Rioja
San Juan
Mendoza
Santiago
Valparaíso
Rancagua
Talca
Chillán
Concepción
Talcahuano
Los Ángeles
Temuco
Valdivia
Osorno
Puerto Montt
Ynys Chiloé
La Serena
Copiapó
Antofagasta
Calama
Neuquén
Bahía Blanca
Santa Rosa
Río Cuarto
Viedma
Rawson
Trelew
Porth Madryn
Comodoro Rivadavia
Deseado
Río Gallegos
Puerto Natales
Punta Arenas
Ushuaia
Isla Grande de Tierra del Fuego
Culfor Magallanes
Yr Horn
Ynys Los Estados
Stanley
Gorllewin Falkland
Dwyrain Falkland
Ynysoedd Falkland (DU)
(Islas Malvinas)
Fe'u hawlir gan Ariannin
De Georgia (DU)
Mynydd Paget 2934
Penrhyn Alexandra
Fe'i hawlir gan Ariannin
Penrhyn Disappointment
Porto Alegre
Pelotas
Rio Grande
Morlyn Mirim
Morlyn Patos
Curitiba
Florianópolis
São Paulo
Santos
Campinas
Rio de Janeiro
Nova Iguaçu
Santo André
Campos
Cachoeiro de Itapemirim
Penrhyn Frio
Penrhyn São Tomé
Río de la Plata
Bahía Blanca
Gwlff San Matías
Gorynys Valdés
Penrhyn Dos Bahías
Gwlff San Jorge
Penrhyn Tres Puntas
Penrhyn San Francisco de Paula
Bahía Grande
Gwlff Penas
Ynysfor Los Chonos
Llyn Buenos Aires
Llyn Viedma
Llyn Argentino
Mynydd San Valentín 4058
Mynydd Murallón 3600
Mynydd Aconcagua 6961
Mynydd Las Tórtolas 6332
Nevado Ojos del Salado 6908
Volcán Llullaillaco 6723
Sosneado 5160
Diffeithwch Atacama
Sierras de Córdoba
Pwynt Tetas
Pwynt Ballena
Pwynt Morro
Tirwedd a nodweddion ffisegol
Tirwedd metrau
5000
3000
2000
1000
500
200
lefel môr
islaw lefel y môr
0
200
4000
6000
6959 Uchder mynydd (mewn metrau)
Iâ parhaol (cap iâ neu rewlif)
Nodweddion dŵr
Afon
Afon ysbeidiol
Camlas
Llyn / Cronfa ddŵr
Llyn ysbeidiol
Cors
Cyfathrebiadau
Rheilffordd
Ffordd
Prif faes awyr
Gweinyddiad
Ffiniau
Ffin ryngwladol
Ffin ddadleuol
Anheddiad
Dinasoedd a threfi yn ôl maint eu poblogaeth
Prifddinas gwlad
Dinas neu dref arall
Buenos Aires
São Paulo
Santa Cruz
Arequipa
Formosa
Cerro de Pasco
Graddfa 1 : 12 000 000
0 150 300 450 km
Tafluniad Asimwthol Arwynebedd-hafal Lambert

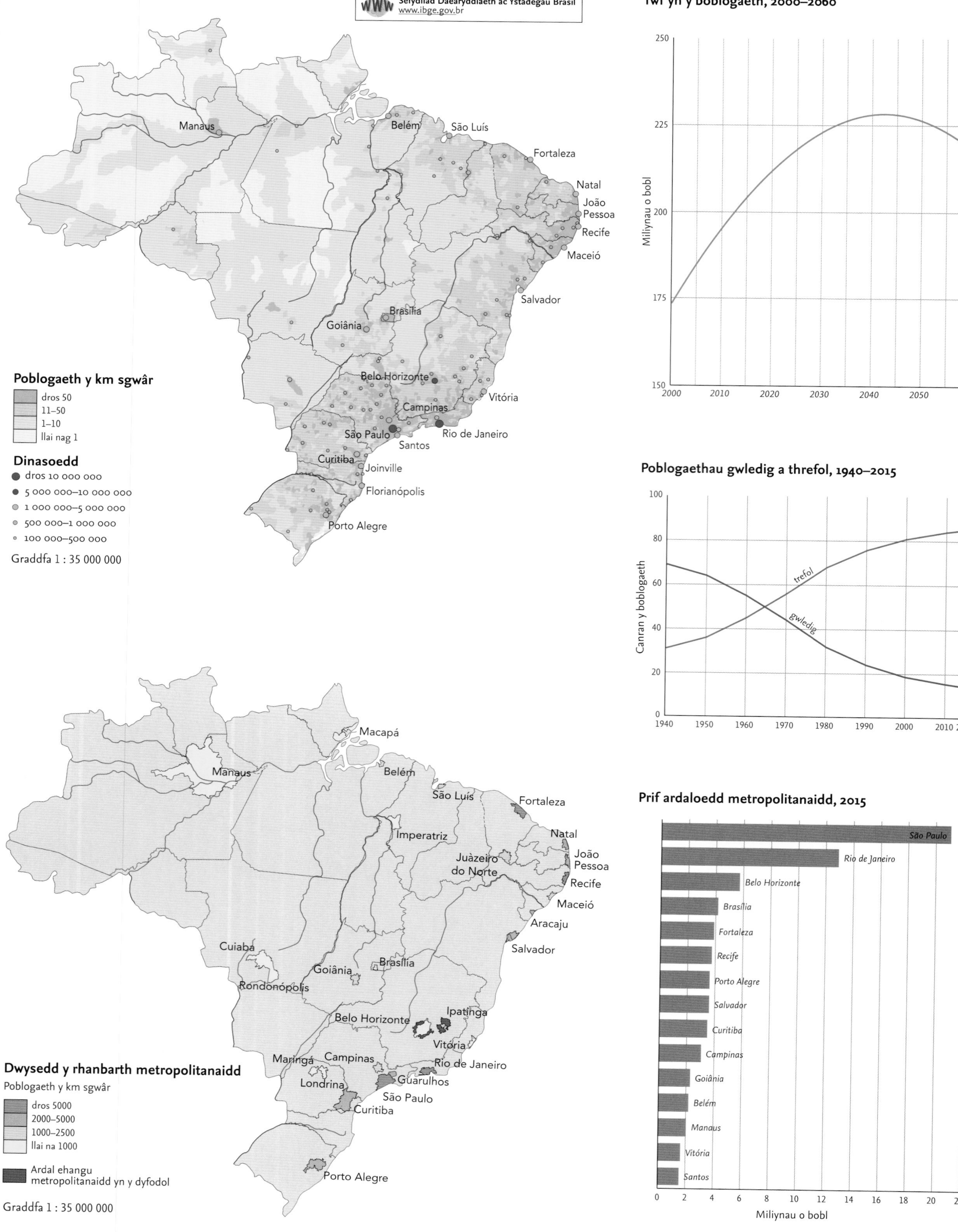

Sefydliad Daearyddiaeth ac Ystadegau Brasil
www.ibge.gov.br

Twf yn y boblogaeth, 2000–2060

Miliynau o bobl

Poblogaeth y km sgwâr

- dros 50
- 11–50
- 1–10
- llai nag 1

Dinasoedd

- dros 10 000 000
- 5 000 000–10 000 000
- 1 000 000–5 000 000
- 500 000–1 000 000
- 100 000–500 000

Graddfa 1 : 35 000 000

Manaus, Belém, São Luís, Fortaleza, Natal, João Pessoa, Recife, Maceió, Salvador, Brasília, Goiânia, Belo Horizonte, Vitória, Campinas, São Paulo, Santos, Rio de Janeiro, Curitiba, Joinville, Florianópolis, Porto Alegre

Poblogaethau gwledig a threfol, 1940–2015

Canran y boblogaeth

trefol
gwledig

Prif ardaloedd metropolitanaidd, 2015

São Paulo
Rio de Janeiro
Belo Horizonte
Brasília
Fortaleza
Recife
Porto Alegre
Salvador
Curitiba
Campinas
Goiânia
Belém
Manaus
Vitória
Santos

Miliynau o bobl

Dwysedd y rhanbarth metropolitanaidd

Poblogaeth y km sgwâr

- dros 5000
- 2000–5000
- 1000–2500
- llai na 1000

- Ardal ehangu metropolitanaidd yn y dyfodol

Graddfa 1 : 35 000 000

Macapá, Manaus, Belém, São Luís, Fortaleza, Imperatriz, Natal, João Pessoa, Recife, Maceió, Juàzeiro do Norte, Aracaju, Cuiabá, Salvador, Goiânia, Brasília, Rondonópolis, Ipatinga, Belo Horizonte, Vitória, Maringá, Campinas, Rio de Janeiro, Londrina, Guarulhos, São Paulo, Curitiba, Porto Alegre

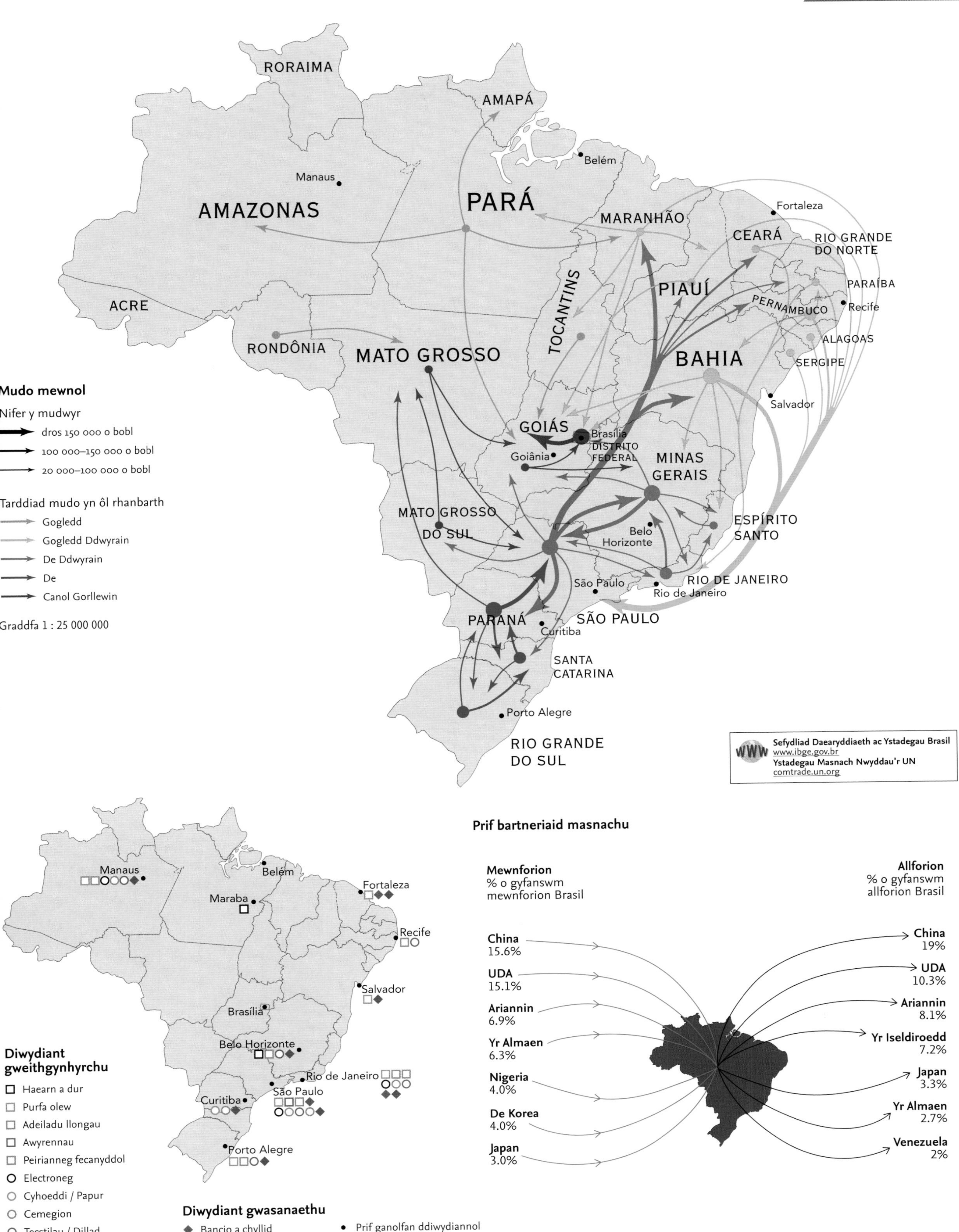

Mudo mewnol

Nifer y mudwyr

➤ dros 150 000 o bobl

→ 100 000–150 000 o bobl

→ 20 000–100 000 o bobl

Tarddiad mudo yn ôl rhanbarth

→ Gogledd

→ Gogledd Ddwyrain

→ De Ddwyrain

→ De

→ Canol Gorllewin

Graddfa 1 : 25 000 000

RORAIMA

AMAPÁ

AMAZONAS

Manaus

PARÁ

Belém

MARANHÃO

CEARÁ

Fortaleza

RIO GRANDE
DO NORTE

PARAÍBA

ACRE

PIAUÍ

PERNAMBUCO

Recife

RONDÔNIA

MATO GROSSO

TOCANTINS

BAHIA

ALAGOAS

SERGIPE

Salvador

GOIÁS

Brasília
DISTRITO
FEDERAL

Goiânia

MINAS
GERAIS

MATO GROSSO
DO SUL

Belo
Horizonte

ESPÍRITO
SANTO

São Paulo

RIO DE JANEIRO

Rio de Janeiro

PARANÁ

SÃO PAULO

Curitiba

SANTA
CATARINA

Porto Alegre

RIO GRANDE
DO SUL

Sefydliad Daearyddiaeth ac Ystadegau Brasil
www.ibge.gov.br
Ystadegau Masnach Nwyddau'r UN
comtrade.un.org

Diwydiant gweithgynhyrchu

Manaus

Belém

Maraba

Fortaleza

Recife

Salvador

Brasília

Belo Horizonte

Rio de Janeiro

São Paulo

Curitiba

Porto Alegre

□ Haearn a dur

□ Purfa olew

□ Adeiladu llongau

□ Awyrennau

□ Peirianneg fecanyddol

○ Electroneg

○ Cyhoeddi / Papur

○ Cemegion

○ Tecstilau / Dillad

○ Prosesu bwyd

Diwydiant gwasanaethu

◆ Bancio a chyllid

◆ Twristiaeth

• Prif ganolfan ddiwydiannol

Graddfa 1 : 50 000 000

Prif bartneriaid masnachu

Mewnforion
% o gyfanswm
mewnforion Brasil

China 15.6%

UDA 15.1%

Ariannin 6.9%

Yr Almaen 6.3%

Nigeria 4.0%

De Korea 4.0%

Japan 3.0%

Allforion
% o gyfanswm
allforion Brasil

China 19%

UDA 10.3%

Ariannin 8.1%

Yr Iseldiroedd 7.2%

Japan 3.3%

Yr Almaen 2.7%

Venezuela 2%

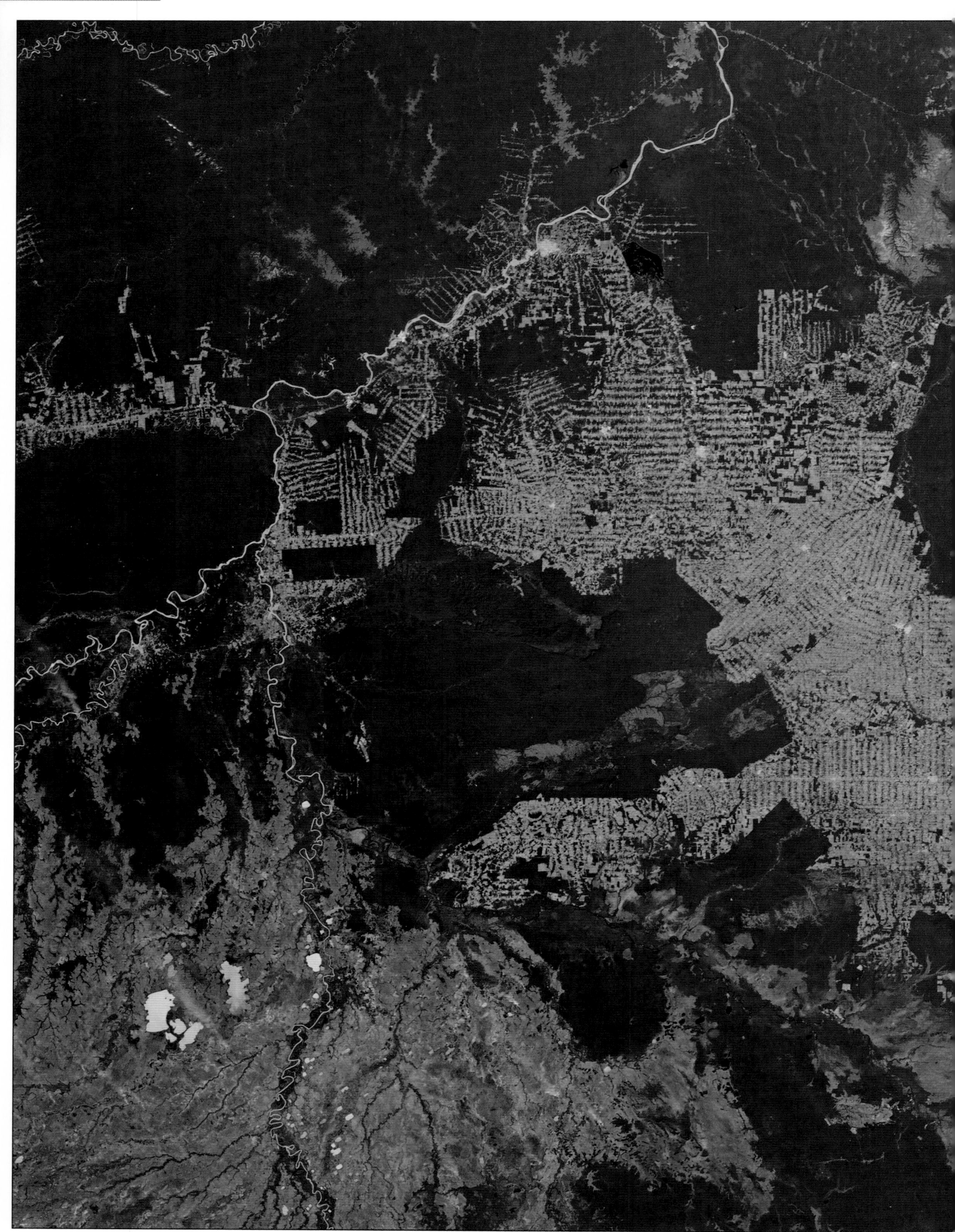

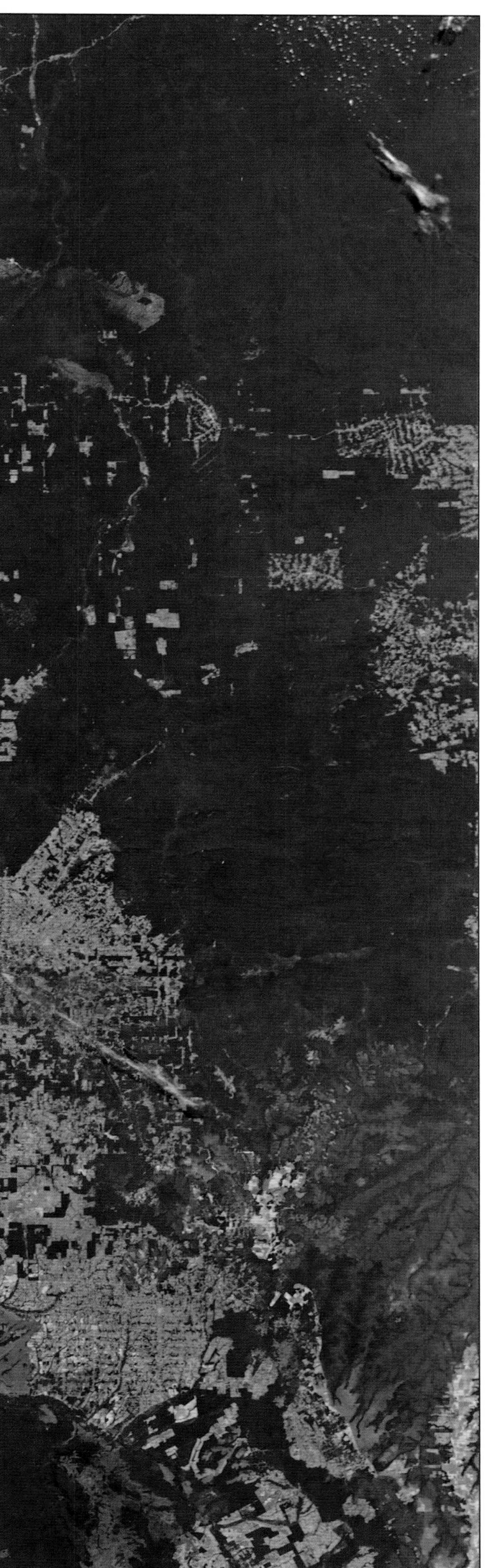

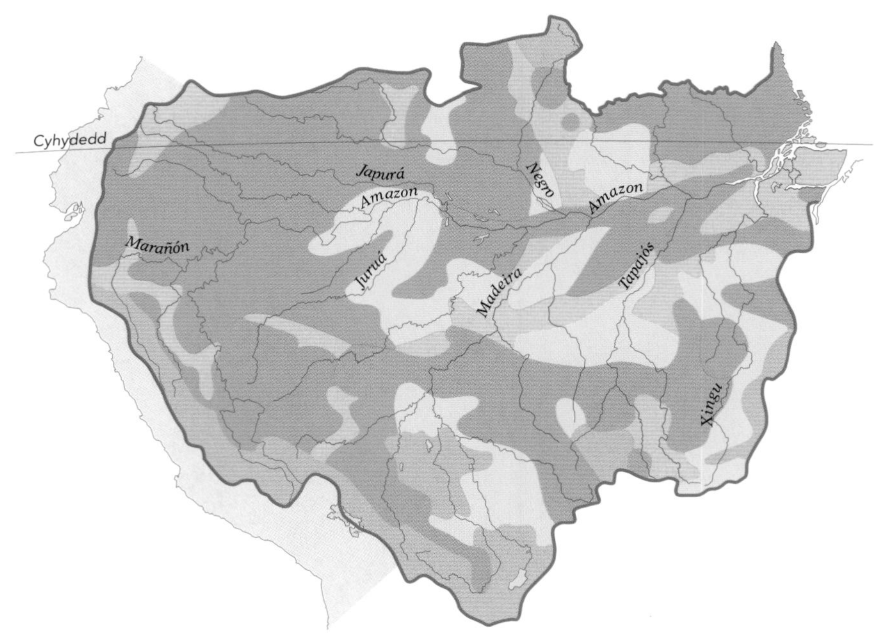

Cyflwr coedwig law Amazonas

Coedwig law

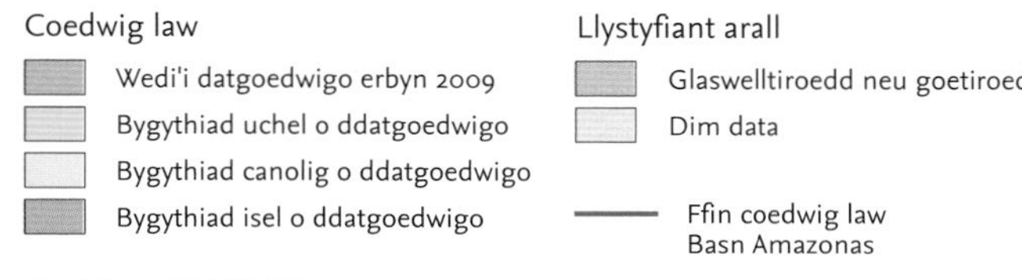

Wedi'i datgoedwigo erbyn 2009

Bygythiad uchel o ddatgoedwigo

Bygythiad canolig o ddatgoedwigo

Bygythiad isel o ddatgoedwigo

Graddfa 1 : 35 000 000

Llystyfiant arall

Glaswelltiroedd neu goetiroedd

Dim data

Ffin coedwig law
Basn Amazonas

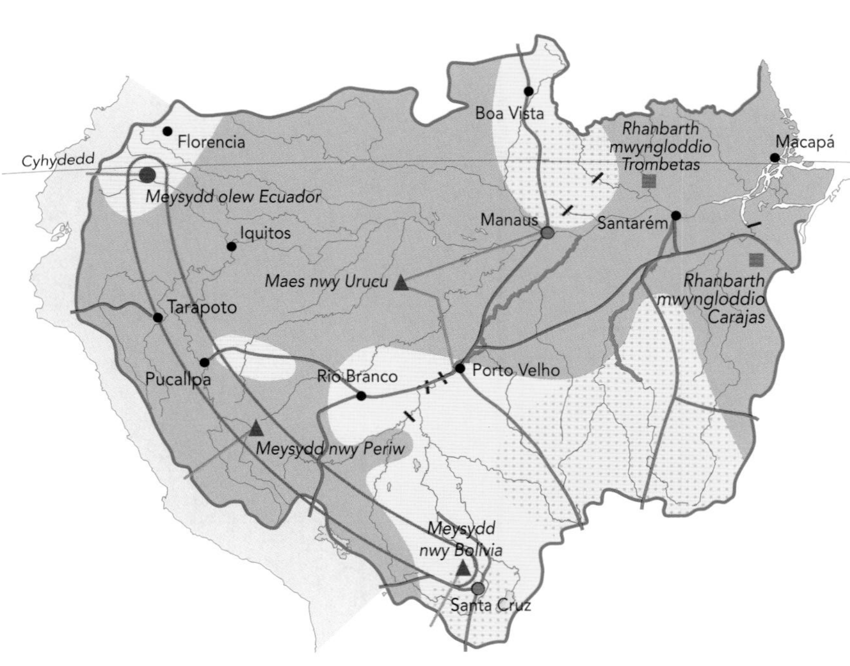

Bygythiadau i goedwig law Amazonas

Diwydiant echdynnol

● Maes olew

▲ Maes nwy

■ Rhanbarth mwyngloddio

—— Y briffordd fwyaf

—+— Argae mawr

—— Dyfrffordd ddiwydiannol

—— Piblin

—— Ffin ardal datblygiad olew a nwy
Gorllewin Amazonas

Prif ganolfannau'r boblogaeth

● dros 1 000 000

● 100 000 – 500 000

Ardal ehangu amaethyddol

Porfa ar gyfer ransio gwartheg ar raddfa fawr

Cnydio ar raddfa fawr: ar gyfer porthiant da byw
(ffa soia, sorgwm, India corn), cnydau diwydiannol
(palmwydd olew, blodau'r haul, cotwm) a
biodanwyddau (siwgr cansen, India corn)

Graddfa 1 : 35 000 000

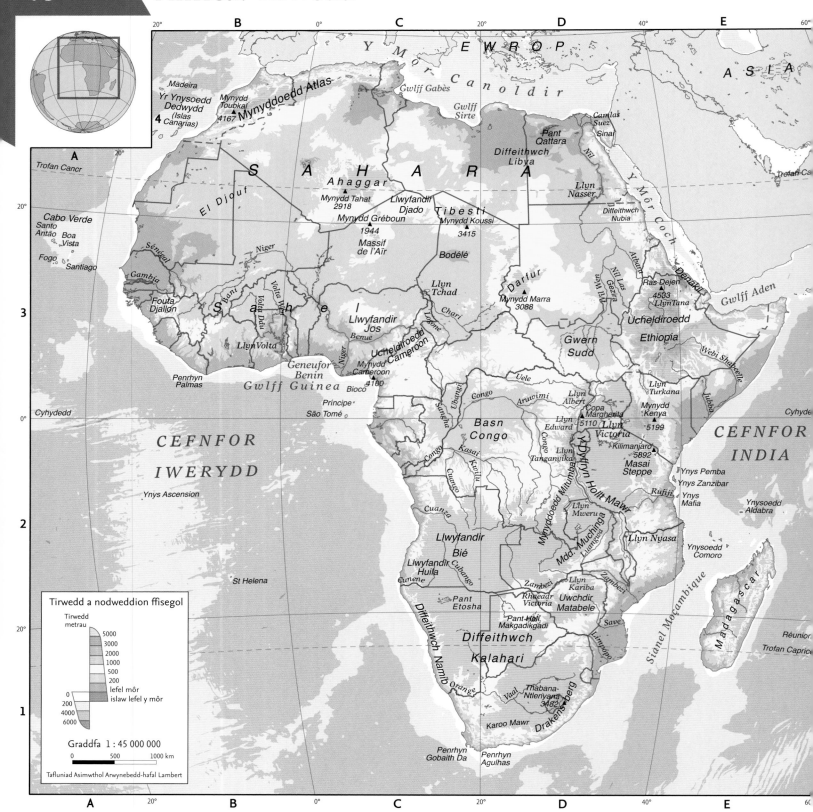

Y MÔR EWROP

Y Môr Canoldir

Gwlff Gabès

ASIA

ASIA

Madeira
Yr Ynysoedd
Dedwydd
(Islas
Canarias)

Mynydd
Toubkal
4167 Mynyddoedd Atlas

Gwlff
Sirte

Camlas
Suez
Sinai

SAHARA

Pant
Qattara

Diffeithwch
Libya

Y Môr Coch

Trofan Cancr

El Djouf

Ahaggar

Mynydd Tahat
2918

Llwyfandir
Djado

Tibesti

Llyn
Nasser

Diffeithwch
Nubia

Trofan Ca

Cabo Verde
Santo
Antão Boa
Vista
Fogo
Santiago

Sénégal

Niger

Mynydd Gréboun
1944

Massif
de l'Aïr

Mynydd Koussi
3415

Bodélé

Darfur

Mynydd Marra
3088

Ras Dejen
4533
Llyn Tana

Gwlff Aden

Gambia

Fouta
Djallon

Sahel

Bani

Volta Ddu

Volta Wen

Niger

Benue

LlynVolta

Llyn
Tchad

Chari

Llwyfandir
Jos

Ucheldiroedd
Cameroon

Logone

Gwern
Sudd

Nil Las

Gezira

Nil Glas

Ucheldiroedd
Ethiopia

Denakil

LlynTana

Penrhyn
Palmas

Geneufor
Benin

Mynydd
Cameroon
4100

Gwlff Guinea

Bioco

Príncipe
São Tomé

Ubangi

Uele

Congo

Sangha

Aruwimi

Llyn
Albert

Llyn
Edward

Copa
Marghenta
5110

Mynydd
Kenya
5199

Webi Shabeelle

Jubba

Cyhydedd

CEFNFOR
IWERYDD

Basn
Congo

Congo

Kasai

Kwilu

Cuango

Llyn
Tanganyika

Llyn
Victoria

Kilimanjaro
5892

Masai
Steppe

CEFNFOR
INDIA

Cyhydedd

Ynys Ascension

Cuanza

Llwyfandir
Bié

Llwyfandir
Huila

Cubango

Cunene

Mynyddoedd Mitumba

Y Dyffryn Hollt Mawr

Llyn
Mweru

Luangwa

Mdd. Muchinga

Llyn Nyasa

Ynys Pemba

Ynys Zanzibar

Ynys
Mafia

Ynysoedd
Comoro

Ynysoedd
Aldabra

Rufiji

St Helena

Pant
Etosha

Zambezi

Khueadr
Victoria

Uwchdir
Matabele

Llyn
Kariba

Zambezi

Save

Sianel Moçambique

Madagascar

Réunion

Trofan Capric

Diffeithwch Namib

Pant Halh
Makgadikgadi

Diffeithwch
Kalahari

Limpopo

Orange

Vaal

Thabana-
Ntlenyana
3482

Drakensberg

Karoo Mawr

Penrhyn
Gobaith Da

Penrhyn
Agulhas

Tirwedd a nodweddion ffisegol

Tirwedd
metrau

5000
3000
2000
1000
500
200
lefel môr
islaw lefel y môr

0
200
4000
6000

Graddfa 1 : 45 000 000

0   500   1000 km

Tafluniad Asimwthol Arwynebedd-hafal Lambert

Trawstoriad

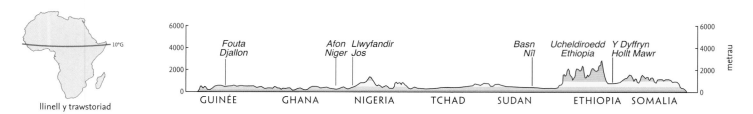

10°G

llinell y trawstoriad

6000

4000

2000

0

Fouta
Djallon

Afon
Niger

Llwyfandir
Jos

Basn
Nîl

Ucheldiroedd
Ethiopia

Y Dyffryn
Hollt Mawr

6000

4000

2000

0

metrau

GUINÉE   GHANA   NIGERIA   TCHAD   SUDAN   ETHIOPIA SOMALIA

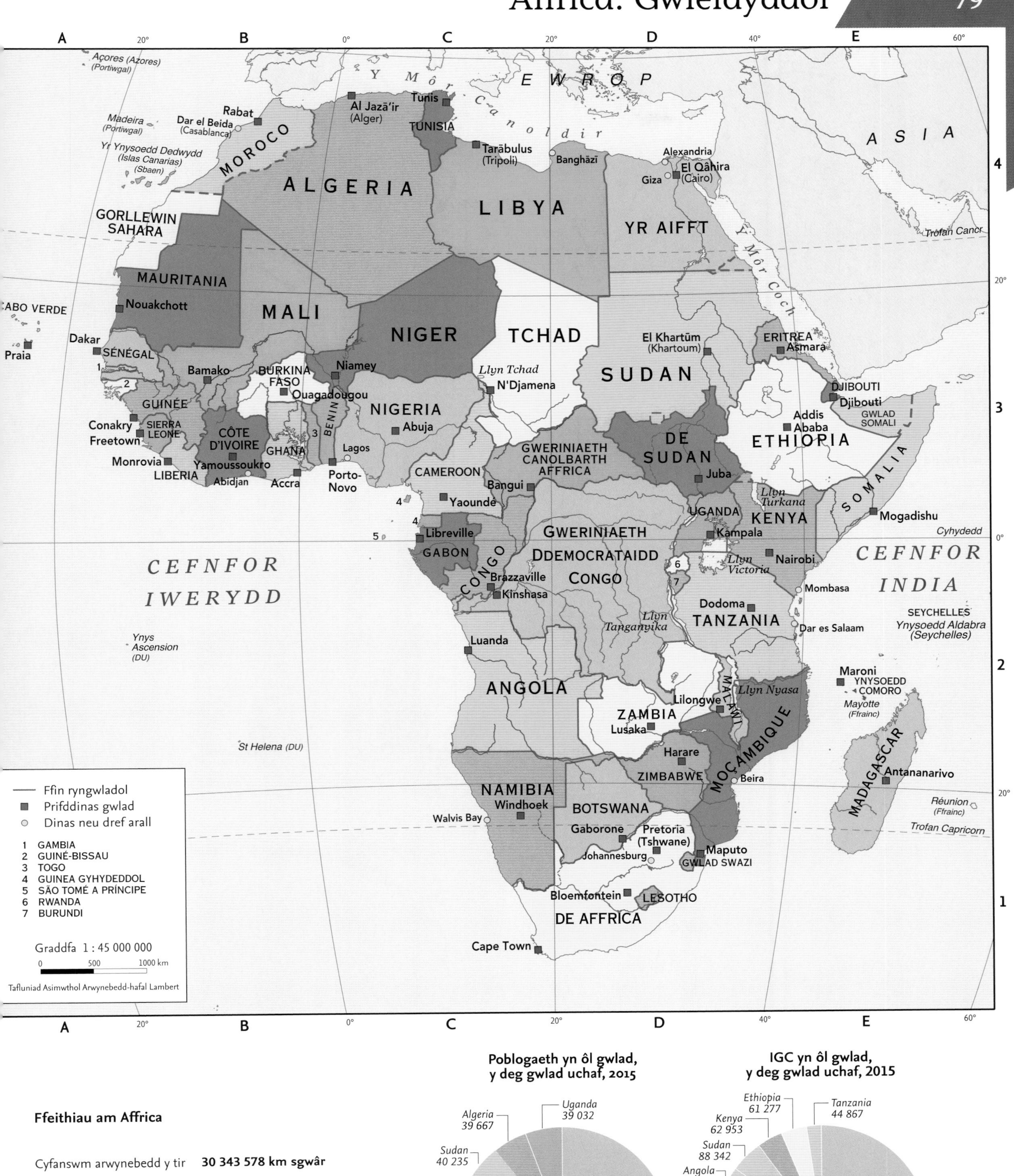

Ffeithiau am Affrica

Cyfanswm arwynebedd y tir	**30 343 578 km sgwâr**
Y copa uchaf	**Kilimanjaro, 5892 m**
Yr afon hiraf	**Nîl, 6695 km**
Y wlad fwyaf	**Algeria, 2 381 741 km sgwâr**
Y wlad fwyaf poblog	**Nigeria, 182 202 000**

Poblogaeth yn ôl gwlad, y deg gwlad uchaf, 2015

Uganda 39 032
Algeria 39 667
Sudan 40 235
Nigeria 182 202
Kenya 46 050
Tanzania 53 470
Ethiopia 99 391
Gwer. Ddem. Congo 77 267
De Affrica 54 490
Yr Aifft 91 508

Poblogaeth mewn miloedd

IGC yn ôl gwlad, y deg gwlad uchaf, 2015

Ethiopia 61 277
Tanzania 44 867
Kenya 62 953
Sudan 88 342
Angola 89 886
Nigeria 471 021
Moroco 98 706
Algeria 160 467
Yr Aifft 324 703
De Affrica 306 706

IGC mewn miliynau o $ UDA

Legend

— Ffin ryngwladol
■ Prifddinas gwlad
○ Dinas neu dref arall

1 GAMBIA
2 GUINÉ-BISSAU
3 TOGO
4 GUINEA GYHYDEDDOL
5 SÃO TOMÉ A PRÍNCIPE
6 RWANDA
7 BURUNDI

Graddfa 1 : 45 000 000

0 500 1000 km

Tafluniad Asimwthol Arwynebedd-hafal Lambert

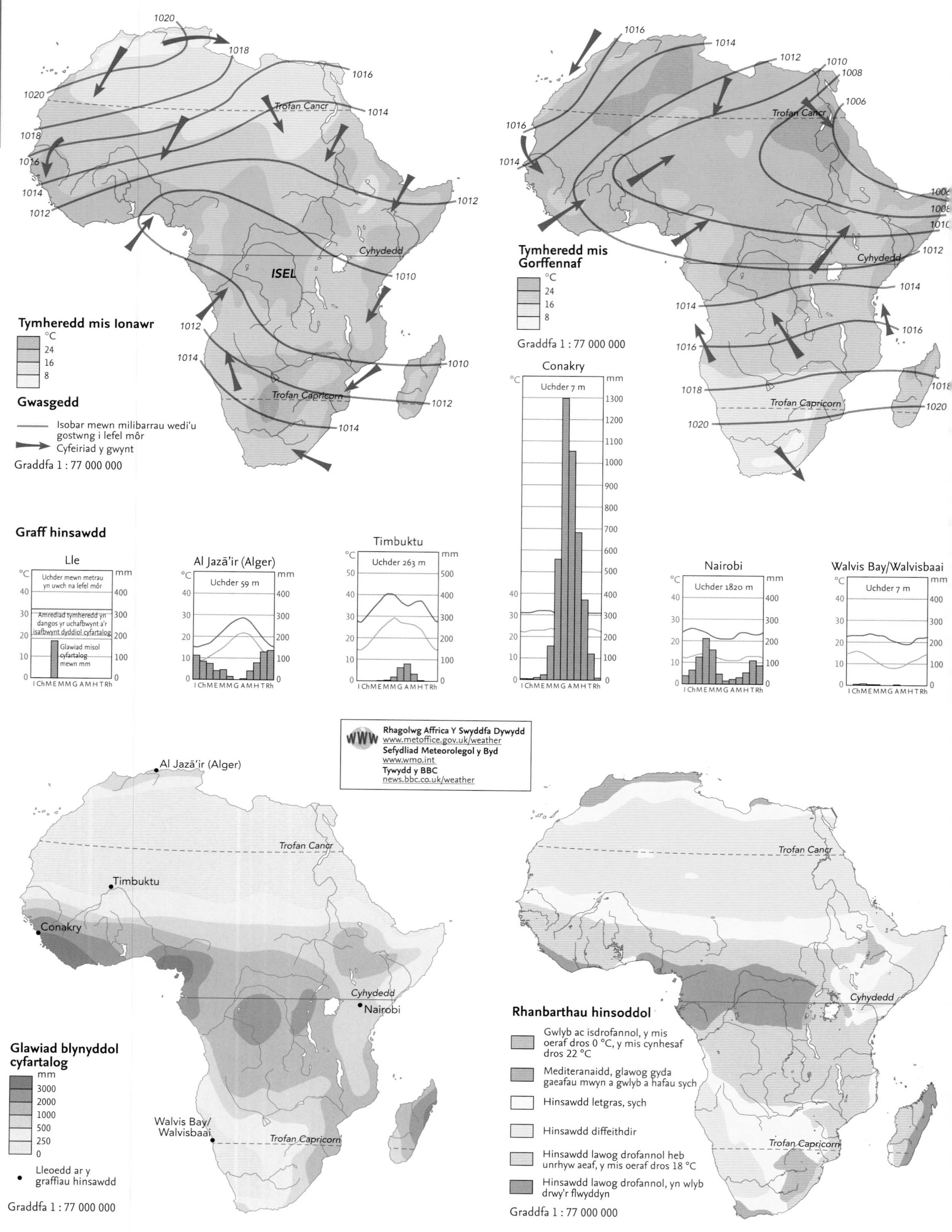

Tymheredd mis Ionawr

°C
24
16
8

Gwasgedd

— Isobar mewn milibarrau wedi'u gostwng i lefel môr
→ Cyfeiriad y gwynt

Graddfa 1 : 77 000 000

1020 1018 1016 1014 1012 1010 Cyhydedd ISEL Trofan Cancr Trofan Capricorn

Tymheredd mis Gorffennaf

°C
24
16
8

Graddfa 1 : 77 000 000

1016 1014 1012 1010 1008 1006 Trofan Cancr Cyhydedd Trofan Capricorn 1018 1020 1016

Graff hinsawdd

Lle

°C   mm
40   400
Uchder mewn metrau yn uwch na lefel môr
30   300
Amrediad tymheredd yn dangos yr uchafbwynt a'r isafbwynt dyddiol cyfartalog
20   200
Glawiad misol cyfartalog mewn mm
10   100
0   0
I Ch M E M M G A H T Rh

Al Jazā'ir (Alger)

°C   mm
40   400
Uchder 59 m
30   300
20   200
10   100
I Ch M E M M G A H T Rh

Timbuktu

°C   mm
50   500
Uchder 263 m
40   400
30   300
20   200
10   100
I Ch M E M M G A H T Rh

Conakry

°C   mm
Uchder 7 m 1300
            1200
            1100
            1000
            900
            800
            700
40   600
            500
30   400
20   300
10   200
            100
0   0
I Ch M E M M G A H T Rh

Nairobi

°C   mm
40   400
Uchder 1820 m
30   300
20   200
10   100
I Ch M E M M G A H T Rh

Walvis Bay/Walvisbaai

°C   mm
40   400
Uchder 7 m
30   300
20   200
10   100
0   0
I Ch M E M M G A H T Rh

WWW Rhagolwg Affrica Y Swyddfa Dywydd
www.metoffice.gov.uk/weather
Sefydliad Meteorolegol y Byd
www.wmo.int
Tywydd y BBC
news.bbc.co.uk/weather

Al Jazā'ir (Alger)

Trofan Cancr

Timbuktu

Conakry

Cyhydedd

Nairobi

Walvis Bay/ Walvisbaai

Trofan Capricorn

Glawiad blynyddol cyfartalog

mm
3000
2000
1000
500
250
0

● Lleoedd ar y graffiau hinsawdd

Graddfa 1 : 77 000 000

Trofan Cancr

Cyhydedd

Trofan Capricorn

Rhanbarthau hinsoddol

Gwlyb ac isdrofannol, y mis oeraf dros 0 °C, y mis cynhesaf dros 22 °C

Mediteranaidd, glawog gyda gaeafau mwyn a gwlyb a hafau sych

Hinsawdd letgras, sych

Hinsawdd diffeithdir

Hinsawdd lawog drofannol heb unrhyw aeaf, y mis oeraf dros 18 °C

Hinsawdd lawog drofannol, yn wlyb drwy'r flwyddyn

Graddfa 1 : 77 000 000

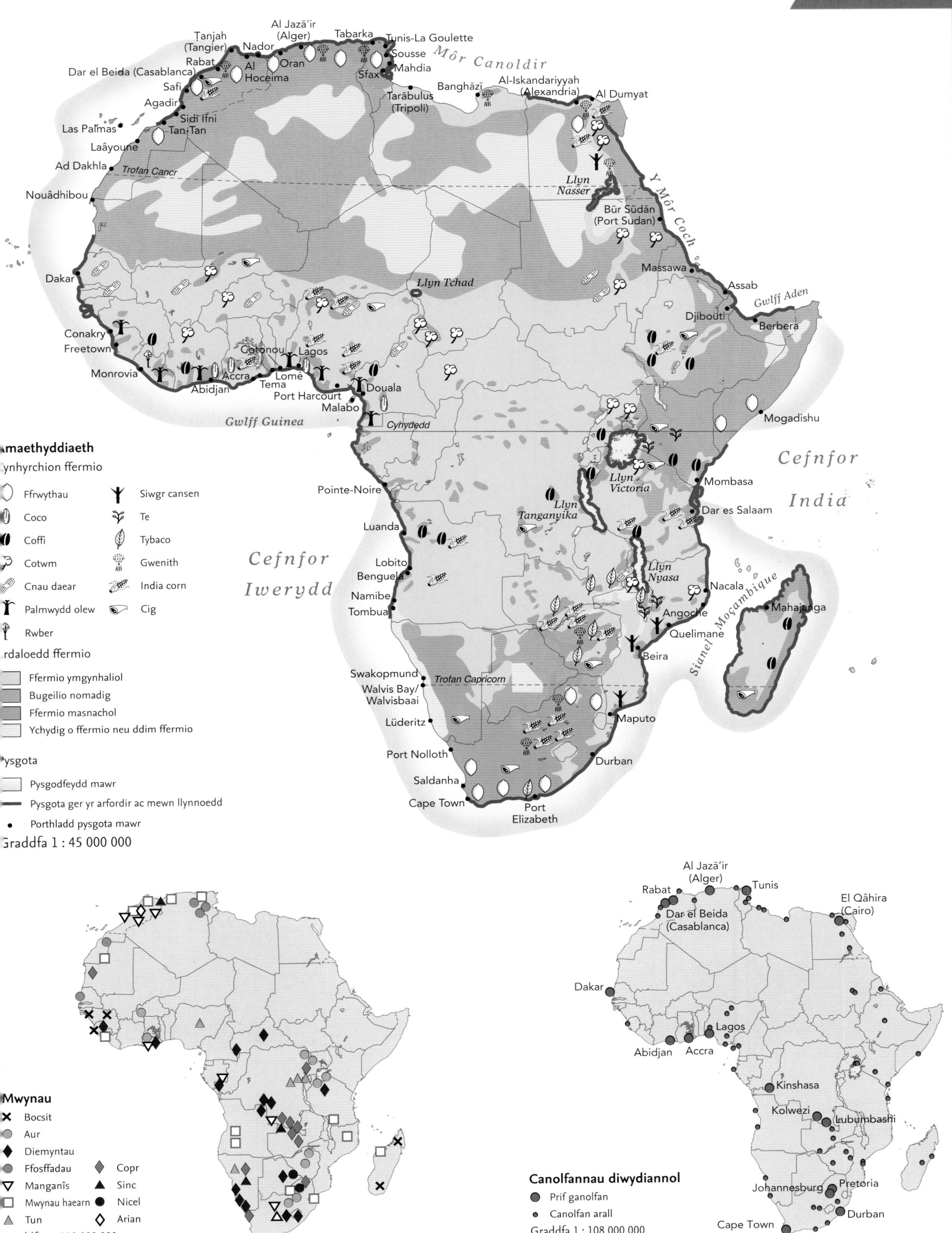

Môr Canoldir

Mòr Coch

Cefnfor India

Cefnfor Iwerydd

Gwlff Guinea

Gwlff Aden

Sianel Moçambique

Amaethyddiaeth

Cynhyrchion ffermio

- Ffrwythau
- Siwgr cansen
- Coco
- Te
- Coffi
- Tybaco
- Cotwm
- Gwenith
- Cnau daear
- India corn
- Palmwydd olew
- Cig
- Rwber

Ardaloedd ffermio

- Ffermio ymgynhaliol
- Bugeilio nomadig
- Ffermio masnachol
- Ychydig o ffermio neu ddim ffermio

Pysgota

- Pysgodfeydd mawr
- Pysgota ger yr arfordir ac mewn llynnoedd
- Porthladd pysgota mawr

Graddfa 1 : 45 000 000

Mwynau

- ✕ Bocsit
- ⬤ Aur
- ◆ Diemyntau
- ⬤ Ffosffadau
- ◇ Copr
- ▽ Manganîs
- ▲ Sinc
- ▢ Mwynau haearn
- ⬤ Nicel
- ▲ Tun
- ◇ Arian

Graddfa 1 : 108 000 000

Canolfannau diwydiannol

- ⬤ Prif ganolfan
- • Canolfan arall

Graddfa 1 : 108 000 000

Affrica: Poblogaeth a Chyfoeth

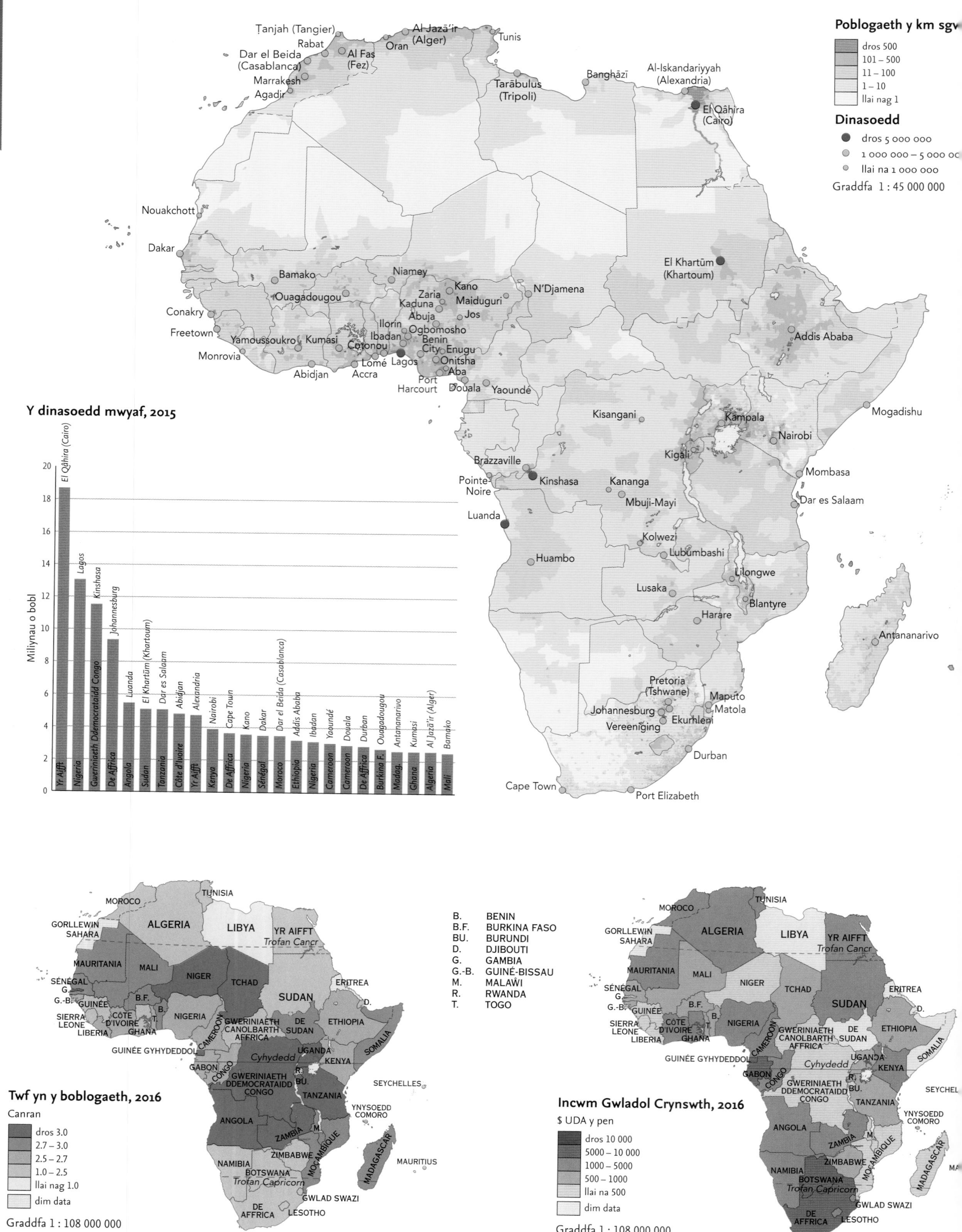

Poblogaeth y km sgw

dros 500
101 – 500
11 – 100
1 – 10
llai nag 1

Dinasoedd

dros 5 000 000
1 000 000 – 5 000 00
llai na 1 000 000

Graddfa 1 : 45 000 000

Y dinasoedd mwyaf, 2015

Miliynau o bobl

Twf yn y boblogaeth, 2016

Canran

dros 3.0
2.7 – 3.0
2.5 – 2.7
1.0 – 2.5
llai nag 1.0
dim data

Graddfa 1 : 108 000 000

B.   BENIN
B.F.   BURKINA FASO
BU.   BURUNDI
D.   DJIBOUTI
G.   GAMBIA
G.-B.   GUINÉ-BISSAU
M.   MALAŴI
R.   RWANDA
T.   TOGO

Incwm Gwladol Crynswth, 2016

$ UDA y pen

dros 10 000
5000 – 10 000
1000 – 5000
500 – 1000
llai na 500
dim data

Graddfa 1 : 108 000 000

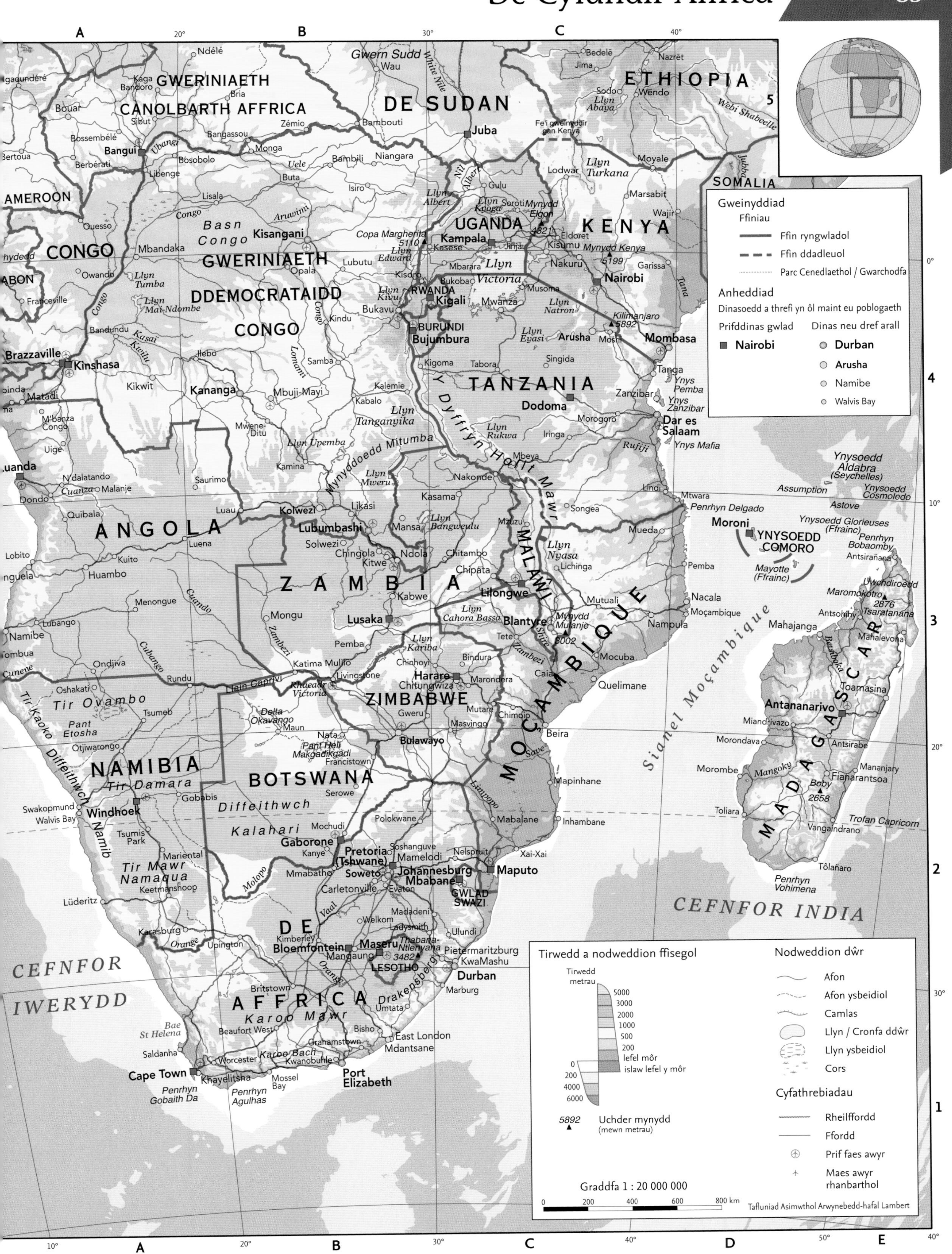

A   20°   B   30°   C   40°

Ndélé
Gwern Sudd
Wau
White Nile
Bedelê
Jima
Nazrēt

GWERINIAETH
Kaga
Bandoro
Bria
DE SUDAN
ETHIOPIA
Sodo
Wēndo
Wēbi Shabeelle
Ugaundéré
Bouar
Sibut
Bangassou
Zémio
Bambouti
Juba
Fe'i gweinyddir gan Kenya
Llyn
Abaya

Bossembélé
Bangui
Monga
Niangara
Lodwar
Llyn
Turkana
Moyale
SOMALIA
Bertoua
Berbérati
Ubangi
Uele
Bambili
Isiro
Gulu
Marsabit
Jubba

AMEROON
Ouesso
Libenge
Lisala
Buta
Llyn
Albert
Soroti
Mynydd
Elgon
Wajir
Garissa

hydedd
Mbandaka
Basn
Congo
Kisangani
Aruwimi
Llyn
Edward
Copa Margherita
5110
Kampala
UGANDA
Eldoret
Kisumu
KENYA
Mynydd Kenya
5199
Nairobi

ABON
CONGO
Owando
Opala
Lubutu
Kisoro
Bukoba
Llyn
Victoria
Musoma
Nakuru

Franceville
Llyn
Tumba
Kindu
RWANDA
Kigali
Mwanza
Llyn
Natron
Kilimanjaro
5892

Brazzaville
Kinshasa
Llyn
Mai-Ndombe
Bandundu
Kasai
Ilebo
Bukavu
BURUNDI
Bujumbura
Llyn
Eyasi
Arusha
Moshi
Mombasa

uanda
Kikwit
Kananga
Mbuji-Mayi
Kalemie
Kigoma
Tabora
Singida
Tanga
Ynys
Pemba

Matadi
M'banza
Congo
Lomani
Samba
Llyn
Tanganyika
TANZANIA
Dodoma
Morogoro
Zanzibar
Ynys
Zanzibar
Dar es
Salaam

Uige
Mwene-
Ditu
Llyn Upemba
Kamina
Llyn
Rukwa
Iringa
Rufiji
Ynys Mafia

N'dalatando
Cuanza
Malanje
Saurimo
Llyn
Mweru
Nakonde
Mbeya
Lindi

Quibala
Luau
Kolwezi
Llyn
Bangweulu
Mzuzu
Songea
Mtwara
Penrhyn Delgado
Ynysoedd
Aldabra
(Seychelles)

ANGOLA
Lobito
Kuito
Lubumbashi
Mansa
Chitambo
Llyn
Nyasa
MALAWI
Lichinga
Mueda
Moroni
YNYSOEDD
COMORO

nguela
Huambo
Luena
Chingola
Kitwe
Ndola
Chipata
Lilongwe
Pemba
Assumption
Mayotte
(Ffrainc)

Namibe
Menongue
ZAMBIA
Solwezi
Kabwe
Mutuali
Nacala
Ynysoedd Glorieuses
(Ffrainc)
Antsiranana

mbua
Lubango
Mongu
Lusaka
Llyn
Cahora Bassa
Blantyre
Mynydd
Mulanje
3002
Nampula
Mahajanga
Maromokotro
2876
Tsaratanana

Ondjiva
Pemba
Llyn
Kariba
Tete
Mocuba
Antsohihy
MADAGASCAR

Cunene
Cubango
Zambezi
Katima Mulifo
Chinhoyi
Bindura
Caia
Quelimane
Antananarivo

Oshakati
Rundu
Livingstone
Harare
Marondera
Beira
Morondava
Antsirabe
Boby
2658

NAMIBIA
Tir Ovambo
Pant
Etosha
Delta
Okavango
Maun
Rhaeadr
Victoria
ZIMBABWE
Gweru
Mutare
Chimoio
Fianarantsoa
Trofan Capricorn

Tsumeb
Nata
Bulawayo
Masvingo
Save
Mapinhane
Toliara
Mangoky
Vangaindrano

Otjiwarongo
Pant Heli
Makgadikgadi
Francistown
Serowe
BOTSWANA
Diffeithwch
Kalahari
Inhambane
Tôlañaro

Windhoek
Walvis Bay
Tsumis
Park
Gobabis
Mochudi
Gaborone
Mabalane
Xai-Xai
Morombe
Penrhyn
Vohimena

Mariental
Kanye
Pretoria
(Tshwane)
Mamelodi
Nelspruit
Maputo
CEFNFOR INDIA

Keetmanshoop
Mmabatho
Soweto
Johannesburg
Mbabane
GWLAD
SWAZI

Lüderitz
Karasburg
Upington
Carletonville
Evaton
Welkom
Madadeni
Ladysmith
Ulundi

Orange
Kimberley
DE
Maseru
Thabana-
Ntlenyana
3482
Pietermaritzburg
KwaMashu

Bloemfontein
Mangaung
LESOTHO
Durban
Marburg

CEFNFOR
IWERYDD
AFFRICA
Karoo Mawr
Drakensberg
Umtata

Bae
St Helena
Beaufort West
Bisho
East London
Mdantsane

Saldanha
Karoo Bach
Grahamstown
Kwanobuhle

Cape Town
Khayelitsha
Worcester
Mossel
Bay
Port
Elizabeth

Penrhyn
Gobaith Da
Penrhyn
Agulhas

A   20°   B   30°   C   40°   D   50°   E

Gweinyddiad

Ffiniau

——— Ffin ryngwladol

– – – Ffin ddadleuol

.... Parc Cenedlaethol / Gwarchodfa

Anheddiad

Dinasoedd a threfi yn ôl maint eu poblogaeth

Prifddinas gwlad	Dinas neu dref arall
■ Nairobi	● Durban
	◉ Arusha
	○ Namibe
	○ Walvis Bay

Tirwedd a nodweddion ffisegol

Tirwedd
metrau

5000
3000
2000
1000
500
200
lefel môr
0
islaw lefel y môr
200
4000
6000

▲ 5892   Uchder mynydd
(mewn metrau)

Graddfa 1 : 20 000 000

0   200   400   600   800 km

Tafluniad Asimwthol Arwynebedd-hafal Lambert

Nodweddion dŵr

Afon

Afon ysbeidiol

Camlas

Llyn / Cronfa ddŵr

Llyn ysbeidiol

Cors

Cyfathrebiadau

Rheilffordd

Ffordd

⊕ Prif faes awyr

✈ Maes awyr rhanbarthol

B 20°   C 10°   D 0°   E 10°

SBAEN

Lisboa / PORTIWGAL

Mérida · Valencia · Ibiza (Eivissa) · Palma · Mallorca · Menorca · Sassari · Napoli

Penrhyn São Vicente · Fato · Córdoba · Sevilla · Málaga · Murcia · Alicante (Alacant) · Ynysoedd Baleares (Balears) · Cagliari · Sardegna (Yr Eidal) · Palermo

Tanjah (Tangier) · Al Jazā'ir (Alger) · Bejaïa · Skikda · Annaba · Bizerte · Sousse · Sicília

Madeira (Portiwgal) · Funchal

Tétouan · Ceuta (Sb.) · Melilla (Sb.) · Oran · Ech Chélif · Blida · Sétif · Constantine · Tunis · Kairouan · Sfax

Rabat · Képtra · Al Fas (Fez) · Oujda · Tlemcen · Djelfa · Biskra · Gafsa · TUNISIA

Dar el Beida (Casablanca) · Meknès · **MOROCO** · Bouârfa · Laghouat · Gabès · Gwlff Gabès · Medenine · Tara (Tripoli)

Safi · Beni Mellal · Aïn Sefra · Ghardaïa · Ouargla · Hassi Messaoud · Ghadāmis · Daraj · Misrāt

Marrakesh · El Jadida · Er Rachidia · Ouarzazate · Abadla · Béchar · El Goléa

Yr Ynysoedd Dedwydd (Islas Canarias) (Sbaen)

Agadir · Mynydd Toubkal ▲4167 · Tiznit

La Palma · Santa Cruz de Tenerife · Lanzarote · Guelmine · Tindouf · Ksabi · **ALGERIA** · Reggane · In Salah · Bordj Omer Driss · Awbāri

Tenerife · Fuerteventura · Laâyoune · Boujdour · In Salah · Arak · Illizi · Ghāt

Las Palmas de Gran Canaria · Gran Canaria

Trofan Cancr

Galtat Zemmour · Bir Mogreïn · Aïn Ben Tili · Ahaggar · Mynydd Tahat ▲2918 · Tamanrasset

GORLLEWIN SAHARA · Ffi gweinyddir gan Moroco

Ad Dakhla · Zouérat · Fdérik · Azawad · Llwyfandir Djado

Nouâdhibou · Penrhyn Nouâdhibou · Choûm · Atâr · Mynydd Gréboun ▲1944

Ponta do Sol · Santo Antão · Mindelo · Sal · Boa Vista · **CABO VERDE** · Santiago · Praia · Fogo

Nouakchott · Tidjikja · **MAURITANIA** · Arlit

St-Louis · Rosso · Sénégal · Timbuktu · Anéfis · Massif de l'Aïr · **NIGER**

Dakar · Thiès · Matam · Nioro · Gao · Agadez

Penrhyn Vert · Kaolack · **SÉNÉGAL** · Kayes · **MALI** · Tanout

GAMBIA · Banjul · Gambia · Tambacounda · Mopti · Tillabéri · Birnin Konni · Maradi · Zinder · Nguigmi

Bissau · **GUINÉ BISSAU** · Koundâra · Siguiri · Niger · Bani · San · Niamey · Dosso · Sokoto · Gusau · Kano · Maiduguri

Fria · Fouta Djallon · Labé · **BURKINA** · Ouagadougou · Kantchari · Gaya · Kaura-Namoda · Katsina · Zaria · Potiskum · N'Djamer

Conakry · **GUINÉE** · Kankan · Bobo-Dioulasso · Pô · Wa · Kaduna · Jos · Bauchi · Kumo · Maro

Freetown · **SIERRA LEONE** · Beyla · Ferkessédougou · Volta Ddu · **BENIN** · Dapaong · Parakou · Minna · **Abuja** · Benue

Bo · Zimmi · Guéckédou · Bouaké · Bondoukou · **GHANA** · Tamale · Ilorin · **NIGERIA** · Makurdi · Garou

Monrovia · **LIBERIA** · Daloa · **CÔTE D'IVOIRE** · Wenchi · Llyn Volta · Ogbomosho · Ibadan · Lokoja · Otukpo · Cameroon · Ngaoundéré

Greenville · Yamoussoukro · Kumasi · **TOGO** · Abeokuta · **Lagos** · Benin City · Enugu · **CAMEROON** · Tibati

Penrhyn Palmas · Abidjan · Accra · Lomé · Cotonou · Porto-Novo · Onitsha · Calabar · Bafoussam · Yaoundé

Sassandra · Sekondi · Geneufor Benin · Warri · Port Harcourt · Mynydd Cameroon ▲4100 · Nkongsamba · Douala · Bertoua

CEFNFOR IWERYDD

Gwlff Guinea

Príncipe · Bata · **GUINÉE GYHYDEDDOL**

SÃO TOMÉ A PRÍNCIPE · São Tomé · Bioco · Malabo · **GUINÉE GYHYDEDDOL**

São Tomé · Libreville · Port-Gentil · Bifoun · **GABON** · Franceville

Pointe-Noire · **ANGOLA** · Brazzaville · Matadi · Cabinda · Boma · Luanda

Tirwedd a nodweddion ffisegol

Tirwedd metrau
5000 / 3000 / 2000 / 1000 / 500 / 200 / lefel môr / islaw lefel y môr
0 / 200 / 4000 / 6000

▲5892 Uchder mynydd (mewn metrau)

Nodweddion dŵr
- Afon
- Afon ysbeidiol
- Camlas
- Llyn / Cronfa ddŵr
- Llyn ysbeidiol
- Cors

Cyfathrebiadau
- Rheilffordd
- Ffordd
- ⊕ Prif faes awyr

Gweinyddiad

Ffiniau
- Ffin ryngwladol
- Ffin ddadleuol

Anheddiad
Dinasoedd a threfi yn ôl maint eu poblogaeth

Prifddinas gwlad
- ■ El Qâhira (Cairo)
- * Prifddinas ddadleuol

Dinas neu dref arall
- ● Lagos
- ● Abidjan
- ○ Kano
- ○ Luxor
- ○ Kankan

Graddfa 1 : 20 000 000

0 / 200 / 400 / 600 / 800 km

Tafluniad Asimwthol Arwynebedd-hafal Lambert

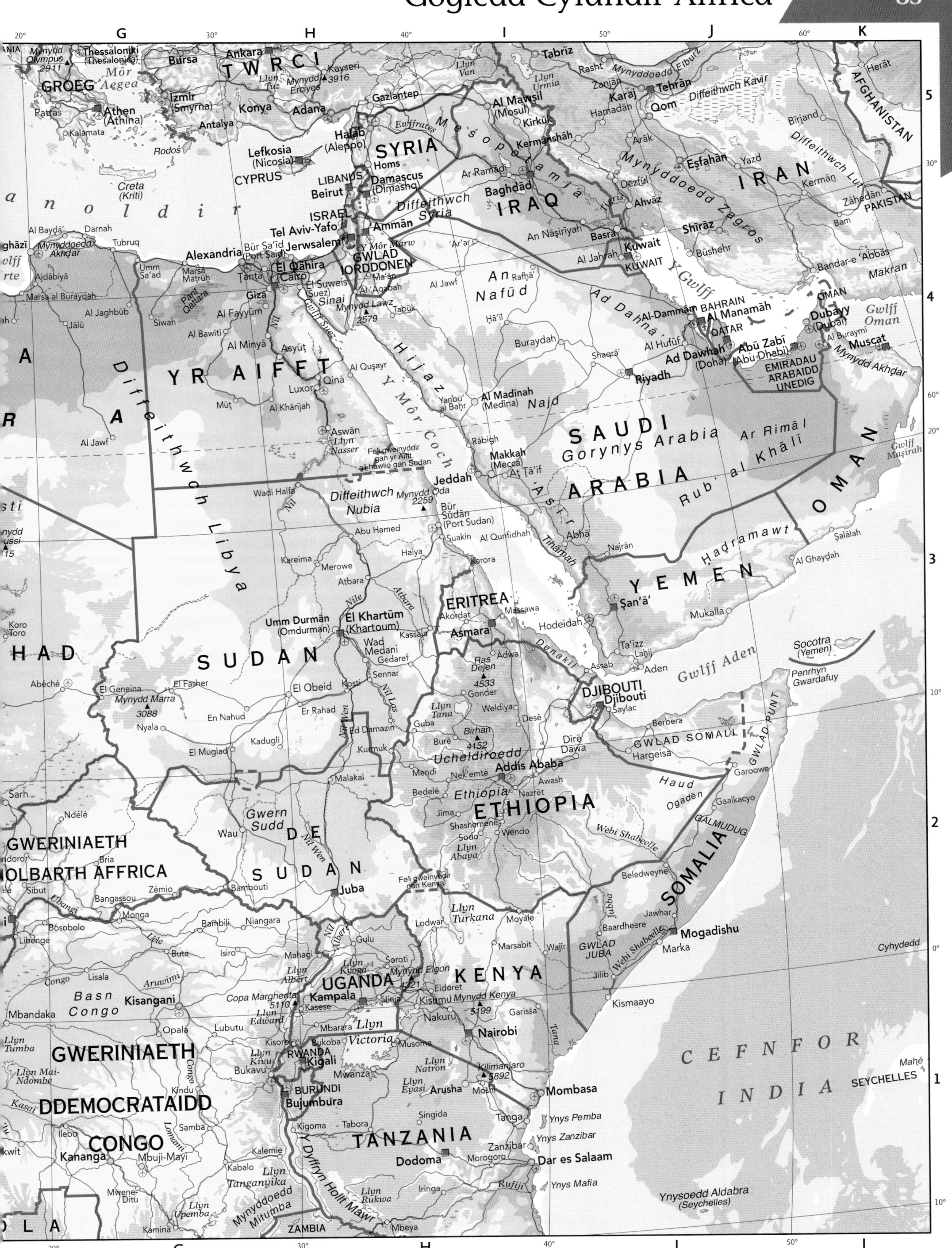
G
H
I
J
K
20°
30°
40°
50°
60°
5
4
3
2
1
Mynydd Olympus 2911
Thessaloniki (Thesalonica)
GROEG
Môr Aegea
Athen (Athína)
Patras
Kalamata
Bursa
İzmir (Smyrna)
Ankara
TWRCI
Llyn Tuz
Mynydd Erciyes 3916
Kayseri
Konya
Adana
Antalya
Gaziantep
Rodos
Creta (Kriti)
Lefkosia (Nicosia)
CYPRUS
Halab (Aleppo)
SYRIA
Homs
LIBANUS
Beirut
Damascus (Dimashq)
ISRAEL
Tel Aviv-Yafo
Jerwsalem
Ammān
GWLAD IORDDONEN
Y Môr Marw
Ma'ān
Al 'Aqabah
Ewffrates
Mesopotamia
Diffeithwch Syria
Llyn Van
Llyn Urmia
Tabrīz
Rasht
Mynyddoedd Elburz
Zanjān
Tehrān
Karaj
Qom
Diffeithwch Kavir
Hamadān
Al Mawşil (Mosul)
Kirkūk
Kermānshāh
Arāk
Eşfahān
Yazd
Birjand
Herāt
AFGHANISTAN
Diffeithwch Lut
IRAN
Mynyddoedd Zagros
Kermān
Zāhedān
PAKISTAN
Bam
Ar Ramādī
Baghdād
IRAQ
Dezfūl
Ahvāz
Tigris
An Nāşirīyah
Basra
Shīrāz
Būshehr
Bandar-e 'Abbās
Makran
Kuwait
KUWAIT
Al Jahrah
Y Gwlff
'Ar'ar
Al Jawf
An Nafūd
Rafḩā'
Ad Dahnā'
Al-Dammām
BAHRAIN
Al Manamāh
QATAR
Ad Dawhah (Doha)
Abū Zabī (Abu Dhabi)
Dubayy (Dubai)
OMAN
Gwlff Oman
Al Buraymī
Muscat
Mynydd Akhḑar
EMIRADAU ARABAIDD UNEDIG
Al Hufūf
Shaqrā'
Riyadh
Ḩā'il
Buraydah
Najd
Tabūk
Mynydd Lawz 2579
Hijaz
Yanbu' al Bahr
Al Madīnah (Medina)
SAUDI ARABIA
Gorynys Arabia
Ar Rimāl
Rub' al Khālī
Rābigh
Makkah (Mecca)
At Ţā'if
Jeddah
'Asīr
Tihāmah
Abhā
Najrān
Hadramawt
Şalālah
Al Ghaydah
Gwlff Maşīrah
Y Môr Coch
YEMEN
Şan'ā'
Mukalla
Hodeidah
Ta'izz
Lahij
Aden
Gwlff Aden
Socotra (Yemen)
Penrhyn Gwardafuy
Môr Canoldir
Al Baydā'
Darnah
Mynyddoedd Akhdar
Tubruq
Ajdabiyā
Marsa al Burayqah
Al Jaghbūb
Jālū
Alexandria
Būr Sa'īd (Port Said)
Marsā Maţrūh
Umm Sa'ad
Ţanţā
El Qāhira (Cairo)
Giza
Pant Qattara
Sīwah
Al Fayyūm
El Suweis (Suez)
Sinai
Gwlff Suez
Al Bawītī
Al Minyā
Asyūţ
Nil
YR AIFFT
Qinā
Luxor
Al Quşayr
Mūţ
Al Khārijah
Aswān
Llyn Nasser
Fel gweinyddir gan yr Aifft
Fel hawlio gan Sudan
Al Jawf
Diffeithwch Libya
Wadi Halfa
Diffeithwch Nubia
Mynydd Oda 2259
Būr Sūdān (Port Sudan)
Abu Hamed
Suakin
Al Qunfidhah
Haiya
Karora
Kareima
Merowe
Atbara
Nile
El Khartūm (Khartoum)
Umm Durmān (Omdurman)
Kassala
ERITREA
Akordat
Massawa
Asmara
Wad Medani
Gedaref
Sennar
Ādwa
Denakil
Assab
Ras Dejen 4533
Gonder
DJIBOUTI
Djibouti
Saylac
Berbera
Koro Toro
CHAD
Abéché
El Geneina
El Fasher
Mynydd Marra 3088
SUDAN
El Obeid
Kosti
Nil Las
Nil Wen
Er Rahad
En Nahud
Nyala
Kadugli
El Muglad
Ed Damazin
Kurmuk
Llyn Tana
Guba
Weldiya
Desē
Birhan 4152
Burē
Dirē Dawa
Ucheldiroedd Ethiopia
Addis Ababa
Awash
GWLAD SOMALI
Hargeisa
GWLAD PUNT
Garoowe
Haud
Ogadēn
Mendi
Nek'emtē
Nazrēt
Bedelē
Jīma
Shashemenē
Sodo
Llyn Abaya
Wendo
ETHIOPIA
Webi Shabeelle
Gaalkacyo
GALMUDUG
SOMALIA
Beledweyne
Malakal
Gwern Sudd
Wau
DE SUDAN
Sarh
Ndélé
GWERINIAETH CANOLBARTH AFFRICA
Bria
Sibut
Zémio
Bambouti
Juba
Fel gweinyddir gan Kenya
Bangassou
Ubangi
Monga
Bambili
Niangara
Bosobolo
Libenge
Lele
Buta
Isiro
Llyn Turkana
Moyale
Lodwar
Nil Albert
Gulu
Mahagi
Jubba
Jawhar
Baardheere
Mogadishu
Marka
GWLAD JUBA
Wajir
Marsabit
Soroti
Llyn Kyoga
Mynydd Elgon 4321
KENYA
Llyn Albert
UGANDA
Lisala
Aruwimi
Congo
Basn Congo
Kisangani
Copa Margherita 5110
Kampala
Kasese
Jinja
Eldoret
Kisumu
Mynydd Kenya 5199
Nakuru
Garissa
Jilib
Kismaayo
Mbandaka
Opala
Lubutu
Llyn Edward
Mbarara
Llyn Victoria
Nairobi
Tana
Cyhydedd
Llyn Tumba
GWERINIAETH DDEMOCRATAIDD CONGO
Kisoro
Bukoba
RWANDA
Kigali
Musoma
Llyn Kivu
Bukavu
Mwanza
Llyn Natron
Kilimanjaro 5892
Llyn Mai-Ndombe
Kindu
BURUNDI
Bujumbura
Llyn Eyasi
Arusha
Moshi
Mombasa
Kasai
Samba
Lomami
Kigoma
Tabora
Singida
Tanga
Ynys Pemba
Ilebo
Kananga
Mbuji-Mayi
Kalemie
Llyn Tanganyika
TANZANIA
Zanzibar
Ynys Zanzibar
Dodoma
Morogoro
Dar es Salaam
Kabalo
Y Dyffryn Holt Mawr
Llyn Rukwa
Iringa
Rufiji
Ynys Mafia
Mwene-Ditu
Llyn Upemba
Mynyddoedd Mitumba
Kamina
ZAMBIA
Mbeya
ANGOLA
CEFNFOR INDIA
Mahé
SEYCHELLES
Ynysoedd Aldabra (Seychelles)
10°
0°
20°
30°
60°

5   6   5

60°   80°   6   80°   5   60°

A
B   CEFNFOR ARCTIG   K
C   J
D   I
E   Mys   F   G   H
Chelyuskin

Môr Norwy   Sevemaya   Môr
Zemlya   Laptev   Ynys
Wrangel   Môr
Bering   Cylch Arctig   Ynysoedd Aleutia

Cylch Arctig   Gorynys Taymyr   Ynysoedd
Novoya Sibir   Gorynys
Kamchatka

Môr   Gorynys Taymyr   Cadwyn Verkhoyansk   Môr
Barents   Llwyfandir   Okhotsk

EWROP   Y Môr Baltig   Gwastadedd   Canolbarth   Cadwyn Dzhugdzhur   Sakhalin   Ynysoedd Kuril

Mynyddoedd Ural   Gorllewin   Siberia   S I B E R I A   Cadwyn Stanovoy   Cadwyn   Gorynys
Ob. Siberia   Nizhnyaya Tunguska   Sikhote-Alin'   Hokkaidō
40°

Y Môr   Ob   Angara   Cadwyn Yablonovy   Da Hinggan Ling   Manchuria   Môr
Du   Elbrus   Lena   Amur   Japan   Y CEFNFO
5642   Irtysh   Llyn   Amur   TAWE
Mynyddoedd   Baikal   Selenga
Mynydd Ararat   Taros   Mór   Yenisey   Honshū
5165   Aral   Syr Darya   Llyn   Menisey
Cyprus   Zaysan   Gobi   Cadwyn   Cadwyn   Culfor Korea
Y Môr   Mór Elburz   Llyn   Tian Shan   Manchuria   Shikoku
Canoldir   Caspia   Balkhash   Turpan Pendi   Huang He   Y Môr   Kyūshū
Difeithwch   Amudarya   Lop Nur   Bo   Melyn   Okinawa
Evffrates   Kavir   Difeithwch   Hai   Gwastadedd   Môr   Ynysoedd Ryūkyū
Tigris   Mynyddoedd   Llwyfandir   Taklimakan   Huang He   Gogledd   Dwyrain
An Nafûd   Zagros   Iran   K2   Kunlun Shan   China   China   Trofan Ca
Mynyddoedd   Hindu Kush   8611   Llwyfandir   Chang Jiang
Y Gwlff   Cadwyn Karakoram   Tibet   Gongga   (Yangtze)
Gorynys   Helmand   Indus   Himalaya   Shan   China
Arabia   Cadwyn   Dhaulagiri   Annapurna   7514   Nan Ling
Asir   Sulaiman   Sutlej   8167   8091   Mynydd Everest   Taiwan
Makran   Difeithwch   Yamuna   8848   Brahmaputra   Xi Jiang
Trofan Cancr   Indus   Thar   Ganga   Culfor Luzon
Hijaz   Narmada   (Ganges)   Arakan   Hainan Dao   Saipan
Gwlff Oman   Godavari   Aberoedd   Yoma   Luzoh   Guam
Y Môr   Afon Ganga   Salween   Samar
Coch   Deccan   Bae   Pilipinas
Rub' al Khālī   Ghats Gorllewinol   Ghats Dwyreiniol   Bengal   Irrawaddy   Mekong   (Philippines)

Gwlff Aden   Môr   Ynysoedd   Môr   Gwlff   Palawan   Mindanao
Arabia   Andaman   Andaman   Gwlad   Môr
AFFRICA   Thai   Sulu

Penrhyn   Sri Lanka   Ynysoedd   Mór
Comorin   Nicobar   Malaysia   Sulawesi   Halmahera
Orynysol   Maluku   Guine
Newy

Sumatera   Borneo   Sulawesi   Buru   Seram

Môr Jawa   Môr Banda

CEFNFOR INDIA   Jawa   Bali   Môr Flores   Dwyrain   Môr Arafura
(Java)   Lombok   Flores   Timor   Gwlff
Môr   Carpentari
Timor   YNYSOEDD Y
(OCEANIA)

Tirwedd a nodweddion ffisegol

Tirwedd
metrau

5000
3000
2000
1000
500
200

0   lefel môr
islaw lefel y môr
200
4000
6000

Graddfa 1 : 57 000 000

0   500   1000   1500 km

Tafluniad Asimwthol Arwynebedd-hafal Lambert

Iâ parhaol
(cap iâ neu rewlif)

D   60°   E   80°   F   100°   G   120°   H   140°

Trawstoriad

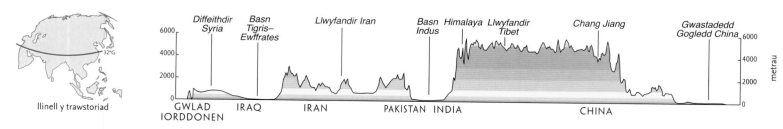

Ilinell y trawstoriad

Diffeithdir   Basn   Llwyfandir Iran   Basn   Himalaya   Llwyfandir   Chang Jiang   Gwastadedd
Syria   Tigris–   Indus   Tibet   Gogledd China
Ewffrates

6000   6000
4000   4000
metrau
2000   2000

GWLAD   IRAQ   IRAN   PAKISTAN   INDIA   CHINA
IORDDONEN

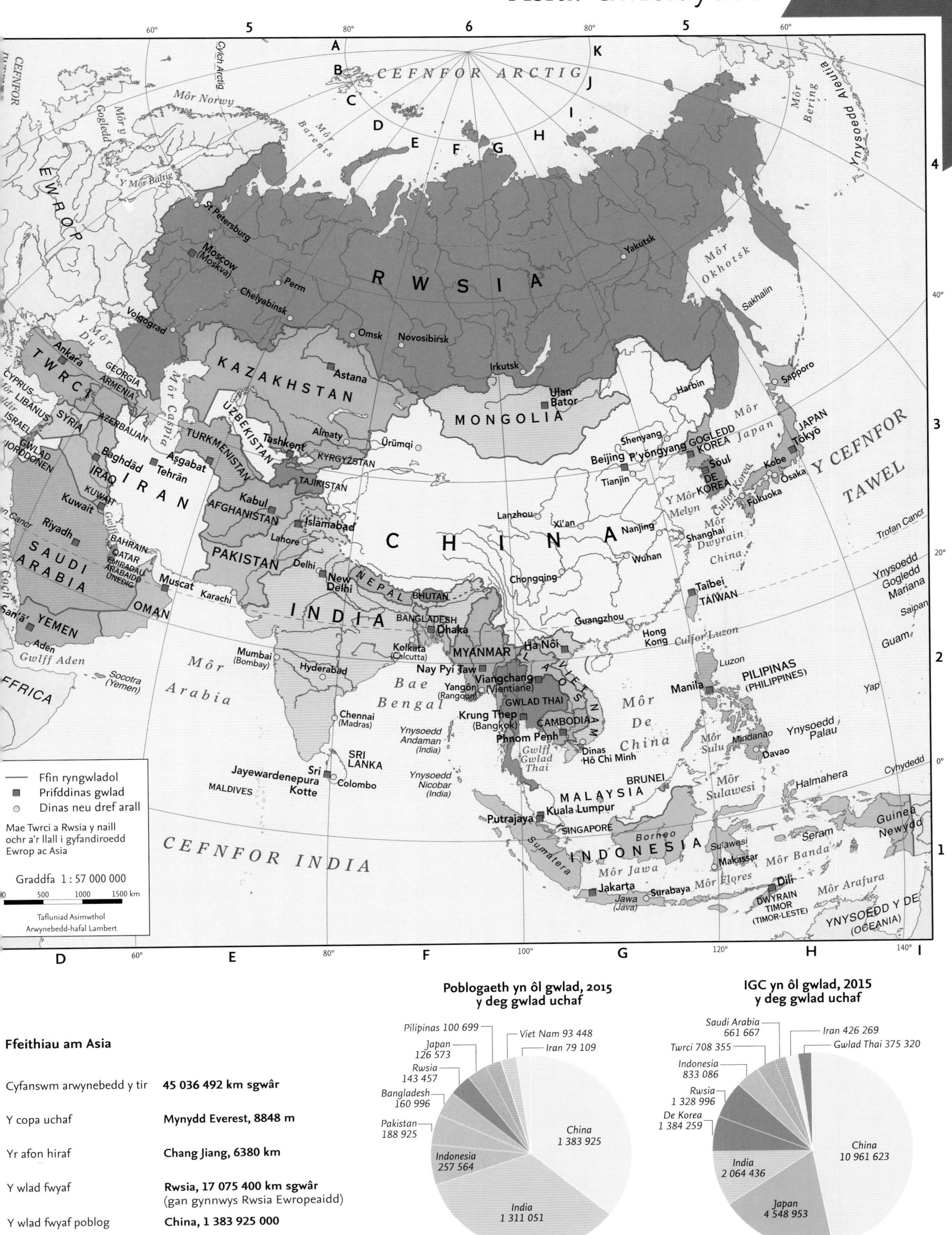

Ffeithiau am Asia

Cyfanswm arwynebedd y tir	**45 036 492 km sgwâr**
Y copa uchaf	**Mynydd Everest, 8848 m**
Yr afon hiraf	**Chang Jiang, 6380 km**
Y wlad fwyaf	**Rwsia, 17 075 400 km sgwâr** (gan gynnwys Rwsia Ewropeaidd)
Y wlad fwyaf poblog	**China, 1 383 925 000**

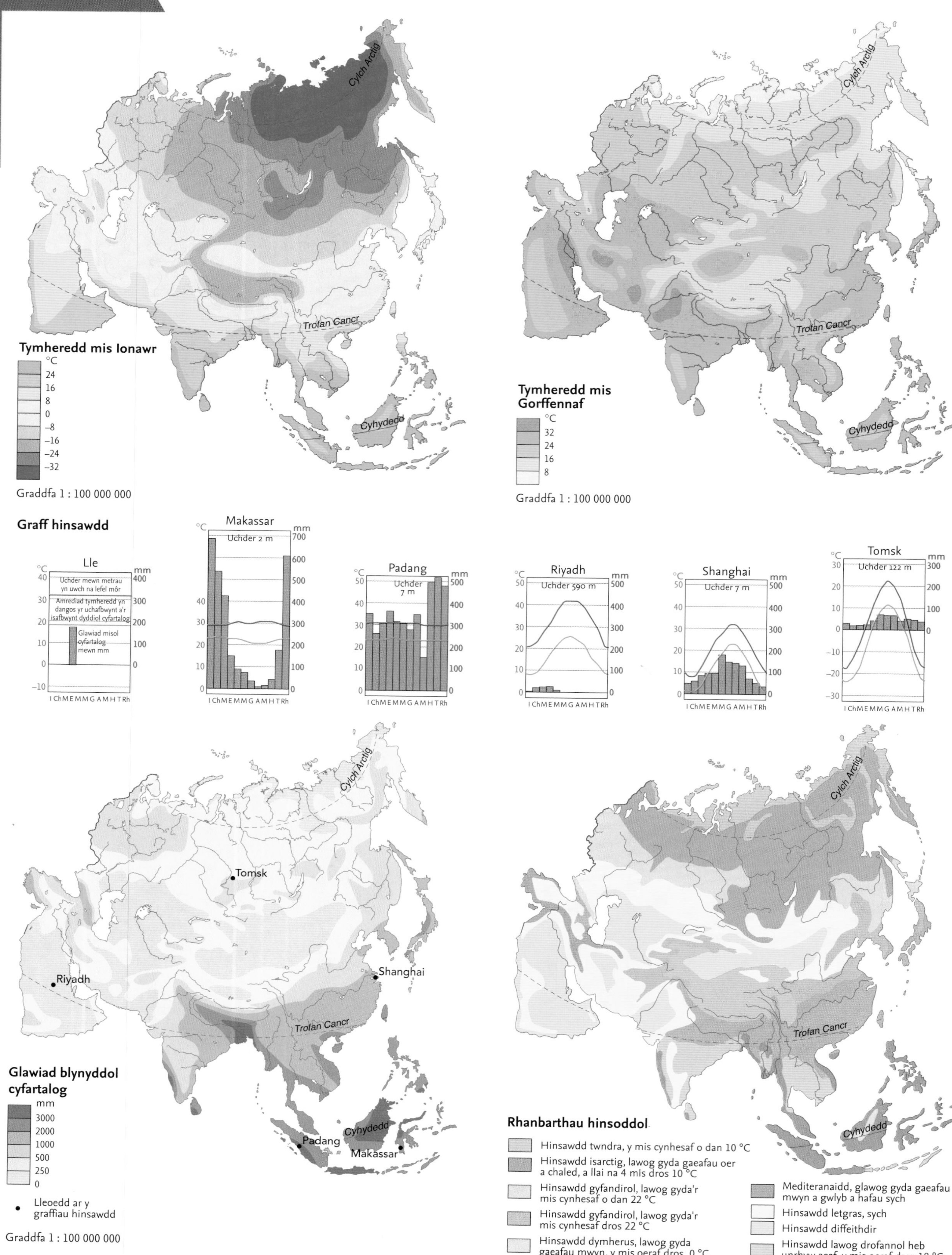

Tymheredd mis Ionawr

°C
24
16
8
0
−8
−16
−24
−32

Graddfa 1 : 100 000 000

Tymheredd mis Gorffennaf

°C
32
24
16
8

Graddfa 1 : 100 000 000

Graff hinsawdd

Lle

°C   mm
40   400
      Uchder mewn metrau
      yn uwch na lefel môr
30   300
      Amrediad tymheredd yn
      dangos yr uchafbwynt a'r
20   200   isafbwynt dyddiol cyfartalog
             Glawiad misol
10   100   cyfartalog
             mewn mm
0   0
−10
   I Ch M E M M G A M H T Rh

Makassar
Uchder 2 m

Padang
Uchder 7 m

Riyadh
Uchder 590 m

Shanghai
Uchder 7 m

Tomsk
Uchder 122 m

Glawiad blynyddol cyfartalog

mm
3000
2000
1000
500
250
0

• Lleoedd ar y graffiau hinsawdd

Graddfa 1 : 100 000 000

Tomsk
Riyadh
Shanghai
Padang
Makassar

Rhanbarthau hinsoddol

Hinsawdd twndra, y mis cynhesaf o dan 10 °C

Hinsawdd isarctig, lawog gyda gaeafau oer a chaled, a llai na 4 mls dros 10 °C

Hinsawdd gyfandirol, lawog gyda'r mis cynhesaf o dan 22 °C

Hinsawdd gyfandirol, lawog gyda'r mis cynhesaf dros 22 °C

Hinsawdd dymherus, lawog gyda gaeafau mwyn, y mis oeraf dros 0 °C

Gwlyb ac isdrofannol, y mis oeraf dros 0 °C, y mis cynhesaf dros 22 °C

Mediteranaidd, glawog gyda gaeafau mwyn a gwlyb a hafau sych

Hinsawdd letgras, sych

Hinsawdd diffeithdir

Hinsawdd lawog drofannol heb unrhyw aeaf, y mis oeraf dros 18 °C

Hinsawdd lawog drofannol, yn wlyb drwy'r flwyddyn

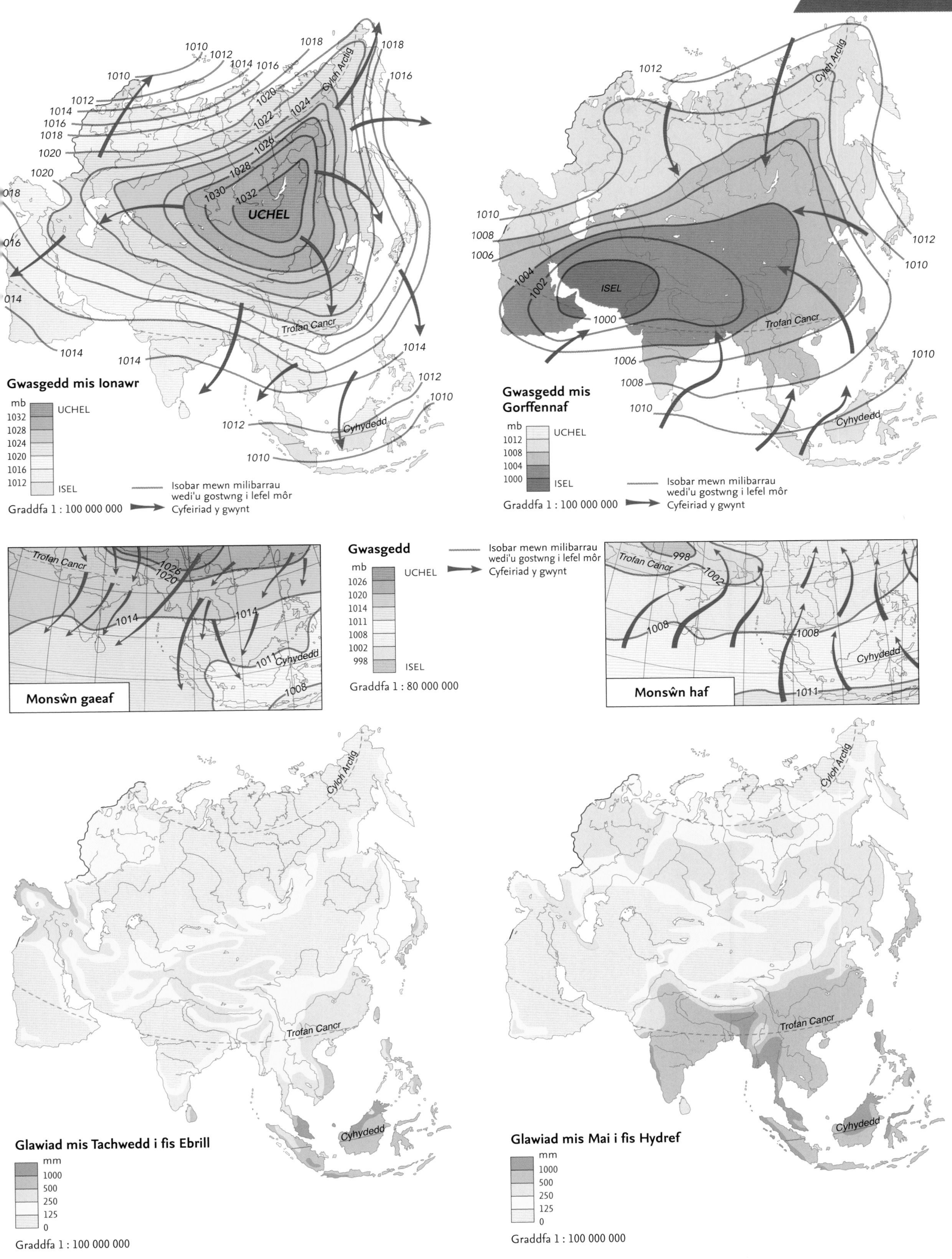

Gwasgedd mis Ionawr

mb
1032 UCHEL
1028
1024
1020
1016
1012 ISEL

Graddfa 1 : 100 000 000

Isobar mewn milibarrau wedi'u gostwng i lefel môr
Cyfeiriad y gwynt

Gwasgedd mis Gorffennaf

mb
1012 UCHEL
1008
1004
1000 ISEL

Graddfa 1 : 100 000 000

Isobar mewn milibarrau wedi'u gostwng i lefel môr
Cyfeiriad y gwynt

Monsŵn gaeaf

Gwasgedd

mb
1026 UCHEL
1020
1014
1011
1008
1002
998 ISEL

Graddfa 1 : 80 000 000

Isobar mewn milibarrau wedi'u gostwng i lefel môr
Cyfeiriad y gwynt

Monsŵn haf

Glawiad mis Tachwedd i fis Ebrill

mm
1000
500
250
125
0

Graddfa 1 : 100 000 000

Glawiad mis Mai i fis Hydref

mm
1000
500
250
125
0

Graddfa 1 : 100 000 000

Asia: Poblogaeth a Dinasoedd

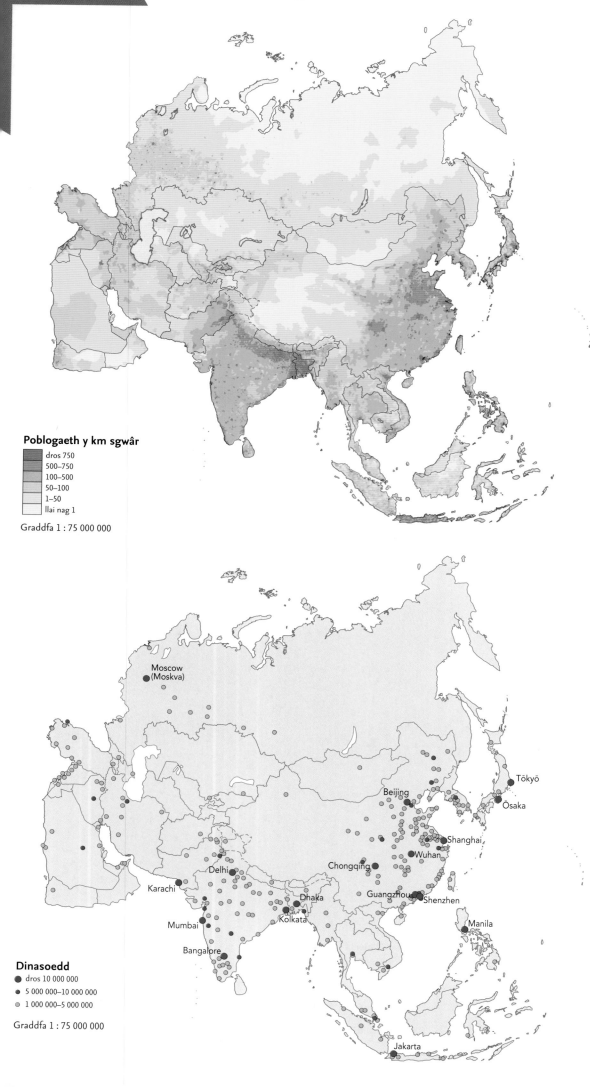

Poblogaeth y km sgwâr

- dros 750
- 500–750
- 100–500
- 50–100
- 1–50
- llai nag 1

Graddfa 1 : 75 000 000

Y 10 gwlad fwyaf poblog, 2015

Gwlad	Pob. y km sgwâr
Singapore	8770
Bahrain	1993
Maldives	1221
Bangladesh	1118
Taiwan	648
Libanus	560
De Korea	507
India	414
Israel	365
Pilipinas	336

Pyramidiau poblogaeth, 2015

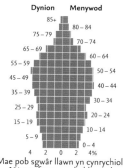

Mae pob sgwâr llawn yn cynrychioli
1% o gyfanswm y boblogaeth
Singapore

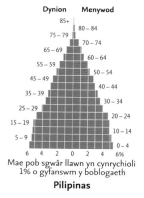

Mae pob sgwâr llawn yn cynrychioli
1% o gyfanswm y boblogaeth
Pilipinas

Twf yn y boblogaeth, 1950–2050

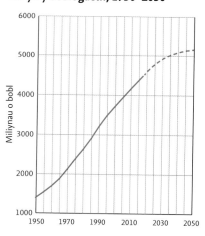

Dinasoedd

- dros 10 000 000
- 5 000 000–10 000 000
- 1 000 000–5 000 000

Graddfa 1 : 75 000 000

Y 5 cydgrynhoad trefol mwyaf, 2015

Cydgrynoadau trefol	poblogaeth
Tōkyō (Japan)	38 001 018
Delhi (India)	25 703 168
Shanghai (China)	23 740 778
Mumbai (India)	21 042 538
Beijing (China)	20 383 994

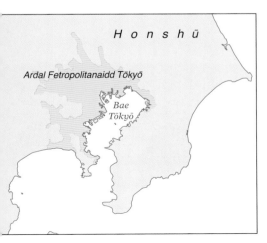

H o n s h ū

Ardal Fetropolitanaidd Tōkyō

Bae Tōkyō

Tōkyō, prifddinas Japan, yw ardal fetropolitanaidd fwyaf poblog y byd ers 1970. Gwelir y gytref anferth hon, sydd wedi'i lleoli ar lan ddwyreiniol Honshū, un o ynysoedd Japan, yn y ddelwedd liw-ffals Landsat 7 hwn. Mae Bae Tōkyō â lle blaenllaw ar ganol y ddelwedd hon. Mae Tōkyō Fwyaf yn ymledu ar siâp cilgant o gwmpas glannau gorllewinol, gogleddol a dwyreiniol Bae Tōkyō. Mae pwysau ar y tir wedi arwain at brojectau mawr i adennill tir yn y bae – mae hyn yn amlwg o siâp onglog y morlin. Cafodd Maes Awyr Rhyngwladol Tōkyō ei adeiladu ar dir sydd wedi'i adennill.

Asia: Defnydd tir

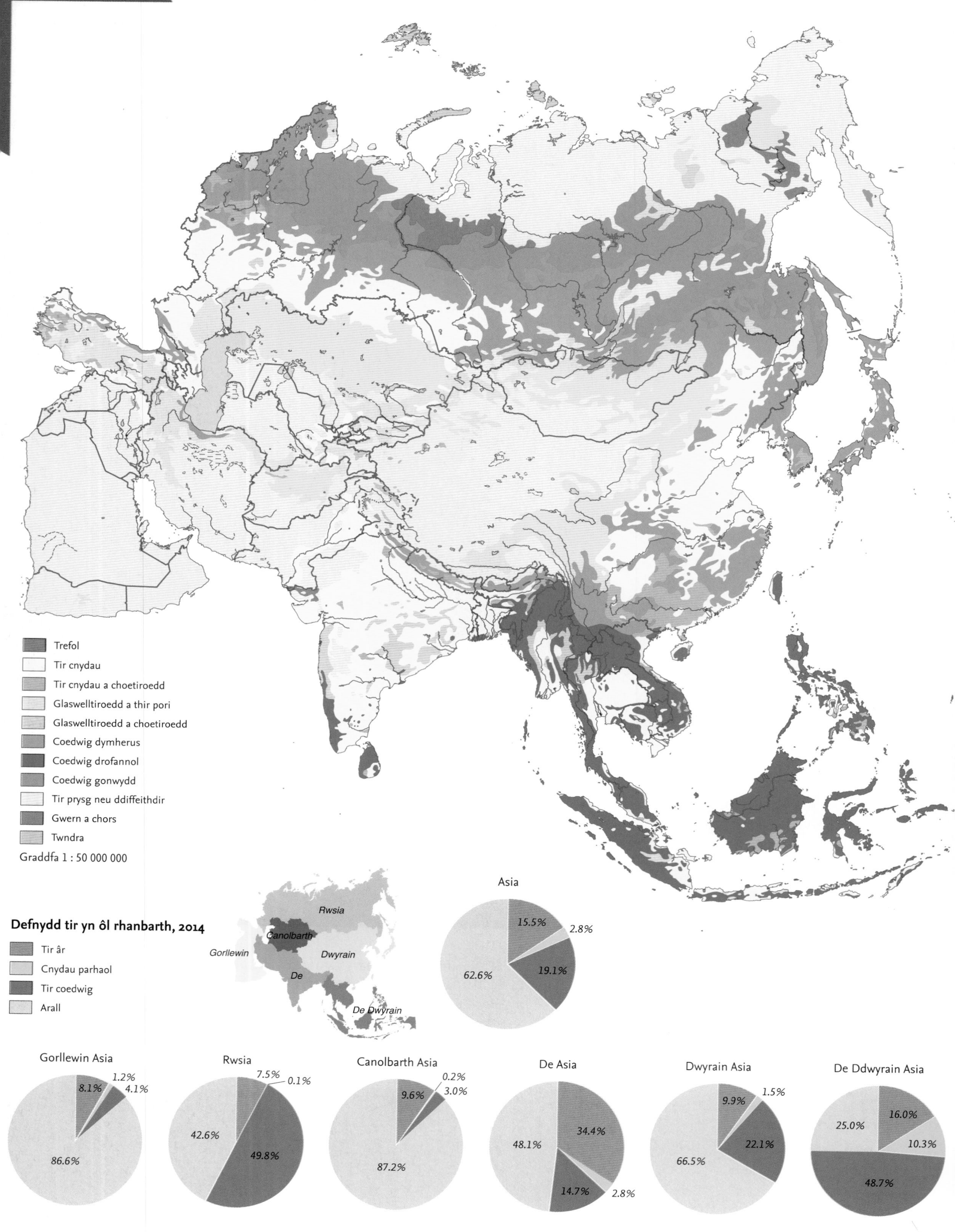

Allwedd:

- Trefol
- Tir cnydau
- Tir cnydau a choetiroedd
- Glaswelltiroedd a thir pori
- Glaswelltiroedd a choetiroedd
- Coedwig dymherus
- Coedwig drofannol
- Coedwig gonwydd
- Tir prysg neu ddiffeithdir
- Gwern a chors
- Twndra

Graddfa 1 : 50 000 000

Defnydd tir yn ôl rhanbarth, 2014

- Tir âr
- Cnydau parhaol
- Tir coedig
- Arall

Rwsia
Canolbarth
Gorllewin
Dwyrain
De
De Dwyrain

Asia
15.5% 2.8%
19.1%
62.6%

Gorllewin Asia
1.2%
8.1% 4.1%
86.6%

Rwsia
7.5% 0.1%
42.6%
49.8%

Canolbarth Asia
0.2%
9.6% 3.0%
87.2%

De Asia
34.4%
48.1%
14.7% 2.8%

Dwyrain Asia
9.9% 1.5%
22.1%
66.5%

De Ddwyrain Asia
16.0%
25.0%
10.3%
48.7%

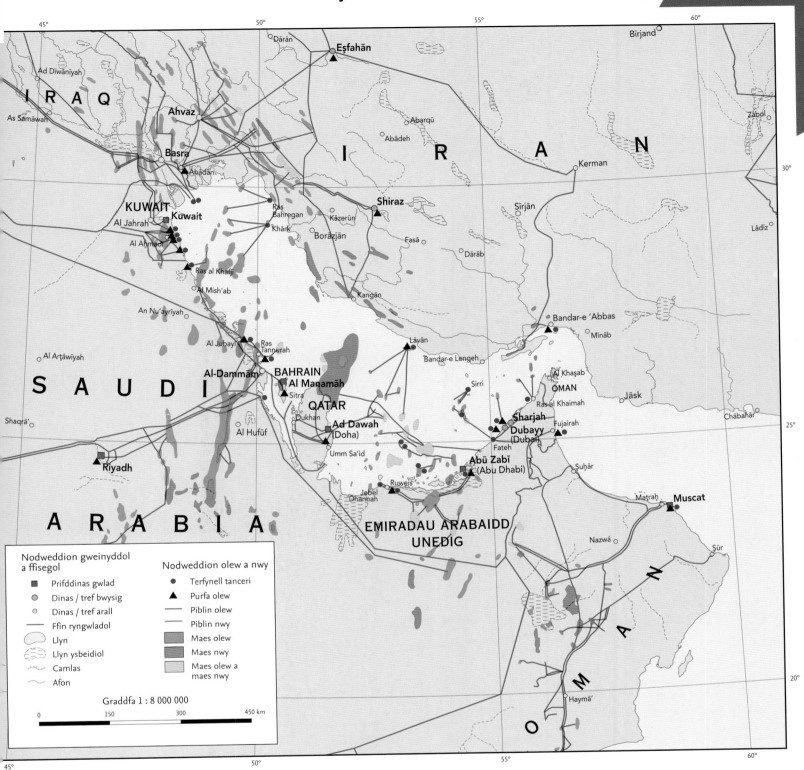

Cynhyrchiant olew a nwy

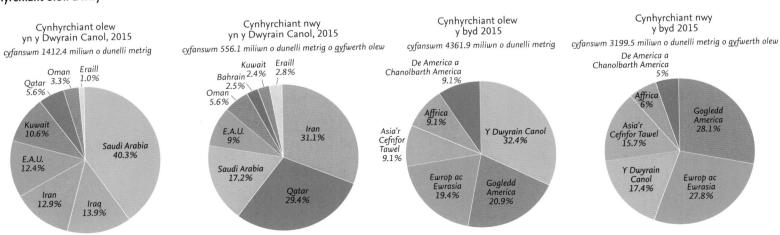

Cynhyrchiant olew yn y Dwyrain Canol, 2015
cyfanswm 1412.4 miliwn o dunelli metrig

- Oman 3.3%
- Eraill 1.0%
- Qatar 5.6%
- Kuwait 10.6%
- E.A.U. 12.4%
- Iran 12.9%
- Iraq 13.9%
- Saudi Arabia 40.3%

Cynhyrchiant nwy yn y Dwyrain Canol, 2015
cyfanswm 556.1 miliwn o dunelli metrig o gyfwerth olew

- Kuwait 2.4%
- Eraill 2.8%
- Bahrain 2.5%
- Oman 5.6%
- E.A.U. 9%
- Saudi Arabia 17.2%
- Qatar 29.4%
- Iran 31.1%

Cynhyrchiant olew y byd 2015
cyfanswm 4361.9 miliwn o dunelli metrig

- De America a Chanolbarth America 9.1%
- Affrica 9.1%
- Asia'r Cefnfor Tawel 9.1%
- Y Dwyrain Canol 32.4%
- Ewrop ac Ewrasia 19.4%
- Gogledd America 20.9%

Cynhyrchiant nwy y byd 2015
cyfanswm 3199.5 miliwn o dunelli metrig o gyfwerth olew

- De America a Chanolbarth America 5%
- Affrica 6%
- Asia'r Cefnfor Tawel 15.7%
- Y Dwyrain Canol 17.4%
- Gogledd America 28.1%
- Ewrop ac Ewrasia 27.8%

Y Dwyrain Canol

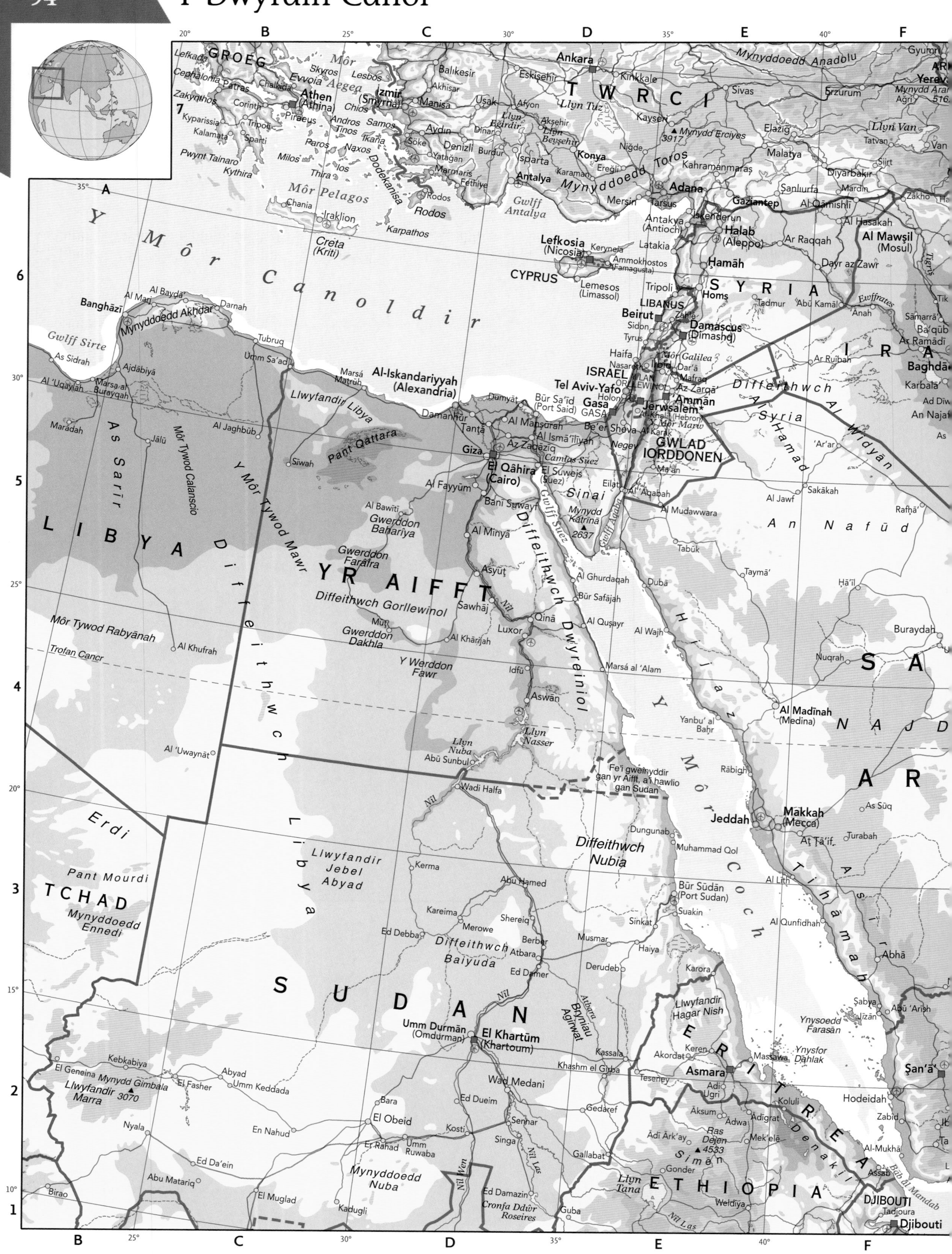

GROEG
Athen (Athina)
Môr Aegea
İzmir (Smyrna)
Ankara
TWRCI
Llyn Tuz
Mynyddoedd Anadolu
Mynyddoedd Toros
Mynydd Erciyes 3917
Konya
Antalya
Adana
Gwlff Antalya
Rodos
Creta (Kriti)
Iraklion
Môr Pelagos
Y Môr Canoldir
Lefkosia (Nicosia)
CYPRUS
Lemesos (Limassol)
Ammokhostos (Famagusta)
SYRIA
Halab (Aleppo)
Hamāh
Homs
Damascus (Dimashq)
LIBANUS
Beirut
ISRAEL
Tel Aviv-Yafo
Jerwsalem*
Gasa
GASA
'Ammān
GWLAD IORDDONEN
Môr Galilea
Môr Marw
IRAQ
Baghdād
Al Mawşil (Mosul)
Ewffrates
Tigris
Llyn Van
Diffeithwch Al Widyān
Diffeithwch Syria
Al Hamad
An Nafūd
SAUDI ARABIA
Najd
Hijaz
Tihāmah
'Asīr
Al Madīnah (Medina)
Makkah (Mecca)
Jeddah
Y Môr Coch
Şan'ā'
Bāb al Mandab
DJIBOUTI
Djibouti
ERITREA
Asmara
Llwyfandir Hagar Nish
Ynysoedd Farasān
Ynysfor Dahlak
Denakil
ETHIOPIA
Ras Dejen 4533
Sīmēn
Llyn Tana
Nīl Las
Nīl Wen
SUDAN
El Khartūm (Khartoum)
Umm Durmān (Omdurman)
Diffeithwch Nubia
Diffeithwch Baiyuda
Llwyfandir Jebel Abyad
Mynyddoedd Nuba
Cronfa Ddŵr Roseires
Bryniau Agirwat
Bür Südān (Port Sudan)
El Obeid
Wad Medani
Kassala
Nīl
Fe'i gweinyddir gan yr Aifft, a'i hawlio gan Sudan
Llyn Nasser
Llyn Nuba
Wadi Halfa
YR AIFFT
El Qâhira (Cairo)
Giza
Al-Iskandariyyah (Alexandria)
Bür Sa'īd (Port Said)
El Suweis (Suez)
Camlas Suez
Gwlff Suez
Gwlff Aqaba
Sinai
Mynydd Katrīnā 2637
Luxor
Aswān
Asyūţ
Pant Qattara
Llwyfandir Libya
Diffeithwch Gorllewinol
Diffeithwch Dwyreiniol
Gwerddon Bahariya
Gwerddon Farafra
Gwerddon Dakhla
Y Werddon Fawr
Y Môr Tywod Mawr
Diffeithwch Libya
Trofan Cancr
LIBYA
Banghāzī
Gwlff Sirte
Mynyddoedd Akhdar
Tubruq
As Sarīr
Môr Tywod Calanscio
Môr Tywod Rabyānah
Al Khufrah
TCHAD
Erdi
Pant Mourdi
Mynyddoedd Ennedi
Mynydd Gimbala 3070
Llwyfandir Marra
El Fasher
Nyala

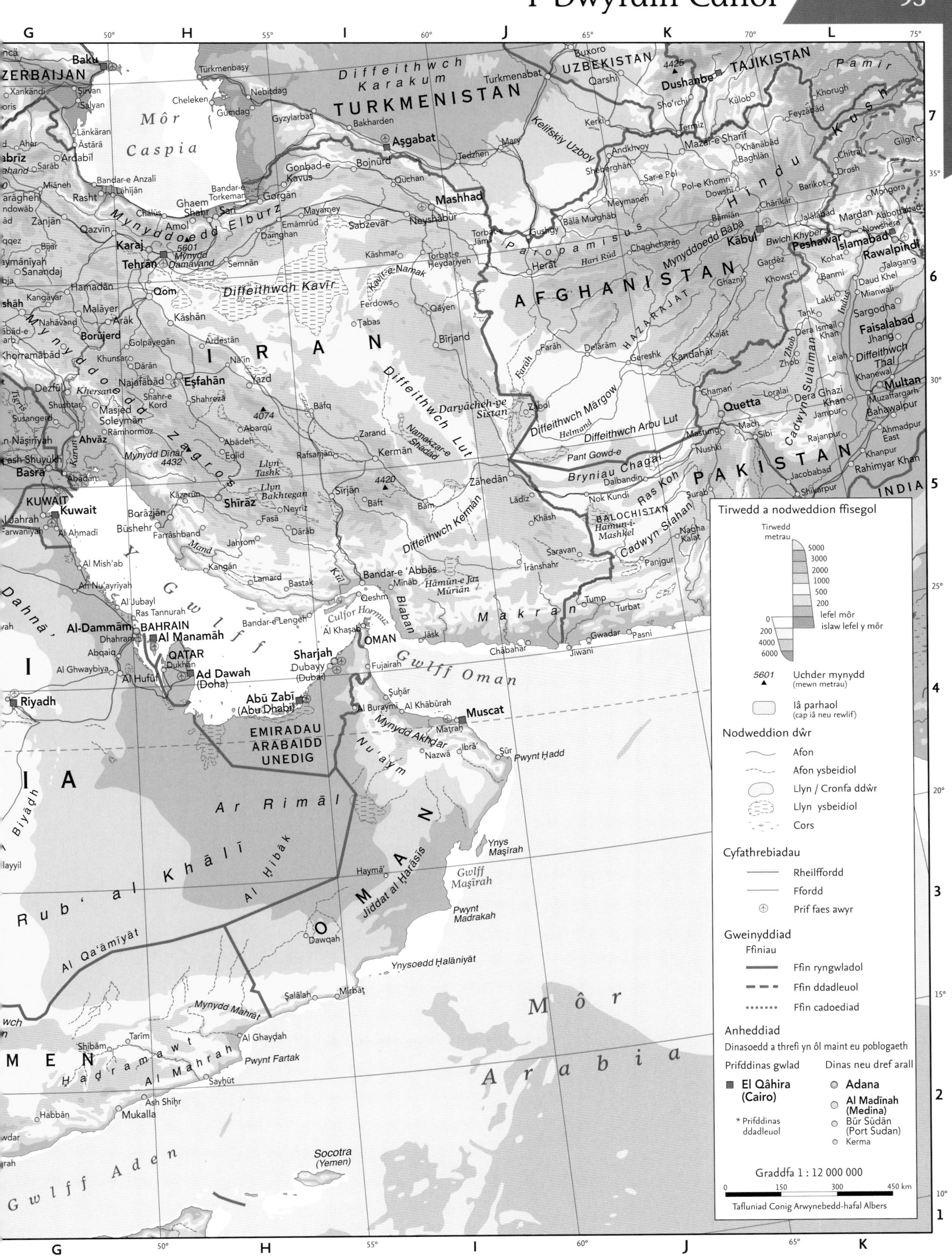

Tirwedd a nodweddion ffisegol

Tirwedd
metrau

5000
3000
2000
1000
500
200
0 lefel môr
islaw lefel y môr
200
4000
6000

▲ 5601 Uchder mynydd
(mewn metrau)

Iâ parhaol
(cap iâ neu rewlif)

Nodweddion dŵr

Afon

Afon ysbeidiol

Llyn / Cronfa ddŵr

Llyn ysbeidiol

Cors

Cyfathrebiadau

Rheilffordd

Ffordd

⊕ Prif faes awyr

Gweinyddiad

Ffiniau

Ffin ryngwladol

Ffin ddadleuol

Ffin cadoediad

Anheddiad

Dinasoedd a threfi yn ôl maint eu poblogaeth

Prifddinas gwlad   Dinas neu dref arall

■ El Qâhira   ● Adana
(Cairo)
                    ● Al Madînah
* Prifddinas   (Medina)
ddadleuol   ● Bûr Sûdân
                      (Port Sudan)
                    ● Kerma

Graddfa 1 : 12 000 000

0   150   300   450 km

Tafluniad Conig Arwynebedd-hafal Albers

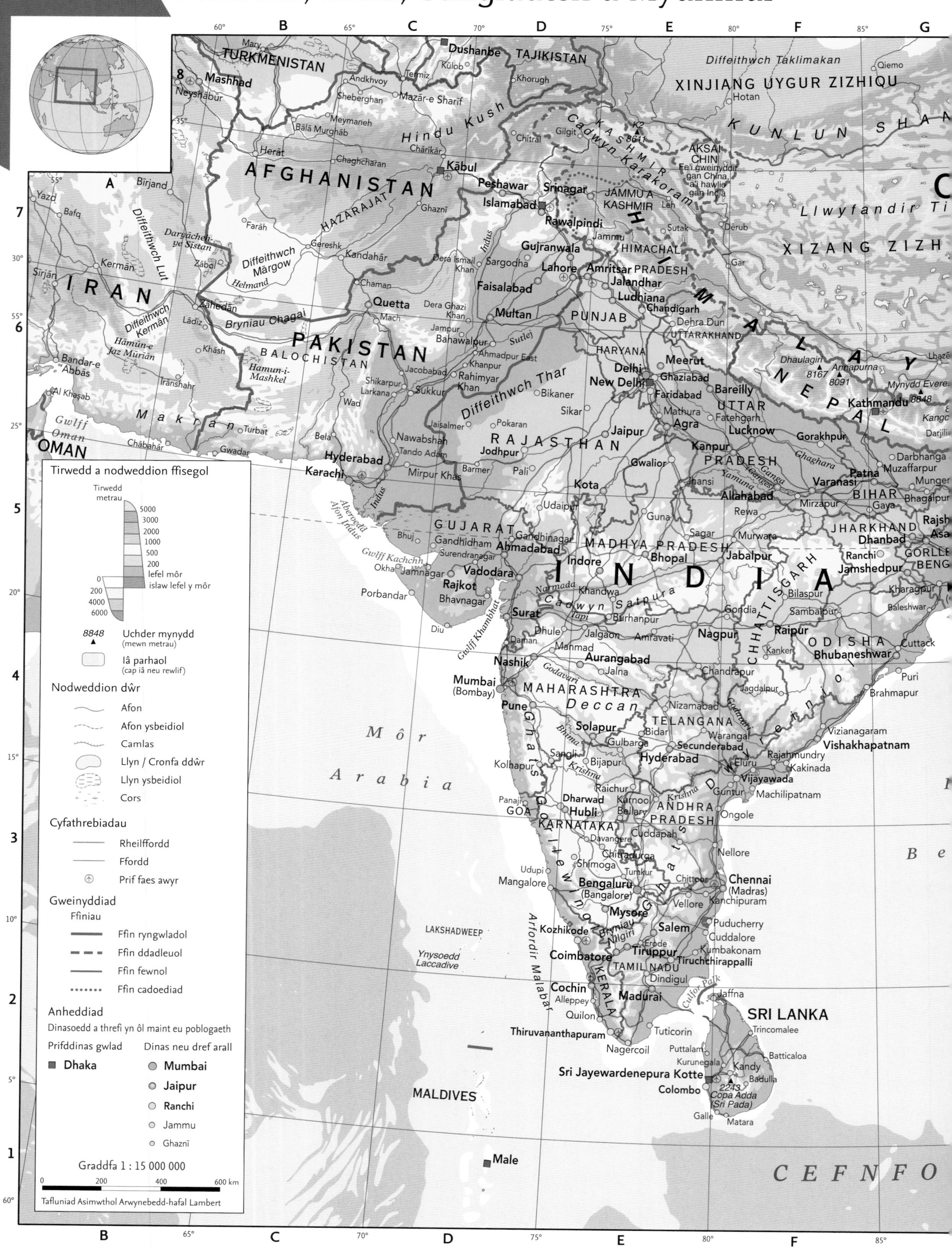

Tirwedd a nodweddion ffisegol

Tirwedd
metrau

5000
3000
2000
1000
500
200
lefel môr
islaw lefel y môr
0
200
4000
6000

8848 ▲ Uchder mynydd
(mewn metrau)

Iâ parhaol
(cap iâ neu rewlif)

Nodweddion dŵr

Afon
Afon ysbeidiol
Camlas
Llyn / Cronfa ddŵr
Llyn ysbeidiol
Cors

Cyfathrebiadau

Rheilffordd
Ffordd
⊕ Prif faes awyr

Gweinyddiad

Ffiniau

Ffin ryngwladol
Ffin ddadleuol
Ffin fewnol
Ffin cadoediad

Anheddiad

Dinasoedd a threfi yn ôl maint eu poblogaeth

Prifddinas gwlad   Dinas neu dref arall

■ Dhaka   ● Mumbai
                   ● Jaipur
                   ○ Ranchi
                   ○ Jammu
                   ○ Ghaznī

Graddfa 1 : 15 000 000

0   200   400   600 km

Tafluniad Asimwthol Arwynebedd-hafal Lambert

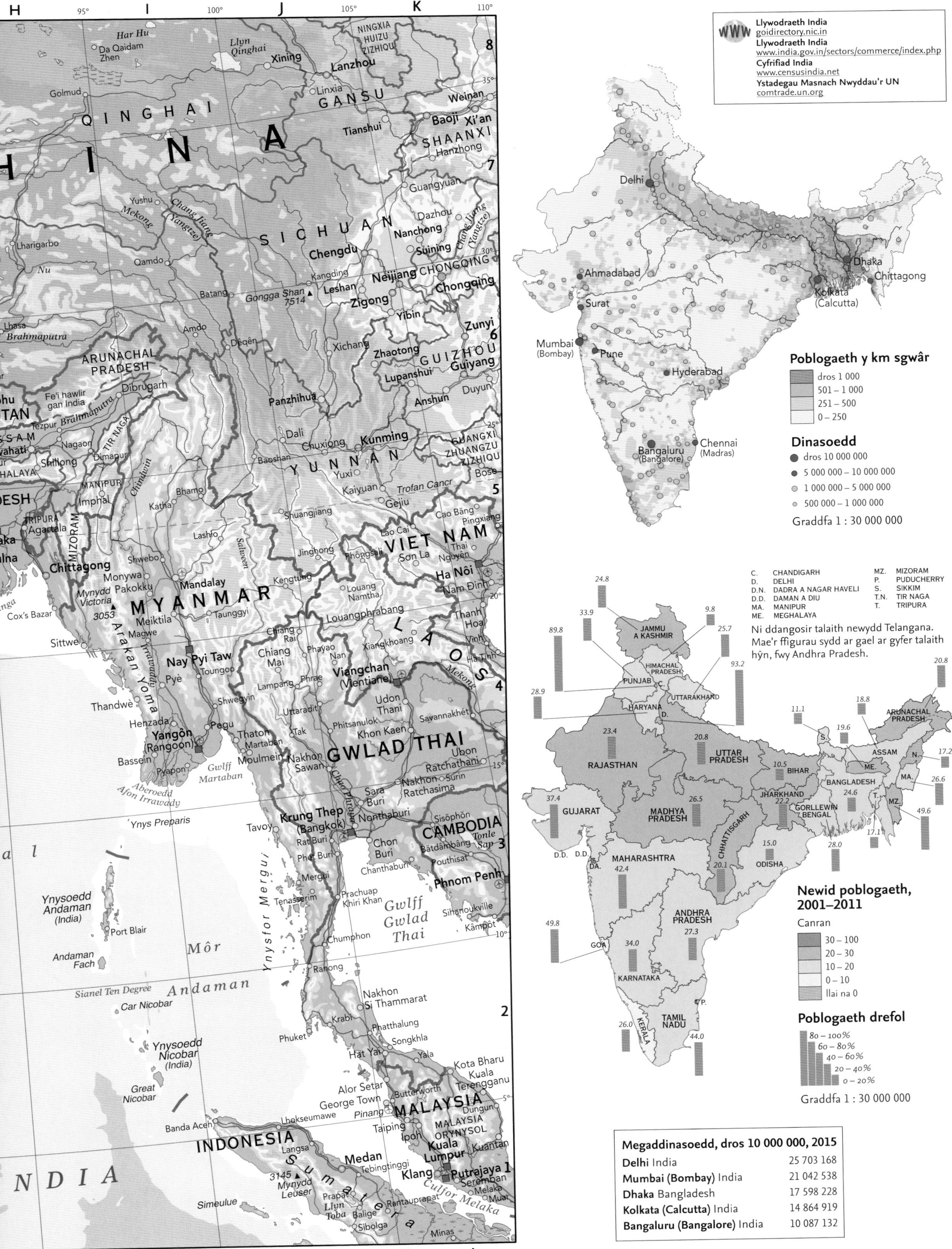

WWW
Llywodraeth India
goidirectory.nic.in
Llywodraeth India
www.india.gov.in/sectors/commerce/index.php
Cyfrifiad India
www.censusindia.net
Ystadegau Masnach Nwyddau'r UN
comtrade.un.org

Poblogaeth y km sgwâr

- dros 1 000
- 501 – 1 000
- 251 – 500
- 0 – 250

Dinasoedd

- dros 10 000 000
- 5 000 000 – 10 000 000
- 1 000 000 – 5 000 000
- 500 000 – 1 000 000

Graddfa 1 : 30 000 000

C.	CHANDIGARH	MZ.	MIZORAM
D.	DELHI	P.	PUDUCHERRY
D.N.	DADRA A NAGAR HAVELI	S.	SIKKIM
D.D.	DAMAN A DIU	T.N.	TIR NAGA
MA.	MANIPUR	T.	TRIPURA
ME.	MEGHALAYA		

Ni ddangosir talaith newydd Telangana.
Mae'r ffigurau sydd ar gael ar gyfer talaith
hŷn, fwy Andhra Pradesh.

Newid poblogaeth, 2001–2011

Canran

- 30 – 100
- 20 – 30
- 10 – 20
- 0 – 10
- llai na 0

Poblogaeth drefol

- 80 – 100%
- 60 – 80%
- 40 – 60%
- 20 – 40%
- 0 – 20%

Graddfa 1 : 30 000 000

Megaddinasoedd, dros 10 000 000, 2015

Delhi India	25 703 168
Mumbai (Bombay) India	21 042 538
Dhaka Bangladesh	17 598 228
Kolkata (Calcutta) India	14 864 919
Bangaluru (Bangalore) India	10 087 132

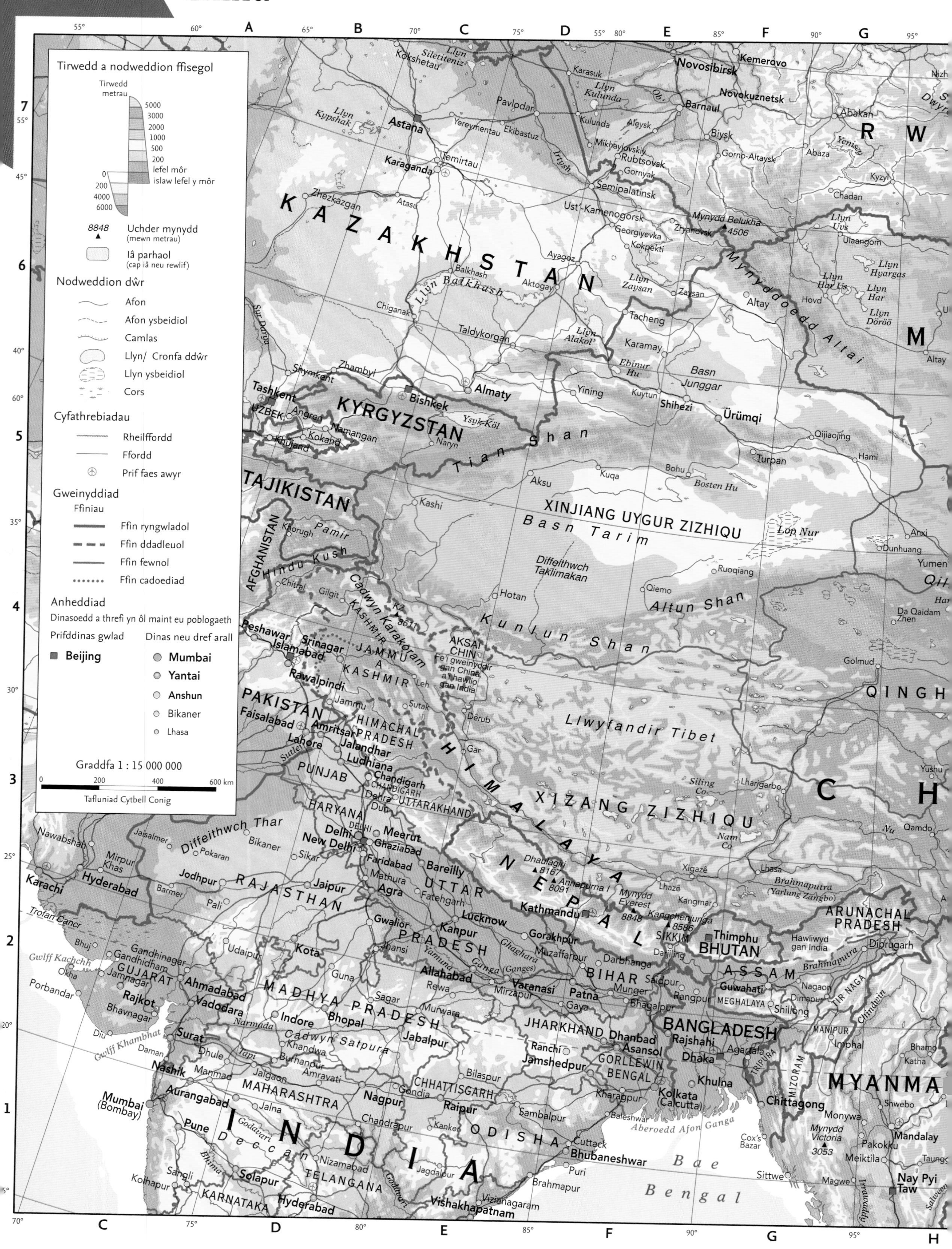

Tirwedd a nodweddion ffisegol

Tirwedd
metrau

5000
3000
2000
1000
500
200
0 lefel môr
islaw lefel y môr
200
4000
6000

8848 ▲ Uchder mynydd
(mewn metrau)

Iâ parhaol
(cap iâ neu rewlif)

Nodweddion dŵr

Afon

Afon ysbeidiol

Camlas

Llyn/ Cronfa ddŵr

Llyn ysbeidiol

Cors

Cyfathrebiadau

Rheilffordd

Ffordd

⊕ Prif faes awyr

Gweinyddiad
Ffiniau

Ffin ryngwladol

Ffin ddadleuol

Ffin fewnol

Ffin cadoediad

Anheddiad

Dinasoedd a threfi yn ôl maint eu poblogaeth

Prifddinas gwlad

■ Beijing

Dinas neu dref arall

● Mumbai

● Yantai

○ Anshun

○ Bikaner

○ Lhasa

Graddfa 1 : 15 000 000

0   200   400   600 km

Tafluniad Cytbell Conig

KAZAKHSTAN

Novosibirsk
Kemerovo
Kokshetau
Siletiteniz
Llyn
Kupshak
Astana
Pavlodar
Novokuznetsk
Barnaul
Karasuk
Karaganda
Yereymentau
Ekibastuz
Temirtau
Mikhaylovskiy
Rubtsovsk
Biysk
Gorno-Altaysk
Abakan
Zhezkazgan
Atasu
Ust'-Kamenogorsk
Semipalatinsk
Gornyak
Abaza
Mynydd Belukha
4506
Kyzyl
Chadan
Yenisey
Balkhash
Chiganak
Llyn Balkhash
Aktogay
Llyn
Zaysan
Zyryanovsk
Georgiyevka
Kokpekti
Zaysan
Altay
Mynyddoedd Altai
Ulaangom
Llyn
Uvs
Hovd
Llyn
Har Us
Llyn
Hyargas
Taldykorgan
Llyn
Alakol'
Karamay
Ebinur
Hu
Basn
Junggar
Llyn
Har
Llyn
Döröö
Shymkent
Zhambyl
Tashkent
Angren
Bishkek
Almaty
Yining
Kuytun
Shihezi
Ürümqi
Altay
UZBEK.
KYRGYZSTAN
Namangan
Naryn
Ysyk-Köl
Tian Shan
Qijiaojing
Khujand
Kokand
Turpan
Hami
TAJIKISTAN
Aksu
Kuqa
Bohu
Bosten Hu
Khorugh
Pamir
Kashi
XINJIANG UYGUR ZIZHIQU
Lop Nur
Anxi
AFGHANISTAN
Hindu Kush
Chitral
Gilgit
K2
8611
Basn Tarim
Dunhuang
Yumen
Peshawar
Srinagar
KASHMIR
CADWYN KARAKORAM
Hotan
Diffeithwch
Taklimakan
Qiemo
Qiemo
Ruoqiang
Qil
Islamabad
JAMMU
AKSAI
CHIN
Fe'i gweinyddir
gan China
a'i hawlio
gan India
Kunlun Shan
Altun Shan
Da Qaidam
Zhen
Rawalpindi
KASHMIR
Leh
Golmud
PAKISTAN
Jammu
Dêrub
QINGH
Faisalabad
Sutlej
Gar
Llwyfandir Tibet
Yushu
Lahore
HIMACHAL
PRADESH
Amritsar
Jalandhar
Ludhiana
Siling
Co
Lharjgarbo
C
Sutlej
PUNJAB
Chandigarh
CHANDIGARH
Dehra
Dun
UTTARAKHAND
XIZANG ZIZHIQU
H
HARYANA
Meerut
DELHI
Nam
Co
Xigazê
Lhasa
Nu
Qamdo
Diffeithwch Thar
Jaisalmer
Delhi
Ghaziabad
Kangmar
Jodhpur
Bikaner
Pokaran
New Delhi
Faridabad
Bareilly
Dhaulagiri
8167
Mynydd Everest
8848
Kathmandu
Kangchenjunga
8586
Xigazê
Lhazê
Brahmaputra
(Yarlung Zangbo)
Nawabshah
Sikar
Mathura
Agra
HIMALAYA
Annapurna I
8091
ARUNACHAL
PRADESH
Mirpur
Khas
Barmer
Pali
Jaipur
Fatehgarh
Lucknow
NEPAL
Lhazê
Kangmar
Hawliwyd
gan India
Dibrugarh
Karachi
Hyderabad
RAJASTHAN
UTTAR
Kanpur
Gorakhpur
Muzaffarpur
Darbhanga
Thimphu
BHUTAN
Brahmaputra
ASSAM
Bhuj
Gwlff Kachchh
Gandhinagar
Udaipur
Kota
Guna
Jhansi
PRADESH
Ghaghara
Allahabad
Ganga (Ganges)
Varanasi
Patna
BIHAR
Munger
Bhagalpur
Rangpur
SIKKIM
Darjiling
Guwahati
Nagaon
MEGHALAYA
Shillong
Dimapur
TIR NAGA
MANIPUR
Imphal
Tropan Cancr
Gandhidham
GUJARAT
Jamnagar
Ahmadabad
Sagar
Rewa
Murwara
Mirzapur
Gaya
JHARKHAND
Dhanbad
Asansol
Rajshahi
BANGLADESH
Agartala
TRIPURA
Chandpur
MYANMA
Okha
Rajkot
Vadodara
Indore
Bhopal
MADHYA PRADESH
Jabalpur
Ranchi
Jamshedpur
GORLLEWIN
BENGAL
Dhaka
MIZORAM
Porbandar
Bhavnagar
Diu
Daman
Surat
Narmada
Cadwyn Satpura
Khandwa
Bilaspur
Dhanbad
Khulna
Kolkata
(Calcutta)
Chittagong
Monywa
Gwlff Khambhat
Nashik
Dhule
Tapi
Jalgaon
Amravati
CHHATTISGARH
Gondia
Nagpur
Raipur
ODISHA
Kharagpur
Baleshwar
Cox's
Bazar
Shwebo
Mynydd
Victoria
3053
Meiktila
Pakokku
Mumbai
(Bombay)
Aurangabad
Jalna
MAHARASHTRA
Godavari
Chandrapur
Kanker
Sambalpur
Bhubaneshwar
Cuttack
Puri
Bae
Aberoedd Afon Ganga
Sittwe
Nay Pyi
Taw
Magwe
Irrawaddy
Salween
Pune
INDIA
Bhima
Solapur
TELANGANA
Nizamabad
Jagdalpur
Brahmapur
Vizianagaram
Vishakhapatnam
Bengal
Mandalay
Taungu
Sangli
Kolhapur
KARNATAKA
Hyderabad
Deccan

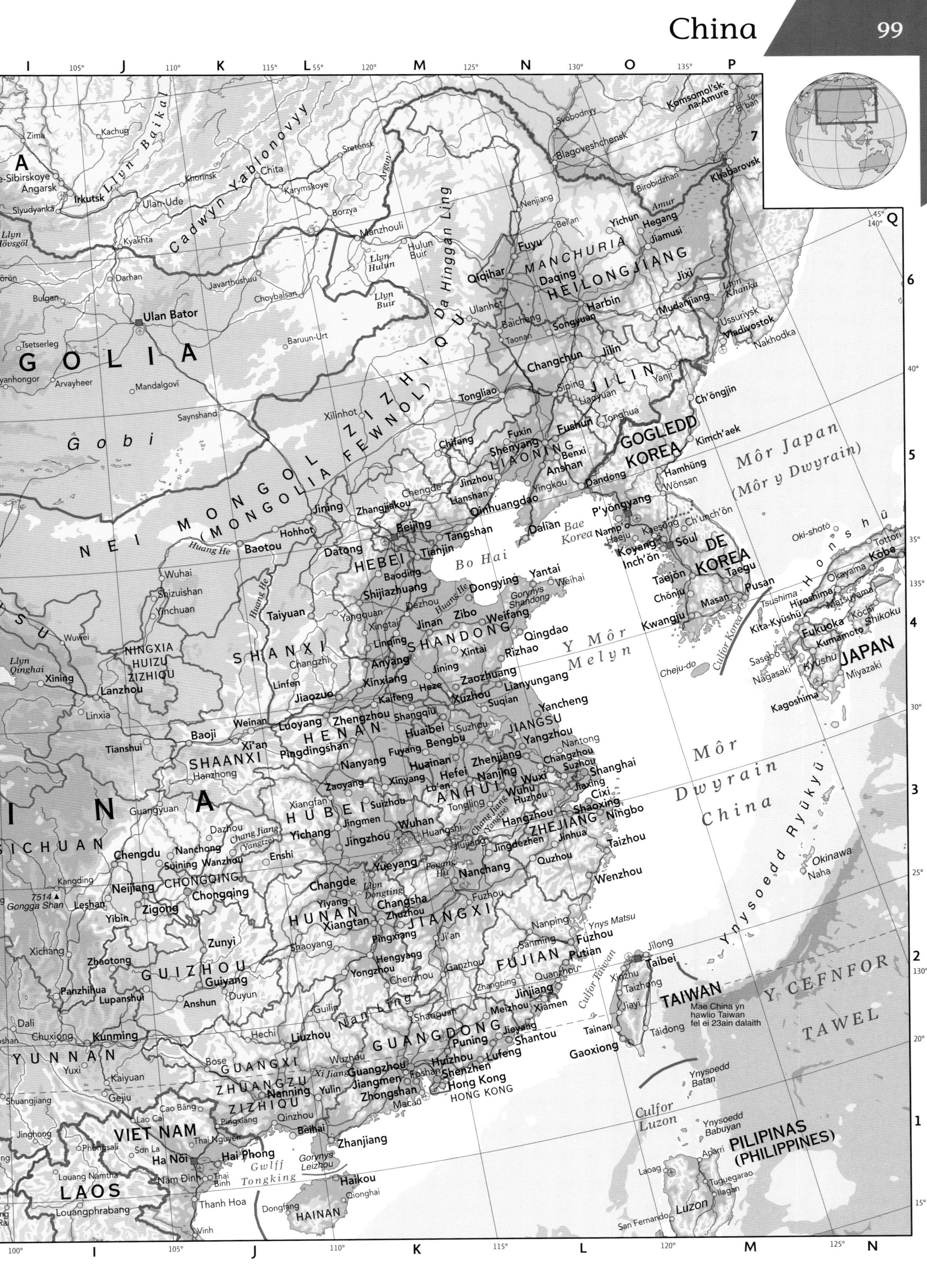

Map of China and surrounding regions.

Grid references (top): I 105° J 110° K 115° 55° L 120° M 125° N 130° O 135° P

Russia / Siberia (top left):
e-Sibirskoye, Angarsk, Zima, Kachug, Slyudyanka, Irkutsk, Llyn Baikal, Khorinsk, Ulan-Ude, Chita, Karymskoye, Sretensk, Argun', Komsomol'sk-na-Amure, Il'ban, Llyn Hövsgöl, örön, Kyakhta, Darhan, Kyakhta, Borzya, Manzhouli, Llyn Hulun, Hulun Buir, Da Hinggan Ling (Zizhiqu), Amur, Blagoveshchensk, Svobodnyy, Khabarovsk

Mongolia:
Tsetserleg, Bulgan, yanhongor, Arvayheer, Mandalgovi, Ulan Bator, Baruun-Urt, Javarthushuu, Choybalsan, Llyn Buir, Saynshand, Gobi, GOLIA, MONGOLIA, NEI MONGOL ZIZHIQU (MONGOLIA FEWNOL), Xilinhot, Jining

Northeast China / Manchuria:
Nenjiang, Bei'an, Yichun, Hegang, Jiamusi, Fuyu, MANCHURIA, Qiqihar, Daqing, HEILONGJIANG, Jixi, Ulanhot, Baicheng, Songyuan, Harbin, Mudanjiang, Ussuriysk, Vladivostok, Nakhodka, Llyn Khanku, Taonan, Changchun, Jilin, JILIN, Yanji, Ch'ŏngjin, Tongliao, Siping, Liaoyuan, Tonghua, Chifeng, Fuxin, Shenyang, Fushun, LIAONING, Benxi, Anshan, GOGLEDD KOREA, Kimch'aek, Hamhŭng, Wŏnsan, Chengde, Jinzhou, Lianshan, Yingkou, Dandong, P'yŏngyang, Namp'o, Haeju, Hamhŭng

North China:
Zhangjiakou, Qinhuangdao, Hohhot, Baotou, Huang He, Datong, Beijing, Tangshan, Bo Hai, Dalian, Bae Korea, Kaesŏng, Ch'unch'ŏn, Sŏul, DE KOREA, Oki-shotō, Honshū, Tottori, Wuhai, Shizuishan, Yinchuan, Yangquan, Taiyuan, HEBEI, Baoding, Tianjin, Dongying, Yantai, Gorynys Shandong, Weihai, Koyang, Inch'ŏn, Taejŏn, Taegu, Kōbe, Shijiazhuang, Dezhou, Huang He, Zibo, Weifang, Qingdao, Y Môr, Masan, Pusan, Okayama, Hiroshima, Kita-Kyūshū, Chŏnju, Culfor Korea, NINGXIA HUIZU ZIZHIQU, SHANXI, Changzhi, Jinan, SHANDONG, Xintai, Rizhao, Melyn, Cheju-do, Sasebo, Kwangju, Fukuoka, JAPAN

Central China:
Llyn Qinghai, Xining, Lanzhou, Linxia, Linfen, Anyang, Jining, Zaozhuang, Lianyungang, Yancheng, Nagasaki, Kyūshū, Shikoku, Kumamoto, Miyazaki, Kagoshima, Linging, Xinxiang, Heze, Kaifeng, Xuzhou, Suqian, Tianshui, Baoji, Weinan, Luoyang, Zhengzhou, Shangqiu, Huaibei, Suzhou, JIANGSU, Yangzhou, Nantong, Changzhou, Suzhou, Shanghai, Môr, Xi'an, SHAANXI, Pingdingshan, HENAN, Nanyang, Fuyang, Bengbu, Huainan, Hefei, Zhenjiang, Nanjing, Wuxi, Jiaxing, Cixi, Dwyrain, Hanzhong, Guangyuan, Xiangfan, HUBEI, Suizhou, Xinyang, Lu'an, ANHUI, Wuhu, Tongling, Hangzhou, Huzhou, Shaoxing, Ningbo, China, Dazhou, Chang Jiang (Yangtze), Jingmen, Jingzhou, Wuhan, Huangshi, Hujiang, ZHEJIANG, Jinhua, Taizhou, Ynysoedd Ryūkyū, Chengdu, Suining, Wanzhou, Enshi, Yichang, Yueyang, Poyang Hu, Jingdezhen, Quzhou, Okinawa, Naha, Nanchong, SICHUAN, CHONGQING, Chongqing, Changde, Yiyang, Llyn Dongting, Nanchang, Wenzhou, Neijiang, Leshan, Zigong, Yibin, Changsha, JIANGXI, Gongga Shan 7514▲, Kangding, Zunyi, HUNAN, Xiangtan, Zhuzhou, Nanping, Ynys Matsu, Fuzhou, Xichang, Zhaotong, Panzhihua, Lupanshui, GUIZHOU, Guiyang, Anshun, Duyun, Shaoyang, Pingxiang, Hengyang, Yongzhou, Ji'an, Sanming, Fuzhou, Putian, Jilong, Taibei, TAIWAN, Dali, Chuxiong, Kunming, Hechi, Liuzhou, Nan Ling, Chenzhou, Ganzhou, FUJIAN, Quanzhou, Xinzhu, Taizhong, Y CEFNFOR TAWEL, Mae China yn hawlio Taiwan fel ei 23ain dalaith, oshan, YUNNAN, Yuxi, Bose, GUANGXI ZHUANGZU ZIZHIQU, Zhangping, Jinjiang, Jiayi, Tāidong, Shuangjiang, Kaiyuan, Geju, Wuzhou, Xi Jiang, Guangzhou, Huizhou, Lufeng, Jieyang, Shantou, Xiamen, Meizhou, Shaoguan, GUANGDONG, Puning, Tainan, Gaoxiong, Jinghong, Louang Namtha, Cao Bằng, Pingxiang, Qinzhou, Nanning, Yulin, Jiangmen, Foshan, Shenzhen, Hong Kong, HONG KONG, Ynysoedd Batan, VIET NAM, Son La, Thai Nguyen, Lào Cai, ZHUANGZU ZIZHIQU, Zhongshan, Macáu, Phongsali, Hà Nội, Hai Phong, Beihai, Zhanjiang, Culfor Luzon, Ynysoedd Babuyan, LAOS, Louang-phrabang, Nam Định, Thai Binh, Gwlff Tongking, Gorynys Leizhou, Haikou, Laoag, Aparri, Tuguegarao, Illagan, PILIPINAS (PHILIPPINES), Thanh Hoa, Dongfang, Qionghai, HAINAN, Vinh, ng, San Fernando, Luzon

Grid references (bottom): I 100° J 105° K 110° L 115° M 120° N 125°

Right margin: Q 45° 140°, 40°, 5, 135°, 4, 30°, 3, 25°, 2, 130°, 20°, 15°, N

China: Poblogaeth

Y 10 talaith fwyaf poblog

Talaith	Pob. y km sgwâr
Macau	21 593
Hong Kong	6634
Shanghai	3809
Beijing	1323
Tianjin	1298
Jiangsu	777
Shandong	627
Guangdong	603
Henan	568
Zhejiang	544

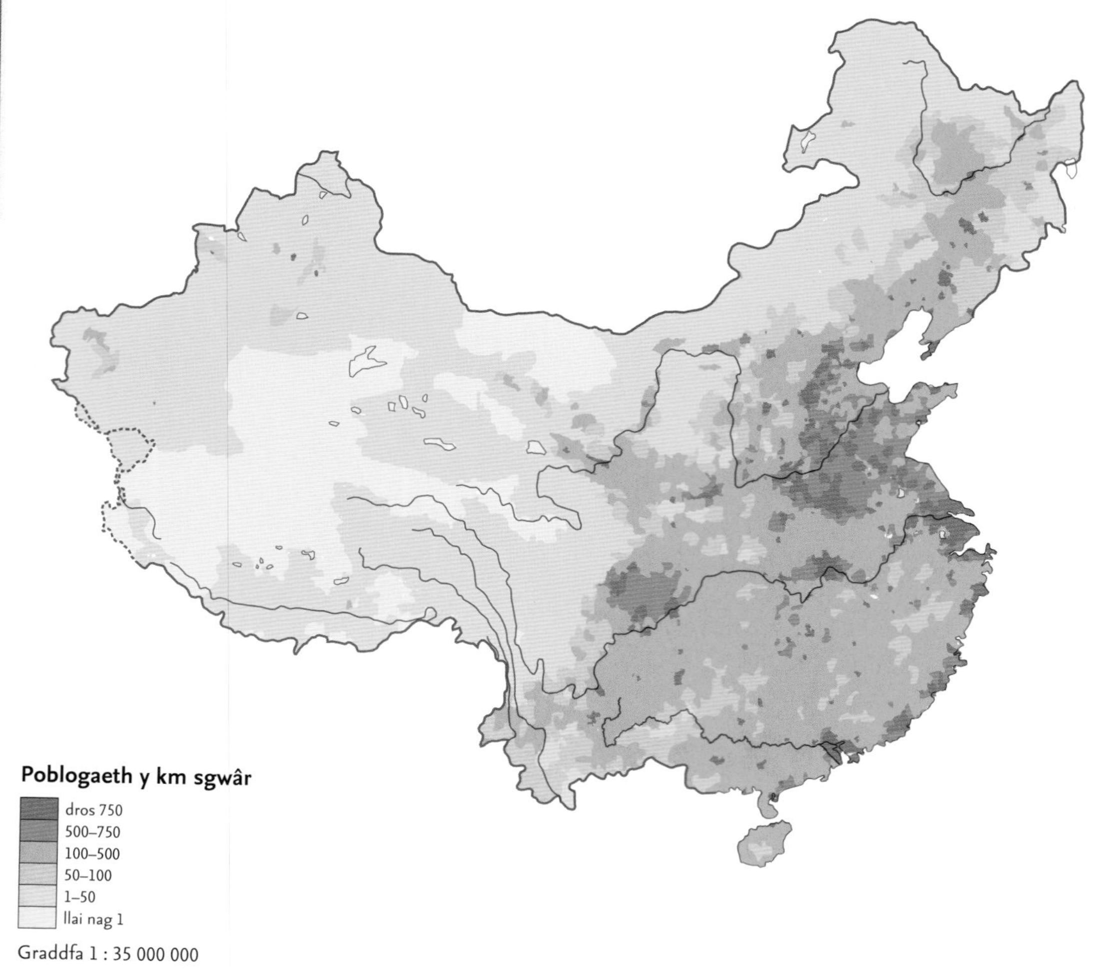

Poblogaeth y km sgwâr

- dros 750
- 500–750
- 100–500
- 50–100
- 1–50
- llai nag 1

Graddfa 1 : 35 000 000

Cyfraddau twf yn y boblogaeth

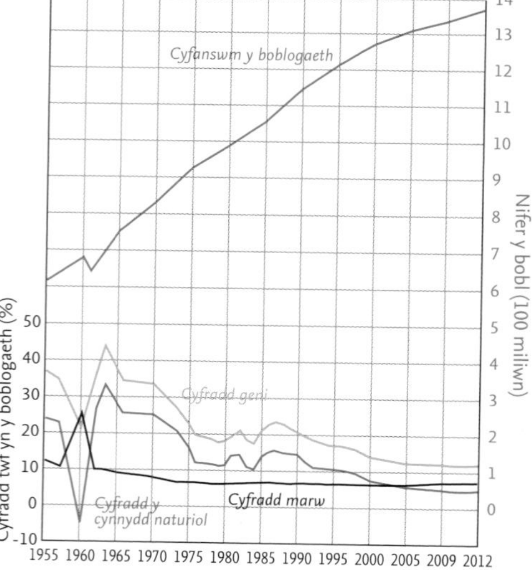

Symudiadau yn y boblogaeth

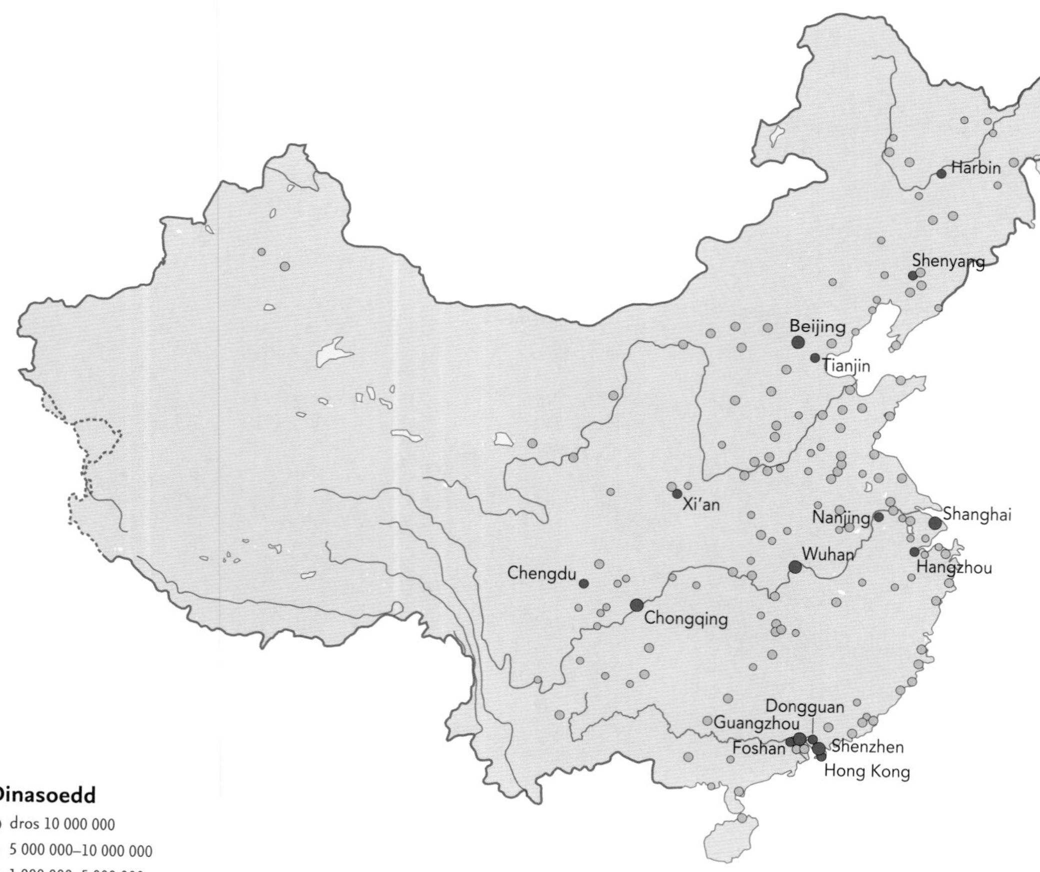

- Prif darddiadau mudwyr, 2000
- → Prif gyfeiriad symudiad mudwyr
- — Cyfeiriad arall symudiad mudwyr

Graddfa 1 : 70 000 000

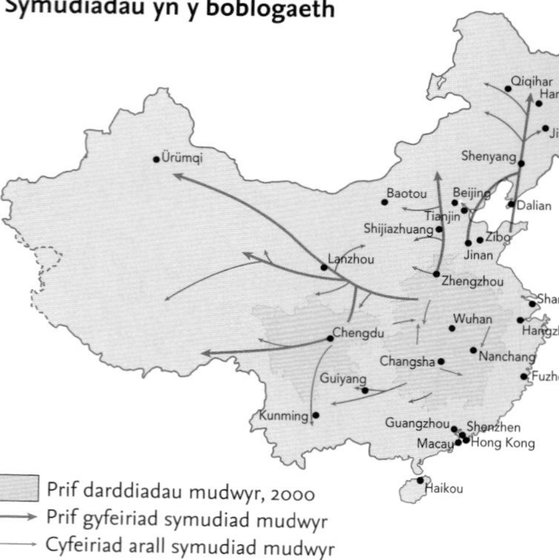

Dinasoedd

- ● dros 10 000 000
- ● 5 000 000–10 000 000
- ○ 1 000 000–5 000 000
- ○ 500 000–1 000 000

Graddfa 1 : 35 000 000

Y 10 cydgrynhoad trefol mwyaf, 2015

Dinas	Poblogaeth
Shanghai	23 740 778
Beijing	20 383 994
Chongqing	13 331 579
Guangzhou	12 458 130
Tianjin	11 210 329
Shenzhen	10 749 473
Wuhan	7 905 572
Chengdu	7 555 705
Dongguan	7 434 935
Nanjing	7 369 157

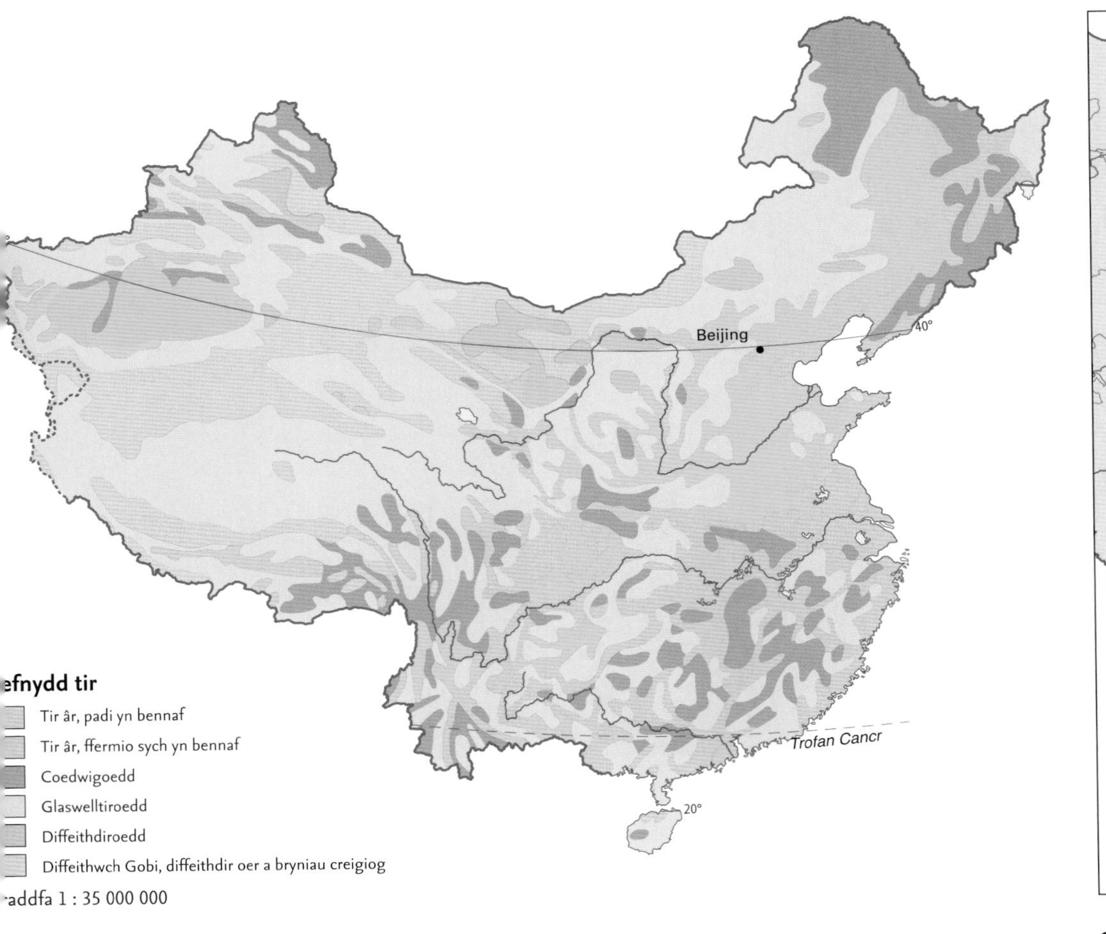

Defnydd tir

- Tir âr, padi yn bennaf
- Tir âr, ffermio sych yn bennaf
- Coedwigoedd
- Glaswelltiroedd
- Diffeithdiroedd
- Diffeithwch Gobi, diffeithdir oer a bryniau creigiog

Graddfa 1 : 35 000 000

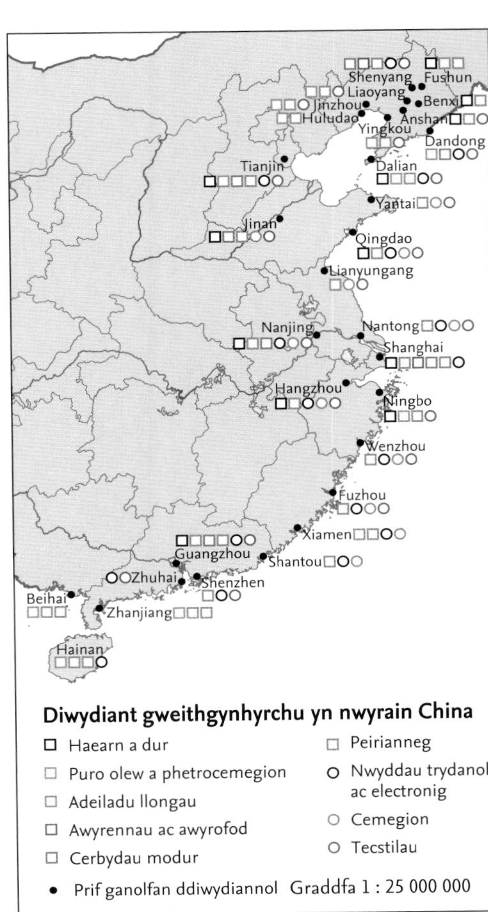

Diwydiant gweithgynhyrchu yn nwyrain China

- ☐ Haearn a dur
- ☐ Puro olew a phetrocemegion
- ☐ Adeiladu llongau
- ☐ Awyrennau ac awyrofod
- ☐ Cerbydau modur
- ☐ Peirianneg
- ○ Nwyddau trydanol ac electronig
- ○ Cemegion
- ○ Tecstilau
- ● Prif ganolfan ddiwydiannol   Graddfa 1 : 25 000 000

Cyflogaeth yn ôl sector economaidd

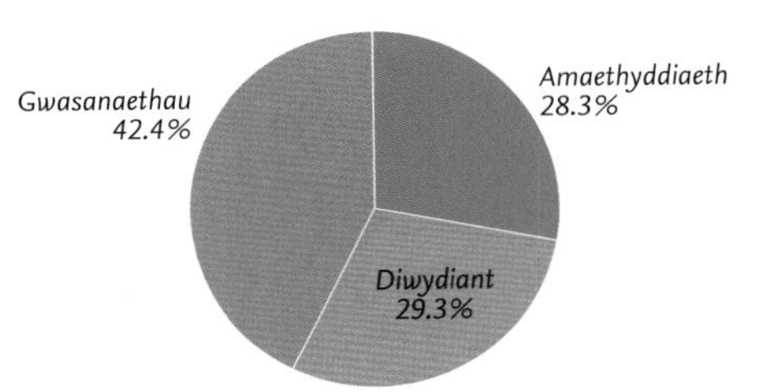

Gwasanaethau 42.4%
Amaethyddiaeth 28.3%
Diwydiant 29.3%

Prif bartneriaid masnachu

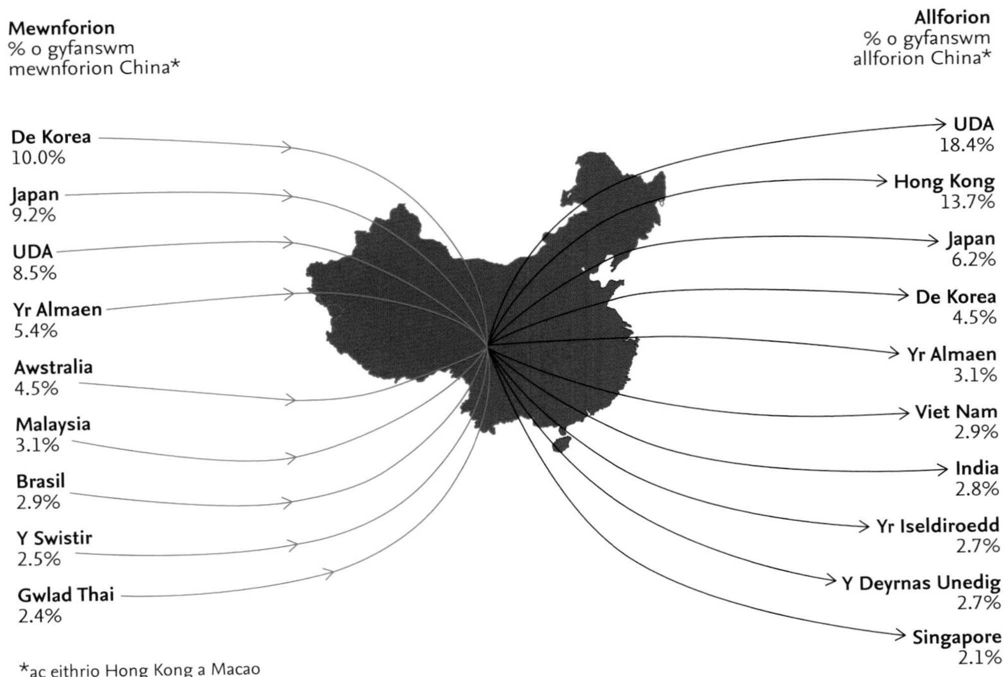

Mewnforion
% o gyfanswm mewnforion China*

- De Korea 10.0%
- Japan 9.2%
- UDA 8.5%
- Yr Almaen 5.4%
- Awstralia 4.5%
- Malaysia 3.1%
- Brasil 2.9%
- Y Swistir 2.5%
- Gwlad Thai 2.4%

Allforion
% o gyfanswm allforion China*

- UDA 18.4%
- Hong Kong 13.7%
- Japan 6.2%
- De Korea 4.5%
- Yr Almaen 3.1%
- Viet Nam 2.9%
- India 2.8%
- Yr Iseldiroedd 2.7%
- Y Deyrnas Unedig 2.7%
- Singapore 2.1%

*ac eithrio Hong Kong a Macao

Masnach

Mewnforion

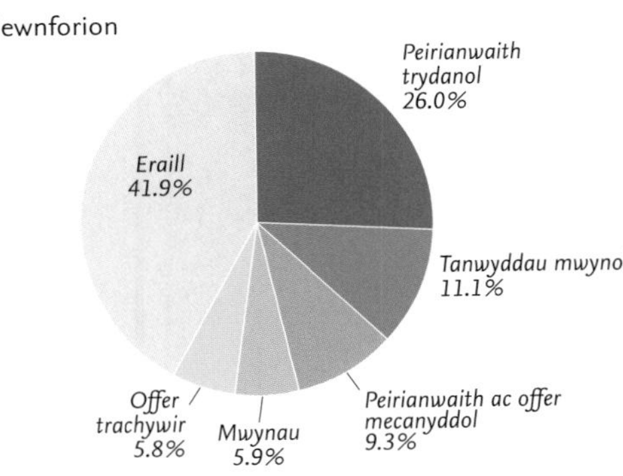

- Peirianwaith trydanol 26.0%
- Tanwyddau mwynol 11.1%
- Peirianwaith ac offer mecanyddol 9.3%
- Mwynau 5.9%
- Offer trachywir 5.8%
- Eraill 41.9%

Allforion

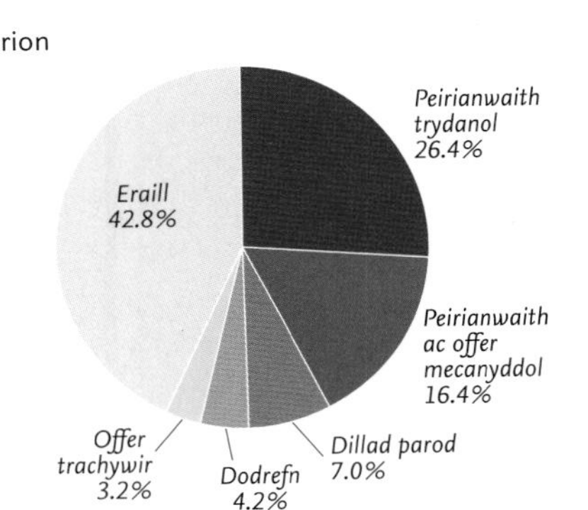

- Peirianwaith trydanol 26.4%
- Peirianwaith ac offer mecanyddol 16.4%
- Dillad parod 7.0%
- Dodrefn 4.2%
- Offer trachywir 3.2%
- Eraill 42.8%

De Ddwyrain Asia

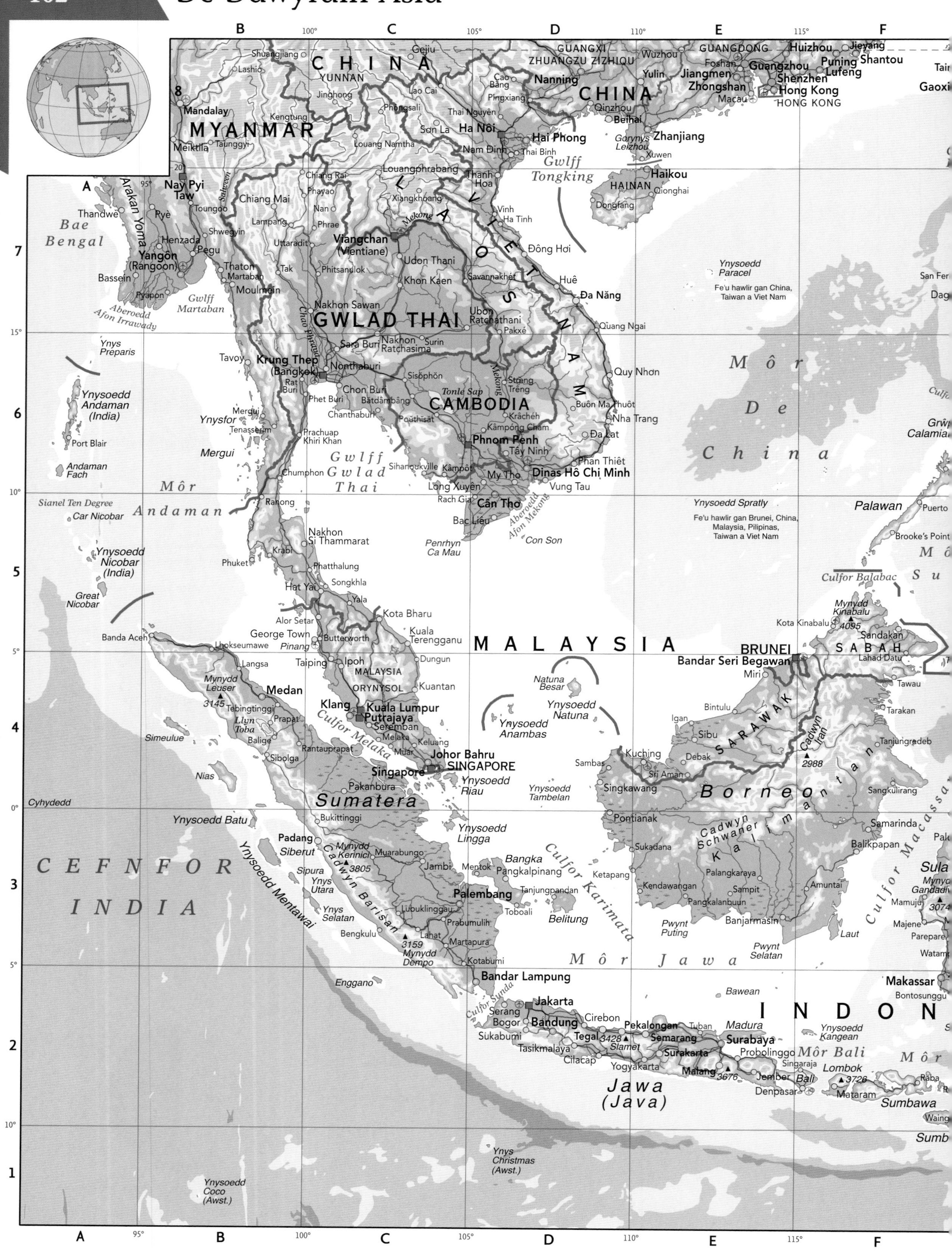

CHINA
YUNNAN
GUANGXI ZHUANGZU ZIZHIQU
GUANGDONG
HONG KONG
MYANMAR
LAOS
VIETNAM
GWLAD THAI
CAMBODIA
MALAYSIA
BRUNEI
SINGAPORE
SARAWAK
SABAH
INDON
Bae Bengal
Gwlff Martaban
Aberoedd Afon Irrawady
Môr Andaman
Gwlff Gwlad Thai
Gwlff Tongking
Môr De China
Culfor Melaka
Culfor Karimata
Môr Jawa
Môr Bali
CEFNFOR INDIA
Ynysoedd Paracel
Fe'u hawlir gan China, Taiwan a Viet Nam
Ynysoedd Spratly
Fe'u hawlir gan Brunei, China, Malaysia, Pilipinas, Taiwan a Viet Nam
Ynysoedd Andaman (India)
Ynysoedd Nicobar (India)
Sumatera
Borneo
Kalimantan
Jawa (Java)
Ynys Christmas (Awst.)
Ynysoedd Coco (Awst.)
Ynysoedd Mentawai
Cadwyn Barisan
Krung Thep (Bangkok)
Kuala Lumpur
Putrajaya
Jakarta
Ha Nôi
Viangchan (Vientiane)
Phnom Penh
Bandar Seri Begawan
Nay Pyi Taw
Yangôn (Rangoon)
Dinas Hô Chi Minh
Hong Kong
Guangzhou
Medan
Palembang
Surabaya
Bandung
Makassar
Bandar Lampung

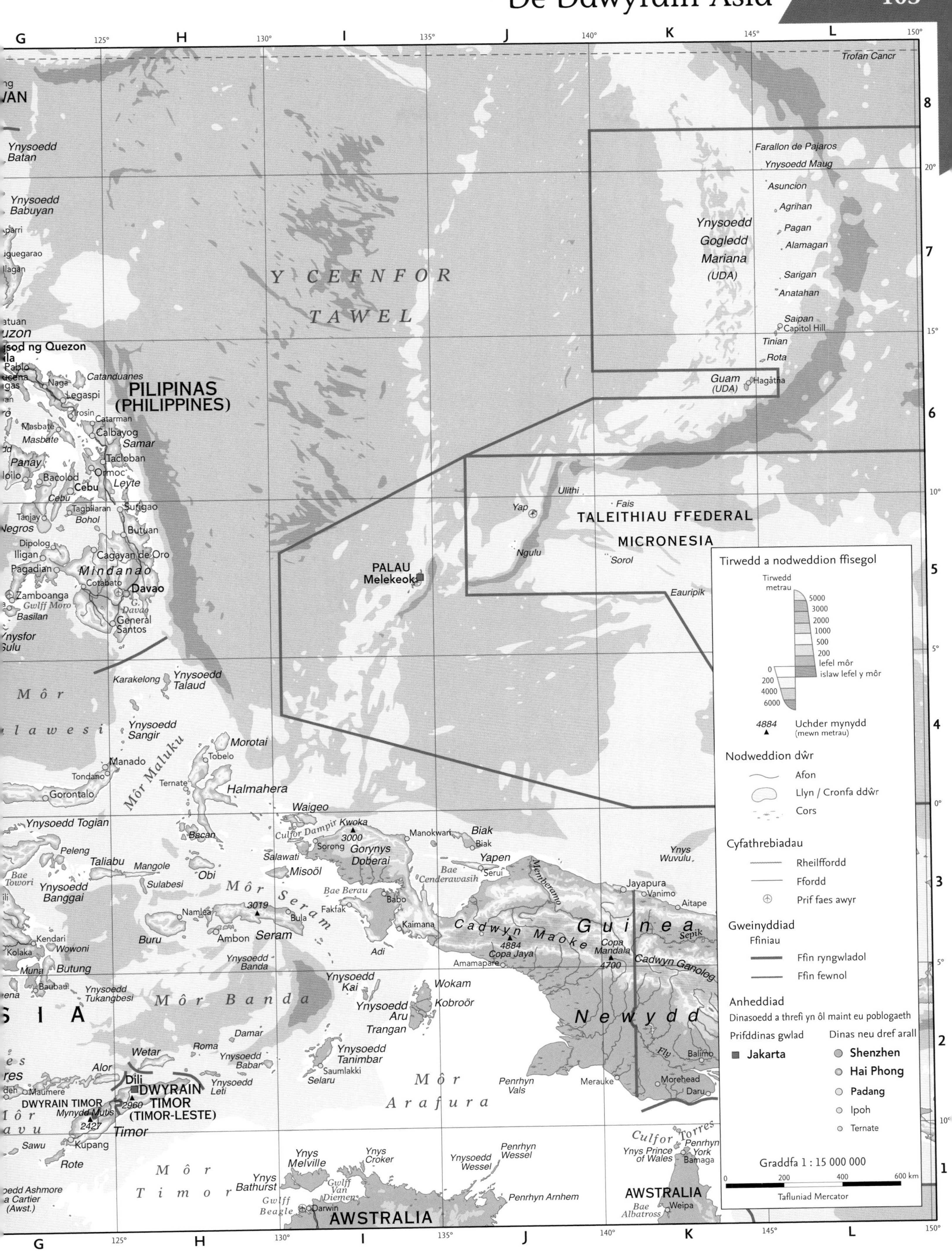

G 125° H 130° I 135° J 140° K 145° L 150°

Trofan Cancr

8

Ynysoedd Batan

VAN

Ynysoedd Babuyan

Farallon de Pajaros

Ynysoedd Maug

20°

Asuncion

Agrihan

Pagan

Alamagan

Ynysoedd Gogledd Mariana (UDA)

Sarigan

Anatahan

7

parri

uegarao

llagan

atuan

uzon

sod ng Quezon

la

Pablo

ucena

gas

Saipan
Capitol Hill

15°

Tinian

Rota

Catanduanes

**PILIPINAS
(PHILIPPINES)**

Naga

Legaspi

Irosin

Catarman

Y CEFNFOR

TAWEL

Guam
(UDA) Hagâtña

6

ro

Masbate

Masbate

Calbayog

Samar

Tacloban

Ormoc

Leyte

Ulithi

Fais

Yap

10°

Panay

Iloilo

Bacolod

Cebu

Cebu

Tanjay

Tagbilaran

Bohol

Surigao

Butuan

Ngulu

Sorol

TALEITHIAU FFEDERAL

MICRONESIA

Negros

Dipolog

Iligan

Pagadian

Mindanao

Cagayan de Oro

Cotabato

Davao

*G.
Davao*

5°

Zamboanga

Gwlff Moro

Basilan

General
Santos

PALAU
Melekeok

Eauripik

5

nysfor
Sulu

Karakelong

*Ynysoedd
Talaud*

Môr

alawesi

*Ynysoedd
Sangir*

Morotai

Manado

Tondano

Ternate

Tobelo

Halmahera

Waigeo

Culfor Dampir Kwoka

3000

0°

Gorontalo

Ynysoedd Togian

Môr Maluku

Bacan

Sorong

*Gorynys
Doberai*

Manokwari

Biak
Biak

4

Peleng

Taliabu

Mangole

Obi

Salawati

Misoöl

*Bae
Cenderawasih*

Yapen
Serui

*Ynys
Wuvulu*

Jayapura
Vanimo

Aitape

Bae
Towori

*Ynysoedd
Banggai*

Sulabesi

Môr

Seram

Bae Berau

Fakfak

Babo

Memberamo

3

Kendari

Namlea

3019

Ambon

Bula

Kaimana

Cadwyn Maoke

Guinea

Sepik

Kolaka

Wowoni

Buru

Seram

Adi

4884
Copa Jaya

Sepik

Muna

Butung

*Ynysoedd
Banda*

Amamapare

Copa
Mandala
4700

Cadwyn Ganolog

2

ena

Baubau

*Ynysoedd
Tukangbesi*

Môr Banda

*Ynysoedd
Kai*

Wokam

Newydd

Fly

Balimo

*Ynysoedd
Aru*
Trangan

Kobroör

SIA

res

Damar

Roma

Wetar

Alor

Dili

DWYRAIN

*Ynysoedd
Babar*

*Ynysoedd
Tanimbar*

Saumlakki

Selaru

*Ynysoedd
Kai*

Merauke

Morehead
Daru

1

deh

Maumere

DWYRAIN TIMOR

Mynydd Mutis
2427

2960

**TIMOR
(TIMOR-LESTE)**

*Ynysoedd
Leti*

*Môr
Arafura*

*Penrhyn
Vals*

Sawu

Kupang

Timor

Rote

*Ynys
Melville*

*Ynys
Croker*

*Ynysoedd
Wessel*

*Penrhyn
Wessel*

Culfor *Torres*
*Penrhyn
York*

*Ynys Prince
of Wales*

Bamaga

edd Ashmore
a Cartier
(Awst.)

Môr

avu

Môr

Timor

*Ynys
Bathurst*

*Gwlff
Van
Diemen*

Darwin

AWSTRALIA

Penrhyn Arnhem

AWSTRALIA

*Bae
Albatross*

Weipa

G 125° H 130° I 135° J 140° K 145° L 150°

Tirwedd a nodweddion ffisegol

Tirwedd
metrau

5000
3000
2000
1000
500
200
lefel môr
islaw lefel y môr
0
200
4000
6000

▲ 4884   Uchder mynydd
(mewn metrau)

Nodweddion dŵr

⌇ Afon

◯ Llyn / Cronfa ddŵr

Cors

Cyfathrebiadau

— Rheilffordd

— Ffordd

✈ Prif faes awyr

Gweinyddiad

Ffiniau

— Ffin ryngwladol

— Ffin fewnol

Anheddiad

Dinasoedd a threfi yn ôl maint eu poblogaeth

Prifddinas gwlad   Dinas neu dref arall

■ **Jakarta**   ⬤ **Shenzhen**

                          ⬤ **Hai Phong**

                          ◯ **Padang**

                          ◌ Ipoh

                          · Ternate

Graddfa 1 : 15 000 000

0   200   400   600 km

Tafluniad Mercator

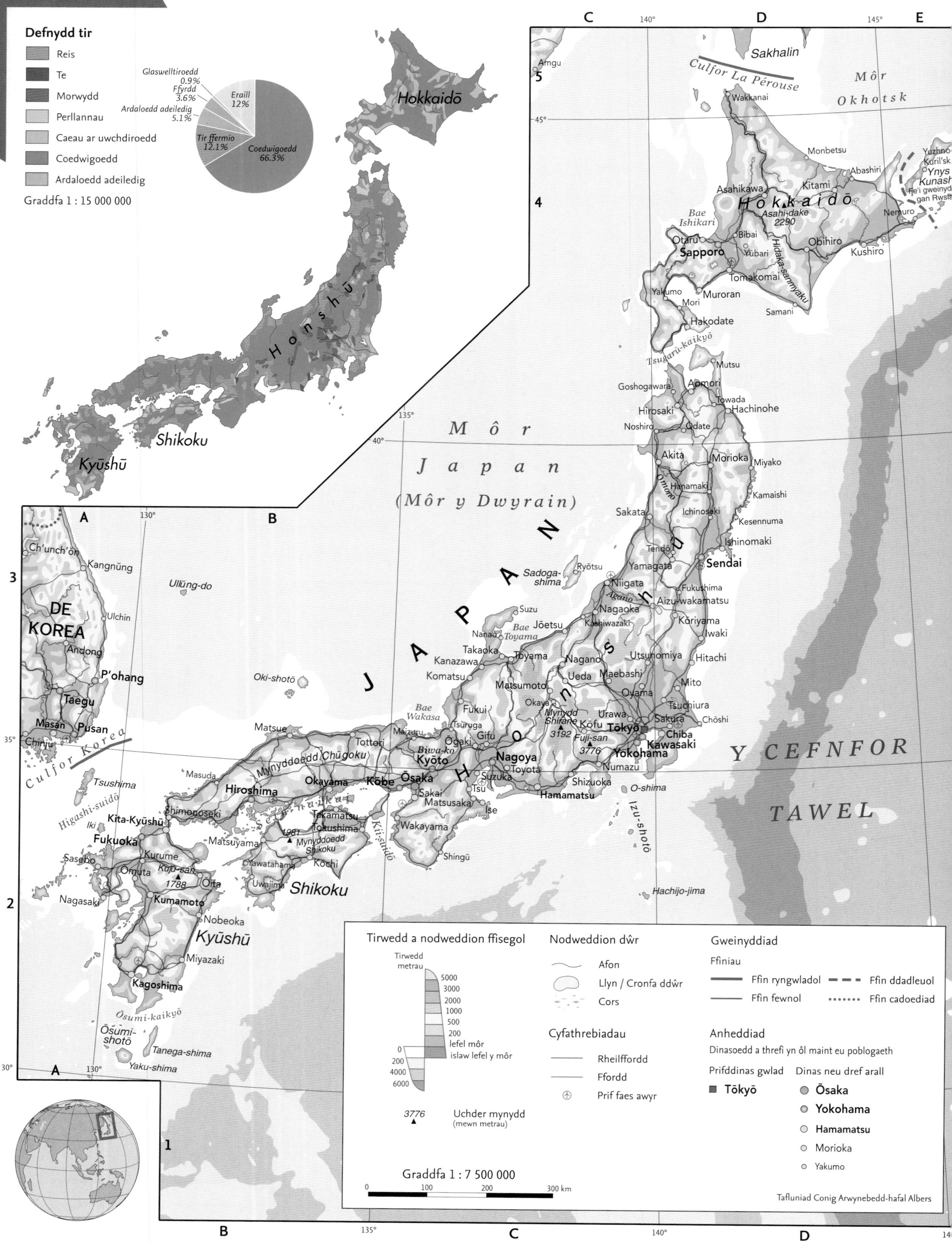

Defnydd tir

- Reis
- Te
- Morwydd
- Perllannau
- Caeau ar uwchdiroedd
- Coedwigoedd
- Ardaloedd adeiledig

Graddfa 1 : 15 000 000

Pie chart:
- Glaswelltiroedd 0.9%
- Ffyrdd 3.6%
- Ardaloedd adeiledig 5.1%
- Eraill 12%
- Tir ffermio 12.1%
- Coedwigoedd 66.3%

Tirwedd a nodweddion ffisegol

Tirwedd metrau
5000
3000
2000
1000
500
200
lefel môr
islaw lefel y môr
0
200
4000
6000

3776 Uchder mynydd (mewn metrau)

Nodweddion dŵr

- Afon
- Llyn / Cronfa ddŵr
- Cors

Cyfathrebiadau

- Rheilffordd
- Ffordd
- ⊕ Prif faes awyr

Gweinyddiad

Ffiniau
- Ffin ryngwladol
- Ffin ddadleuol
- Ffin fewnol
- Ffin cadoediad

Anheddiad

Dinasoedd a threfi yn ôl maint eu poblogaeth

Prifddinas gwlad
- ■ Tōkyō

Dinas neu dref arall
- Ōsaka
- Yokohama
- Hamamatsu
- Morioka
- Yakumo

Graddfa 1 : 7 500 000

0 100 200 300 km

Tafluniad Conig Arwynebedd-hafal Albers

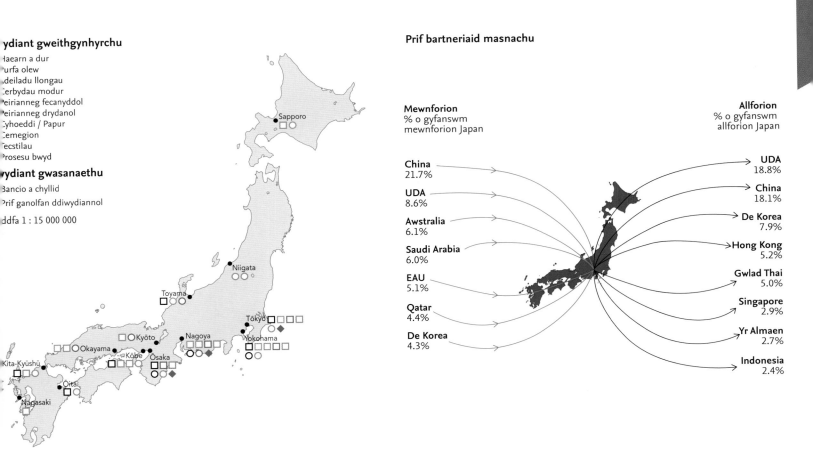

ydiant gweithgynhyrchu

Haearn a dur
urfa olew
deiladu llongau
Cerbydau modur
Peirianneg fecanyddol
Peirianneg drydanol
Cyhoeddi / Papur
Cemegion
Tecstilau
Prosesu bwyd

ydiant gwasanaethu

Bancio a chyllid
Prif ganolfan ddiwydiannol

ddfa 1 : 15 000 000

Prif bartneriaid masnachu

Mewnforion
% o gyfanswm
mewnforion Japan

China 21.7%
UDA 8.6%
Awstralia 6.1%
Saudi Arabia 6.0%
EAU 5.1%
Qatar 4.4%
De Korea 4.3%

Allforion
% o gyfanswm
allforion Japan

UDA 18.8%
China 18.1%
De Korea 7.9%
Hong Kong 5.2%
Gwlad Thai 5.0%
Singapore 2.9%
Yr Almaen 2.7%
Indonesia 2.4%

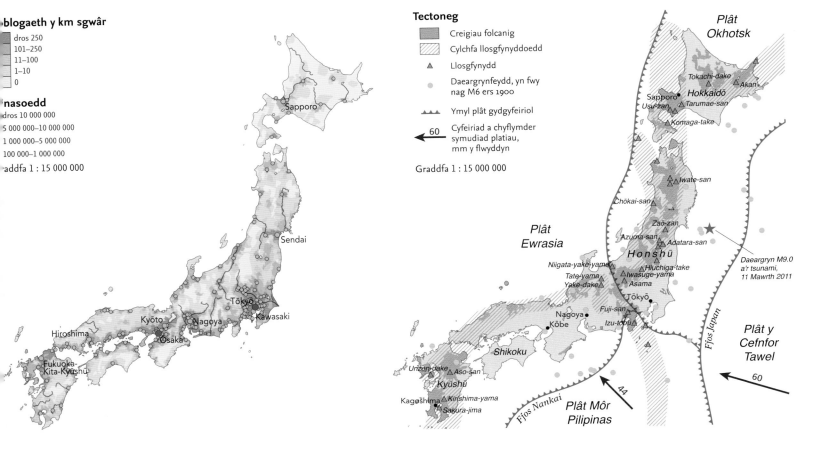

blogaeth y km sgwâr

dros 250
101–250
11–100
1–10
0

nasoedd

dros 10 000 000
5 000 000–10 000 000
1 000 000–5 000 000
100 000–1 000 000

addfa 1 : 15 000 000

Tectoneg

Creigiau folcanig
Cylchfa llosgfynyddoedd
▲ Llosgfynydd
● Daeargrynfeydd, yn fwy nag M6 ers 1900
▲▲▲ Ymyl plât gydgyfeiriol
← 60 Cyfeiriad a chyflymder symudiad platiau, mm y flwyddyn

Graddfa 1 : 15 000 000

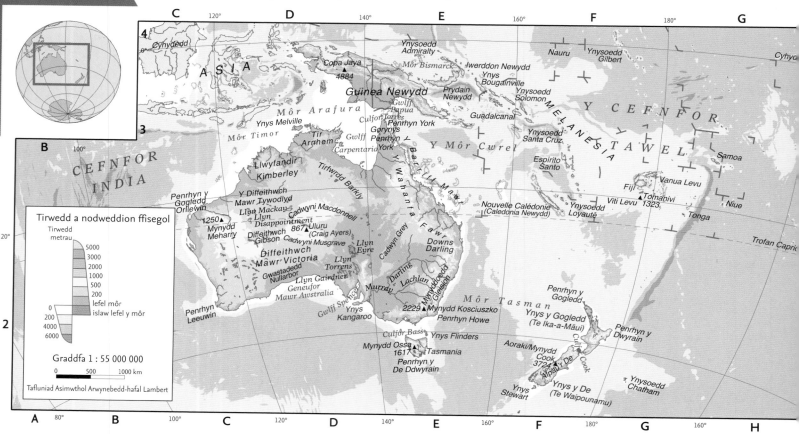

Tirwedd a nodweddion ffisegol

Tirwedd metrau

5000
3000
2000
1000
500
200
0   lefel môr
0   islaw lefel y môr
200
4000
6000

Graddfa 1 : 55 000 000

0   500   1000 km

Tafluniad Asimwthol Arwynebedd-hafal Lambert

Trawstoriad

llinell y trawstoriad

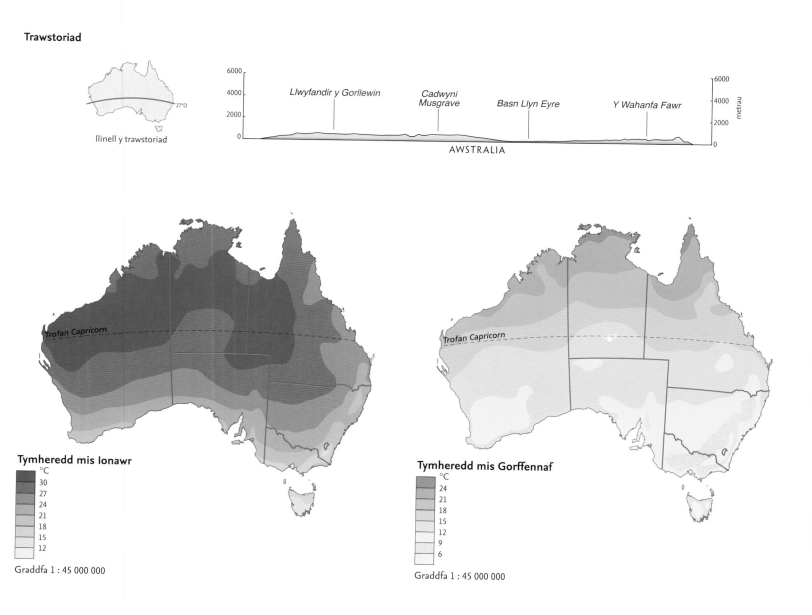

Tymheredd mis Ionawr

°C
30
27
24
21
18
15
12

Graddfa 1 : 45 000 000

Tymheredd mis Gorffennaf

°C
24
21
18
15
12
9
6

Graddfa 1 : 45 000 000

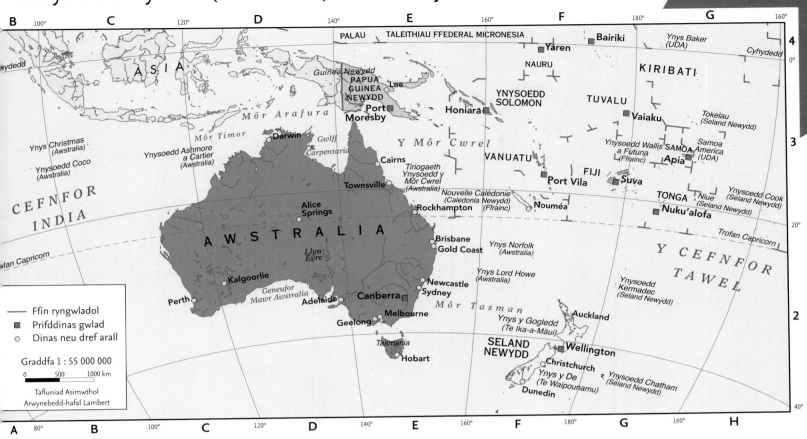

Ffeithiau am Ynysoedd y De (Oceania)

Cyfanswm arwynebedd y tir **8 844 516 km sgwâr**

Y copa uchaf **Copa Jaya, 4884 m**

Yr afon hiraf **Murray–Darling, 3672 km**

Y wlad fwyaf **Awstralia, 7 692 024 km sgwâr**

Y wlad fwyaf poblog **Awstralia, 23 969 000**

Poblogaeth yn ôl gwlad, 2015
y deg gwlad uchaf

Samoa 193 — Kiribati 112
Vanuatu 265 — Tonga 106
Ynysoedd Solomon 584 — T. Ff. Micronesia 104
Fiji 892

Seland Newydd 4529

Papua Guinea Newydd 7619

Awstralia 23 969

Poblogaeth mewn miloedd

IGC yn ôl gwlad, 2015
y deg gwlad uchaf

Vanuatu 815 — Samoa 735
Ynysoedd Solomon 1121 — Tonga 440
Fiji 4203 — T. Ff. Micronesia 371
Papua Guinea Newydd 16 527 — Kiribati 339

Seland Newydd 167 176

Awstralia 1 311 630

IGC mewn miliynau o $ UDA

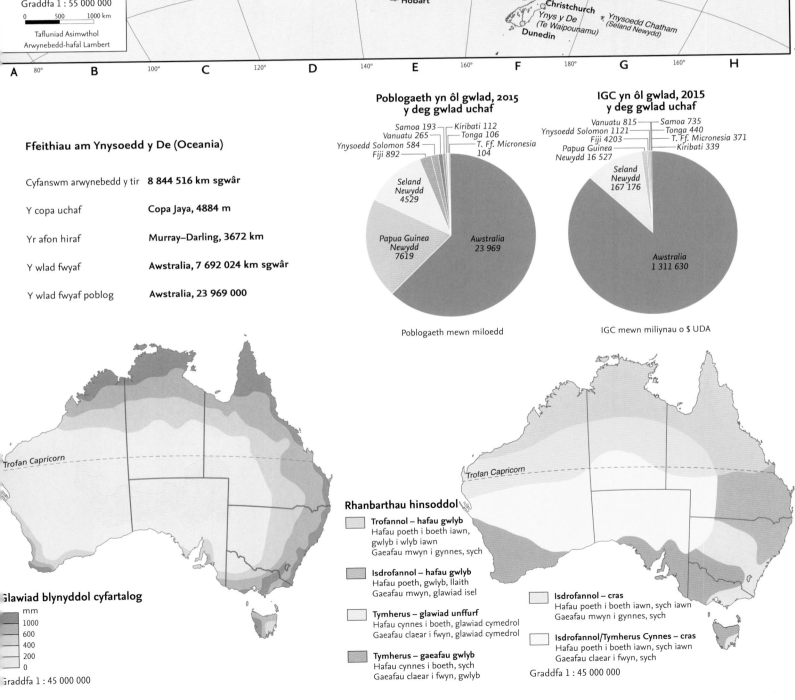

Glawiad blynyddol cyfartalog

mm
1000
600
400
200
0

Graddfa 1 : 45 000 000

Rhanbarthau hinsoddol

Trofannol – hafau gwlyb
Hafau poeth i boeth iawn,
gwlyb i wlyb iawn
Gaeafau mwyn i gynnes, sych

Isdrofannol – hafau gwlyb
Hafau poeth, gwlyb, llaith
Gaeafau mwyn, glawiad isel

Tymherus – glawiad unffurf
Hafau cynnes i boeth, glawiad cymedrol
Gaeafau claear i fwyn, glawiad cymedrol

Tymherus – gaeafau gwlyb
Hafau cynnes i boeth, sych
Gaeafau claear i fwyn, gwlyb

Isdrofannol – cras
Hafau poeth i boeth iawn, sych iawn
Gaeafau mwyn i gynnes, sych

Isdrofannol/Tymherus Cynnes – cras
Hafau poeth i boeth iawn, sych iawn
Gaeafau claear i fwyn, sych

Graddfa 1 : 45 000 000

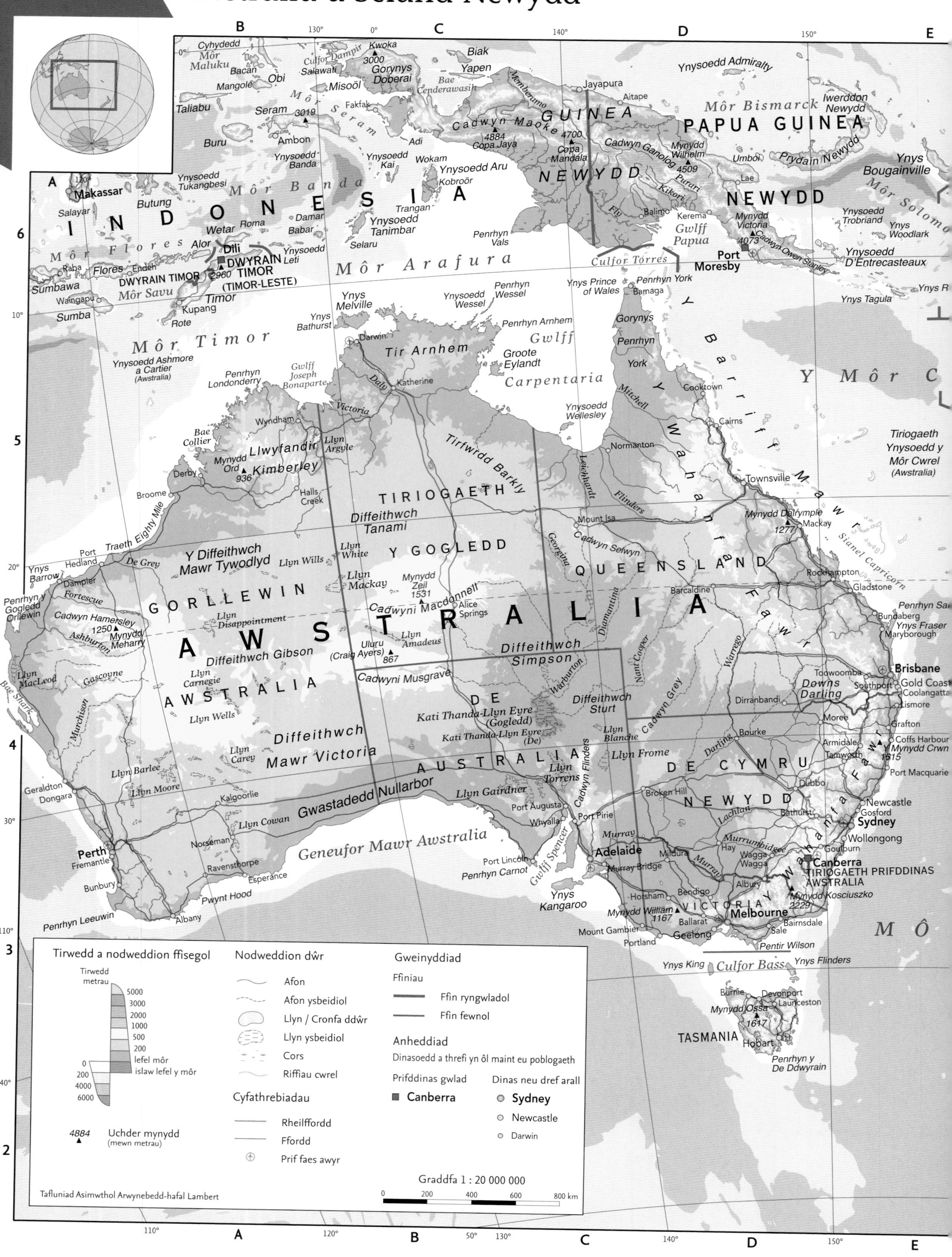

Tirwedd a nodweddion ffisegol

Tirwedd metrau

5000
3000
2000
1000
500
200
lefel môr
islaw lefel y môr
0
200
4000
6000

▲ 4884 Uchder mynydd (mewn metrau)

Nodweddion dŵr

- Afon
- Afon ysbeidiol
- Llyn / Cronfa ddŵr
- Llyn ysbeidiol
- Cors
- Riffiau cwrel

Cyfathrebiadau

- Rheilffordd
- Ffordd
- ⊕ Prif faes awyr

Gweinyddiad

Ffiniau

- Ffin ryngwladol
- Ffin fewnol

Anheddiad

Dinasoedd a threfi yn ôl maint eu poblogaeth

Prifddinas gwlad
■ Canberra

Dinas neu dref arall
● Sydney
○ Newcastle
○ Darwin

Graddfa 1 : 20 000 000

0   200   400   600   800 km

Tafluniad Asimwthol Arwynebedd-hafal Lambert

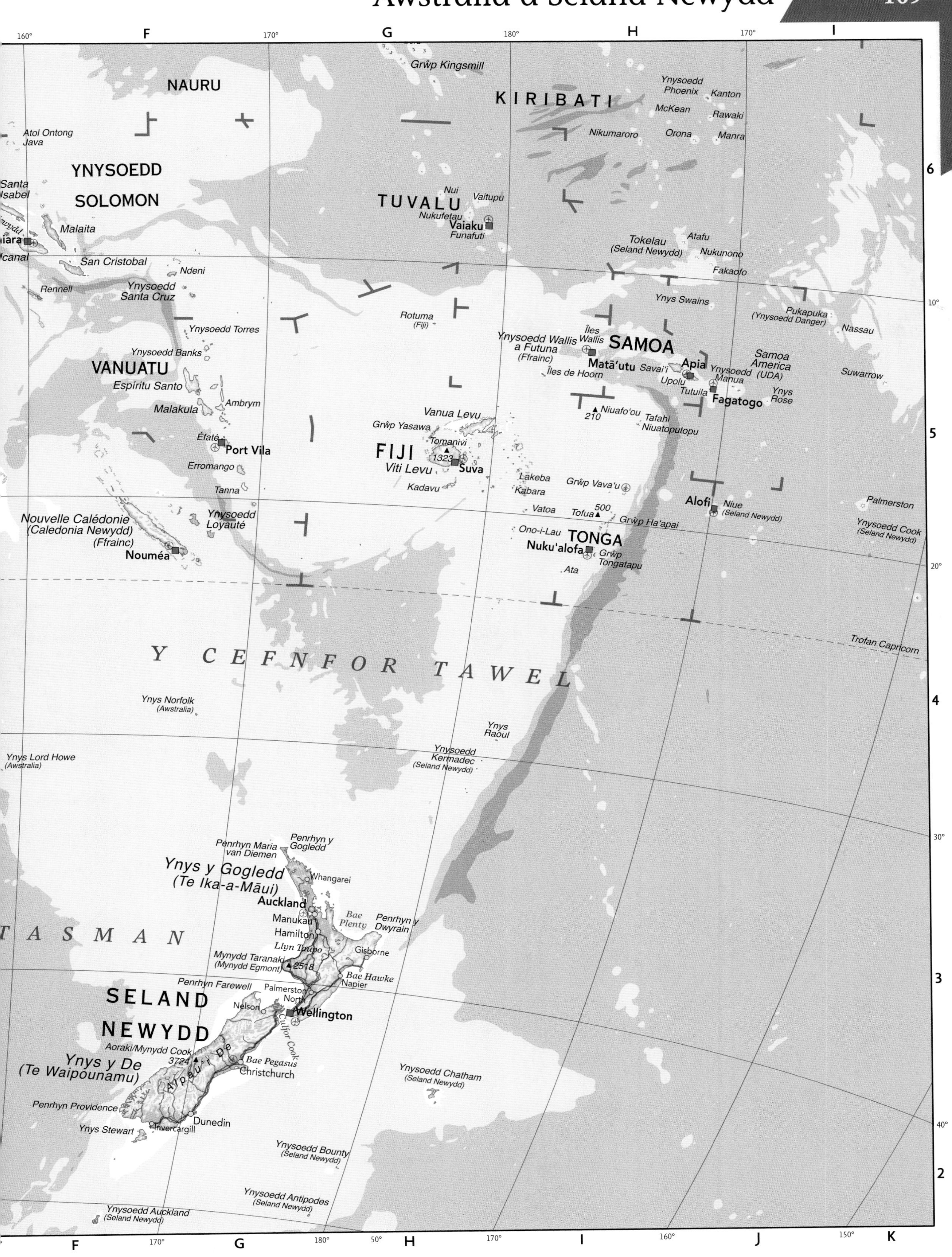
NAURU
KIRIBATI
Grŵp Kingsmill
Ynysoedd Phoenix
Kanton
McKean
Rawaki
Nikumaroro
Orona
Manra
Atol Ontong Java
YNYSOEDD SOLOMON
Santa Isabel
Malaita
San Cristobal
Rennell
Ndeni
Ynysoedd Santa Cruz
TUVALU
Nui
Vaitupu
Nukufetau
Vaiaku
Funafuti
Tokelau (Seland Newydd)
Atafu
Nukunono
Fakaofo
Ynys Swains
Pukapuka (Ynysoedd Danger)
Nassau
Rotuma (Fiji)
Ynysoedd Torres
Ynysoedd Banks
VANUATU
Espíritu Santo
Ambrym
Malakula
Éfaté
Port Vila
Erromango
Tanna
Ynysoedd Wallis a Futuna (Ffrainc)
Îles Wallis
Matā'utu
Îles de Hoorn
SAMOA
Savai'i
Apia
Upolu
Samoa America (UDA)
Ynysoedd Manua
Tutuila
Fagatogo
Ynys Rose
Suwarrow
Niuafo'ou 210
Tafahi
Niuatoputopu
Vanua Levu
Grŵp Yasawa
FIJI
Tomanivi 1323
Viti Levu
Suva
Kadavu
Lakeba
Kabara
Vatoa
Grŵp Vava'u
Tofua 500
Grŵp Ha'apai
Alofi
Niue (Seland Newydd)
Palmerston
Ynysoedd Cook (Seland Newydd)
Nouvelle Calédonie (Caledonia Newydd) (Ffrainc)
Nouméa
Ynysoedd Loyauté
Ono-i-Lau
TONGA
Nuku'alofa
Grŵp Tongatapu
Ata
Trofan Capricorn
Y CEFNFOR TAWEL
Ynys Norfolk (Awstralia)
Ynys Raoul
Ynysoedd Kermadec (Seland Newydd)
Ynys Lord Howe (Awstralia)
Penrhyn Maria van Diemen
Penrhyn y Gogledd
Ynys y Gogledd (Te Ika-a-Māui)
Whangarei
Auckland
Manukau
Bae Plenty
Penrhyn y Dwyrain
Hamilton
Llyn Taupo
Gisborne
TASMAN
Mynydd Taranaki (Mynydd Egmont)
2518
Bae Hawke
Napier
Penrhyn Farewell
Palmerston North
SELAND NEWYDD
Nelson
Wellington
Culfor Cook
Aoraki/Mynydd Cook 3724
Alpau'r De
Ynys y De (Te Waipounamu)
Bae Pegasus
Christchurch
Ynysoedd Chatham (Seland Newydd)
Penrhyn Providence
Dunedin
Ynys Stewart
Invercargill
Ynysoedd Bounty (Seland Newydd)
Ynysoedd Antipodes (Seland Newydd)
Ynysoedd Auckland (Seland Newydd)

Awstralia: Defnydd tir, Pobl a Pheryglon Naturiol

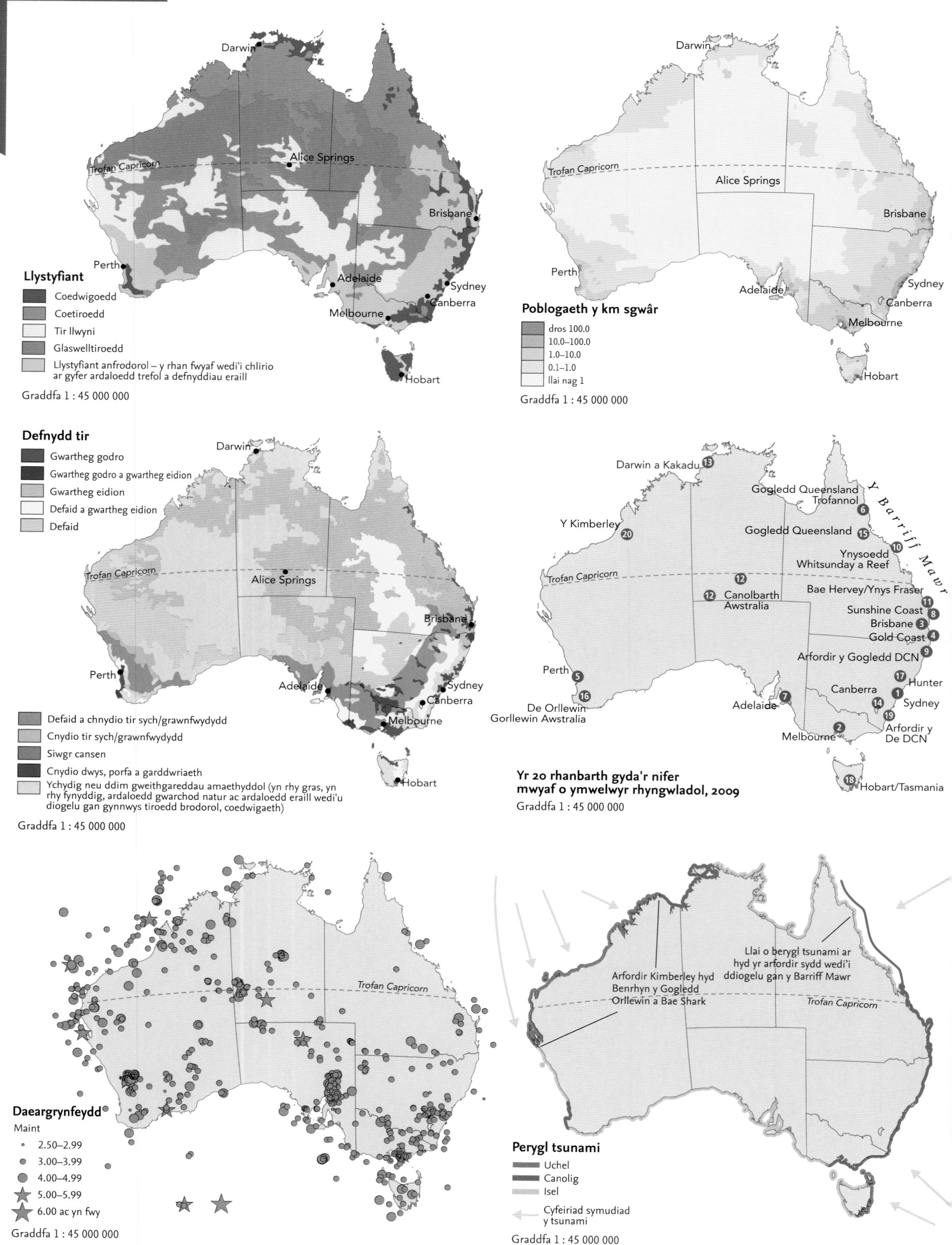

Llystyfiant

- Coedwigoedd
- Coetiroedd
- Tir llwyni
- Glaswelltiroedd
- Llystyfiant anfrodorol – y rhan fwyaf wedi'i chlirio ar gyfer ardaloedd trefol a defnyddiau eraill

Graddfa 1 : 45 000 000

Defnydd tir

- Gwartheg godro
- Gwartheg godro a gwartheg eidion
- Gwartheg eidion
- Defaid a gwartheg eidion
- Defaid

- Defaid a chnydio tir sych/grawnfwydydd
- Cnydio tir sych/grawnfwydydd
- Siwgr cansen
- Cnydio dwys, porfa a garddwriaeth
- Ychydig neu ddim gweithgareddau amaethyddol (yn rhy gras, yn rhy fynyddig, ardaloedd gwarchod natur ac ardaloedd eraill wedi'u diogelu gan gynnwys tiroedd brodorol, coedwigaeth)

Graddfa 1 : 45 000 000

Poblogaeth y km sgwâr

- dros 100.0
- 10.0–100.0
- 1.0–10.0
- 0.1–1.0
- llai nag 1

Graddfa 1 : 45 000 000

Darwin a Kakadu ⑬
Gogledd Queensland Trofannol ⑥
Y Kimberley ⑳
Gogledd Queensland ⑮
Ynysoedd Whitsunday a Reef ⑩
Canolbarth Awstralia ⑫
Bae Hervey/Ynys Fraser
Sunshine Coast ⑪⑧
Brisbane ③
Gold Coast ④
Arfordir y Gogledd DCN ⑨
Perth ⑤
Hunter ⑰
Canberra ①
De Orllewin Gorllewin Awstralia ⑯
Adelaide ⑦
Sydney ⑭
Arfordir y De DCN ⑲
Melbourne ②
Hobart/Tasmania ⑱

Y Barriff Mawr

Yr 20 rhanbarth gyda'r nifer mwyaf o ymwelwyr rhyngwladol, 2009

Graddfa 1 : 45 000 000

Daeargrynfeydd

Maint
- 2.50–2.99
- 3.00–3.99
- 4.00–4.99
- 5.00–5.99
- 6.00 ac yn fwy

Graddfa 1 : 45 000 000

Llai o berygl tsunami ar hyd yr arfordir sydd wedi'i ddiogelu gan y Barriff Mawr

Arfordir Kimberley hyd Benrhyn y Gogledd Orllewin a Bae Shark

Perygl tsunami

- Uchel
- Canolig
- Isel

→ Cyfeiriad symudiad y tsunami

Graddfa 1 : 45 000 000

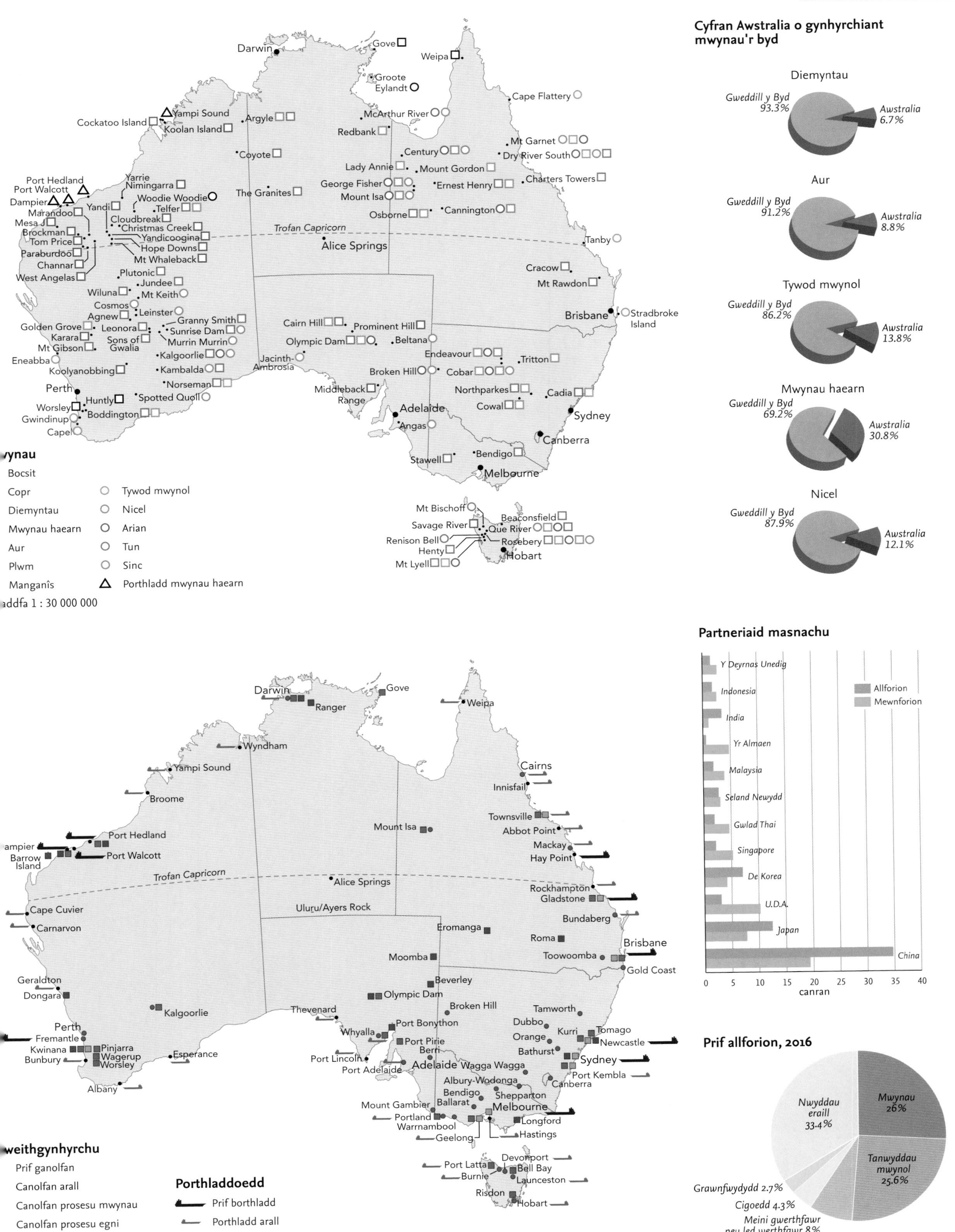

Cyfran Awstralia o gynhyrchiant mwynau'r byd

Diemyntau
Gweddill y Byd 93.3%
Awstralia 6.7%

Aur
Gweddill y Byd 91.2%
Awstralia 8.8%

Tywod mwynol
Gweddill y Byd 86.2%
Awstralia 13.8%

Mwynau haearn
Gweddill y Byd 69.2%
Awstralia 30.8%

Nicel
Gweddill y Byd 87.9%
Awstralia 12.1%

Map 1 labels:

Darwin, Gove, Weipa, Groote Eylandt, Cape Flattery, McArthur River, Yampi Sound, Argyle, Koolan Island, Cockatoo Island, Redbank, Mt Garnet, Dry River South, Coyote, Century, Lady Annie, Mount Gordon, Charters Towers, Port Hedland, Port Walcott, Dampier, Yarrie, Nimingarra, George Fisher, Ernest Henry, Mount Isa, Marandoo, Yandi, Woodie Woodie, The Granites, Telfer, Osborne, Cannington, Mesa J, Brockman, Cloudbreak, Christmas Creek, Yandicoogina, Hope Downs, Tom Price, Paraburdoo, Channar, Mt Whaleback, Trofan Capricorn, Alice Springs, Tanby, West Angelas, Plutonic, Cracow, Wiluna, Jundee, Mt Rawdon, Cosmos, Mt Keith, Agnew, Leinster, Golden Grove, Leonora, Granny Smith, Cairn Hill, Prominent Hill, Brisbane, Stradbroke Island, Karara, Sons of Gwalia, Sunrise Dam, Olympic Dam, Beltana, Mt Gibson, Murrin Murrin, Endeavour, Tritton, Eneabba, Kalgoorlie, Jacinth-Ambrosia, Broken Hill, Cobar, Cadia, Koolyanobbing, Kambalda, Northparkes, Cowal, Perth, Norseman, Middleback Range, Adelaide, Sydney, Worsley, Huntly, Spotted Quoll, Angas, Canberra, Gwindinup, Boddington, Capel, Stawell, Bendigo, Melbourne

Mt Bischoff, Beaconsfield, Savage River, Que River, Renison Bell, Rosebery, Henty, Mt Lyell, Hobart

Mwynau
Bocsit
Copr — Tywod mwynol
Diemyntau — Nicel
Mwynau haearn — Arian
Aur — Tun
Plwm — Sinc
Manganîs — △ Porthladd mwynau haearn
Graddfa 1 : 30 000 000

Partneriaid masnachu
Y Deyrnas Unedig
Indonesia
India
Yr Almaen
Malaysia
Seland Newydd
Gwlad Thai
Singapore
De Korea
U.D.A.
Japan
China

Allforion
Mewnforion

0 5 10 15 20 25 30 35 40
canran

Map 2 labels:

Darwin, Gove, Ranger, Weipa, Wyndham, Yampi Sound, Cairns, Broome, Innisfail, Townsville, Port Hedland, Abbot Point, Mount Isa, Mackay, Dampier, Barrow Island, Port Walcott, Hay Point, Trofan Capricorn, Alice Springs, Rockhampton, Gladstone, Uluru/Ayers Rock, Cape Cuvier, Bundaberg, Carnarvon, Eromanga, Roma, Brisbane, Moomba, Toowoomba, Gold Coast, Cape Cuvier, Geraldton, Dongara, Kalgoorlie, Thevenard, Beverley, Olympic Dam, Broken Hill, Tamworth, Perth, Whyalla, Port Bonython, Dubbo, Kurri, Tomago, Fremantle, Kwinana, Pinjarra, Port Pirie, Berri, Orange, Newcastle, Bunbury, Wagerup, Worsley, Port Lincoln, Port Adelaide, Adelaide, Wagga Wagga, Bathurst, Sydney, Esperance, Albury-Wodonga, Port Kembla, Albany, Bendigo, Shepparton, Canberra, Mount Gambier, Ballarat, Melbourne, Portland, Longford, Warrnambool, Hastings, Geelong, Devonport, Port Latta, Bell Bay, Burnie, Launceston, Risdon, Hobart

Gweithgynhyrchu
Prif ganolfan
Canolfan arall
Canolfan prosesu mwynau
Canolfan prosesu egni
Graddfa 1 : 30 000 000

Porthladdoedd
Prif borthladd
Porthladd arall

Prif allforion, 2016
Nwyddau eraill 33.4%
Mwynau 26%
Tanwyddau mwynol 25.6%
Grawnfwydydd 2.7%
Cigoedd 4.3%
Meini gwerthfawr neu led werthfawr 8%

Cefnfor Arctig ac Antarctica

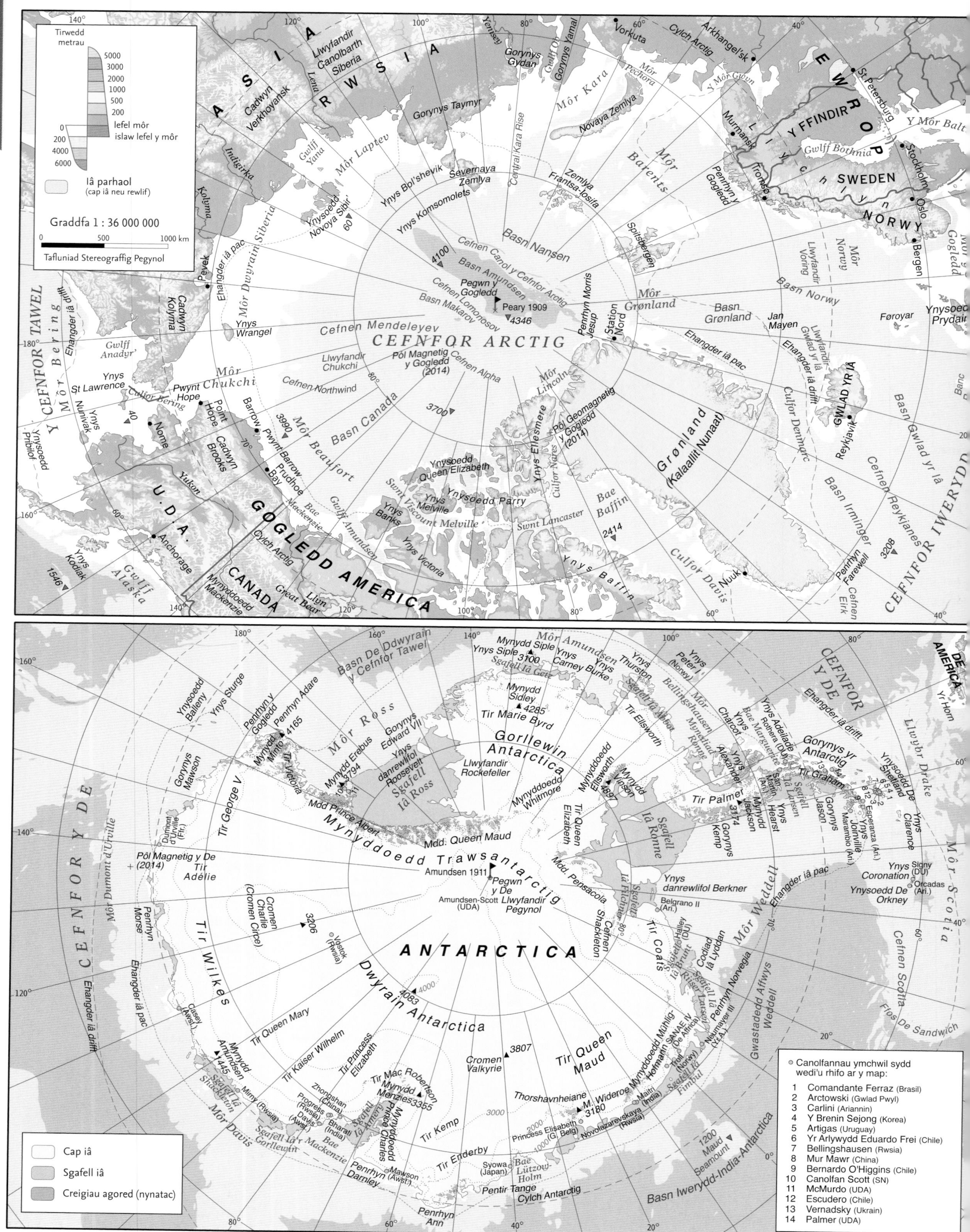

Tirwedd metrau
5000
3000
2000
1000
500
200
0
lefel môr
200
4000
6000
islaw lefel y môr
Iâ parhaol (cap iâ neu rewlif)
Graddfa 1 : 36 000 000
0 500 1000 km
Tafluniad Stereograffig Pegynol
ASIA
RWSIA
EWROP
Y FFINDIR
SWEDEN
NORWY
GWLAD YR IÂ
U.D.A.
CANADA
GOGLEDD AMERICA
CEFNFOR ARCTIG
CEFNFOR TAWEL
CEFNFOR IWERYDD
Grønland (Kalaallit Nunaat)
Pegwn y Gogledd
Peary 1909
Pôl Magnetig y Gogledd (2014)
Pôl Geomagnetig y Gogledd (2014)
Cylch Arctig
Môr Laptev
Môr Kara
Môr Barents
Môr Chukchi
Môr Beaufort
Môr Lincoln
Môr Grønland
Môr Norwy
Môr Bering
Y Môr Gwyn
Y Môr Baltig
Gwlff Bothnia
Basn Nansen
Basn Amundsen
Basn Makarov
Basn Canada
Basn Norwy
Basn Grønland
Cefnen Lomonosov
Cefnen Mendeleyev
Cefnen Alpha
Cefnen Northwind
Bae Baffin
Culfor Davis
Culfor Denmarc
Culfor Bering
Novaya Zemlya
Severnaya Zemlya
Zemlya Frantsa-Iosifa
Spitsbergen
Ynys Wrangel
Ynysoedd Novoya Sibir'
Ynysoedd Queen Elizabeth
Ynys Ellesmere
Ynys Baffin
Ynys Victoria
Ynys Banks
Murmansk
Arkhangel'sk
Vorkuta
St Petersburg
Stockholm
Oslo
Bergen
Tromsø
Reykjavík
Nuuk
Anchorage
Nome
Pevek
Barrow
Jan Mayen
Føroyar
Station Nord
4100
4346
3700
3990
2414
3208
1546
CEFNFOR Y DE
ANTARCTICA
Gorllewin Antarctica
Dwyrain Antarctica
Mynyddoedd Trawsantarctig
Pegwn y De
Amundsen 1911
Amundsen-Scott (UDA)
Llwyfandir Pegynol
Pôl Magnetig y De (2014)
Môr Ross
Sgafell Iâ Ross
Môr Amundsen
Môr Bellingshausen
Môr Weddell
Môr Scotia
Môr Davis
Môr Dumont d'Urville
Sgafell Iâ Ronne
Sgafell Iâ Filchner
Sgafell Iâ Amery
Sgafell Iâ Shackleton
Tir Marie Byrd
Tir Ellsworth
Tir Palmer
Tir Graham
Tir Coats
Tir Queen Maud
Tir Enderby
Tir Kemp
Tir Mac Robertson
Tir Princess Elizabeth
Tir Kaiser Wilhelm
Tir Queen Mary
Tir Wilkes
Tir Adélie
Tir George V
Tir Victoria
Mynydd Erebus 3794
Mynydd Vinson 4897
Mynydd Sidley 4285
Mynydd Siple 3100
Mynydd Minto 4165
Mynydd Menzies 3355
Mynydd Kirkpatrick
Vostok (Rwsia)
Cylch Antarctig
Llwybr Drake
Ynysoedd De Shetland
Ynysoedd De Orkney
Basn Iwerydd-India-Antarctica
Ehangder iâ pac
Ehangder iâ drifft
3206
4083
3807
3180
Canolfannau ymchwil sydd wedi'u rhifo ar y map:
1 Comandante Ferraz (Brasil)
2 Arctowski (Gwlad Pwyl)
3 Carlini (Ariannin)
4 Y Brenin Sejong (Korea)
5 Artigas (Uruguay)
6 Yr Arlywydd Eduardo Frei (Chile)
7 Bellingshausen (Rwsia)
8 Mur Mawr (China)
9 Bernardo O'Higgins (Chile)
10 Canolfan Scott (SN)
11 McMurdo (UDA)
12 Escudero (Chile)
13 Vernadsky (Ukrain)
14 Palmer (UDA)
Cap iâ
Sgafell iâ
Creigiau agored (nynatac)

Ffeil ffeithiau'r Cenhedloedd Unedig

Sefydlwyd:
24 Hydref 1945

Pencadlys:
Efrog Newydd, UDA

Diben:
Cynnal heddwch a diogelwch yn rhyngwladol.
Datblygu perthnasoedd cyfeillgar ymysg
cenhedloedd. Helpu i ddatrys problemau
rhyngwladol, economaidd, cymdeithasol,
diwylliannol a dyngarol. Helpu i hybu parch at
hawliau dynol. Bod yn ganolfan ar gyfer
harmoneiddio gweithredoedd cenhedloedd
wrth gyflawni'r dibenion hyn.

Strwythur:
Mae gan y Cenhedloedd Unedig 6 phrif
gyfundrefn fel a ganlyn:
Cynulliad Cyffredinol
Cyngor Diogelwch
Cyngor Economaidd a Chymdeithasol
Cyngor Ymddiriedolaeth (wedi'i atal ers 1994)
Llys Barn Rhyngwladol
Ysgrifenyddiaeth

Aelodau:
Mae 193 o aelodau.
Dinas y Fatican a Kosovo yw'r unig wledydd
nad ydynt yn aelodau.

Pencadlysoedd asiantaethau'r Cenhedloedd Unedig

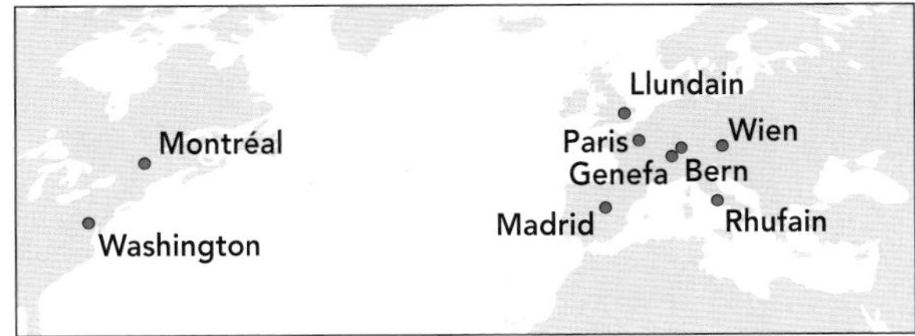

Dinas	Sefydliad
Rhufain, Yr Eidal	Sefydliad Bwyd ac Amaethyddiaeth
Washington D.C., UDA	Banc y Byd
Montréal, Canada	Sefydliad Rhyngwladol Awyrennu Sifil
Rhufain, Yr Eidal	Cronfa Ryngwladol ar gyfer Datblygu Amaethyddol
Genefa, Y Swistir	Mudiad Llafur Rhyngwladol
Llundain, DU	Sefydliad Morwrol Rhyngwladol
Washington D.C., UDA	Cronfa Ariannol Ryngwladol
Genefa, Y Swistir	Undeb Telathrebu Rhyngwladol
Paris, Ffrainc	UNESCO
Wien, Awstria	Sefydliad Datblygu Diwydiannol y CU
Bern, Y Swistir	Undeb Post Rhyngwladol
Genefa, Y Swistir	WHO
Genefa, Y Swistir	Sefydliad Eiddo Deallusol y Byd
Genefa, Y Swistir	Sefydliad Meteorolegol y Byd
Madrid, Sbaen	Sefydliad Twristiaeth y Byd

Strwythur y Cenhedloedd Unedig

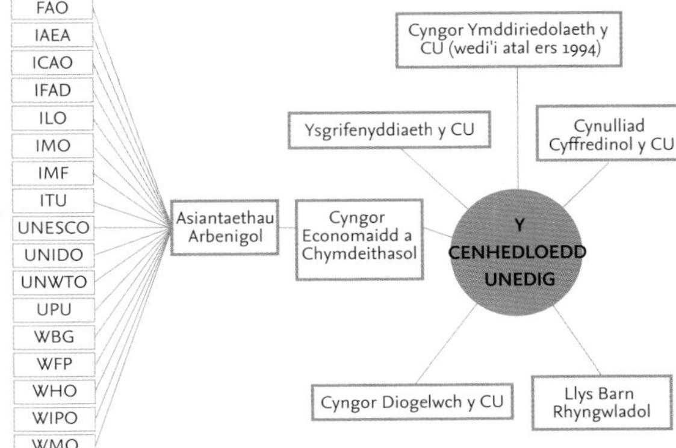

Y Cenhedloedd Unedig
www.un.org
Y Gymanwlad
www.thecommonwealth.org

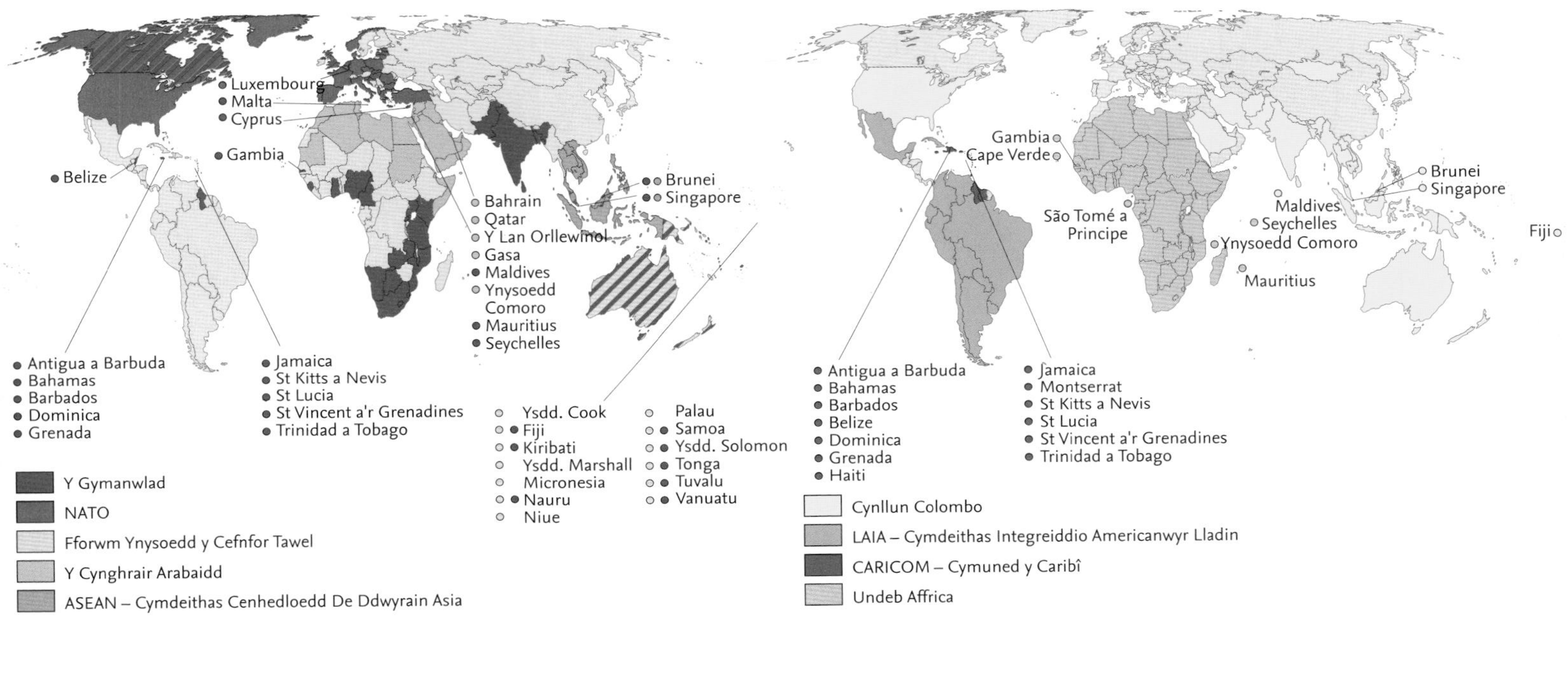

Y Gymanwlad
NATO
Fforwm Ynysoedd y Cefnfor Tawel
Y Cynghrair Arabaidd
ASEAN – Cymdeithas Cenhedloedd De Ddwyrain Asia

Cynllun Colombo
LAIA – Cymdeithas Integreiddio Americanwyr Lladin
CARICOM – Cymuned y Caribî
Undeb Affrica

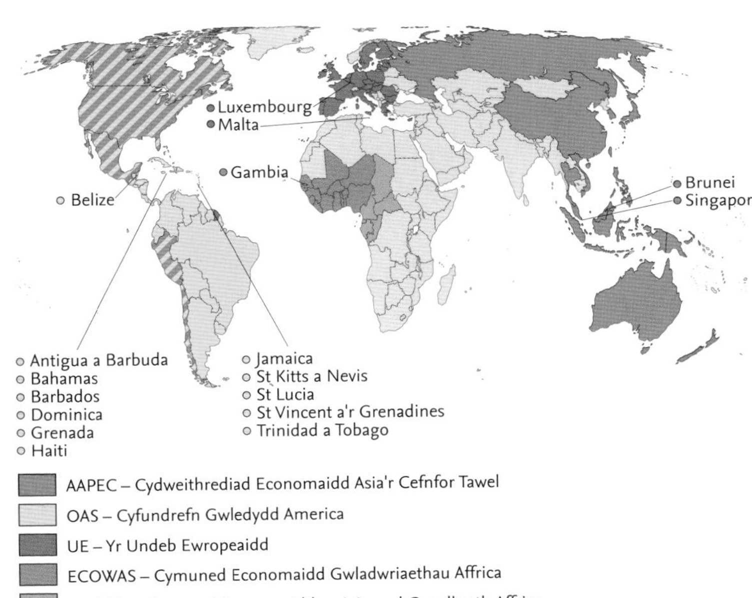

AAPEC – Cydweithrediad Economaidd Asia'r Cefnfor Tawel
OAS – Cyfundrefn Gwledydd America
UE – Yr Undeb Ewropeaidd
ECOWAS – Cymuned Economaidd Gwladwriaethau Affrica
EMCCA – Cymuned Economaidd ac Ariannol Canolbarth Affrica

OECD – Y Sefydliad ar gyfer Cydweithrediad
a Datblygiad Economaidd
SADC – Cymuned Datblygu De Cyfandir Affrica
OPEC – Cyfundrefn y Gwledydd sy'n Allforio Petroliwm

Mewn refferendwm yn 2016, pleidleisiodd
y DU i adael yr Undeb Ewropeaidd.

Nid yw'r gwledydd sydd wedi'u tywyllu mewn
llwyd yn aelodau o'r cyfundrefnau a restrir.

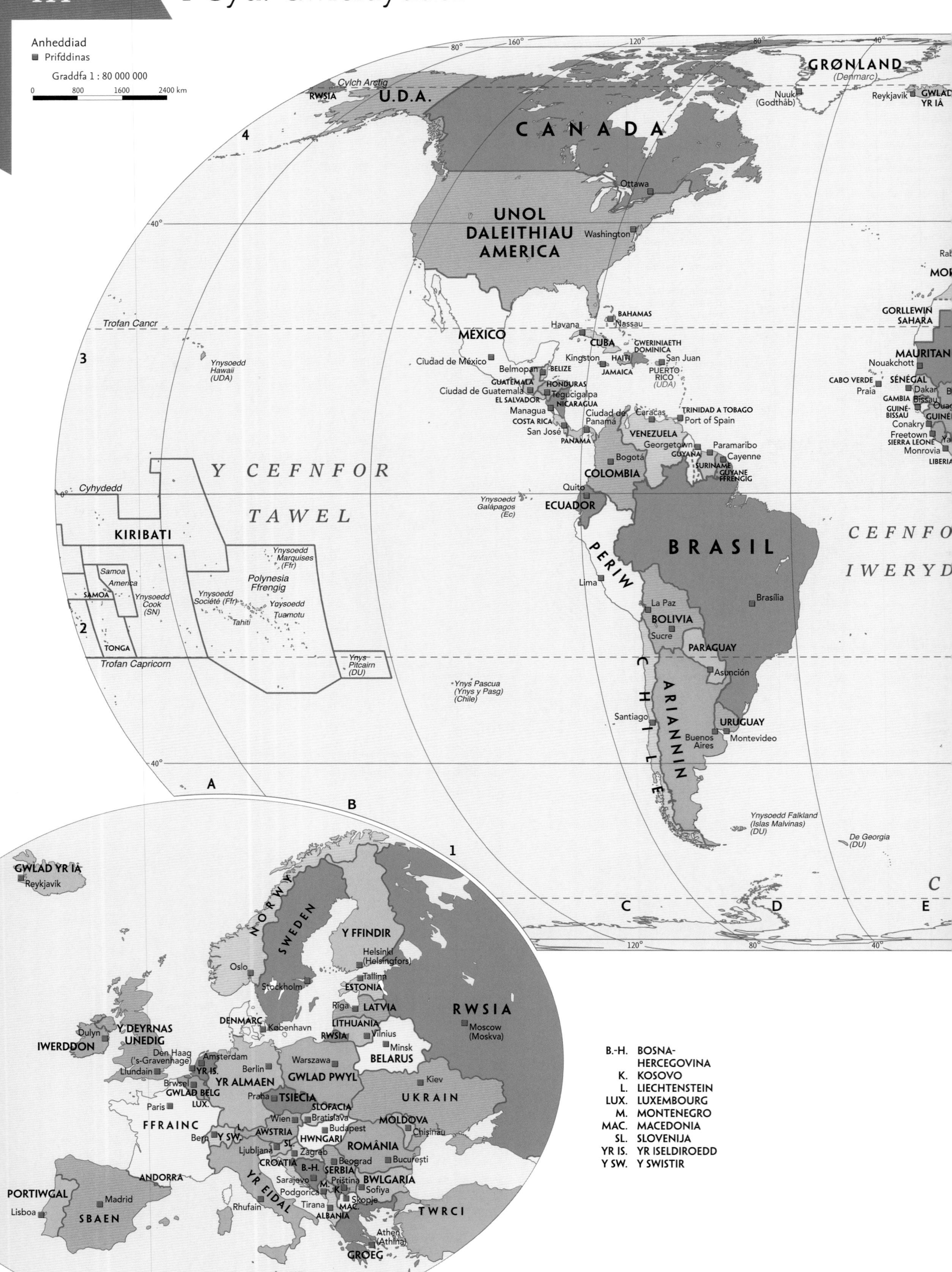

Anheddiad
■ Prifddinas

Graddfa 1 : 80 000 000

0   800   1600   2400 km

GRØNLAND
(Denmarc)

RWSIA
U.D.A.
Cylch Arctig

CANADA

4

Nuuk
(Godthåb)
Reykjavik
GWLAD
YR IÂ

UNOL
DALEITHIAU
AMERICA
Ottawa

40°

Washington

Trofan Cancr

3

Ynysoedd
Hawaii
(UDA)

MÉXICO
Havana
BAHAMAS
Nassau

GORLLEWIN
SAHARA

MAURITAN

Ciudad de México
Belmopan
BELIZE
CUBA
Kingston
HAITI
JAMAICA
San Juan
PUERTO
RICO
(UDA)
GWERINIAETH
DOMINICA

Nouakchott

CABO VERDE
Praia
SÉNÉGAL
Dakar
GAMBIA Bissau
GUINÉ-
BISSAU
GUINÉ

GUATEMALA
Ciudad de Guatemala
EL SALVADOR
HONDURAS
Tegucigalpa
NICARAGUA
Managua
COSTA RICA
San José
Ciudad de
Panama
PANAMÁ
Caracas
VENEZUELA
TRINIDAD A TOBAGO
Port of Spain

Conakry
Freetown
SIERRA LEONE
Monrovia
LIBERIA

Y CEFNFOR

TAWEL

Bogotá
Georgetown
GUYANA
Paramaribo
SURINAME
Cayenne
GUYANE
FFRENGIG
COLOMBIA

Cyhydedd
0°
Quito
ECUADOR
Ynysoedd
Galápagos
(Ec)

CEFNFO

KIRIBATI

IWERYD

Samoa
America
SAMOA
Ynysoedd
Cook
(SN)
Ynysoedd
Marquises
(Ffr)
Polynesia
Ffrengig
Ynysoedd
Société (Ffr)
Tahiti
Ynysoedd
Tuamotu
Lima
PERIW
BRASIL

La Paz
Brasília
BOLIVIA
Sucre

2

TONGA
Trofan Capricorn
Ynys
Pitcairn
(DU)
PARAGUAY
Asunción

*Ynys Pascua
(Ynys y Pasg)
(Chile)
CHILE
ARIANNIN

Santiago
URUGUAY
Buenos
Aires
Montevideo

40°

A

B

1

Ynysoedd Falkland
(Islas Malvinas)
(DU)
De Georgia
(DU)

C
D
E
C

120°
80°
40°

GWLAD YR IÂ
Reykjavik

NORWY
SWEDEN
Y FFINDIR
Helsinki
(Helsingfors)
RWSIA

Oslo
Tallinn
Stockholm
ESTONIA
Moscow
(Moskva)

DENMARC
Rīga
LATVIA

Dulyn
Y DEYRNAS
UNEDIG
København
LITHUANIA
Vilnius
Minsk

IWERDDON
Den Haag
('s-Gravenhage)
Amsterdam
Berlin
RWSIA
BELARUS

Llundain
YR IS.
Warszawa
Kiev

Brwsel
YR ALMAEN
GWLAD PWYL
UKRAIN

GWLAD BELG
Praha
TSIECIA

Paris
LUX.
SLOFACIA
Wien
Bratislava
MOLDOVA
Chisinau

FFRAINC
Y SW.
AWSTRIA
Budapest
HWNGARI
ROMÂNIA

Bern
Ljubljana
SL
Zagreb
Beograd
Bucureşti

ANDORRA
YR EIDAL
CROATIA
B.-H.
SERBIA
BWLGARIA

Sarajevo
Podgorica
Sofiya
K
Pristina
Skopje

PORTIWGAL
Madrid
Rhufain
Tirana
MAC.
ALBANIA
TWRCI

Lisboa
SBAEN
Athen
(Athina)

GROEG

MALTA

B.-H.   BOSNA-
        HERCEGOVINA
K.   KOSOVO
L.   LIECHTENSTEIN
LUX.   LUXEMBOURG
M.   MONTENEGRO
MAC.   MACEDONIA
SL.   SLOVENIJA
YR IS. YR ISELDIROEDD
Y SW.   Y SWISTIR

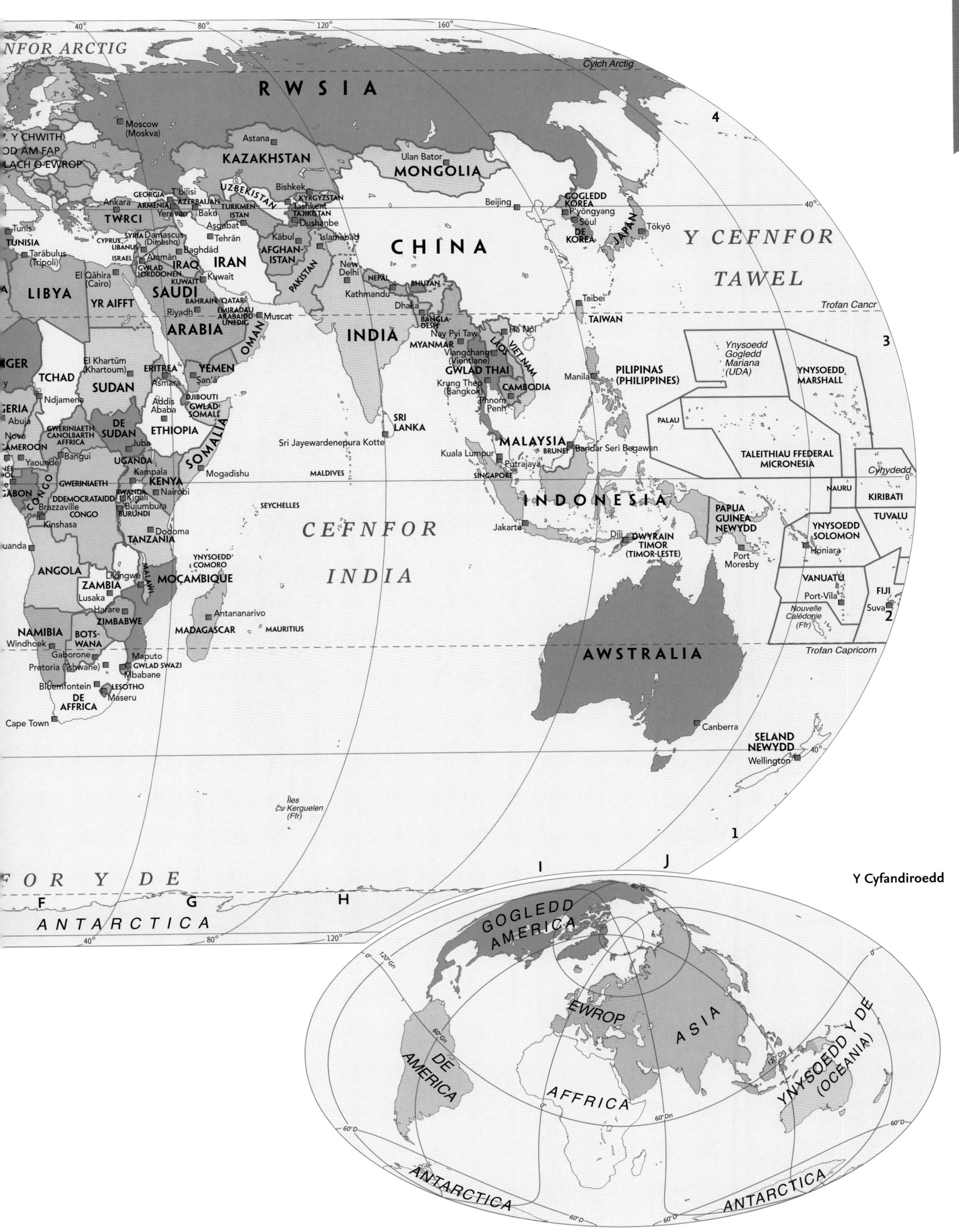

NFOR ARCTIG

Cylch Arctig

RWSIA

Moscow (Moskva)

Y CHWITH
OD AM FAP
LACH O EWROP

Astana

Ulan Bator

KAZAKHSTAN

MONGOLIA

Ankara
GEORGIA T'bilisi
ARMENIA AZERBAIJAN
Yerevan Baku
TWRCI

Bishkek
KYRGYZSTAN
Tashkent TAJIKISTAN
Aşgabat Dushanbe

UZBEKISTAN
TURKMEN-
ISTAN

Beijing

**GOGLEDD
KOREA**
P'yongyang
Sôul
**DE
KOREA**

Tunis
TUNISIA

CYPRUS Damascus
LIBANUS (Dimashq)
ISRAEL
Tarābulus
(Tripoli)

SYRIA
Ammān
GWLAD
JORDDONEN **IRAQ**
KUWAIT
Baghdād
Kuwait

Kābul
Tehrān

**AFGHAN-
ISTAN**
Islamabad

New
Delhi

CHINA

Taibei
TAIWAN

JAPAN
Tōkyō

**Y CEFNFOR
TAWEL**

Trofan Cancr

LIBYA

El Qâhira
(Cairo)
YR AIFFT

SAUDI
BAHRAIN QATAR
EMIRADAU
ARABAIDD
UNEDIG
Riyadh
Muscat

ARABIA

PAKISTAN

NEPAL
Kathmandu

BHUTAN

Dhaka

INDIA

BANGLA-
DESH
Nay Pyi Taw
MYANMAR

Ha Nôi

Viangchang
(Vientiane)
GWLAD THAI
Krung Thep
(Bangkok)

LAOS

VIET NAM

CAMBODIA
Phnom
Penh

Manila
**PILIPINAS
(PHILIPPINES)**

Ynysoedd
Gogledd
Mariana
(UDA)

**YNYSOEDD
MARSHALL**

NGER

y
NGERIA
Abuja
CAMEROON
Novo

El Khartūm
(Khartoum)

TCHAD
Ndjamena

SUDAN

ERITREA
Asmara

YEMEN
Şan'ā'

Addis
Ababa

**DJIBOUTI
GWLAD
SOMALI**

PALAU

**TALEITHIAU FFEDERAL
MICRONESIA**

Cyhydedd

Yaoundé
Bangui

**GWERINIAETH
CANOLBARTH
AFFRICA**

**DE
SUDAN**
Juba

ETHIOPIA

UGANDA
Kampala

SOMALI

Mogadishu

NAURU

KIRIBATI

EOL
GABON

CONGO
Brazzaville
Kinshasa

**GWERINIAETH
DDEMOCRATAIDD
CONGO**

RWANDA **KENYA**
Kigali Nairobi
BURUNDI
Bujumbura

Dodoma

**SRI
LANKA**
Sri Jayewardenepura Kotte

MALDIVES

SEYCHELLES

Kuala Lumpur
MALAYSIA
BRUNEI Bandar Seri Begawan
Putrajaya
SINGAPORE

INDONESIA

**PAPUA
GUINEA
NEWYDD**

**YNYSOEDD
SOLOMON**
Honiara

TUVALU

uanda
ANGOLA

TANZANIA

ZAMBIA
Lusaka

**YNYSOEDD
COMORO**
Lilongwe
Harare

MOÇAMBIQUE

MALAWI

Jakarta

Dili
**DWYRAIN
TIMOR
(TIMOR-LESTE)**

Port
Moresby

VANUATU
Port-Vila

FIJI
Suva

NAMIBIA
Windhoek

**BOTS-
WANA**

ZIMBABWE

Antananarivo
MADAGASCAR

MAURITIUS

*Nouvelle
Calédonie
(Ffr)*

Gaborone
Pretoria (Tshwane)
Bloemfontein

Maputo
GWLAD SWAZI
Mbabane
LESOTHO
Máseru

**DE
AFFRICA**
Cape Town

**CEFNFOR
INDIA**

AWSTRALIA

Canberra

**SELAND
NEWYDD**
Wellington

*Îles
Kerguelen
(Ffr)*

Trofan Capricorn

FOR Y DE

ANTARCTICA

Y Cyfandiroedd

**GOGLEDD
AMERICA**

EWROP

ASIA

**DE
AMERICA**

AFFRICA

**YNYSOEDD Y DE
(OCEANIA)**

ANTARCTICA

ANTARCTICA

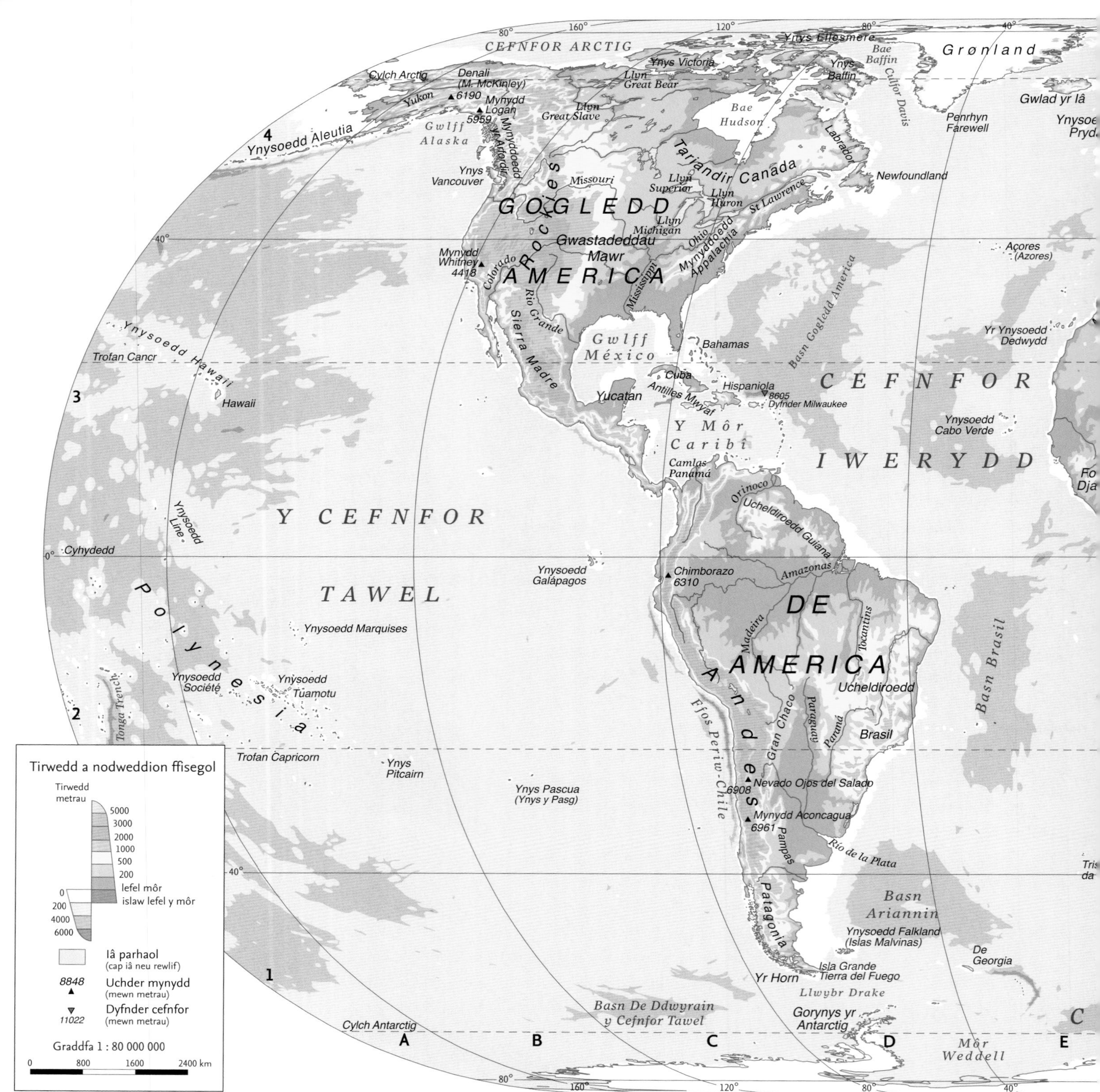

Tirwedd a nodweddion ffisegol

Tirwedd metrau

- 5000
- 3000
- 2000
- 1000
- 500
- 200
- 0   lefel môr
-     islaw lefel y môr
- 200
- 4000
- 6000

Iâ parhaol
(cap iâ neu rewlif)

▲ 8848   Uchder mynydd
(mewn metrau)

▽ 11022   Dyfnder cefnfor
(mewn metrau)

Graddfa 1 : 80 000 000

0   800   1600   2400 km

Uchder mynyddoedd

	metrau
M. Everest (Nepal/China)	8848
K2 (China/Pakistan)	8611
Kangchenjunga (Nepal/India)	8586
Dhaulagiri (Nepal)	8167
Annapurna (Nepal)	8091
M. Aconcagua (Ariannin)	6961
Nevado Ojos del Salado (Ariannin/Chile)	6908
Chimborazo (Ecuador)	6310
Denali (M. McKinley) (UDA)	6190
M. Logan (Canada)	5959

Ynysoedd

	km sgwâr
Grønland	2 175 600
Guinea Newydd	808 510
Borneo	745 561
Madagascar	587 040
Ynys Baffin	507 451
Sumatera	473 606
Honshū	227 414
Prydain Fawr	218 476
Ynys Victoria	217 291
Ynys Ellesmere	196 236

Cyfandiroedd

	km sgwâr
Asia	45 036
Affrica	30 343
Gogledd America	24 680
De America	17 815
Antarctica	12 093
Ewrop	9 908
Ynysoedd y De (Oceania)	8 923

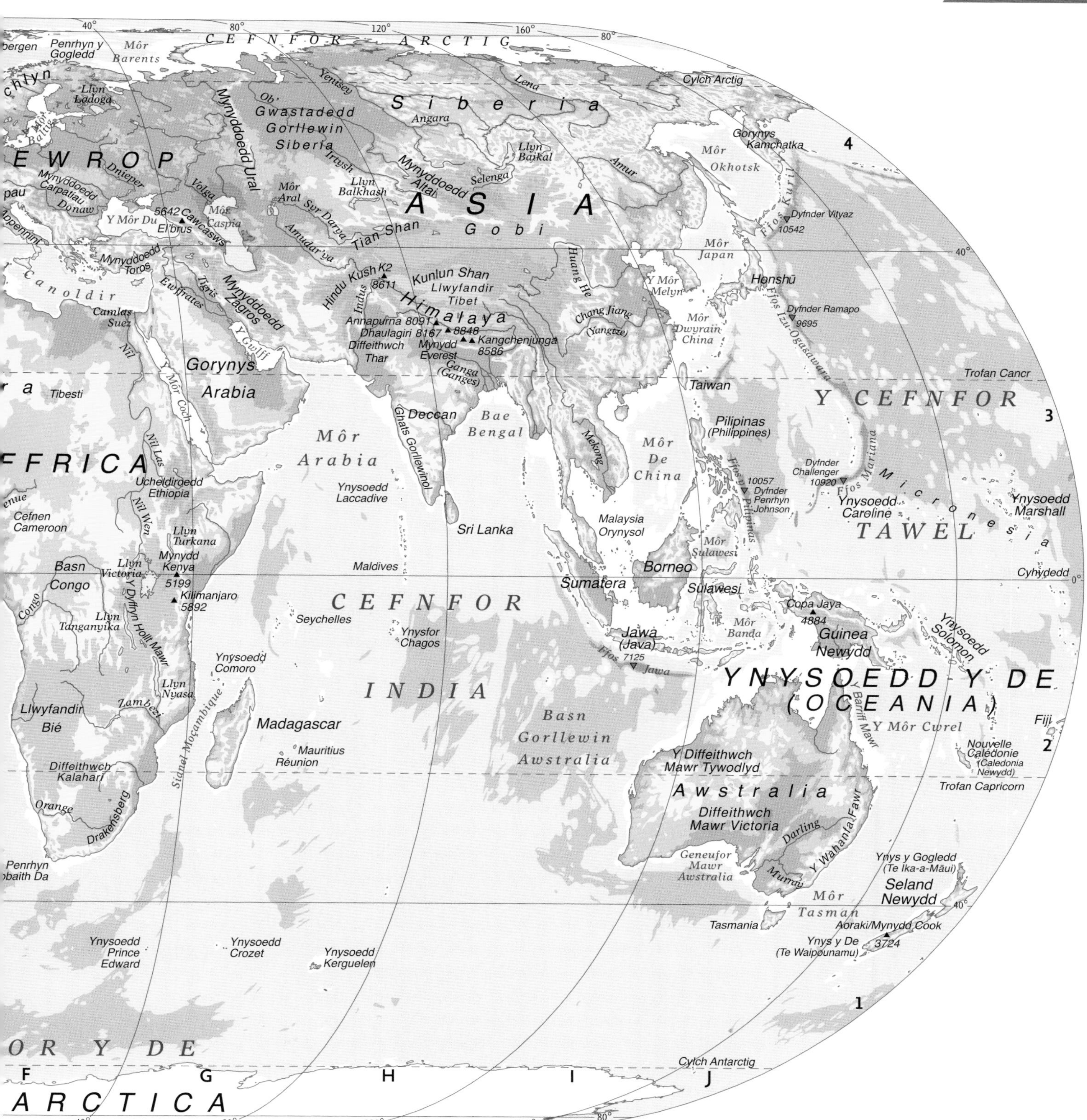

Môroedd

	km sgwâr
fnfor Tawel	166 241 000
for Iwerydd	86 557 000
for India	73 427 000
for Arctig	9 485 000

Llynnoedd

	km sgwâr
Môr Caspia	371 000
Llyn Superior	82 100
Llyn Victoria	68 800
Llyn Huron	59 600
Llyn Michigan	57 800
Llyn Tanganyika	32 900
Llyn Great Bear	31 328
Llyn Baikal	30 500
Llyn Nyasa	30 044

Hyd afonydd

	km
Nîl (Affrica)	6695
Amazonas (De America)	6516
Chang Jiang (Asia)	6380
Mississippi–Missouri (Gogledd America)	5969
Ob'–Irtysh (Asia)	5568
Yenisey–Angara–Selenga (Asia)	5500
Huang He (Asia)	5464
Congo (Affrica)	4667
Río de la Plata-Paraná (De America)	4500
Mekong (Asia)	4425

Tafluniad Eckert IV

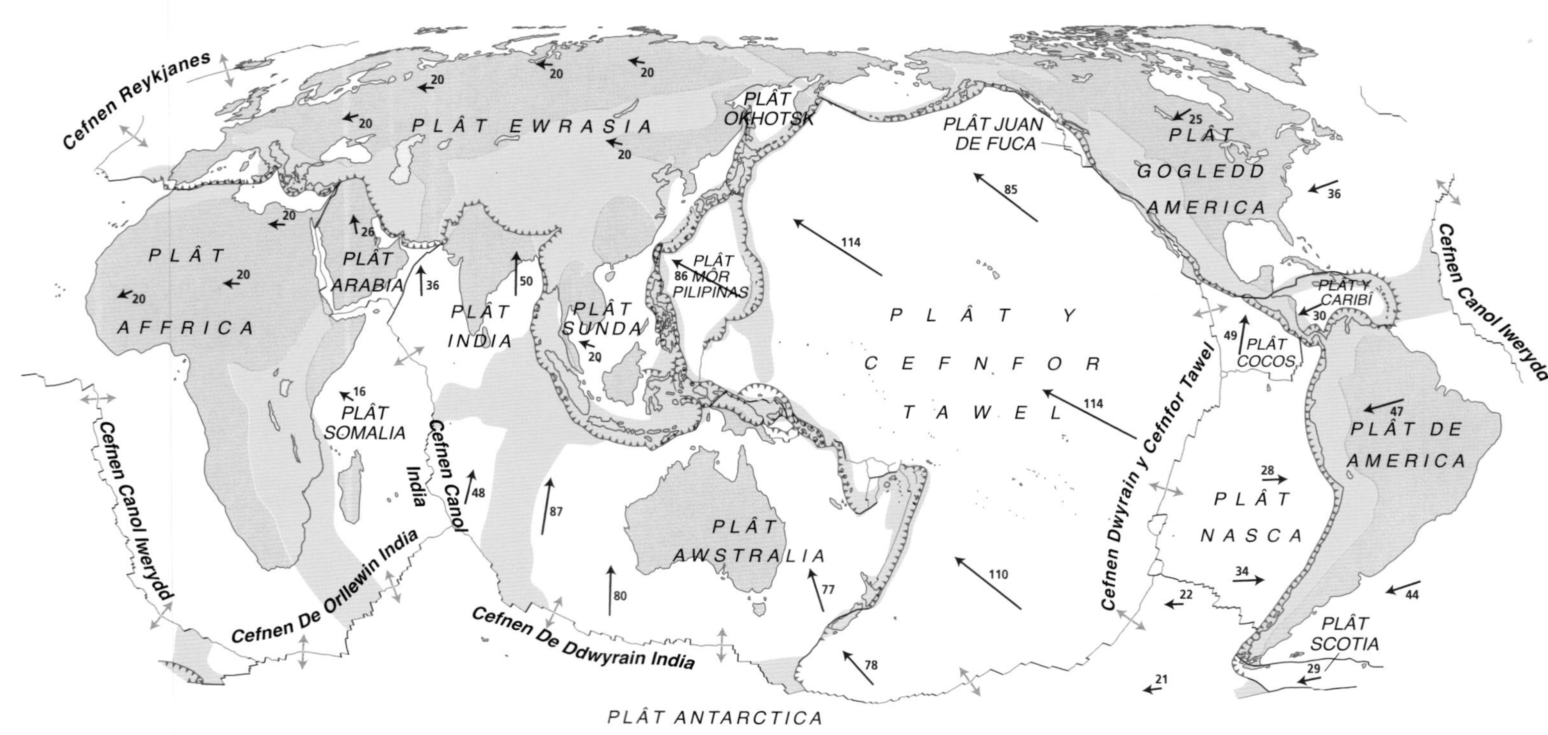

Platiau tectonig

ᴧᴧᴧᴧᴧᴧ **Ymyl plât gydgyfeiriol –**
lle bydd platiau'n gwrthdaro a chaiff
un plât ei dynnu i lawr (ei dansugno)
i'r fantell a'i ddinistrio, neu bydd
platiau'n tewychu ac yn torri mewn
patrymau cymhleth

Graddfa 1 : 170 000 000

0   1000   2000   3000   4000   5000 km

Ymyl plât ddargyfeiriol –
lle bydd platiau'n symud oddi wrth ei
gilydd ac mae cramen newydd yn cael ei
chreu wrth i fagma gyrraedd yr arwyneb

Ymyl plât drawsffurfiol –
lle bydd platiau'n cael eu llusgo heibio
i'w gilydd yn llorweddol, gan greu
ffrithiant mawr a llawer o ffawtiau

▢ **Cylchfa ymylon ymledol –**
cylchfa lydan lle mae symudiad
platiau a newidiadau i arwyneb y
Ddaear yn digwydd dros ranbarth
eang, yn aml mewn patrymau
cymhleth gyda llawer o ficroblatiau

← **44** Cyfeiriad cyffredinol symudiad
platiau, mm y flwyddyn

←→ Symudiad ar ymylon platiau
dargyfeiriol

Drifft cyfandirol

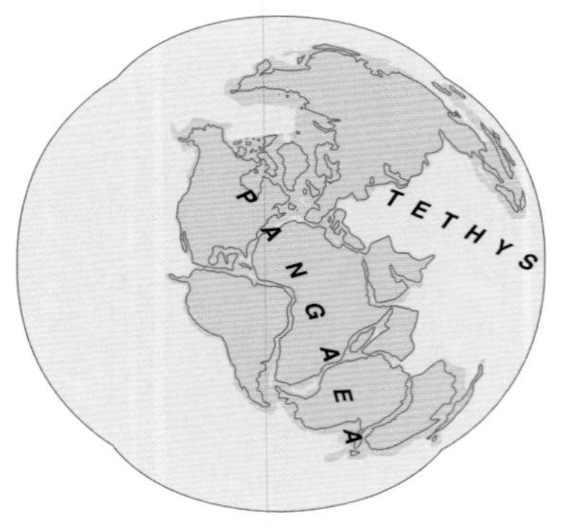

200 miliwn
o flynyddoedd yn ôl

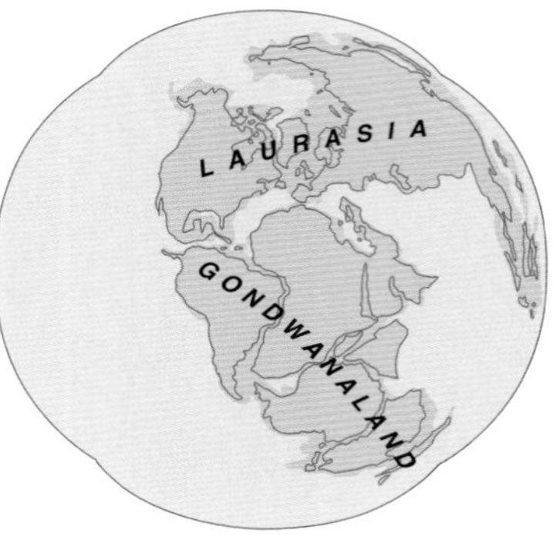

150 miliwn
o flynyddoedd yn ôl

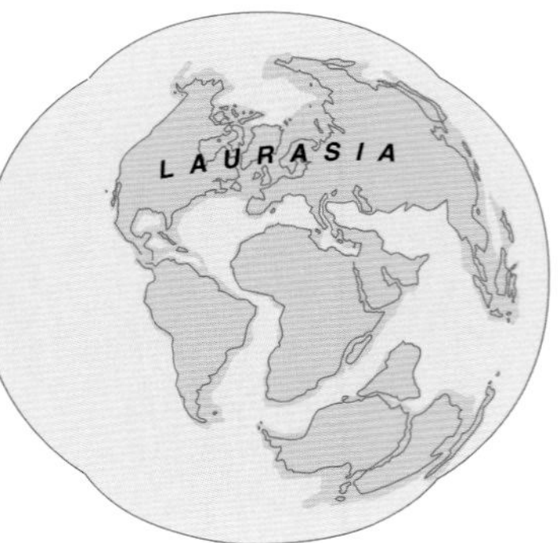

100 miliwn
o flynyddoedd yn ôl

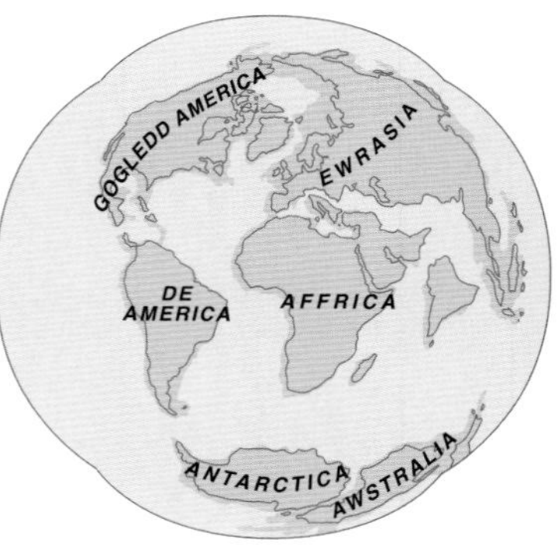

50 miliwn
o flynyddoedd yn ôl

Prif ddaeargrynfeydd 1981–2011

Blwyddyn	Lleoliad	*Grym	Lladdwyd	Blwyddyn	Lleoliad	*Grym	Lladdwyd	Blwyddyn	Lleoliad	*Grym	Lladdwyd
1981	Kerman, Iran	7.3	2500	1991	Uttar Pradesh, India	6.1	1600	1999	Chi-Chi, Taiwan	7.3	2400
1982	Dhamar, Yemen	6.0	3000	1992	Flores, Indonesia	7.5	2500	2001	Gujarat, India	6.9	20 085
1983	Dwyrain Twrci	7.1	1500	1992	Erzincan, Twrci	6.8	500	2002	Hindu Kush, Afghanistan	6.0	1000
1985	Santiago, Chile	7.8	177	1992	El Qâhira (Cairo), Yr Aifft	5.9	550	2003	Boumerdès, Algeria	5.8	2266
1985	Michoacán, México	8.1	20 000	1993	Gogledd Japan	7.8	185	2003	Bam, Iran	6.6	26 271
1986	El Salvador	7.5	1000	1993	Maharashtra, India	6.4	9748	2004	Sumatera, Indonesia	9.0	283 106
1987	Ecuador	7.0	2000	1994	Ynysoedd Kuril, Japan	8.3	10	2005	Gogledd Sumatera, Indonesia	8.7	1313
1988	Yunnan, China	7.6	1000	1995	Kōbe, Japan	7.2	5502	2005	Muzaffarabad, Pakistan	7.6	80 361
1988	Spitak, Armenia	6.9	25 000	1995	Sakhalin, Rwsia	7.6	2500	2008	Talaith Sichuan	8.0	87 476
1988	Nepal / India	6.9	1000	1996	Yunnan, China	7.0	251	2010	Léogâne, Haiti	7.0	222 570
1990	Manjil, Iran	7.7	50 000	1998	Papua Guinea Newydd	7.1	2183	2011	Tōhoku, Japan	9.0	14 500
1990	Luzon, Pilipinas	7.7	1600	1999	İzmit, Twrci	7.4	17 118	2015	Gorkha, Nepal	7.8	8831

* Grym y daeargryn wedi'i fesur ar raddfa Richter

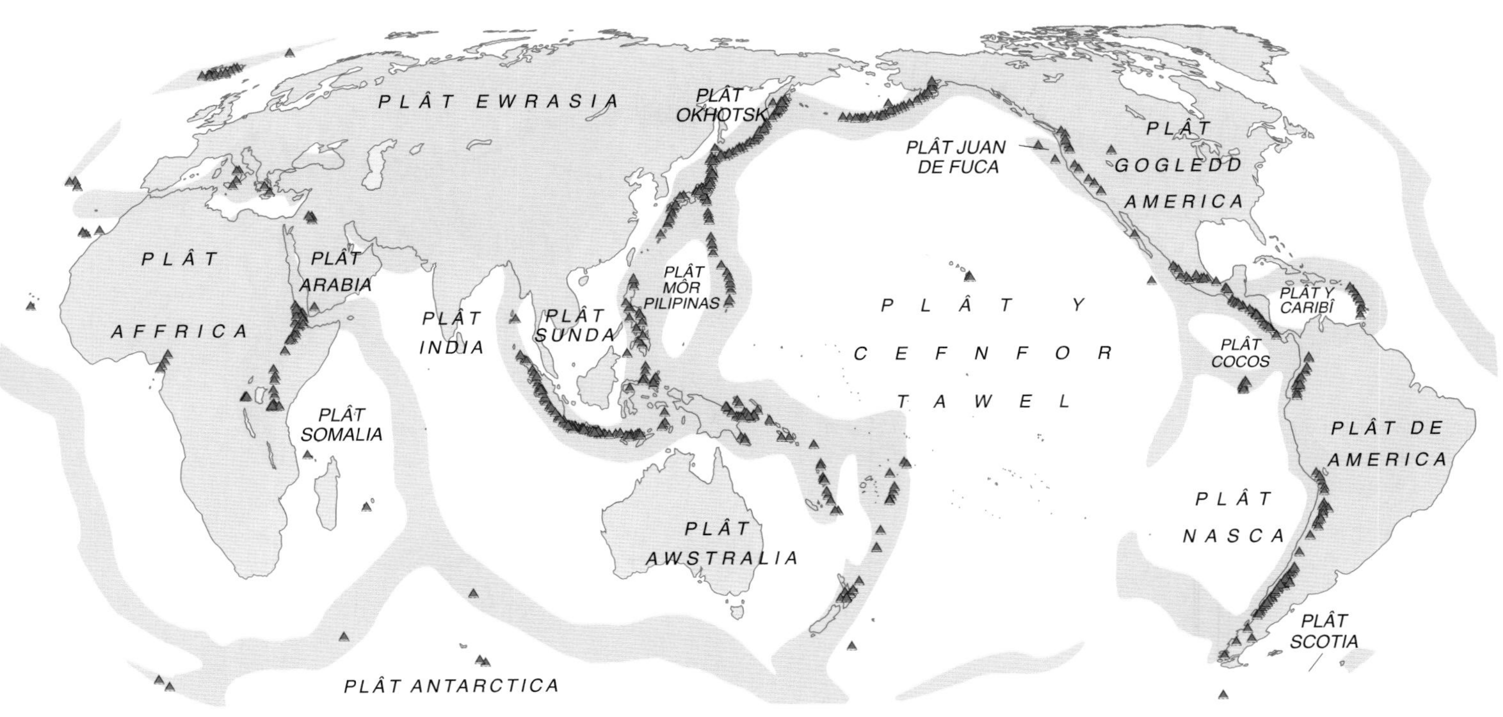

Llosgfynyddoedd

Cylchfa daeargrynfeydd
a llosgfynyddoedd

▲ Llosgfynyddoedd mawr

Graddfa 1 : 170 000 000

0   1000 2000 3000 4000 5000 km

Echdoriadau folcanig mawr ers 1980

Blwyddyn	Lleoliad	Blwyddyn	Lleoliad
1980	M. St Helens, UDA	1993	Mayon, Pilipinas
1982	El Chichónal, México	1993	Volcán Galeras, Colombia
1982	Gunung Galunggung, Indonesia	1994	Volcán Llaima, Chile
1983	Kilauea, Hawaii	1994	Rabaul, Papua Guinea Newydd
1983	Ō-yama, Japan	1997	Bryniau Soufrière, Montserrat
1985	Nevado del Ruiz, Colombia	2000	Hekla, Gwlad yr Iâ
1986	Llyn Nyos, Cameroon	2001	M. Etna, Yr Eidal
1991	Hekla, Gwlad yr Iâ	2002	Nyiragongo, Gwer. Ddem. Congo
1991	M. Pinatubo, Pilipinas	2010	Eyjafjallajökull, Gwlad yr Iâ
1991	Unzen-dake, Japan		

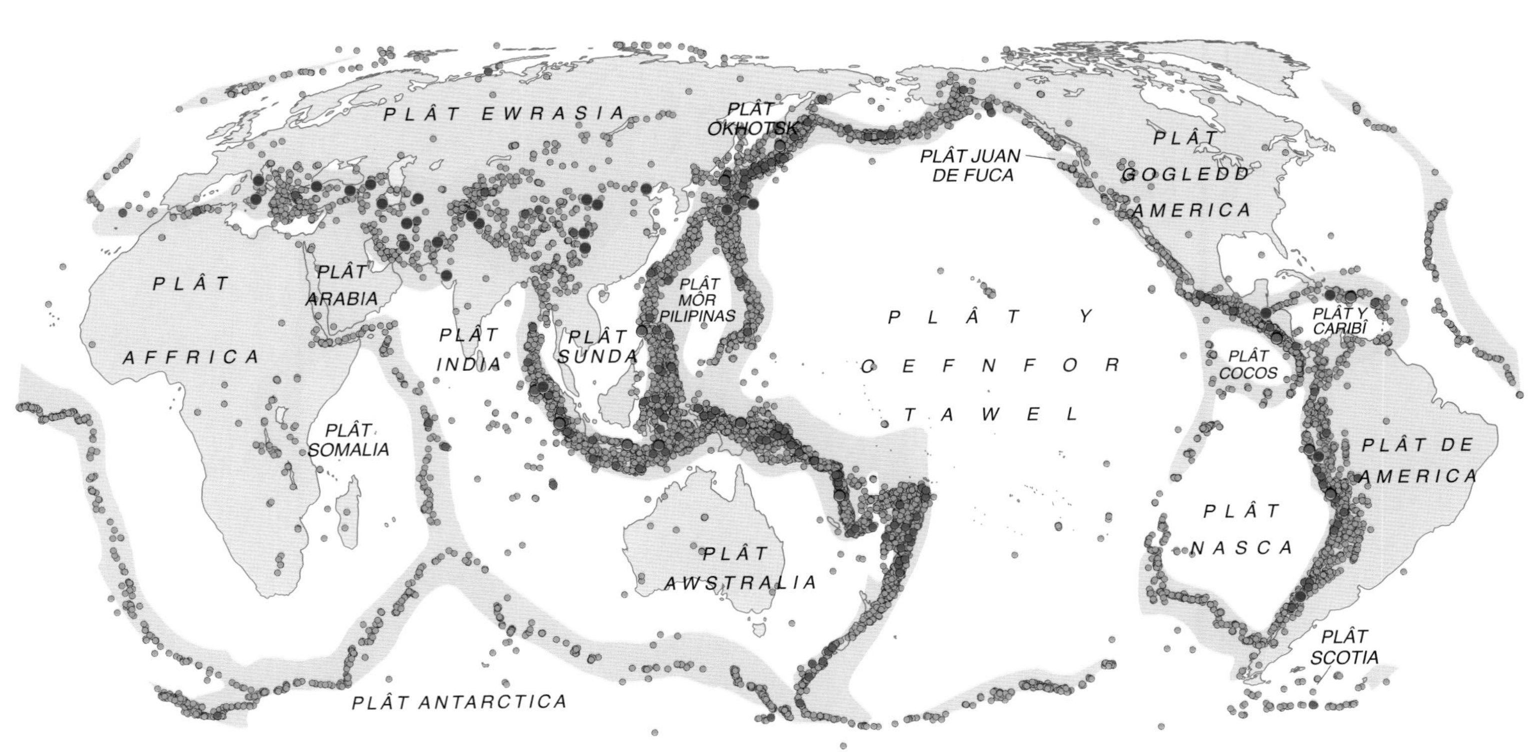

Tsunamis a daeargrynfeydd

Cylchfa daeargrynfeydd
a llosgfynyddoedd

● Tsunami mawr ers 1990

Daeargryn mawr ers 1900

● Daeargrynfeydd â'r nifer
mwyaf o farwolaethau

● Yn fwy na 7.5 ar raddfa maint Moment

○ 5.5–5.7 ar raddfa maint Moment

Graddfa 1 : 170 000 000

0   1000 2000 3000 4000 5000 km

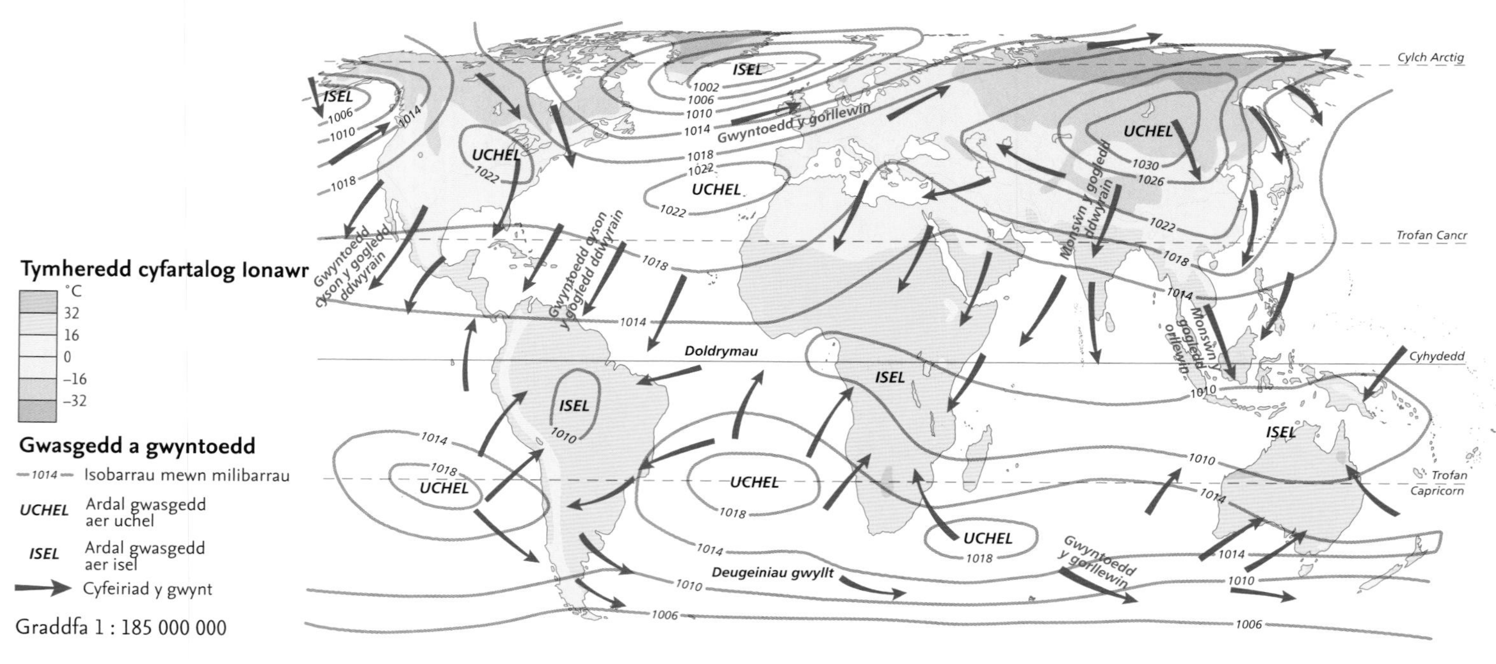

Tymheredd cyfartalog Ionawr

°C
- 32
- 16
- 0
- −16
- −32

Gwasgedd a gwyntoedd

- —1014— Isobarrau mewn milibarrau
- **UCHEL** Ardal gwasgedd aer uchel
- **ISEL** Ardal gwasgedd aer isel
- → Cyfeiriad y gwynt

Graddfa 1 : 185 000 000

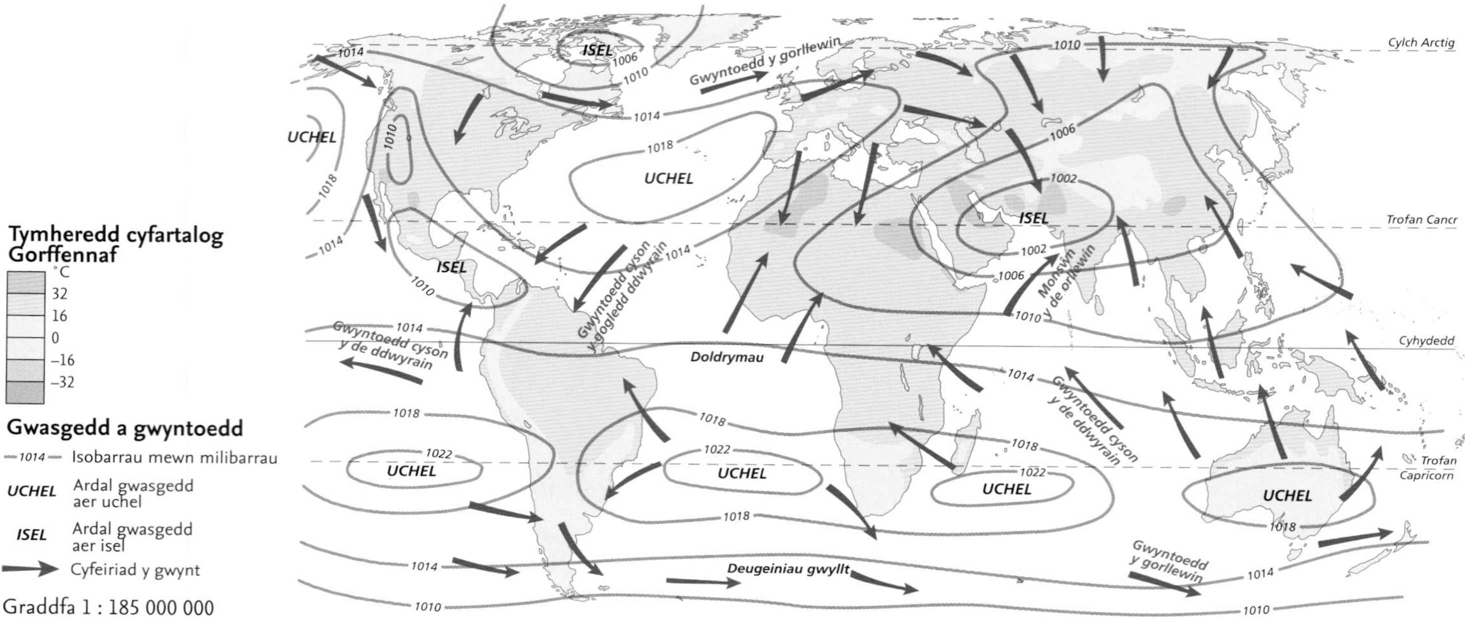

Tymheredd cyfartalog Gorffennaf

°C
- 32
- 16
- 0
- −16
- −32

Gwasgedd a gwyntoedd

- —1014— Isobarrau mewn milibarrau
- **UCHEL** Ardal gwasgedd aer uchel
- **ISEL** Ardal gwasgedd aer isel
- → Cyfeiriad y gwynt

Graddfa 1 : 185 000 000

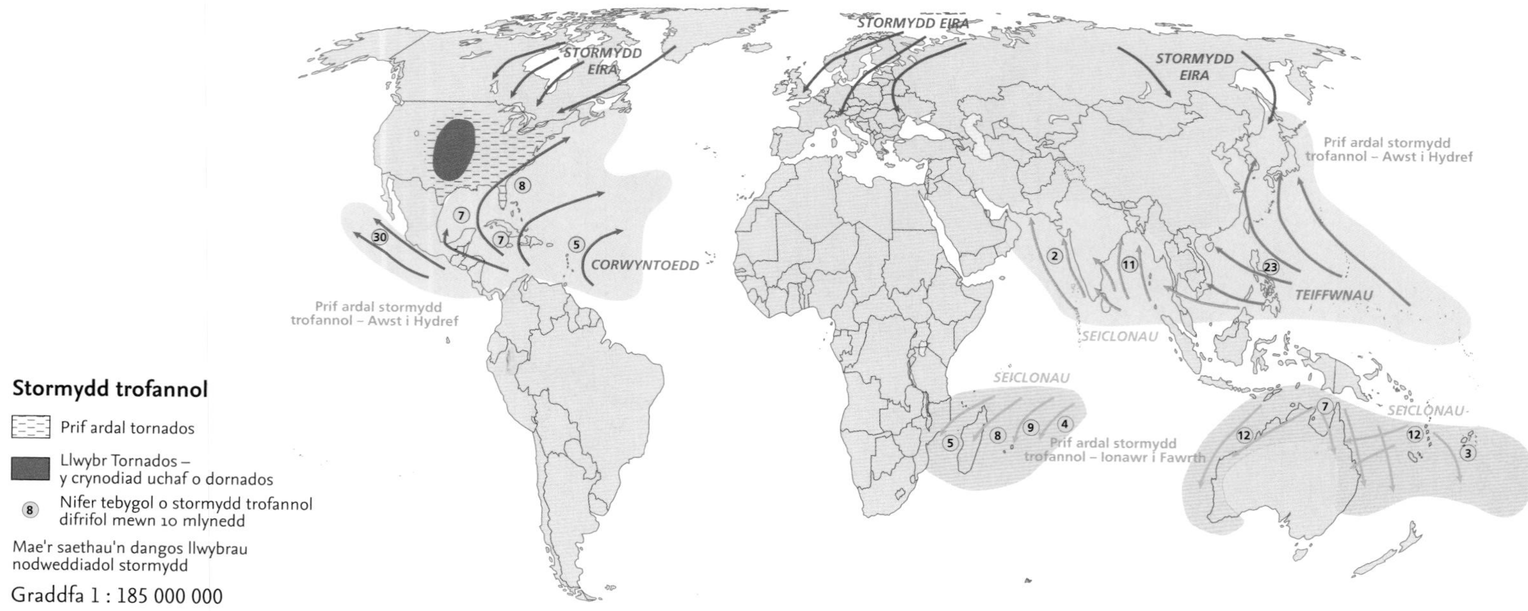

Stormydd trofannol

- Prif ardal tornados
- Llwybr Tornados – y crynodiad uchaf o dornados
- (8) Nifer tebygol o stormydd trofannol difrifol mewn 10 mlynedd

Mae'r saethau'n dangos llwybrau nodweddiadol stormydd

Graddfa 1 : 185 000 000

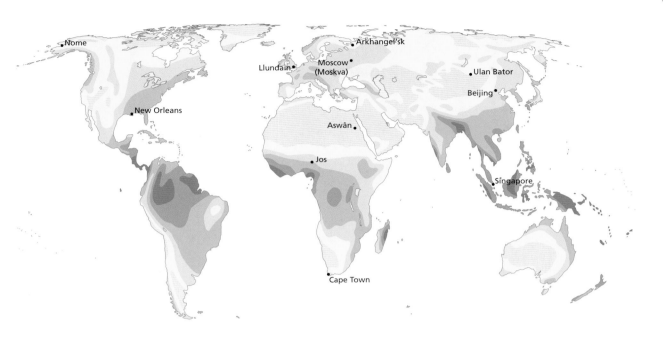

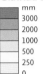

Glawiad blynyddol cyfartalog

mm
3000
2000
1000
500
250
0

Graddfa 1 : 185 000 000

Graffiau hinsawdd

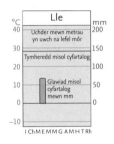

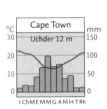

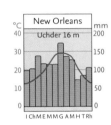

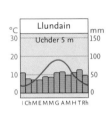

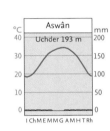

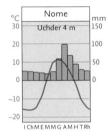

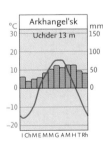

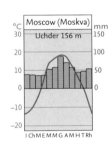

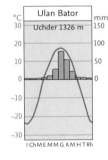

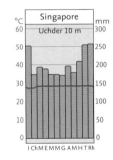

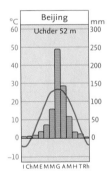

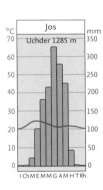

Stormydd trofannol difrifol diweddar

Blwyddyn	Lle	Marwolaethau
2001 Allison	de UDA	41
2002 Rusa	De Korea	184
2003 Maemi	De Korea	130
2004 Ivan	de UDA	52
2005 Katrina	de UDA	1836
2006 Bilis	China	820
2007 Sidr	Bangladesh	4234
2008 Nargis	Myanmar	138 366
2009 Parma	Pilipinas	501
2010 Agatha	Guatemala	174
2011 Washi	Pilipinas	1439
2012 Sandy	dwyrain UDA	148
2013 Haiyan	Pilipinas	7986
2014 Hudhud	dwyrain India/Nepal	109
2016 Matthew	Caribî/dwyrain UDA	546
2017 Irma	Caribî/dwyrain UDA	125

Eithafion tywydd y byd

Lle poethaf – Cymedr blynyddol	34.4 °C Dalol, Ethiopia
Lle sychaf – Cymedr blynyddol	0.1 mm Diffeithdir Atacama, Chile
Heulwen fwyaf – Cymedr blynyddol	90% Yuma, Arizona, UDA (4000 awr)
Heulwen leiaf	Dim ar gyfer 182 diwrnod o'r flwyddyn, Pegwn y De
Lle oeraf – Cymedr blynyddol	–56.6 °C Gorsaf y Llwyfandir, Antarctica
Lle gwlypaf – Cymedr blynyddol	11 873 mm Meghalaya, India
Nifer mwyaf o ddyddiau glaw	Hyd at 350 bob blwyddyn Mynydd Waialeale, Hawaii, UDA
Eira mwyaf	31 102 mm M. Rainier, Washington, UDA (19 Chwefror 1971–18 Chwefror 1972)
Lle mwyaf gwyntog	Tymhestloedd 322 km yr awr, Bae'r Gymanwlad, Antarctica

Sefydliad Meteorolegol y Byd
www.wmo.int
Y Swyddfa Dywydd
www.metoffice.gov.uk/weather

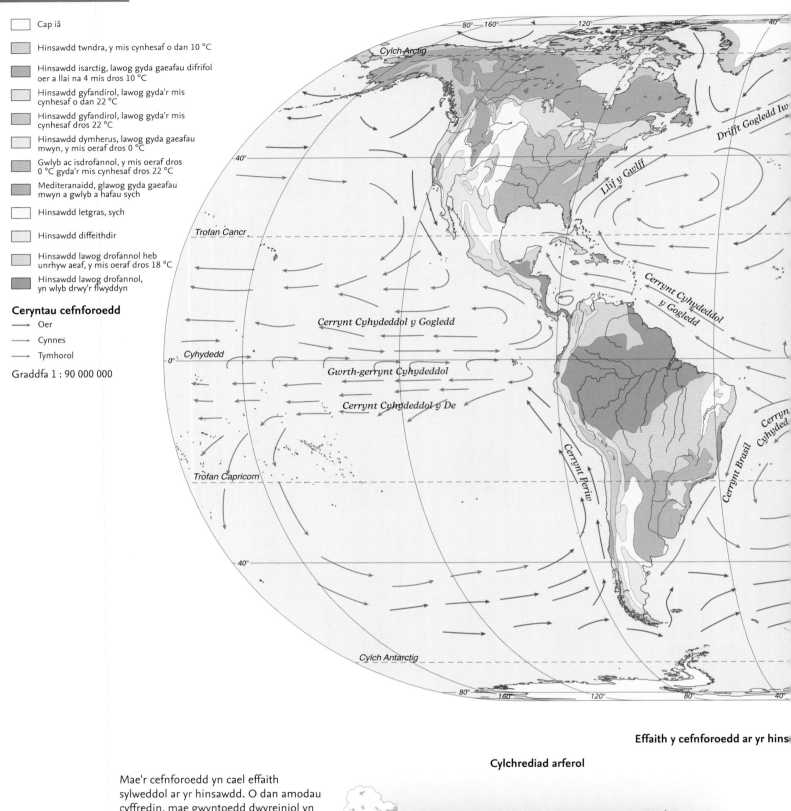

Cap iâ

Hinsawdd twndra, y mis cynhesaf o dan 10 °C

Hinsawdd isarctig, lawog gyda gaeafau difrifol oer a llai na 4 mis dros 10 °C

Hinsawdd gyfandirol, lawog gyda'r mis cynhesaf o dan 22 °C

Hinsawdd gyfandirol, lawog gyda'r mis cynhesaf dros 22 °C

Hinsawdd dymherus, lawog gyda gaeafau mwyn, y mis oeraf dros 0 °C

Gwlyb ac isdrofannol, y mis oeraf dros 0 °C gyda'r mis cynhesaf dros 22 °C

Mediteranaidd, glawog gyda gaeafau mwyn a gwlyb a hafau sych

Hinsawdd letgras, sych

Hinsawdd diffeithdir

Hinsawdd lawog drofannol heb unrhyw aeaf, y mis oeraf dros 18 °C

Hinsawdd lawog drofannol, yn wlyb drwy'r flwyddyn

Ceryntau cefnforoedd

→ Oer

→ Cynnes

→ Tymhorol

Graddfa 1 : 90 000 000

Mae'r cefnforoedd yn cael effaith sylweddol ar yr hinsawdd. O dan amodau cyffredin, mae gwyntoedd dwyreiniol yn gwthio dŵr wyneb cynnes ar draws y Cefnfor Tawel i Awstralia, gan ffurfio ardal fawr o ddŵr cynhesach i'r gogledd-ddwyrain. Mae hyn yn dod â glaw i ogledd a dwyrain Awstralia.

Effaith y cefnforoedd ar yr hins

Cylchrediad arferol

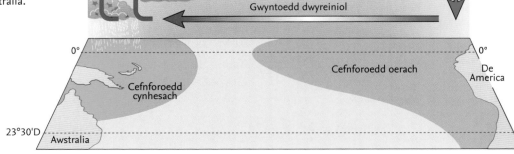

Aer llaith cynnes yn codi – glaw

Aer sych oer yn cwympo – sych

Gwyntoedd dwyreiniol

Cefnforoedd cynhesach

Cefnforoedd oerach

De America

Awstralia

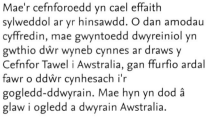

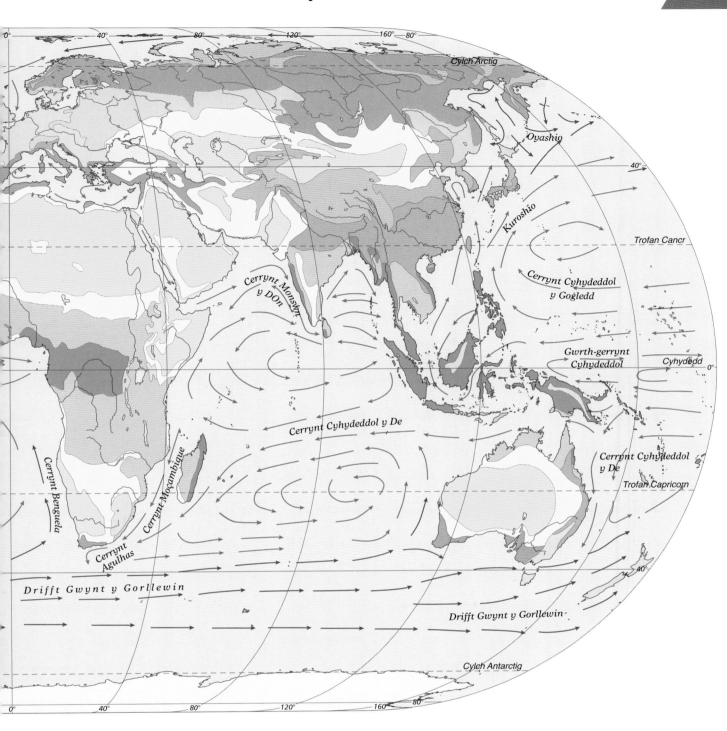

rediad aer a dŵr yn y Cefnfor Tawel

Cylchrediad El Niño

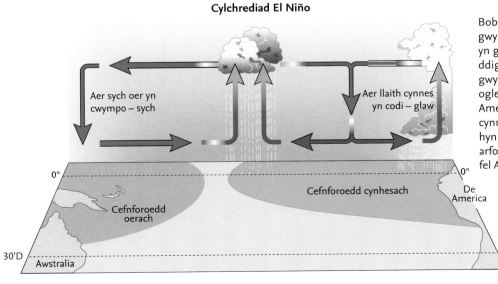

Aer sych oer yn cwympo – sych

Aer llaith cynnes yn codi – glaw

0°

0°

Cefnforoedd cynhesach

De America

Cefnforoedd oerach

30'D

23°30'D

Awstralia

Bob ychydig flynyddoedd, mae'r gwyntoedd dwyreiniol hyn yn gwanhau ac yn gwrthdroi, sy'n achosi'r hyn a elwir yn ddigwyddiad El Niño. Wedyn mae'r gwyntoedd yn symud dŵr cynnes o ogledd-ddwyrain Awstralia tuag at Dde America, gan ffurfio ardal fawr o ddŵr cynnes yn nwyrain y Cefnfor Tawel. Mae hyn yn dod ag amodau cynhesach a glaw i arfordir De America, a sychder i wledydd fel Awstralia ac Indonesia.

52.25G 4.05Gn

Aberystwyth

	Ion	Chw	Maw	Ebr	Mai	Meh	Gor	Awst	Medi	Hyd	Tach	Rhag
Tymheredd – uchaf (°C)	7	7	9	11	15	17	18	18	16	13	10	8
Tymheredd – isaf (°C)	2	2	3	5	7	10	12	12	11	8	5	4
Glawiad – (mm)	97	72	60	56	65	76	99	93	108	118	111	96

16.55G 99.52Gn

Acapulco

	Ion	Chw	Maw	Ebr	Mai	Meh	Gor	Awst	Medi	Hyd	Tach	Rhag
Tymheredd – uchaf (°C)	31	31	31	32	32	33	32	33	32	32	32	31
Tymheredd – isaf (°C)	22	22	22	23	25	25	25	25	24	24	23	22
Glawiad – (mm)	6	1	0	1	36	281	256	252	349	159	28	8

36.46G 3.04Dn

Al Jazā'ir (Alger)

	Ion	Chw	Maw	Ebr	Mai	Meh	Gor	Awst	Medi	Hyd	Tach	Rhag
Tymheredd – uchaf (°C)	15	16	17	20	23	26	28	29	27	23	19	16
Tymheredd – isaf (°C)	9	9	11	13	15	18	21	22	21	17	13	11
Glawiad – (mm)	112	84	74	41	46	15	0	5	41	79	130	137

36.52D 174.46Dn

Auckland

	Ion	Chw	Maw	Ebr	Mai	Meh	Gor	Awst	Medi	Hyd	Tach	Rhag
Tymheredd – uchaf (°C)	23	24	22	20	17	15	15	15	16	18	20	22
Tymheredd – isaf (°C)	15	16	15	12	10	8	7	8	9	11	12	14
Glawiad – (mm)	75	65	94	105	103	139	146	121	116	91	93	91

1.26D 48.29Gn

Belém

	Ion	Chw	Maw	Ebr	Mai	Meh	Gor	Awst	Medi	Hyd	Tach	Rhag
Tymheredd – uchaf (°C)	31	30	31	31	31	31	31	31	32	32	32	32
Tymheredd – isaf (°C)	22	22	23	23	23	22	22	22	22	22	22	22
Glawiad – (mm)	318	358	358	320	259	170	150	112	89	84	66	155

54.36G 5.55Gn

Belfast

	Ion	Chw	Maw	Ebr	Mai	Meh	Gor	Awst	Medi	Hyd	Tach	Rhag
Tymheredd – uchaf (°C)	6	7	9	12	15	18	18	18	16	13	9	7
Tymheredd – isaf (°C)	2	2	3	4	6	9	11	11	9	7	4	3
Glawiad – (mm)	80	52	50	48	52	68	94	77	80	83	72	90

52.29G 1.53Gn

Birmingham

	Ion	Chw	Maw	Ebr	Mai	Meh	Gor	Awst	Medi	Hyd	Tach	Rhag
Tymheredd – uchaf (°C)	5	6	9	12	16	19	20	20	17	13	9	6
Tymheredd – isaf (°C)	2	2	3	5	7	10	12	12	10	7	5	3
Glawiad – (mm)	74	54	50	53	64	50	69	69	61	69	84	67

53.49G 3.03Gn

Blackpool

	Ion	Chw	Maw	Ebr	Mai	Meh	Gor	Awst	Medi	Hyd	Tach	Rhag
Tymheredd – uchaf (°C)	7	7	9	11	15	17	19	19	17	14	10	7
Tymheredd – isaf (°C)	1	1	2	4	7	10	12	12	10	8	4	2
Glawiad – (mm)	78	54	64	51	53	59	61	78	86	93	89	87

30.07D 145.54Dn

Bourke

	Ion	Chw	Maw	Ebr	Mai	Meh	Gor	Awst	Medi	Hyd	Tach	Rhag
Tymheredd – uchaf (°C)	37	36	33	28	23	18	18	21	25	29	34	36
Tymheredd – isaf (°C)	21	21	18	13	8	6	4	6	9	13	17	19
Glawiad – (mm)	36	38	28	28	25	28	23	20	20	23	31	36

44.26G 26.06Dn

Bucureşti

	Ion	Chw	Maw	Ebr	Mai	Meh	Gor	Awst	Medi	Hyd	Tach	Rhag
Tymheredd – uchaf (°C)	1	4	10	18	23	27	30	30	25	18	10	4
Tymheredd – isaf (°C)	−7	−5	−1	5	10	14	16	15	11	6	2	−3
Glawiad – (mm)	29	26	28	59	77	121	53	45	45	29	36	27

55.57G 3.11Gn

Caeredin

	Ion	Chw	Maw	Ebr	Mai	Meh	Gor	Awst	Medi	Hyd	Tach	Rhag
Tymheredd – uchaf (°C)	6	7	9	11	14	17	18	18	16	13	9	7
Tymheredd – isaf (°C)	1	1	2	4	6	9	11	11	9	7	3	2
Glawiad – (mm)	54	40	47	39	49	50	59	63	66	63	56	52

32.48G 79.5

Charleston

	Ion	Chw	Maw	Ebr	Mai	Meh	Gor	Awst	Medi	Hyd	Tach	R
Tymheredd – uchaf (°C)	14	15	19	23	27	30	31	31	28	24	19	
Tymheredd – isaf (°C)	6	7	10	14	19	23	24	24	22	16	11	
Glawiad – (mm)	74	84	86	71	81	119	185	168	130	81	58	

51.47G 1.0

Clacton-on-Sea

	Ion	Chw	Maw	Ebr	Mai	Meh	Gor	Awst	Medi	Hyd	Tach	R
Tymheredd – uchaf (°C)	6	6	9	11	15	18	20	20	18	15	10	
Tymheredd – isaf (°C)	2	2	3	5	8	11	13	14	12	9	5	
Glawiad – (mm)	49	31	43	40	40	45	43	43	48	48	55	

9.31G 13.4

Conakry

	Ion	Chw	Maw	Ebr	Mai	Meh	Gor	Awst	Medi	Hyd	Tach	R
Tymheredd – uchaf (°C)	31	31	32	32	32	30	28	28	29	31	31	
Tymheredd – isaf (°C)	22	23	23	23	24	23	22	22	23	23	24	
Glawiad – (mm)	3	3	10	23	158	559	1298	1054	683	371	122	

12.27D 130.5

Darwin

	Ion	Chw	Maw	Ebr	Mai	Meh	Gor	Awst	Medi	Hyd	Tach	R
Tymheredd – uchaf (°C)	32	32	33	33	33	31	31	32	33	34	34	
Tymheredd – isaf (°C)	25	25	25	24	23	21	19	21	23	25	26	
Glawiad – (mm)	386	312	254	97	15	3	0	3	13	51	119	

42.19G 83.

Detroit

	Ion	Chw	Maw	Ebr	Mai	Meh	Gor	Awst	Medi	Hyd	Tach	R
Tymheredd – uchaf (°C)	−1	0	6	13	19	25	28	27	23	16	8	
Tymheredd – isaf (°C)	−7	−8	−3	3	9	14	17	17	13	7	1	
Glawiad – (mm)	53	53	64	64	84	91	84	69	71	61	61	

53.20G 6.

Dulyn

	Ion	Chw	Maw	Ebr	Mai	Meh	Gor	Awst	Medi	Hyd	Tach	R
Tymheredd – uchaf (°C)	8	8	10	13	15	18	20	19	17	14	10	
Tymheredd – isaf (°C)	1	2	3	4	6	9	11	11	9	6	4	
Glawiad – (mm)	67	55	51	45	60	57	70	74	72	70	67	

55.04G 3.

Dumfries

	Ion	Chw	Maw	Ebr	Mai	Meh	Gor	Awst	Medi	Hyd	Tach	R
Tymheredd – uchaf (°C)	6	6	8	11	14	17	19	18	16	13	9	
Tymheredd – isaf (°C)	1	1	2	3	6	9	11	10	9	6	3	
Glawiad – (mm)	110	76	81	53	72	63	71	93	104	117	100	

29.51D 31.

Durban

	Ion	Chw	Maw	Ebr	Mai	Meh	Gor	Awst	Medi	Hyd	Tach	R
Tymheredd – uchaf (°C)	28	28	28	26	24	23	23	23	23	24	25	
Tymheredd – isaf (°C)	21	21	20	17	14	11	10	12	15	16	18	
Glawiad – (mm)	119	126	132	84	56	34	35	49	73	110	118	

53.58G 1.

Efrog

	Ion	Chw	Maw	Ebr	Mai	Meh	Gor	Awst	Medi	Hyd	Tach	R
Tymheredd – uchaf (°C)	6	7	10	13	16	19	21	21	18	14	10	
Tymheredd – isaf (°C)	2	2	3	5	7	10	12	12	11	8	5	
Glawiad – (mm)	59	46	37	41	50	50	62	68	55	56	65	

55.52G 4.

Glasgow

	Ion	Chw	Maw	Ebr	Mai	Meh	Gor	Awst	Medi	Hyd	Tach	R
Tymheredd – uchaf (°C)	6	7	9	12	15	18	19	19	16	13	9	
Tymheredd – isaf (°C)	0	0	2	3	6	9	10	10	9	6	2	
Glawiad – (mm)	96	63	65	50	62	58	68	83	95	98	105	

60.10G 24.

Helsinki

	Ion	Chw	Maw	Ebr	Mai	Meh	Gor	Awst	Medi	Hyd	Tach	R
Tymheredd – uchaf (°C)	−3	−4	0	6	14	19	22	20	15	8	3	
Tymheredd – isaf (°C)	−9	−10	−7	−1	4	9	13	12	8	3	−1	
Glawiad – (mm)	56	42	36	44	41	51	51	68	71	73	68	

uaçú — 6.22D 39.17Gn

	Ion	Chw	Maw	Ebr	Mai	Meh	Gor	Awst	Medi	Hyd	Tach	Rhag
Tymheredd – uchaf (°C)	34	33	32	31	31	31	32	32	35	36	36	36
Tymheredd – isaf (°C)	23	23	23	23	22	22	21	21	22	23	23	23
Glawiad – (mm)	89	173	185	160	61	61	36	5	18	18	10	33

rwick — 60.09G 1.09Gn

	Ion	Chw	Maw	Ebr	Mai	Meh	Gor	Awst	Medi	Hyd	Tach	Rhag
Tymheredd – uchaf (°C)	5	5	6	8	10	13	14	14	13	10	7	6
Tymheredd – isaf (°C)	1	1	2	3	5	7	9	9	8	6	3	2
Glawiad – (mm)	127	93	93	72	64	64	67	78	113	119	140	147

undain — 51.30G 0.07Gn

	Ion	Chw	Maw	Ebr	Mai	Meh	Gor	Awst	Medi	Hyd	Tach	Rhag
Tymheredd – uchaf (°C)	8	8	11	13	17	20	23	23	19	15	11	9
Tymheredd – isaf (°C)	2	2	4	5	8	11	14	13	11	8	5	3
Glawiad – (mm)	52	34	42	45	47	53	38	47	57	62	52	54

akassar — 5.06D 119.27Dn

	Ion	Chw	Maw	Ebr	Mai	Meh	Gor	Awst	Medi	Hyd	Tach	Rhag
Tymheredd – uchaf (°C)	29	29	29	30	31	30	30	31	31	31	30	29
Tymheredd – isaf (°C)	23	24	23	23	23	22	21	21	21	22	23	23
Glawiad – (mm)	686	536	424	150	89	74	36	10	15	43	178	610

anceinion — 53.29G 2.15Gn

	Ion	Chw	Maw	Ebr	Mai	Meh	Gor	Awst	Medi	Hyd	Tach	Rhag
Tymheredd – uchaf (°C)	6	7	9	12	15	18	20	20	17	14	9	7
Tymheredd – isaf (°C)	1	1	3	4	7	10	12	12	10	8	4	2
Glawiad – (mm)	69	50	61	51	61	67	65	79	74	77	78	78

ünchen — 48.08G 11.35Dn

	Ion	Chw	Maw	Ebr	Mai	Meh	Gor	Awst	Medi	Hyd	Tach	Rhag
Tymheredd – uchaf (°C)	1	3	9	14	18	21	23	23	20	13	7	2
Tymheredd – isaf (°C)	−5	−5	−1	3	7	11	13	12	9	4	0	−4
Glawiad – (mm)	59	53	48	62	109	125	139	107	85	66	57	47

airobi — 1.17D 36.48Dn

	Ion	Chw	Maw	Ebr	Mai	Meh	Gor	Awst	Medi	Hyd	Tach	Rhag
Tymheredd – uchaf (°C)	25	26	25	24	22	21	21	21	24	24	23	23
Tymheredd – isaf (°C)	12	13	14	14	13	12	11	11	11	13	13	13
Glawiad – (mm)	38	64	125	211	158	46	15	23	31	53	109	86

ban — 56.25G 5.28Gn

	Ion	Chw	Maw	Ebr	Mai	Meh	Gor	Awst	Medi	Hyd	Tach	Rhag
Tymheredd – uchaf (°C)	6	7	9	11	14	16	17	17	15	12	9	7
Tymheredd – isaf (°C)	2	1	3	4	7	9	11	11	9	7	4	3
Glawiad – (mm)	146	109	83	90	72	87	120	116	141	169	146	172

dang — 0.58D 100.23Dn

	Ion	Chw	Maw	Ebr	Mai	Meh	Gor	Awst	Medi	Hyd	Tach	Rhag
Tymheredd – uchaf (°C)	31	31	31	31	31	31	31	31	30	30	30	30
Tymheredd – isaf (°C)	23	23	23	24	24	23	23	23	23	23	23	23
Glawiad – (mm)	351	259	307	363	315	307	277	348	152	495	518	480

rth — 31.56D 115.47Dn

	Ion	Chw	Maw	Ebr	Mai	Meh	Gor	Awst	Medi	Hyd	Tach	Rhag
Tymheredd – uchaf (°C)	29	29	27	24	21	18	17	18	19	21	24	27
Tymheredd – isaf (°C)	17	17	16	14	12	10	9	9	10	12	14	16
Glawiad – (mm)	8	10	20	43	130	180	170	145	86	56	21	13

ymouth — 50.22G 4.08Gn

	Ion	Chw	Maw	Ebr	Mai	Meh	Gor	Awst	Medi	Hyd	Tach	Rhag
Tymheredd – uchaf (°C)	8	8	10	12	15	18	19	19	18	15	11	9
Tymheredd – isaf (°C)	4	4	5	6	8	11	13	13	12	9	7	5
Glawiad – (mm)	99	74	69	53	63	53	70	77	78	91	113	110

Punta Arenas — 53.09D 70.57Gn

	Ion	Chw	Maw	Ebr	Mai	Meh	Gor	Awst	Medi	Hyd	Tach	Rhag
Tymheredd – uchaf (°C)	14	14	12	10	7	5	4	6	8	11	12	14
Tymheredd – isaf (°C)	7	7	5	4	2	1	−1	1	2	3	4	6
Glawiad – (mm)	38	23	33	36	33	41	28	31	23	28	18	36

Quito — 0.14D 78.30Gn

	Ion	Chw	Maw	Ebr	Mai	Meh	Gor	Awst	Medi	Hyd	Tach	Rhag
Tymheredd – uchaf (°C)	22	22	22	21	21	22	22	23	23	22	22	22
Tymheredd – isaf (°C)	8	8	8	8	8	7	7	7	7	8	7	8
Glawiad – (mm)	99	112	142	175	137	43	20	31	69	112	97	79

Riyadh — 24.43G 46.41Dn

	Ion	Chw	Maw	Ebr	Mai	Meh	Gor	Awst	Medi	Hyd	Tach	Rhag
Tymheredd – uchaf (°C)	21	23	28	32	38	42	42	42	39	34	29	21
Tymheredd – isaf (°C)	8	9	13	18	22	25	26	24	22	16	13	9
Glawiad – (mm)	3	20	25	10	0	0	0	0	0	0	0	0

Santiago — 33.28D 70.39Gn

	Ion	Chw	Maw	Ebr	Mai	Meh	Gor	Awst	Medi	Hyd	Tach	Rhag
Tymheredd – uchaf (°C)	29	29	27	23	18	14	15	17	19	22	26	28
Tymheredd – isaf (°C)	12	11	9	7	5	3	3	4	6	7	9	11
Glawiad – (mm)	3	3	5	13	64	84	76	56	31	15	8	5

Saskatoon — 52.08G 106.39Gn

	Ion	Chw	Maw	Ebr	Mai	Meh	Gor	Awst	Medi	Hyd	Tach	Rhag
Tymheredd – uchaf (°C)	−13	−11	−3	9	18	22	25	24	17	11	−1	−9
Tymheredd – isaf (°C)	−24	−22	−14	−3	3	9	11	9	3	−3	−11	−19
Glawiad – (mm)	23	13	18	18	36	66	61	48	38	23	13	15

Sevilla — 37.24G 5.58Gn

	Ion	Chw	Maw	Ebr	Mai	Meh	Gor	Awst	Medi	Hyd	Tach	Rhag
Tymheredd – uchaf (°C)	15	17	20	24	27	32	36	36	32	26	20	16
Tymheredd – isaf (°C)	6	7	9	11	13	17	20	20	18	14	10	7
Glawiad – (mm)	66	61	90	57	41	8	1	5	19	70	67	79

Shanghai — 31.15G 121.29Dn

	Ion	Chw	Maw	Ebr	Mai	Meh	Gor	Awst	Medi	Hyd	Tach	Rhag
Tymheredd – uchaf (°C)	8	8	13	19	25	28	32	32	28	23	17	12
Tymheredd – isaf (°C)	1	1	4	10	15	19	23	23	19	14	7	2
Glawiad – (mm)	48	58	84	94	94	180	147	142	130	71	51	36

Timbuktu — 16.46G 2.59Gn

	Ion	Chw	Maw	Ebr	Mai	Meh	Gor	Awst	Medi	Hyd	Tach	Rhag
Tymheredd – uchaf (°C)	27	31	34	38	41	40	37	35	37	37	33	28
Tymheredd – isaf (°C)	14	17	21	24	27	29	27	27	26	24	19	15
Glawiad – (mm)	0	0	0	0	4	19	62	79	33	3	0	0

Tomsk — 56.30G 85.01Dn

	Ion	Chw	Maw	Ebr	Mai	Meh	Gor	Awst	Medi	Hyd	Tach	Rhag
Tymheredd – uchaf (°C)	−18	−13	−6	3	12	19	23	20	14	3	−9	−16
Tymheredd – isaf (°C)	−24	−22	−17	−7	3	9	12	10	4	−3	−14	−22
Glawiad – (mm)	28	18	20	23	41	69	66	66	41	51	46	38

Vancouver — 49.16G 123.08Gn

	Ion	Chw	Maw	Ebr	Mai	Meh	Gor	Awst	Medi	Hyd	Tach	Rhag
Tymheredd – uchaf (°C)	5	7	10	14	18	21	23	23	18	14	9	6
Tymheredd – isaf (°C)	0	1	3	4	8	11	12	12	9	7	4	2
Glawiad – (mm)	218	147	127	84	71	64	31	43	91	147	211	224

Walvis Bay/Walvisbaai — 22.58D 14.30Dn

	Ion	Chw	Maw	Ebr	Mai	Meh	Gor	Awst	Medi	Hyd	Tach	Rhag
Tymheredd – uchaf (°C)	23	23	23	24	23	23	21	20	19	19	22	22
Tymheredd – isaf (°C)	15	16	15	13	11	9	8	8	9	11	12	14
Glawiad – (mm)	0	5	8	3	3	0	0	3	0	0	0	0

Y Byd: Bïomau, Priddoedd ac Erydiad Pridd

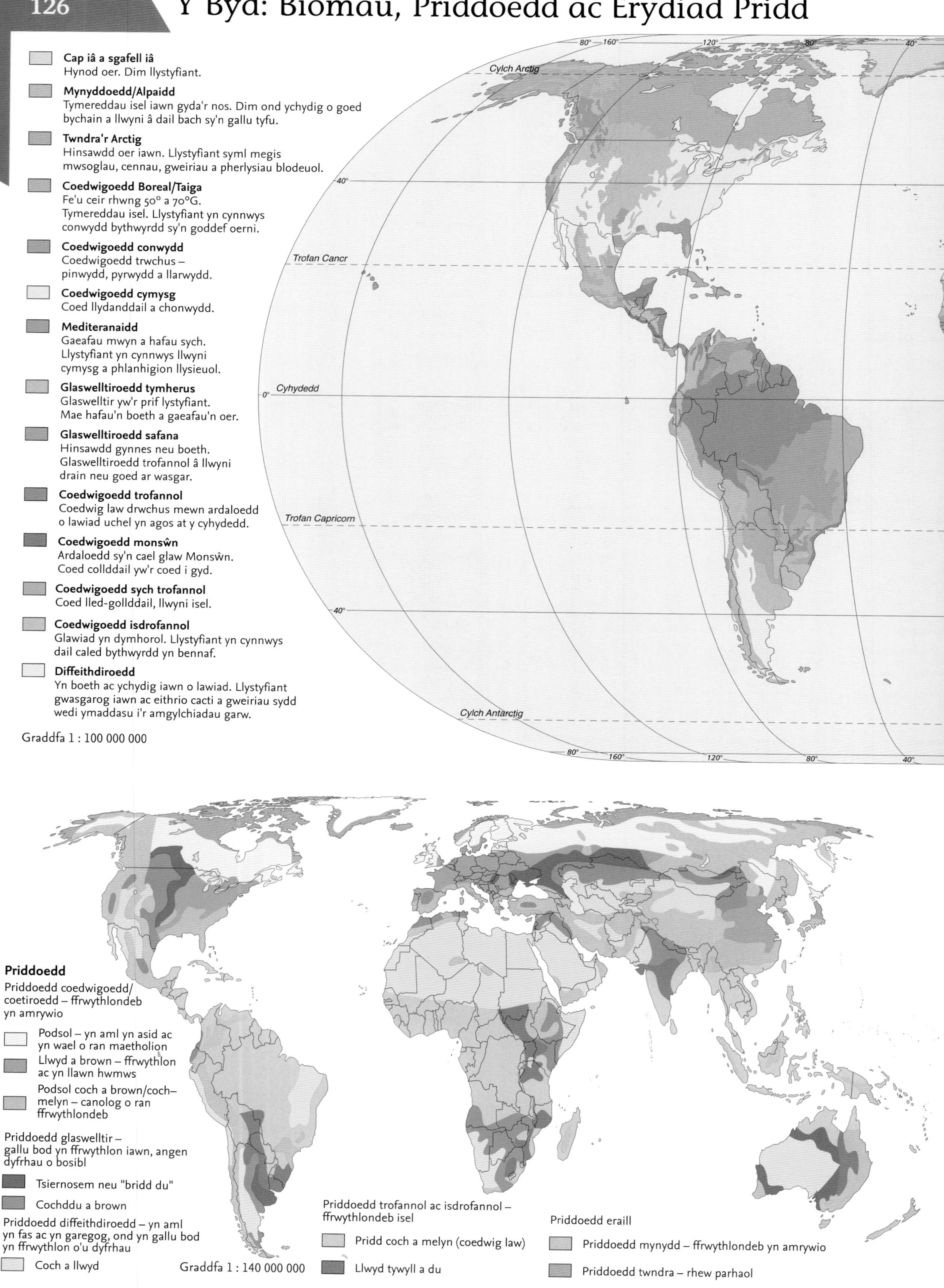

Cap iâ a sgafell iâ
Hynod oer. Dim llystyfiant.

Mynyddoedd/Alpaidd
Tymereddau isel iawn gyda'r nos. Dim ond ychydig o goed bychain a llwyni â dail bach sy'n gallu tyfu.

Twndra'r Arctig
Hinsawdd oer iawn. Llystyfiant syml megis mwsoglau, cennau, gweiriau a pherlysiau blodeuol.

Coedwigoedd Boreal/Taiga
Fe'u ceir rhwng 50° a 70°G. Tymereddau isel. Llystyfiant yn cynnwys conwydd bythwyrdd sy'n goddef oerni.

Coedwigoedd conwydd
Coedwigoedd trwchus – pinwydd, pyrwydd a llarwydd.

Coedwigoedd cymysg
Coed llydanddail a chonwydd.

Mediteranaidd
Gaeafau mwyn a hafau sych. Llystyfiant yn cynnwys llwyni cymysg a phlanhigion llysieuol.

Glaswelltiroedd tymherus
Glaswelltir yw'r prif lystyfiant. Mae hafau'n boeth a gaeafau'n oer.

Glaswelltiroedd safana
Hinsawdd gynnes neu boeth. Glaswelltiroedd trofannol â llwyni drain neu goed ar wasgar.

Coedwigoedd trofannol
Coedwig law drwchus mewn ardaloedd o lawiad uchel yn agos at y cyhydedd.

Coedwigoedd monsŵn
Ardaloedd sy'n cael glaw Monsŵn. Coed collddail yw'r coed i gyd.

Coedwigoedd sych trofannol
Coed lled-gollddail, llwyni isel.

Coedwigoedd isdrofannol
Glawiad yn dymhorol. Llystyfiant yn cynnwys dail caled bythwyrdd yn bennaf.

Diffeithdiroedd
Yn boeth ac ychydig iawn o lawiad. Llystyfiant gwasgarog iawn ac eithrio cacti a gweiriau sydd wedi ymaddasu i'r amgylchiadau garw.

Graddfa 1 : 100 000 000

Priddoedd

Priddoedd coedwigoedd/ coetiroedd – ffrwythlondeb yn amrywio

Podsol – yn aml yn asid ac yn wael o ran maetholion

Llwyd a brown – ffrwythlon ac yn llawn hwmws

Podsol coch a brown/coch– melyn – canolog o ran ffrwythlondeb

Priddoedd glaswelltir – gallu bod yn ffrwythlon iawn, angen dyfrhau o bosibl

Tsiernosem neu "bridd du"

Cochddu a brown

Priddoedd diffeithdiroedd – yn aml yn fas ac yn garegog, ond yn gallu bod yn ffrwythlon o'u dyfrhau

Coch a llwyd

Graddfa 1 : 140 000 000

Priddoedd trofannol ac isdrofannol – ffrwythlondeb isel

Pridd coch a melyn (coedwig law)

Llwyd tywyll a du

Priddoedd eraill

Priddoedd mynydd – ffrwythlondeb yn amrywio

Priddoedd twndra – rhew parhaol

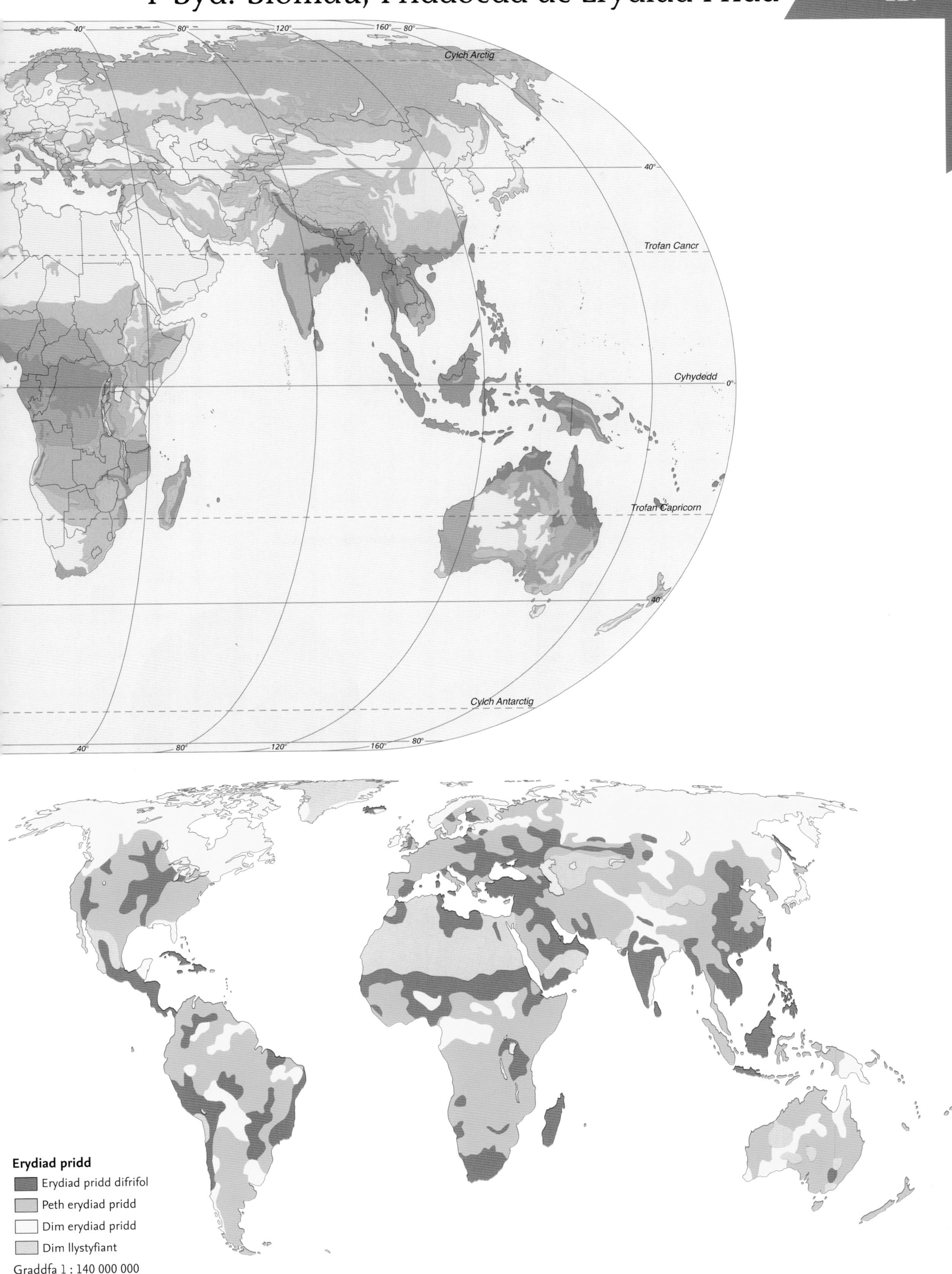

Erydiad pridd

- Erydiad pridd difrifol
- Peth erydiad pridd
- Dim erydiad pridd
- Dim llystyfiant

Graddfa 1 : 140 000 000

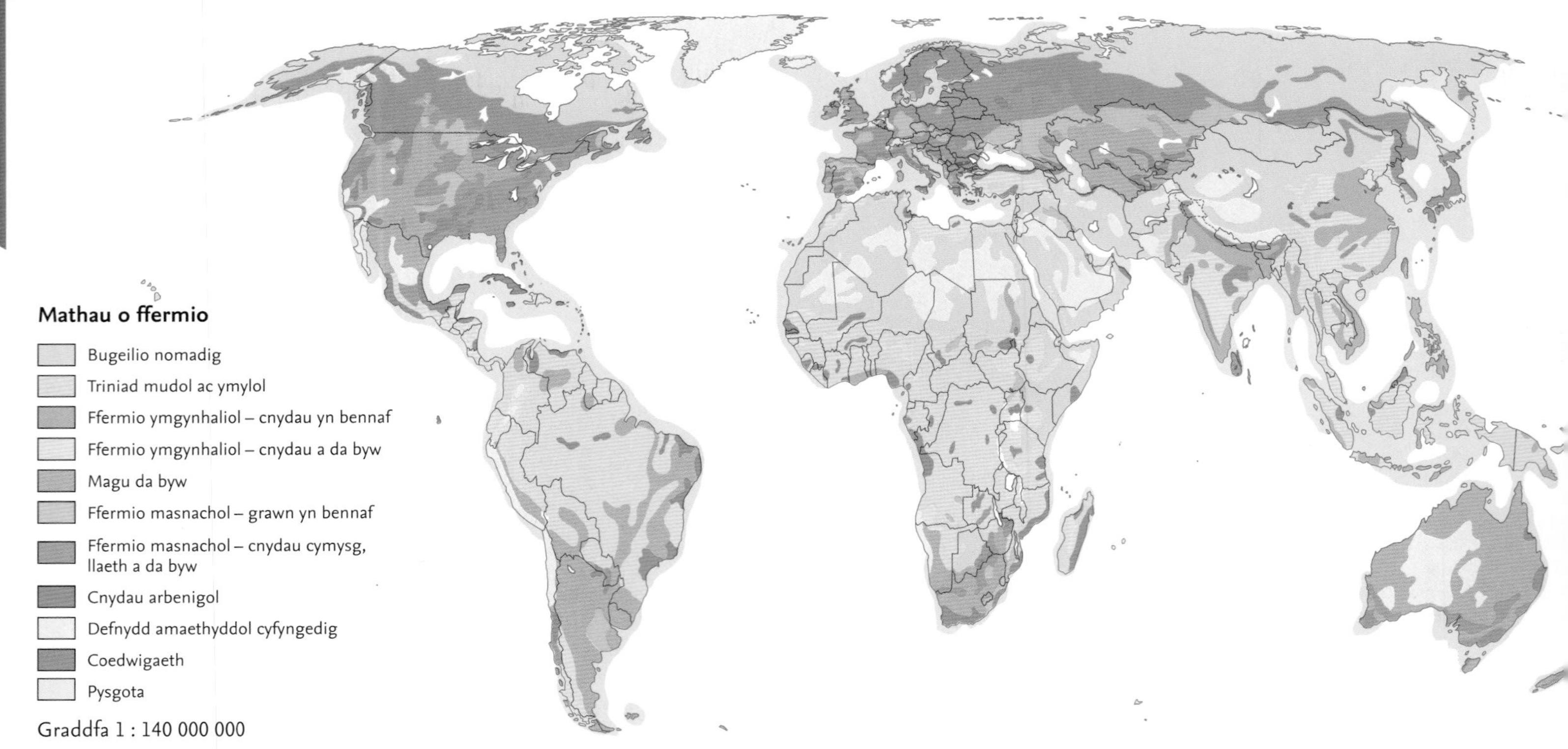

Mathau o ffermio

- Bugeilio nomadig
- Triniad mudol ac ymylol
- Ffermio ymgynhaliol – cnydau yn bennaf
- Ffermio ymgynhaliol – cnydau a da byw
- Magu da byw
- Ffermio masnachol – grawn yn bennaf
- Ffermio masnachol – cnydau cymysg, llaeth a da byw
- Cnydau arbenigol
- Defnydd amaethyddol cyfyngedig
- Coedwigaeth
- Pysgota

Graddfa 1 : 140 000 000

Cynhyrchiant grawnfwyd y byd, 2014

Oceania 1%
De America 6%
Affrica 7%
Ewrop 19%
Gogledd America 19%
Asia 48%

China
India
Indonesia
Gweddill Asia

UDA
Canada
México
Gweddill Gogledd America

Rwsia
Ffrainc
Ukrain
Gweddill Ewrop

Affrica

Brasil
Ariannin
Gweddill De America

Oceania

Cynhyrchiant cig y byd, 2014

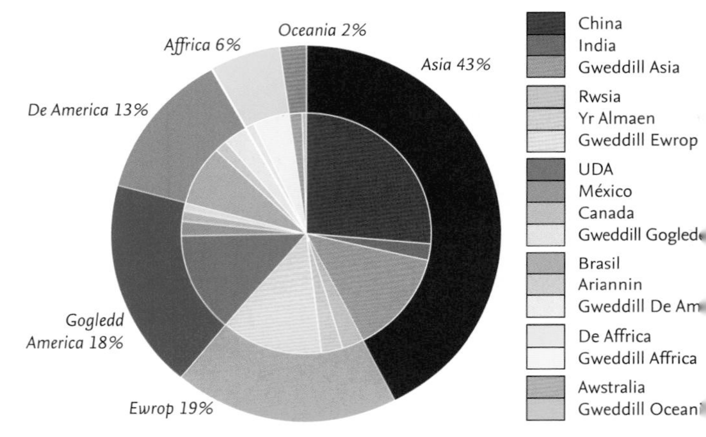

Affrica 6%
Oceania 2%
Asia 43%
De America 13%
Gogledd America 18%
Ewrop 19%

China
India
Gweddill Asia

Rwsia
Yr Almaen
Gweddill Ewrop

UDA
México
Canada
Gweddill Gogledd

Brasil
Ariannin
Gweddill De Am

De Affrica
Gweddill Affrica

Awstralia
Gweddill Ocean

Poblogaeth yn 2006 a rhagamcaniad o boblogaeth 2050

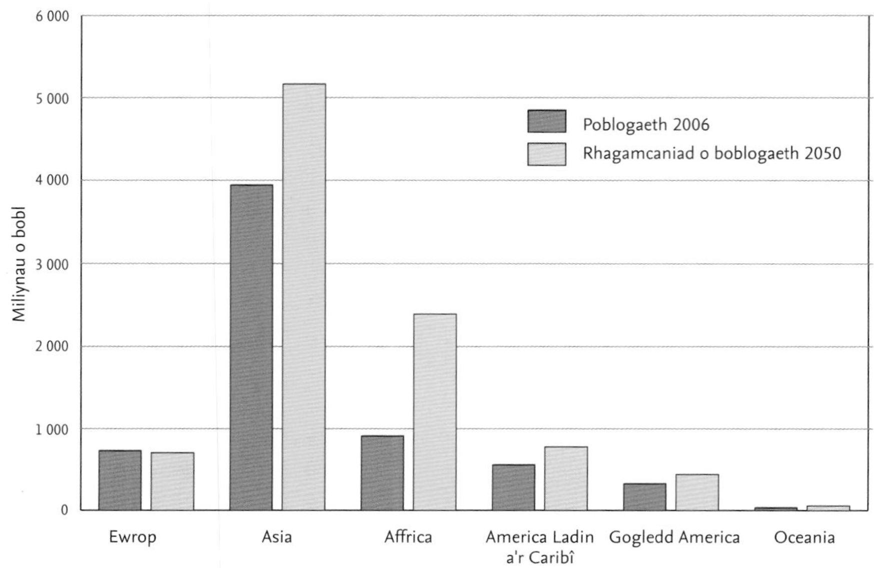

Miliynau o bobl

Poblogaeth 2006
Rhagamcaniad o boblogaeth 2050

Ewrop · Asia · Affrica · America Ladin a'r Caribî · Gogledd America · Oceania

Cau'r bwlch bwyd

Cynnydd gofynnol mewn calorïau bwyd i fwydo 9.6 biliwn o bobl yn 2050.

69%

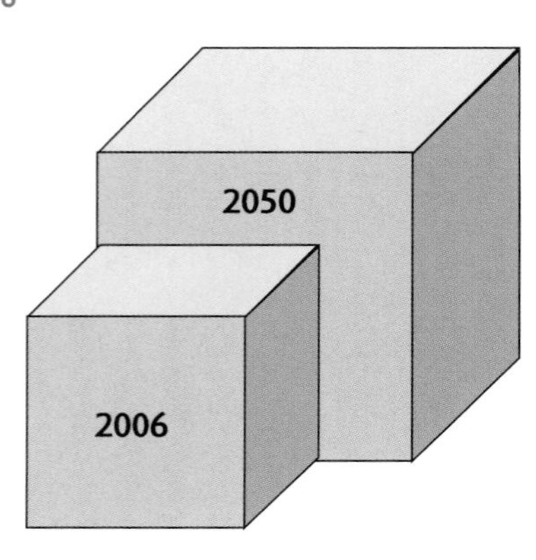

2050
2006

ghydraddoldebau byd-eang

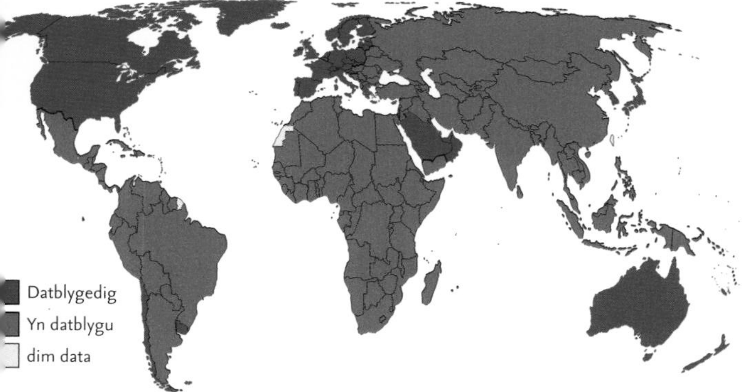

- Datblygedig
- Yn datblygu
- dim data

addfa 1 : 300 000 000

e cyfundrefnau rhyngwladol fel arfer yn cytuno ei bod yn bosibl categoreiddio edydd yn wledydd datblygedig ac yn wledydd sy'n datblygu. Mae'r grŵp cyntaf yn nwys y gwledydd/rhanbarthau canlynol: Canada; Unol Daleithiau America; Israel; an; Singapore; De Korea; Andorra; Groeg; Norwy; Awstria; Gwlad yr Iâ; Portiwgal; lad Belg; Cyprus; Tsiecia; Denmarc; Estonia; Y Ffindir; Ffrainc; Yr Almaen; raltar; Iwerddon; Yr Eidal; Latvia; Gwlad Pwyl; Slovacia; Slovenija; Sbaen; Sweden; wistir; Y Deyrnas Unedig; Dinas y Fatican; Awstralia; Seland Newydd; Rwsia.

Cyfnodau datblygiad

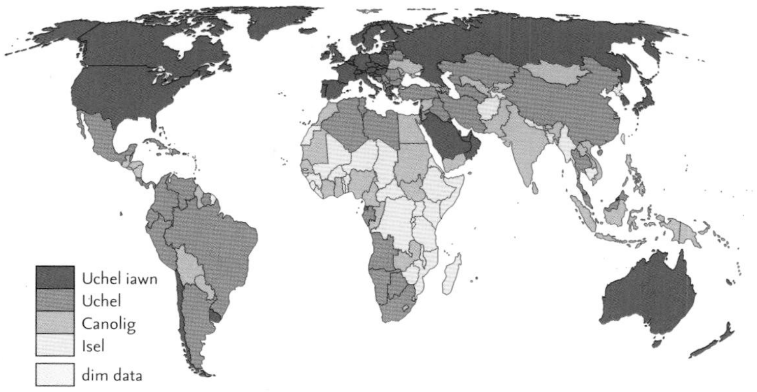

- Uchel iawn
- Uchel
- Canolig
- Isel
- dim data

Mae'r map hwn yn categoreiddio gwledydd yn ôl cyfnodau datblygiad: Uchel iawn; Uchel; Canolig; Isel. Defnyddir dangosyddion i fesur lefel eu datblygiad fel a ganlyn: disgwyliad oes fel mynegai iechyd a hirhoedledd y boblogaeth; addysg fel y caiff ei mesur gan lythrennedd oedolion a chofrestriadau ysgolion; a safonau byw yn seiliedig ar CMC y pen. Gellir asesu datblygiad rhanbarthau, dinasoedd neu bentrefi gan ddefnyddio'r dangosyddion hyn hefyd.

tblygiad isel

urundi

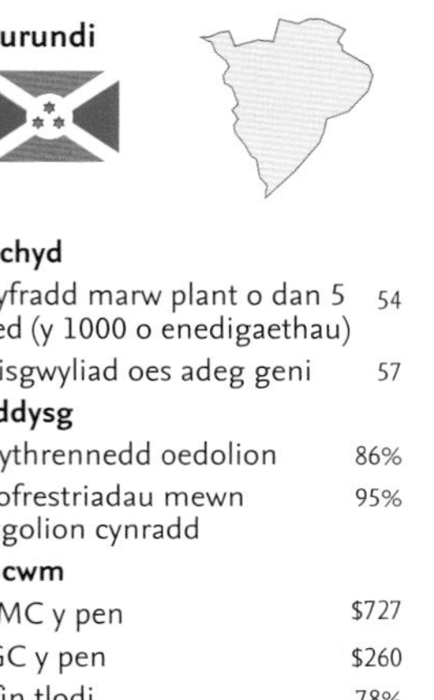

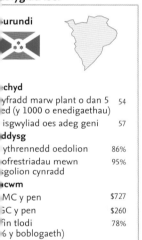

chyd

yfradd marw plant o dan 5 ed (y 1000 o enedigaethau)	54
isgwyliad oes adeg geni	57

ddysg

ythrennedd oedolion	86%
ofrestriadau mewn sgolion cynradd	95%

cwm

MC y pen	$727
GC y pen	$260
fin tlodi y boblogaeth)	78%

Datblygiad canolig

India

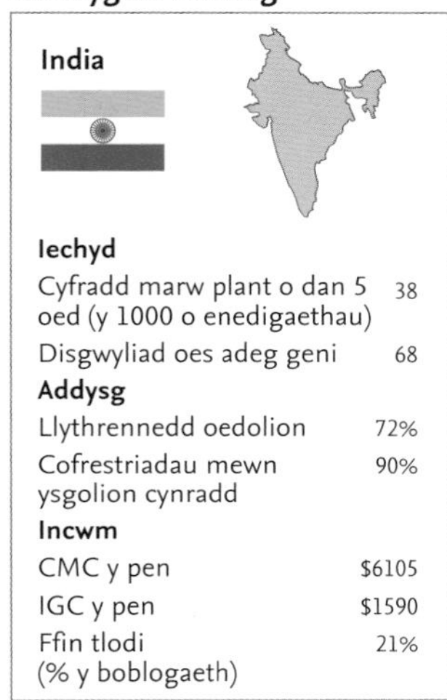

Iechyd

Cyfradd marw plant o dan 5 oed (y 1000 o enedigaethau)	38
Disgwyliad oes adeg geni	68

Addysg

Llythrennedd oedolion	72%
Cofrestriadau mewn ysgolion cynradd	90%

Incwm

CMC y pen	$6105
IGC y pen	$1590
Ffin tlodi (% y boblogaeth)	21%

Datblygiad uchel

Brasil

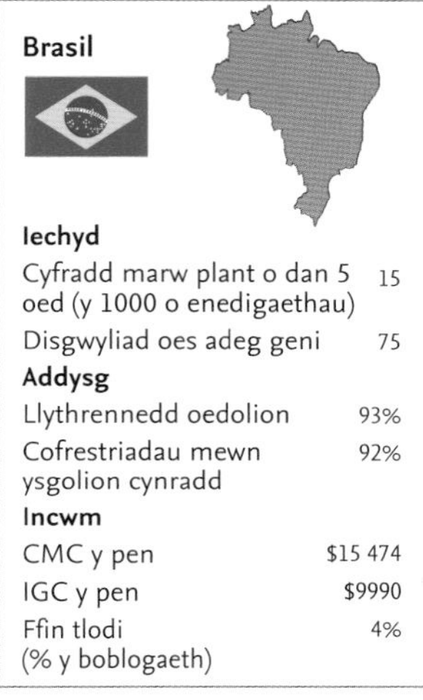

Iechyd

Cyfradd marw plant o dan 5 oed (y 1000 o enedigaethau)	15
Disgwyliad oes adeg geni	75

Addysg

Llythrennedd oedolion	93%
Cofrestriadau mewn ysgolion cynradd	92%

Incwm

CMC y pen	$15 474
IGC y pen	$9990
Ffin tlodi (% y boblogaeth)	4%

Datblygiad uchel iawn

Awstralia

Iechyd

Cyfradd marw plant o dan 5 oed (y 1000 o enedigaethau)	3
Disgwyliad oes adeg geni	82

Addysg

Llythrennedd oedolion	dim data
Cofrestriadau mewn ysgolion cynradd	97

Incwm

CMC y pen	$46 271
IGC y pen	$60 050
Ffin tlodi (% y boblogaeth)	dim data

C y pen, 1990–2015

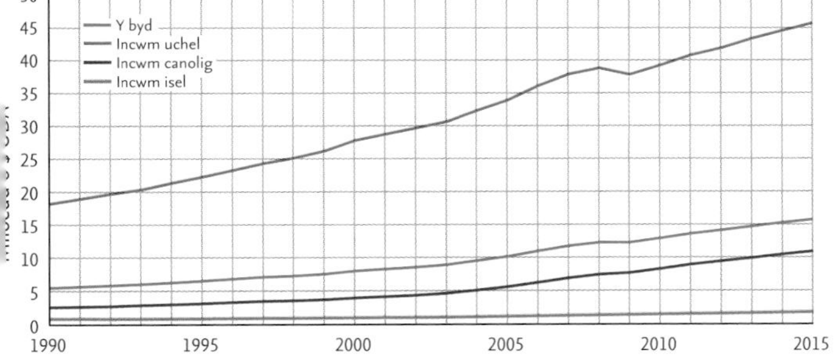

- Y byd
- Incwm uchel
- Incwm canolig
- Incwm isel

IGC y pen, 1980–2015

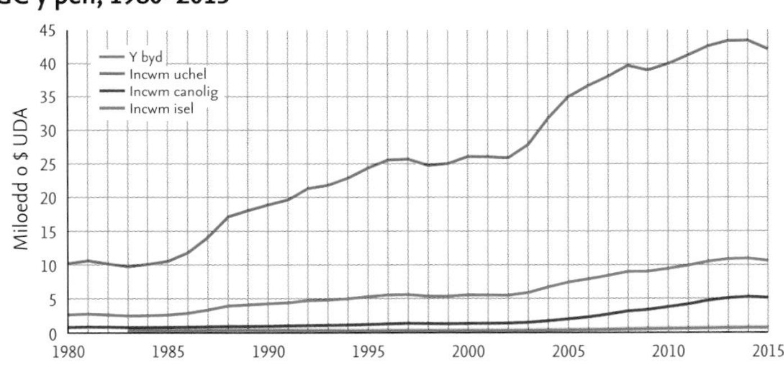

Miloedd o $ UDA

- Y byd
- Incwm uchel
- Incwm canolig
- Incwm isel

frestriadau mewn ysgolion cynradd, 1980–2014

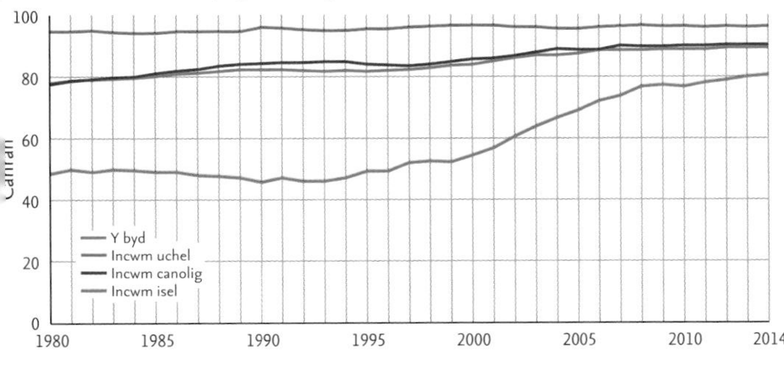

- Y byd
- Incwm uchel
- Incwm canolig
- Incwm isel

Disgwyliad oes, 1980–2015

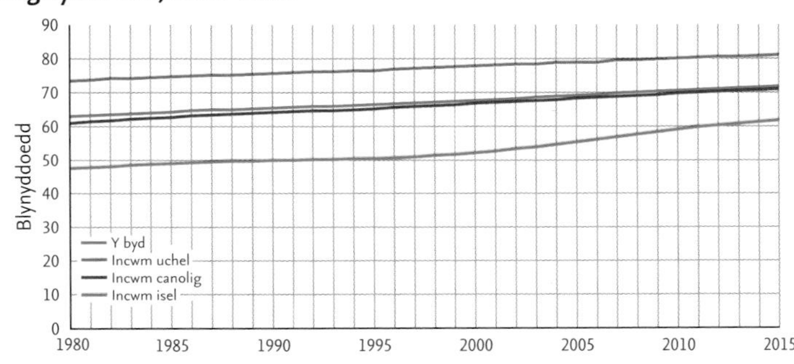

Blynyddoedd

- Y byd
- Incwm uchel
- Incwm canolig
- Incwm isel

Cymharu'r boblogaeth

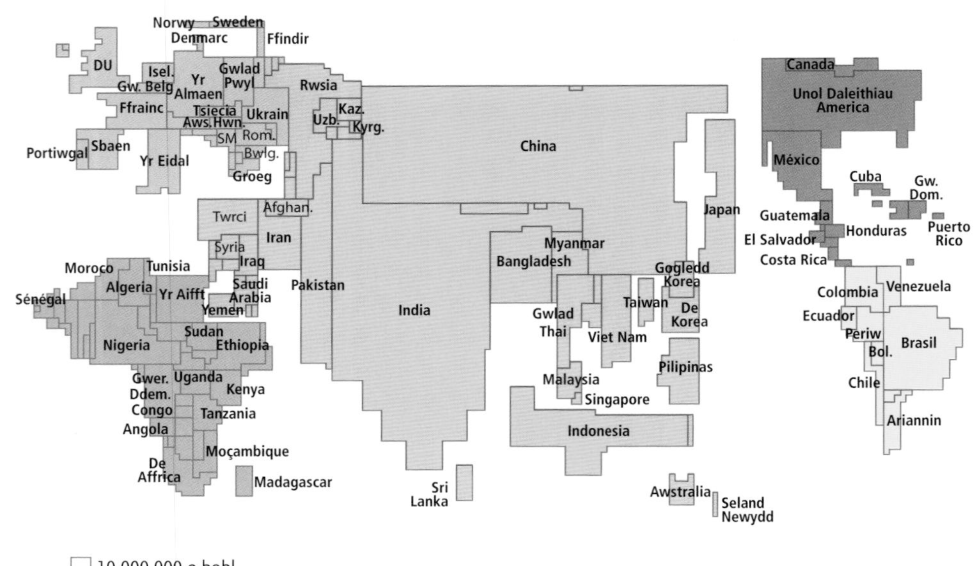

☐ 10 000 000 o bobl

Strwythur y boblogaeth 1950–2050

Mae pob sgwâr llawn yn cynrychioli 1% o gyfanswm y boblogaeth

Y Byd

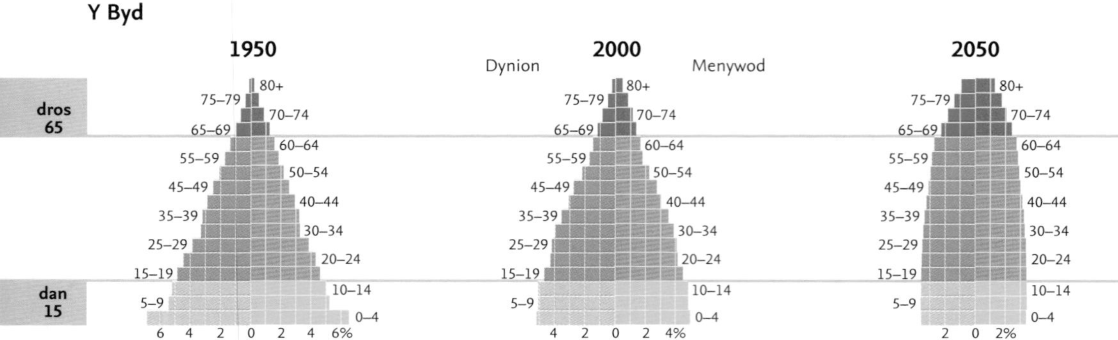

Y rhanbarthau mwyaf datblygedig

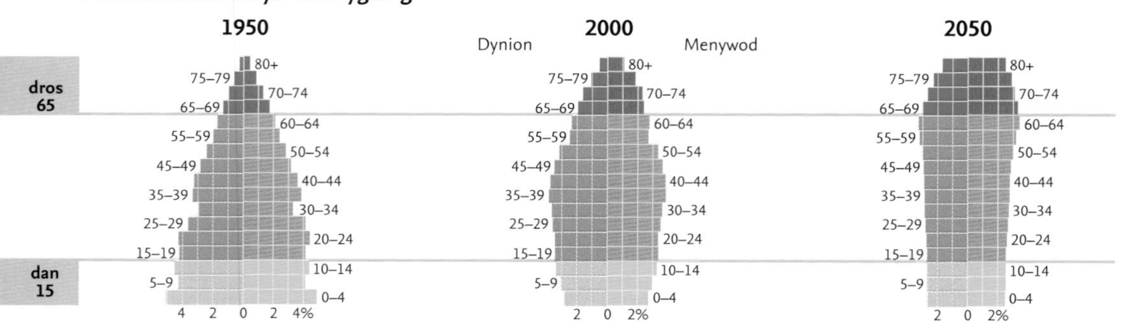

Y rhanbarthau lleiaf datblygedig

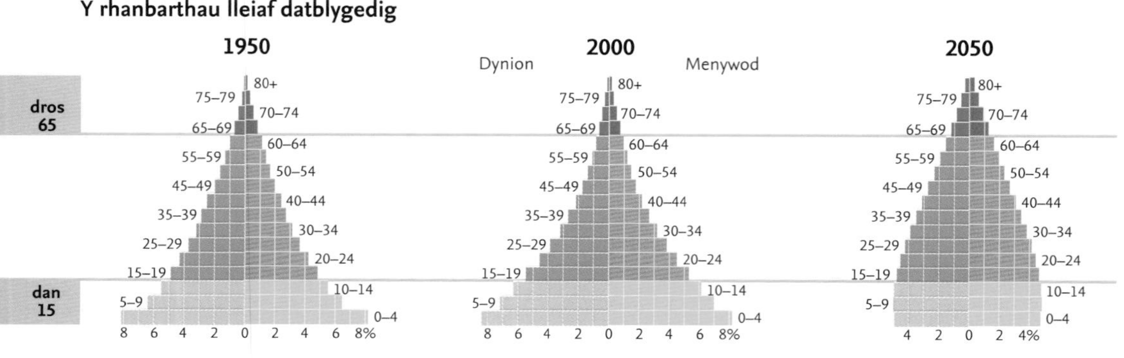

Y gwledydd â'r poblogaethau mwyaf, 2015

Gwlad a chyfandir	Poblogaet
China Asia	1 383 925 0●
India Asia	1 311 051 0●
U.D.A. Gogledd America	321 774 00
Indonesia Asia	257 564 0●
Brasil De America	207 848 0●
Pakistan Asia	188 925 0●
Nigeria Affrica	182 202 00
Bangladesh Asia	160 996 0●
Rwsia Asia/Ewrop	143 457 0●
México Gogledd America	127 017 0●
Japan Asia	126 573 00
Pilipinas Asia	100 699 0●
Ethiopia Affrica	99 391 0●
Viet Nam Asia	93 448 00
Yr Aifft Affrica	91 508 00
Yr Almaen Ewrop	80 689 00
Iran Asia	79 109 00
Twrci Asia	78 666 00
Gwer. Ddem. Congo Affrica	77 267 00
Gwlad Thai Asia	67 959 00

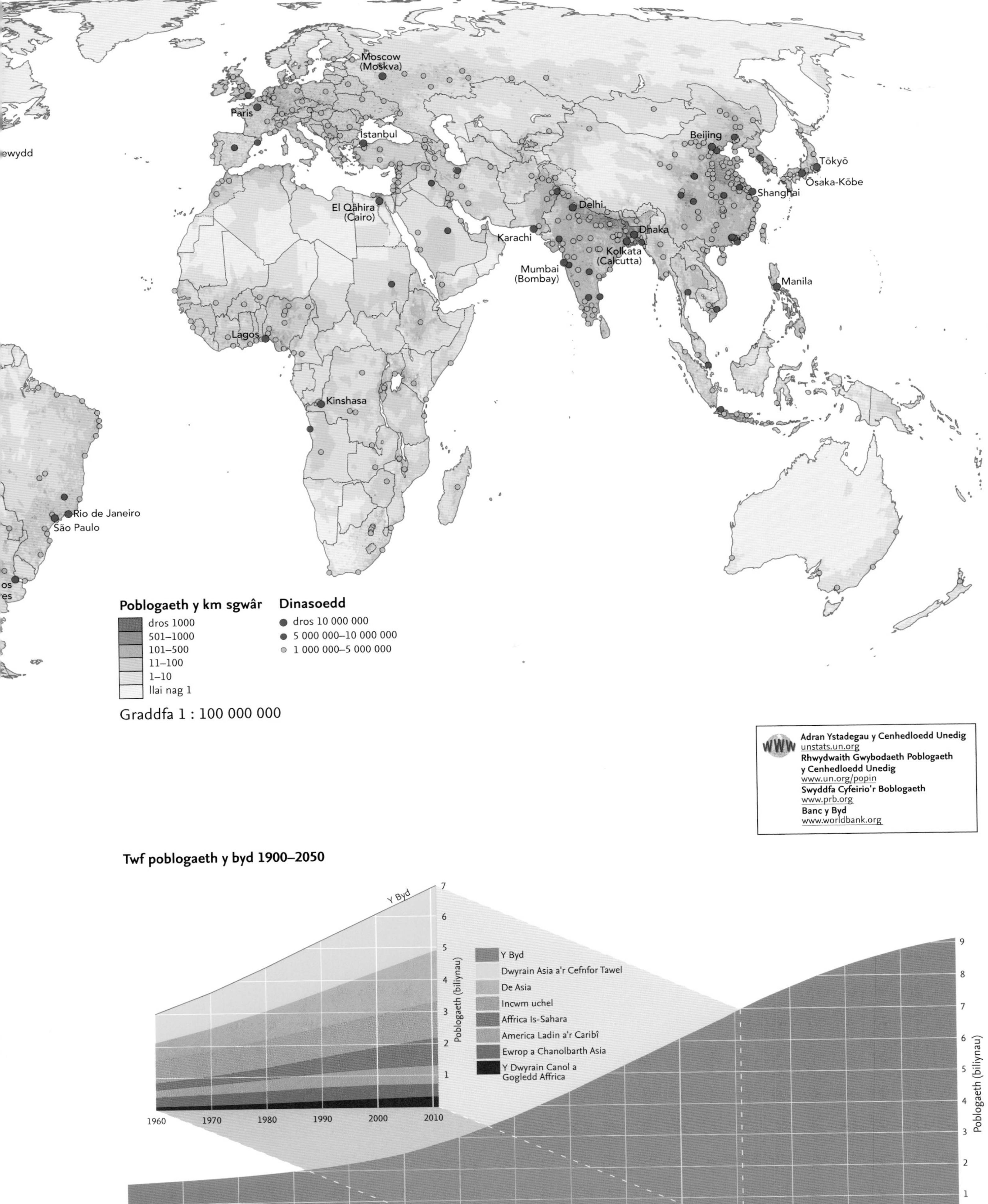

Moscow
(Moskva)

Paris

Istanbul

El Qâhira
(Cairo)

Karachi

Mumbai
(Bombay)

Delhi

Kolkata
(Calcutta)

Dhaka

Beijing

Tôkyō

Ōsaka-Kōbe

Shanghai

Manila

Lagos

Kinshasa

Rio de Janeiro

São Paulo

Poblogaeth y km sgwâr

- dros 1000
- 501–1000
- 101–500
- 11–100
- 1–10
- llai nag 1

Dinasoedd

- dros 10 000 000
- 5 000 000–10 000 000
- 1 000 000–5 000 000

Graddfa 1 : 100 000 000

www **Adran Ystadegau y Cenhedloedd Unedig**
unstats.un.org
**Rhwydwaith Gwybodaeth Poblogaeth
y Cenhedloedd Unedig**
www.un.org/popin
Swyddfa Cyfeirio'r Boblogaeth
www.prb.org
Banc y Byd
www.worldbank.org

Twf poblogaeth y byd 1900–2050

- Y Byd
- Dwyrain Asia a'r Cefnfor Tawel
- De Asia
- Incwm uchel
- Affrica Is-Sahara
- America Ladin a'r Caribî
- Ewrop a Chanolbarth Asia
- Y Dwyrain Canol a
  Gogledd Affrica

Poblogaeth (biliynau)

1900 1950 2000 2050

1960 1970 1980 1990 2000 2010

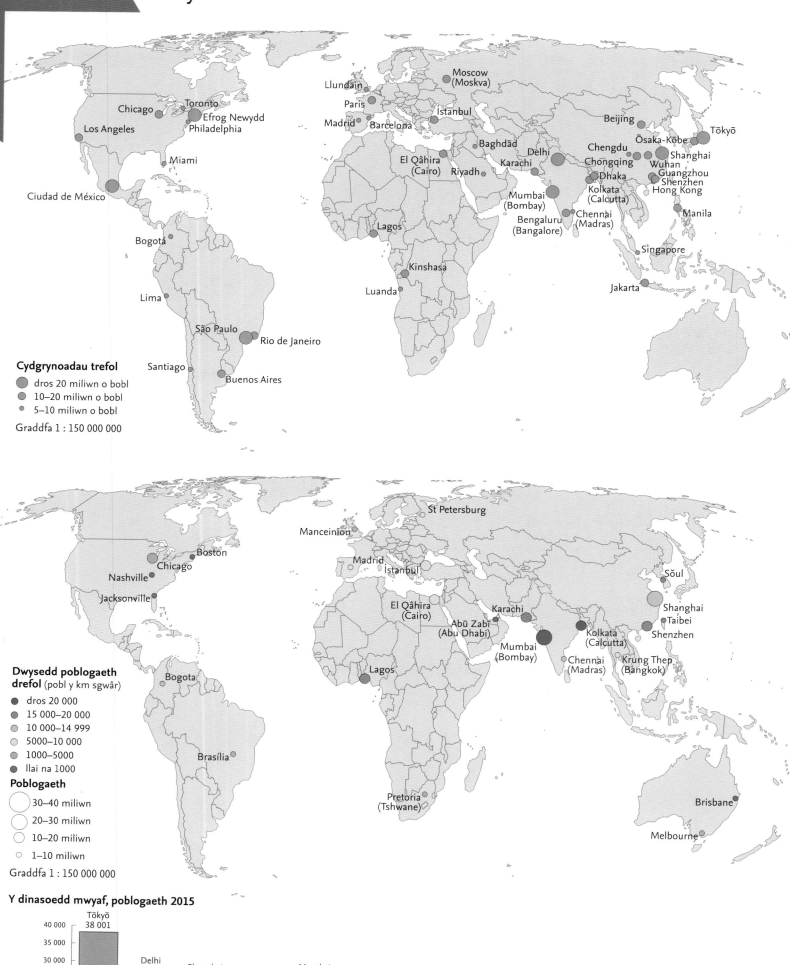

Cydgrynoadau trefol
- dros 20 miliwn o bobl
- 10–20 miliwn o bobl
- 5–10 miliwn o bobl

Graddfa 1 : 150 000 000

Dwysedd poblogaeth drefol (pobl y km sgwâr)
- dros 20 000
- 15 000–20 000
- 10 000–14 999
- 5000–10 000
- 1000–5000
- llai na 1000

Poblogaeth
- 30–40 miliwn
- 20–30 miliwn
- 10–20 miliwn
- 1–10 miliwn

Graddfa 1 : 150 000 000

Y dinasoedd mwyaf, poblogaeth 2015

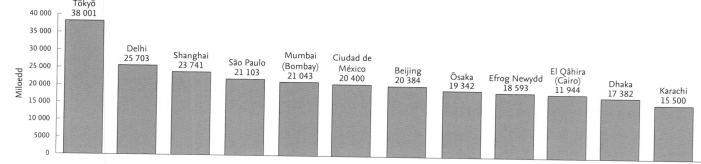

Tōkyō	38 001
Delhi	25 703
Shanghai	23 741
São Paulo	21 103
Mumbai (Bombay)	21 043
Ciudad de México	20 400
Beijing	20 384
Ōsaka	19 342
Efrog Newydd	18 593
El Qâhira (Cairo)	11 944
Dhaka	17 382
Karachi	15 500

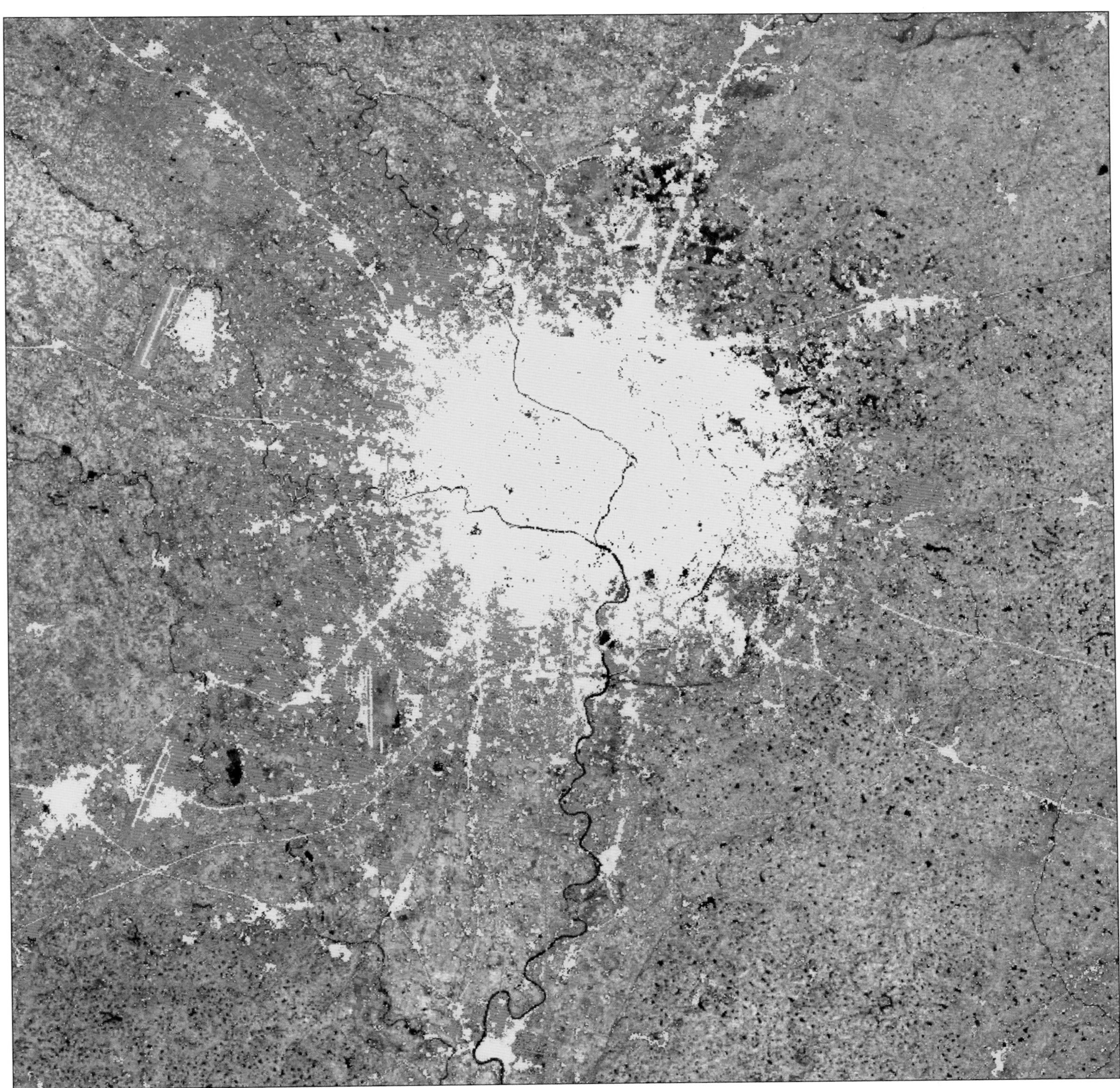

Twf trefol Chengdu

Dinas Chengdu, yn nhalaith Sichuan, yw un o'r canolfannau cludiant, cyfathrebu ac economaidd pwysicaf yng ngorllewin China. Mae'r ddelwedd hon yn dangos maint twf trefol Chengdu rhwng 1990 a 2000.

Mae'r mannau melyn yn dangos maint yr ardal drefol yn 1990, ac mae'r mannau oren sy'n pelydru o'r canol yn dangos yr hyn a adeiladwyd yn y 10 mlynedd ar ôl hynny. Heddiw, mae gan y ddinas bron 8 miliwn o drigolion.

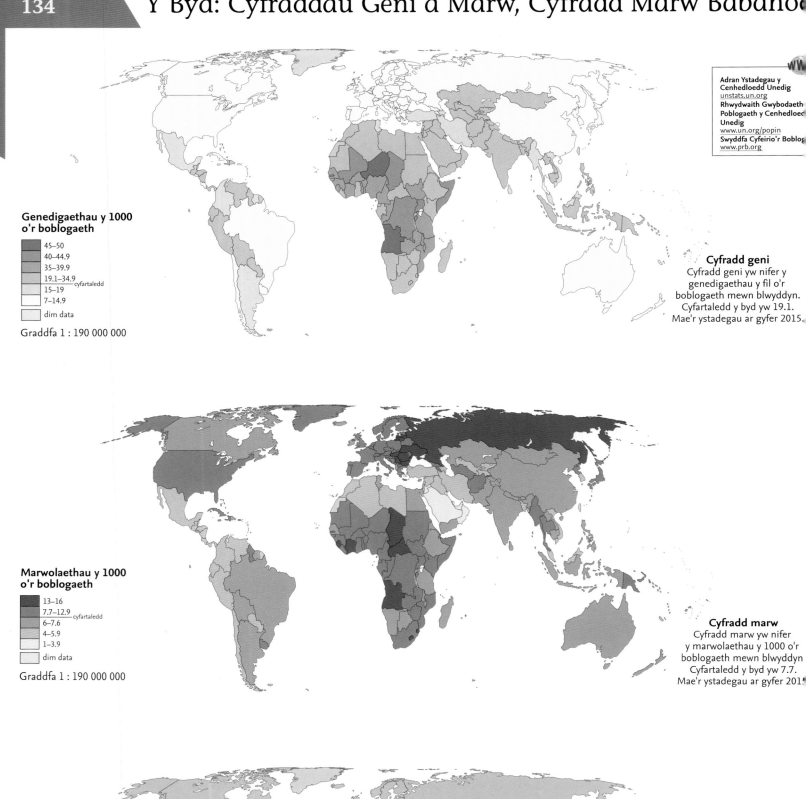

Adran Ystadegau y
Cenhedloedd Unedig
unstats.un.org
Rhwydwaith Gwybodaeth
Poblogaeth y Cenhedloedd
Unedig
www.un.org/popin
Swyddfa Cyfeirio'r Boblogaeth
www.prb.org

**Genedigaethau y 1000
o'r boblogaeth**

- 45–50
- 40–44.9
- 35–39.9
- 19.1–34.9 — cyfartaledd
- 15–19
- 7–14.9
- dim data

Graddfa 1 : 190 000 000

Cyfradd geni
Cyfradd geni yw nifer y
genedigaethau y fil o'r
boblogaeth mewn blwyddyn.
Cyfartaledd y byd yw 19.1.
Mae'r ystadegau ar gyfer 2015.

**Marwolaethau y 1000
o'r boblogaeth**

- 13–16
- 7.7–12.9 — cyfartaledd
- 6–7.6
- 4–5.9
- 1–3.9
- dim data

Graddfa 1 : 190 000 000

Cyfradd marw
Cyfradd marw yw nifer
y marwolaethau y 1000 o'r
boblogaeth mewn blwyddyn
Cyfartaledd y byd yw 7.7.
Mae'r ystadegau ar gyfer 2015

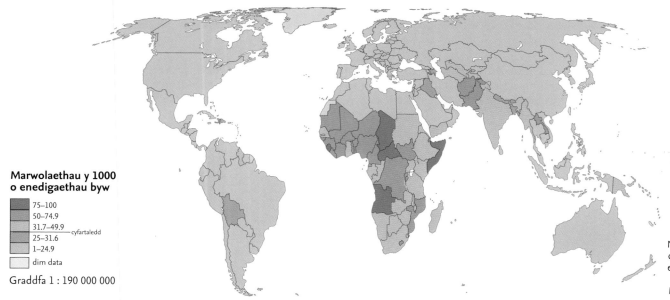

**Marwolaethau y 1000
o enedigaethau byw**

- 75–100
- 50–74.9
- 31.7–49.9 — cyfartaledd
- 25–31.6
- 1–24.9
- dim data

Graddfa 1 : 190 000 000

Cyfradd marw babanod
Nifer y babanod sy'n marw cyn
cyrraedd blwydd oed, y 1000 o
enedigaethau mewn blwyddyn
Cyfartaledd y byd yw 31.7.
Mae'r ystadegau ar gyfer 2015

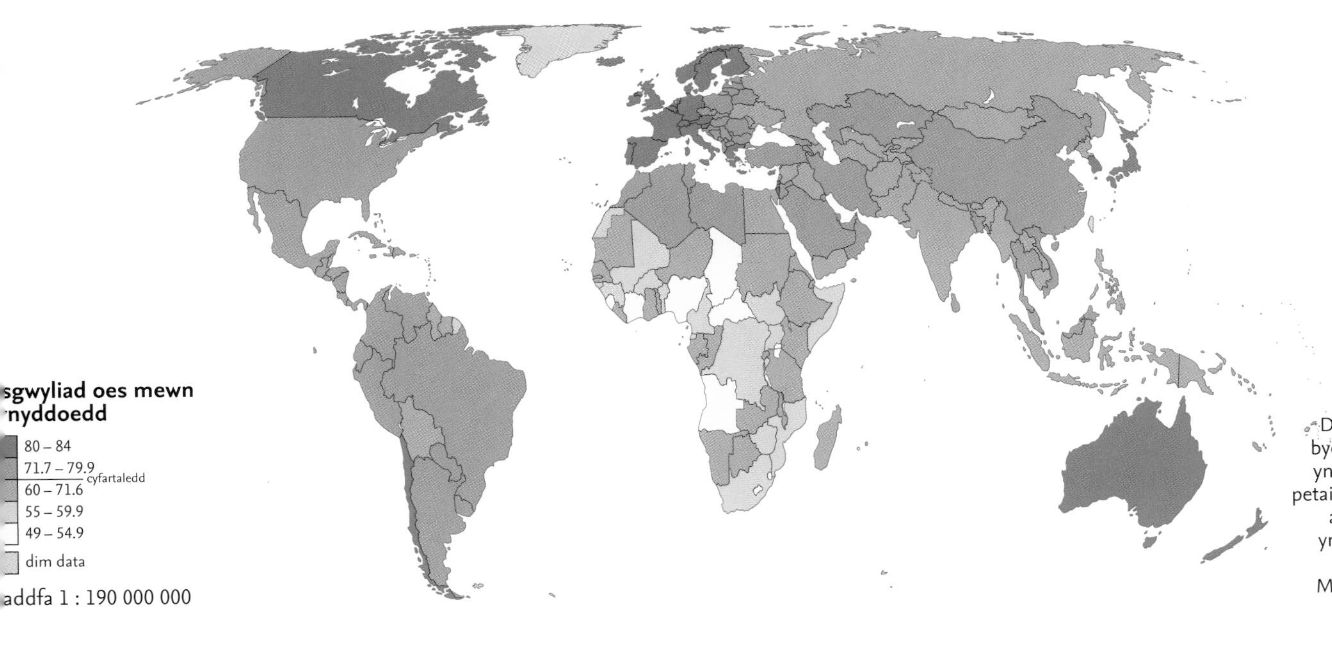

UNESCO
www.unesco.org
Mudiad Iechyd y Byd
www.who.int
Banc y Byd
www.worldbank.org

sgwyliad oes mewn
nyddoedd

- 80 – 84
- 71.7 – 79.9   cyfartaledd
- 60 – 71.6
- 55 – 59.9
- 49 – 54.9
- dim data

addfa 1 : 190 000 000

Disgwyliad oes
Disgwyliad oes yw'r oedran y
byddai plentyn newydd-anedig
yn byw hyd ato, ar gyfartaledd,
petai patrymau marw ar gyfer pawb
adeg ei enedigaeth yn aros
yr un fath trwy gydol ei fywyd.
Cyfartaledd y byd yw 71.7.
Mae'r ystadegau ar gyfer 2015.

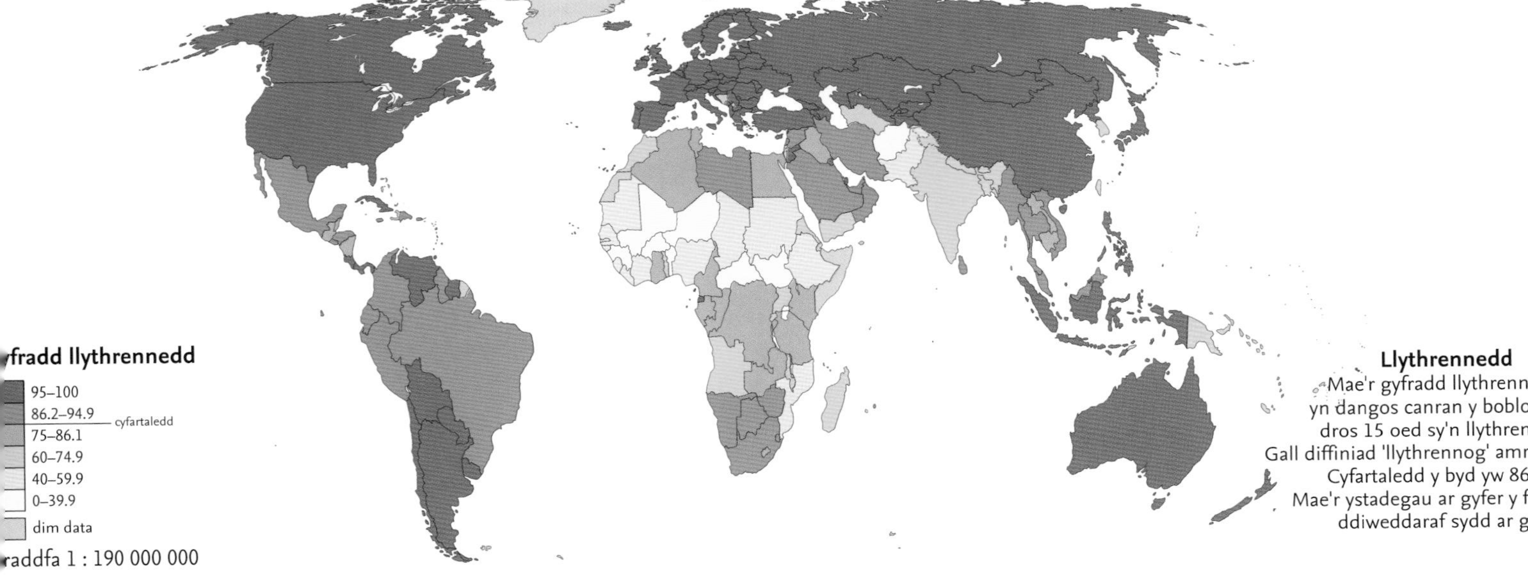

fradd llythrennedd

- 95–100
- 86.2–94.9   cyfartaledd
- 75–86.1
- 60–74.9
- 40–59.9
- 0–39.9
- dim data

raddfa 1 : 190 000 000

Llythrennedd
Mae'r gyfradd llythrennedd
yn dangos canran y boblogaeth
dros 15 oed sy'n llythrennog.
Gall diffiniad 'llythrennog' amrywio'n faw
Cyfartaledd y byd yw 86.2%.
Mae'r ystadegau ar gyfer y flwyddyn
ddiweddaraf sydd ar gael.

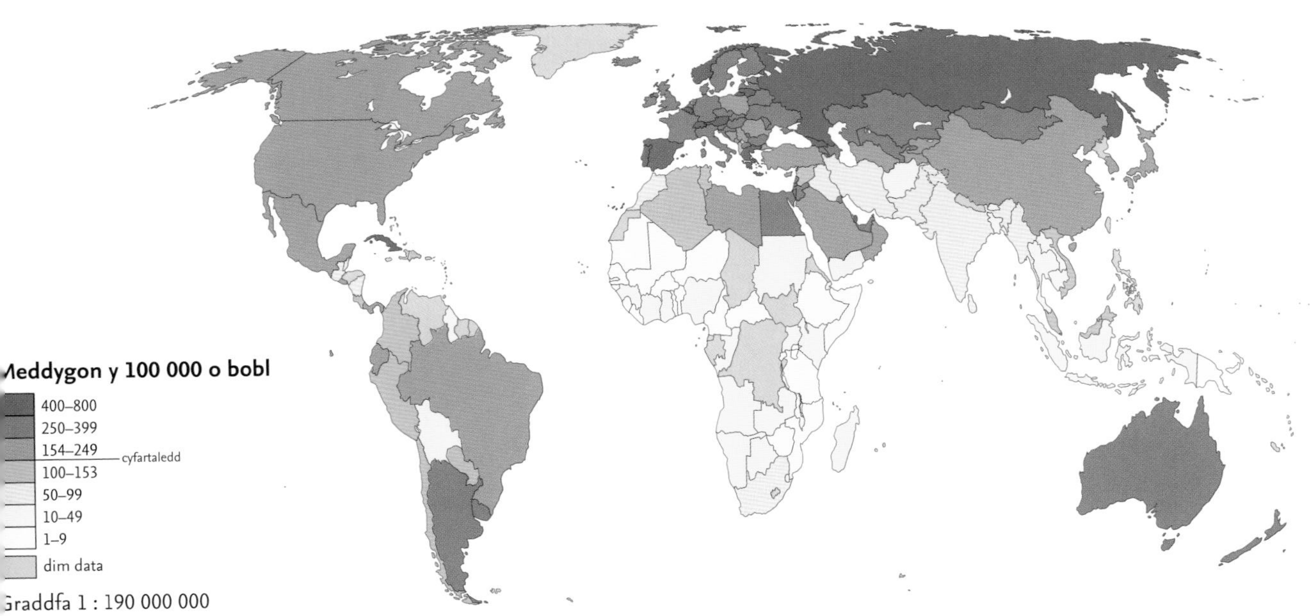

Meddygon y 100 000 o bobl

- 400–800
- 250–399
- 154–249   cyfartaledd
- 100–153
- 50–99
- 10–49
- 1–9
- dim data

Graddfa 1 : 190 000 000

Meddygon
Cyfartaledd y byd yw 154.
Mae'r ystadegau ar gyfer 2009–2

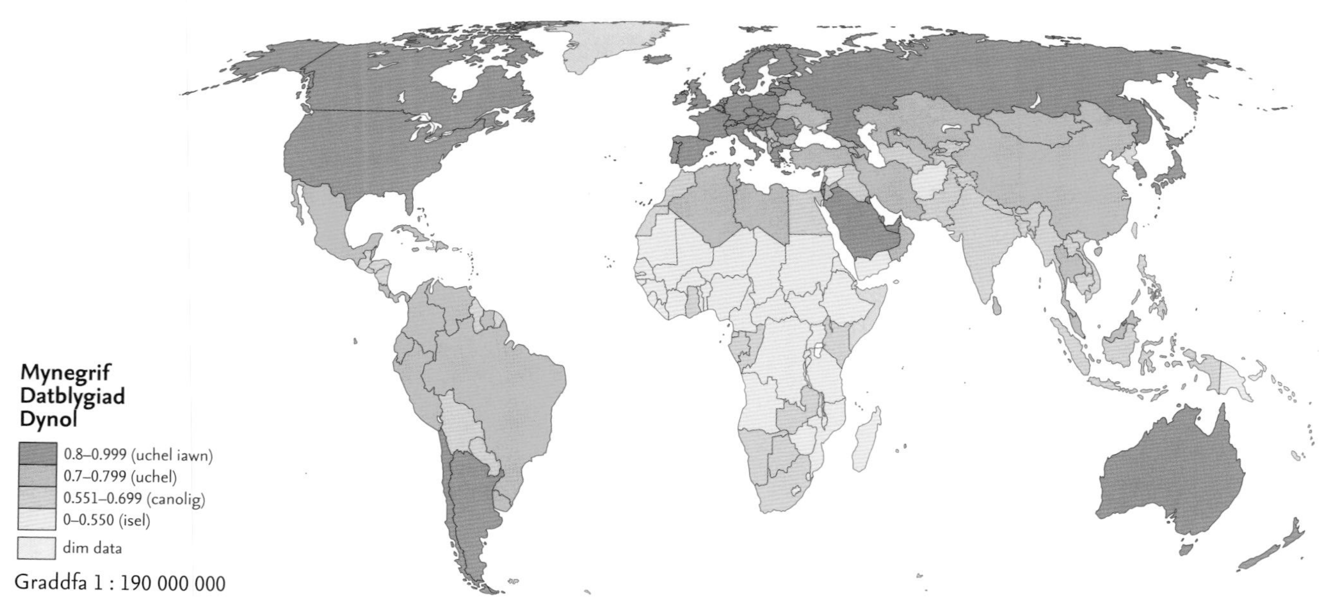

Banc y Byd
www.worldbank.org
Rhaglen Ddatblygu'r
Cenhedloedd Unedig
www.undp.org
Nodau Datblygu'r
Mileniwm
millenniumindicators.un.

MDD
Mae'r Mynegrif Datblygiad
Dynol (MDD) yn mesur
cyflawniadau gwlad yn
seiliedig ar ddangosyddion
disgwyliad oes, gwybodaeth
a safonau byw.
Cyfartaledd y byd yw 0.717.
Mae'r ystadegau ar gyfer 201

**Mynegrif
Datblygiad
Dynol**

- 0.8–0.999 (uchel iawn)
- 0.7–0.799 (uchel)
- 0.551–0.699 (canolig)
- 0–0.550 (isel)
- dim data

Graddfa 1 : 190 000 000

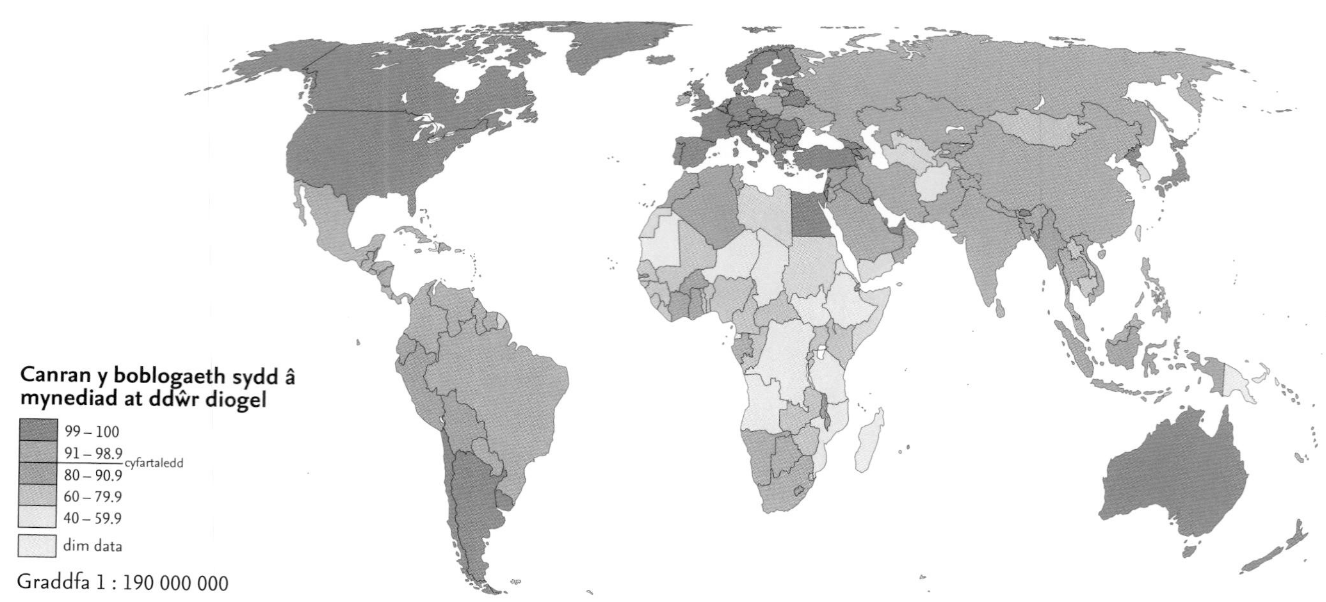

Mynediad at ddŵr diogel
Canran y boblogaeth sydd â
mynediad rhesymol at faint
digonol o ddŵr o
ffynhonnell wedi'i gwella.
Cyfartaledd y byd yw 91%.
Mae'r ystadegau ar gyfer 2015.

**Canran y boblogaeth sydd â
mynediad at ddŵr diogel**

- 99 – 100
- 91 – 98.9   cyfartaledd
- 80 – 90.9
- 60 – 79.9
- 40 – 59.9
- dim data

Graddfa 1 : 190 000 000

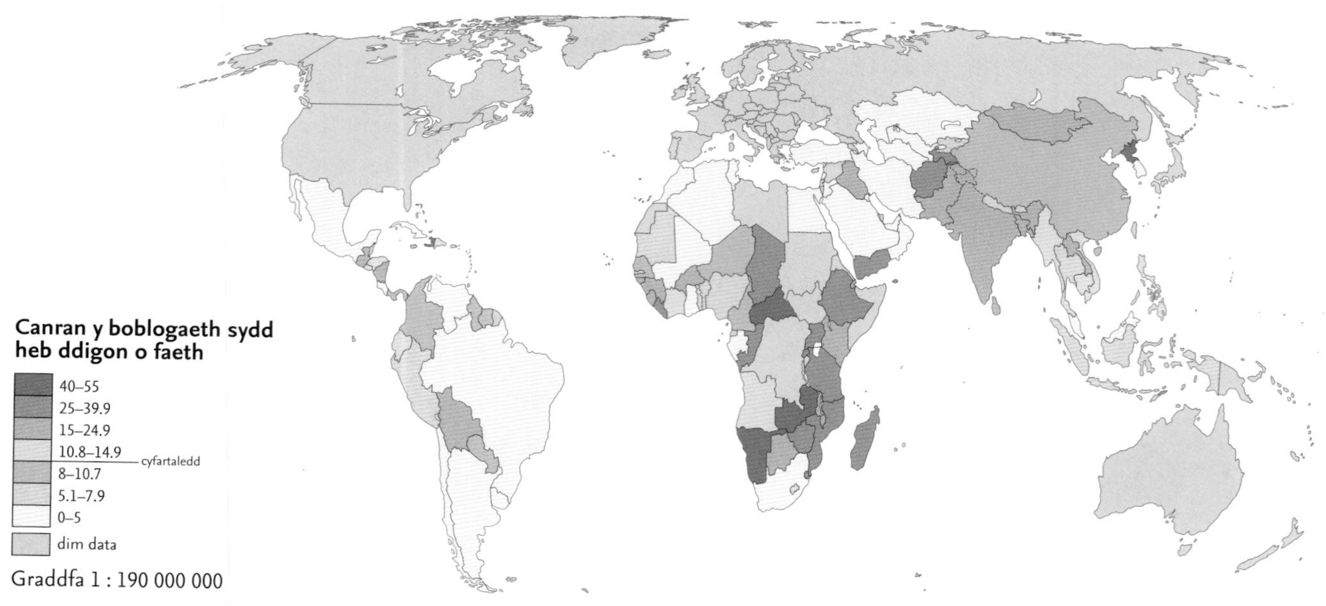

Maeth
Canran y boblogaeth sydd
heb ddigon o faeth mewn
gwledydd sy'n datblygu a
gwledydd sy'n trawsnewid.
Cyfartaledd y byd yw 10.8%.
Mae'r ystadegau ar gyfer 2015.

**Canran y boblogaeth sydd
heb ddigon o faeth**

- 40–55
- 25–39.9
- 15–24.9
- 10.8–14.9   cyfartaledd
- 8–10.7
- 5.1–7.9
- 0–5
- dim data

Graddfa 1 : 190 000 000

WWW

UNESCO
www.unesco.org
Mudiad Iechyd y Byd
www.who.ch
Banc y Byd
www.worldbank.org
UNAIDS
www.unaids.org

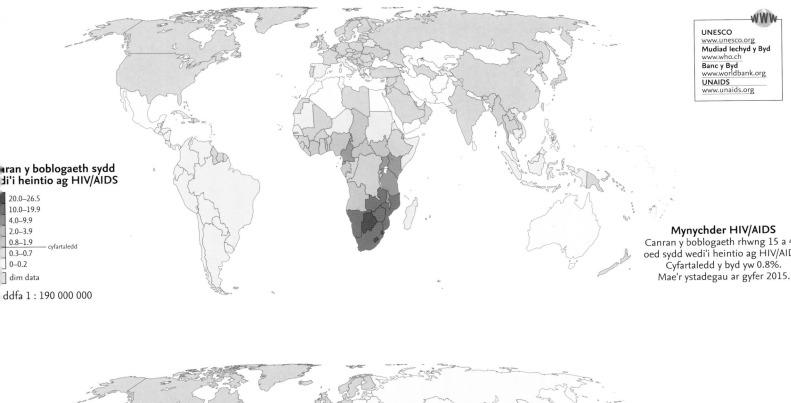

**ran y boblogaeth sydd
di'i heintio ag HIV/AIDS**

- 20.0–26.5
- 10.0–19.9
- 4.0–9.9
- 2.0–3.9
- 0.8–1.9 — cyfartaledd
- 0.3–0.7
- 0–0.2
- dim data

ddfa 1 : 190 000 000

Mynychder HIV/AIDS

Canran y boblogaeth rhwng 15 a 49
oed sydd wedi'i heintio ag HIV/AIDS.
Cyfartaledd y byd yw 0.8%.
Mae'r ystadegau ar gyfer 2015.

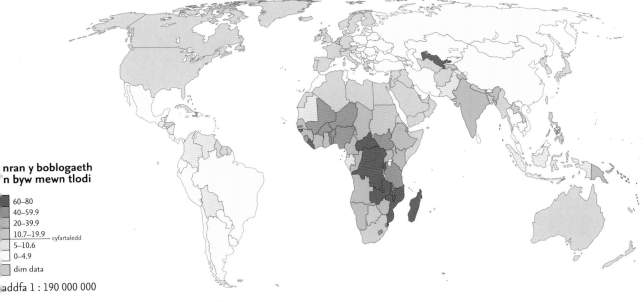

**nran y boblogaeth
n byw mewn tlodi**

- 60–80
- 40–59.9
- 20–39.9
- 10.7–19.9 — cyfartaledd
- 5–10.6
- 0–4.9
- dim data

addfa 1 : 190 000 000

Tlodi mewn gwledydd
sy'n datblygu

Canran poblogaeth
gwledydd sy'n datblygu
sy'n byw ar lai na
$ UDA 1.90 y dydd.
Mae'r ystadegau ar gyfer
2003–2014.

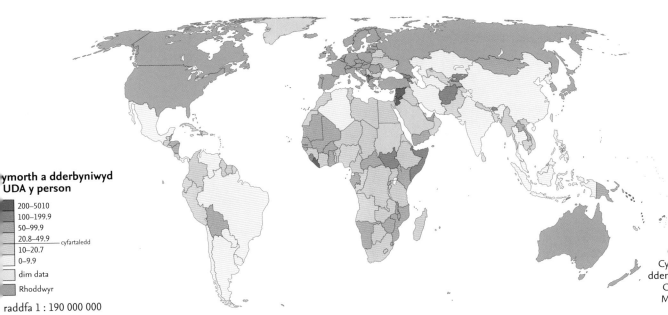

**ymorth a dderbyniwyd
UDA y person**

- 200–5010
- 100–199.9
- 50–99.9
- 20.8–49.9 — cyfartaledd
- 10–20.7
- 0–9.9
- dim data
- Rhoddwyr

raddfa 1 : 190 000 000

Cymorth a dderbyniwyd

Cymorth datblygu swyddogol a
dderbyniwyd mewn $ UDA y person.
Cyfartaledd y byd $ UDA 20.8.
Mae'r ystadegau ar gyfer 2015.

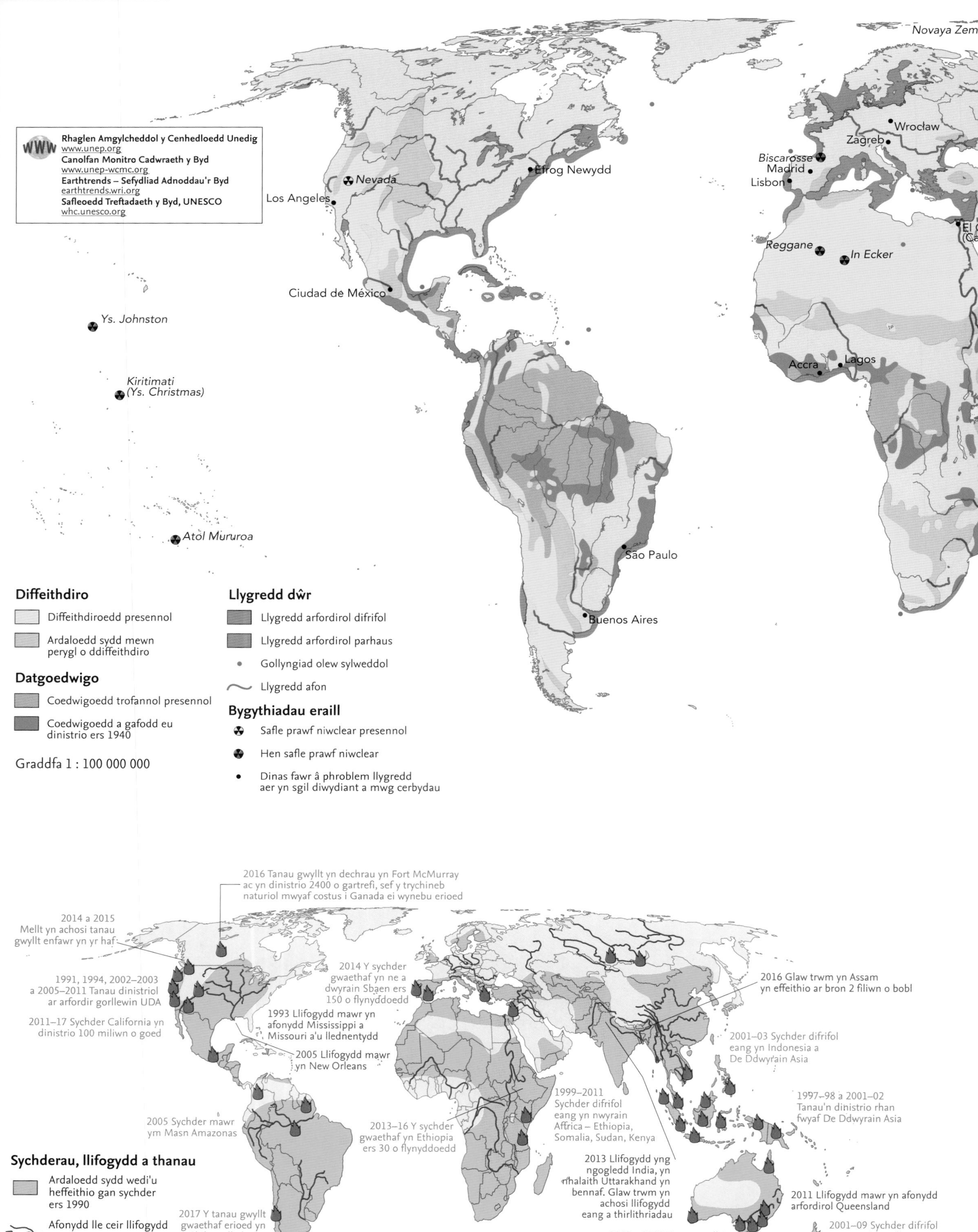

Rhaglen Amgylcheddol y Cenhedloedd Unedig
www.unep.org
Canolfan Monitro Cadwraeth y Byd
www.unep-wcmc.org
Earthtrends – Sefydliad Adnoddau'r Byd
earthtrends.wri.org
Safleoedd Treftadaeth y Byd, UNESCO
whc.unesco.org

Novaya Zemlya
Wrocław
Zagreb
Biscarosse
Madrid
Lisbon
El Qâhira (Cairo)
Reggane
In Ecker
Efrog Newydd
Nevada
Los Angeles
Ciudad de México
Ys. Johnston
Kiritimati (Ys. Christmas)
Accra
Lagos
Atol Mururoa
São Paulo
Buenos Aires

Diffeithdiro

Diffeithdiroedd presennol

Ardaloedd sydd mewn perygl o ddiffeithdiro

Datgoedwigo

Coedwigoedd trofannol presennol

Coedwigoedd a gafodd eu dinistrio ers 1940

Graddfa 1 : 100 000 000

Llygredd dŵr

Llygredd arfordirol difrifol

Llygredd arfordirol parhaus

• Gollyngiad olew sylweddol

∼ Llygredd afon

Bygythiadau eraill

☢ Safle prawf niwclear presennol

☢ Hen safle prawf niwclear

• Dinas fawr â phroblem llygredd aer yn sgil diwydiant a mwg cerbydau

2016 Tanau gwyllt yn dechrau yn Fort McMurray ac yn dinistrio 2400 o gartrefi, sef y trychineb naturiol mwyaf costus i Ganada ei wynebu erioed

2014 a 2015 Mellt yn achosi tanau gwyllt enfawr yn yr haf

1991, 1994, 2002–2003 a 2005–2011 Tanau dinistriol ar arfordir gorllewin UDA

2011–17 Sychder California yn dinistrio 100 miliwn o goed

1993 Llifogydd mawr yn afonydd Mississippi a Missouri a'u llednentydd

2005 Llifogydd mawr yn New Orleans

2014 Y sychder gwaethaf yn ne a dwyrain Sbaen ers 150 o flynyddoedd

2016 Glaw trwm yn Assam yn effeithio ar bron 2 filiwn o bobl

2001–03 Sychder difrifol eang yn Indonesia a De Ddwyrain Asia

1997–98 a 2001–02 Tanau'n dinistrio rhan fwyaf De Ddwyrain Asia

2005 Sychder mawr ym Masn Amazonas

2013–16 Y sychder gwaethaf yn Ethiopia ers 30 o flynyddoedd

1999–2011 Sychder difrifol eang yn nwyrain Affrica – Ethiopia, Somalia, Sudan, Kenya

2013 Llifogydd yng ngogledd India, yn nhalaith Uttarakhand yn bennaf. Glaw trwm yn achosi llifogydd eang a thirlithriadau

2011 Llifogydd mawr yn afonydd arfordirol Queensland

2001–09 Sychder difrifol eang yn Awstralia

2017 Y tanau gwyllt gwaethaf erioed yn Chile yn lledaenu dros 5000 km²

2003 a 2009 Tanau gwylltir eithafol yn dinistrio cymunedau a thirweddau yn Canberra a ger Melbourne

Sychderau, llifogydd a thanau

Ardaloedd sydd wedi'u heffeithio gan sychder ers 1990

∼ Afonydd lle ceir llifogydd mawr

Ardaloedd sydd wedi'u heffeithio gan danau coedwigoedd mawr ers 1990

Graddfa 1 : 190 000 000

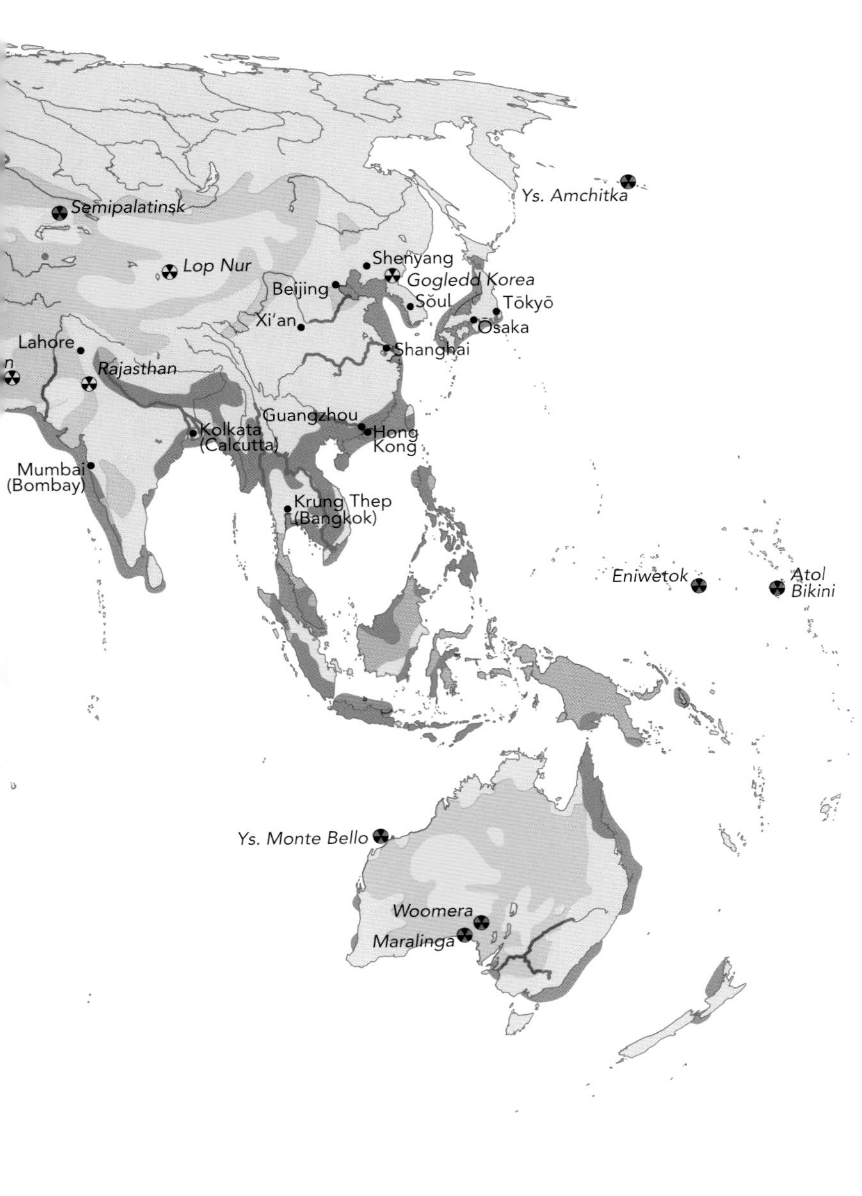

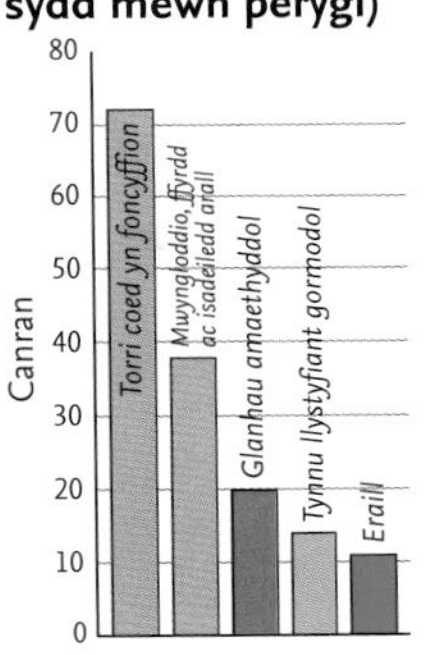

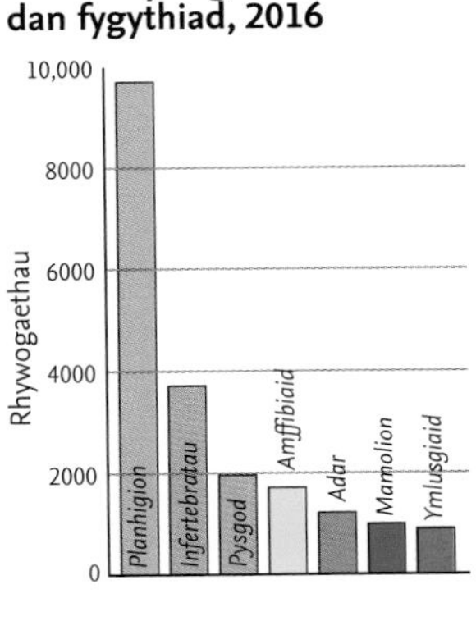

Bygythiadau i goedwigoedd (% o goedwigoedd y byd sydd mewn perygl)

Nifer o rywogaethau dan fygythiad, 2016

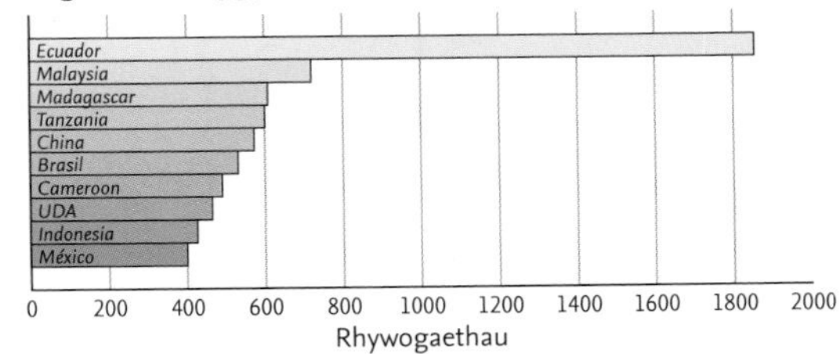

Gwledydd â'r nifer mwyaf o rywogaethau planhigion dan fygythiad, 2016

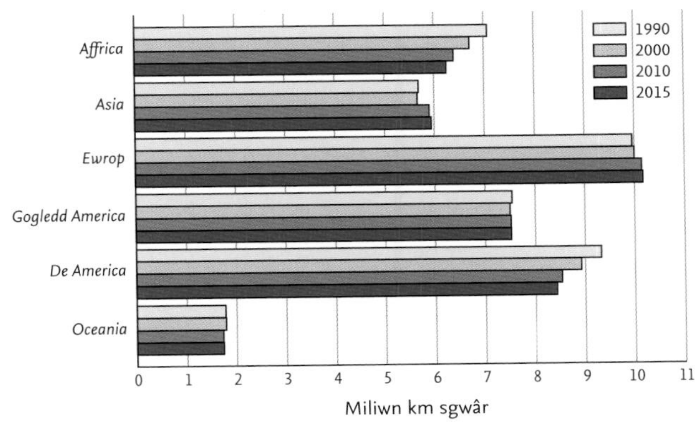

Cyfanswm y coedwigoedd, yn ôl rhanbarth, 1990–2015

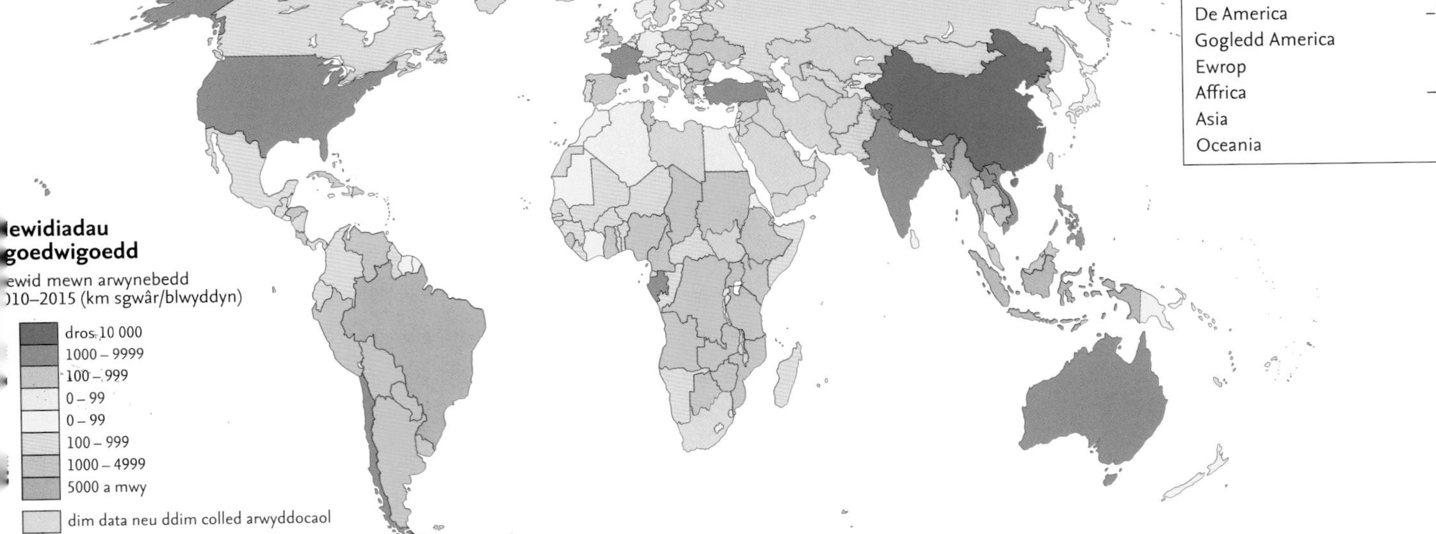

Newidiadau i goedwigoedd, 2010–2015

Y Byd	−165 393 km sgwâr
De America	−101 226 km sgwâr
Gogledd America	3741 km sgwâr
Ewrop	19 105 km sgwâr
Affrica	−141 795 km sgwâr
Asia	39 562 km sgwâr
Oceania	15 220 km sgwâr

Newidiadau
goedwigoedd
ewid mewn arwynebedd
010–2015 (km sgwâr/blwyddyn)

- dros 10 000
- 1000 – 9999
- 100 – 999
- 0 – 99
- 0 – 99
- 100 – 999
- 1000 – 4999
- 5000 a mwy
- dim data neu ddim colled arwyddocaol

Graddfa 1 : 190 000 000

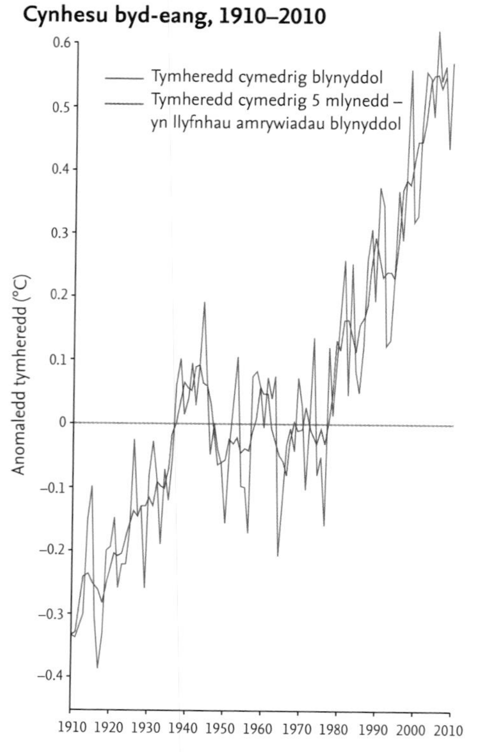

Cynhesu byd-eang, 1910–2010

Tymheredd cymedrig blynyddol
Tymheredd cymedrig 5 mlynedd –
yn llyfnhau amrywiadau blynyddol

Anomaledd tymheredd (°C)

Sefydliad Meteorolegol y Byd
www.wmo.int
Y Swyddfa Dywydd
www.metoffice.gov.uk/weather
Panel Rhynglywodraethol ar
Newid yn yr Hinsawdd
www.ipcc.ch

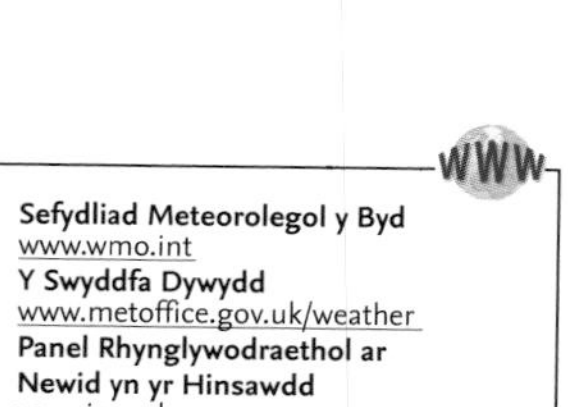

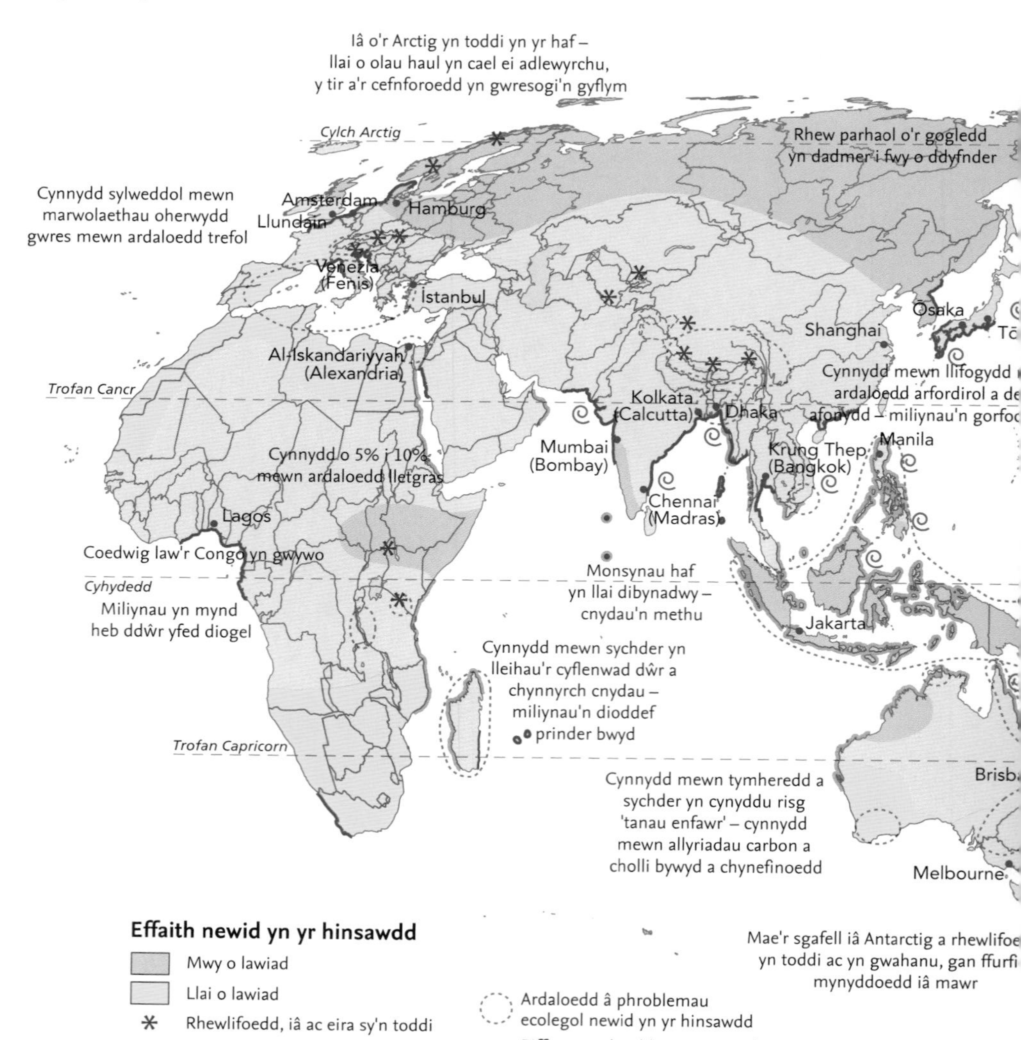

Iâ o'r Arctig yn toddi yn yr haf –
llai o olau haul yn cael ei adlewyrchu,
y tir a'r cefnforoedd yn gwresogi'n gyflym

Cylch Arctig

Rhew parhaol o'r gogledd
yn dadmer i fwy o ddyfnder

Cynnydd sylweddol mewn
marwolaethau oherwydd
gwres mewn ardaloedd trefol

Amsterdam
Llundain
Hamburg

Venezia
(Fenis)
Istanbul

Al-Iskandariyyah
(Alexandria)

Trofan Cancr

Shanghai

Osaka
Tō

Cynnydd mewn llifogydd
ardaloedd arfordirol a de
afonydd – miliynau'n gorfod

Kolkata
(Calcutta)
Dhaka

Krung Thep
(Bangkok)

Manila

Mumbai
(Bombay)

Chennai
(Madras)

Cynnydd o 5% i 10%
mewn ardaloedd lletgras

Lagos

Coedwig law'r Congo yn gwywo

Cyhydedd

Miliynau yn mynd
heb ddŵr yfed diogel

Monsynau haf
yn llai dibynadwy –
cnydau'n methu

Jakarta

Cynnydd mewn sychder yn
lleihau'r cyflenwad dŵr a
chynnyrch cnydau –
miliynau'n dioddef

● prinder bwyd

Trofan Capricorn

Cynnydd mewn tymheredd a
sychder yn cynyddu risg
'tanau enfawr' – cynnydd
mewn allyriadau carbon a
cholli bywyd a chynefinoedd

Brisba

Melbourne

Mae'r sgafell iâ Antarctig a rhewlifoe
yn toddi ac yn gwahanu, gan ffurfi
mynyddoedd iâ mawr

Effaith newid yn yr hinsawdd

☐ Mwy o lawiad
☐ Llai o lawiad
✳ Rhewlifoedd, iâ ac eira sy'n toddi
☉ Cynnydd yn amledd a dwysedd
  stormydd gwynt trofannol

⌇ Ardaloedd â phroblemau
  ecolegol newid yn yr hinsawdd
— Riffiau cwrel sydd mewn perygl
—● Ardaloedd arfordirol sydd mewn
  perygl y bydd lefel y môr yn codi

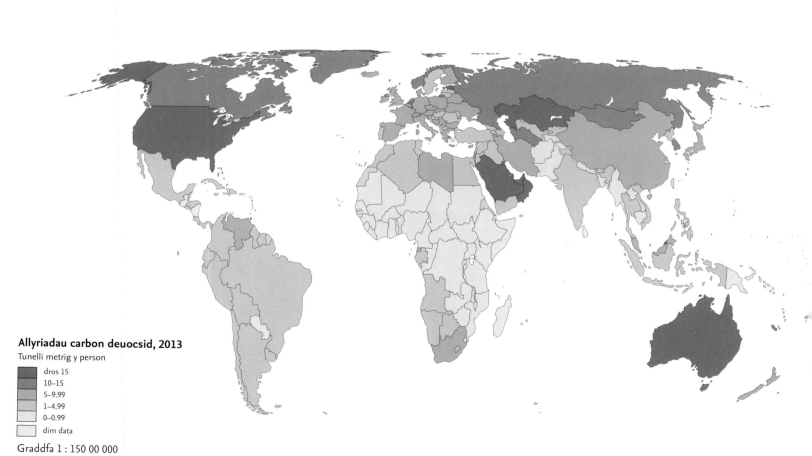

Allyriadau carbon deuocsid, 2013

Tunelli metrig y person

☐ dros 15
☐ 10–15
☐ 5–9.99
☐ 1–4.99
☐ 0–0.99
☐ dim data

Graddfa 1 : 150 00 000

Degawd 2001–10 – cynhesaf a gofnodwyd

Llen iâ Grønland yn toddi
Cylch Arctig

Coedwigoedd conwydd yn gwywo

Pob peth byw yn cael ei effeithio gan newidiadau i ecosystemau a cholli cynefinoedd

Gostyngiad ym maint cynnyrch y rhan fwyaf o grawnfwydydd – mwy o berygl o newyn trwy'r byd

Efrog Newydd

ydd mewn clefydau a udir gan bryfed, e.e. aria a thwymyn deng

New Orleans

Los Angeles

Cefnforoedd yn cynhesu ac yn ymledu, gan achosi llifogydd arfordirol a cholli tir

Tymereddau uwch yn cynyddu llygredd trefol a chlefydau resbiradol

cynefinoedd – anifeiliaid a nhigion yn gorfod mudo neu'n diflannu

Stormydd gwynt trofannol mwy ymosodol yn achosi colli bywydau

roedd yn cynhesu ac yn yn fwy asidig – effaith ar cosystemau'r cefnforoedd

Sychder difrifol yn achosi gwywo yng nghoedwig law Amazonas – mwy o berygl tân a cholli bioamrywiaeth

Cyhydedd

Llawer o grwpiau ynysoedd yn cael eu soddi – ynyswyr yn mynd yn ffoaduriaid amgylcheddol

Colli eira ac iâ yn effeithio ar amgylcheddau mynyddoedd a gweithgareddau dynol

Rio de Janeiro

Cefnforoedd yn cynhesu'n arafach na'r tir – Hemisffer y De yn cynhesu'n arafach na Hemisffer y Gogledd

Buenos Aires

kland

Rhagfynegir y bydd lefel môr yn codi rhwng 18 a 59 cm erbyn 2100, ac mae rhai rhagolygon mor uchel ag 1.5 m

Rhagamcaniad o'r newid tymheredd cymedrig blynyddol

Mae'r mapiau hyn yn dangos rhagamcaniad o'r newid cymedrig blynyddol i'r tymheredd aer arwyneb o ystyried twf cymedrol mewn allyriadau CO_2, am dri chyfnod amser, o'u cymharu â'r tymheredd cymedrig ar gyfer 1980–99.

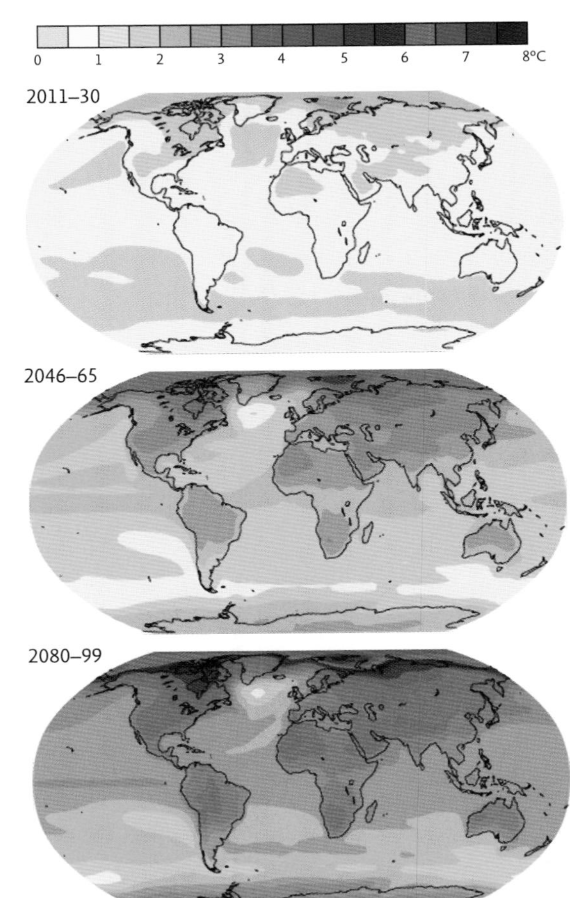

0 1 2 3 4 5 6 7 8°C

2011–30

2046–65

2080–99

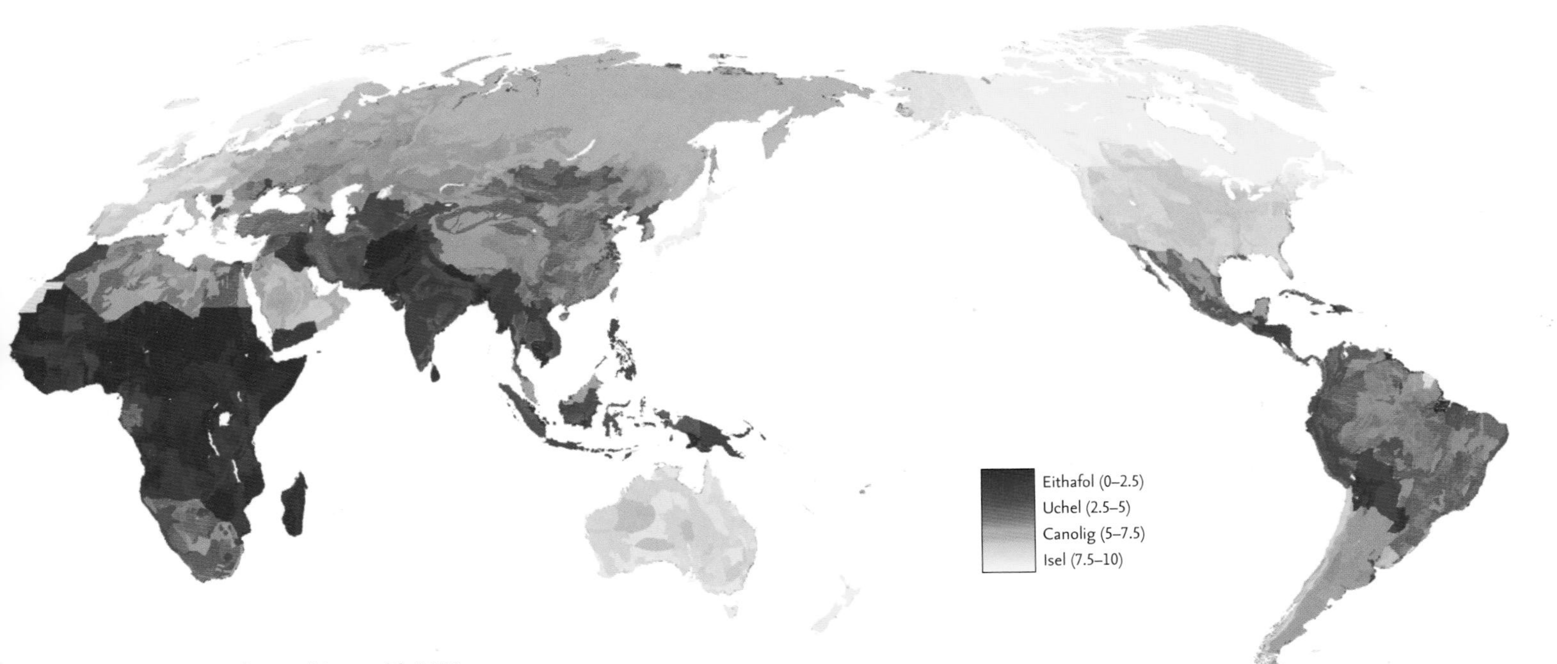

Eithafol (0–2.5)
Uchel (2.5–5)
Canolig (5–7.5)
Isel (7.5–10)

Mynegai peryglon newid yn yr hinsawdd, 2010

Mae'r mynegai peryglon newid yn yr hinsawdd yn graddio pa mor debygol y bydd gwlad yn cael ei niweidio gan batrymau newidiol mewn hinsawdd, peryglon naturiol, ac ecosystemau a achosir gan newid yn yr hinsawdd, a pha mor barod ydyw i fynd i'r afael ag effeithiau newid yn yr hinsawdd. Norwy yw'r wlad sydd fwyaf parod i ymdopi â newid yn yr hinsawdd, gyda dwysedd poblogaeth isel, systemau gofal iechyd a chyfathrebu ardderchog a sicrwydd uchel o ran cael bwyd, dŵr ac egni yn gyffredinol. Ar y llaw arall, mae Somalia yn agored i niwed gan effeithiau newid yn yr hinsawdd, oherwydd bod ei hadnoddau naturiol yn brin. Hefyd mae peryglon o drais gwleidyddol a chi hawliau dynol, yn ogystal â sicrwydd isel o ran cael bwyd.

Gwledydd sydd fwyaf mewn perygl

1 Somalia	2 Haiti	3 Afghanistan	4 Sierra Leone	5 Burundi
6 Guinée	7 Rwanda	8 Gambia	9 Tchad	10 Nigeria

O'r 28 gwlad sydd fwyaf mewn perygl, mae 22 yn Affrica.

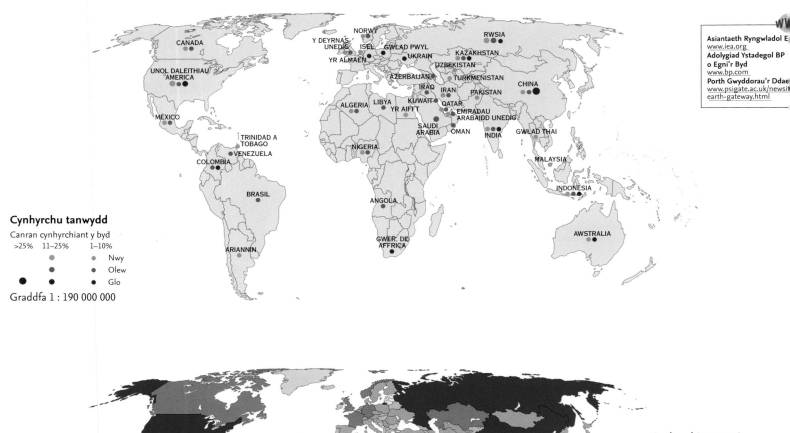

Cynhyrchu tanwydd

Canran cynhyrchiant y byd

>25%	11–25%	1–10%	
			Nwy
			Olew
			Glo

Graddfa 1 : 190 000 000

Asiantaeth Ryngwladol E
www.iea.org
Adolygiad Ystadegol BP
o Egni'r Byd
www.bp.com
Porth Gwyddorau'r Ddae
www.psigate.ac.uk/newsi
earth-gateway.html

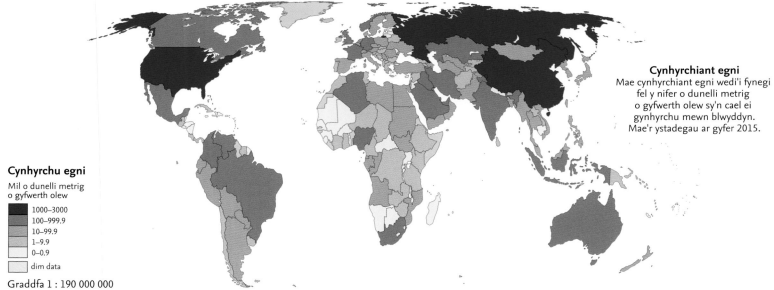

Cynhyrchu egni

Mil o dunelli metrig
o gyfwerth olew

- 1000–3000
- 100–999.9
- 10–99.9
- 1–9.9
- 0–0.9
- dim data

Graddfa 1 : 190 000 000

Cynhyrchiant egni

Mae cynhyrchiant egni wedi'i fynegi
fel y nifer o dunelli metrig
o gyfwerth olew sy'n cael ei
gynhyrchu mewn blwyddyn.
Mae'r ystadegau ar gyfer 2015.

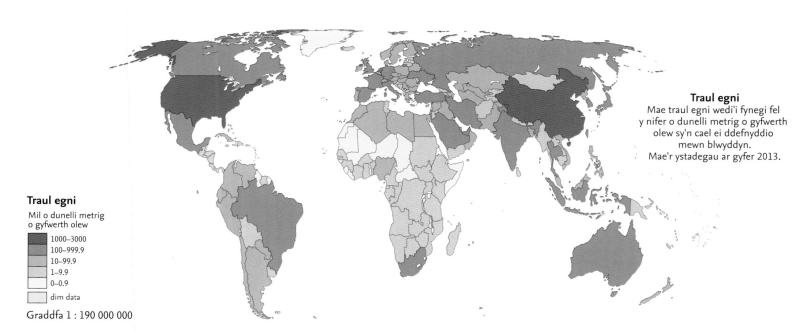

Traul egni

Mil o dunelli metrig
o gyfwerth olew

- 1000–3000
- 100–999.9
- 10–99.9
- 1–9.9
- 0–0.9
- dim data

Graddfa 1 : 190 000 000

Traul egni

Mae traul egni wedi'i fynegi fel
y nifer o dunelli metrig o gyfwerth
olew sy'n cael ei ddefnyddio
mewn blwyddyn.
Mae'r ystadegau ar gyfer 2013.

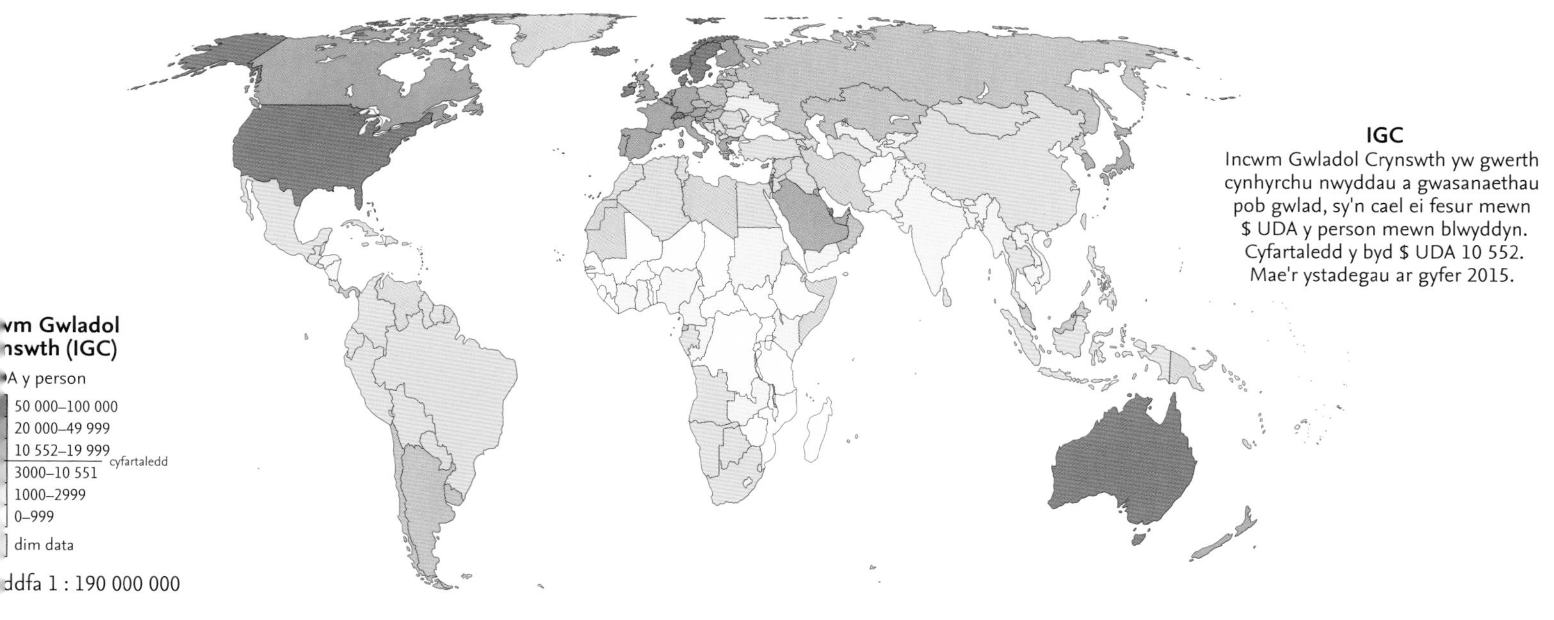

IGC

Incwm Gwladol Crynswth yw gwerth cynhyrchu nwyddau a gwasanaethau pob gwlad, sy'n cael ei fesur mewn $ UDA y person mewn blwyddyn. Cyfartaledd y byd $ UDA 10 552. Mae'r ystadegau ar gyfer 2015.

wm Gwladol nswth (IGC)

A y person

- 50 000–100 000
- 20 000–49 999
- 10 552–19 999 cyfartaledd
- 3000–10 551
- 1000–2999
- 0–999
- dim data

ddfa 1 : 190 000 000

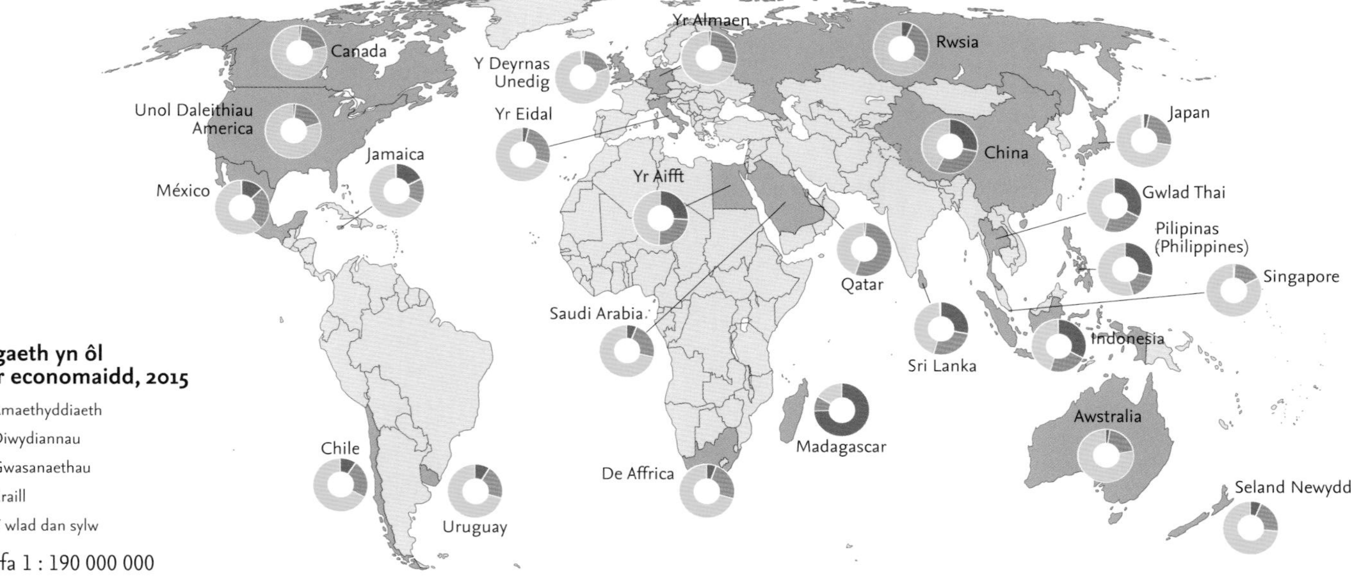

ogaeth yn ôl tor economaidd, 2015

- Amaethyddiaeth
- Diwydiannau
- Gwasanaethau
- Eraill
- Y wlad dan sylw

ddfa 1 : 190 000 000

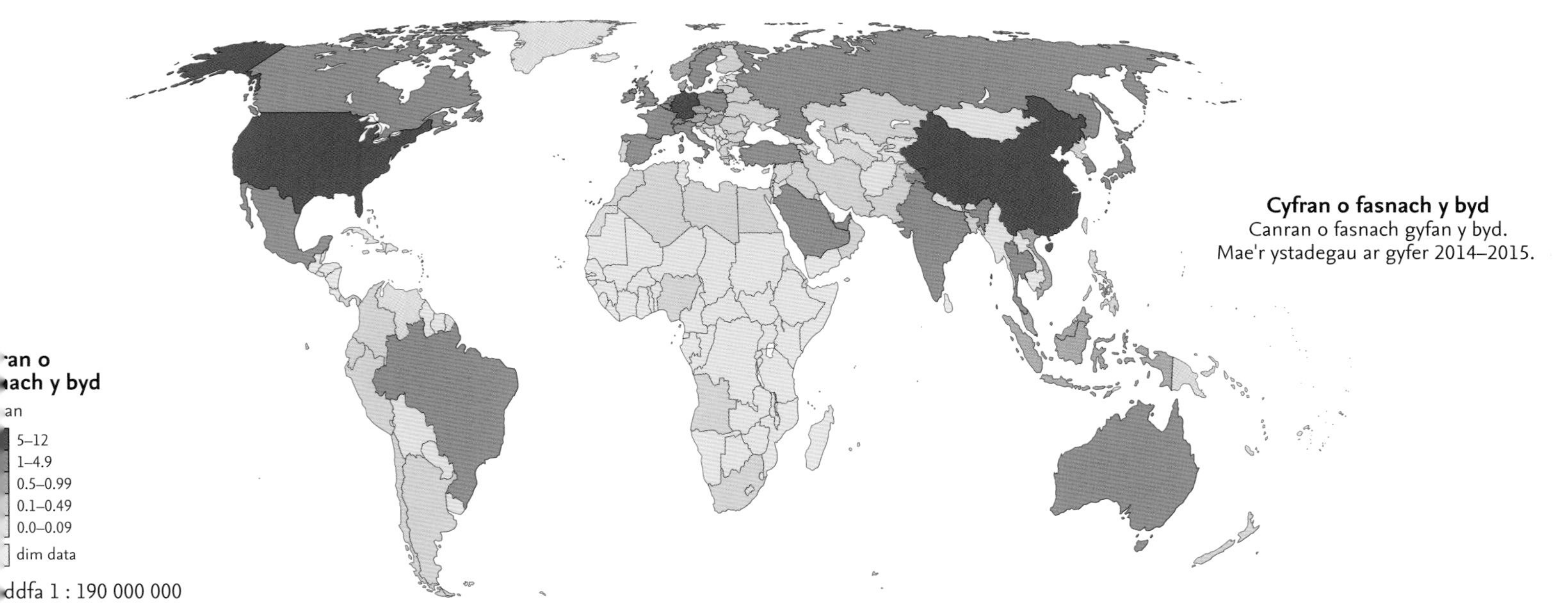

Cyfran o fasnach y byd

Canran o fasnach gyfan y byd. Mae'r ystadegau ar gyfer 2014–2015.

ran o ach y byd

an

- 5–12
- 1–4.9
- 0.5–0.99
- 0.1–0.49
- 0.0–0.09
- dim data

ddfa 1 : 190 000 000

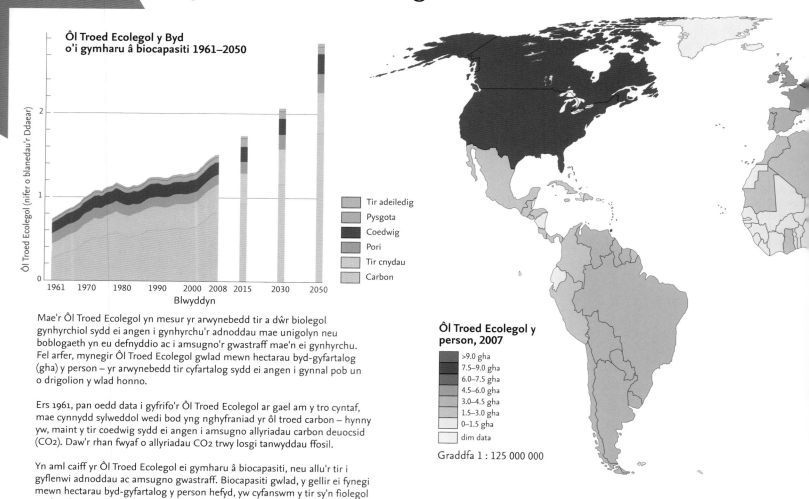

Ôl Troed Ecolegol y Byd o'i gymharu â biocapasiti 1961–2050

Ôl Troed Ecolegol (nifer o blanedau'r Ddaear) — Blwyddyn: 1961, 1970, 1980, 1990, 2000, 2008, 2015, 2030, 2050

Tir adeiledig
Pysgota
Coedwig
Pori
Tir cnydau
Carbon

Mae'r Ôl Troed Ecolegol yn mesur yr arwynebedd tir a dŵr biolegol gynhyrchiol sydd ei angen i gynhyrchu'r adnoddau mae unigolyn neu boblogaeth yn eu defnyddio ac i amsugno'r gwastraff mae'n ei gynhyrchu. Fel arfer, mynegir Ôl Troed Ecolegol gwlad mewn hectarau byd-gyfartalog (gha) y person – yr arwynebedd tir cyfartalog sydd ei angen i gynnal pob un o drigolion y wlad honno.

Ers 1961, pan oedd data i gyfrifo'r Ôl Troed Ecolegol ar gael am y tro cyntaf, mae cynnydd sylweddol wedi bod yng nghyfraniad yr ôl troed carbon – hynny yw, maint y tir coedwig sydd ei angen i amsugno allyriadau carbon deuocsid (CO_2). Daw'r rhan fwyaf o allyriadau CO_2 trwy losgi tanwyddau ffosil.

Yn aml caiff yr Ôl Troed Ecolegol ei gymharu â biocapasiti, neu allu'r tir i gyflenwi adnoddau ac amsugno gwastraff. Biocapasiti gwlad, y gellir ei fynegi mewn hectarau byd-gyfartalog y person hefyd, yw cyfanswm y tir sy'n fiolegol gynhyrchiol, wedi'i rannu â'i boblogaeth.

Ôl Troed Ecolegol y person, 2007

>9.0 gha
7.5–9.0 gha
6.0–7.5 gha
4.5–6.0 gha
3.0–4.5 gha
1.5–3.0 gha
0–1.5 gha
dim data

Graddfa 1 : 125 000 000

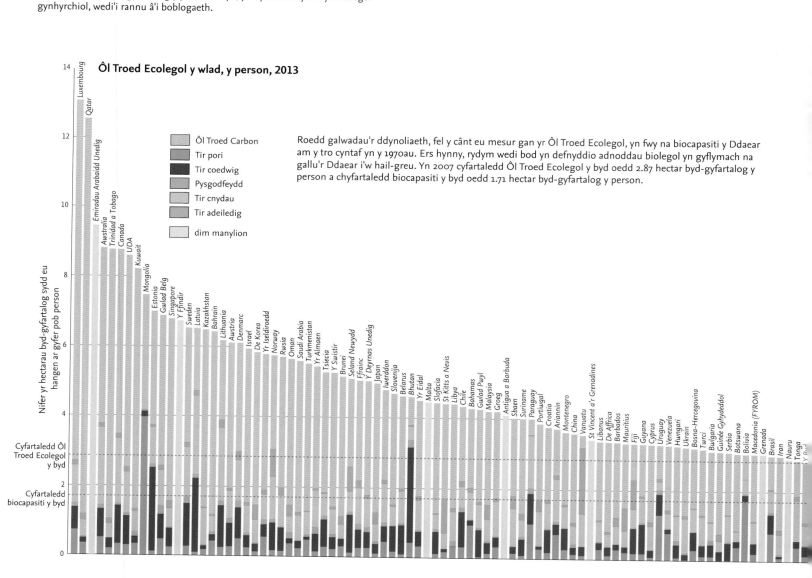

Ôl Troed Ecolegol y wlad, y person, 2013

Nifer yr hectarau byd-gyfartalog sydd eu hangen ar gyfer pob person

Ôl Troed Carbon
Tir pori
Tir coedwig
Pysgodfeydd
Tir cnydau
Tir adeiledig
dim manylion

Roedd galwadau'r ddynoliaeth, fel y cânt eu mesur gan yr Ôl Troed Ecolegol, yn fwy na biocapasiti y Ddaear am y tro cyntaf yn y 1970au. Ers hynny, rydym wedi bod yn defnyddio adnoddau biolegol yn gyflymach na gallu'r Ddaear i'w hail-greu. Yn 2007 cyfartaledd Ôl Troed Ecolegol y byd oedd 2.87 hectar byd-gyfartalog y person a chyfartaledd biocapasiti y byd oedd 1.71 hectar byd-gyfartalog y person.

Cyfartaledd Ôl Troed Ecolegol y byd

Cyfartaledd biocapasiti y byd

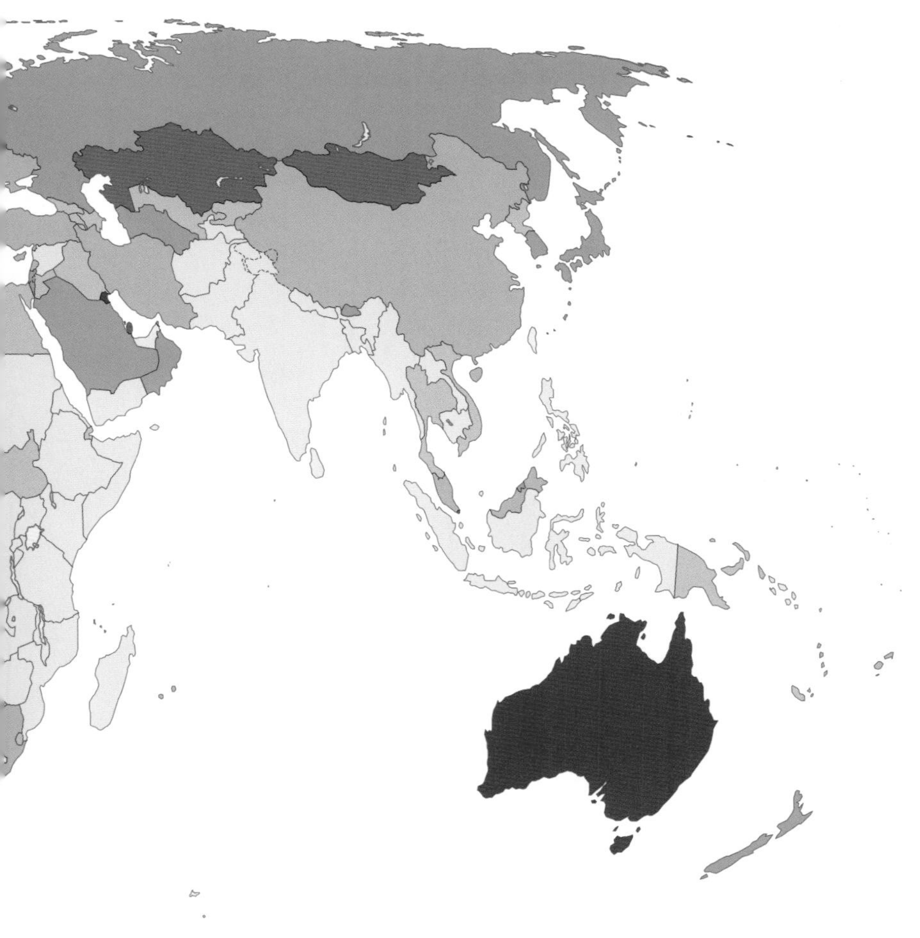

Y 10 gwlad uchaf o ran biocapasiti, 2013

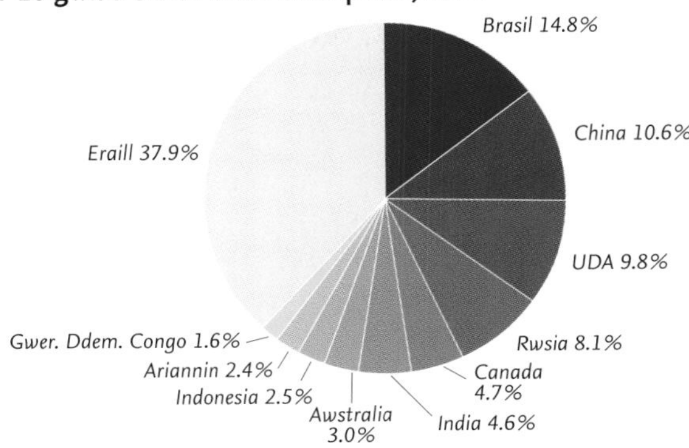

Brasil 14.8%
China 10.6%
UDA 9.8%
Eraill 37.9%
Rwsia 8.1%
Canada 4.7%
India 4.6%
Awstralia 3.0%
Indonesia 2.5%
Ariannin 2.4%
Gwer. Ddem. Congo 1.6%

Yn ôl i gynaliadwyedd

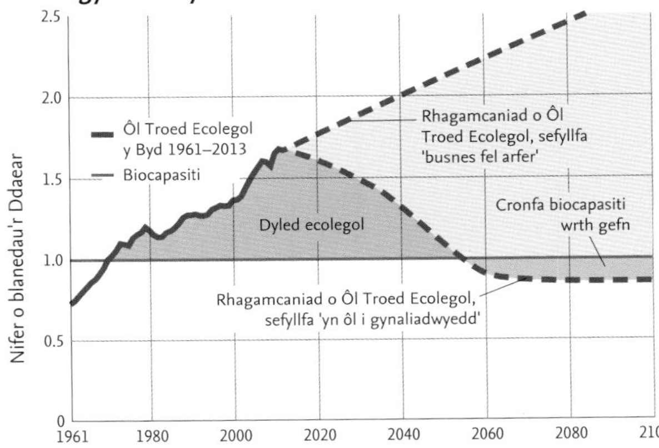

Nifer o blanedau'r Ddaear

Ôl Troed Ecolegol y Byd 1961–2013
Biocapasiti

Rhagamcaniad o Ôl Troed Ecolegol, sefyllfa 'busnes fel arfer'

Cronfa biocapasiti wrth gefn

Dyled ecolegol

Rhagamcaniad o Ôl Troed Ecolegol, sefyllfa 'yn ôl i gynaliadwyedd'

1961 1980 2000 2020 2040 2060 2080 2100

Mae Ôl Troed Ecolegol y byd yn fwy na'i fiocapasiti ac mae'r bwlch yn cynyddu. Gallai camau brys roi terfyn ar y duedd hon erbyn canol yr unfed ganrif ar hugain, gan leihau perygl chwalfa ecolegol a chreu cronfa biocapasiti wrth gefn.

...ledydd â dyled ecolegol, 2013

- Ôl Troed sydd dros 150% yn fwy na biocapasiti
- Ôl Troed sydd 100–150% yn fwy na biocapasiti
- Ôl Troed sydd 50–100% yn fwy na biocapasiti
- Ôl Troed sydd 0–50% yn fwy na biocapasiti

...ledydd â chredyd ecolegol, 2013

- Biocapasiti 0–50% yn fwy na'r Ôl Troed
- Biocapasiti 50–100% yn fwy na'r Ôl Troed
- Biocapasiti 100–150% yn fwy na'r Ôl Troed
- Biocapasiti sydd dros 150% yn fwy na'r Ôl Troed

- dim data

...e gan wledydd sydd â dyled
...olegol Ôl Troed Ecolegol sy'n fwy
...'u biocapasiti; mae gan wledydd
...dd â chredyd ecolegol Ôl Troed
...olegol sy'n llai na'u biocapasiti.

...addfa 1 : 200 000 000

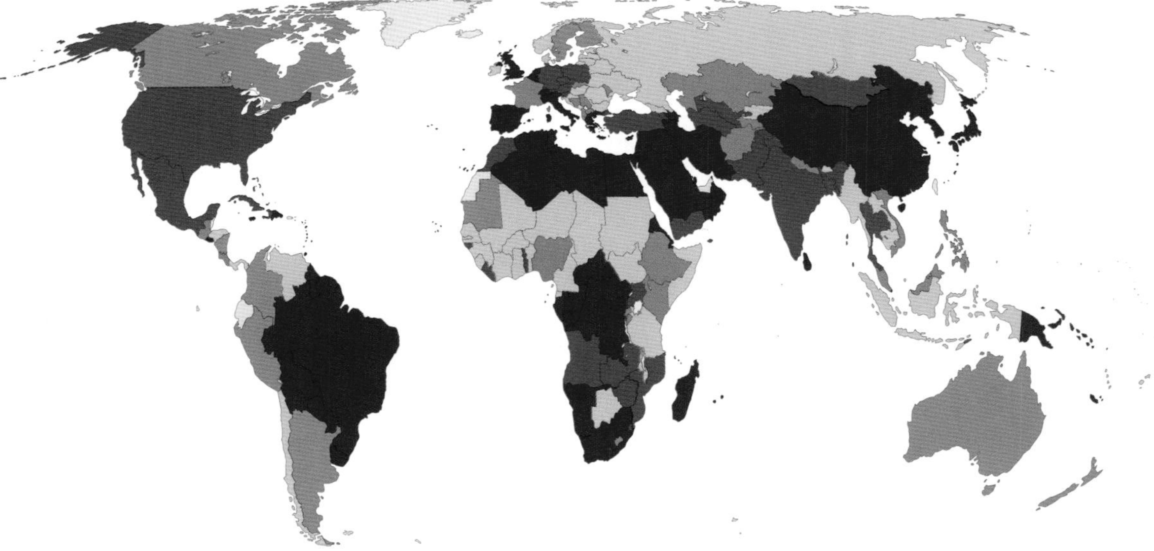

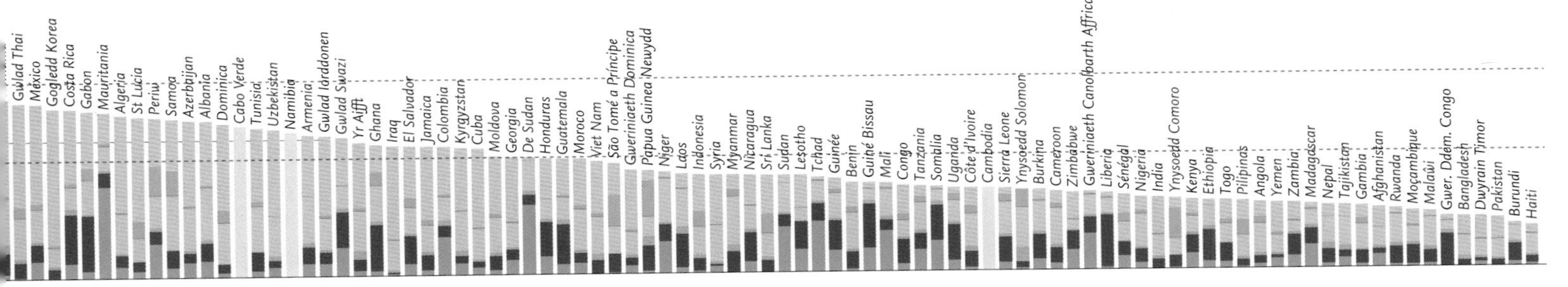

WWW Sefydliad Twristiaeth y Byd
unwto.org
Safleoedd Treftadaeth y Byd, UNESCO
whc.unesco.org

CEFNFO

GWELER TU
TWRISTIAETH

Parc Cenedlaethol
Banff

Vancouver

Parc Cenedlaethol
Yellowstone

Parc Cenedlaethol
Rocky Mountains

Parc Cenedlaethol
Yosemite

San Francisco

Los Angeles

Las
Vegas

Grand Canyon

Montréal

Québec

Toronto

Boston

Chicago

*Rhaeadr
Niagara*

Efrog Newydd

Washington

Atlanta

Charleston

New
Orleans

Orlando

Tampa

Miami

Bahamas

Chichen Itza

Cancun

Tikal

Acapulco

PUERTO
RICO
(UDA)

Y Caribî

Bermuda

*Açores
(Azores)*

Madeira

Al Fas
(Fez)

Marrakesh

*Yr Ynysoedd Dedwydd
(Islas Canarias)*

Timbuktu

Gambia

*Ynysoedd
Hawaii*

Y CEFNFOR

TAWEL

*Ynysoedd
Marquises
(Ffr)*

*Polynesia
Ffrengig*

*Ynysoedd
Société
(Ffr)*

*Ynysoedd
Cook
(SN)*

Tahiti

*Ynysoedd
Tuamoto*

*Ynys
Pitcairn
(DU)*

*Ynys Pascua
(Ynys y Pasg)
(Chile)*

*Ynysoedd
Galapagos*

Amazonia

CEFNFOR

IWERYDD

Machu Picchu

Lima

Cuzco

Llyn Titicaca

Ouro Preto

Rio de Janeiro

Rhaeadr Ignacu

Parc Cene

Safleoed

Cape Tow

Ce

Buenos
Aires

*Ynysoedd Falkland
(Islas Malvinas)
(DU)*

*De Georgia
(DU)*

Cyrchfannau twristiaid

■ Saffari / Diffeithwch / Ardal hirdeithio
■ Traeth / Hamdden
■ Dinas
■ Diwylliannol / Hanesyddol

Graddfa 1 : 90 000 000

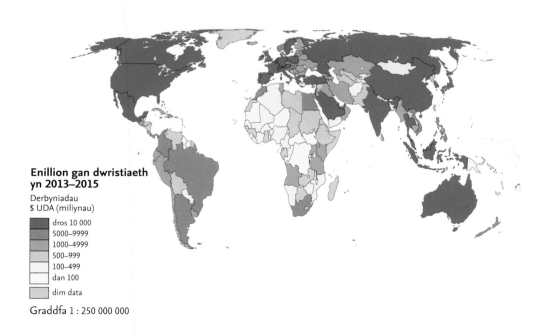

Enillion gan dwristiaeth
yn 2013–2015

Derbyniadau
$ UDA (miliynau)

■ dros 10 000
■ 5000–9999
■ 1000–4999
■ 500–999
■ 100–499
□ dan 100
■ dim data

Graddfa 1 : 250 000 000

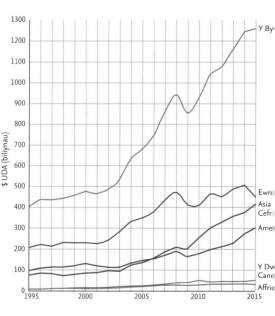

Derbyniadau twristiaeth ryngwladol
1995–2015 ($ UDA (biliynau))

Y By

Ewr

Asia
Cefn

Ame

Y Dw
Canc

Affric

Cyrchfannau twristiaid mwyaf poblogaidd y byd, 2015

Nifer y twristiaid yn cyrraedd (miliynau)	
Ffrainc	84.5
Unol Daleithiau America	77.5
Sbaen	68.2
China	56.9
Yr Eidal	50.7
Twrci	39.5
Yr Almaen	35.0
Y Deyrnas Unedig	34.4
México	32.1
Rwsia	31.3

Cyfran o'r farchnad	%
Ffrainc	7.12
Yr Unol Daleithiau	6.53
Sbaen	5.75
China	4.80
Yr Eidal	4.27
Twrci	3.33
Yr Almaen	2.95
Y Deyrnas Unedig	2.90
México	2.71
Rwsia	2.64

Nifer o dwristiaid rhyngwladol yn ôl rhanbarth 1995–2015

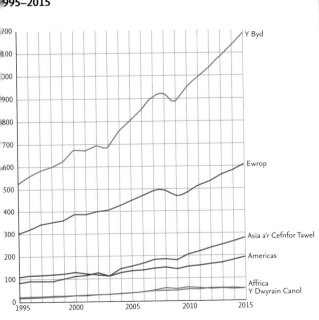

Nifer o dwristiaid yn ôl rhanbarth

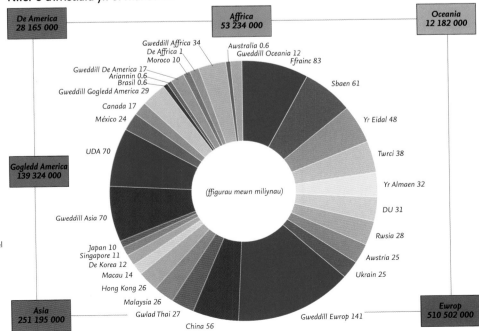

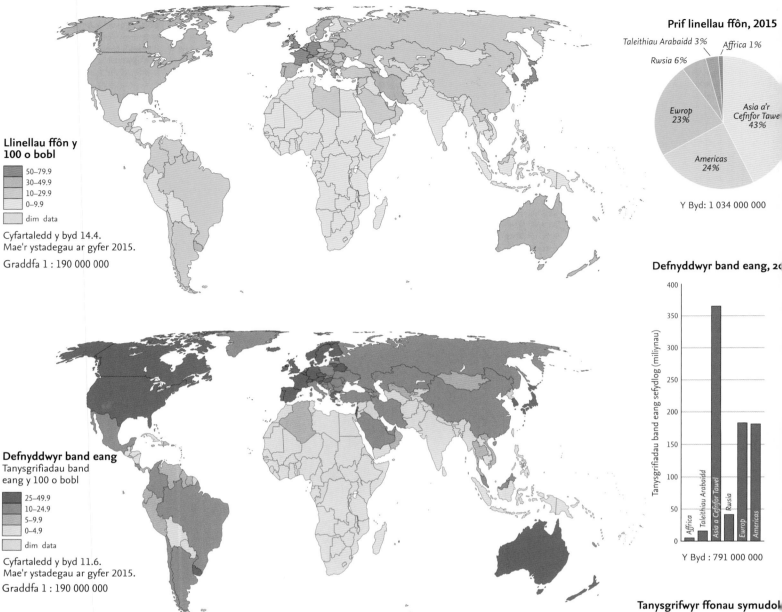

Llinellau ffôn y 100 o bobl

- 50–79.9
- 30–49.9
- 10–29.9
- 0–9.9
- dim data

Cyfartaledd y byd 14.4.
Mae'r ystadegau ar gyfer 2015.

Graddfa 1 : 190 000 000

Prif linellau ffôn, 2015

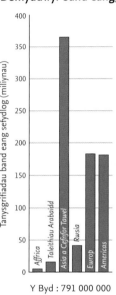

- Taleithiau Arabaidd 3%
- Affrica 1%
- Rwsia 6%
- Ewrop 23%
- Asia a'r Cefnfor Tawel 43%
- Americas 24%

Y Byd: 1 034 000 000

Defnyddwyr band eang

Tanysgrifiadau band eang y 100 o bobl

- 25–49.9
- 10–24.9
- 5–9.9
- 0–4.9
- dim data

Cyfartaledd y byd 11.6.
Mae'r ystadegau ar gyfer 2015.

Graddfa 1 : 190 000 000

Defnyddwyr band eang, 20

Tanysgrifiadau band eang sefydlog (miliynau)

Affrica, Taleithiau Arabaidd, Asia a Cefnfor Tawel, Rwsia, Ewrop, Americas

Y Byd : 791 000 000

Tanysgrifiadau ffonau symudol, 2015

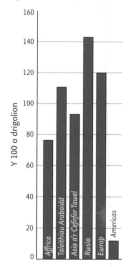

Y 100 o drigolion

Affrica, Taleithiau Arabaidd, Asia a'r Cefnfor Tawel, Rwsia, Ewrop, Americas

Twf mewn tanysgrifiadau ffonau symudol, 2010–2015

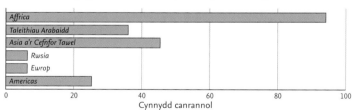

- Affrica
- Taleithiau Arabaidd
- Asia a'r Cefnfor Tawel
- Rwsia
- Ewrop
- Americas

Cynnydd canrannol

Tanysgrifwyr ffonau symudol

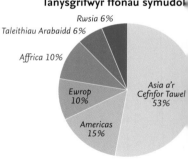

- Rwsia 6%
- Taleithiau Arabaidd 6%
- Affrica 10%
- Ewrop 10%
- Asia a'r Cefnfor Tawel 53%
- Americas 15%

Y Byd : 7 178 000 000

Tanysgrifwyr ffonau symudol

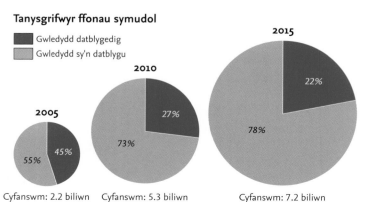

- Gwledydd datblygedig
- Gwledydd sy'n datblygu

2005 55% 45%   Cyfanswm: 2.2 biliwn
2010 73% 27%   Cyfanswm: 5.3 biliwn
2015 78% 22%   Cyfanswm: 7.2 biliwn

Offer cyfathrebiadau'r byd 2005–2015

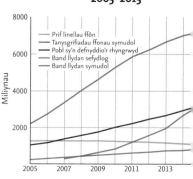

Miliynau

- Prif linellau ffôn
- Tanysgrifiadau ffonau symudol
- Pobl sy'n defnyddio'r rhyngrwyd
- Band llydan sefydlog
- Band llydan symudol

2005 2007 2009 2011 2013

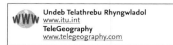
www Undeb Telathrebu Rhyngwladol
www.itu.int
TeleGeography
www.telegeography.com

20 maes awyr prysuraf, 2015

Maes awyr	Nifer y teithwyr
Atlanta	101 489 887
Beijing	89 938 628
Dubayy (Dubai)	78 010 265
Chicago	76 942 493
Tōkyō	75 316 718
Llundain (Heathrow)	74 989 914
Los Angeles	74 704 122
Hong Kong	68 342 785
Paris	65 771 288
Dallas/Fort Worth	64 072 468
İstanbul	61 836 781
Frankfurt	61 032 022
Shanghai	60 053 387
Amsterdam	58 284 848
Efrog Newydd (JFK)	56 845 250
Singapore	55 449 000
Guangzhou	55 201 915
Jakarta	54 053 905
Denver	54 014 903
Krung Thep (Bangkok)	52 808 013

Teithwyr awyr mewn miliynau

- 100–800
- 25–99.9
- 10–24.9
- 1–9.9
- 0–0.9
- dim data
- ● Prif faes awyr
- • Maes awyr rhanbarthol
- — Prif lwybr awyr

Graddfa 1 : 140 000 000

Nifer y teithwyr

Mae teithwyr awyr yn cynnwys teithwyr mewn awyrennau ar deithiau mewnol a rhyngwladol. Mae'r ystadegau ar gyfer 2015.

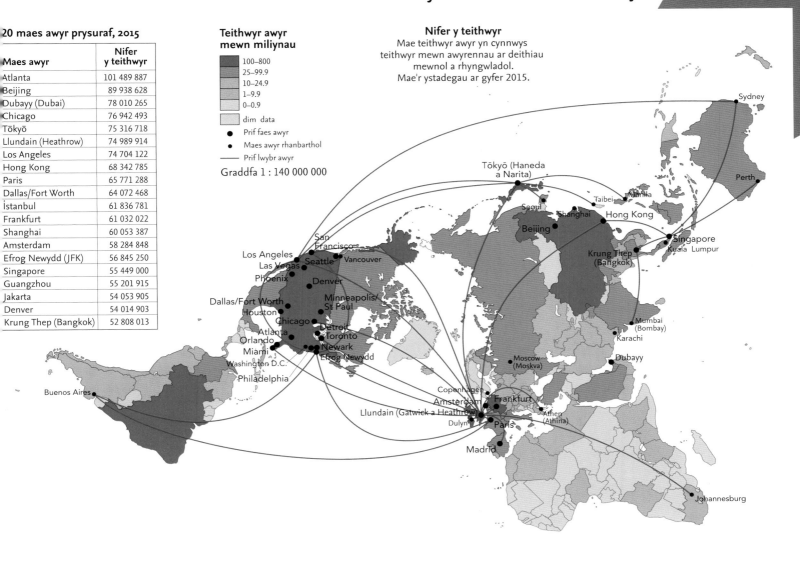

Mae maes awyr rhyngwladol Dallas–Fort Worth yn un o'r meysydd awyr prysuraf a mwyaf yn y byd. Mae bron 59 miliwn o deithwyr yn defnyddio'r maes awyr bob blwyddyn. Llun trwy garedigrwydd Labordy Gwyddoniaeth Dadansoddiad, Canolfan Ofod Johnson NASA.

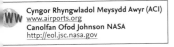
WW Cyngor Rhyngwladol Meysydd Awyr (ACI)
www.airports.org
Canolfan Ofod Johnson NASA
http://eol.jsc.nasa.gov

Amserau teithiau trwy'r awyr

- ● Dinas bwysig
- — Llwybr awyr
- 7.50 Amser y daith (mewn oriau a munudau)

Graddfa 1 : 220 000 000

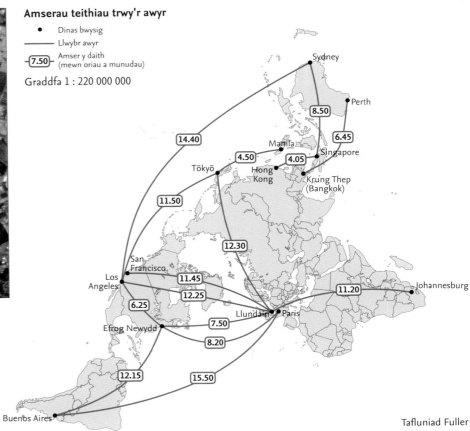

Tafluniad Fuller

| Baner | Gwybodaeth Allweddol | | Poblogaeth | | | | | | |
	Gwlad	Prifddinas	Poblogaeth cyfanswm 2015	Dwysedd pobl y km. sg. 2015	Cyfradd geni y 1000 o'r boblogaeth 2015	Cyfradd marw y 1000 o'r boblogaeth 2015	Disgwyliad oes mewn blynyddoedd 2015	Newid poblogaeth % blynyddol y flwyddyn 2005–2015	Poblog drefe % 201!
	Afghanistan	Kābul	32 527 000	50	33	8	61	2.8	27
	Aifft, Yr	El Qâhira (Cairo)	91 508 000	91	27	6	71	2.1	43
	Albania	Tiranë	2 897 000	101	14	7	78	-0.2	57
	Algeria	Al Jazā'ir (Alger)	39 667 000	17	24	5	75	1.9	71
	Almaen, Yr	Berlin	80 689 000	226	9	11	81	0.9	75
	Andorra	Andorra la Vella	70 000	151	..	..	..	-3.2	85
	Angola	Luanda	25 022 000	20	45	13	53	3.2	44
	Antigua a Barbuda	St John's	92 000	208	16	6	76	1.0	24
	Ariannin	Buenos Aires	43 417 000	16	17	8	76	1.0	92
	Armenia	Yerevan	3 018 000	101	13	9	75	0.4	63
	Awstralia	Canberra	23 969 000	3	13	7	82	1.4	89
	Awstria	Wien	8 545 000	102	10	10	82	1.1	66
	Azerbaijan	Baku	9 754 000	113	17	6	71	1.2	55
	Bahamas	Nassau	388 000	28	15	6	75	1.3	83
	Bahrain	Al Manamāh	1 377 000	1 993	14	2	77	1.1	89
	Bangladesh	Dhaka	160 996 000	1 118	19	5	72	1.2	34
	Barbados	Bridgetown	284 000	660	12	11	76	0.3	31
	Belarus	Minsk	9 496 000	46	13	13	74	0.2	77
	Belize	Belmopan	359 000	16	23	6	70	2.1	44
	Benin	Porto-Novo	10 880 000	97	36	9	60	2.6	44
	Bhutan	Thimphu	775 000	17	17	6	70	1.3	39
	Bolivia	La Paz/Sucre	10 725 000	10	24	7	69	1.5	69
	Bosna-Hercegovina	Sarajevo	3 810 000	75	9	11	77	-0.2	40
	Botswana	Gaborone	2 262 000	4	25	8	64	1.9	57
	Brasil	Brasília	207 848 000	24	15	6	75	0.9	86
	Brunei	Bandar Seri Begawan	423 000	73	16	3	79	1.4	77
	Burkina	Ouagadougou	18 106 000	66	40	9	59	2.9	30
	Burundi	Bujumbura	11 179 000	402	44	11	57	3.3	12
	Bwlgaria	Sofiya	7 150 000	64	9	15	74	-0.6	74
	Cabo Verde	Praia	521 000	129	21	5	73	1.3	66
	Cambodia	Phnom Penh	15 578 000	86	24	6	69	1.6	21
	Cameroon	Yaoundé	23 344 000	49	36	11	56	2.5	54
	Canada	Ottawa	35 940 000	4	11	8	82	0.9	82
	Chile	Santiago	17 948 000	24	13	5	82	1.0	90
	China	Beijing	1 383 925 000	144	12	7	76	0.5	56
	Colombia	Bogotá	48 229 000	42	15	6	74	0.9	76
	Congo	Brazzaville	4 620 000	14	36	8	63	2.5	65
	Costa Rica	San José	4 808 000	94	15	5	80	1.1	77
	Côte d'Ivoire	Yamoussoukro	22 702 000	70	37	13	52	2.4	54
	Croatia	Zagreb	4 240 000	75	9	13	77	-0.8	59
	Cuba	La Habana	11 390 000	103	10	8	80	0.1	77
	Cyprus	Lefkosia (Nicosia)	1 165 000	126	11	7	80	1.0	67
	De Affrica	Pretoria (Tshwane)/ Cape Town/Bloemfontein	54 490 000	45	20	12	57	1.6	65
	De Korea	Sŏul	50 293 000	507	9	5	82	0.4	82
	De Sudan	Juba	12 340 000	19	36	11	56	3.5	19
	Denmarc	København	5 669 000	132	10	9	81	0.7	88
	Deyrnas Unedig, Y	London (Llundain)	64 716 000	266	12	9	82	0.8	83
	Dinas y Fatican	Dinas y Fatican	800	1600	..	..	..	..	
	Djibouti	Djibouti	888 000	38	25	9	62	1.3	77

Arwynebedd n sgwâr	Coedwig '000 km sgwâr 2015	Llythrennedd oedolion 2015	Meddygon am bob 1000 o bobl 2009–2013	Maeth Poblogaeth heb ddigon o faeth 2015	Y defnydd o egni (tunelli metrig o gyfwerth olew) 2013	IGC y pen $UDA 2015	MDD y pen $UDA 2015	Ffonau symudol y 100 o'r boblogaeth 2015	Defnyddwyr band eang y 100 o'r boblogaeth 2015	Gwlad	Cylchfaoedd Amser + neu – ASG
652 225	14	38.2	27	26.8	7.6	610	0.479	61.6	0.3	Afghanistan	+4½
1 001 450	<1	75.8	283	<5	90.8	3 340	0.691	111.0	4.5	Aifft, Yr	+2
28 748	8	97.5	115	..	3.2	4 280	0.764	106.4	7.6	Albania	+1
381 741	20	79.6	121	<5	51.2	4 850	0.745	106.4	5.6	Algeria	+1
357 022	114	>95	389	..	340.1	45 790	0.926	116.7	37.2	Almaen, Yr	+1
465	<1	>95	400	..	..	..	0.858	88.1	37.9	Andorra	+1
246 700	579	71.2	17	14.2	8.1	4 180	0.533	60.8	0.7	Angola	+1
442	<1	..	17	..	0.3	13 270	0.786	137.2	13.1	Antigua a Barbuda	-4
766 889	271	98.1	386	<5	93.6	12 450	0.827	146.7	16.3	Ariannin	-3
29 800	3	99.8	270	5.8	3.7	3 880	0.743	115.9	9.6	Armenia	+4
692 024	1 248	>95	327	..	141.9	60 050	0.939	132.8	28.5	Awstralia	+8 i +10½
83 855	39	>95	483	..	36.8	47 260	0.893	157.4	28.7	Awstria	+1
86 600	11	99.8	340	<5	15.3	6 560	0.759	111.3	19.8	Azerbaijan	+5
13 939	5	..	..	..	1.3	20 740	0.792	80.3	20.9	Bahamas	-5
691	<1	95.7	92	..	17.4	19 840	0.824	185.3	18.6	Bahrain	+3
143 998	14	61.5	36	16.4	27.9	1 190	0.579	81.9	3.1	Bangladesh	+6
430	<1	..	181	<5	0.6	14 510	0.795	116.5	27.2	Barbados	-4
207 600	86	99.7	392	..	30.0	6 470	0.796	123.6	31.4	Belarus	+2
22 965	14	82.8	83	6.2	0.2	4 490	0.706	61.0	5.0	Belize	-6
112 620	43	38.5	6	7.5	2.1	840	0.485	85.6	0.7	Benin	+1
46 620	28	63.9	26	..	1.5	2 380	0.607	87.0	3.6	Bhutan	+6
1 098 581	548	95.1	47	15.9	7.5	3 000	0.674	92.2	1.6	Bolivia	-4
51 130	22	..	193	..	6.2	4 670	0.750	90.2	16.6	Bosna-Hercegovina	+1
581 370	108	88.2	34	24.1	1.9	6 460	0.698	169.0	1.8	Botswana	+2
8 514 879	4 935	92.6	189	<5	318.7	9 990	0.754	126.6	12.3	Brasil	-2 i -5
5 765	4	96.7	144	<5	3.4	38 010	0.865	108.1	8.0	Brunei	+8
274 200	54	37.8	5	20.7	1.1	640	0.402	80.6	0.0	Burkina	ASG
27 835	3	85.5	..	..	0.1	260	0.404	46.2	0.0	Burundi	+2
110 994	38	98.4	387	..	18.7	7 480	0.794	129.3	22.7	Bwlgaria	+2
4 033	<1	88.5	31	9.4	0.3	3 280	0.648	118.6	3.3	Cabo Verde	-1
181 035	95	78.3	17	14.2	2.3	1 070	0.563	133.0	0.5	Cambodia	+7
475 442	188	75.0	8	9.9	3.5	1 320	0.518	71.8	0.1	Cameroon	+1
9 984 670	3 471	>95	207	..	363.5	47 250	0.920	83.0	36.3	Canada	-3½ i -8
756 945	177	96.6	103	<5	34.4	14 100	0.847	129.5	15.2	Chile	-4
9 606 802	2 083	96.4	194	9.3	2992	7 900	0.738	92.2	19.8	China	+8
1 141 748	585	94.6	147	8.8	40.3	7 140	0.727	115.7	11.2	Colombia	-5
342 000	223	79.3	10	30.5	2.6	2 540	0.592	111.7	..	Congo	+1
51 100	28	97.7	111	<5	4.8	10 400	0.776	150.7	11.2	Costa Rica	-6
322 463	104	43.3	14	13.3	3.8	1 420	0.474	119.3	0.5	Côte d'Ivoire	ASG
56 538	19	99.3	300	..	9.2	12 760	0.827	103.8	23.2	Croatia	+1
110 860	32	99.7	672	<5	10.2	..	0.775	29.6	0.1	Cuba	-5
9 251	2	99.1	233	..	2.5	25 810	0.856	95.4	22.4	Cyprus	+2
1 219 090	92	94.6	78	<5	137.6	6 080	0.666	164.5	2.6	De Affrica	+2
99 274	62	..	214	<5	277.6	27 450	0.901	118.5	40.3	De Korea	+9
644 329	72	32.0	..	..	7.4	790	0.418	23.9	..	De Sudan	+3
43 075	6	>95	348	..	18.7	60 270	0.925	128.3	42.5	Denmarc	+1
243 609	31	>95	281	..	213.9	43 700	0.909	124.1	38.6	Deyrnas Unedig, Y	ASG
0.5	..	..	..	..	..	..	..	..	..	Dinas y Fatican	+1
23 200	<1	..	23	15.9	0.3	..	0.473	34.9	2.7	Djibouti	+3

dim data ar gael

Baner	Gwlad	Prifddinas	Poblogaeth cyfanswm 2015	Dwysedd pobl y km. sg. 2015	Cyfradd geni y 1000 o'r boblogaeth 2015	Cyfradd marw y 1000 o'r boblogaeth 2015	Disgwyliad oes mewn blynyddoedd 2015	Newid poblogaeth % blynyddol y flwyddyn 2005–2015	Poblog. dref. % 2015
	Dominica	Roseau	73 000	97	..	..	..	0.5	70
	Dwyrain Timor	Dili	1 185 000	80	37	7	69	2.3	33
	Ecuador	Quito	16 144 000	59	20	5	76	1.5	64
	Eidal, Yr	Rhufain (Roma)	59 798 000	199	8	11	83	-0.1	69
	El Salvador	San Salvador	6 127 000	291	17	7	73	0.3	67
	Emiradau Arabaidd Unedig	Abū Zabī (Abu Dhabi)	9 157 000	118	11	2	78	0.8	86
	Eritrea	Asmara	5 228 000	45	33	6	64	..	..
	Estonia	Tallinn	1 313 000	29	11	12	77	0.0	68
	Ethiopia	Addis Ababa	99 391 000	88	32	7	65	2.5	19
	Ffindir, Y	Helsinki (Helsingfors)	5 503 000	16	10	10	81	0.3	84
	Ffrainc	Paris	64 395 000	118	12	9	83	0.4	80
	Fiji	Suva	892 000	49	20	7	70	0.6	54
	Gabon	Libreville	1 725 000	6	30	8	65	2.2	87
	Gambia	Banjul	1 991 000	176	42	9	60	3.2	60
	Georgia	T'bilisi	4 000 000	57	13	12	75	-0.3	54
	Ghana	Accra	27 410 000	115	32	9	61	2.3	54
	Gogledd Korea	P'yŏngyang	25 155 000	209	14	9	70	0.5	61
	Grenada	St George's	107 000	283	19	7	74	0.5	36
	Groeg	Athen (Athina)	10 955 000	83	9	11	82	-0.7	78
	Guatemala	Ciudad de Guatemala	16 343 000	150	27	5	72	2.0	52
	Guinée Gyhydeddol	Malabo	845 000	30	35	11	58	2.9	40
	Guinée	Conakry	12 609 000	51	36	10	59	2.7	37
	Guiné-Bissau	Bissau	1 844 000	51	37	12	55	2.4	49
	Guyana	Georgetown	767 000	4	19	8	67	0.4	29
	Gweriniaeth Canolbarth Affrica	Bangui	4 900 000	8	33	14	51	2.0	40
	Gweriniaeth Ddemocrataidd Congo	Kinshasa	77 267 000	33	42	10	59	3.1	42
	Gweriniaeth Dominica	Santo Domingo	10 528 000	217	21	6	74	1.2	79
	Gwlad Belg	Brwsel (Brussel, Bruxelles)	11 299 000	370	11	10	81	0.2	98
	Gwlad Iorddonen	'Ammān	7 595 000	85	27	4	74	2.4	84
	Gwlad Pwyl	Warszawa	38 612 000	123	10	10	78	-0.1	61
	Gwlad Swazi	Mbabane	1 287 000	74	29	14	49	1.4	21
	Gwlad Thai	Krung Thep (Bangkok)	67 959 000	132	11	8	75	0.3	50
	Gwlad yr Iâ	Reykjavík	329 000	3	13	7	83	1.0	94
	Haiti	Port–au–Prince	10 711 000	386	25	9	63	1.3	59
	Honduras	Tegucigalpa	8 075 000	72	21	5	73	1.4	55
	Hwngari	Budapest	9 855 000	106	9	13	76	-0.2	71
	India	New Delhi	1 311 051 000	414	20	7	68	1.2	33
	Indonesia	Jakarta	257 564 000	134	20	7	69	1.2	54
	Iran	Tehrān	79 109 000	48	17	5	76	1.2	73
	Iraq	Baghdād	36 423 000	83	34	5	70	3.2	69
	Iseldiroedd, Yr	Amsterdam/ Den Haag ('s-Gravenhage)	16 925 000	408	10	9	82	0.4	91
	Israel	Jerwsalem[1]	8 064 000	365	21	5	82	2.0	92
	Iwerddon	Dublin	4 688 000	67	14	6	82	0.6	63
	Jamaica	Kingston	2 793 000	254	17	7	76	0.4	55
	Japan	Tōkyō	126 573 000	335	8	10	84	-0.1	94
	Kazakhstan	Astana	17 625 000	6	23	7	72	1.5	53
	Kenya	Nairobi	46 050 000	79	34	8	62	2.6	26
	Kiribati	Bairiki	112 000	156	29	7	66	1.8	44
	Kosovo	Priština	1 805 000	165	17	7	71	-1.1	..

[1] Jerwsalem - heb ei gydnabod yn rhyngwladol.

| Tir | | Addysg ac Iechyd | | | Datblygiad | | | Cyfathrebiadau | | Gwlad | Cylchfaoedd Amser |
Arwynebedd km sgwâr	Coedwig '000 km sgwâr 2015	Llythrennedd oedolion 2015	Meddygon am bob 1000 o bobl 2009–2013	Maeth Poblogaeth heb ddigon o faeth 2015	Y defnydd o egni (tunelli metrig o gyfwerth olew) 2013	IGC y pen $UDA 2015	MDD y pen $UDA 2015	Ffonau symudol y 100 o'r boblogaeth 2015	Defnyddwyr band eang y 100 o'r boblogaeth 2015		+ neu - ASG
750	<1	..	..	..	0.1	6 800	0.726	106.3	20.9	Dominica	-4
14 874	7	64.1	7	26.9	0.2	2 290	0.605	117.4	0.1	Dwyrain Timor	+9
272 045	125	94.5	172	10.9	17.2	6 030	0.739	79.8	9.7	Ecuador	-5
301 245	93	99.0	376		171.9	32 830	0.887	142.1	24.4	Eidal, Yr	+1
21 041	3	87.7	160	12.4	3.1	3 940	0.680	145.3	5.5	El Salvador	-6
77 700	3	93.0	253	<5	100.6	43 090	0.840	187.3	12.9	Emiradau Arabaidd Unedig	+4
117 400	15	73.8	..	..	0.2	..	0.420	7.1	..	Eritrea	+3
45 200	22	99.8	324	..	2.3	18 320	0.865	148.7	30.0	Estonia	+2
1 133 880	125	49.0	2	32.0	5.3	590	0.448	42.8	0.5	Ethiopia	+3
338 145	222	>95	290		29.9	46 560	0.895	135.4	31.7	Ffindir, Y	+2
543 965	170	>95	319	..	267.8	40 710	0.897	102.6	41.3	Ffrainc	+1
18 330	10	..	43	<5	0.9	4 830	0.736	108.2	1.4	Fiji	+12
267 667	230	83.2	..	<5	1.6	9 200	0.697	161.1	0.6	Gabon	+1
11 295	5	55.6	4	5.3	0.2	..	0.452	137.8	0.2	Gambia	ASG
69 700	28	99.8	427	7.4	5.2	4 120	0.769	128.9	14.7	Georgia	+4
238 537	93	76.6	10	<5	6.6	1 480	0.579	129.7	0.3	Ghana	ASG
120 538	50	100.0	..	41.6	14.1	..	..	12.9	..	Gogledd Korea	+9
378	<1	..	..	..	0.1	8 650	0.754	112.3	18.5	Grenada	-4
131 957	41	95.3	617	..	28.1	20 270	0.866	113.0	30.9	Groeg	+2
108 890	35	79.1	93	15.6	5.5	3 590	0.640	111.5	2.8	Guatemala	-6
28 051	16	95.2	..	..	1.6	12 820	0.592	66.7	0.5	Guinée Gyhydeddol	+1
245 857	64	30.5	10	16.4	1.0	470	0.414	87.2	0.0	Guinée	ASG
36 125	20	59.8	4	20.7	0.1	590	0.424	69.3	0.1	Guiné-Bissau	ASG
214 969	165	87.5	21	10.6	0.7	4 090	0.638	67.2	6.7	Guyana	-4
622 436	222	36.8	5	47.7	0.2	330	0.352	25.9	..	Gweriniaeth Canolbarth Affrica	+1
2 345 410	1 526	77.2	..	..	3.3	410	0.435	53.0	..	Gweriniaeth Ddemocrataidd Congo	+1 & +2
48 442	20	92.5	149	12.3	8.0	6 240	0.722	82.6	6.4	Gweriniaeth Dominica	-4
30 520	7	>95	489	..	66.5	44 510	0.896	115.7	36.9	Gwlad Belg	+1
89 206	1	98.0	256	<5	8.5	4 680	0.741	179.4	4.2	Gwlad Iorddonen	+2
312 683	94	99.8	222	..	98.1	13 310	0.855	142.7	19.0	Gwlad Pwyl	+1
17 364	6	87.5	17	26.8	0.5	3 280	0.541	73.2	0.5	Gwlad Swazi	+2
513 115	164	94.0	39	7.4	128.6	5 720	0.740	152.7	9.2	Gwlad Thai	+7
102 820	<1	>95	348	..	5.2	50 110	0.921	114.0	37.0	Gwlad yr Iâ	ASG
27 750	1	60.7	..	53.4	0.9	810	0.493	68.8	0.0	Haiti	-5
112 088	46	88.4	..	12.2	3.7	2 280	0.625	95.5	2.3	Honduras	-6
93 030	21	99.4	308	..	23.6	12 970	0.836	118.9	27.4	Hwngari	+1
3 166 620	707	72.2	70	15.2	593.0	1 590	0.624	78.1	1.3	India	+5½
1 919 445	910	95.4	20	7.6	175.4	3 440	0.689	132.3	1.1	Indonesia	+7 i +9
1 648 000	107	87.2	89	<5	256.2	..	0.774	93.4	10.9	Iran	+3½
438 317	8	79.7	61	22.8	45.0	5 820	0.649	93.8	..	Iraq	+3
41 526	4	>95	286	..	101.6	48 850	0.924	123.5	41.7	Iseldiroedd, Yr	+1
22 072	2	..	334	..	22.4	35 770	0.899	133.5	27.4	Israel	+2
70 282	8	>95	267	..	14.2	52 550	0.923	103.7	27.7	Iwerddon	ASG
10 991	3	88.5	..	8.1	2.9	4 930	0.730	111.5	8.1	Jamaica	-5
377 727	250	>95	230	<5	493.2	38 840	0.903	126.5	30.7	Japan	+9
2 717 300	33	99.8	362	<5	66.5	11 390	0.794	156.9	13.7	Kazakhstan	+5 & +6
582 646	44	78.0	20	21.2	6.2	1 340	0.555	80.7	0.3	Kenya	+3
717	<1	..	38	<5	0.0	3 390	0.588	38.8	0.1	Kiribati	+12 i +14
10 908	..	..	..	..	..	3 960	..	..	..	Kosovo	+1

dim data ar gael

Baner	Gwybodaeth Allweddol			Poblogaeth						
	Gwlad	Prifddinas	Poblogaeth cyfanswm 2015	Dwysedd pobl y km. sg. 2015	Cyfradd geni y 1000 o'r boblogaeth 2015	Cyfradd marw y 1000 o'r boblogaeth 2015	Disgwyliad oes mewn blynyddoedd 2015	Newid poblogaeth % blynyddol y flwyddyn 2005–2015	Pobloga drefo % 2015
	Kuwait	Kuwait	3 892 000	218	20	3	75	3.6	98
	Kyrgyzstan	Bishkek	5 940 000	30	27	6	71	2.1	36
	Laos	Viangchang (Vientiane)	6 802 000	29	26	7	67	1.7	39
	Latvia	Rīga	1 971 000	31	11	14	74	-0.8	67
	Lesotho	Maseru	2 135 000	70	28	15	50	1.2	27
	Libanus	Beirut	5 851 000	560	15	5	80	4.2	88
	Liberia	Monrovia	4 503 000	40	35	9	61	2.4	50
	Libya	Tarābulus (Tripoli)	6 278 000	4	20	5	72	0.3	79
	Liechtenstein	Vaduz	38 000	238	9	7	82	0.7	14
	Lithuania	Vilnius	2 878 000	44	11	14	75	-0.9	67
	Luxembourg	Luxembourg	567 000	219	11	7	82	2.4	90
	Macedonia (FYROM)[2]	Skopje	2 078 000	81	11	9	76	0.1	57
	Madagascar	Antananarivo	24 235 000	41	34	7	65	2.8	35
	Malaŵi	Lilongwe	17 215 000	145	39	7	64	3.1	16
	Malaysia	Kuala Lumpur/Putrajaya	30 331 000	91	17	5	75	1.4	75
	Maldives	Male	364 000	1 221	21	4	77	2.0	46
	Mali	Bamako	17 600 000	14	43	10	58	3.0	40
	Malta	Valletta	419 000	1 326	10	8	82	1.1	95
	Mauritania	Nouakchott	4 068 000	4	33	8	63	2.4	60
	Mauritius	Port Louis	1 273 000	624	10	8	74	0.1	40
	México	Ciudad de México	127 017 000	64	18	5	77	1.3	79
	Moçambique	Maputo	27 978 000	35	39	11	55	2.8	32
	Moldova	Chişinău	4 069 000	121	11	11	72	-0.1	45
	Monaco	Monaco	38 000	19 000	8	8	..	0.3	100
	Mongolia	Ulan Bator	2 959 000	2	23	6	70	1.7	72
	Montenegro	Podgorica	626 000	45	11	10	76	0.1	64
	Moroco	Rabat	34 378 000	77	20	6	74	1.3	60
	Myanmar	Nay Pyi Taw	53 897 000	80	17	8	66	0.9	34
	Namibia	Windhoek	2 459 000	3	29	7	65	2.3	47
	Nauru	Yaren	10 000	476	..	..	..	5.1	100
	Nepal	Kathmandu	28 514 000	194	20	6	70	1.2	19
	Nicaragua	Managua	6 082 000	47	20	5	75	1.1	59
	Niger	Niamey	19 899 000	16	49	9	62	4.0	19
	Nigeria	Abuja	182 202 000	197	39	13	53	2.6	48
	Norwy	Oslo	5 211 000	16	11	8	82	1.0	80
	Oman	Muscat	4 491 000	15	19	3	77	5.8	78
	Pakistan	Islamabad	188 925 000	214	29	7	66	2.1	39
	Palau	Melekeok	21 000	42	..	..	..	0.9	87
	Panamá	Ciudad de Panamá	3 929 000	51	19	5	78	1.6	67
	Papua Guinea Newydd	Port Moresby	7 619 000	16	28	8	63	2.1	13
	Paraguay	Asunción	6 639 000	16	21	6	73	1.3	60
	Periw	Lima	31 377 000	24	20	6	75	1.3	79
	Pilipinas (Philippines)	Manila	100 699 000	336	23	7	68	1.6	44
	Portiwgal	Lisboa	10 350 000	116	8	11	82	-0.4	63
	Qatar	Ad Dawhah (Doha)	2 235 000	195	12	1	79	2.9	99
	România	București	19 511 000	82	9	13	75	-0.5	55
	Rwanda	Kigali	11 610 000	441	31	7	65	2.3	29
	Rwsia	Moscow	143 457 000	8	13	13	71	0.2	74
	St Kitts a Nevis	Basse-Terre	56 000	215	..	..	..	1.1	32

[2] FYROM - Gweriniaeth Macedonia Iwgoslafia gynt (Former Yugoslav Republic of Macedonia)

Tir		Addysg ac Iechyd			Datblygiad			Cyfathrebiadau		Gwlad	Cylchfaoedd
ynebedd n sgwâr	Coedwig 'ooo km sgwâr 2015	Llyth-rennedd oedolion 2015	Meddygon am bob 1000 o bobl 2009–2013	Maeth Poblogaeth heb ddigon o faeth 2015	Y defnydd o egni (tunelli metrig o gyfwerth olew) 2013	IGC y pen $UDA 2015	MDD y pen $UDA 2015	Ffonau symudol y 100 o'r boblogaeth 2015	Defnyddwyr band eang y 100 o'r boblogaeth 2015		Amser + neu - ASG
17 818	<1	96.1	270	<5	41.0	42 150	0.800	231.8	1.5	Kuwait	+3
198 500	6	99.5	197	6.0	6.1	1 170	0.664	132.8	3.7	Kyrgyzstan	+6
236 800	188	79.9	18	18.5	2.9	1 740	0.586	53.1	0.5	Laos	+7
64 589	34	99.9	358	..	4.1	14 990	0.830	127.5	24.8	Latvia	+2
30 355	<1	79.4	..	11.2	0.4	1 280	0.497	100.9	0.1	Lesotho	+2
10 452	1	94.0	320	<5	7.6	7 710	0.763	92.2	25.4	Libanus	+2
111 369	42	47.6	1	31.9	0.4	380	0.427	81.1	0.2	Liberia	ASG
759 540	2	91.4	190	..	19.8	..	0.716	157.0	1.0	Libya	+1
160	<1	>95	..	..	..	..	0.912	109.3	41.9	Liechtenstein	+1
65 200	22	99.8	412	..	6.8	15 080	0.848	139.5	27.8	Lithuania	+2
2 586	<1	>95	290	..	4.6	77 480	0.898	148.5	36.0	Luxembourg	+1
25 713	10	97.8	263	..	2.8	5 140	0.748	98.8	17.2	Macedonia (FYROM)[2]	+1
587 041	125	64.7	16	33.0	1.3	420	0.512	44.1	0.1	Madagascar	+3
118 484	31	66.0	2	20.7	0.8	340	0.476	37.9	0.0	Malaŵi	+2
332 965	222	94.6	120	<5	81.6	10 570	0.789	143.9	10.0	Malaysia	+8
298	<1	99.3	142	5.2	0.6	6 950	0.701	206.7	6.5	Maldives	+5
240 140	47	33.1	8	<5	0.6	760	0.442	139.6	0.0	Mali	ASG
316	<1	94.1	349	..	2.2	23 900	0.856	129.3	37.9	Malta	+1
030 700	2	52.1	..	5.6	0.9	..	0.513	89.3	0.2	Mauritania	ASG
2 040	<1	90.6	106	<5	1.9	9 780	0.781	140.6	15.8	Mauritius	+4
972 545	660	94.5	210	<5	188.8	9 710	0.762	86.0	11.6	México	-6 i -8
799 380	379	58.8	4	25.3	5.9	590	0.418	74.2	0.2	Moçambique	+2
33 700	4	99.2	298	..	3.8	2 240	0.699	108.0	15.6	Moldova	+2
2	..	..	717	..	..	..	..	88.8	47.9	Monaco	+1
565 000	126	98.4	284	20.5	4.6	3 870	0.735	105.0	7.1	Mongolia	+8
13 812	8	98.7	211	..	1.2	7 220	0.807	162.2	18.1	Montenegro	+1
446 550	56	71.7	62	<5	19.0	3 030	0.647	126.9	3.4	Moroco	ASG
676 577	290	93.1	61	14.2	8.9	1 160	0.556	75.7	0.1	Myanmar	+6½
824 292	69	90.8	37	42.3	1.8	5 190	0.640	106.6	2.9	Namibia	+1
21	<1	..	71	..	0.0	11 850	..	..	..	Nauru	+12
147 181	36	64.7	..	7.8	2.4	730	0.558	96.8	1.1	Nepal	+5¾
130 000	31	82.5	90	16.6	2.1	1 940	0.645	116.1	1.9	Nicaragua	-6
267 000	11	19.1	2	9.5	0.9	390	0.353	46.5	0.1	Niger	+1
923 768	70	59.6	40	7.0	31.0	2 790	0.527	82.2	0.0	Nigeria	+1
323 878	121	>95	428	..	46.8	93 530	0.949	111.1	39.7	Norwy	+1
309 500	<1	94.0	243	<5	26.9	16 910	0.796	159.9	5.6	Oman	+4
881 888	15	56.4	83	22.0	66.4	1 440	0.550	66.9	1.0	Pakistan	+5
497	<1	99.5	138	..	..	12 180	0.788	111.5	5.8	Palau	+9
77 082	46	95.0	165	9.5	8.5	11 880	0.788	174.2	7.9	Panamá	-5
462 840	336	63.4	6	..	2.5	..	0.516	46.6	0.2	Papua Guinea Newydd	+10 & +11
406 752	153	95.5	123	10.4	12.1	4 190	0.693	105.4	3.1	Paraguay	-4
285 216	740	94.4	113	7.5	25.7	6 130	0.740	109.9	6.4	Periw	-5
300 000	80	96.6	..	13.5	33.6	3 550	0.682	115.8	4.8	Pilipinas (Philippines)	+8
88 940	32	95.4	410	..	25.9	20 470	0.843	110.4	29.6	Portiwgal	ASG
11 437	<1	97.8	774	..	52.1	83 990	0.856	159.1	10.1	Qatar	+3
237 500	69	98.8	245	..	33.1	9 510	0.802	107.1	19.8	România	+2
26 338	5	71.2	6	31.6	0.4	700	0.498	70.5	0.2	Rwanda	+2
075 400	8 149	99.7	431	..	765.0	11 450	0.804	159.9	18.9	Rwsia	+3 i +12
261	<1	..	..	..	0.1	15 060	0.765	131.8	29.6	St Kitts a Nevis	-4

n data ar gael

	Gwybodaeth Allweddol		Poblogaeth						
Baner	Gwlad	Prifddinas	Poblogaeth cyfanswm 2015	Dwysedd pobl y km. sg. 2015	Cyfradd geni y 1000 o'r boblogaeth 2015	Cyfradd marw y 1000 o'r boblogaeth 2015	Disgwyliad oes mewn blynyddoedd 2015	Newid poblogaeth % blynyddol y flwyddyn 2005–2015	Poblog drefo % 2015
	St Lucia	Castries	185 000	300	15	7	75	0.7	19
	St Vincent a'r Grenadines	Kingstown	109 000	280	16	7	73	0.1	51
	Samoa	Apia	193 000	68	25	5	74	0.7	19
	San Marino	San Marino	32 000	525	8	7	..	0.6	94
	São Tomé a Príncipe	São Tomé	190 000	197	34	7	67	2.1	65
	Saudi Arabia	Riyadh	31 540 000	14	20	3	74	2.1	83
	Sbaen	Madrid	46 122 000	91	9	9	83	-0.1	80
	Seland Newydd	Wellington	4 529 000	17	13	7	81	1.9	86
	Sénégal	Dakar	15 129 000	77	38	6	67	3.1	44
	Serbia	Beograd	7 046 000	91	9	15	75	-0.5	56
	Seychelles	Victoria	96 000	211	17	8	73	2.2	54
	Sierra Leone	Freetown	6 453 000	90	35	13	51	2.2	40
	Singapore	Singapore	5 604 000	8 770	10	5	83	1.2	100
	Slofacia	Bratislava	5 426 000	111	10	10	77	0.1	54
	Slovenija	Ljubljana	2 068 000	102	10	10	81	0.1	50
	Somalia	Mogadishu	10 787 000	17	43	12	56	2.5	40
	Sri Lanka	Sri Jayewardenepura Kotte	20 715 000	316	16	7	75	0.9	18
	Sudan	El Khartūm (Khartoum)	40 235 000	22	33	8	64	2.2	34
	Suriname	Paramaribo	543 000	3	18	7	71	0.9	66
	Sweden	Stockholm	9 779 000	22	12	9	83	1.1	86
	Swistir, Y	Bern	8 299 000	201	10	8	83	1.1	74
	Syria	Damascus (Dimashq)	18 502 000	101	23	6	70	-1.5	58
	Taiwan	Taibei	23 462 000	648	..	..	..	..	..
	Tajikistan	Dushanbe	8 482 000	59	30	6	70	2.2	27
	Taleithiau Ffederal Micronesia	Palikir	104 000	148	24	6	69	0.4	22
	Tanzania	Dodoma	53 470 000	57	39	7	65	3.1	32
	Tchad	N'Djamena	14 037 000	11	45	14	52	3.3	22
	Togo	Lomé	7 305 000	129	35	9	60	2.6	40
	Tonga	Nuku'alofa	106 000	142	24	6	73	0.6	24
	Trinidad a Tobago	Port of Spain	1 360 000	265	14	10	71	0.4	8
	Tsiecia	Praha	10 543 000	134	11	11	79	0.2	73
	Tunisia	Tunis	11 254 000	69	18	7	75	1.1	67
	Turkmenistan	Aşgabat	5 374 000	11	21	8	66	1.2	50
	Tuvalu	Vaiaku	9 916	397	..	..	..	0.2	60
	Twrci	Ankara	78 666 000	101	16	6	75	1.5	73
	Uganda	Kampala	39 032 000	162	43	9	59	3.3	16
	Ukrain	Kiev	44 824 000	74	11	15	71	-0.3	70
	Unol Daleithiau America	Washington	321 774 000	33	12	8	79	0.8	82
	Uruguay	Montevideo	3 432 000	19	14	9	77	0.4	95
	Uzbekistan	Tashkent	29 893 000	67	24	5	68	1.7	36
	Vanuatu	Port Vila	265 000	22	26	5	72	2.2	26
	Venezuela	Caracas	31 108 000	34	19	6	74	1.3	89
	Viet Nam	Ha Nôi	93 448 000	284	17	6	76	1.1	34
	Yemen	Şan'ā'	26 832 000	51	32	7	64	2.5	35
	Ynysoedd Comoro	Moroni	788 000	423	33	7	64	2.4	28
	Ynysoedd Marshall	Delap-Uliga-Djarrit	53 000	293	..	..	..	0.2	73
	Ynysoedd Solomon	Honiara	584 000	21	29	6	68	2.0	22
	Zambia	Lusaka	16 212 000	22	40	9	61	3.1	41
	Zimbabwe	Harare	15 603 000	40	35	9	59	2.3	32

Tir		Addysg ac Iechyd			Datblygiad			Cyfathrebiadau		Gwlad	Cylchfaoedd Amser
nebedd sgwâr	Coedwig '000 km sgwâr 2015	Llythrennedd oedolion 2015	Meddygon am bob 1000 o bobl 2009–2013	Maeth Poblogaeth heb ddigon o faeth 2015	Y defnydd o egni (tunelli metrig o gyfwerth olew) 2013	IGC y pen $UDA 2015	MDD y pen $UDA 2015	Ffonau symudol y 100 o'r boblogaeth 2015	Defnyddwyr band eang y 100 o'r boblogaeth 2015		+ neu - ASG
616	<1	..	11	..	0.2	7 350	0.735	101.5	15.4	St Lucia	-4
389	<1	..	..	6.2	0.1	6 630	0.722	103.7	15.5	St Vincent a'r Grenadines	-4
2 831	2	99.0	48	<5	0.1	3 930	0.704	62.4	1.1	Samoa	+13
61	<1	..	510	..	..	..	..	115.2	36.6	San Marino	+1
964	<1	91.8	..	6.6	0.1	1 760	0.574	65.1	0.5	São Tomé a Príncipe	ASG
∙00 000	10	94.8	249	<5	248.7	23 550	0.847	176.6	11.9	Saudi Arabia	+3
∙04 782	184	98.1	495	..	143.1	28 380	0.884	108.2	28.7	Sbaen	+1
∙70 534	102	>95	273	..	21.3	40 020	0.915	121.8	31.6	Seland Newydd	+12 & +12¾
∙96 720	83	55.6	6	10.0	2.5	980	0.494	100.0	0.7	Sénégal	ASG
77 453	27	98.0	211	..	18.6	5 540	0.776	120.5	17.4	Serbia	+1
455	<1	95.3	107	..	0.3	14 680	0.782	158.1	14.3	Seychelles	+4
71 740	30	48.4	2	22.3	0.4	620	0.420	89.5	..	Sierra Leone	ASG
639	<1	96.8	195	..	79.3	52 090	0.925	146.5	26.4	Singapore	+8
49 035	19	>95	332	..	18.2	17 570	0.845	122.3	23.3	Slofacia	+1
20 251	12	99.7	252	..	7.0	22 250	0.890	113.2	27.6	Slovenija	+1
∙37 657	64	..	4	..	0.3	..	..	52.5	0.7	Somalia	+3
65 610	21	92.6	68	22.0	7.1	3 800	0.766	110.6	2.9	Sri Lanka	+5½
∙861 484	192	58.6	28	..	7.4	1 920	0.490	70.5	0.1	Sudan	+3
163 820	153	95.5	..	8.0	1.2	9 360	0.725	136.8	9.6	Suriname	-3
∙49 964	281	>95	393	..	53.3	57 900	0.913	130.4	36.1	Sweden	+1
41 293	13	>95	405	..	32.8	84 550	0.939	136.5	45.1	Swistir, Y	+1
184 026	5	86.3	146	..	15.0	..	0.536	64.3	3.1	Syria	+2
36 179	..	..	..	..	110.9	..	..	..	..	Taiwan	+8
143 100	4	99.8	192	33.2	5.1	1 280	0.627	98.6	0.1	Tajikistan	+5
701	<1	..	18	..	..	3 560	0.638	21.5	3.1	Taleithiau Ffederal Micronesia	+10 & +11
945 087	461	80.4	3	32.1	4.0	920	0.531	75.9	0.2	Tanzania	+3
284 000	49	40.0	..	34.4	0.1	880	0.396	40.2	0.1	Tchad	+1
56 785	2	66.5	5	11.4	0.8	540	0.487	67.7	0.9	Togo	ASG
748	<1	99.4	56	..	0.1	4 280	0.721	69.1	2.3	Tonga	+13
5 130	2	99.0	118	7.4	26.2	17 640	0.780	157.7	20.0	Trinidad a Tobago	-4
78 864	27	>95	362	..	41.3	18 150	0.878	123.2	27.3	Tsiecia	+1
164 150	10	81.0	122	<5	8.5	3 930	0.725	129.9	4.3	Tunisia	+1
488 100	41	..	239	<5	35.5	7 380	0.691	145.9	0.1	Turkmenistan	+5
25	<1	..	109	..	..	6 230	..	40.3	10.1	Tuvalu	+12
779 452	117	95.7	171	<5	130.2	9 950	0.767	96.0	12.4	Twrci	+2
241 038	21	73.8	12	25.5	1.8	700	0.493	50.4	0.2	Uganda	+3
603 700	97	99.8	354	..	116.6	2 640	0.743	144.0	11.8	Ukrain	+2, +4 (Crimea)
∙826 635	3 101	>95	245	<5	2450	55 980	0.920	117.6	31.0	Unol Daleithiau America	-5 i -10
176 215	18	98.4	374	<5	5.3	15 720	0.795	160.2	26.3	Uruguay	-3
447 400	32	100.0	253	<5	49.0	2 160	0.701	73.3	6.0	Uzbekistan	+5
12 190	4	85.1	12	6.4	0.1	..	0.597	66.3	1.6	Vanuatu	+11
912 050	467	95.4	..	<5	82.0	..	0.767	93.0	8.2	Venezuela	-4½
329 565	148	94.5	119	11.0	52.9	1 990	0.683	130.6	8.1	Viet Nam	+7
527 968	5	70.0	20	26.1	8.2	1 140	0.482	68.0	1.6	Yemen	+3
1 862	<1	78.1	..	..	0.1	780	0.497	55.2	0.3	Ynysoedd Comoro	+3
181	<1	98.3	44	..	..	4 770	..	29.3	1.9	Ynysoedd Marshall	+12
28 370	22	..	22	11.3	0.1	1 920	0.515	72.7	0.2	Ynysoedd Solomon	+11
752 614	486	85.1	17	47.8	4.2	1 490	0.579	74.5	0.2	Zambia	+2
390 759	141	86.9	8	33.4	3.9	860	0.516	84.8	1.1	Zimbabwe	+2

im data ar gael

Poblogaeth drefol
(% y boblogaeth gyfan)

Tir âr
(% cyfanswm
arwynebedd y tir)

Gwelliant o ran
ffynonellau dŵr
(% y boblogaeth
sydd â mynediad)

Cofrestriad addysg gynradd
(% plant o oed ysgol gynradd)

Coedwigoedd
(% cyfanswm arwynebedd y tir)

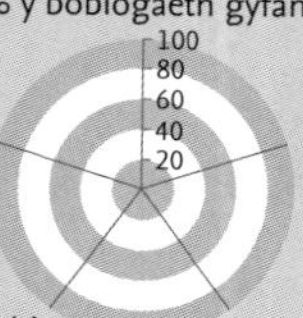

Arwynebedd gwlad (cilometrau sgwâr)
Poblogaeth gwlad (2015)
Mynegai Datblygiad Dynol – MDD (2015)

Cyfandir

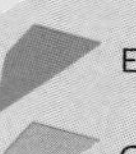

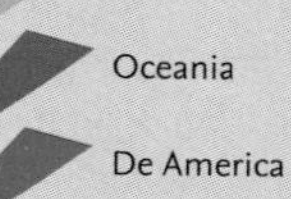

Affrica

Asia

Ewrop

Gogledd America

Oceania

De America

Afghanistan

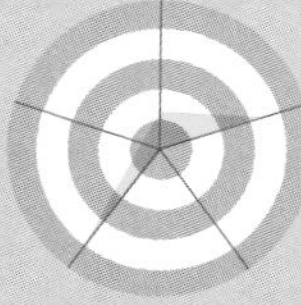

Arwynebedd:
652 225 km sgwâr
Poblogaeth: 32 527 000
MDD: 0.479

Aifft, Yr

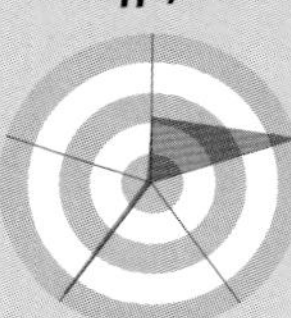

Arwynebedd:
1 001 450 km sgwâr
Poblogaeth: 91 508 000
MDD: 0.691

Albania

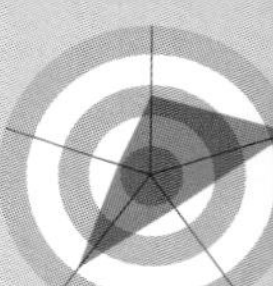

Arwynebedd:
28 748 km sgwâr
Poblogaeth: 2 897
MDD: 0.764

Algeria

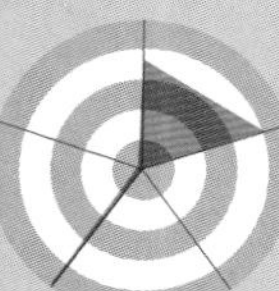

Arwynebedd:
2 381 741 km sgwâr
Poblogaeth: 39 667 000
MDD: 0.745

Almaen, Yr

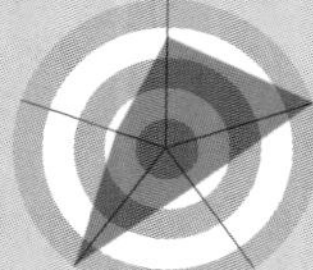

Arwynebedd:
357 022 km sgwâr
Poblogaeth: 80 689 000
MDD: 0.926

Angola

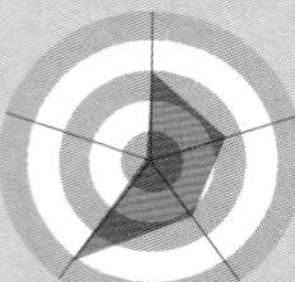

Arwynebedd:
1 246 700 km sgwâr
Poblogaeth: 25 022 000
MDD: 0.533

Ariannin

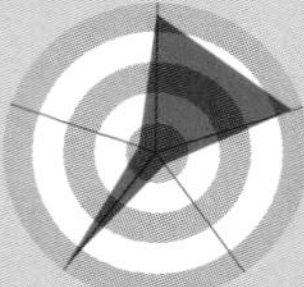

Arwynebedd:
2 766 889 km sgwâr
Poblogaeth: 43 417 000
MDD: 0.827

Armenia

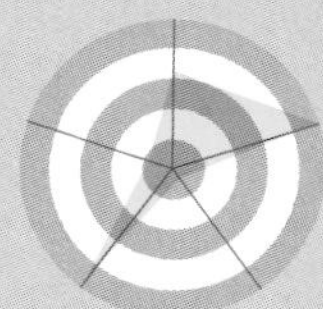

Arwynebedd:
29 800 km sgwâr
Poblogaeth: 3 018 000
MDD: 0.743

Awstralia

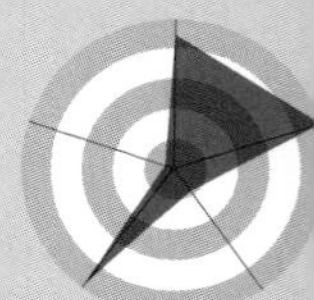

Arwynebedd:
7 692 024 km sgwâ
Poblogaeth: 23 969
MDD: 0.939

Awstria

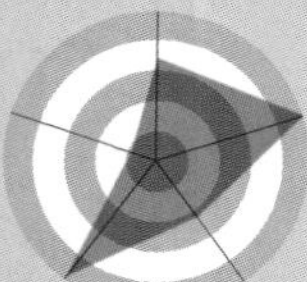

Arwynebedd:
83 855 km sgwâr
Poblogaeth: 8 545 000
MDD: 0.893

Azerbaijan

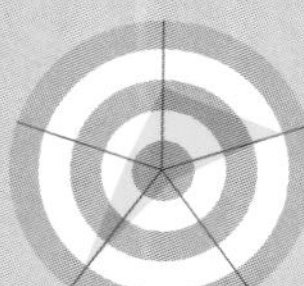

Arwynebedd:
86 600 km sgwâr
Poblogaeth: 9 754 000
MDD: 0.759

Bahamas

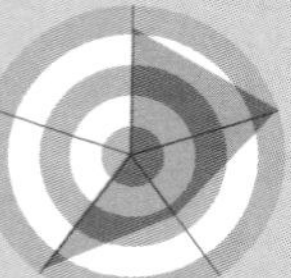

Arwynebedd:
13 939 km sgwâr
Poblogaeth: 388 000
MDD: 0.792

Bahrain

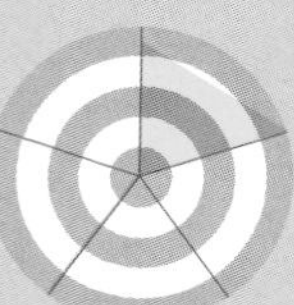

Arwynebedd:
691 km sgwâr
Poblogaeth: 1 377 000
MDD: 0.824

Bangladesh

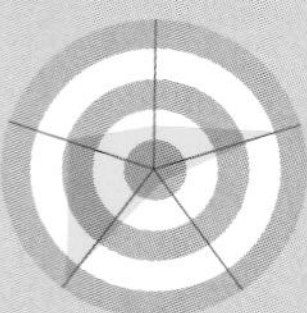

Arwynebedd:
143 998 km sgwâr
Poblogaeth: 160 996 000
MDD: 0.579

Belarus

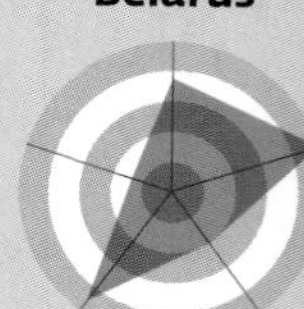

Arwynebedd:
207 600 km sgwâ
Poblogaeth: 9 496 0
MDD: 0.796

Belize

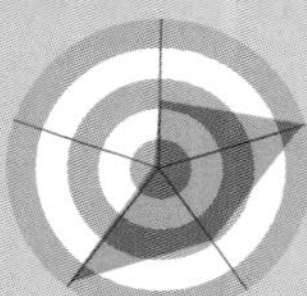

Arwynebedd:
22 965 km sgwâr
Poblogaeth: 359 000
MDD: 0.706

Benin

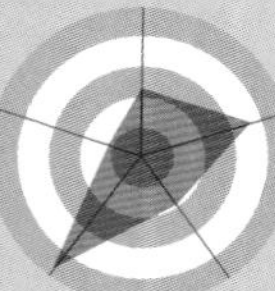

Arwynebedd:
112 620 km sgwâr
Poblogaeth: 10 880 000
MDD: 0.485

Bhutan

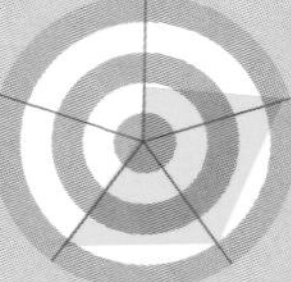

Arwynebedd:
46 620 km sgwâr
Poblogaeth: 775 000
MDD: 0.607

Bolivia

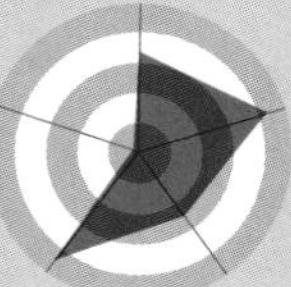

Arwynebedd:
1 098 581 km sgwâr
Poblogaeth: 10 725 000
MDD: 0.674

Bosna-Hercegovina

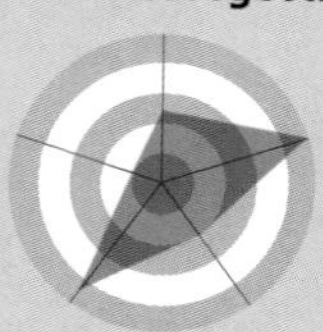

Arwynebedd:
51 130 km sgwâr
Poblogaeth: 3 810 000
MDD: 0.750

Botswana

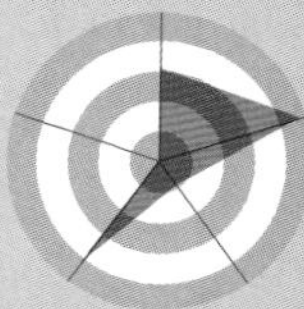

Arwynebedd:
581 370 km sgwâr
Poblogaeth: 2 262 0
MDD: 0.698

Brasil

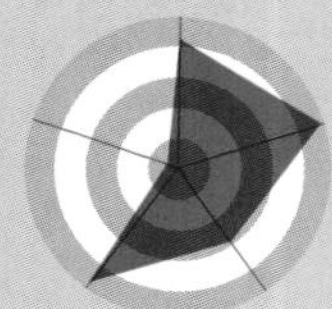

Arwynebedd:
8 514 879 km sgwâr
Poblogaeth: 207 848 000
MDD: 0.754

Brunei

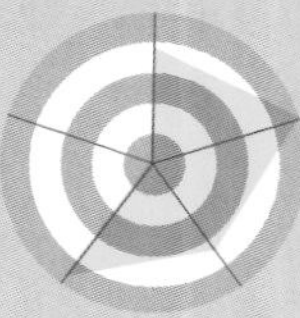

Arwynebedd:
5 765 km sgwâr
Poblogaeth: 423 000
MDD: 0.865

Burkina

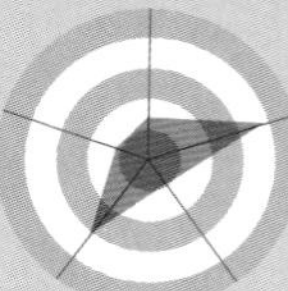

Arwynebedd:
274 200 km sgwâr
Poblogaeth: 18 106 000
MDD: 0.402

Burundi

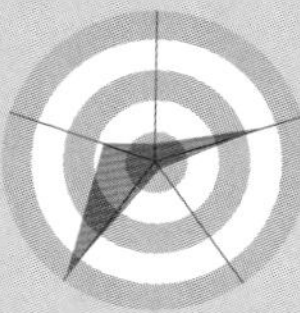

Arwynebedd:
27 835 km sgwâr
Poblogaeth: 11 179 000
MDD: 0.404

Bwlgaria

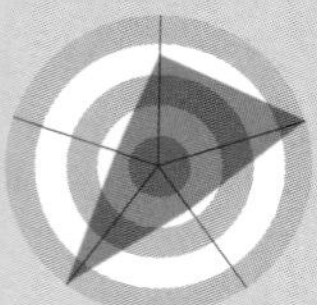

Arwynebedd:
110 994 km sgwâr
Poblogaeth: 7 150 000
MDD: 0.794

Cabo Verde

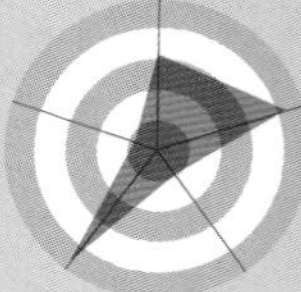

Arwynebedd:
4 033 km sgwâr
Poblogaeth: 521 000
MDD: 0.648

Cambodia

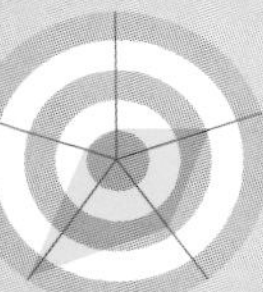

Arwynebedd:
31 035 km sgwâr
oblogaeth: 15 578 000
MDD: 0.563

Cameroon

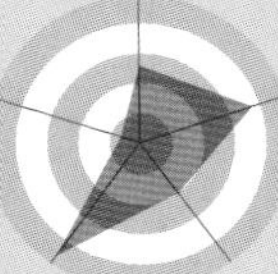

Arwynebedd:
475 442 km sgwâr
Poblogaeth: 23 344 000
MDD: 0.518

Canada

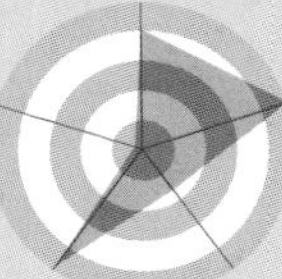

Arwynebedd:
9 984 670 km sgwâr
Poblogaeth: 35 940 000
MDD: 0.920

Chile

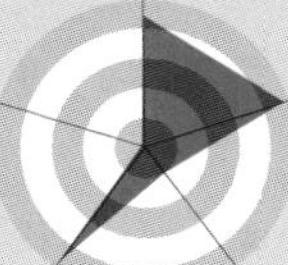

Arwynebedd:
756 945 km sgwâr
Poblogaeth: 17 948 000
MDD: 0.847

China

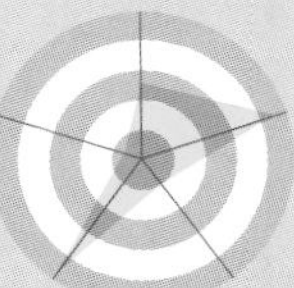

Arwynebedd:
9 606 802 km sgwâr
Poblogaeth: 1 383 925 000
MDD: 0.738

Colombia

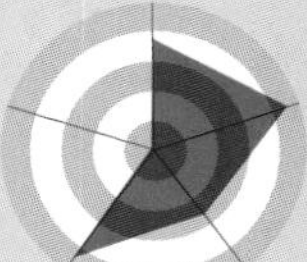

Arwynebedd:
1 141 748 km sgwâr
Poblogaeth: 48 229 000
MDD: 0.727

Congo

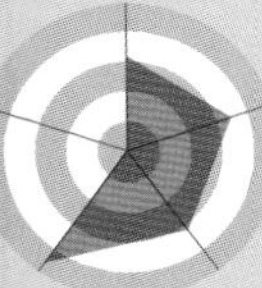

Arwynebedd:
342 000 km sgwâr
Poblogaeth: 4 620 000
MDD: 0.592

Costa Rica

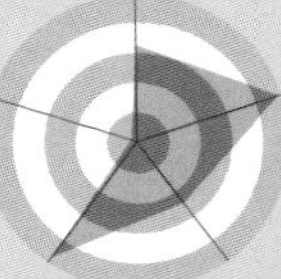

Arwynebedd:
51 100 km sgwâr
Poblogaeth: 4 808 000
MDD: 0.776

Côte d'Ivoire

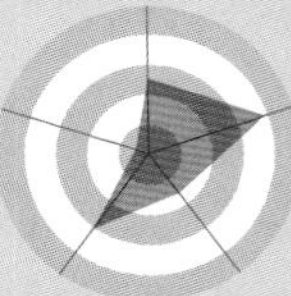

Arwynebedd:
322 463 km sgwâr
Poblogaeth: 22 702 000
MDD: 0.474

Croatia

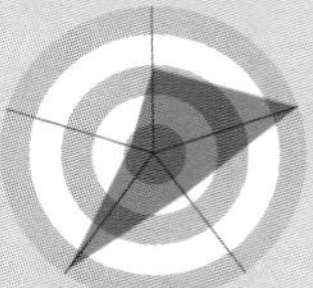

Arwynebedd:
56 538 km sgwâr
Poblogaeth: 4 240 000
MDD: 0.827

Cuba

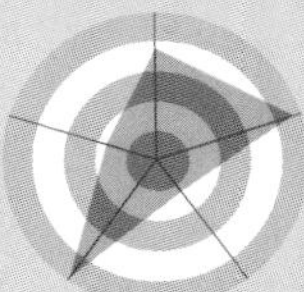

Arwynebedd:
110 860 km sgwâr
Poblogaeth: 11 390 000
MDD: 0.775

Cyprus

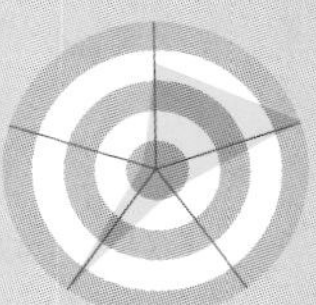

Arwynebedd:
9 251 km sgwâr
Poblogaeth: 1 165 000
MDD: 0.856

De Affrica

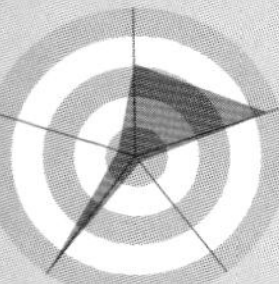

Arwynebedd:
219 090 km sgwâr
oblogaeth: 54 490 000
MDD: 0.666

De Korea

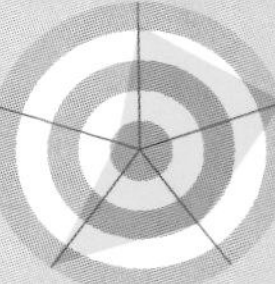

Arwynebedd:
99 274 km sgwâr
Poblogaeth: 50 293 000
MDD: 0.901

De Sudan

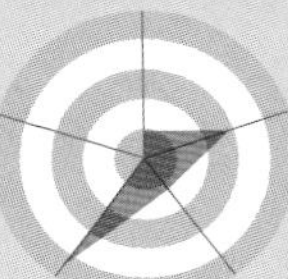

Arwynebedd:
644 329 km sgwâr
Poblogaeth: 12 340 000
MDD: 0.418

Denmarc

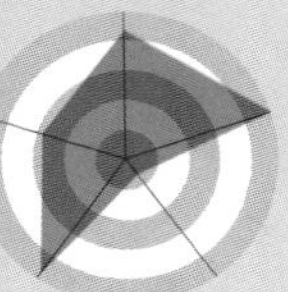

Arwynebedd:
43 075 km sgwâr
Poblogaeth: 5 669 000
MDD: 0.925

Deyrnas Unedig, Y

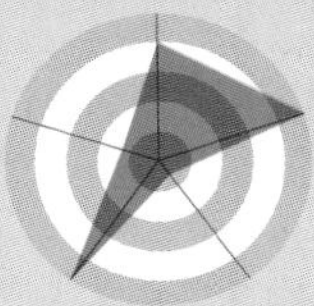

Arwynebedd:
243 609 km sgwâr
Poblogaeth: 64 716 000
MDD: 0.909

Djibouti

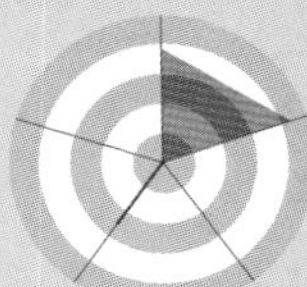

Arwynebedd:
23 200 km sgwâr
Poblogaeth: 888 000
MDD: 0.473

Dwyrain Timor

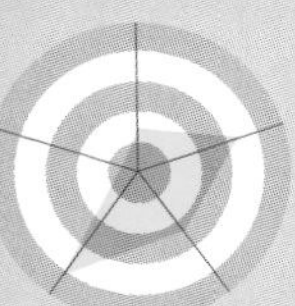

Arwynebedd:
14 874 km sgwâr
oblogaeth: 1 185 000
MDD: 0.605

Ecuador

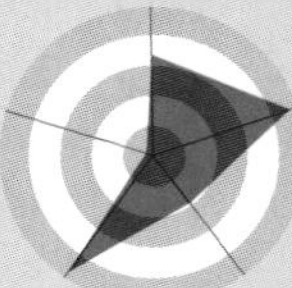

Arwynebedd:
272 045 km sgwâr
Poblogaeth: 16 144 000
MDD: 0.739

Eidal, Yr

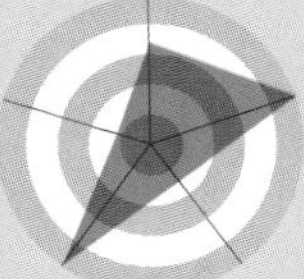

Arwynebedd:
301 245 km sgwâr
Poblogaeth: 59 798 000
MDD: 0.887

El Salvador

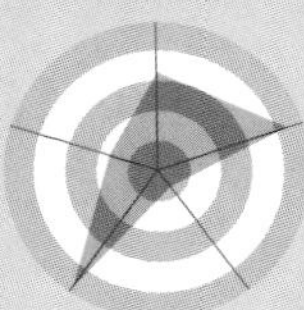

Arwynebedd:
21 041 km sgwâr
Poblogaeth: 6 127 000
MDD: 0.680

Emiradau
Arabaidd Unedig

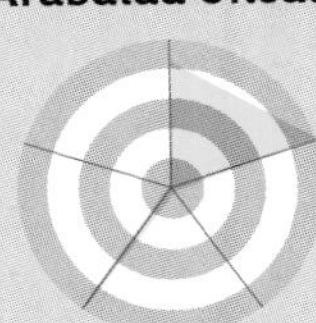

Arwynebedd:
77 700 km sgwâr
Poblogaeth: 9 157 000
MDD: 0.840

Eritrea

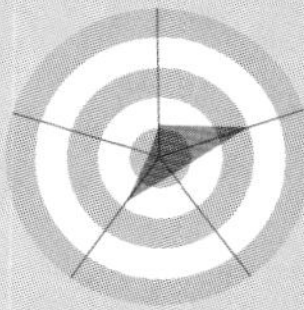

Arwynebedd:
117 400 km sgwâr
Poblogaeth: 5 228 000
MDD: 0.420

Estonia

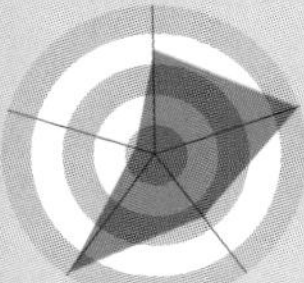

Arwynebedd:
45 200 km sgwâr
oblogaeth: 1 313 000
MDD: 0.865

Ethiopia

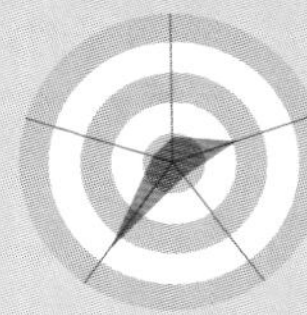

Arwynebedd:
1 133 880 km sgwâr
Poblogaeth: 99 391 000
MDD: 0.448

Ffindir, Y

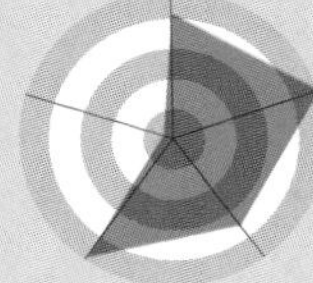

Arwynebedd:
338 145 km sgwâr
Poblogaeth: 5 503 000
MDD: 0.895

Ffrainc

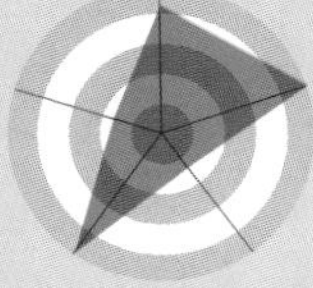

Arwynebedd:
543 965 km sgwâr
Poblogaeth: 64 395 000
MDD: 0.897

Fiji

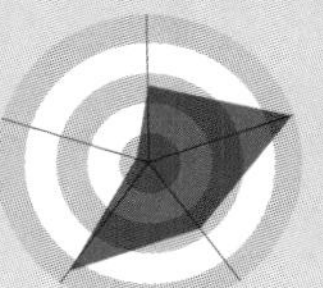

Arwynebedd:
18 330 km sgwâr
Poblogaeth: 892 000
MDD: 0.736

Gabon

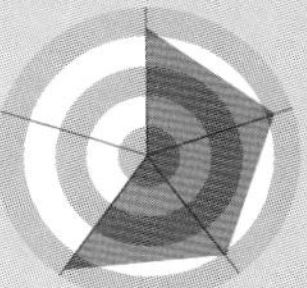

Arwynebedd:
267 667 km sgwâr
Poblogaeth: 1 725 000
MDD: 0.697

Gambia

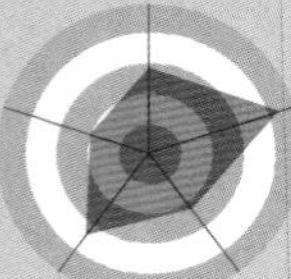

Arwynebedd:
11 295 km sgwâr
Poblogaeth: 1 991 000
MDD: 0.452

Georgia

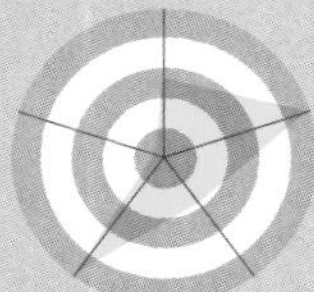

Arwynebedd:
69 700 km sgwâr
Poblogaeth: 4 000 000
MDD: 0.769

Ghana

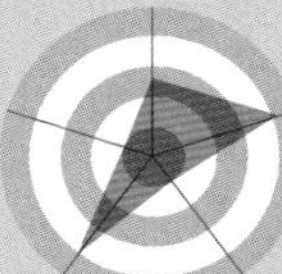

Arwynebedd:
238 537 km sgwâr
Poblogaeth: 27 410 000
MDD: 0.579

Gogledd Korea

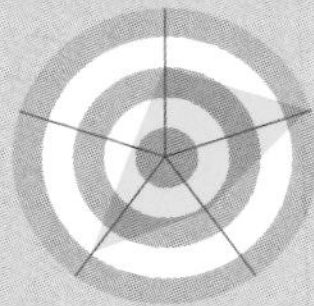

Arwynebedd:
120 538 km sgwâr
Poblogaeth: 25 155 000
MDD: dim data

Groeg

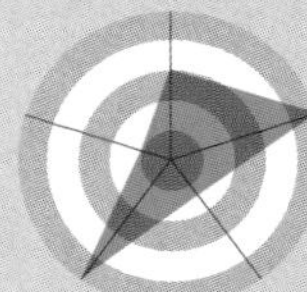

Arwynebedd:
131 957 km sgwâr
Poblogaeth: 10 955 000
MDD: 0.866

Guatemala

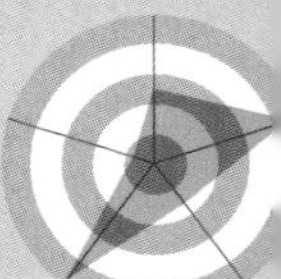

Arwynebedd:
108 890 km sgwâr
Poblogaeth: 16 34
MDD: 0.640

Guinée Gyhydeddol

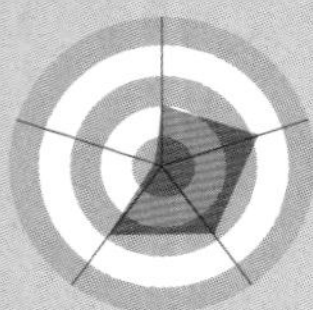

Arwynebedd:
28 051 km sgwâr
Poblogaeth: 845 000
MDD: 0.592

Guinée

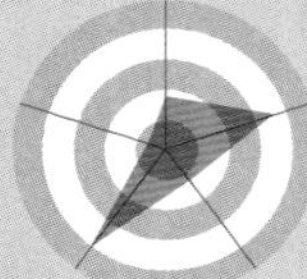

Arwynebedd:
245 857 km sgwâr
Poblogaeth: 12 609 000
MDD: 0.414

Guiné-Bissau

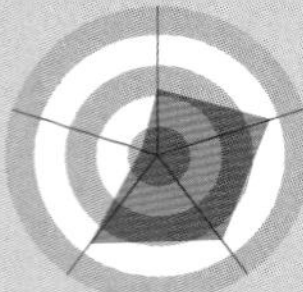

Arwynebedd:
36 125 km sgwâr
Poblogaeth: 1 844 000
MDD: 0.424

Guyana

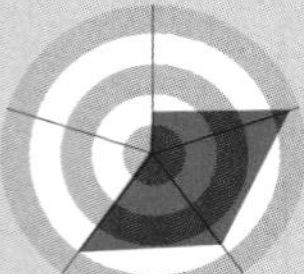

Arwynebedd:
214 969 km sgwâr
Poblogaeth: 767 000
MDD: 0.638

Gweriniaeth Canolbarth Affrica

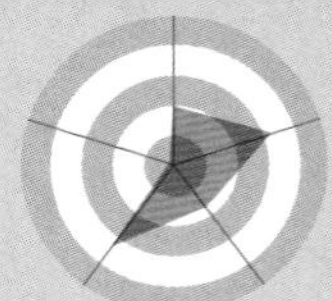

Arwynebedd:
622 436 km sgwâr
Poblogaeth: 4 900 000
MDD: 0.352

Gweriniaeth Ddemocrataidd C

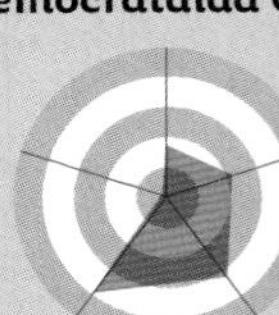

Arwynebedd:
2 345 410 km sg
Poblogaeth: 77 262
MDD: 0.435

Gweriniaeth Dominica

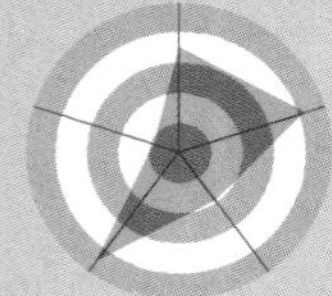

Arwynebedd:
48 442 km sgwâr
Poblogaeth: 10 528 000
MDD: 0.722

Gwlad Belg

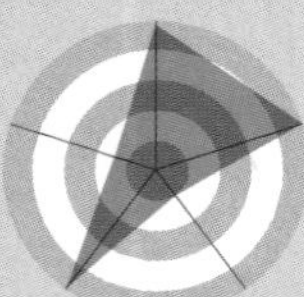

Arwynebedd:
30 520 km sgwâr
Poblogaeth: 11 299 000
MDD: 0.896

Gwlad Iorddonen

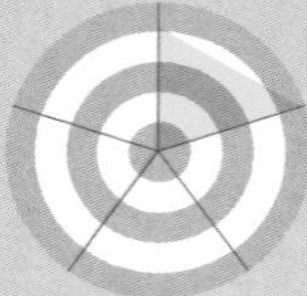

Arwynebedd:
89 206 km sgwâr
Poblogaeth: 7 595 000
MDD: 0.741

Gwlad Pwyl

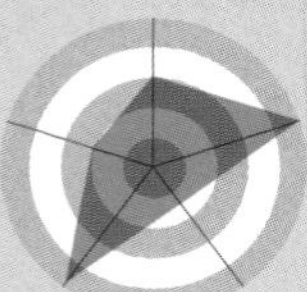

Arwynebedd:
312 683 km sgwâr
Poblogaeth: 38 612 000
MDD: 0.855

Gwlad Swazi

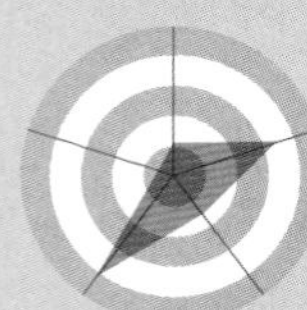

Arwynebedd:
17 364 km sgwâr
Poblogaeth: 1 287 000
MDD: 0.541

Gwlad Thai

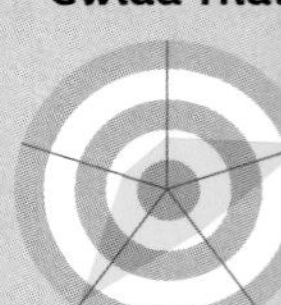

Arwynebedd:
513 115 km sgw
Poblogaeth: 67 95
MDD: 0.740

Gwlad yr Iâ

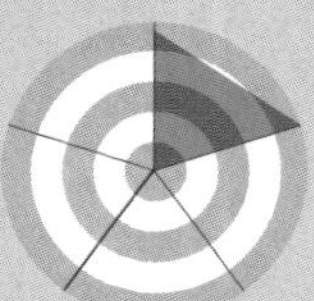

Arwynebedd:
102 820 km sgwâr
Poblogaeth: 329 000
MDD: 0.921

Haiti

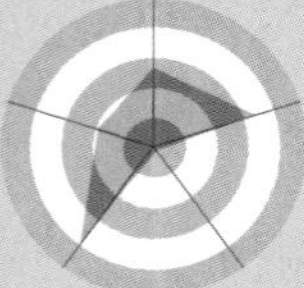

Arwynebedd:
27 750 km sgwâr
Poblogaeth: 10 711 000
MDD: 0.493

Honduras

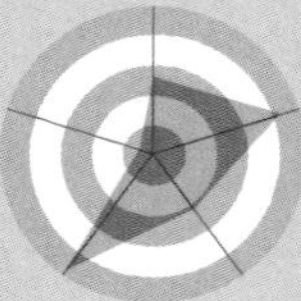

Arwynebedd:
112 088 km sgwâr
Poblogaeth: 8 075 000
MDD: 0.625

Hwngari

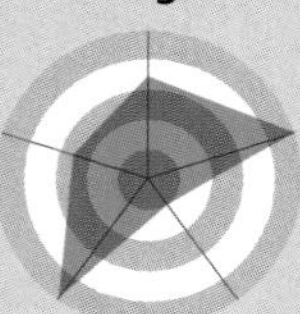

Arwynebedd:
93 030 km sgwâr
Poblogaeth: 9 855 000
MDD: 0.836

India

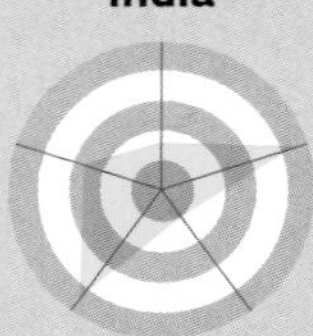

Arwynebedd:
3 166 620 km sgwâr
Poblogaeth: 1 311 051 000
MDD: 0.624

Indonesia

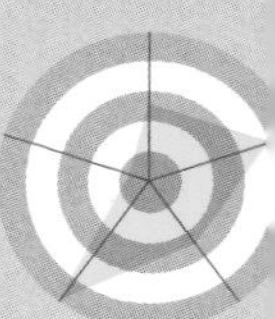

Arwynebedd:
1 919 445 km sg
Poblogaeth: 257 56
MDD: 0.689

Iran

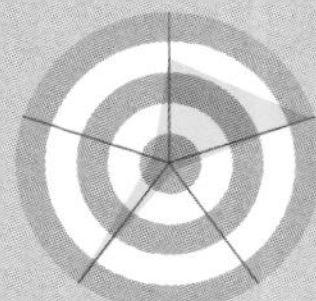

Arwynebedd:
1 648 000 km sgwâr
Poblogaeth: 79 109 000
MDD: 0.774

Iraq

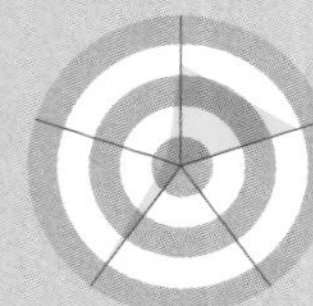

Arwynebedd:
438 317 km sgwâr
Poblogaeth: 36 423 000
MDD: 0.649

Iseldiroedd, Yr

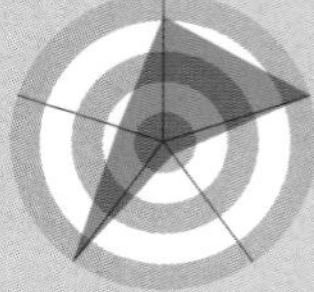

Arwynebedd:
41 526 km sgwâr
Poblogaeth: 16 925 000
MDD: 0.924

Israel

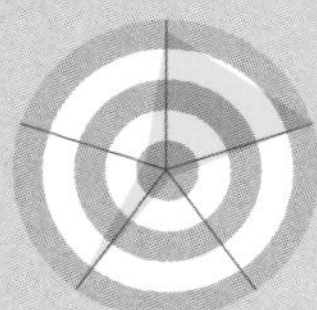

Arwynebedd:
22 072 km sgwâr
Poblogaeth: 8 064 000
MDD: 0.899

Iwerddon

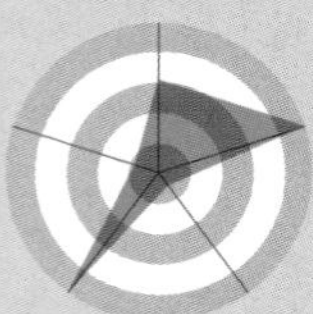

Arwynebedd:
70 282 km sgwâr
Poblogaeth: 4 688 000
MDD: 0.923

Jamaica

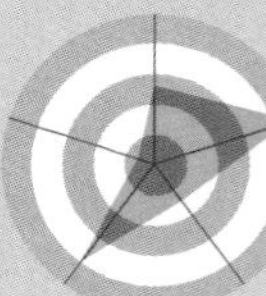

Arwynebedd:
10 991 km sgwâr
Poblogaeth: 2 793
MDD: 0.730

Japan

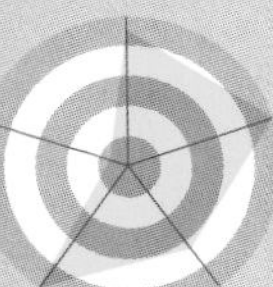

Arwynebedd:
77 727 km sgwâr
ogaeth: 126 573 000
MDD: 0.903

Kazakhstan

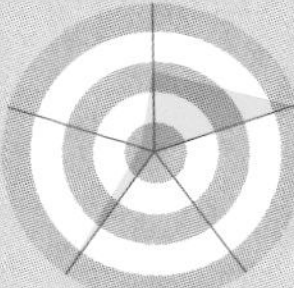

Arwynebedd:
2 717 300 km sgwâr
Poblogaeth: 17 625 000
MDD: 0.794

Kenya

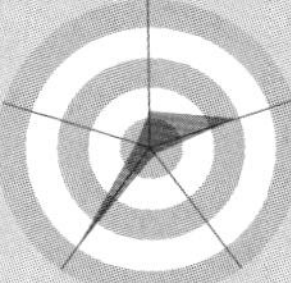

Arwynebedd:
582 646 km sgwâr
Poblogaeth: 46 050 000
MDD: 0.555

Kosovo

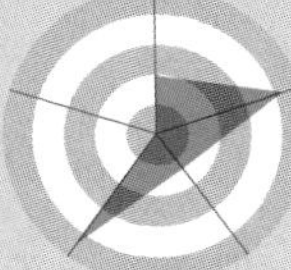

Arwynebedd:
10 908 km sgwâr
Poblogaeth: 1 805 000
MDD: dim data

Kuwait

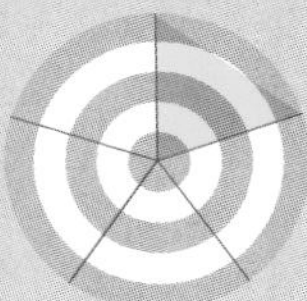

Arwynebedd:
17 818 km sgwâr
Poblogaeth: 3 892 000
MDD: 0.800

Kyrgyzstan

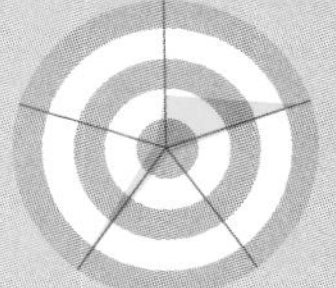

Arwynebedd:
198 500 km sgwâr
Poblogaeth: 5 940 000
MDD: 0.664

Laos

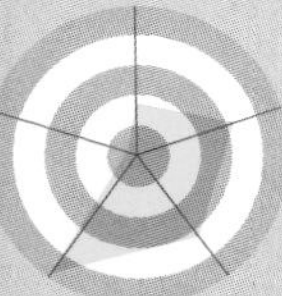

Arwynebedd:
236 800 km sgwâr
oblogaeth: 6 802 000
MDD: 0.586

Latvia

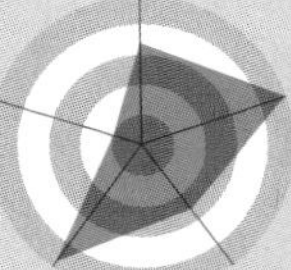

Arwynebedd:
64 589 km sgwâr
Poblogaeth: 1 971 000
MDD: 0.830

Lesotho

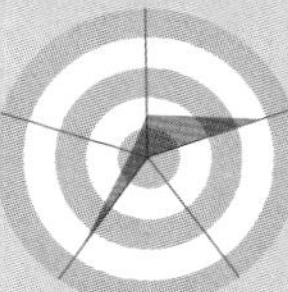

Arwynebedd:
30 355 km sgwâr
Poblogaeth: 2 135 000
MDD: 0.497

Libanus

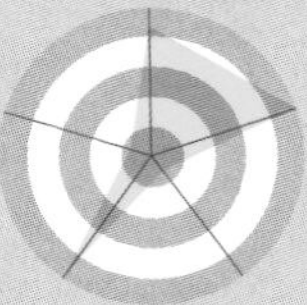

Arwynebedd:
10 452 km sgwâr
Poblogaeth: 5 851 000
MDD: 0.763

Liberia

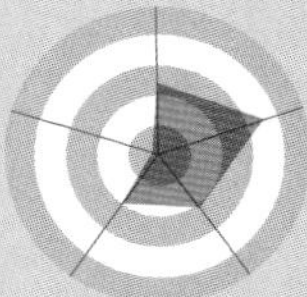

Arwynebedd:
111 369 km sgwâr
Poblogaeth: 4 503 000
MDD: 0.427

Libya

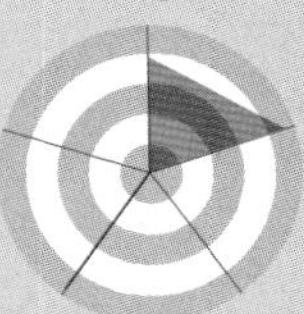

Arwynebedd:
1 759 540 km sgwâr
Poblogaeth: 6 278 000
MDD: 0.716

Liechtenstein

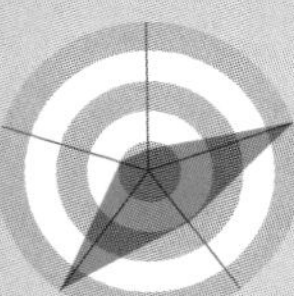

Arwynebedd:
160 km sgwâr
Poblogaeth: 38 000
MDD: 0.912

Lithuania

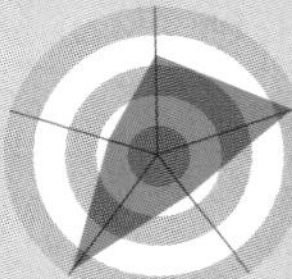

Arwynebedd:
65 200 km sgwâr
Poblogaeth: 2 878 000
MDD: 0.848

Luxembourg

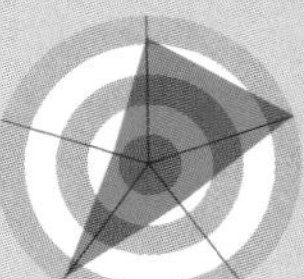

Arwynebedd:
2 586 km sgwâr
Poblogaeth: 567 000
MDD: 0.898

Macedonia

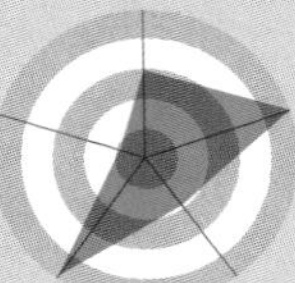

Arwynebedd:
25 713 km sgwâr
Poblogaeth: 2 078 000
MDD: 0.748

Madagascar

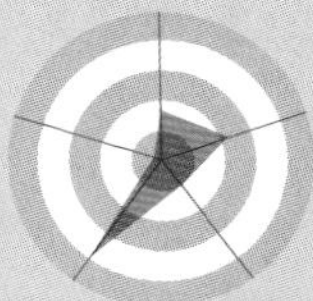

Arwynebedd:
587 041 km sgwâr
Poblogaeth: 24 235 000
MDD: 0.512

Malaŵi

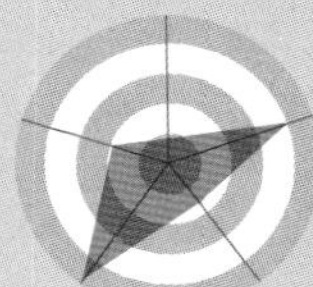

Arwynebedd:
118 484 km sgwâr
Poblogaeth: 17 215 000
MDD: 0.476

Malaysia

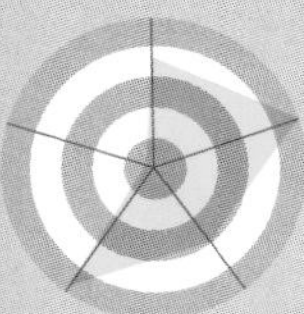

Arwynebedd:
332 965 km sgwâr
oblogaeth: 30 331 000
MDD: 0.789

Mali

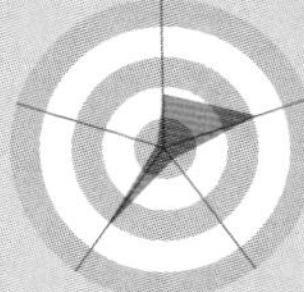

Arwynebedd:
1 240 140 km sgwâr
Poblogaeth: 17 600 000
MDD: 0.442

Malta

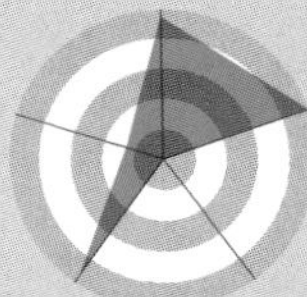

Arwynebedd:
316 km sgwâr
Poblogaeth: 419 000
MDD: 0.856

Mauritania

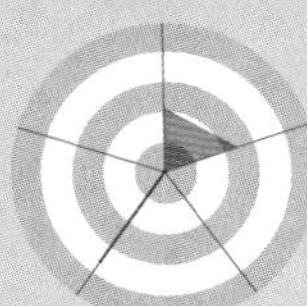

Arwynebedd:
1 030 700 km sgwâr
Poblogaeth: 4 068 000
MDD: 0.513

Mauritius

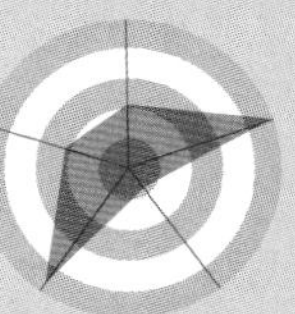

Arwynebedd:
2 040 km sgwâr
Poblogaeth: 1 273 000
MDD: 0.781

México

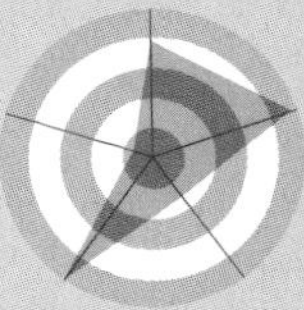

Arwynebedd:
1 972 545 km sgwâr
Poblogaeth: 127 017 000
MDD: 0.762

Moçambique

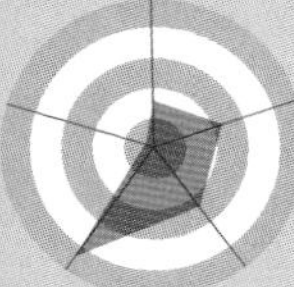

Arwynebedd:
799 380 km sgwâr
oblogaeth: 27 978 000
MDD: 0.418

Moldova

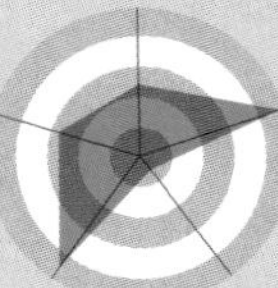

Arwynebedd:
33 700 km sgwâr
Poblogaeth: 4 069 000
MDD: 0.699

Monaco

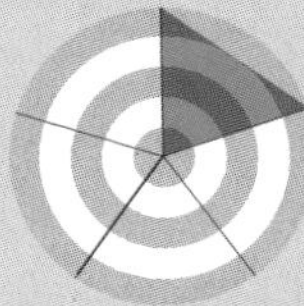

Arwynebedd:
2 km sgwâr
Poblogaeth: 38 000
MDD: dim data

Mongolia

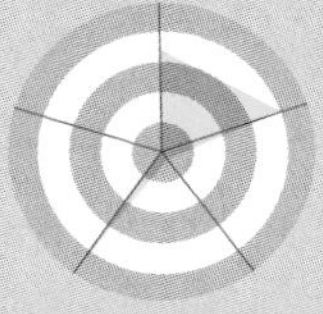

Arwynebedd:
1 565 000 km sgwâr
Poblogaeth: 2 959 000
MDD: 0.735

Montenegro

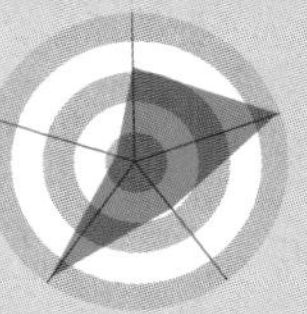

Arwynebedd:
13 812 km sgwâr
Poblogaeth: 626 000
MDD: 0.807

Moroco

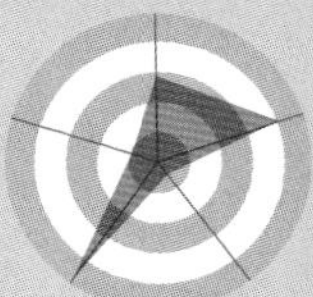

Arwynebedd:
446 550 km sgwâr
Poblogaeth: 34 378 000
MDD: 0.647

Myanmar

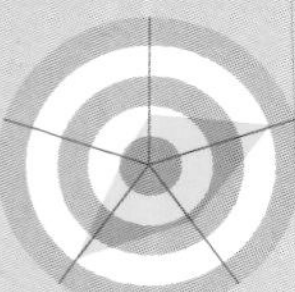

Arwynebedd:
676 577 km sgwâr
Poblogaeth: 53 897 000
MDD: 0.556

Namibia

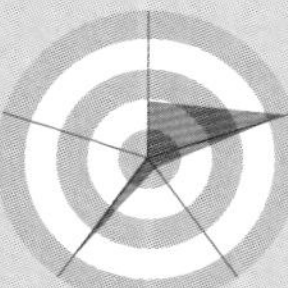

Arwynebedd:
824 292 km sgwâr
Poblogaeth: 2 459 000
MDD: 0.640

Nepal

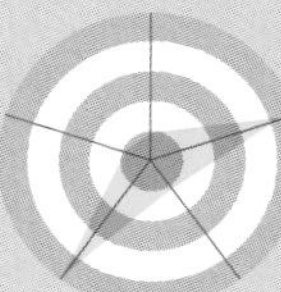

Arwynebedd:
147 181 km sgwâr
Poblogaeth: 28 514 000
MDD: 0.558

Nicaragua

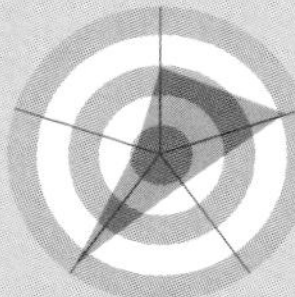

Arwynebedd:
130 000 km sgwâr
Poblogaeth: 6 082 000
MDD: 0.645

Niger

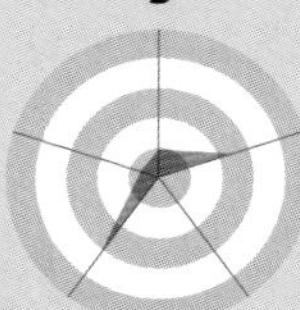

Arwynebedd:
1 267 000 km sgwâr
Poblogaeth: 19 899 000
MDD: 0.353

Nigeria

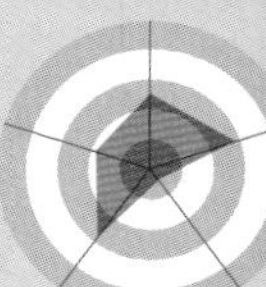

Arwynebedd:
923 768 km sgw
Poblogaeth: 182 20
MDD: 0.527

Norwy

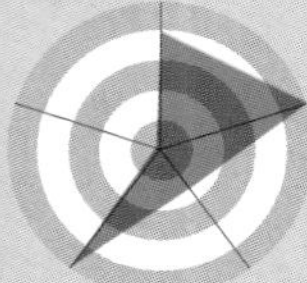

Arwynebedd:
323 878 km sgwâr
Poblogaeth: 5 211 000
MDD: 0.949

Oman

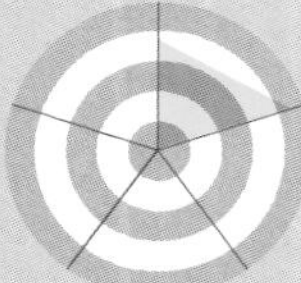

Arwynebedd:
309 500 km sgwâr
Poblogaeth: 4 491 000
MDD: 0.796

Pakistan

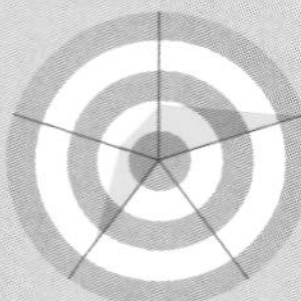

Arwynebedd:
881 888 km sgwâr
Poblogaeth: 188 925 000
MDD: 0.550

Palau

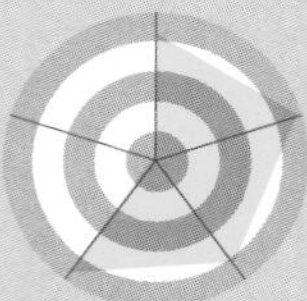

Arwynebedd:
497 km sgwâr
Poblogaeth: 21 000
MDD: 0.788

Panamá

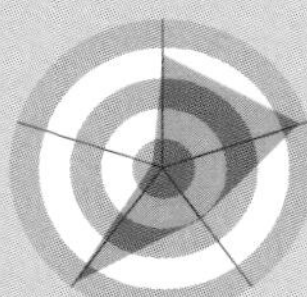

Arwynebedd:
77 082 km sgwâr
Poblogaeth: 3 929 000
MDD: 0.788

Papua Guinea Ne

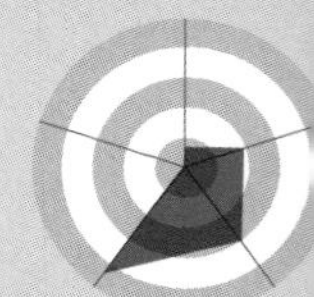

Arwynebedd:
462 840 km sgw
Poblogaeth: 7 619
MDD: 0.516

Paraguay

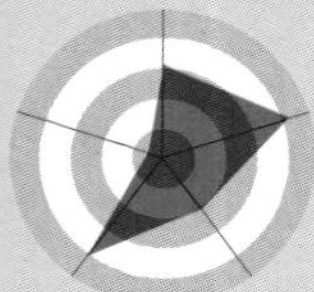

Arwynebedd:
406 752 km sgwâr
Poblogaeth: 6 639 000
MDD: 0.693

Periw

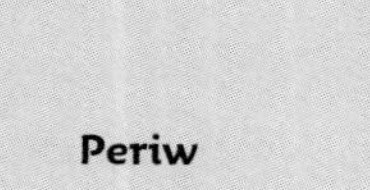

Arwynebedd:
1 285 216 km sgwâr
Poblogaeth: 31 377 000
MDD: 0.740

Pilipinas
(Philippines)

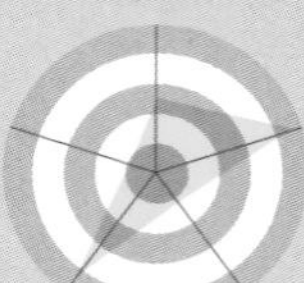

Arwynebedd:
300 000 km sgwâr
Poblogaeth: 100 699 000
MDD: 0.682

Portiwgal

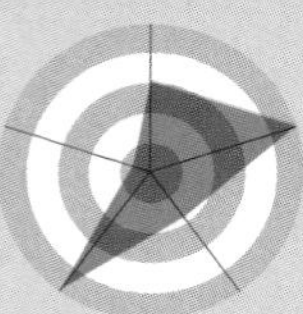

Arwynebedd:
88 940 km sgwâr
Poblogaeth: 10 350 000
MDD: 0.843

Qatar

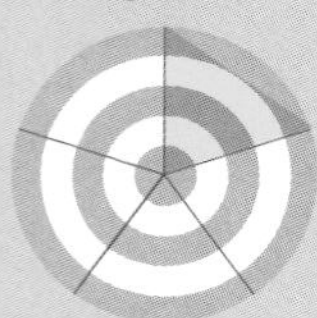

Arwynebedd:
11 437 km sgwâr
Poblogaeth: 2 235 000
MDD: 0.856

România

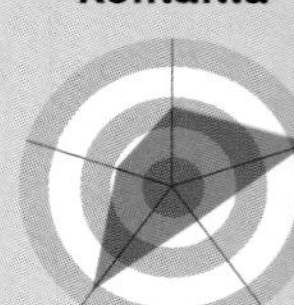

Arwynebedd:
237 500 km sgw
Poblogaeth: 19 511
MDD: 0.802

Rwanda

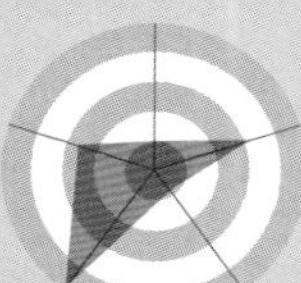

Arwynebedd:
26 338 km sgwâr
Poblogaeth: 11 610 000
MDD: 0.498

Rwsia

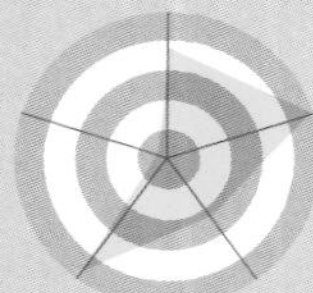

Arwynebedd:
17 075 400 km sgwâr
Poblogaeth: 143 457 000
MDD: 0.804

Samoa

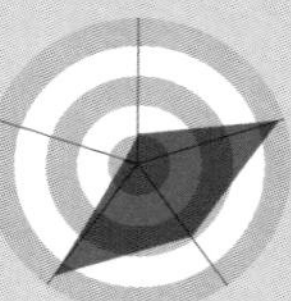

Arwynebedd:
2 831 km sgwâr
Poblogaeth: 193 000
MDD: 0.704

São Tomé
a Príncipe

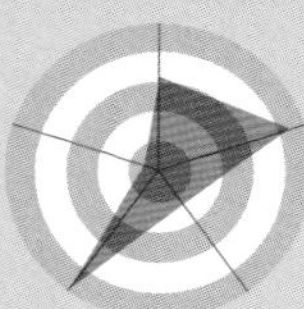

Arwynebedd:
964 km sgwâr
Poblogaeth: 190 000
MDD: 0.574

Saudi Arabia

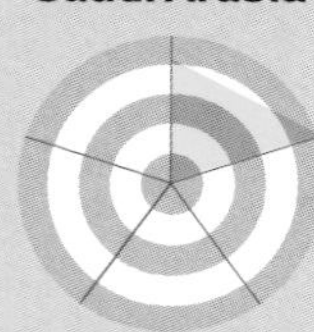

Arwynebedd:
2 200 000 km sgwâr
Poblogaeth: 31 540 000
MDD: 0.847

Sbaen

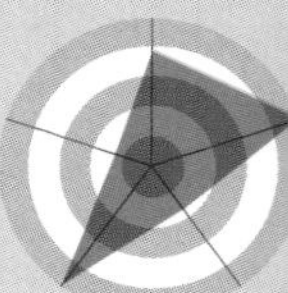

Arwynebedd:
504 782 km sgwâ
Poblogaeth: 46 122
MDD: 0.884

Seland Newydd

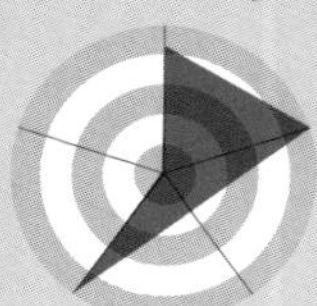

Arwynebedd:
270 534 km sgwâr
Poblogaeth: 4 529 000
MDD: 0.915

Sénégal

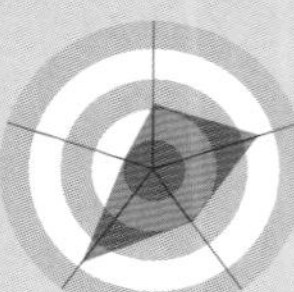

Arwynebedd:
196 720 km sgwâr
Poblogaeth: 15 129 000
MDD: 0.494

Serbia

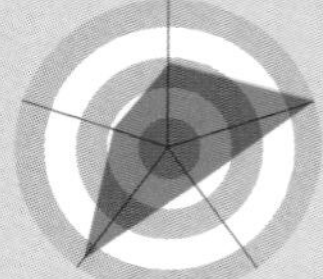

Arwynebedd:
77 453 km sgwâr
Poblogaeth: 7 046 000
MDD: 0.776

Sierra Leone

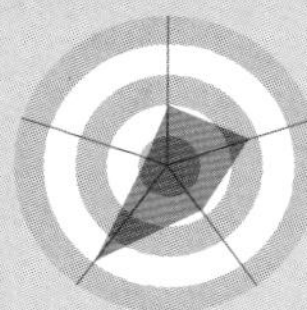

Arwynebedd:
71 740 km sgwâr
Poblogaeth: 6 453 000
MDD: 0.420

Singapore

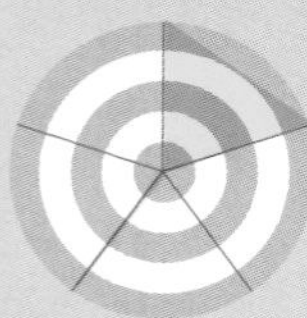

Arwynebedd:
639 km sgwâr
Poblogaeth: 5 604 000
MDD: 0.925

Slofacia

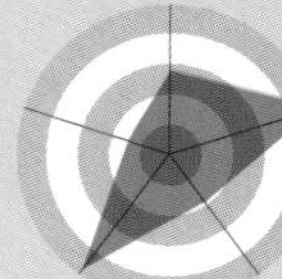

Arwynebedd:
49 035 km sgwâr
Poblogaeth: 5 426 0
MDD: 0.845

Slovenija

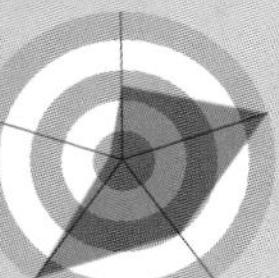

Arwynebedd:
20 251 km sgwâr
Poblogaeth: 2 068 000
MDD: 0.890

Somalia

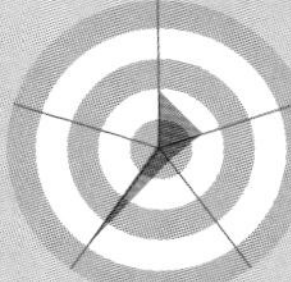

Arwynebedd:
637 657 km sgwâr
Poblogaeth: 10 787 000
MDD: dim data

Sri Lanka

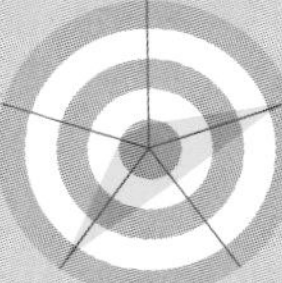

Arwynebedd:
65 610 km sgwâr
Poblogaeth: 20 715 000
MDD: 0.766

Sudan

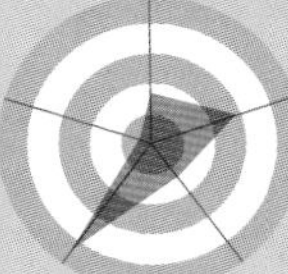

Arwynebedd:
1 861 484 km sgwâr
Poblogaeth: 40 235 000
MDD: 0.490

Suriname

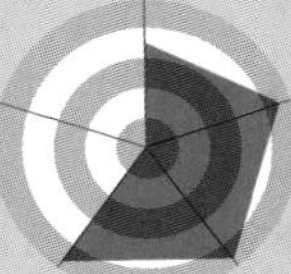

Arwynebedd:
163 820 km sgwâr
Poblogaeth: 543 000
MDD: 0.725

Sweden

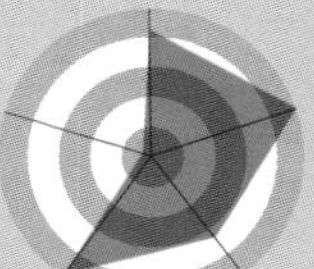

Arwynebedd:
449 964 km sgwâr
Poblogaeth: 9 779 000
MDD: 0.913

Swistir, Y

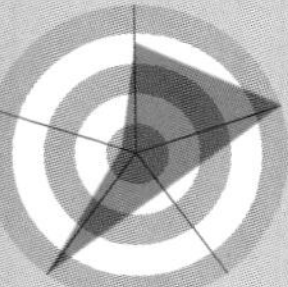

Arwynebedd:
41 293 km sgwâr
Poblogaeth: 8 299 000
MDD: 0.939

Syria

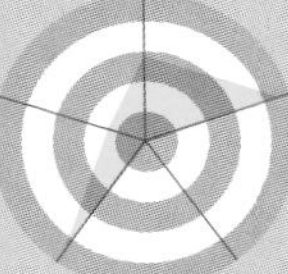

Arwynebedd:
184 026 km sgwâr
Poblogaeth: 18 502 000
MDD: 0.536

Tajikistan

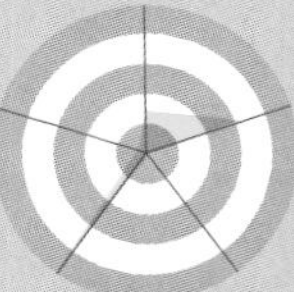

Arwynebedd:
143 100 km sgwâr
Poblogaeth: 8 482 000
MDD: 0.627

Tanzania

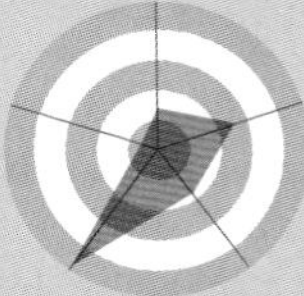

Arwynebedd:
945 087 km sgwâr
Poblogaeth: 53 470 000
MDD: 0.531

Tchad

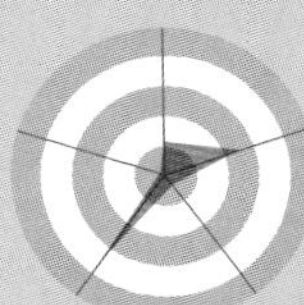

Arwynebedd:
1 284 000 km sgwâr
Poblogaeth: 14 037 000
MDD: 0.396

Togo

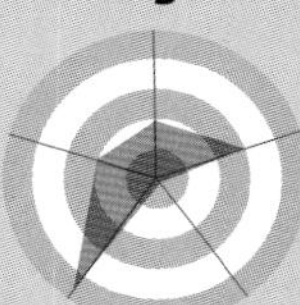

Arwynebedd:
56 785 km sgwâr
Poblogaeth: 7 305 000
MDD: 0.487

inidad a Tobago

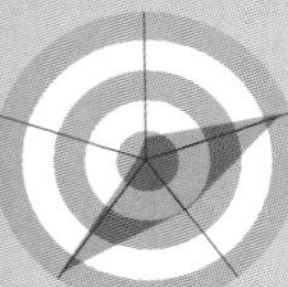

Arwynebedd:
5 130 km sgwâr
Poblogaeth: 1 360 000
MDD: 0.780

Tsiecia

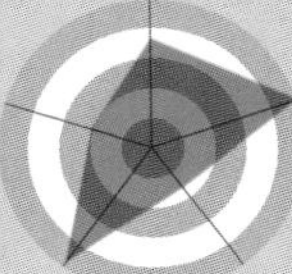

Arwynebedd:
78 864 km sgwâr
Poblogaeth: 10 543 000
MDD: 0.878

Tunisia

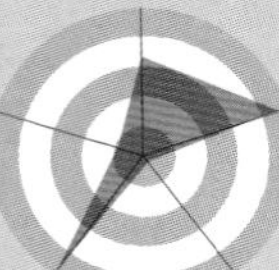

Arwynebedd:
164 150 km sgwâr
Poblogaeth: 11 254 000
MDD: 0.725

Turkmenistan

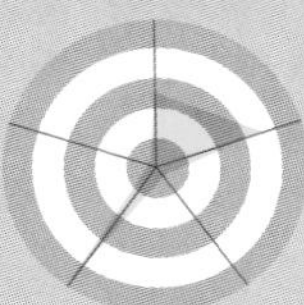

Arwynebedd:
488 100 km sgwâr
Poblogaeth: 5 374 000
MDD: 0.691

Twrci

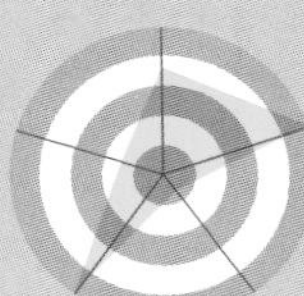

Arwynebedd:
779 452 km sgwâr
Poblogaeth: 78 666 000
MDD: 0.767

Uganda

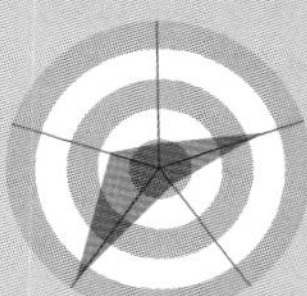

Arwynebedd:
241 038 km sgwâr
Poblogaeth: 39 032 000
MDD: 0.493

Ukrain

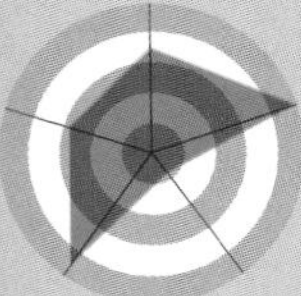

Arwynebedd:
603 700 km sgwâr
Poblogaeth: 44 824 000
MDD: 0.743

Unol Daleithiau America

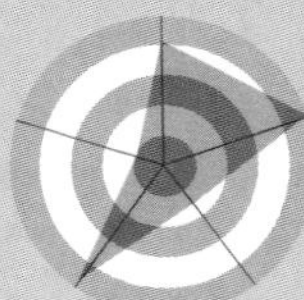

Arwynebedd:
9 826 635 km sgwâr
Poblogaeth: 321 774 000
MDD: 0.920

Uruguay

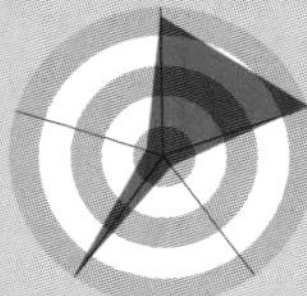

Arwynebedd:
176 215 km sgwâr
Poblogaeth: 3 432 000
MDD: 0.795

Uzbekistan

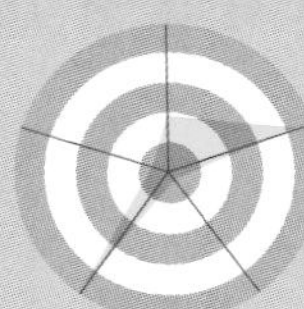

Arwynebedd:
447 400 km sgwâr
Poblogaeth: 29 893 000
MDD: 0.701

Vanuatu

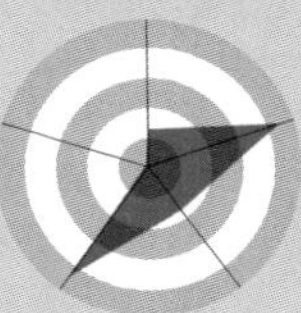

Arwynebedd:
12 190 km sgwâr
Poblogaeth: 265 000
MDD: 0.597

Venezuela

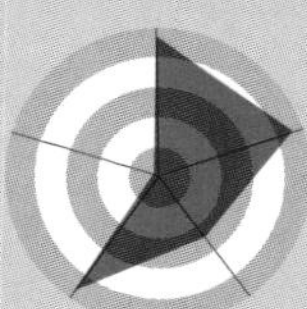

Arwynebedd:
912 050 km sgwâr
Poblogaeth: 31 108 000
MDD: 0.767

Viet Nam

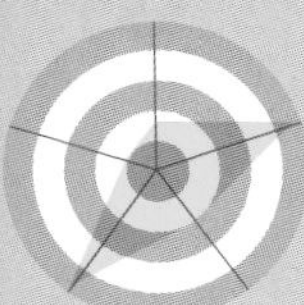

Arwynebedd:
329 565 km sgwâr
Poblogaeth: 93 448 000
MDD: 0.683

Yemen

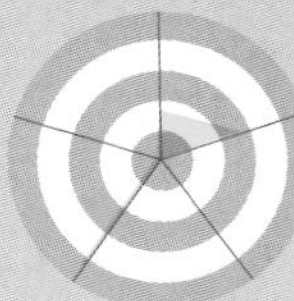

Arwynebedd:
527 968 km sgwâr
Poblogaeth: 26 832 000
MDD: 0.482

Ynysoedd Comoro

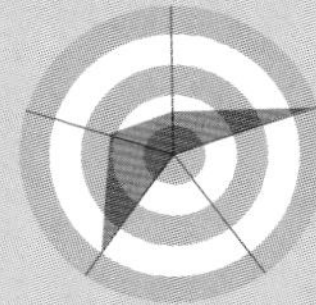

Arwynebedd:
1 862 km sgwâr
Poblogaeth: 788 000
MDD: 0.497

Ynysoedd Solomon

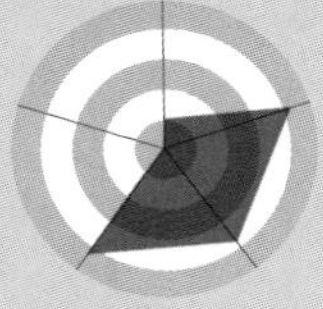

Arwynebedd:
28 370 km sgwâr
Poblogaeth: 584 000
MDD: 0.515

Zambia

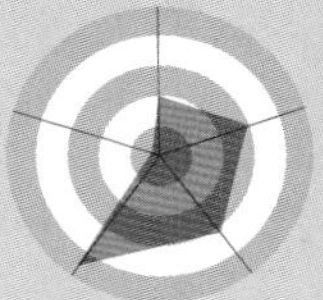

Arwynebedd:
752 614 km sgwâr
Poblogaeth: 16 212 000
MDD: 0.579

Zimbabwe

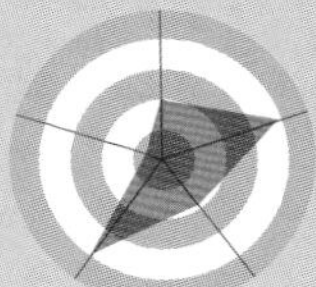

Arwynebedd:
390 759 km sgwâr
Poblogaeth: 15 603 000
MDD: 0.516

Defnyddio'r Geiriadur

Mae **termau daearyddol** yn y geiriadur yn cael eu rhoi yn nhrefn yr wyddor. Mae geiriau **teip trwm** mewn cofnod yn nodi termau allweddol sy'n cael eu hegluro'n fwy manwl mewn cofnodion unigol ar wahân. Mae termau pwysig sydd heb gofnodion ar wahân yn cael eu dangos mewn *teip italig* ac yn cael eu hegluro yn y cofnod lle maen nhw'n digwydd.

A

adnewyddu **Erydiad** fertigol o'r newydd gan afonydd yn eu cyrsiau canol ac isaf. Caiff ei achosi gan lefel y môr yn disgyn, neu lefel y tir yn codi o'i gymharu â'r môr.

adnoddau adnewyddadwy Adnoddau sy'n gallu cael eu defnyddio dro ar ôl tro os cânt eu rheoli a'u diogelu'n iawn. *Cymharer* **adnoddau anadnewyddadwy.**

adnoddau anadnewyddadwy Adnoddau y mae cyflenwad penodol ohonynt, a fydd yn y pen draw yn dod i ben. Enghreifftiau o'r rheini yw **tanwyddau ffosil** a mwynau metel. *Cymharer* **adnoddau adnewyddadwy.**

aergorff Corff mawr o aer sydd, ar y cyfan, â'r un tymheredd a lleithder drwyddo. Mae aergyrff llaith a all fod yn gynnes neu'n oer yn datblygu dros gyrff mawr o ddŵr (**cefnforoedd**) fel rheol. Mae aergyrff sych a all fod yn boeth neu'n oer yn datblygu dros ardaloedd mawr o dir (**cyfandiroedd**).

afon Llif mawr naturiol o ddŵr croyw sy'n teithio ar hyd cwrs pendant, fel rheol i mewn i'r môr.

aildyfu (*regeneration*) Coedwig, er enghraifft, yn tyfu o'r newydd ar ôl ei chwympo. Mae aildyfu coedwig yn bwysig i sefydlogrwydd tymor hir llawer o systemau adnoddau, yn cynnwys **braenaru gwylltir** a choedwigaeth fasnachol.

alp Llethr tir graddol uwchben ochrau serth dyffryn rhewlifedig sy'n cael ei ddefnyddio yn aml ar gyfer pori yn yr haf. *Gweler hefyd* **trawstrefa.**

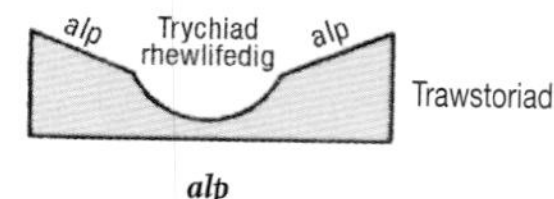

alp

allafon Cangen o afon sy'n llifo oddi wrth y brif afon. Mae allafonydd i'w cael yn aml mewn ardal **delta.** *Cymharer* **llednant.**

allforion Nwyddau a gwasanaethau sy'n cael eu gwerthu i wlad dramor (*cymharer* **mewnforion**).

amaeth-fusnes **Ffermio dwys** modern sy'n defnyddio peiriannau a gwrteithiau artiffisial i gynyddu **cynnyrch**. Mae'n debyg iawn i broses ddiwydiannol, gyda rhedeg a rheoli'r fferm yn union fel rhedeg a rheoli diwydiant mawr.

amaethyddiaeth Rheolaeth ddynol ar yr **amgylchedd** er mwyn cynhyrchu bwyd. Mae tri math o amaethyddiaeth: **amaethyddiaeth fasnachol, amaethyddiaeth ymgynhaliol** ac

amaethyddiaeth werin. *Gweler hefyd* **amaeth-fusnes.**

amaethyddiaeth fasnachol System **amaethyddiaeth** lle mae bwyd a defnyddiau'n cael eu cynhyrchu'n benodol i'w gwerthu yn y farchnad, yn wahanol i **amaethyddiaeth ymgynhaliol.** Mae amaethyddiaeth fasnachol yn tueddu i fod yn gyfalaf-ddwys. *Gweler hefyd* **amaeth-fusnes.**

amaethyddiaeth planhigfeydd System **amaethyddiaeth** mewn **amgylchedd** trofannol neu led-drofannol sy'n cynhyrchu nwyddau i'w hallforio i Ewrop, Gogledd America a rhanbarthau eraill sydd wedi'u diwydianeiddio. Enghreifftiau o gnydau planhigfeydd yw coffi, te, bananas, rwber a seisal.

amaethyddiaeth werin Tyfu cnydau neu fagu anifeiliaid, yn rhannol ar gyfer anghenion ymgynhaliol ac yn rhannol i'w gwerthu mewn marchnadoedd. Mae amaethyddiaeth werin felly yn gam rhwng amaethyddiaeth ymgynhaliol ac amaethyddiaeth fasnachol.

amaethyddiaeth ymgynhaliol System **amaethyddiaeth** lle mae ffermwyr yn cynhyrchu bwyd at eu defnydd eu hunain yn unig, o'i chymharu ag **amaethyddiaeth fasnachol** lle mae ffermwyr yn cynhyrchu ar gyfer gwerthu yn y farchnad yn unig.

amgylchedd Amgylchoedd ffisegol: **pridd**, llystyfiant, bywyd gwyllt a'r **atmosffer.**

amrediad llanw Y gwahaniaeth cymedrig yn lefel y dŵr rhwng llanw uchel a llanw isel mewn lle penodol. *Gweler* **llanw.**

anemomedr Offeryn ar gyfer mesur buanedd y gwynt. Dylai anemomedr fod ar bostyn o leiaf 5 m uwchlaw lefel y tir. Mae'r gwynt yn chwythu'r cwpanau o gwmpas, a chaiff y buanedd ei ddarllen o'r deial mewn km/awr (neu notiau).

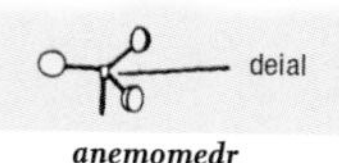

anemomedr

anheddiad Lleoliad sydd wedi'i ddewis gan bobl fel rhywle parhaol neu led-barhaol i fyw.

anheddiad noswylio (*dormitory settlement*) Pentref y tu hwnt i gyrion dinas ond lle mae trigolion sy'n gweithio yn y ddinas honno yn byw (*gweler* **cylchfa gymudo**).

anheddiad sgwatwyr Anheddiad ar ymylon tref lle mae trigolion yn anheddu tir nad ydyn nhw'n berchen arno'n gyfreithiol. *Gweler* **tref sianti.**

anodi Labeli ar ffurf testun neu graffigau. Gellir eu dewis, eu gosod neu eu storio'n unigol mewn cronfa ddata.

ansawdd bywyd Lefel lles cymuned a'r ardal y mae'r gymuned yn byw ynddi.

anticlin Bwa mewn **strata** plyg; y gwrthwyneb i **synclin.** *Gweler* **plyg.**

antiseiclon Ardal o wasgedd atmosfferig uchel gyda gwyntoedd ysgafn, awyr glir a **thywydd** sefydlog. Yn yr haf, mae antiseiclonau'n gysylltiedig ag amodau cynnes a heulog; yn y gaeaf, maen nhw'n dod â rhew a niwl yn ogystal â heulwen.

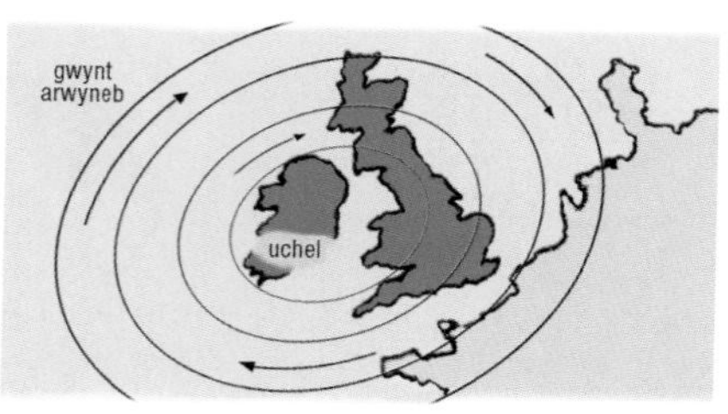

antiseiclon

anweddiad Y broses lle mae sylwedd yn newid o hylif i anwedd. Mae gwres o'r haul yn anweddu dŵr o foroedd, llynnoedd, afonydd, ac ati, a'r broses hon sy'n cynhyrchu anwedd dŵr yn yr **atmosffer.**

arc Dosbarth o nodwedd orchuddio yn cynrychioli llinellau a ffiniau polygon.

argae Rhwystr sydd wedi'i adeiladu ar draws nant, afon neu **foryd** i greu corff o ddŵr.

argor *neu* **grwyn** Wal sydd wedi'i hadeiladu ar ongl sgwâr i draeth er mwyn atal colli tywod oherwydd **drifft y glannau.**

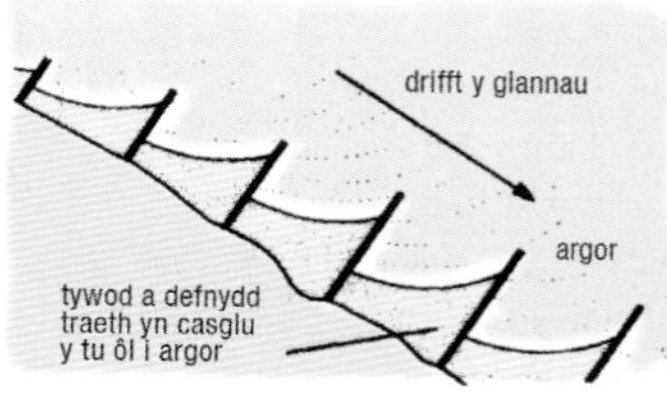

argor neu grwyn

arlliwio llethrau Cysgodion sy'n cael eu tynnu ar fap i greu effaith 3-dimensiwn i roi syniad o olwg y dirwedd.

arllwysiad Cyfaint y dŵr ffo yn sianeli **basn afon.**

arwedd ffisegol *Gweler* **topograffi.**

atlas Casgliad o fapiau.

atmosffer Yr aer sy'n amgylchynu'r Ddaear, ac sy'n cynnwys tair haen:
y *troposffer* (6 i 10 km o arwyneb y Ddaear),
y *stratosffer* (50 km o arwyneb y Ddaear),
a'r *mesosffer* ac *ïonosffer*, rhanbarth ïoneiddiedig o nwyon tenau (1000 km o arwyneb y Ddaear). Mae'r atmosffer yn cynnwys ocsigen (21%), nitrogen (78%), carbon deuocsid, argon, heliwm a symiau bach iawn o nwyon eraill.

atomfa Gorsaf drydan sy'n defnyddio tanwydd niwclear fel dewis arall yn lle'r **tanwyddau ffosil** confensiynol, sef **glo,** olew a nwy i gynhyrchu trydan.

athreuliad Y broses lle mae llwyth afon yn cael ei erydu oherwydd bod gronynnau, fel cerigos a chlogfeini, yn taro yn erbyn ei gilydd.

awyrlun Ffotograff sydd wedi'i dynnu o uwchlaw y ddaear. Mae dau fath o awyrlun – ffotograff fertigol (neu 'golwg oddi uchod') a ffotograff arosgo lle mae'r camera'n cael ei ddal ar ongl. Mae awyrluniau'n aml yn cael eu tynnu o awyrennau, ac maen nhw'n darparu gwybodaeth ddefnyddiol ar gyfer llunio mapiau ac arolygon. *Cymharer* **delwedd lloeren.**

B

bae Cilfach yn y morlin gyda **phentir** ar bob ochr. Mae'n ffurfio oherwydd **erydiad** cyflymach creigiau meddalach.

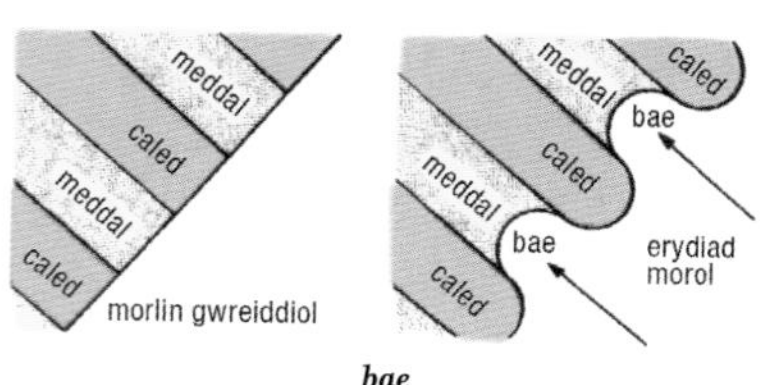

bae

barchan Math o dwyn tywod ar ffurf cilgant sy'n ffurfio mewn diffeithdiroedd lle mae cyfeiriad y gwynt yn gyson iawn. Gwynt yn chwythu o amgylch ymylon y twyn sy'n achosi siâp cilgant, a gall y twyn symud ymlaen yng nghyfeiriad y gwynt wrth i'r gronynnau gael eu chwythu dros y brig.

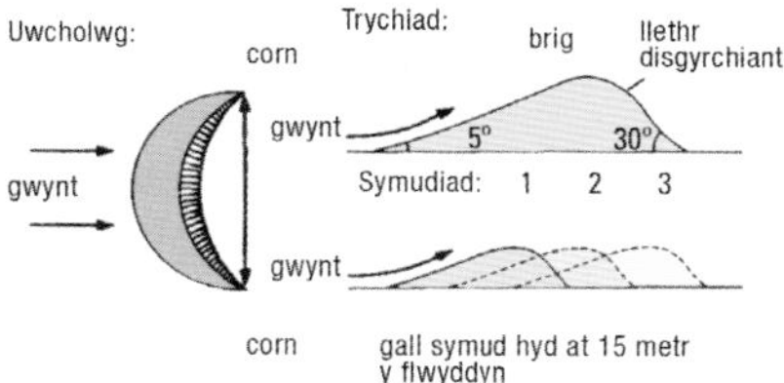

barchan

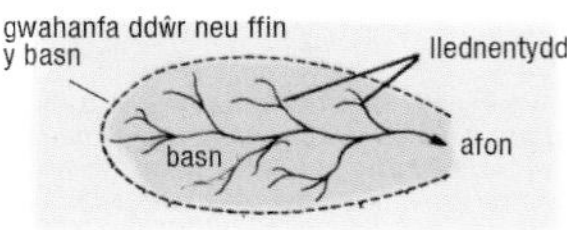

bergschrund

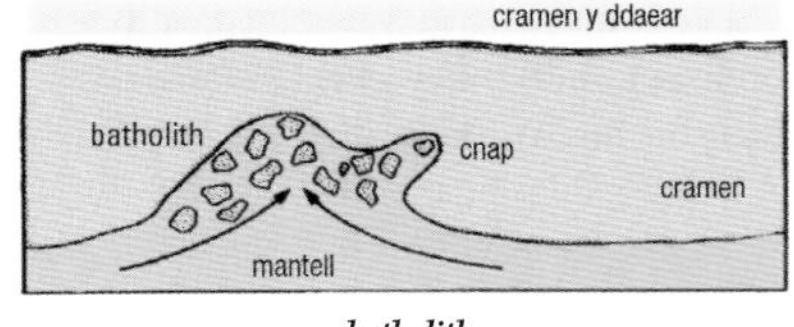

bwa llifwaddod

bared Math o argae sydd wedi'i adeiladu ar draws darn llydan o ddŵr, e.e. moryd, er mwyn rheoli'r dŵr. Gall argae o'r fath ddarparu cyflenwad dŵr, harneisio egni'r llanw neu reoli llifogydd, ac ati. Mae bared mawr ar draws Bae Caerdydd.

barograff **Baromedr** aneroid wedi'i gysylltu wrth fraich ac ysgrifbin inc sy'n cofnodi newidiadau gwasgedd yn ddi-dor ar ddrwm sy'n cylchdroi. Mae'r drwm yn cymryd wythnos i symud trwy un cylchdro fel rheol.

baromedr Offeryn ar gyfer mesur gwasgedd atmosfferig. Mae dau fath, y *baromedr mercwri* a'r *baromedr aneroid*. Mae'r baromedr mercwri'n cynnwys tiwb gwydr sydd â mercwri ynddo sy'n codi a gostwng wrth i'r gwasgedd newid. Blwch metel bach yw'r baromedr aneroid, ac mae rhywfaint o'r aer wedi'i dynnu ohono. Mae'r blwch yn ehangu ac yn cyfangu wrth i'r gwasgedd aer newid. Mae cyfres o liferi wedi'u cysylltu â phwyntydd yn dangos gwasgedd ar ddeial.

basalt **Craig igneaidd** dywyll allwthiol â graen mân. Mae'n ffurfio pan fydd **magma** yn dod allan ar arwyneb y Ddaear ac yn oeri'n gyflym. Gall cyfres o **lifoedd lafa** basalt arwain at ffurfio **llwyfandir lafa**.

basn afon Yr ardal sy'n cael ei draenio gan **afon** a'i **llednentydd**. Cyfeirir ati weithiau fel **dalgylch**.

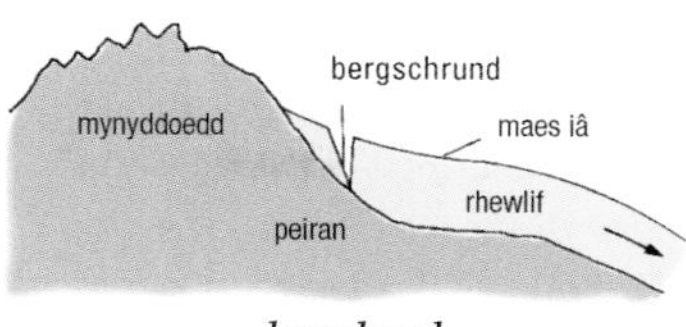

basn afon

basn artesaidd Mae hwn yn cynnwys **synclin** bas gyda haen o **graig athraidd**, e.e. sialc rhwng dwy haen anathraidd, e.e. clai. Lle mae'r graig athraidd yn cyrraedd yr arwyneb, bydd dŵr glaw yn mynd i mewn i'r graig a bydd y graig yn mynd yn ddirlawn. Yr enw ar hyn yw *dyfrhaen*. Mae modd suddo tyllau turio trwy'r strwythur i dapio'r dŵr yn y ddyfrhaen.

batholith Corff mawr o ddefnydd igneaidd sydd wedi ymwthio i **gramen** y Ddaear. Wrth i'r batholith oeri'n araf, mae **creigiau** graen mawr fel **gwenithfaen** yn cael eu ffurfio. Gall batholithau ddod i'r golwg ar arwyneb y Ddaear ymhen amser oherwydd bod creigiau gorchudd yn cael eu symud trwy **hindreuliad** ac **erydiad**.

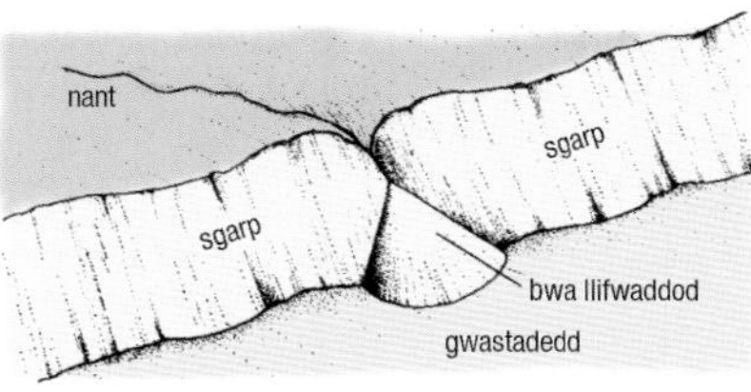

batholith

bergschrund **Crefas** mawr yng nghefn maes iâ **peiran** mewn rhanbarth rhewlifedig. Mae'n cael ei ffurfio gan bwysau'r iâ yn y peiran yn llusgo i ffwrdd o'r cefnfur wrth i'r **rhewlif** symud i lawr y llethr.

bio-nwy Nwy sy'n cynnwys methan a charbon deuocsid, y gellir ei gynhyrchu o wastraff planhigion neu gnydau. Mae bio-nwy yn enghraifft o ffynhonnell egni adnewyddadwy (*gweler* **adnoddau adnewyddadwy**, **adnoddau anadnewyddadwy**).

bioamrywiaeth Yr amrywiaeth eang o rywogaethau planhigion ac anifeiliaid sydd i'w cael yn eu hamgylchedd naturiol.

bïom Cymuned gymhleth o blanhigion ac anifeiliaid mewn rhanbarth ffisegol a hinsoddol penodol. *Gweler* **hinsawdd**.

biomas Cyfanswm organebau byw, yn blanhigion ac anifeiliaid, mewn ardal benodol.

biosffer Y rhan o'r Ddaear sy'n cynnwys organebau byw. Mae'r biosffer yn cynnwys amrywiaeth o **gynefinoedd**, o'r mynyddoedd uchaf i'r cefnforoedd dyfnaf.

blerdwf trefol Twf maint ardal drefol mewn ymateb i gludiant gwell a chynnydd mewn incwm; y mae'r ddau'n caniatáu mwy o bellter rhwng y cartref a'r gwaith.

blocfynydd *neu* **horst** Darn o **gramen** y Ddaear sydd wedi codi oherwydd ffawtio. Mae Mynydd Ruwenzori, yn System Hollt Dwyrain Affrica, yn enghraifft o flocfynydd.

blwff *Gweler* **clogwyn afon**.

braenaru gwylltir *neu* **triniad mudol** System **amaethyddiaeth** lle nad oes caeau parhaol. Er enghraifft, mewn **coedwig law drofannol** mae cymdeithasau anghysbell yn trin llannerch am flwyddyn ac yna'n symud ymlaen. Mae'r system yn gweithio'n llwyddiannus pan fydd coedwig yn **aildyfu** dros gyfnod digon hir i adael i'r tir adennill ei ffrwythlondeb.

brecia Darnau craig wedi'u smentio wrth ei gilydd gan fatrics o ddefnydd mwy mân; mae'r darnau yn onglog ac anhrefnedig. Mae brecia folcanig yn enghraifft o hyn. Mae wedi'i wneud o ddarnau onglog bras o **lafa** a chreigiau **cramen** wedi'u weldio gan ddefnydd mwy mân fel lludw a **thwff**.

breg Agen fertigol neu led-fertigol mewn **craig waddod** o'i chyferbynnu â phlanau haenu llorweddol. Mewn **creigiau igneaidd** gall breg ddigwydd o ganlyniad i gyfangu wrth oeri o'r cyflwr tawdd. Mae bregion yn wahanol i **ffawtiau** gan eu bod ar raddfa lawer llai, ac nid yw'r creigiau ar bob ochr i'r breg yn cael eu dadleoli. Gan mai llinellau o wendid yw bregion, mae **hindreuliad** yn effeithio arnynt.

bugeilyddiaeth nomadig System **amaethyddiaeth** mewn glaswelltiroedd sych. Mae pobl a da byw (gwartheg, defaid, geifr) yn symud yn barhaus yn chwilio am borfa a dŵr. Mae'r bugeiliaid yn byw ar gig, llaeth a chynhyrchion anifail eraill.

bwa llifwaddod Côn o **waddod** sydd wedi'i ddyddodi lle mae newid sydyn yn rhediad y tir; er enghraifft, lle mae nant ôl-rewlifol yn cwrdd â llawr gwastad **dyffryn ffurf U**. Mae bwâu llifwaddod yn gyffredin hefyd mewn ardaloedd cras lle gall nentydd sy'n llifo o **sgarpiau** weithiau gario llwythau mawr o waddod yn ystod **fflachlifau**.

bythwyrdd Math o lystyfiant lle mae dail yn bresennol yn barhaus. *Cymharer* **coetir collddail**.

C

cadwraeth Gwarchod a rheoli'r **amgylchedd** naturiol. Yn ei hystyr manylaf, gall cadwraeth olygu amddiffyn rhywogaethau a chynefinoedd cyfan sydd mewn perygl, fel mewn gwarchodfeydd natur. Mewn rhai achosion, mae cadwraeth yn ymwneud â'r amgylchedd gwneud, e.e. adeiladau hynafol.

cadwyn o fynyddoedd Cyfres hir o fynyddoedd.

cafn Ardal o wasgedd isel, heb ei diffinio'n ddigon clir i ddweud mai **diwasgedd** ydyw.

cai Ynys neu draethell isel fach wedi'i gwneud o dywod a darnau cwrel. Maen nhw'n gyffredin yn y Môr Caribî.

calchfaen **Craig waddod** yn llawn calsiwm sy'n ffurfio wrth i ddefnydd ysgerbydol o organebau morol gronni.

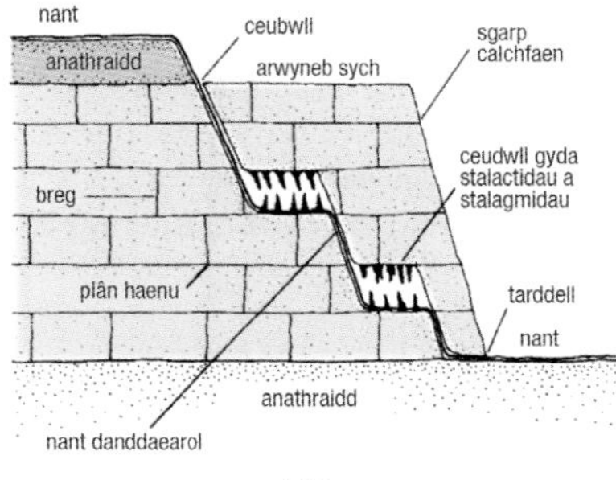

calchfaen

callor Crater mawr sy'n ffurfio wrth i gôn copa **llosgfynydd** gwympo yn ystod echdoriad. Gall y callor gynnwys conau atodol sydd wedi'u ffurfio gan echdoriadau dilynol, neu lyn crater os yw'n llosgfynydd marw neu gwsg.

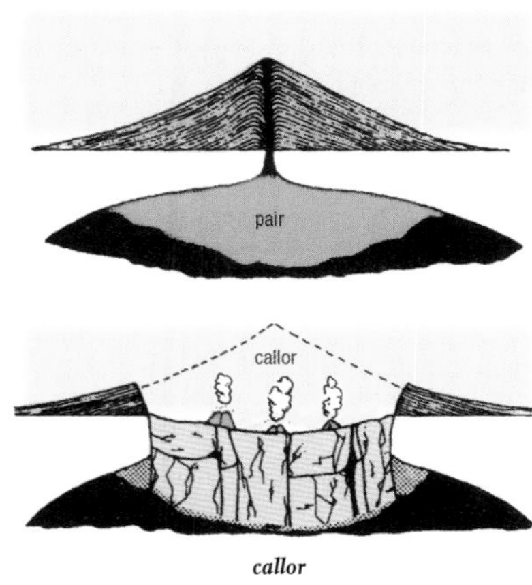

callor

camlas Dyfrffordd artiffisial, fel rheol yn cysylltu **afonydd**, **llynnoedd** neu **gefnforoedd**, sydd wedi'i hadeiladu ar gyfer mordwyo a chludo.

canion Dyffryn afon dwfn ag ochrau serth sy'n ffurfio lle mae **erydiad** fertigol cyflym mewn rhanbarthau cras. Yn y fath **amgylchedd** mae **hindreuliad** ochrau'r dyffryn yn digwydd yn araf.

Os yw **creigiau**'r rhanbarth yn gymharol feddal, mae proffil y canion yn mynd yn fwy amlwg byth. Yr enghraifft glasurol yw Grand Canyon, Afon Colorado yn UDA.

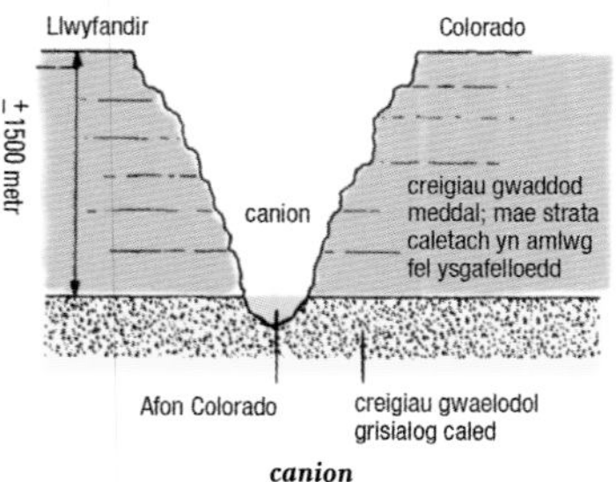

canion

cap iâ Gorchudd o iâ parhaol dros ardal gymharol fach o dir, e.e. Gwlad yr Iâ.

cartograffeg Y dechneg o luniadu mapiau neu siartiau.

cartogram Map yn dangos data ystadegol ar ffurf ddiagramatig.

CBD (Canol Busnes y Dref) Dyma gylchfa ganolog tref neu ddinas. Mae yma hygyrchedd uchel, gwerthoedd tir uchel a gofod cyfyngedig. O ganlyniad mae crynodiad o adeiladau uchel yng nghanol y ddinas. Adwerthu a busnes yw prif weithgarwch y CBD, ac mae angen i'r ddau ohonynt fod mor hygyrch â phosibl.

cefnfor Môr eang iawn. Cefnforoedd y byd yw'r Cefnfor Tawel, Cefnfor Iwerydd, Cefnfor India a'r Cefnfor Arctig. Mae Cefnfor y De yn cynnwys rhannau o'r Cefnfor Tawel, Cefnfor Iwerydd a Chefnfor India i'r de o ledred 60°D.

ceiliog y gwynt Offeryn sy'n dangos cyfeiriad y gwynt. Mae'n cynnwys braich sy'n troi ac sydd bob amser yn dangos o ba gyfeiriad mae'r gwynt yn chwythu.

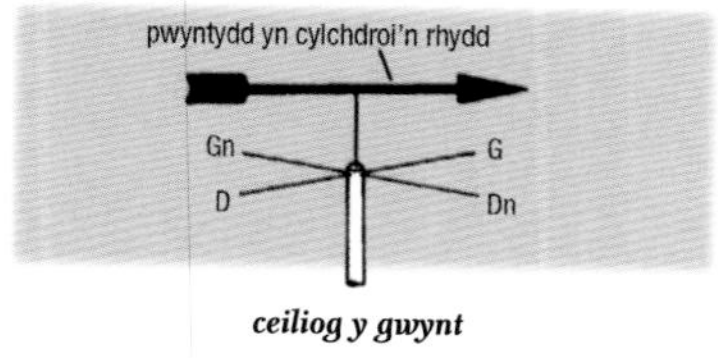

ceiliog y gwynt

cerlan Llwyfan o dir ar lan afon. Mae cerlan yn cael ei ffurfio pan gaiff afon ei **hadnewyddu** yn ei chyrsiau canol ac isaf. Mae'r afon yn torri i lawr i mewn i'w **gorlifdir**, sydd wedyn yn sefyll uwchlaw lefel gyffredinol newydd yr afon fel pâr o gerlannau cyfatebol.

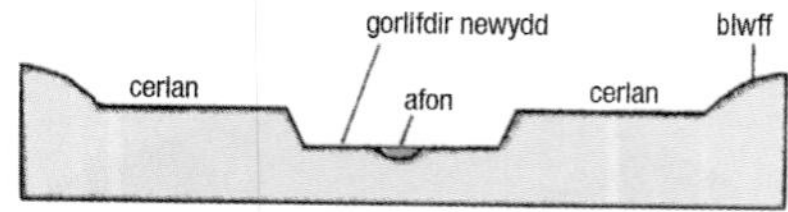

cerlan Cerlannau cyfatebol uwchlaw gorlifdir.

cerrynt cefnforol Symudiad dŵr ar arwyneb cefnfor.

ceubwll 1. Twll dwfn mewn calchfaen, sydd wedi'i greu wrth i **freg** ehangu oherwydd effaith hydoddi dŵr glaw.

2. Pant wedi'i sgwrio mewn gwely afon gan gerigos a chlogfeini bach yn cael eu chwyrlïo mewn trolïfau.

ceudwll Mewn ardal **calchfaen**, ogof danddaearol fawr wedi'i ffurfio wrth i nentydd tanddaearol hydoddi calchfaen. *Gweler hefyd* **stalactid**, **stalagmid**.

ceuffos Sianel ddraenio artiffisial ar gyfer cludo dŵr yn gyflym o le i le.

CFCau (Clorofflwrocarbonau) Cemegion a ddefnyddir wrth weithgynhyrchu rhai aerosolau, systemau oeri oergelloedd a chartonau bwyd cyflym. Mae'r cemegion hyn yn niweidiol i'r haen **oson**.

cirrus Cwmwl uchel, tenau, eiddil neu fel edefyn, yn gysylltiedig â **diwasgedd** yn agosáu.

clai Pridd yn cynnwys gronynnau bach iawn o **waddod**, llai na 0.002 mm mewn diamedr. Oherwydd bod y gronynnau mân iawn hyn wedi'u pacio mor dynn, mae clai bron yn llwyr anathraidd, h.y. nid yw'n gadael i ddŵr ddraenio drwodd. Mae pridd clai yn troi'n ddwrlawn yn gyflym iawn mewn tywydd gwlyb.

clegyr Brig creigiog ar ochr dyffryn sydd wedi'i ffurfio, er enghraifft, pan fydd **sbardun blaendor** mewn dyffryn rhewlifedig.

clegyr a chynffon I'w gweld yn dilyn **rhewlifiant** ar dir isel, lle mae brig creigiog gwydn yn gwrthsefyll **erydiad** gan **rewlif** ac yn parhau yn arwedd ar ôl yr **Oes Iâ**. Mae creigiau o darddiad folcanig neu fetamorffig yn debygol o gynhyrchu arwedd o'r fath. Wrth i'r iâ symud ymlaen dros y clegyr, bydd defnydd yn cael ei erydu o'r arwyneb a'r ochrau a'i ddyddodi fel màs o glog-glai a malurion ar yr ochr gysgodol, gan greu 'cynffon'.

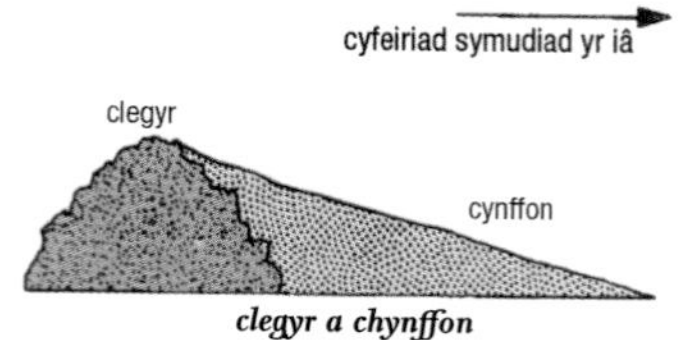

clegyr a chynffon

clint Bloc o **galchfaen**, yn enwedig os yw'n rhan o **balmant calchfaen**, lle mae'r arwyneb yn cynnwys clintiau a **greiciau**.

cloddio glo brig Math o fwyngloddio lle mae'r mwyn yn cael ei echdynnu trwy gloddio uniongyrchol yn hytrach na thrwy ddulliau siafft neu ddrifft.

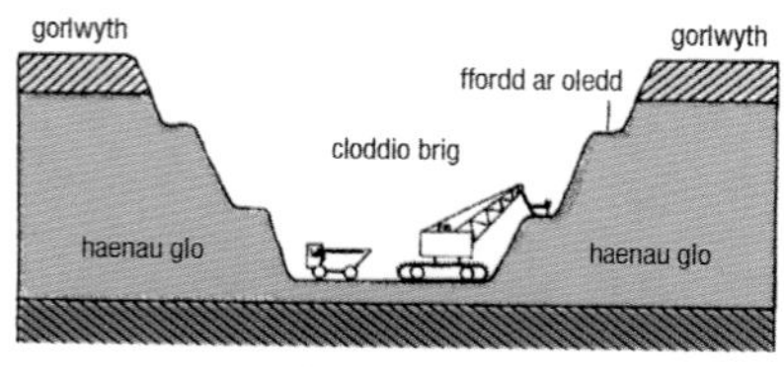

cloddio glo brig

clog-glai *neu* **til** Màs cymysg o falurion sy'n cael ei lusgo gan **rewlif** fel *marian llusg* a'i ddyddodi wrth i'r rhewlif ymdoddi. Gall clog-glai fod sawl metr o drwch a gall gynnwys cyfuniad o 'flawd craig' wedi'i falu'n fân, tywod, cerigos neu glogfeini.

clogwyn Wyneb serth o graig rhwng y tir a'r môr. Mae proffil y clogwyn yn cael ei bennu'n bennaf gan natur y creigiau arfordirol. Er enghraifft, bydd clogwyni creigiau gwydn fel **gwenithfaen** (e.e. yn Land's End, Lloegr) yn rhai serth a garw.

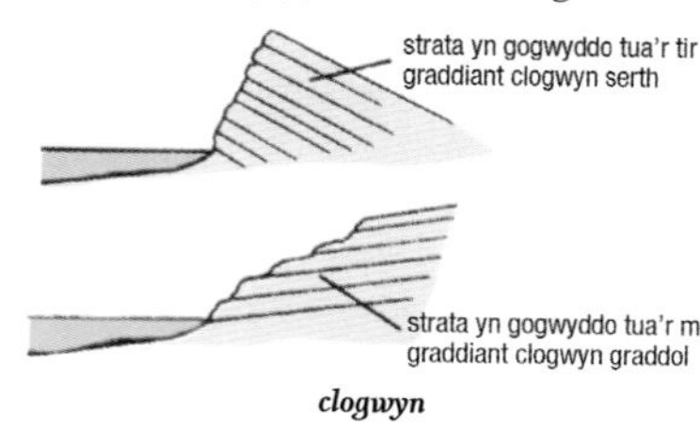

clogwyn

clogwyn afon *neu* **blwff** Glan allanol **ystum afon**. Mae tandorri'n golygu bod y clogwyn yn aros yn

serth gan fod **erydiad** afon yn digwydd yn bennaf ar y lan allanol. *Gweler* **ystum afon** a **chwrs afon**.

CMC *Gweler* **Cynnyrch Mewnwladol Crynswth**.

cnwc (*butte*) Allgraig **mesa** mewn rhanbarthau cras.

cnwc gro Cefnen fer o dywod a graean sydd wedi'u dyddodi gan ddŵr rhewlif sydd wedi toddi.

cnwd porthiant Cnwd sy'n cael ei dyfu i fwydo anifeiliaid.

coedwig foreal *Gweler* **taiga**.

coedwig gonwydd Coedwig o goed **bythwyrdd** fel pinwydd, pyrwydd a ffynidwydd. Mae coedwigoedd conwydd naturiol yn tyfu cryn dipyn yn bellach i'r gogledd na choedwigoedd o rywogaethau **collddail** llydanddail, gan fod coed conwydd yn gallu gwrthsefyll hinsawdd galetach. Mae ardaloedd **taiga** hemisffer y gogledd yn cynnwys coedwigoedd conwydd.

coedwig law drofannol Gorchudd coedwig drwchus y rhanbarthau cyhydeddol. Mae'r coedwigoedd glaw mwyaf ym Masn Amazonas, De America, Basn Congo Affrica, ac mewn rhannau o Dde Ddwyrain Asia ac Indonesia. Bu llawer o bryder yn y blynyddoedd diwethaf ynghylch pa mor gyflym mae coedwigoedd glaw'r byd yn cael eu torri a'u llosgi. Credir bod llosgi darnau mawr o goedwigoedd glaw yn cyfrannu at **gynhesu byd-eang**. Mae llawer o lywodraethau a chyrff **cadwraeth** bellach yn archwilio ffyrdd o amddiffyn y coedwigoedd glaw sy'n weddill, sy'n **ecosystemau** unigryw yn cynnwys miliynau o rywogaethau planhigion ac anifeiliaid.

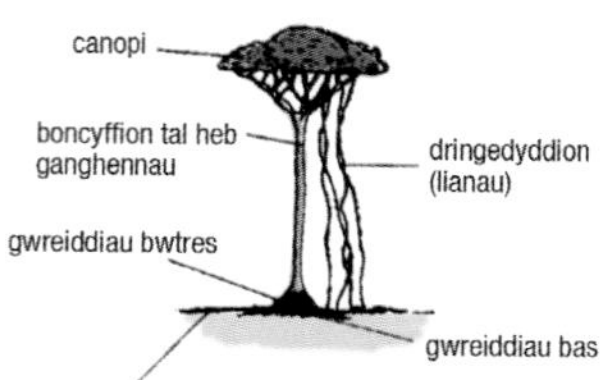

cawr o goeden yn y goedwig law drofannol

coedwigo Trawsnewid tir agored yn goedwig. Mae'n gyffredin ym Mhrydain i blannu conwydd ar uwchdiroedd i wneud elw masnachol. *Cymharer* **datgoedwigo**.

coetir collddail Coed sydd fel arfer yn llydanddail ac sy'n gollwng eu dail yn ystod y tymor oer. Nid conwydd.

corfforaeth drawswladol Cwmni sydd â changhennau mewn llawer o wledydd y byd, ac sy'n aml yn rheoli cynhyrchu'r cynnyrch cynradd yn ogystal â gwerthiant y nwyddau gorffenedig.

coropleth Symbol neu ardal wedi'i marcio ar fap sy'n dynodi dosbarthiad priodwedd benodol.

corwynt, seiclon *neu* **teiffŵn** Gwynt o rym 12 ar **raddfa wynt Beaufort**, h.y. un â buanedd dros 118 km yr awr. Mae corwyntoedd yn gallu achosi difrod mawr oherwydd y gwynt ei hunan a'r tonnau stormus a'r llifogydd sy'n digwydd yr un pryd.

craidd 1. Mewn **daearyddiaeth ffisegol**, y craidd yw cylchfa ddyfnaf y Ddaear. Mae'n bur debyg ei fod yn solet yn y canol, ac yn cynnwys haearn a nicel.

2. Mewn **daearyddiaeth ddynol**, lle canolog neu ranbarth canolog, fel arfer canolfan gweithgaredd economaidd a gwleidyddol rhanbarth neu genedl.

craig Defnydd solet **cramen** y Ddaear. *Gweler* **craig igneaidd**, **craig waddod**, **craig fetamorffig**.

craig anathraidd Craig sy'n ddifandwll ac felly heb allu cymryd dŵr i mewn na gadael iddo lifo drwodd rhwng y gronynnau. *Cymharer* **craig anhydraidd**. *Gweler hefyd* **craig athraidd**.

craig anhydraidd Craig sy'n ddifandwll a heb graciau nac agennau y gallai dŵr fynd drwyddynt.

craig athraidd Craig y gall dŵr lifo drwyddi ar hyd rhwydwaith o fandyllau rhwng y gronynnau. *Cymharer* **craig hydraidd**. *Gweler hefyd* **craig anathraidd**.

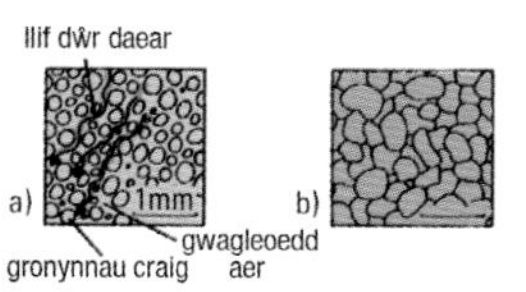

craig athraidd **(a)** *Craig athraidd,* **(b)** *craig anathraidd,* **(c)** *craig hydraidd.*

craig blwtonig **Craig igneaidd** wedi'i ffurfio'n ddwfn yng **nghramen** y Ddaear; mae ei chrisialau'n fawr oherwydd cyfradd araf yr oeri. Enghraifft gyffredin yw **gwenithfaen**, fel sydd i'w gael mewn **batholithau** a mewnwthiadau dwfn eraill.

craig fetamorffig **Craig** sydd wedi cael ei newid gan wres neu wasgedd dwys. Mae metamorffeg yn awgrymu cynnydd o ran caledwch ac felly yng ngallu'r graig i wrthsefyll **erydiad**. Trwy fetamorffeg gall siâl, er enghraifft, gael ei drawsnewid yn **llechfaen** trwy wasgedd; **tywodfaen** gael ei drawsnewid yn **gwartsit** trwy wres, a **chalchfaen** yn **farmor** – hefyd trwy wres. Mae metamorffeg creigiau cynfodol yn gysylltiedig â phrosesau **plygu**, **ffawtio** a **fwlcanigrwydd**.

craig folcanig Categori o **graig igneaidd** sy'n cynnwys y creigiau hynny a ffurfiwyd o **fagma** sydd wedi cyrraedd arwyneb y Ddaear. Mae **basalt** yn enghraifft o graig folcanig.

craig follt Brig o **graig** wydn wedi'i naddu gan lwybr **rhewlif**.

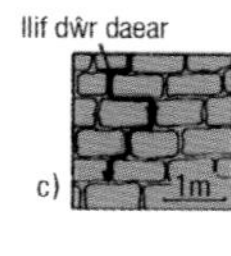

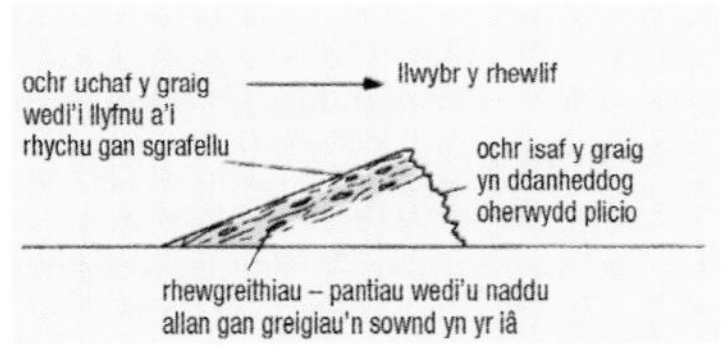

craig follt

craig hydraidd Craig sy'n gallu gadael i ddŵr lifo drwyddi ar hyd bregion, planau haenu ac agennau sy'n cydgysylltu, hyd yn oed os yw'n ddifandwll. Un enghraifft yw **calchfaen**. *Cymharer* **craig athraidd**. *Gweler hefyd* **craig anhydraidd**.

craig igneaidd **Craig** a ddechreuodd fel **magma** (craig dawdd) yn ddwfn o fewn neu o dan **gramen** y Ddaear. Mae creigiau igneaidd fel rheol yn cael eu dosbarthu yn ôl maint grisialau, lliw a chyfansoddiad mwynol. *Gweler hefyd* **craig blwtonig**.

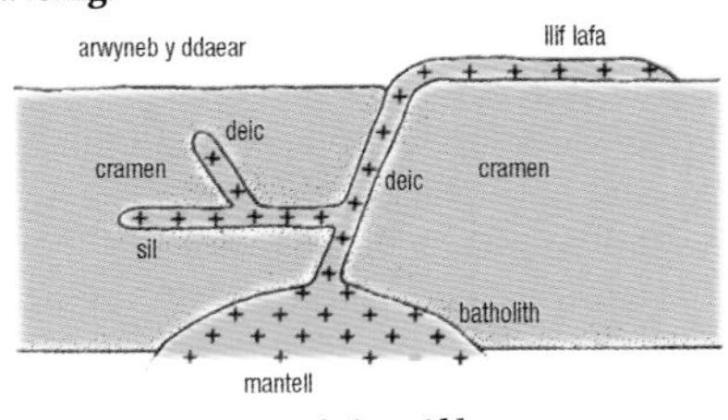

craig igneaidd

craig waddod Craig sydd wedi cael ei ffurfio trwy gyfnerthu **gwaddod** sy'n deillio o greigiau cynfodol. Mae **tywodfaen** yn enghraifft gyffredin o

graig a ffurfiwyd yn y ffordd hon. Mae **calchfaen** a **sialc** yn fathau eraill o graig waddod, yn tarddu o ddyodiadau organig a chemegol.

cramen Haen fwyaf allanol y Ddaear – 0.1% yn unig o holl gyfaint y Ddaear. Mae'n cynnwys cramen gyfandirol a chramen gefnforol, sy'n wahanol i'w gilydd o ran oedran yn ogystal â nodweddion ffisegol a chemegol. Enw arall ar y gramen, ynghyd â haen uchaf y **fantell**, yw'r *lithosffer*.

crefas Crac neu agen mewn **rhewlif** sy'n digwydd oherwydd gwasgu a thorri iâ wrth i'r **graddiant** neu siâp y dyffryn newid.

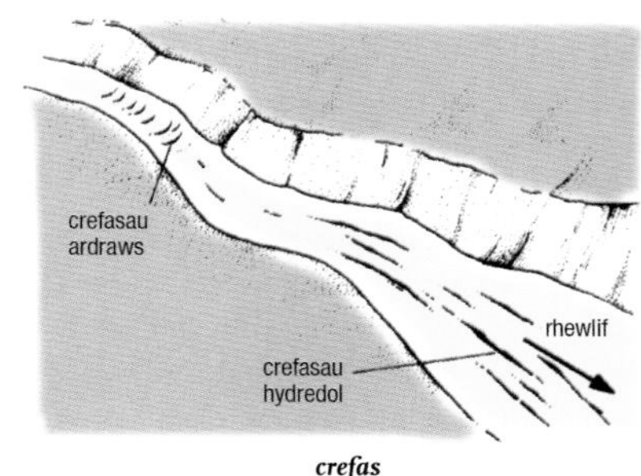

crefas

creigwely Y graig solet sy'n gorwedd o dan y pridd fel arfer.

crib Cefnen finiog yn gwahanu dau **beiran** mewn uwchdir rhewlifedig. Mae'r grib yn cael ei ffurfio wrth i beirannau dyfu trwy **hindreuliad** ac **erydiad**. *Gweler hefyd* **pigyn pyramidaidd**.

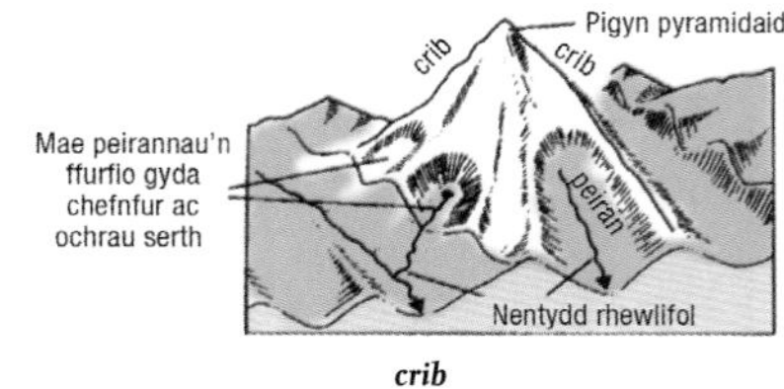

crib

crognant Dyffryn llednant yn ymuno â phrif ddyffryn ar lefel llawer uwch oherwydd dyfnhau'r prif ddyffryn, yn enwedig trwy erydiad rhewlifol.

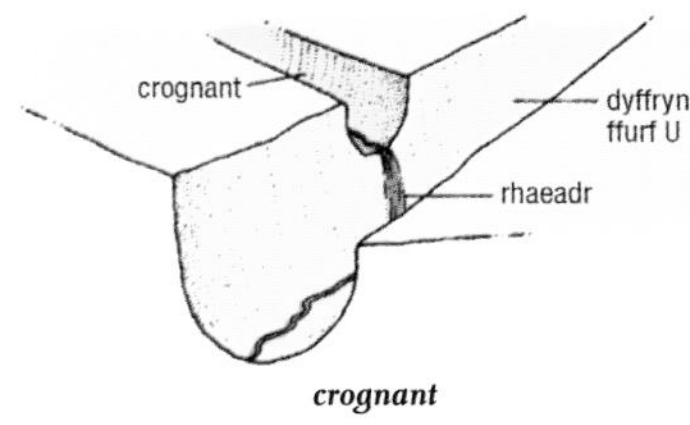

crognant

cronfa ddŵr Llyn naturiol neu artiffisial sy'n cael ei ddefnyddio i gasglu neu storio dŵr, yn enwedig ar gyfer cyflenwi dŵr neu ddyfrhau.

cronfeydd wrth gefn Adnoddau sydd ar gael i'w defnyddio yn y dyfodol.

culfor, sianel *neu* **tramwyfa** Corff cul o ddŵr, rhwng dau ehangdir, sy'n cysylltu dau gorff mwy o ddŵr.

cwarts Un o'r mwynau mwyaf cyffredin yng **nghramen** y Ddaear, a ffurf o silica (silicon+ocsigen). Mae'r rhan fwyaf o **dywodfeini** yn cynnwys cwarts yn bennaf.

cwartsit Craig galed a gwydn iawn wedi'i ffurfio trwy fetamorffeg **tywodfaen**.

cwm *Gweler* **dyffryn sych** *a* **peiran**.

cwmwlonimbws Cwmwl tywyll, trwm ag uchder fertigol mawr. Dyma'r cwmwl storm fellt a tharanau nodweddiadol sy'n cynhyrchu cawodydd trwm o law, eira neu genllysg. Mae cymylau o'r fath yn ffurfio lle mae pelydriad heulog tanbaid yn

achosi darfudiad egnïol.

cwmwlws Cwmwl mawr (yn llai na **chwmwlonimbws**) gyda phen 'blodfresych' a gwaelod sydd bron yn llorweddol. Mae'n arwydd o **dywydd** braf neu, ar y gwaethaf, gawodlyd gyda chyfnodau heulog.

cwrs afon Llwybr afon o'i tharddiad i'r môr. Mae tair prif ran: y cwrs uchaf, y cwrs canol a'r cwrs isaf.

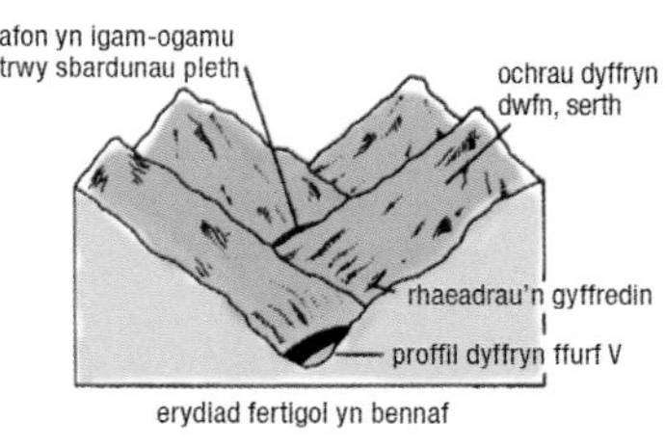

cwrs afon Cwrs uchaf.

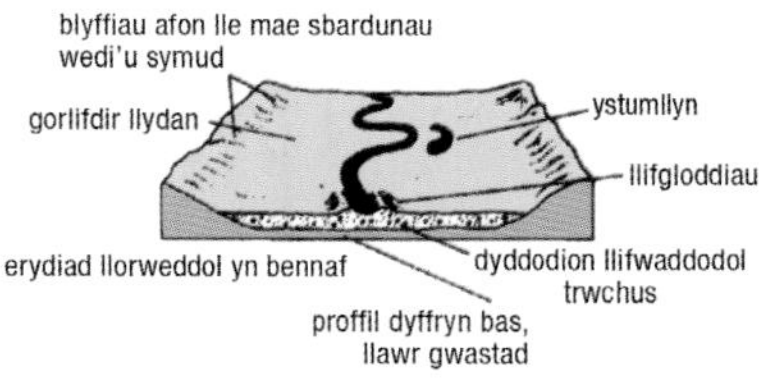

cwrs afon Cwrs isaf.

cydweithfa (*co-operative*) System lle mae unigolion yn rhannu eu hadnoddau er mwyn cael y budd mwyaf i bawb.

cyddwysiad Proses lle mae anwedd sy'n oeri yn troi'n hylif. Mae **cymylau**, er enghraifft, yn cael eu ffurfio gan gyddwysiad anwedd dŵr yn yr **atmosffer**.

cyfandir Un o eangdiroedd mawr y ddaear. Yn gyffredinol, cyfandiroedd y byd yw Asia, Affrica, Gogledd America, De America, Ewrop, Ynysoedd y De (Oceania), ac Antarctica.

cyfathrebiadau Y cysylltiadau a chysylltau mewn **amgylchedd**. Er enghraifft, cyfathrebiadau yw ffyrdd a rheilffyrdd, yn ogystal â systemau ffôn, papurau newydd, radio a theledu.

cyfeiriant Darlleniad cwmpawd rhwng o a 360 gradd, yn dangos cyfeiriad un lleoliad o leoliad arall.

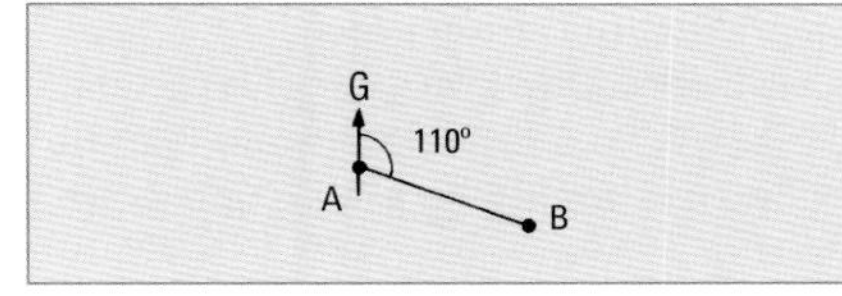

cyfeiriant 110° *yw'r cyfeiriant o A i B.*

cyfeirnod grid Dull ar gyfer pennu lleoliad ar fap. *Gweler* **dwyreiniaid** a **gogleddiaid**.

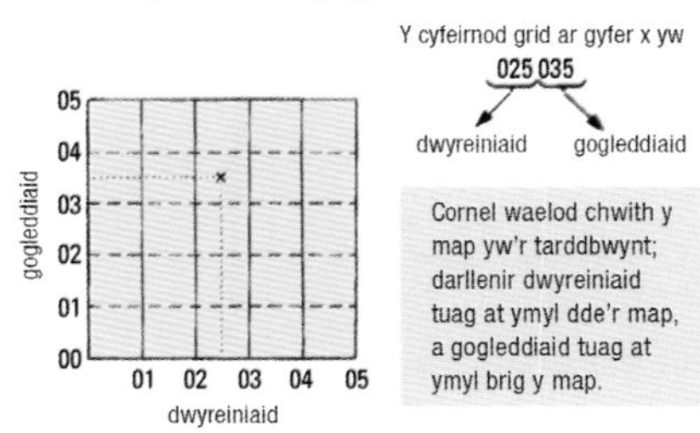

cyfeirnod grid

cyfesurynnau Set o rifau sy'n diffinio lleoliad pwynt gan gyfeirio at system o echelinau.

cyfnod rhyngrewlifol Cyfnod cynnes rhwng dau gyfnod o **rewlifiant** a **hinsawdd** oer. Dechreuodd y cyfnod rhyngrewlifol presennol tua 10,000 o flynyddoedd yn ôl.

cyfordraeth *Gweler* **llyfndir tonnau.**

cyfradd geni Nifer y genedigaethau byw y flwyddyn am bob 1000 o bobl mewn poblogaeth.

cyfradd llythrennedd oedolion Mesur canrannol sy'n dangos y gyfran o boblogaeth oedolion sy'n gallu darllen. Mae'n un o'r mesurau a ddefnyddir i asesu lefel datblygiad gwlad.

cyfradd marw Nifer y marwolaethau y flwyddyn am bob 1000 o bobl mewn poblogaeth.

cyfuchlinedd Llinell wedi'i thynnu ar fap i uno pwyntiau o'r un uchder uwchlaw lefel y môr.

cyhydedd Cylch dychmygol o gwmpas y Ddaear ar **ledred** 0°, yn gorwedd yn gytbell o'r pegynau.

cylch antarctig Llinell ddychmygol sy'n amgylchynu Pegwn y De ar **ledred** 66°32'D.

cylch arctig Llinell ddychmygol sy'n amgylchynu Pegwn y Gogledd ar **ledred** 66°32'G.

cylchdroad (*rotation*) Symudiad y Ddaear o amgylch ei hechelin ei hun. Mae'n cylchdroi unwaith bob 24 awr. Oherwydd gogwydd echelin y Ddaear, mae hyd y dydd a'r nos yn amrywio ar fannau gwahanol ar arwyneb y Ddaear. Mae'r dyddiau'n mynd yn hirach wrth i'r lledred gynyddu tua'r gogledd; yn fyrrach wrth i'r lledred gynyddu tua'r de. Mae'r gwrthwyneb yn wir yn ystod canol gaeaf y gogledd (= canol haf y de). *Gweler* y diagram.

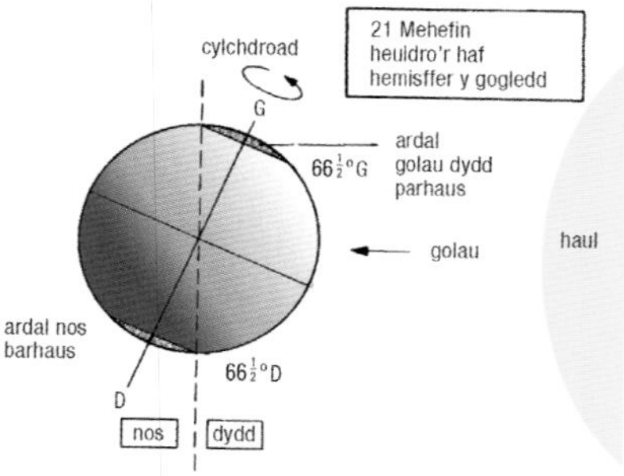

cylchdroad Gogwydd y Ddaear ar heuldro haf y gogledd a heuldro gaeaf y de.

cylchdroad y Ddaear (*revolution*) Llwybr y Ddaear o amgylch yr haul; mae un cylchdro'n cymryd 365.25 diwrnod. Oherwydd gogwydd echelin y Ddaear (23½° o'r fertigol), canlyniad y cylchdro yw dilyniant y tymhorau a gawn ni ar arwyneb y Ddaear.

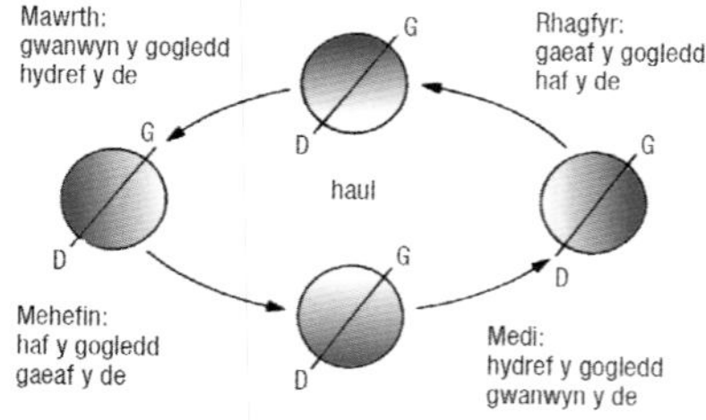

cylchdro'r ddaear Tymhorau'r flwyddyn.

cylchfa dansugno *Gweler* **tectoneg platiau.**

cylchfa gymudo Ardal ar gyrion ardal drefol neu'n agos ati. Mae cymudwyr ymhlith aelodau mwyaf cefnog a symudol y gymuned drefol ac yn gallu fforddio byw yn bell o'r gwaith.

cylchred faetholion Y dulliau y bydd maetholion yn cael eu trosglwyddo o un organeb i'r llall trwy'r **amgylchedd.**

cylchred hydrolegol Cylchu dŵr trwy fôr, tir ac **atmosffer.**

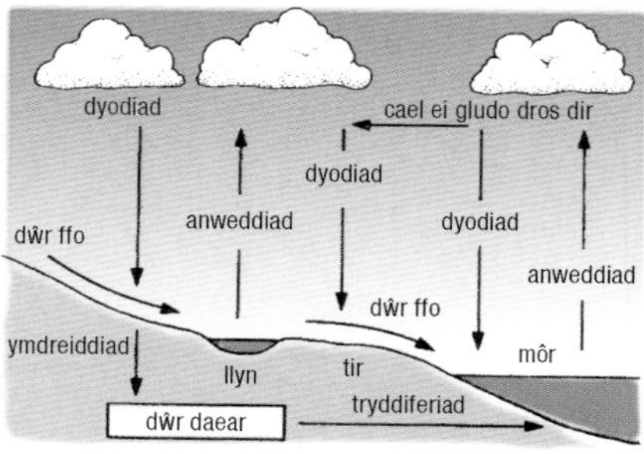

cylchred hydrolegol

cymorth Darparu cyllid, pobl ac offer i hybu datblygiad economaidd a gwella safonau byw yn y **Trydydd Byd.** Mae'r rhan fwyaf o gymorth yn cael ei drefnu gan sefydliadau rhyngwladol (e.e. y Cenhedloedd Unedig), gan elusennau (e.e. Oxfam) (*gweler* **sefydliadau anllywodraethol**) neu gan lywodraethau cenedlaethol. Yr enw am gymorth a roddir i wlad gan sefydliadau rhyngwladol yw *cymorth amlochrog*. Yr enw am gymorth oddi wrth un wlad i wlad arall yw *cymorth dwyochrog*.

cymylau Màs o ddiferion dŵr neu risialau iâ bach wedi'u ffurfio gan **gyddwysiad** anwedd dŵr yn yr **atmosffer**, fel arfer yn uchel uwchben arwyneb y Ddaear. Mae tri phrif fath o gymylau: **cwmwlws**, **stratws** a **cirrus**, ac mae llawer o amrywiadau o bob un ohonynt.

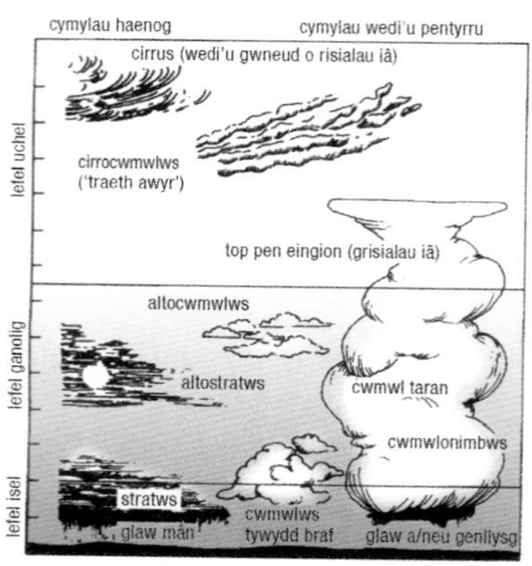

cymylau

cynefin Lleoliad sy'n arbennig o addas i rywogaethau penodol o blanhigion ac anifeiliaid fyw ac atgenhedlu.

cynhesu byd-eang *neu* **effaith tŷ gwydr** Atmosffer y Ddaear yn cynhesu oherwydd gormodedd o garbon deuocsid, sy'n gweithredu fel blanced, gan rwystro gwres rhag dianc yn naturiol. Mae'r sefyllfa hon wedi bod yn datblygu dros y 150 mlynedd diwethaf oherwydd (a) llosgi **tanwyddau ffosil**, sy'n gollwng symiau enfawr o garbon deuocsid i'r **atmosffer**, a (b) **datgoedwigo**, sy'n golygu bod llai o goed ar gael i amsugno carbon deuocsid (*gweler* **ffotosynthesis**).

cynnydd naturiol Cynnydd mewn poblogaeth oherwydd y gwahaniaeth rhwng **cyfradd genedigaethau** a **chyfradd marwolaethau.**

cynnyrch Cynhyrchedd tir wedi'i fesur yn ôl pwysau neu gyfaint y cnwd mae pob uned arwynebedd yn ei roi.

Cynnyrch Mewnwladol Crynswth (CMC) Cyfanswm gwerth yr holl nwyddau a gwasanaethau sy'n cael eu cynhyrchu gartref gan genedl mewn blwyddyn.

cyrathiad Gweithred sgraffiniol gan gyfrwng **erydiad** (afonydd, iâ, y môr) a achosir gan ei lwyth. Er enghraifft, mae cerigos a chlogfeini sy'n cael eu cludo gan afon yn erydu gwely'r sianel a glan yr afon. *Cymharer* â **gweithred hydrolig.**

cyrydiad **Erydiad** trwy hydoddi, megis dŵr sy'n rhedeg yn hydoddi **calchfaen.**

cytref Ardal drefol adeiledig ddi-dor wedi'i ffurfio trwy gyfuno sawl tref neu ddinas oedd ar wahân yn y gorffennol. Mae **blerdwf trefol** yr ugeinfed ganrif wedi arwain at gyfuno trefi.

D

dadchwythiad Tywod rhydd yn cael ei symud gan **erydiad** gwynt mewn **diffeithdiroedd.** Yn aml, canlyniad hyn yw craig noeth yn dod i'r golwg.

dadfeiliad trefol Y broses o ddirywio yn **isadeiledd** rhannau o'r ddinas. Mae'n ganlyniad newidiadau tymor hir ym mhatrymau gweithgaredd economaidd, **lleoliad** preswylio ac isadeiledd.

daeargryn Cramen y Ddaear yn symud neu'n crynu. Mae daeargrynfeydd yn gysylltiedig ag ymylon platiau (*gweler* **tectoneg platiau**) ac yn arbennig â chylchfaoedd tansugno, lle mae un plât yn plymio o dan un arall. Yma mae straen aruthrol ar y gramen. Mae'r creigiau'n cael eu gorfodi i blygu, ac yn y diwedd mae'r straen mor fawr fel bod y creigiau'n 'torri' ar hyd ffawtlin (**ffawt**).

daearyddiaeth ddynol Astudio pobl a'u gweithgareddau yn nhermau patrymau a phrosesau poblogaeth, **anheddiad**, gweithgaredd economaidd a **chyfathrebiadau.** *Cymharer* **daearyddiaeth ffisegol.**

daearyddiaeth ffisegol Astudio ein **hamgylchedd**, yn cynnwys elfennau fel geomorffoleg, hydroleg, priddeg, meteoroleg, hinsoddeg a bioddaearyddiaeth.

dalgylch 1. Mewn **daearyddiaeth ffisegol**, term arall am **fasn afon.**
2. Mewn **daearyddiaeth ddynol**, ardal o amgylch tref neu ddinas – felly mae 'dalgylch llafur' yn golygu'r ardal y mae gweithlu tref yn dod ohoni.

dalgylch afon *Gweler* **basn afon.**

data Cyfres o arsylwadau, mesuriadau neu ffeithiau y gall rhaglen gyfrifiadurol eu trin.

datblygiad cynaliadwy Gallu gwlad i gynnal lefel o ddatblygiad economaidd, gan roi safon byw ddigonol i'r rhan fwyaf o'r boblogaeth.

datgoedwigo Yr arfer o glirio coed. Mae llawer o ddatgoedwigo yn ganlyniad pwysau datblygiad, e.e. mae coed yn cael eu torri i lawr i ddarparu tir ar gyfer amaethyddiaeth a diwydiant. *Cymharer* **coedwigo.**

datwm Darn unigol o wybodaeth.

defnydd tir Swyddogaeth ardal o dir. Er enghraifft, gallai tir mewn ardaloedd gwledig gael ei ddefnyddio ar gyfer amaethyddiaeth neu goedwigaeth, ond gallai tir trefol gael ei ddefnyddio ar gyfer tai neu ddiwydiant.

defnyddiau crai Yr adnoddau y mae diwydiannau yn eu defnyddio mewn prosesau gweithgynhyrchu.

deic Mewnwthiad igneaidd fertigol neu led-fertigol yn digwydd lle mae nant **magma** wedi ymestyn trwy linell o wendid yn y **graig** amgylchynol. *Gweler* **craig igneaidd.**

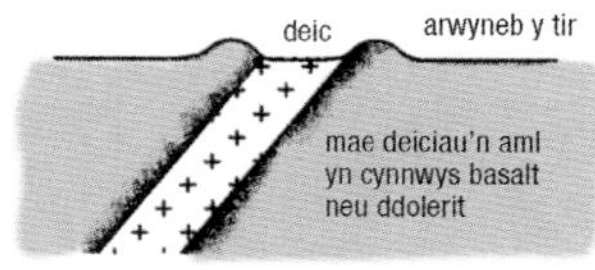

Cylchfa fetamorffedig: mae creigiau sydd
o amgylch mewnwthiad wedi'u 'pobi'

deic Trawstoriad o ddeic wedi'i erydu, yn dangos sut
mae ymylon metamorffig, yn galetach na'r deic neu'r
creigiau o'i amgylch, yn gwrthsefyll erydiad.

delta Màs siâp gwyntyll sy'n cynnwys llwyth y mae
afon wedi'i ddyddodi lle mae'n mynd i mewn i'r
môr. Dim ond lle mae'r afon yn dyddodi defnydd
ar gyfradd sy'n rhy gyflym i geryntau arfordirol ei
symud y mae delta'n ffurfio. Er bod deltâu'n gallu
datblygu yn wahanol siapiau a meintiau, mae tri
math cyffredin, fel sydd i'w gweld yn y diagramau
isod.

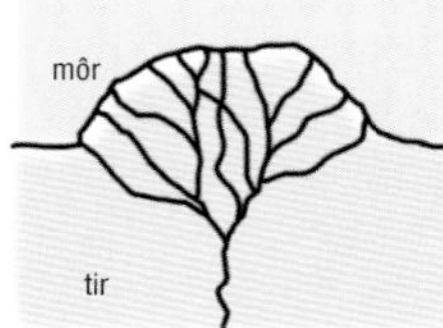

Delta bwaog,
e.e. Nîl.
Sylwer yr afon yn
deufforchio i ffurfio
allafonydd yn y delta

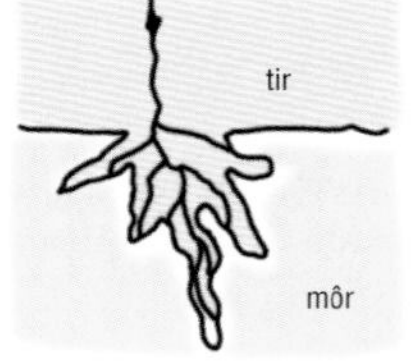

Delta crafanc,
e.e. Mississippi

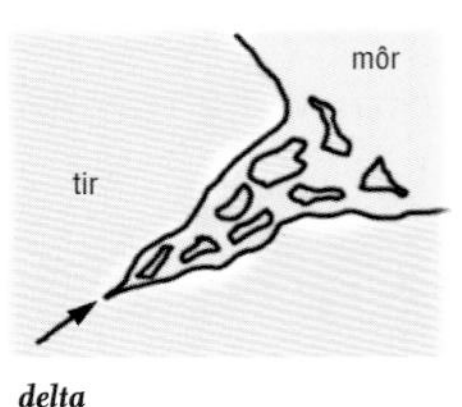

Delta morydol,
e.e. Amazonas

delta

delwedd lloeren Delwedd sy'n rhoi gwybodaeth
am y Ddaear neu blaned arall, wedi'i gael o
loeren. Ar loeren sy'n troi o gwmpas y Ddaear,
mae offer, fel Landsat, yn sganio'r Ddaear yn
barhaus ac yn synhwyro disgleirdeb golau sy'n
cael ei adlewyrchu. Pan fydd y wybodaeth yn cael
ei hanfon yn ôl i'r Ddaear, mae cyfrifiaduron
yn ei thrawsnewid yn *ddelweddau lliw ffug*: yn
y delweddau hyn mae ardaloedd adeiledig yn
ymddangos mewn un lliw (glas efallai), llystyfiant
mewn lliw arall (coch yn aml), daear foel mewn
lliw arall, a dŵr mewn pedwerydd lliw, gan
ei gwneud yn hawdd gweld eu dosbarthiad a
monitro newidiadau. *Cymharer* **awyrlun**.

DEM (Model uchder digidol) (*Digital elevation
model*) Cynrychioliad o dirwedd arwyneb
topograffig.

diblisgiad (*exfoliation*) Math o **hindreuliad** lle
mae haenau allanol **craig** neu glogfaen yn torri i
ffwrdd oherwydd yr ehangu a'r cyfangu bob yn ail
sy'n digwydd yn sgil cynhesu ac oeri bob dydd.
Mae proses o'r fath yn digwydd yn gyson mewn
diffeithdiroedd.

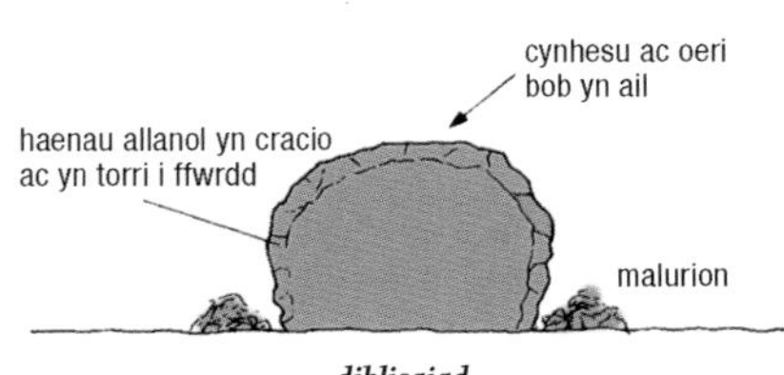

diblisgiad

diboblogi Poblogaeth ardal benodol yn lleihau
dros dymor hir, yn aml oherwydd mudo
economaidd i ardaloedd eraill.

diboblogi gwledig Colli poblogaeth o gefn
gwlad wrth i bobl symud o ardaloedd gwledig i
ddinasoedd a **chytrefi**.

diffeithdir Ardal lle mae **dyodiad** o bob math yn
isel iawn ac o ganlyniad ychydig iawn, os unrhyw
beth, sy'n gallu tyfu.

Mae modd rhannu diffeithdiroedd yn fras yn
dri math, yn dibynnu ar dymereddau cyfartalog:
(a) *diffeithdiroedd poeth*: mae'r rhain yn y lledredau
trofannol mewn rhanbarthau gwasgedd uchel lle
mae'r aer yn suddo, sydd yn golygu bod glawiad yn
annhebygol. *Gweler* **cymylau**.
(b) *diffeithdiroedd tymherus*: mae'r rhain yn y
lledredau canol mewn ardaloedd gwasgedd uchel.
Maen nhw'n bell o'r môr, felly nid yw gwyntoedd
sy'n cludo lleithder yn gollwng glawiad ar yr
ardaloedd hyn yn aml.
(c) *diffeithdiroedd oer*: mae'r rhain yn y lledredau
gogleddol, eto mewn ardaloedd gwasgedd uchel.
Mae tymereddau isel iawn drwy gydol y flwyddyn
yn golygu nad yw'r aer yn gallu dal llawer o leithder.

diffeithdiro **Diffeithdir** yn symud yn raddol i
ardaloedd oedd unwaith yn gynhyrchiol. Gall
diffeithdiro ddigwydd yn rhannol oherwydd
newid hinsawdd, h.y. yr hinsawdd yn troi'n
sychach mewn rhai rhannau o'r byd (efallai
oherwydd **cynhesu byd-eang**), er bod gweithgaredd
dynol hefyd wedi chwarae rhan oherwydd arferion
ffermio gwael. Mae'r broblem yn arbennig o
ddifrifol ar hyd ffiniau deheuol diffeithwch Sahara
yn rhanbarth Sahel rhwng Mali a Mauritania yn y
gorllewin, ac Ethiopia a Somalia yn y dwyrain.

diffyg maeth Cyflwr sy'n ganlyniad diffyg digon
o fwyd maethlon mewn deiet, o'i gyferbynnu â
thanfaethiad, sef diffyg digon o fwyd. Gall deiet
rhywun sy'n dioddef o ddiffyg maeth gynnwys
llawer o fwydydd startsh, ond nid yw byth yn
cynnwys digon o brotein na mwynau na fitaminau
hanfodol.

dinas fewnol Y cylch o adeiladau o amgylch **Canol
Busnes y Dref (CBD)** mewn tref neu ddinas.

diwasgedd Ardal o wasgedd atmosfferig isel
yn digwydd lle mae aergyrff cynnes ac oer yn
cydgyffwrdd. Nodweddion llwybr diwasgedd
yw cymylau'n tewychu, glaw, cyfnod o dywydd
llwydaidd a glaw mân ac yna'r awyr yn clirio
ynghyd â chawodydd. Mae'r diagramau isod yn
dangos sut mae diwasgedd yn datblygu.

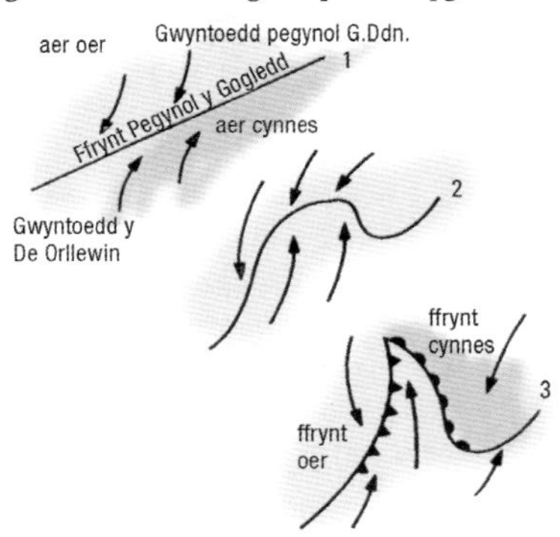

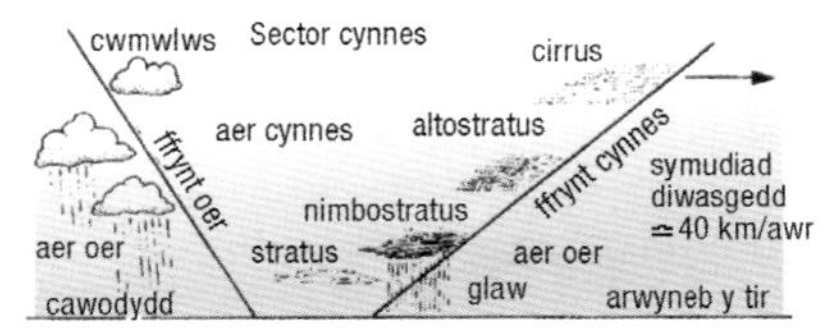

diwasgedd Datblygiad diwasgedd.

diwydianeiddio Datblygiad diwydiant ar raddfa eang.

diwydiant gwasanaethu Y bobl a'r sefydliadau
sy'n cynnig gwasanaeth i'r cyhoedd.

diwydiant gweithgynhyrchu Gwneud nwyddau
gan ddefnyddio llafur corfforol neu beiriannau, yn
enwedig ar raddfa fawr. *Gweler* **sector eilaidd**.

doldrymau Belt gyhydeddol o wasgedd atmosfferig
isel lle mae'r **gwyntoedd cyson** yn cydgyfeirio.
Mae'r gwyntoedd yn ysgafn ac amrywiol ond
mae'r symudiad aer cryf tuag i fyny ac achosir gan
y cydgyfeirio hwn yn aml yn cynhyrchu stormydd
mellt a tharanau a glaw trwm.

dosbarth nodweddion Casgliad o nodweddion
â'r un priodweddau, priodoleddau a chyfeirnod
gofodol.

dosbarthiad gofodol Patrwm lleoliadau, er
enghraifft lleoliadau poblogaeth neu **anheddiad**
mewn rhanbarth.

dosbarthiad poblogaeth Y patrwm lleoliad
poblogaeth ar **raddfa** benodol.

draeniad Dŵr yn symud o arwyneb y tir trwy
brosesau fel ffrydlifo ac ymdreiddio.

drifft Defnydd wedi'i gludo a'i ddyddodi gan
weithred rewlifol ar arwyneb y Ddaear. *Gweler
hefyd* **clog-glai**.

drifft cyfandirol Y ddamcaniaeth bod
cyfandiroedd y Ddaear yn symud yn raddol
dros haen o graig hanner-tawdd o dan **gramen**
y Ddaear. Credir bod y cyfandiroedd presennol
yn arfer ffurfio uwchgyfandir, **Pangaea**, a oedd yn
bodoli tua 200 miliwn o flynyddoedd yn ôl. *Gweler
hefyd* **Gondwanaland**, **Lawrasia**, **tectoneg platiau**.

drifft y glannau Symudiad defnydd ar hyd traeth
oherwydd y ffordd arosgo mae tonnau yn dod at y
lan. Mae dyddodion traeth yn symud yn igam-ogam,
fel sydd i'w weld yn y diagram. Mae drifft y glannau'n
digwydd ar forlinau syth a hir yn arbennig.

Wrth i'r tonnau gyrraedd y lan, mae tywod yn
cael ei gludo gyda'r tonnau i fyny'r traeth gan y
torddwr, ac yn ôl i lawr y traeth gyda'r **tynddwr**.
Felly bydd gronyn unigol o dywod yn symud gan
ddilyn y patrwm A, B, C, CH, D, DD yn y diagram.

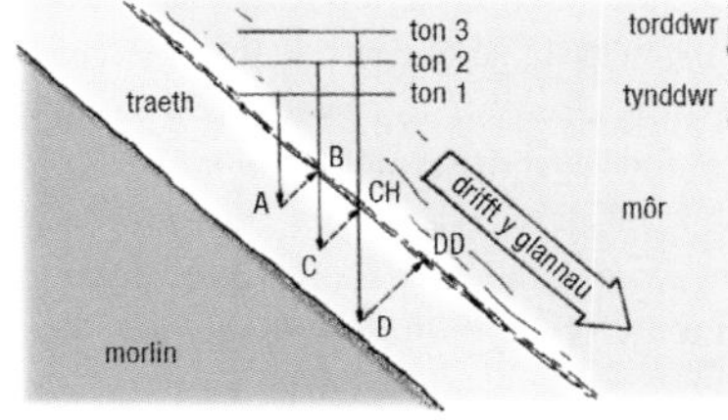

drifft y glannau

dŵr daear Dŵr sy'n cael ei ddal yng nghreigwely
rhanbarth, wedi iddo ddrylifo trwy'r **pridd** o'r
arwyneb. Mae dŵr o'r fath yn adnodd pwysig
mewn ardaloedd lle nad oes **dŵr ffo arwyneb** o
gwbl neu lle mae'n brin iawn.

dŵr ffo arwyneb Y gyfran o'r glawiad sy'n disgyn
ar arwyneb y Ddaear sy'n rhedeg i ffwrdd naill
ai fel llif sianel neu lif trostir. Mae'n wahanol i
weddill y glawiad, sydd naill ai'n trylifo i'r pridd
neu'n anweddu'n ôl i'r **atmosffer**.

dwyreiniad Elfen gyntaf **cyfeirnod grid**. *Gweler*
gogleddiad.

dwysedd poblogaeth Nifer y bobl mewn uned
arwynebedd. Mae dwysedd poblogaeth yn cael ei
fynegi fesul cilometr sgwâr.

Dyddlinell Ryngwladol Llinell ddychmygol sy'n
dilyn yn fras **hydred** 180°. Mae'r rhan o'r byd sy'n
union i'r dwyrain o'r llinell yn un diwrnod o flaen
y rhan sy'n union i'r gorllewin o'r llinell.

dyddodiad Gollwng **gwaddodion** sy'n ganlyniad **treuliant**.

dyfrhad System o gyflenwi dŵr i'r tir yn artiffisial er mwyn tyfu cnydau. Mae dyfrhau'n arbennig o bwysig mewn ardaloedd o lawiad isel neu annibynadwy.

dyfrhaen *Gweler* **basn artesaidd**.

dyfroedd gwyllt (*rapids*) Ardal o ddŵr toredig, cynhyrfus mewn sianel afon, a achosir gan stratwm o **graig** wydn sy'n goleddu i lawr yr afon. Mae'r graig feddalach sydd bob ochr iddi, i fyny ac i lawr yr afon, yn erydu'n gyflymach, gan adael y graig wydn yn ymwthio i fyny, gan rwystro llif y dŵr. *Cymharer* **rhaeadr**.

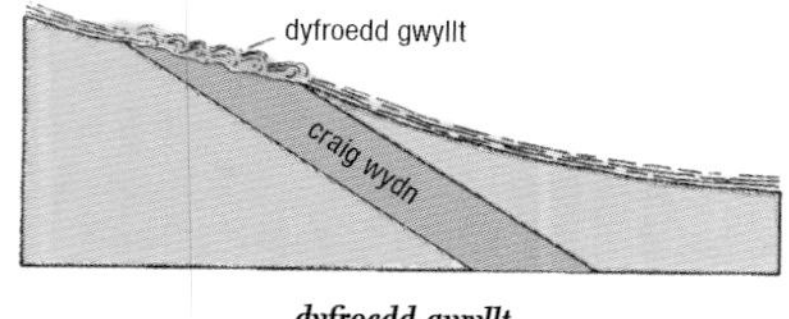

dyfroedd gwyllt

dyffryn Pant hir yn arwyneb y Ddaear, fel arfer yn cynnwys **afon**, wedi'i ffurfio gan **erydiad** neu gan symudiadau yng **nghramen** y Ddaear.

dyffryn ffurf U Dyffryn rhewlifedig. O'i weld oddi uchod mae'n edrych yn syth, ac mae **trawstoriad** o'r dyffryn ar ffurf U. *Gweler* y diagram. *Cymharer* **dyffryn ffurf V**.

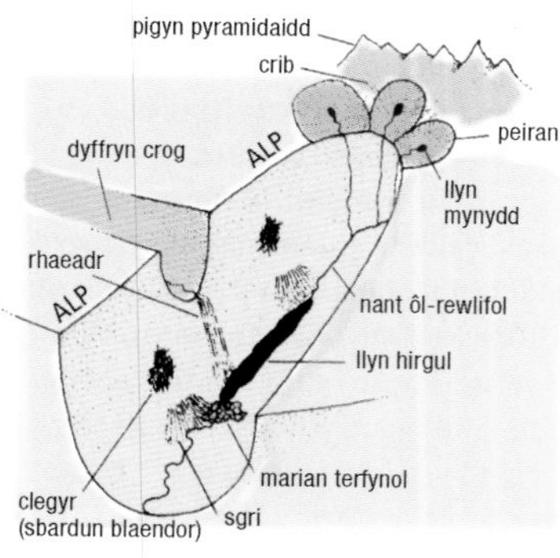

dyffryn ffurf U

dyffryn ffurf V Dyffryn cul ag ochrau serth wedi'i ffurfio gan graig yn cael ei herydu'n gyflym gan nentydd ac afonydd. Mae **trawstoriad** o'r dyffryn ar ffurf V. *Cymharer* **dyffryn ffurf U**.

dyffryn hollt Darn o **gramen** y Ddaear sydd wedi cael ei ffawtio am i lawr. Mae'r **ffawtiau** sydd ar ymylon dyffryn hollt bron yn gyfochrog. Mae dwy brif ddamcaniaeth am darddiad dyffrynnoedd hollt. Mae'r gyntaf yn dweud bod grymoedd tyniant yng nghramen y Ddaear wedi achosi i floc o dir suddo rhwng ffawtiau cyfochrog. Mae'r ail ddamcaniaeth yn dweud bod cywasgiad yng nghramen y Ddaear wedi achosi ffawtio lle mae dau floc ochr wedi codi tuag at ei gilydd dros floc canol.

Y system dyffryn hollt fwyaf cymhleth yn y byd yw'r un sy'n rhedeg o Syria yn y Dwyrain Canol i Afon Zambezi yn Nwyrain Affrica.

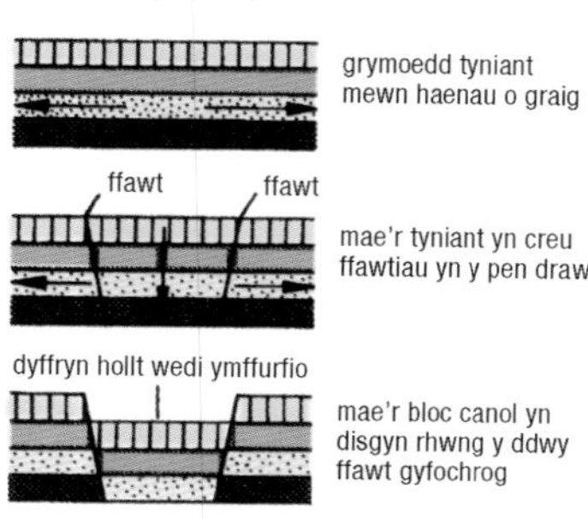

grymoedd tyniant mewn haenau o graig

mae'r tyniant yn creu ffawtiau yn y pen draw

dyffryn hollt wedi ymffurfio

mae'r bloc canol yn disgyn rhwng y ddwy ffawt gyfochrog

dyffryn hollt

dyffryn sych *neu* **cwm** Arwedd mewn ardaloedd **calchfaen** neu **sialc**, lle mae dyffrynnoedd wedi cael eu herydu mewn tirweddau sych.

dynodwr Gwerth unigryw sy'n cael ei roi i wrthrych penodol.

dyodiad Dŵr sy'n cael ei ddyddodi ar arwyneb y Ddaear, e.e. ar ffurf glaw, eira, eirlaw, cenllysg a gwlith.

E

ecoleg Astudio pethau byw, eu cydberthnasoedd a'u perthnasoedd â'r **amgylchedd**.

economi heliwr-gasglwr Cyfnod o ddatblygiad cyn-amaethyddiaeth lle mae pobl yn byw trwy hela a chasglu adnoddau anifeiliaid a phlanhigion o'r **amgylchedd** naturiol. Nid yw'n cynnwys triniad na bugeilio.

ecosystem System naturiol yn cynnwys organebau byw a'u **hamgylchedd**. Mae'n bosibl cymhwyso'r cysyniad ar raddfa fyd-eang neu yng nghyd-destun amgylchedd tipyn llai. Mae egwyddor yr ecosystem yn gyson: mae pob elfen wedi cysylltu'n gymhleth â'i gilydd gan lifoedd egni a maetholion.

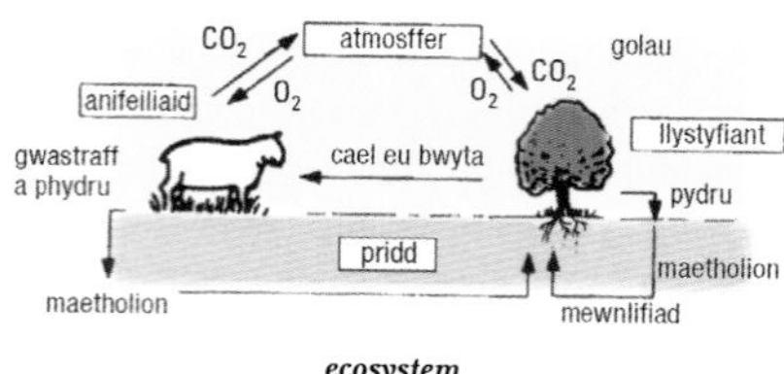

ecosystem

effaith tŷ gwydr *Gweler* **cynhesu byd-eang**.

egni geothermol Dull o gynhyrchu pŵer o wres sydd yn haenau isaf **cramen** y Ddaear. Mae Seland Newydd a Gwlad yr Iâ yn defnyddio dŵr poeth iawn neu ager o geiserau a **tharddellau** folcanig i wresogi adeiladau a thai gwydr, a hefyd i yrru tyrbinau ager i gynhyrchu trydan. Mae egni geothermol yn enghraifft o adnodd egni adnewyddadwy (*gweler* **adnoddau adnewyddadwy**, **adnoddau anadnewyddadwy**).

eirdreulio Y broses o **hindreuliad** gan eira ac iâ, yn enwedig trwy weithred **rhewi-dadmer**. Mae'n digwydd yn arbennig mewn **hinsawdd** oer ac ar uchder uchel – er enghraifft ar lethrau agored uwchlaw **rhewlif**.

eirlin Yr uchder y mae eira parhaol i'w weld uwch ei ben. Oddi tano, yn ystod misoedd yr haf, ni fydd eira sy'n disgyn yn para.

El Niño Dyfroedd cynnes sy'n datblygu'n achlysurol ar arwyneb y cefnfor ar hyd arfordir Ecuador a Pheriw. Lle mae'r cynhesu hwn yn digwydd mae **gwyntoedd cyson** trofannol y Cefnfor Tawel yn gwanhau ac mae ymchwydd arferol dŵr dwfn, oer y cefnfor yn lleihau. Mae El Niño fel arfer yn digwydd yn hwyr yn y flwyddyn galendr ac yn parhau am ychydig wythnosau neu ychydig fisoedd, ac mae'n gallu cael effaith ddramatig ar batrymau tywydd ledled y byd.

erydiad Treulio arwyneb y Ddaear gan ddŵr yn rhedeg (afonydd a nentydd), iâ'n symud (**rhewlifau**), y môr a'r gwynt. Yr enw ar y rhain yw *cyfryngau* erydiad.

erydiad pridd Pridd yn ymddatod a symud oherwydd rheoli gwael. Mae erydiad pridd yn broblem mewn **amgylcheddau** caled yn arbennig.

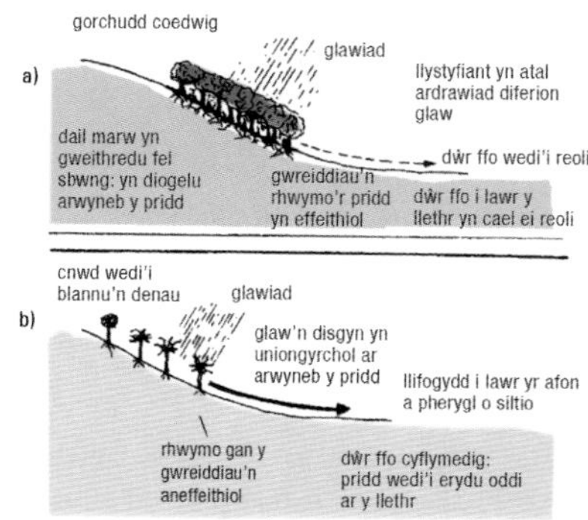

erydiad pridd a) *Amgylchedd sefydlog*, b) *amgylchedd ansefydlog*.

esgair Cefnen isel, droellog o gerigos a **gwaddod** mân ar iseldir rhewlifedig.

F

fector Mesur sydd â maint yn ogystal â chyfeiriad.

fwlcanigrwydd Term torfol am y prosesau sy'n ymwneud â mewnwthiad **magma** i'r gramen, neu allwthiad defnydd tawdd o'r fath i arwyneb y Ddaear.

FF

ffawt Toriad yng **nghramen** y Ddaear; ar bob ochr iddo mae'r **creigiau** wedi eu dadleoli. Mae ffawtio'n digwydd mewn ymateb i straen yng nghramen y Ddaear; mae rhyddhau'r straen hwn mewn symudiad ffawt yn digwydd fel **daeargryn**. *Gweler hefyd* **dyffryn hollt**.

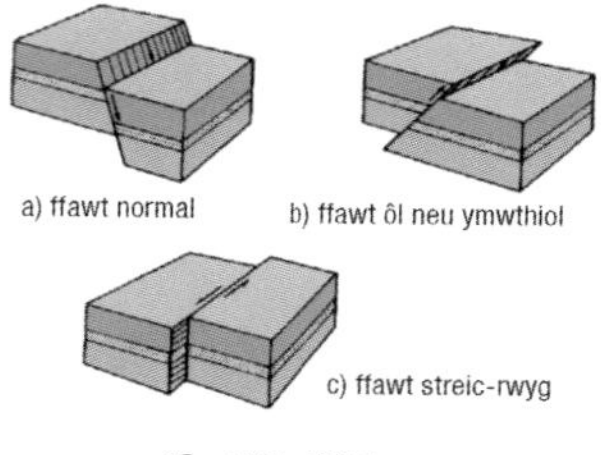

a) ffawt normal   b) ffawt ôl neu ymwthiol

c) ffawt streic-rwyg

ffawt Y prif fathau.

ffeiliau siâp Fformat storfa ar gyfer storio lleoliad, siâp a phriodoleddau nodweddion daearyddol.

ffermio bugeiliol System **amaethyddiaeth**: magu da byw yn bennaf. *Gweler hefyd* **bugeilyddiaeth nomadig**.

ffermio dwys System **amaethyddiaeth** lle mae symiau cymharol fawr o gyfalaf a/neu lafur yn cael eu buddsoddi mewn arwynebeddau cymharol fach o dir.

ffermio eang System **amaethyddiaeth** lle mae symiau cymharol fach o gyfalaf neu lafur yn cael eu buddsoddi mewn arwynebeddau cymharol fawr o dir. Er enghraifft, mae ransio defaid yn fath o ffermio eang, ac mae cynnyrch yr uned arwynebedd yn isel.

ffermio mynydd System **amaethyddiaeth** lle mae defaid (a gwartheg i raddau llai) yn pori ar borfa arw'r uwchdiroedd.

ffermio organig System **amaethyddiaeth** sy'n osgoi defnyddio gwrteithiau artiffisial na phlaleiddiaid cemegol, gan ddefnyddio gwrteithiau a phlaleiddiaid organig sy'n dod yn uniongyrchol o ddefnydd anifail neu lysieuol yn unig. Mae cyfanswm **cynnyrch** ffermio organig yn is, ond mae'r cynhyrchion yn cael eu gwerthu am bris premiwm.

ffermio tir âr Cynhyrchu cnydau grawnfwyd a gwraidd – o'i gyferbynnu â chadw da byw.

ffiord Cilfach ddofn o fôr, sy'n syth fel arfer, ar hyd arfordir rhewlifedig. Mae ffiord yn ddyffryn rhewlifedig sydd wedi cael ei foddi naill ai gan godiad ôl-rewlifol yn lefel y môr neu gan y tir yn suddo.

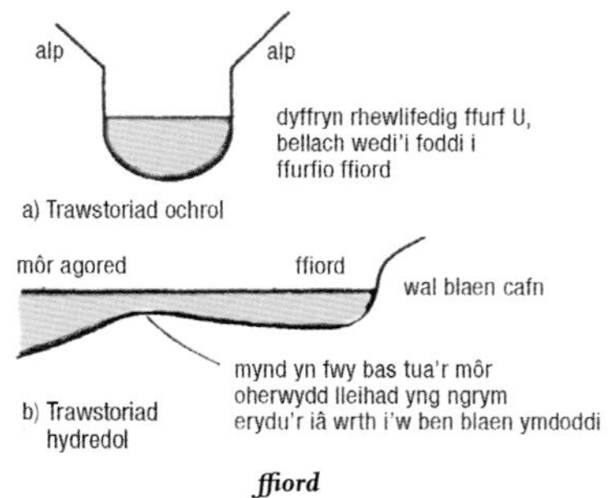

ffiord

fflachlif Cynnydd sydyn mewn **arllwysiad** afon a llif trostir oherwydd storm law arw yn y **basn afon** uchaf.

ffos Sianel ddraenio artiffisial.

ffotosynthesis Y broses lle mae planhigion gwyrdd yn cynhyrchu carbohydradau o garbon deuocsid a dŵr, gan ryddhau ocsigen. Mae ffotosynthesis yn cydbwyso **resbiradaeth**.

ffracsiwn cynrychiadol Y ffracsiwn o'u maint gwirioneddol y mae gwrthrychau'n cael eu lleihau iddo ar fap; er enghraifft, ar fap 1:50 000, dangosir gwrthrych ar 1/50 000 o'i faint gwirioneddol.

ffrwydrad poblogaeth Ar **raddfa** fyd-eang, y cynnydd dramatig mewn poblogaeth yn ystod yr ugeinfed ganrif. Mae'r graff isod yn dangos **twf poblogaeth** y byd.

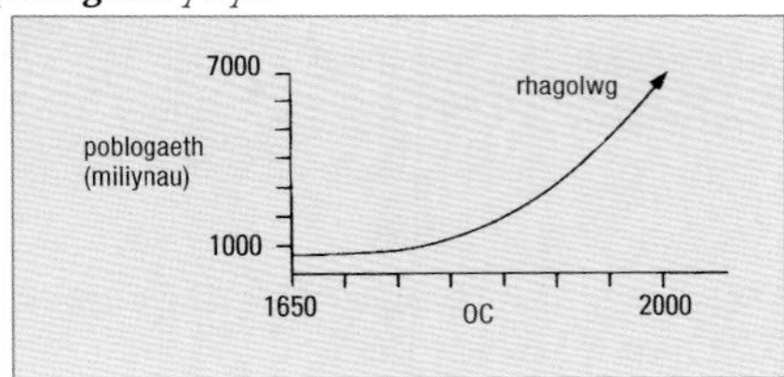

ffrwydrad poblogaeth

ffrynt Ffin rhwng dau aergorff. *Gweler hefyd* **diwasgedd**.

ffrynt cynnes *Gweler* **diwasgedd**.

ffrynt oer *Gweler* **diwasgedd**.

ffynhonnell eilaidd Cronfa o wybodaeth neu ddata y mae unigolyn neu grŵp o bobl wedi ymchwilio iddi neu ei chasglu ac wedi sicrhau ei bod ar gael i eraill ei defnyddio; mae data cyfrifiad yn enghraifft o hyn. Mae *ffynhonnell gynradd* o ddata neu wybodaeth yn cael ei chasglu yn uniongyrchol gan yr ymchwilydd; er enghraifft, arolwg cyfrif traffig gan fyfyriwr ar gyfer project.

ffynhonnell gynradd *Gweler* **ffynhonnell eilaidd**.

G

garddio masnachol Math dwys o **amaethyddiaeth**. Yn draddodiadol mae'n digwydd ar ymylon ardaloedd trefol i gyflenwi cynnyrch ffres i bobl y ddinas bob dydd. Mae cynnyrch garddio masnachol nodweddiadol yn cynnwys cnydau salad, fel tomatos, letys, ciwcymbr ac ati, blodau, ffrwythau a rhai llysiau gwyrdd.

garddwriaeth Tyfu planhigion a blodau i'w gwerthu'n fasnachol. Mae bellach yn fasnach ryngwladol; er enghraifft, mae tegeirianau'n cael eu tyfu yn Ne-ddwyrain Asia i'w gwerthu yn Ewrop.

geosynclin Basn (**synclin** mawr) lle mae gwaddodion morol trwchus wedi cronni.

glaw asid Glaw sy'n cynnwys crynodiad uchel o lygryddion, yn enwedig sylffwr deuocsid ac ocsidau nitrogen. Mae'r llygryddion hyn yn cael eu cynhyrchu gan ffatrïoedd, gorsafoedd trydan sy'n llosgi **tanwyddau ffosil**, a phibellau gwacáu ceir. Yn yr **atmosffer**, mae'r sylffwr deuocsid a'r ocsidau nitrogen yn cyfuno â lleithder i roi asid sylffwrig ac asid nitrig sy'n disgyn fel glaw cyrydol.

glawlin Llinell ar fap meteorolegol yn cysylltu lleoedd sy'n cael yr un glawiad.

glo **Craig waddod** sy'n cynnwys llystyfiant sydd wedi pydru a chael ei gywasgu. Mae glo'n cael ei ddosbarthu fel rheol yn ôl graddfa caledwch a phurdeb yn amrywio o **lo carreg** (y caletaf), trwy **lo rhwym** a **lignit** i **fawn**.

glo carreg Math caled o **lo** sy'n cynnwys llawer o garbon ac ychydig o amhureddau.

glo rhwym Enw arall arno weithiau yw 'glo tŷ' – **glo** o ansawdd canolig gyda rhai amhureddau; y glo domestig nodweddiadol. Hwn hefyd yw'r brif ffynhonnell danwydd ar gyfer **gorsafoedd trydan thermol**.

globaleiddio Y broses sy'n galluogi marchnadoedd ariannol a chwmnïau i weithredu'n rhyngwladol (o ganlyniad i ddadreoleiddio a **chyfathrebiadau** gwell). Mae **corfforaethau trawswladol** bellach yn gweithgynhyrchu nwyddau mewn lleoedd sy'n gwasanaethu eu marchnad fyd-eang orau ar y gost leiaf.

Gogledd a De Ffordd o wahaniaethu rhwng y cenhedloedd sydd wedi'u diwydianeiddio ac sydd i'w cael yn bennaf yn y Gogledd, a'r cenhedloedd hynny sy'n llai datblygedig yn y De. Enw'r bwlch rhwng y 'Gogledd' cyfoethog a'r 'De' tlawd yw'r *bwlch datblygiad*.

gogleddiad Ail elfen **cyfeirnod grid**. *Gweler* **dwyreiniad**.

golethr Y mwyaf graddol o'r ddau lethr bob ochr i frig sgarp; mae'r golethr yn gogwyddo i gyfeiriad y **strata** sy'n disgyn; y llethr serth o flaen y brig yw'r **llethr sgarp**.

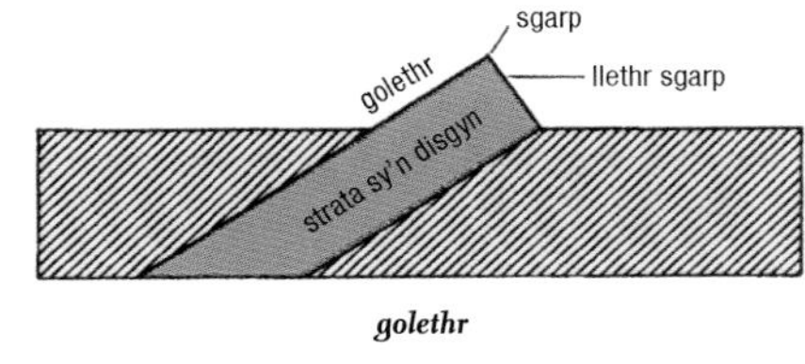

golethr

Gondwanaland Uwchgyfandir hemisffer y de, a dorrodd i ffwrdd o **Pangaea** tua 200 miliwn o flynyddoedd yn ôl. Roedd Gondwanaland yn cynnwys y cyfandiroedd sydd heddiw yn Dde America, Affrica, India, Awstralasia ac Antarctica. Mae Gondwanaland yn rhan o ddamcaniaeth **drifft cyfandirol**. *Gweler hefyd* **tectoneg platiau**.

gorlifdir Llawr dyffryn gwastad, llydan yng nghwrs isaf afon. Mae wedi'i lefelu gan lifogydd blynyddol a symudiad ochrol **ystumiau afon** ynghyd â'u symudiad i lawr yr afon.

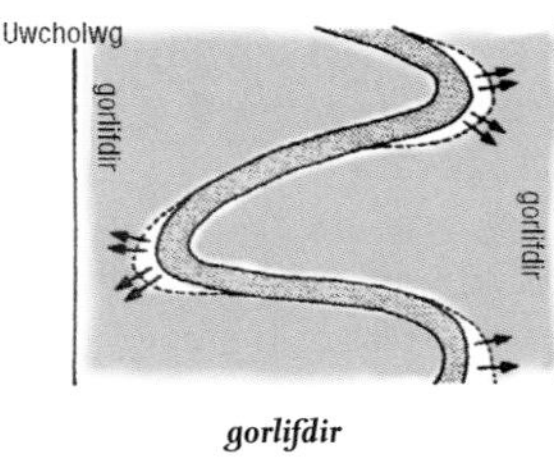

gorlifdir

gorsaf drydan thermol Gwaith cynhyrchu trydan sy'n llosgi **glo**, olew neu nwy naturiol i gynhyrchu ager i yrru tyrbinau.

gorsaf dywydd Man lle mae pob elfen o'r tywydd yn cael ei mesur a'i chofnodi. Bydd gan bob gorsaf **sgrin Stevenson** ac amrywiaeth o offer fel **thermomedr uchafbwynt ac isafbwynt, hygromedr, medrydd glaw, ceiliog y gwynt** ac **anemomedr**.

GPS (system leoli byd-eang) (*global positioning system*) System o loerenni sy'n troi o gwmpas y Ddaear, gan drawsyrru signalau'n barhaus tuag at y Ddaear. Mae'r system yn golygu ei bod yn bosibl amcangyfrif yn weddol gywir leoliad dyfais sy'n derbyn signalau ar arwyneb y Ddaear o'r gwahaniaeth yn yr amserau y mae'r signalau o loerenni'r system yn eu cymryd i gyrraedd y ddyfais.

graddfa Y gymhareb maint sy'n cael ei chynrychioli gan fap; er enghraifft, ar fap graddfa 1:25 000, mae'r dirwedd yn cael ei dangos ar 1/25 000 o'i maint gwirioneddol.

graddfa Richter Graddfa mesur daeargrynfeydd sy'n disgrifio maint **daeargryn** yn ôl swm yr egni sy'n cael ei ryddhau. Mae'r swm yn cael ei gofnodi gan **seismograff**.

graddfa wynt Beaufort Graddfa ryngwladol i fesur buanedd y gwynt, yn amrywio o 0 (llonydd) i 12 (corwynt).

graddiant **1.** Mesur sy'n dynodi pa mor serth yw llinell neu lethr. Mewn gwaith map, gellir cyfrifo'r graddiant cyfartalog rhwng dau bwynt fel:

$$\frac{gwahaniaeth\ mewn\ uchder}{pellter\ oddi\ wrth\ ei\ gilydd}$$

2. Mesur sy'n dynodi newid mewn priodwedd fel dwysedd. Mewn **daearyddiaeth ddynol** mae graddiannau, er enghraifft, mewn **dwysedd poblogaeth**, gwerthoedd tir a dull graddio **aneddiadau**.

graeandir (*tombolo*) **Tafod** sy'n ymestyn gan uno ynys â'r tir mawr.

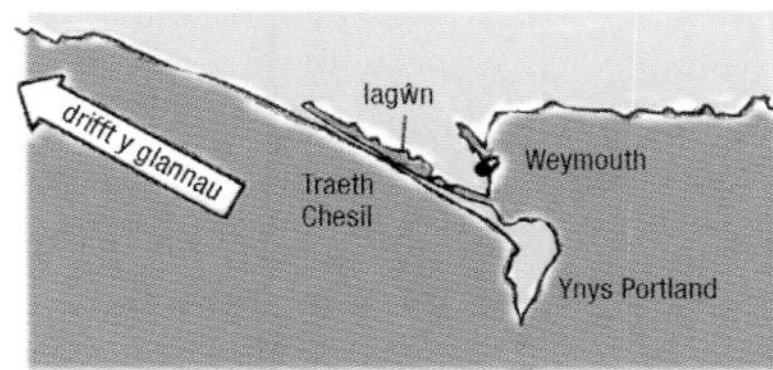

graeandir Traeth Chesil, Lloegr.

graff bar Graff lle mae gwerthoedd newidyn penodol yn cael eu dangos yn ôl hyd colofnau wedi'u graddliwio, sy'n cael eu rhifo mewn dilyniant. *Cymharer* **histogram**.

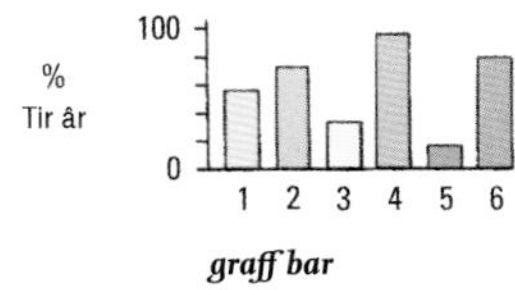

graff bar

greic Agen rhwng blociau **calchfaen** (**clintiau**), yn enwedig mewn **palmant calchfaen**.

grŵp economaidd gymdeithasol Grŵp y mae nodweddion cymdeithasol ac economaidd penodol – megis cymwysterau addysgol, math o swydd, a chyflog – yn perthyn iddo.

grŵp ethnig Grŵp o bobl â hunaniaeth gyffredin megis diwylliant, crefydd neu liw croen.

grwyn *Gweler* **argor**.

gwaddod Y defnydd sy'n ganlyniad **hindreuliad** ac **erydiad** y dirwedd, ac sydd wedi ei ddyddodi gan ddŵr, iâ neu wynt. Gall gael ei ailgyfuno i ffurfio **craig waddod**.

gwahanfa ddŵr Y ffin, cefnen o dir uchel yn aml, rhwng dau **fasn afon**.

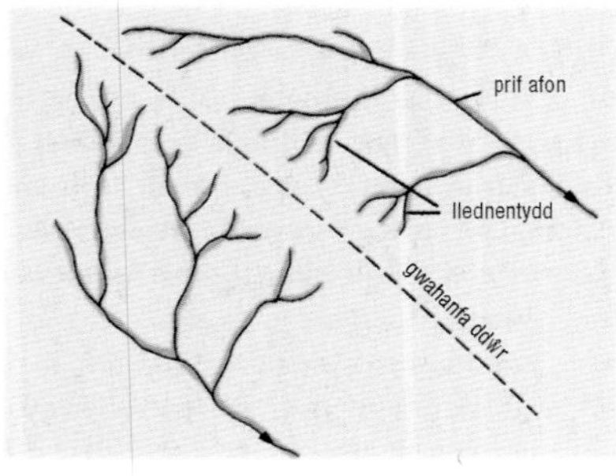

gwahanfa ddŵr

gweithred hydrolig Grym erydu dŵr yn unig, yn wahanol i **gyrathiad**. Bydd afon neu fôr yn erydu'n rhannol trwy rym dŵr symudol, a'r term am hyn yw 'gweithred hydrolig'.

gwenithfaen **Craig igneaidd** sy'n cynnwys grisialau mawr oherwydd oeri araf yn ddwfn yng **nghramen** y Ddaear.

gwlad newydd ei diwydianeiddio (GND) **Gwlad incwm isel** lle mae diwydiannau'n tyfu, er enghraifft Malaysia a Gwlad Thai. Mae ambell GND wedi llwyddo i ddefnyddio datblygiad ar raddfa fawr i symud i'r byd diwydiannol. Fel arfer, mae'r cyfalaf ar gyfer datblygiadau o'r fath yn dod o'r tu allan i'r wlad.

gwledydd incwm isel Term torfol am y cenhedloedd hynny yn Affrica, Asia ac America Ladin sy'n datblygu ac yn mynd trwy brosesau cymhleth moderneiddio, **diwydianeiddio a threfoli**. *Gweler hefyd* **Trydydd Byd**.

gwlff Cilfach yn yr arfordir, yn debyg i **fae** ond yn fwy. Wedi'i ffurfio fel arfer o ganlyniad i lefel y môr yn codi.

gwlithbwynt Ar y tymheredd hwn bydd yr **atmosffer**, wrth gael ei oeri, yn mynd yn ddirlawn ag anwedd dŵr. Mae'r anwedd hwn wedyn yn cael ei ddyddodi fel diferion gwlith.

gwyntoedd cyson Gwynt sy'n chwythu o'r ardaloedd isdrofannol o wasgedd uchel tuag at yr ardal gyhydeddol o wasgedd isel. Yn hemisffer y gogledd, mae'r gwyntoedd yn chwythu o'r gogledd-ddwyrain ac yn hemisffer y de o'r de-ddwyrain.

H

haenlin Yr haenau amlwg sydd i'w cael mewn **proffil pridd**. Fel arfer bydd tair haenlin yn cael eu nodi – A, B ac C, fel yn y diagram isod.

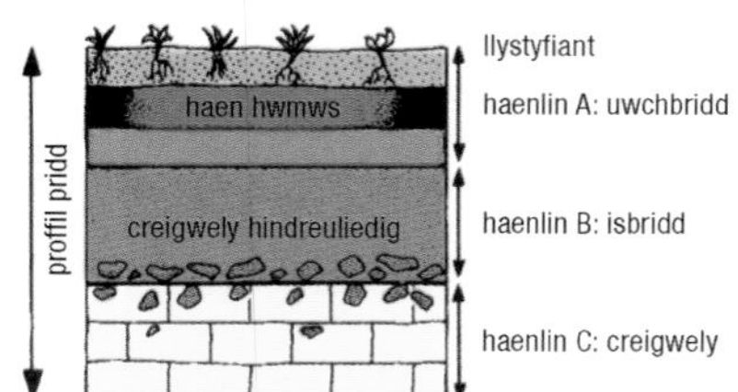

haenlin Proffil pridd nodweddiadol.

hemisffer Hanner glôb neu sffêr. Yn draddodiadol mae'r Ddaear wedi cael ei rhannu yn hemisfferau gan y **cyhydedd** (hemisffer y gogledd a hemisffer y de) a gan y **prif feridian** a'r **Ddyddlinell Ryngwladol** (hemisffer y dwyrain a hemisffer y gorllewin).

hindreuliad **Creigiau** yn cael eu treulio yn y fan a'r lle. Mae hindreuliad yn wahanol i **erydiad** gan

nad yw'r defnydd sy'n cael ei ddinoethi'n symud yn bell.

hinsawdd Yr amodau atmosfferig cyfartalog sy'n perthyn i ranbarth, yn wahanol i'w **dywydd**. Mae hinsawdd yn ymwneud â thueddiadau tymor hir. Felly dywedir bod hinsawdd Basn Amazonas, er enghraifft, yn boeth a gwlyb drwy gydol y flwyddyn. Wrth ddisgrifio hinsawdd Rhanbarth y Môr Canoldir, sonnir am hafau sych a phoeth a gaeafau gwlyb a mwyn. *Gweler* **hinsawdd eithaf, hinsawdd forol**.

hinsawdd dymherus Hinsawdd sy'n nodweddiadol o'r lledredau canol. Mae hinsawdd o'r fath rhwng yr hinsoddau eithaf – rhwng hinsoddau poeth (trofannol) ac oer (pegynol). *Cymharer* **hinsawdd eithaf**. *Gweler hefyd* **hinsawdd forol**.

hinsawdd eithaf Hinsawdd sy'n cael ei nodweddu gan amrediadau mawr o dymheredd ac weithiau glawiad. *Cymharer* **hinsawdd dymherus, hinsawdd forol**.

hinsawdd forol **Hinsawdd dymherus** y mae agosrwydd y môr yn effeithio arni, gan roi amrediad tymheredd blynyddol bach – haf gweddol glaear a gaeaf mwyn – a glawiad drwy gydol y flwyddyn. Mae gan Brydain hinsawdd forol. *Cymharer* **hinsawdd eithaf**.

hinsawdd gyfandirol Yr hinsawdd sydd yng nghanol eangdiroedd mawr. Yn nodweddiadol, bydd amrediad tymheredd mawr, gyda dyodiad yn fwyaf tebygol yn yr haf.

histogram Graff sy'n dangos gwerthoedd dosbarthiadau data trwy gyfrwng arwynebedd colofnau.

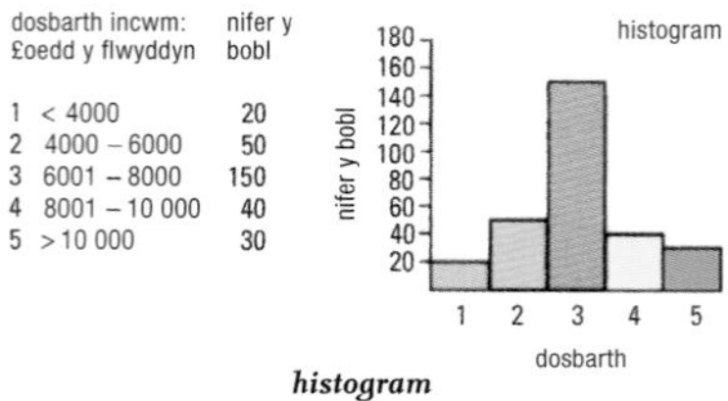

histogram

horst *Gweler* **blocfynydd**.

hydred Mesur o bellter ar arwyneb y Ddaear i'r dwyrain neu i'r gorllewin o **Feridian Greenwich**, llinell ddychmygol sy'n rhedeg o begwn i begwn trwy Greenwich yn Llundain. Mae hydred, fel **lledred**, yn cael ei fesur mewn graddau ongl o ganol y Ddaear.

Gall **cyfeirnod grid**, sy'n cynnwys hydred a lledred, roi union **leoliad** lle. *Gweler hefyd* **tafluniad map, prif feridian**.

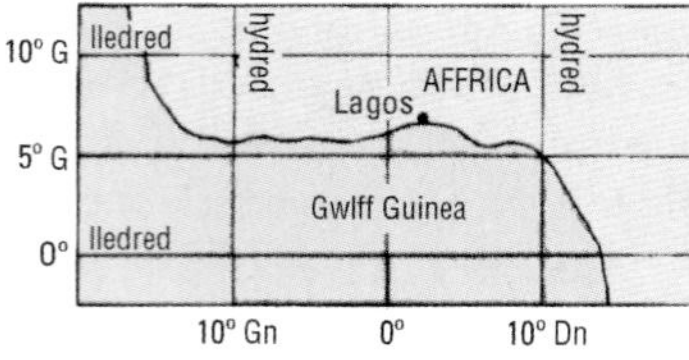

hydred Grid yn dangos lleoliad Lagos, Nigeria.

hydrosffer Yr holl ddŵr ar y Ddaear, yn cynnwys y dŵr yn yr **atmosffer** yn ogystal ag yn y cefnforoedd, moroedd, **llenni iâ**, ac ati.

hygromedr Offeryn ar gyfer mesur lleithder cymharol yr **atmosffer**. Mae'n cynnwys dau thermomedr. Mae un ohonynt, sef y thermomedr bwlb gwlyb, yn cael ei gadw'n llaith gan wic wedi'i osod mewn cronfa ddŵr. Mae anweddiad o'r wic

yn lleihau tymheredd y thermomedr, ac mae'r gwahaniaeth rhwng tymheredd y thermomedr bwlb gwlyb a thymheredd y thermomedr bwlb sych yn cael ei ddefnyddio i gyfrifo lleithder cymharol o dablau safonol.

I

iardang Cefnennau hir, bron yn gyfochrog, o **graig** mewn rhanbarthau cras a lletgras. Mae'r cefnennau'n cael eu tandorri gan **erydiad** gwynt ac mae'r gwynt yn ysgubo'r coridorau rhyngddynt yn glir o dywod. Mae'r cefnenau'n gorwedd yn yr un cyfeiriad â'r prifwynt.

Incwm Gwladol Crynswth (IGC) Cyfanswm gwerth y nwyddau a gwasanaethau sy'n cael eu cynhyrchu'n flynyddol gan genedl, plws incwm eiddo net o dramor.

incwm y pen **Incwm Gwladol Crynswth** gwlad wedi'i rannu â maint ei phoblogaeth. Mae'n rhoi incwm cyfartalog y pen o'r boblogaeth pe bai'r incwm gwladol yn cael ei rannu'n gyfartal. Defnyddir cymariaethau incwm y pen fel un dangosydd o lefelau datblygiad economaidd.

ïonosffer *Gweler* **atmosffer**.

isadeiledd Strwythur sylfaenol sefydliad neu system. Mae isadeiledd dinas yn cynnwys, er enghraifft, ei ffyrdd a'i rheilffyrdd, ysgolion, ffatrïoedd, a chyflenwadau pŵer a dŵr.

isbridd *Gweler* **proffil pridd**.

isobar Llinell sy'n cysylltu pwyntiau o wasgedd atmosfferig cyfartal, fel ar y map meteorolegol isod.

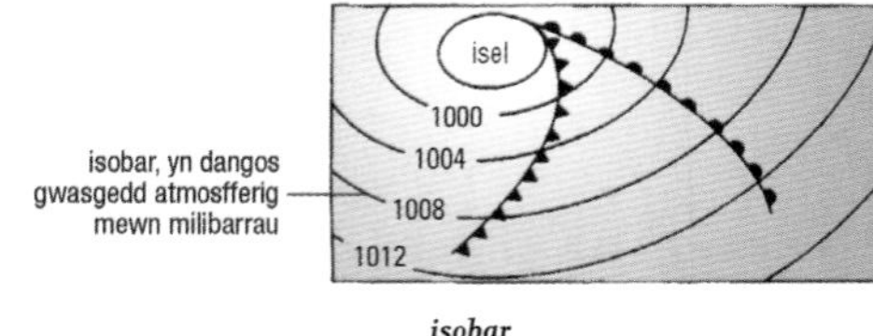

isobar

isotherm Llinell ar fap meteorolegol sy'n cysylltu lleoedd o dymheredd cyfartal.

L

lacolith **Mewnwthiad** igneaidd, cromennog ac yn aml o faint sylweddol, wedi'i achosi lle mae corff o **fagma** gludiog wedi cael ei fewnwthio i **strata** yng **nghramen** y Ddaear. Mae'r strata hyn yn cael eu crychu ar i fyny dros y lacolith.

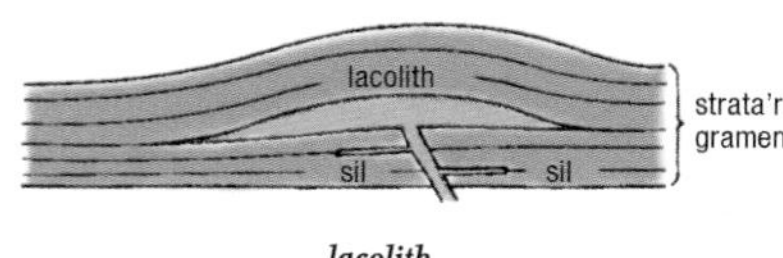

lacolith

lafa **Magma** wedi'i allwthio i arwyneb y Ddaear trwy gyfrwng echdoriad folcanig. Mae lafa'n amrywio o ran gludedd (*gweler* **lafa gludiog**), lliw a chyfansoddiad cemegol. Mae lafâu asidig yn tueddu i fod yn ludiog gan lifo'n araf; mae lafâu basig yn tueddu i fod yn anludiog gan lifo'n gyflym. Mae rhai **llifoedd lafa** yn cynnwys defnydd basaltig, ac mae'r math hwn o lif lafa'n aml yn rhan o'r broses o ledaenu gwely'r môr (*gweler* **tectoneg platiau**).

lafa gludiog **Lafa** sy'n gwrthsefyll y duedd i lifo. Mae'n ludiog, yn llifo'n araf ac yn ceulo'n gyflym. Mae *lafa anludiog* yn llifyddol iawn, yn llifo'n gyflym ac yn ceulo'n araf.

lagŵn 1. Darn o ddŵr cysgodol ar yr arfordir y tu ôl i far bae neu **raeandir**.
2. Y dŵr llonydd y tu ôl i riff cwrel.

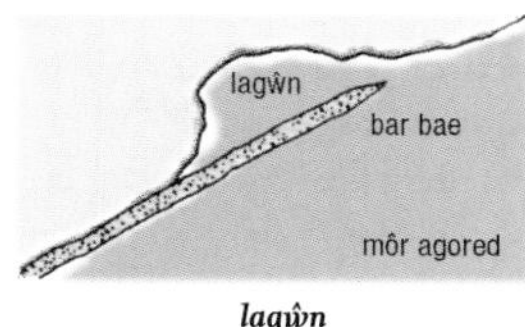

lagŵn

lahar Tirlithriad o falurion folcanig wedi'u cymysgu â dŵr i lawr ochrau llosgfynyddd, wedi'i achosi gan naill ai glaw trwm neu wres y llosgfynyddd yn toddi eira ac iâ.

laterit Pridd caled ('fel bricsen' yn llythrennol) yn y trofannau, wedi'i achosi gan bobi'r **haenlinau** uchaf sy'n agored i'r haul.

Lawrasia Uwchgyfandir hemisffer y gogledd, yn cynnwys Gogledd America, Ewrop ac Asia bresennol (heblaw am India), a dorrodd i ffwrdd o **Pangaea** tua 200 miliwn o flynyddoedd yn ôl. Mae Lawrasia yn rhan o ddamcaniaeth **drifft cyfandirol**. *Gweler hefyd* **tectoneg platiau**.

lefel môr Uchder cyfartalog arwyneb y cefnforoedd a'r moroedd.

lefel trwythiad Y lefel y mae'r ddaear yn barhaol ddirlawn oddi tani. Felly, lefel uchaf y **dŵr daear** yw'r lefel trwythiad. Mewn ardaloedd lle mae **craig athraidd** yn bennaf, gall y lefel trwythiad fod yn ddwfn iawn.

lignit Math meddal o **lo**, yn galetach na **mawn** ond yn feddalach na **glo rhwym**.

LL

llaethyddiaeth System **ffermio bugeiliol** lle mae gwartheg godro'n cynhyrchu llaeth sy'n cael ei ddefnyddio ar ei ben ei hun neu i wneud cynhyrchion llaeth fel caws, menyn, hufen ac iogwrt.

llain las Ardal o dir, sydd fel arfer ar gyrion tref neu ddinas, lle mae adeiladu a datblygiadau eraill yn cael eu cyfyngu gan ddeddfwriaeth.

llain-gnydio (*strip cropping*) Dull o warchod **pridd** sy'n golygu bod cnydau gwahanol yn cael eu plannu mewn cyfres o leiniau, yn aml yn dilyn **cyfuchlinneddau** o amgylch ochr bryn. Diben y fath drefnu tyfu cnydau yw atal symudiad pridd i lawr y llethr. *Gweler* **erydiad pridd**.

llanw Arwyneb y môr yn codi a disgyn, tua dwywaith y dydd. Mae llanw'n cael ei achosi gan dynfa disgyrchiant y lleuad ac, i raddau llai, yr haul.

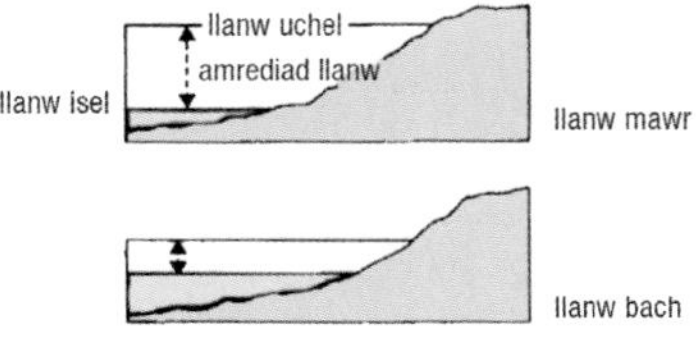

llanw *Amrediadau llanw.*

llechfaen **Clai** neu siâl metamorffedig. Mae llechfaen yn **graig** ddwys a mân-ronynnog. Mae'n nodedig oherwydd bod modd ei *hollti'n berffaith*, h.y. gellir ei hollti ar hyd plân cwbl lyfn.

llednant Nant neu afon sy'n llifo i mewn i un fwy. *Cymharer* **allafon**.

lledred Pellter i'r gogledd neu i'r de o'r cyhydedd. Mae'n cael ei fesur yn ôl graddau'r ongl yng nghanol y Ddaear:

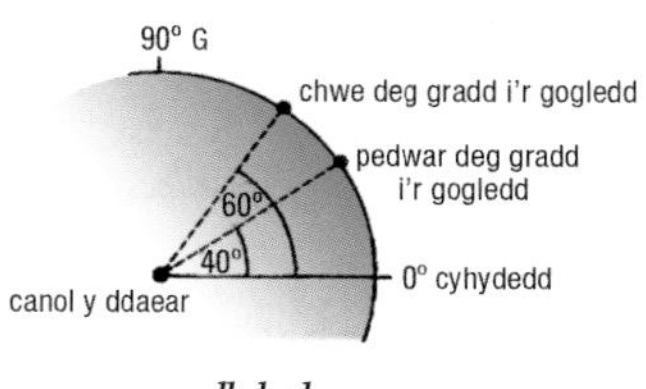

lledred

lledwastadedd (*peneplain*) Rhanbarth sydd wedi'i erydu nes ei fod bron yn wastad. Bydd y creigiau mwy gwydn yn sefyll uwchlaw lefel gyffredinol y tir.

lleithder cymharol Y berthynas rhwng swm gwirioneddol anwedd dŵr yn yr aer a swm yr anwedd y gallai'r aer ei ddal ar dymheredd penodol. Mae hyn yn cael ei fynegi gan mwyaf fel canran. Mae lleithder cymharol yn rhoi mesur o wlybaniaeth yn yr **atmosffer**, a gall hyn gael ei ganfod gan **hygromedr**.

llen iâ Gorchudd o iâ parhaol dros arwynebedd cyfandirol sylweddol fel Antarctica.

lleoliad Safle poblogaeth, anheddiad a gweithgaredd economaidd mewn ardal(oedd) arbennig. Mae lleoliad yn thema sylfaenol mewn **daearyddiaeth ddynol**.

llethr sgarp Y llethr serthaf o'r ddau lethr sy'n rhan o **sgarp** o **strata** ar oledd. *Cymharer* **golethr**.

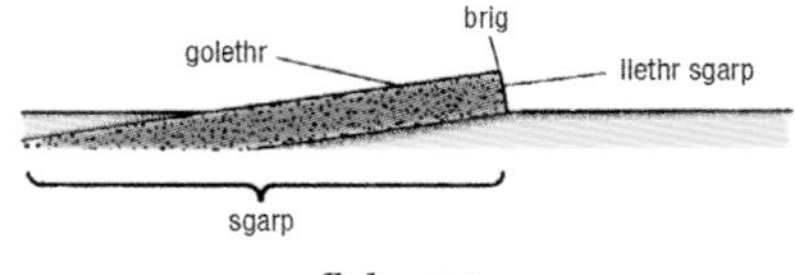

llethr sgarp

llif gwaelodol Y dŵr sy'n llifo mewn nant neu afon ac a ddaw o **ddŵr daear** yn unig. Yn ystod cyfnodau sych, dim ond y llif sylfaen sy'n teithio ar hyd sianel y dŵr.

llif lafa Ffrwd **lafa** sy'n deillio o ryw fath o echdoriad folcanig. *Gweler hefyd* **lafa gludiog**.

llifglawdd Glan afon sydd wedi ei chodi'n uwch na lefel gyffredinol y **gorlifdir** gan ddyddodi **gwaddod** yn ystod llifogydd. Wrth i'r afon dorri ei glannau, mae gwaddod cymharol fras yn cael ei ddyddodi gyntaf, ac o ganlyniad mae llifogydd pellach yn dyddodi mwy a mwy o waddod ar lannau'r afon. *Gweler* y diagram isod.

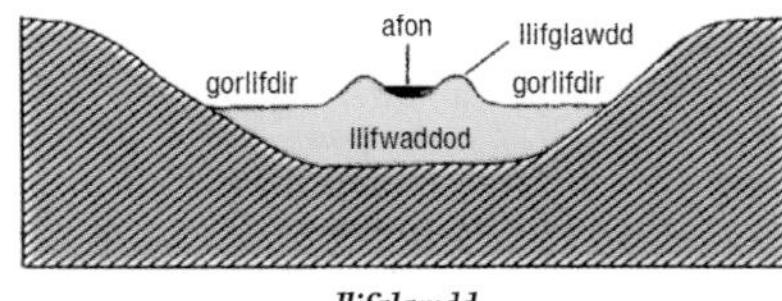

llifglawdd

lliflin Diagram yn dangos cyfeintiau symud, e.e. symud pobl, nwyddau neu wybodaeth rhwng lleoedd. Mae lled y lliflin mewn cyfranedd â maint y symud, er enghraifft wrth ddangos llifoedd cymudwyr i mewn i ganolfan drefol o drefi a phentrefi cyfagos.

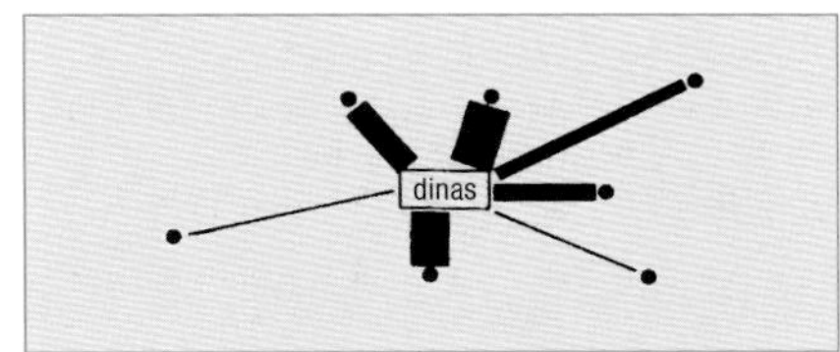

lliflin *Llifoedd cymudwyr i mewn i ddinas.*

llifwaddod Defnydd sydd wedi'i ddyddodi gan afon yn ei chwrs canol a'i chwrs isaf. Mae llifwaddod yn cynnwys **silt**, tywod a malurion mwy bras wedi'u herydu o gwrs uchaf yr afon a'u cludo i lawr yr afon. Mae llifwaddod yn cael ei ddyddodi mewn dilyniant graddedig: y mwyaf bras (trymaf) yn gyntaf a'r mwyaf mân (ysgafnaf) yn olaf. Mae llifogydd rheolaidd yn y cwrs isaf yn creu haenau eang o lifwaddod sy'n gallu datblygu hyd at ddyfnder sylweddol ar y **gorlifdir**.

llosgfynyddd Agen yng **nghramen** y Ddaear y mae **magma** yn cyrraedd arwyneb y Ddaear drwyddi. Mae pedwar prif fath o losgfynyddd:
(a) *Côn lafa asid* – côn ag ochrau serth iawn wedi'i ffurfio'n gyfan gwbl o **lafa gludiog**, asidig sy'n llifo'n araf ac yn ceulo'n gyflym iawn.
(b) *Llosgfynydd cyfansawdd* – un côn yn cynnwys haenau bob yn ail o ludw (neu **byroclastau** eraill) a lafa.

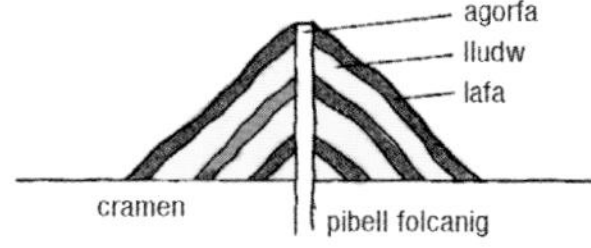

llosgfynyddd *Llosgfynydd cyfansawdd.*

(c) *Llosgfynydd agen* – llosgfynyddd sy'n echdorri ar hyd toriad llinol yn y gramen, yn hytrach nag o un côn.
(ch) *Llosgfynydd tarian* – llosgfynydd wedi'i wneud o lafa anludiog, sylfaenol iawn. Mae'r lafa hwn yn llifo'n gyflym ac yn ceulo'n araf, gan gynhyrchu côn ar oledd graddol iawn.

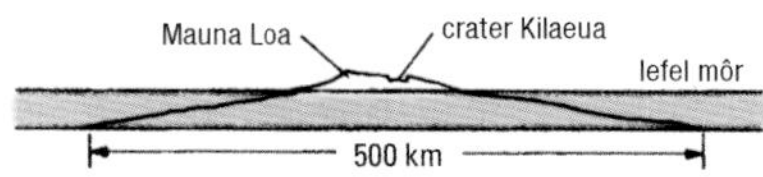

llosgfynyddd *Llosgfynydd tarian.*

llosg-garnedd Màs o ddarnau bras o graig neu flociau o lafa a gynhyrchwyd yn ystod echdoriad folcanig.

llwyfandir Ardal o uwchdir gydag arwyneb gweddol wastad a llethrau serth. Mae afonydd yn aml yn croesi arwynebau llwyfandiroedd.

llwyfandir lafa Uwchdir cymharol wastad wedi'i ffurfio o haen ar ben haen o lafâu llorweddol bron. Enghraifft o hyn yw Llwyfandir Deccan yn India.

llyfndir sgrafellu *Gweler* **llyfndir tonnau**.

llyfndir tonnau *neu* **llyfndir sgrafellu** Arwyneb ar oledd graddol wedi'i erydu gan y môr ar hyd morlin.

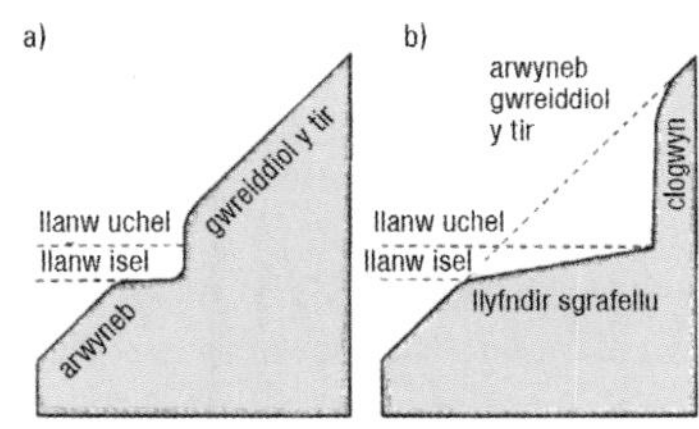

llyfndir tonnau a) *Yn gynnar yn ei ffurfiant,*
b) *yn hwyrach yn ei ffurfiant.*

llygredd Difrod amgylcheddol wedi'i achosi gan gamleoli adnoddau, neu gan weithgaredd diofal pobl.

llyn Dŵr wedi'i amgylchynu'n llwyr gan dir.

llyn hirgul Llyn hir, cymharol gul, sydd fel arfer ar lawr dyffryn rhewlifedig ffurf U. Gall llyn hirgul gael ei ffurfio gan *orddyfnhau* rhan o lawr y dyffryn trwy **sgrafellu** rhewlifol.

llyn mynydd Y llyn ôl-rewlifol sydd yn aml mewn **peiran**.

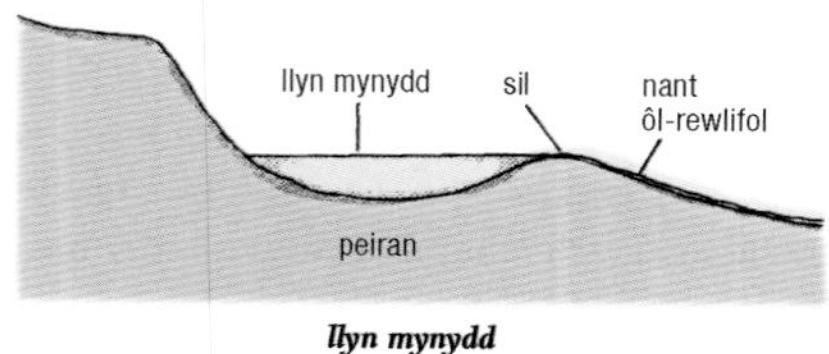

llyn mynydd

llystyfiant Planhigion sy'n tyfu mewn rhanbarth penodol.

M

maen dyfod (*erratic*) Clogfaen o fath penodol o **graig** sy'n gorwedd ar arwyneb o ddaeareg wahanol. Er enghraifft, blociau o **wenithfaen** yn gorwedd ar arwyneb o **galchfaen** carbonifferaidd.

maestrefi Rhannau allanol, a mwyaf, tref neu ddinas.

magma Craig dawdd ym **mantell** y Ddaear; dyma ffynhonnell pob **craig igneaidd**.

mantell Y fwyaf o gylchfaoedd cydganol strwythur y Ddaear. Mae'r fantell yn gorchuddio'r **craidd** ac mae'r **gramen** yn amgylchynu'r fantell.

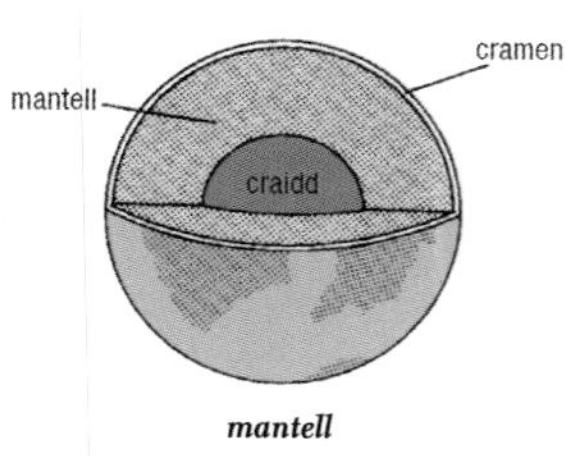

mantell

map Cynrychioliad diagramatig o ardal – er enghraifft, rhan o arwyneb y Ddaear.

map coropleth *Gweler* **map graddliwio**.

map graddliwio *neu* **map coropleth** Map sy'n defnyddio graddliwio o arddwysedd amrywiol. Er enghraifft, patrwm **dwysedd poblogaeth** mewn rhanbarth.

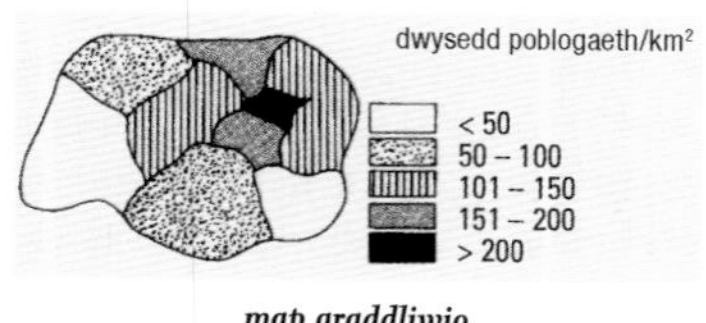

map graddliwio

map sylfaen Map y gall gwybodaeth thematig gael ei gosod arno.

marian Term ar gyfer malurion sydd wedi'u dyddodi gan **rewlifau** neu arnynt. Defnyddir y term hefyd wrth sôn am gyrff iâ yn gyffredinol. Mae sawl math o farian. Mae marian *ochrol* yn ffurfio ar hyd ymylon rhewlif dyffryn lle mae malurion – wedi'u herydu o ochrau'r dyffryn, neu eu hindreulio o'r llethrau uwchlaw y rhewlif – yn cronni. Mae marian *canol* yn ffurfio lle mae dau farian ochrol yn cwrdd ar gyffordd dau rewlif. Defnydd wedi'i ddal yng nghorff y rhewlif yw marian *perfedd*. Defnydd wedi'i erydu o lawr y dyffryn a'i ddefnyddio gan y rhewlif fel arf sgrafellu yw marian *llusg*. Defnydd wedi'i wthio gan y rhewlif wrth iddo symud ymlaen a'i ddyddodi ar ben pellaf ei daith i lawr dyffryn yw marian *terfynol*. Gall marianau *enciliol* gael eu

dyddodi ar adegau disymud yn ystod cyfnod o encilio rhewlifol cyffredinol.

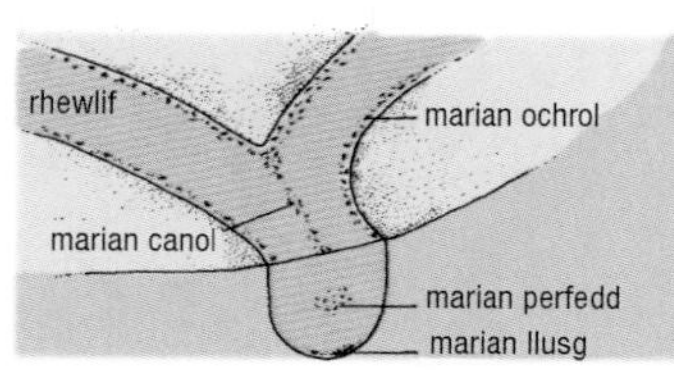

marian

marianbridd (*loess*) **Silt** mân iawn, a thrwchus iawn yn aml, sy'n cael ei gludo gan y gwynt cyn ei ddyddodi. Pan gaiff ei ddyfrhau, gall marianbridd fod yn ffrwythlon iawn, ac felly mae'n bosibl cael **cynnyrch** uchel o gnydau sy'n cael eu tyfu ar ddyddodion marianbridd.

marmor **Craig fetamorffig** risialog a gwyn a gynhyrchwyd wrth i **galchfaen** gael ei roi o dan wres neu wasgedd mawr (neu'r ddau) yn ystod symudiadau'r Ddaear.

masgio Dull o guddio nodweddion ar fap i wella darllenadwyaeth.

masnach rydd Symud nwyddau a gwasanaethau rhwng gwledydd heb i gyfyngiadau (fel cwotâu, tollau neu drethi) gael eu gosod.

masnach ryngwladol Cyfnewid nwyddau a gwasanaethau rhwng gwledydd.

mawn Llystyfiant sydd wedi pydru'n rhannol a'i gywasgu. Mae i'w weld wedi cronni mewn ardaloedd o lawiad uchel a/neu **ddraeniad** gwael.

medrydd glaw Offeryn a ddefnyddir i fesur glawiad. Mae glaw yn disgyn trwy dwndis i mewn i'r jar islaw, ac yna mae'n cael ei drosglwyddo i silindr mesur. Mae'r darlleniad, mewn milimetrau, yn dangos dyfnder y glaw sydd wedi disgyn dros ardal.

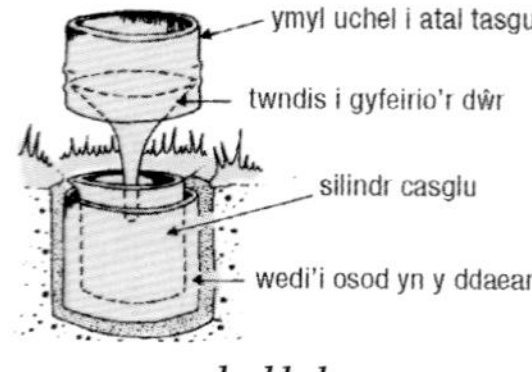

medrydd glaw

Meridian Greenwich *Gweler* **prif feridian**.

mesa Bryn â chopa gwastad sy'n sefyll ar ei ben ei hun mewn rhanbarthau cras. Mae gan fesa gap gwarchodol o **graig** galed ar ben **craig waddod** feddalach sy'n erydu'n haws. Mae **cnwc** yn debyg i fesa ond yn fwy cul.

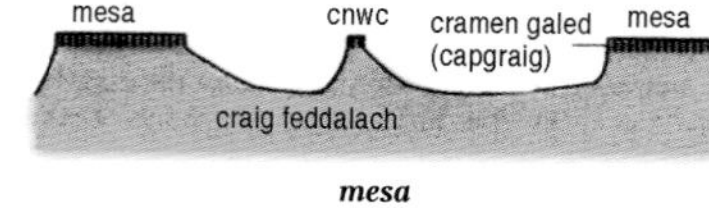

mesa

mesosffer *Gweler* **atmosffer**.

metadata Yr holl wybodaeth a ddefnyddir i ddisgrifio cynnwys, ansawdd, cyflwr, tarddiad a nodweddion eraill data.

mewnforion Nwyddau neu wasanaethau wedi'u prynu i mewn i un wlad o wlad arall (*cymharer* **allforion**).

mewnfudiad Pobl yn symud i mewn i wlad neu ranbarth o wledydd neu ranbarthau eraill.

mewnwthiad Corff o **graig igneaidd** wedi'i chwistrellu i **gramen** y Ddaear o'r **fantell** islaw. *Gweler* **deic, sil, batholith**.

monsŵn Mae'r term yn llythrennol yn golygu 'gwynt tymhorol', ac fe'i defnyddir yn gyffredinol

i ddisgrifio sefyllfa lle mae cyfeiriad y gwynt yn gwrthdroi o un tymor i'r llall. Mae hyn yn arbennig o wir yn Ne a De Ddwyrain Asia, lle mae dau wynt monsŵn, y ddau'n gysylltiedig â graddiannau gwasgedd eithafol wedi'u creu gan ehangdir mawr cyfandir Asia.

mordwll Agen, **breg** neu **ffawt** mewn creigiau arfordirol, a gafodd ei wneud yn fwy gan **erydiad** morol. Mae mordwll yn aml yn arwain o gefn ogof (sydd wedi'i ffurfio gan weithred y tonnau ar droed **clogwyn**) i fyny i ben y clogwyn. Wrth i donnau dorri yn yr ogof, maen nhw'n erydu man gwannaf y to ac ymhen amser mae twll yn cael ei ffurfio. Mae aer ac weithiau ewyn yn cael eu gwthio i fyny'r mordwll i echdorri ar yr arwyneb.

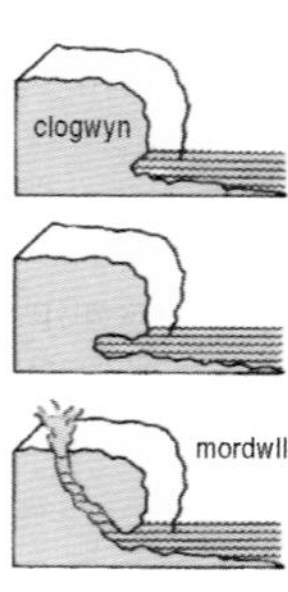

mordwll

morglawdd Clawdd artiffisial wedi'i adeiladu allan o'r tir i mewn i'r môr i amddiffyn harbwr neu arfordir rhag grym y tonnau.

morlin anghydgordiol (*discordant coastline*) Morlin sydd ar ongl sgwâr i'r mynyddoedd a'r dyffrynnoedd cyfagos. O ganlyniad i lefel môr yn codi neu'r tir yn suddo, mae'r dyffrynnoedd yn cael eu boddi. Yr enw am ddyffryn afon wedi'i foddi yw **ria**, a'r enw am ddyffryn rhewlifedig wedi'i foddi yw **ffiord**. *Cymharer* **morlin cydgordiol**.

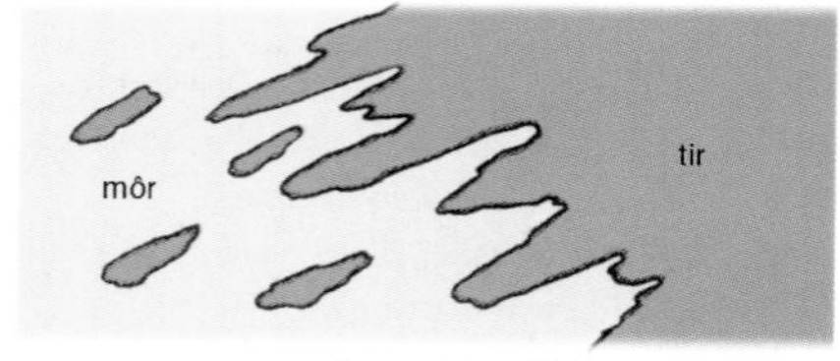

morlin anghytgordiol

morlin cydgordiol (*concordant coastline*) Morlin sy'n gyfochrog â chadwynau o fynyddoedd cyfagos. O ganlyniad i lefel môr yn codi neu'r tir yn suddo, mae'r dyffrynnoedd yn cael eu boddi ac mae'r mynyddoedd yn dod yn llinell o ynysoedd. *Cymharer* **morlin anghydgordiol**.

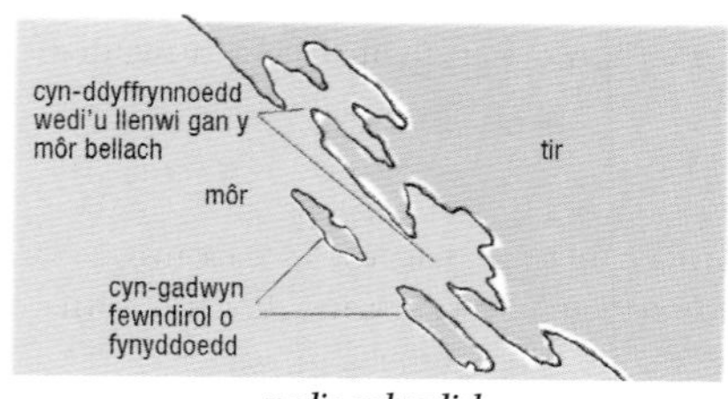

morlin cydgordiol

moryd Ceg lydan afon lle mae'n llifo i mewn i'r môr. Mae moryd yn ffurfio lle mae amodau croes i'r rheini sy'n addas ar gyfer ffurfio **delta**: dŵr alltraeth dwfn, ceryntau morol cryf a llwyth **gwaddod** llai.

mudo Symud cartref yn barhaol neu'n lled-barhaol.

mudo gwledig-trefol Pobl yn symud o ardaloedd gwledig i ardaloedd trefol. *Gweler* **mudo** a **diboblogi gwledig**.

mwrllwch Cymysgedd o fwg a niwl. Mae'n gysylltiedig ag ardaloedd trefol a diwydiannol, ac mae'n creu **atmosffer** afiach.

mynegai daearyddol (*gazetteer*) Rhestr o enwau lleoedd ynghyd â'u cyfesurynnau daearyddol.

mynegrif datblygiad dynol (MDD) Mesur o hirhoedledd, gwybodaeth a safon byw trigolion gwlad. Mae hirhoedledd yn cael ei fesur gan ddisgwyliad oes adeg geni. Mae gwybodaeth yn cael ei mesur gan gyfuniad o gyfradd llythrennedd oedolion a'r gymhareb grynswth gyfun o gofrestriadau mewn ysgolion cynradd, uwchradd a thrydyddol. Mae safon byw yn cael ei mesur gan **CMC** y pen.

mynydd Ymestyniad naturiol o arwyneb y Ddaear tuag i fyny. Mae'n uwch ac yn fwy serth na bryn, ac yn aml mae'r copa'n greigiog.

mynydd iâ Màs mawr o iâ sydd wedi torri oddi ar **len iâ** neu **rewlif** ac sy'n arnofio yn y môr.

mynyddoedd plyg Mynyddoedd sydd wedi cael eu ffurfio gan blygu cymhleth ar raddfa fawr. Mae astudiaethau o fynyddoedd plyg nodweddiadol (Mynyddoedd Himalaya, yr Andes, yr Alpau a'r Rockies) yn dangos bod plygu wedi digwydd yn ddwfn y tu mewn i **gramen** a **mantell** uchaf y Ddaear yn ogystal ag yn haenau uchaf y gramen.

N

névé Eira cywasgedig. Ym maes iâ **peiran**, er enghraifft, mae pedair haen: iâ glas a gwyn ar waelod y màs iâ; névé yn gorchuddio'r iâ; ac eira powdr ar yr arwyneb.

newid poblogaeth Cynnydd neu ostyngiad yn y boblogaeth. Mae'r cydrannau wedi'u crynhoi yn y diagram canlynol.

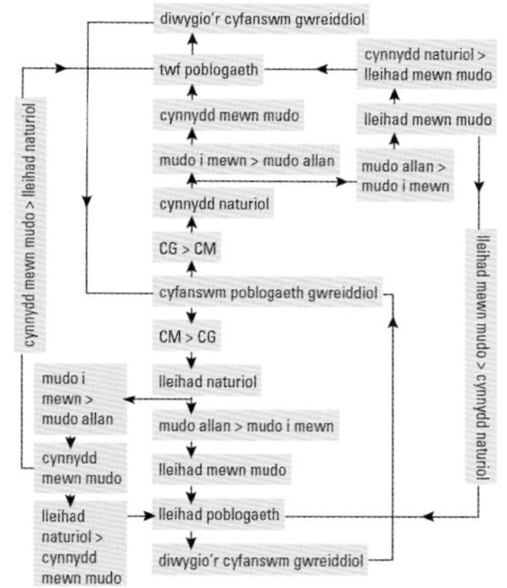

CG = cyfradd genedigaethau   CM = cyfradd marwolaethau
newid poblogaeth

nod Pwynt sy'n cynrychioli dechrau neu ddiwedd ymyl neu arc.

nuée ardente *neu* **llif pyroclastig** Cwmwl o nwy, lludw a chraig sy'n boeth iawn ac yn symud yn gyflym. Ar ôl cael ei luchio allan o losgfynydd mae'n llifo'n agos at y ddaear. Mae'n ddinistriol iawn.

nynatac Copa mynydd sy'n ymestyn uwchlaw lefel gyffredinol yr iâ ger ymyl **llen iâ**.

O

Oes Iâ Cyfnod o **rewlifiant** pryd mae oeri'r **hinsawdd** yn arwain at ddatblygu **llenni iâ**, **capiau iâ** a **rhewlifau** dyffryn.

oson Ffurf ar ocsigen sydd i'w chael mewn haen yn y **stratosffer**. Mae'n amddiffyn arwyneb y Ddaear rhag pelydrau uwchfioled.

P

palmant calchfaen Arwyneb **calchfaen** noeth lle mae'r **bregion** wedi cael eu gwneud yn fwy gan weithred dŵr glaw yn hydoddi'r calchfaen i ffurfio asid carbonig gwan. Mae'r bregion mwy hyn, neu **greiciau**, yn creu blociau petryal o galchfaen o'r enw **clintiau**.

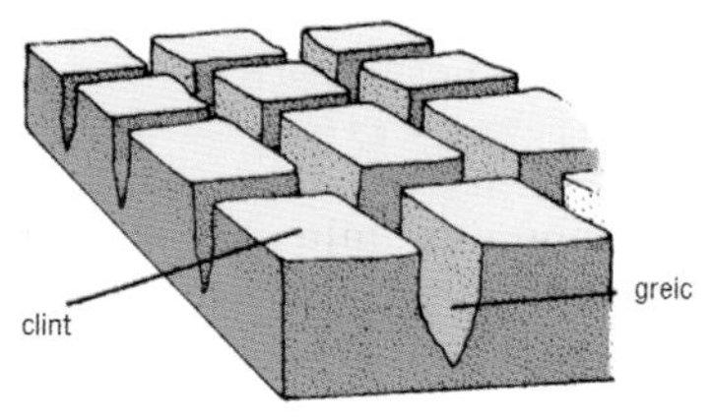

clint   greic

palmant calchfaen

Pangaea Yr uwchgyfandir neu ehangdir cyffredinol lle roedd pob cyfandir wedi uno â'i gilydd tua 200 miliwn o flynyddoedd yn ôl. *Gweler* **drifft cyfandirol**.

pant heli Basn bas, mewn diffeithdir fel arfer, yn cynnwys halen sydd wedi'i ddyddodi o lyn halen wedi'i anweddu.

parc busnes Safle y tu allan i dref sy'n cynnwys swyddfeydd, cwmnïau uwch-dechnoleg a diwydiant ysgafn. *Cymharer* **parc gwyddoniaeth**.

parc cenedlaethol Ardal o gefn gwlad hardd sydd wedi'i diogelu gan y gyfraith rhag datblygiad afreolus. Mae gan barc cenedlaethol nifer o swyddogaethau, gan gynnwys:
(a) gwarchod harddwch naturiol y dirwedd;
(b) rhoi cyfle i'r cyhoedd ymweld â chefn gwlad i fwynhau gweithgareddau hamdden ac adloniant.

parc gwyddoniaeth Safle sy'n gartref i sawl cwmni sy'n ymwneud â gwaith neu ymchwil gwyddonol. Mae parciau gwyddoniaeth yn gysylltiedig â phrifysgolion ac yn tueddu i fod ar **safleoedd tir glas** a/neu safleoedd wedi'u tirlunio. *Cymharer* **parc busnes**.

peiran *neu* **cwm** Pant ar ffurf powlen ar ochr mynydd mewn rhanbarth rhewlifedig; yr ardal y mae **rhewlif** dyffryn yn tarddu ohoni. Yn y cyfnod rhewlifol roedd y peiran yn cynnwys maes iâ: *gweler* trawstoriad diagram *a* isod. Mae siâp y peiran yn cael ei bennu gan rym erydu cylchdroi'r iâ wrth i'r rhewlif symud i lawr y llethr (diagram *b* isod).

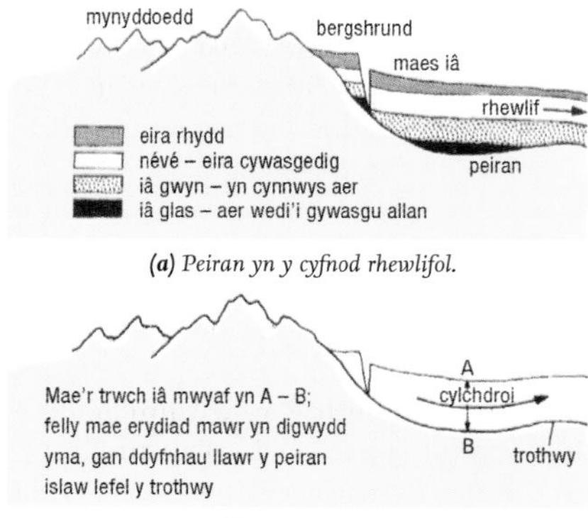

mynyddoedd   bergshrund   maes iâ   rhewlif   peiran

eira rhydd
névé – eira cywasgedig
iâ gwyn – yn cynnwys aer
iâ glas – aer wedi'i gywasgu allan

(a) Peiran yn y cyfnod rhewlifol.

Mae'r trwch iâ mwyaf yn A – B; felly mae erydiad mawr yn digwydd yma, gan ddyfnhau llawr y peiran islaw lefel y trothwy

A   cylchdroi   B   trothwy

(b) Erydu peiran.

pentir Trwyn o dir o **graig** wydn ar yr arfordir. *Gweler* **bae**.

perygl naturiol Digwyddiad naturiol sy'n gallu, mewn achosion eithafol, arwain at golli bywyd a dinistrio eiddo. Mae rhai peryglon naturiol yn ganlyniad digwyddiadau daearegol, fel **daeargrynfeydd** a **llosgfynyddoedd** yn echdorri, ac mae eraill yn ganlyniad digwyddiadau tywydd, fel

corwyntoedd, llifogydd a sychder.

pigyn pyramidaidd Copa mynydd pigfain a ffurfiodd wrth i **beirannau** a **chribau** ymestyn tuag i fyny. O dan amodau rhewlifol gall peirannau ddatblygu ar bob ochr o gopa mynydd, yn enwedig y rheini sy'n wynebu'r gogledd a'r dwyrain. Wrth i'r peirannau erydu i mewn i'r copa, gall proffil oedd gynt yn grwn gael ei newid i fod yn bigyn pigfain â llethrau serth.

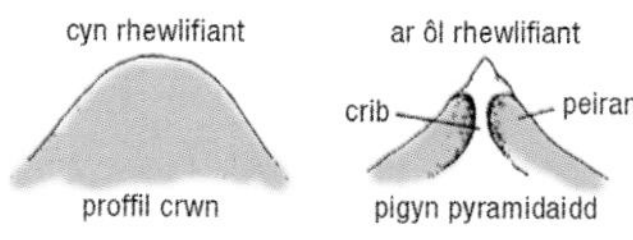

cyn rhewlifiant   ar ôl rhewlifiant
crib   peiran
proffil crwn   pigyn pyramidaidd

pigyn pyramidaidd

plicio Proses o **erydiad** rhewlifol sy'n digwydd wrth i **rewlif** dyffryn neu gorff iâ arall symud yn ei flaen. Mae'r iâ sy'n ffurfio mewn craciau ac agennau yn llusgo defnydd allan o wyneb **craig**. Mae hyn yn digwydd yn arbennig yng nghefnfur **peiran**.

plwg folcanig Defnydd wedi'i galedu sy'n selio agorfa **llosgfynydd** ar ôl echdoriad.

plyg Canlyniad plygu neu grychu **strata** craig oedd unwaith yn llorweddol. Mae llawer o blygion yn ganlyniad creigiau'n cael eu crychu ar ymylon platiau (*gweler* **tectoneg platiau**), er y gall **daeargryn** hefyd achosi plygu creigiau, yn ogystal â **mewnwthiadau** igneaidd.

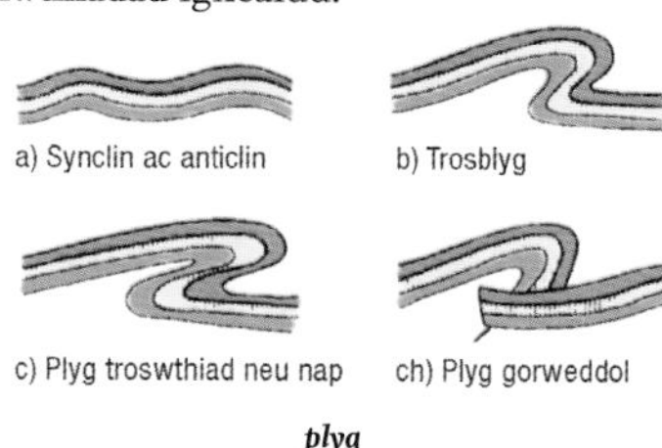

a) Synclin ac anticlin   b) Trosblyg
c) Plyg troswthiad neu nap   ch) Plyg gorweddol

plyg

plyg anghymesur **Strata** plyg lle mae'r ddwy ystlys ar onglau gwahanol i'r llorwedd.

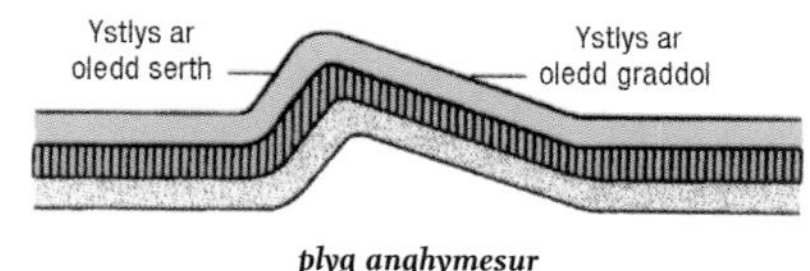

Ystlys ar oledd serth   Ystlys ar oledd graddol

plyg anghymesur

podsol **Pridd** nodweddiadol coedwigoedd conwydd y **taiga** yng Nghanada a gogledd Rwsia. Priddoedd llwydaidd wedi'u trwytholchi yw podsolau. Mae haearn a chalch yn arbennig yn cael eu trwytholchi o'r haenau uchaf, ac yna'n cael eu dyddodi fel *cletir* yn **haenlin** B.

Polisi Amaethyddol Cyffredin (PAC) Polisi yr Undeb Ewropeaidd i gynorthwyo a rhoi cymhorthdal ar gyfer rhai cnydau a dulliau o fagu anifeiliaid.

polygonau Siapiau caeedig wedi'u diffinio gan ddilyniannau cysylltiedig o barau cyfesurynnol, lle yr un peth yw'r pâr cyfesurynnol cyntaf a'r pâr cyfesurynnol olaf.

polylinell Cyfres o segmentau cysylltiedig sy'n ffurfio llwybr i ddiffinio siâp.

pridd Y defnydd rhydd sy'n ffurfio haen uchaf arwyneb y Ddaear. Mae'n cynnwys y *ffracsiwn anorganig*, h.y. defnydd sy'n deillio o **hindreuliad** y creigwely, a'r *ffracsiwn organig*, h.y. defnydd sy'n deillio o lystyfiant yn pydru.

priddlif Proses lle mae pridd arwyneb sydd wedi dadmer yn ymgripio i lawr y llethr dros **isbridd** sydd wedi'i rewi'n barhaol (**rhew parhaol**).

prif ddeiet Y bwydydd sylfaenol y bydd grŵp penodol o bobl yn eu bwyta bob dydd.

prif feridian *neu* **Meridian Greenwich** Y llinell ledred 0° sy'n mynd trwy Greenwich yn Llundain.

prifddinas Canolfan llywodraeth gwlad neu uned wleidyddol.

prifwynt Cyfeiriad pennaf y gwynt mewn rhanbarth. Enwir y prifwynt yn ôl y cyfeiriad y mae'n chwythu ohono.

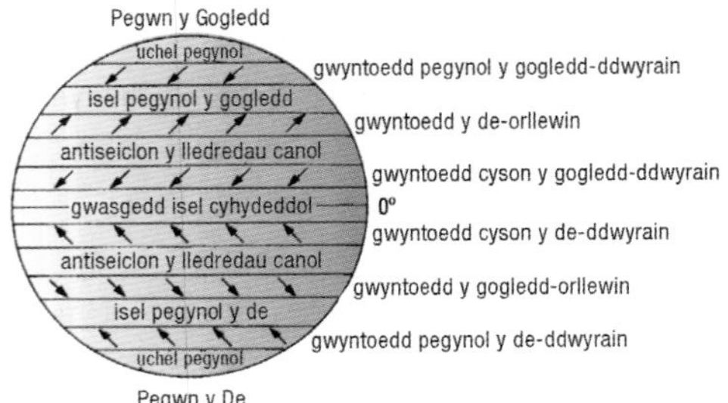

proffil pridd Y dilyniant o haenau neu **haenliniau** sydd i'w weld pan fydd trychiad fertigol o bridd yn y golwg.

prosesau allanol Prosesau ffurfio tirwedd fel **tywydd** ac **erydiad**, o'u cyferbynnu â phrosesau mewnol.

pŵer solar Pelydriad gwres o'r haul yn cael ei drawsnewid yn drydan neu'n cael ei ddefnyddio'n uniongyrchol i roi gwres. Mae pŵer solar yn enghraifft o ffynhonnell egni adnewyddadwy (*gweler* **adnoddau adnewyddadwy**).

pŵer trydan dŵr Cynhyrchu trydan gan dyrbinau sy'n cael eu gyrru gan ddŵr yn llifo. Mae trydan dŵr yn cael ei gynhyrchu'n fwyaf effeithlon mewn **topograffi** garw lle mae'n haws creu colofn o ddŵr, neu ar afon fawr lle gall argae greu amodau tebyg. Beth bynnag yw'r lleoliad, yr un egwyddor sydd – bod dŵr sy'n disgyn o dan wasgedd trwy bibellau o storfa uwch yn llifo trwy dyrbinau ac felly'n creu trydan.

pwll tegell Pant bach mewn sandur rhewlifol, wedi'i ffurfio wrth i floc o iâ oedd wedi'i gladdu yn nyddodion y sandur ymdoddi yn y pen draw, gan achosi i'r **gwaddod** uwchben suddo.

pyramid poblogaeth Math o **graff bar** sy'n cael ei ddefnyddio i ddangos strwythur poblogaeth, h.y. cyfansoddiad poblogaeth o ran oedran a rhyw ar gyfer rhanbarth neu genedl benodol.

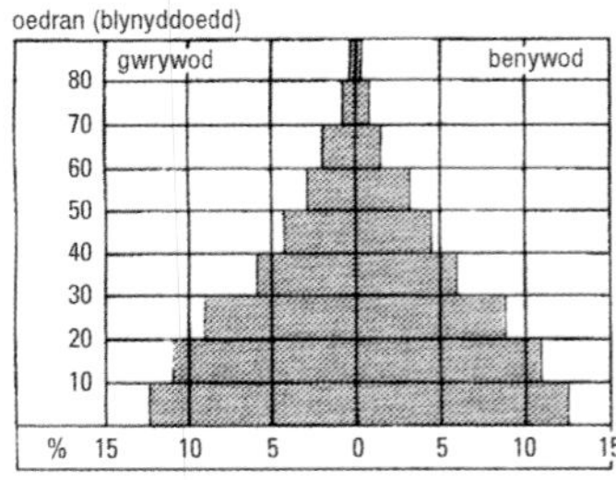

a) **pyramid poblogaeth** *Pyramid ar gyfer India, yn dangos cyfraddau genedigaethau a marwolaethau uchel.*

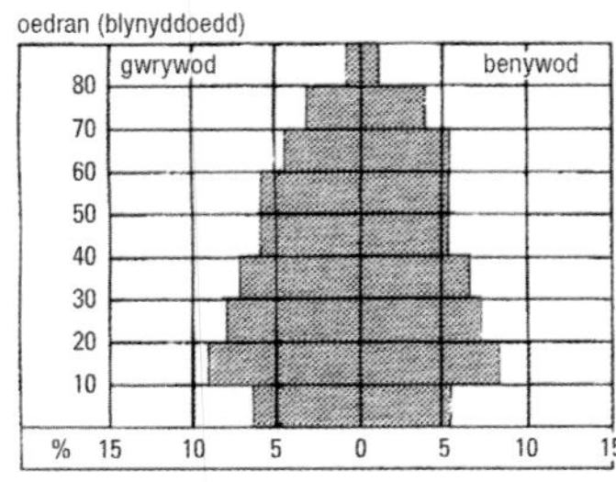

b) **pyramid poblogaeth** *Pyramid ar gyfer Cymru a Lloegr, yn dangos cyfraddau genedigaethau a marwolaethau isel.*

pyroclastau Malurion creigiog sy'n cael eu hallyrru yn ystod echdoriad folcanig, fel arfer yn dilyn allyriad cynharach o nwyon a chyn arllwysiad o **lafa** – er nad yw llawer o echdoriadau'n cyrraedd y cam lafa terfynol.

R

resbiradaeth Rhyddhau egni o fwyd yng nghelloedd pob organeb fyw (planhigion yn ogystal ag anifeiliaid). Mae angen ocsigen ar y broses ac mae'n rhyddhau carbon deuocsid. Mae resbiradaeth yn cael ei chydbwyso gan **ffotosynthesis**.

ria Dyffryn afon wedi ei foddi o ganlyniad i lefel y môr yn codi neu'r tir yn suddo.

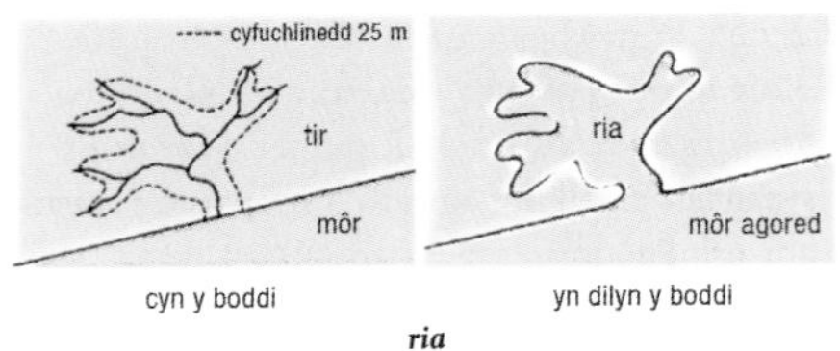

ria

riff Cefnen o graig, tywod neu gwrel y mae ei phen yn agos i arwyneb y môr.

RH

rhaeadr Man yng **nghwrs afon** lle mae'r dŵr yn disgyn yn sydyn wrth lifo dros ymyl craig galed – fel arfer yng nghwrs uchaf afon. *Cymharer* **dyfroedd gwyllt**.

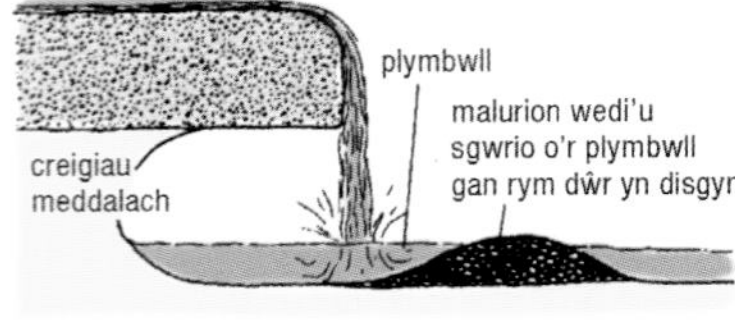

rhaeadr

rhanbarth Ardal o dir â ffiniau clir neu nodweddion mewnol sy'n ei huno. Gall daearyddwyr nodi rhanbarthau yn ôl ffactorau ffisegol, hinsoddol, gwleidyddol, economaidd neu ffactorau eraill.

rhanbarth gweinyddol Ardal lle mae cyrff yn cynnal gweithgareddau gweinyddol; er enghraifft, rhanbarthau awdurdodau iechyd lleol a chwmnïau dŵr, a rhanbarthau gwerthiant masnachol.

rhew parhaol Isbridd sydd wedi'i rewi'n barhaol ac sy'n nodweddu ardaloedd o **dwndra**.

rhewi-dadmer Math o **hindreuliad** ffisegol lle mae **creigiau** yn cael eu dinoethi gan ddŵr yn rhewi yn y craciau a'r agennau ar wyneb y graig. Mae dŵr yn ehangu wrth rewi, ac mae'r broses hon yn achosi diriant a thorri ar hyd llinell o wendid yn y graig. Mae malurion **eirdreulio** yn cronni wrth droed wyneb y graig fel **sgri**.

rhewlif Corff o iâ sy'n llenwi dyffryn ac yn tarddu mewn **peiran** neu faes iâ. Mae rhewlif yn symud ar gyflymder o sawl metr y dydd. Mae'r union gyflymder yn dibynnu ar **dopograffi** a **hinsawdd** yr ardal.

rhewlifiant Cyfnod o hinsawdd oer. Prif rymoedd **treuliant** cyfnod oer o'r fath yw **llenni iâ** a **rhewlifau**.

rhostir (*fell*) Porfa uwchdir arw mewn system **ffermio mynydd**, er enghraifft yn Ardal y Llynnoedd yn Lloegr.

rhychiadau Y rhigolau a'r crafiadau sydd wedi'u gadael ar arwynebau moel **creigiau** gan **rewlif** yn symud drostynt.

S

safana Glaswelltiroedd Affrica sy'n gorwedd rhwng y **goedwig law drofannol** a'r **diffeithdiroedd** poeth. Yn Ne America, glaswelltiroedd safana yw rhanbarthau *Llanos* a *Campos*.

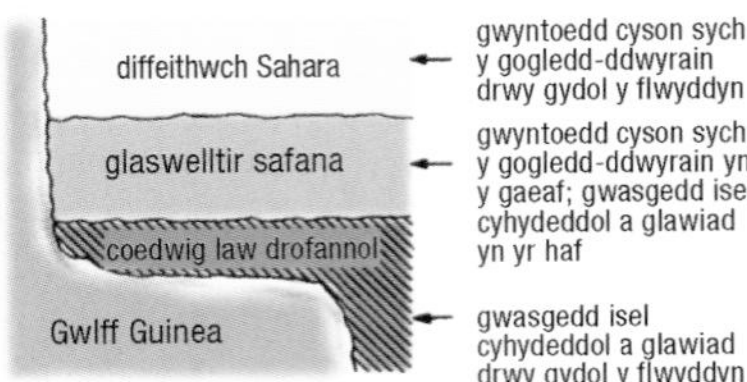

safana *Lleoliad y safana yng Ngorllewin Affrica.*

safle tir glas Safle datblygu ar gyfer diwydiant, adwerthu neu dai sydd wedi cael ei ddefnyddio yn y gorffennol ar gyfer amaethyddiaeth neu adloniant yn unig. Mae safleoedd o'r fath yn aml yn y **llain las**.

sbardun blaendor Sbardun o dir a oedd gynt yn ymestyn i mewn i ddyffryn ac sydd wedi cael ei dorri'n gyfan gwbl neu'n rhannol gan **rewlif** symudol.

sbardunau pleth Rhwystrau o **graig** galed y mae afon yn troelli o'u cwmpas mewn **dyffryn ffurf V**. Mae **erydiad** yn amlwg ar y glannau ceugrwm, ac yn y pen draw mae hyn yn arwain at ddatblygu sbardunau ar ddwy ochr yr afon. Mae'r sbardunau hyn yn digwydd bob yn ail ac yn plethu i'w gilydd fel sydd i'w weld yn y diagram.

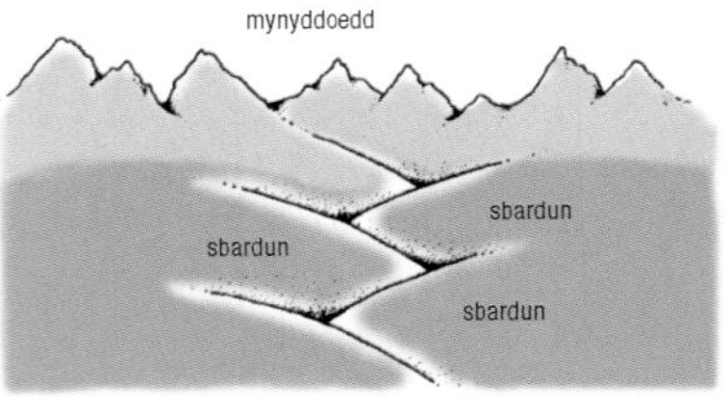

sbardunau pleth *Dyffryn ffurf V â sbardunau pleth.*

sector cwaternaidd Y sector o'r economi sy'n darparu gwybodaeth ac arbenigedd. Mae hyn yn cynnwys diwydiannau microsglodion a microelectroneg. Yn yr economïau datblygedig iawn mae nifer cynyddol o'r gweithlu yn cael eu cyflogi yn y sector hwn. *Cymharer* **sector cynradd**, **sector eilaidd** a **sector trydyddol**.

sector cynradd Sector o'r economi sy'n ymwneud â chynhyrchu defnyddiau cynradd: **amaethyddiaeth**, mwyngloddio, coedwigaeth a physgota. Nid yw cynhyrchion cynradd o'r fath wedi'u prosesu na'u gweithgynhyrchu. Mae'r economi cyfan yn cynnwys y sector cynradd, y **sector eilaidd**, y **sector trydyddol** a'r **sector cwaternaidd**.

sector eilaidd Sector o'r economi sy'n cynnwys diwydiannau gweithgynhyrchu a phrosesu, o'i gyferbynnu â'r **sector cynradd** sy'n cynhyrchu **defnyddiau crai**, y **sector trydyddol** sy'n darparu gwasanaethau, a'r **sector cwaternaidd** sy'n darparu gwybodaeth.

sector trydyddol Y sector o'r economi sy'n darparu gwasanaethau fel cludiant, cyllid ac adwerthu, o'i gyferbynnu â'r **sector cynradd** sy'n darparu **defnyddiau crai**, y **sector eilaidd** sy'n prosesu a gweithgynyrchu cynhyrchion, a'r **sector cwaternaidd** sy'n darparu gwybodaeth ac arbenigedd.

sefydliadau anllywodraethol Cyrff annibynnol, megis elusennau (Oxfam, Water Aid), sy'n cynnig cymorth ac arbenigedd i wledydd sy'n datblygu'n economaidd.

seiclon *Gweler* **corwynt**.

seismograff Offeryn sy'n mesur a chofnodi'r tonnau seismig sy'n teithio trwy'r Ddaear yn ystod **daeargryn**.

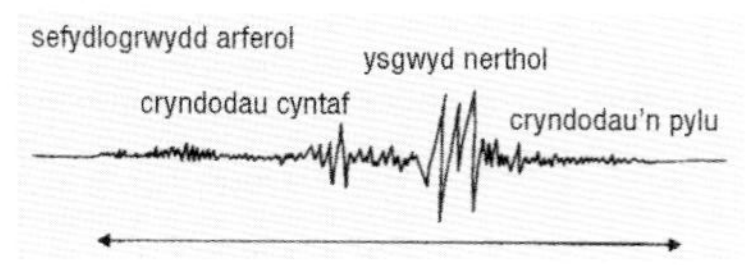

seismograff *Olin seismograff nodweddiadol.*

seismoleg Astudio **daeargrynfeydd**.

serac Colofn neu grib o iâ sy'n ffurfio ar lawr **rhewlif** wrth i ddarnau o'r rhewlif ddisgyn a thorri.

sgarp Cefnen o dir uchel, er enghraifft sgarpiau **sialc** de Lloegr (y Downs a'r Chilterns).

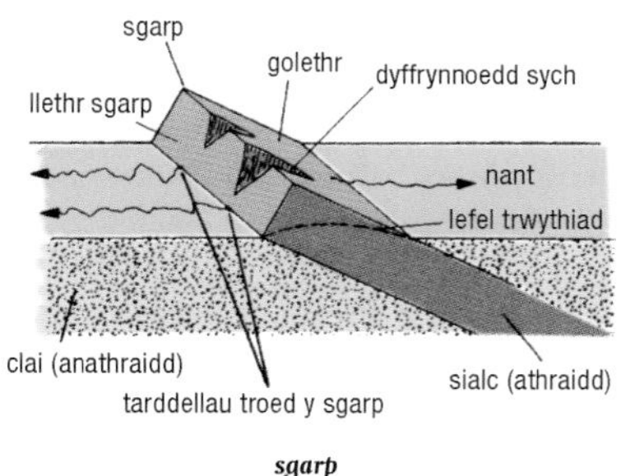

sgarp

sgrafellu Treulio'r dirwedd gan afonydd, **rhewlifau**, y môr neu'r gwynt. Y llwyth o falurion y maen nhw'n ei gario sy'n achosi'r sgrafellu. *Gweler hefyd* **cyrathiad**.

sgri Malurion sy'n deillio o **hindreuliad** ac sy'n cronni o dan **glegyr** neu fath arall o wyneb craig agored. Bydd clogfeini mwy yn cronni wrth droed y sgri, wedi'u cludo yno gan fomentwm mwy.

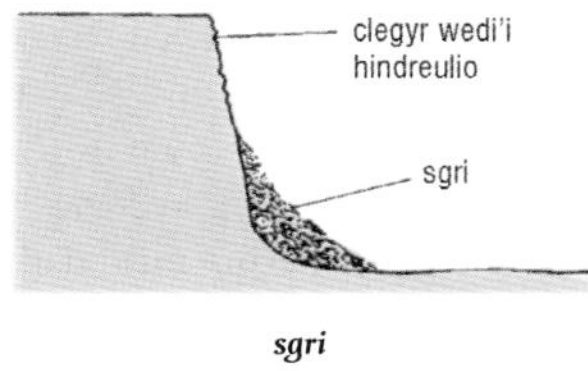

sgri

sgrin Stevenson Lloches a ddefnyddir mewn gorsafoedd tywydd, lle y gellir hongian thermomedrau ac offer eraill.

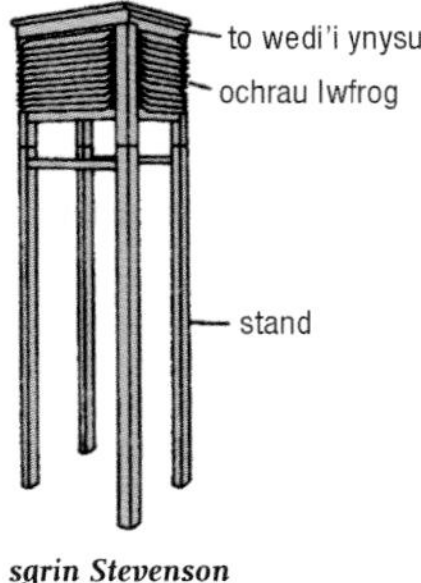

sgrin Stevenson

sialc **Craig waddod** wen, feddal. Caiff ei ffurfio pan fydd darnau bach o ddefnydd ysgerbydol o organebau morol yn cronni; gall y graig fod yn galsiwm carbonad pur bron. Oherwydd natur

---

athraidd a hydawdd y graig, ychydig o **ddraeniad** arwyneb sydd mewn tirweddau sialc.

sianel *Gweler* **culfor**.

siart cylch Graff crwn ar gyfer dangos gwerthoedd fel cyfrannau:

Y daith i'r gwaith: math o gludiant.
(Sampl o boblogaeth drefol)

Math	Nifer	%	Sector[a] (% x 3.6)
Cerdded	25	3.2	11.5
Beicio	10	1.3	4.7
Bws	86	11.1	40.0
Trên	123	15.9	57.2
Car	530	68.5	246.6
Cyfanswm	774	100	360
		y cant	gradd

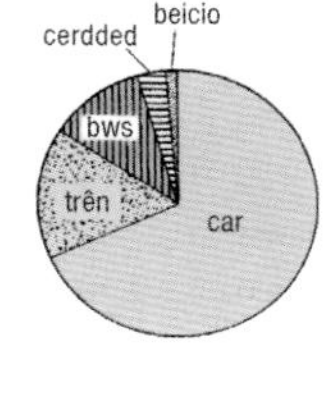

siart cylch

siart tywydd Map neu siart o ardal yn rhoi manylion y **tywydd** ar amser penodol o'r diwrnod. Cyfeirir weithiau at siartiau tywydd fel *siartiau synoptig*, gan eu bod yn rhoi synopsis o'r tywydd ar amser penodol.

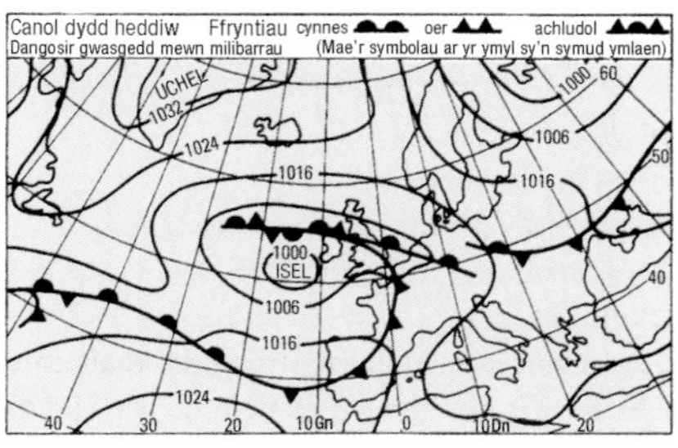

siart tywydd

sil 1. Mewnwthiad igneaidd sydd fwy neu lai'n llorweddol. *Gweler* **craig igneaidd**.
2. Min **peiran** (gair arall amdano yw **trothwy**).

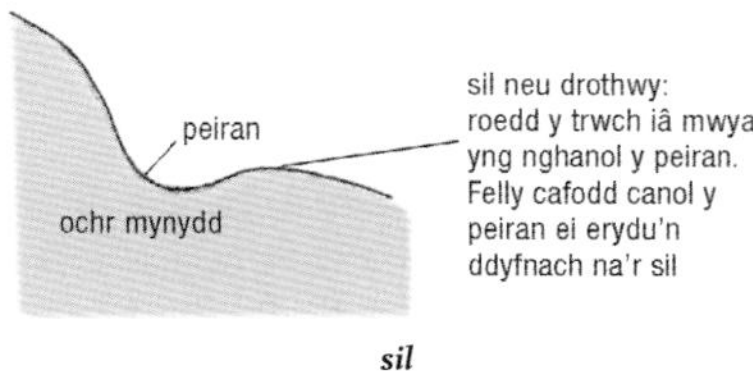

sil

silt **Gwaddod** mân. Mae diamedr cymedrig ei ronynnau rhwng 0.002 mm a 0.02 mm.

silwair **Cnwd porthiant** sy'n cael ei gynaeafu tra mae'n dal yn wyrdd. Mae'r cnwd yn cael ei gadw'n suddlon trwy ei eplesu'n rhannol mewn *seilo*. Mae'n fwyd i anifeiliaid yn ystod y gaeaf.

slip Maint dadleoliad fertigol **strata** mewn **ffawt**.

stac Arwedd arfordirol sy'n ganlyniad cwymp bwa naturiol. Mae'r stac yn aros ar ôl i **strata** llai gwydn gael eu treulio gan **hindreuliad** ac **erydiad** morol.

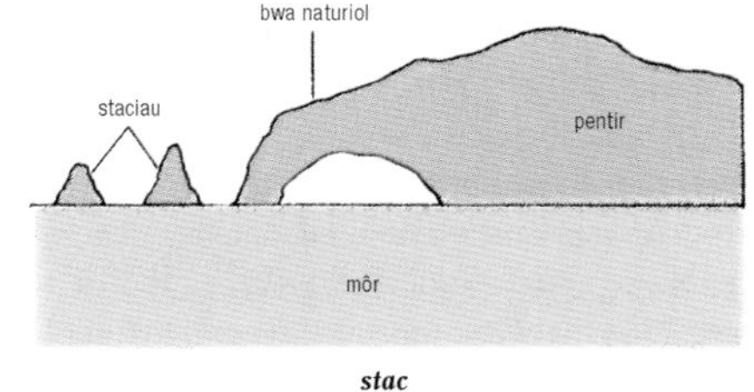

stac

stalactid Colofn o galsiwm carbonad yn hongian o do ceudwll **calchfaen**. Wrth i ddŵr lifo trwy'r calchfaen, mae'n hydoddi rhywfaint o'r calchfaen, sydd wedyn yn cael ei ddyodi gan **anweddiad**

---

defnynnau dŵr yn diferu o'r to. Mae'r diferion sy'n tasgu ar lawr y ceudwll yn anweddu eto i ddyodi mwy o galsiwm carbonad ar ffurf **stalagmid**.

stalagmid Colofn o galsiwm carbonad yn tyfu i fyny o lawr ceudwll. *Cymharer* **stalactid**. Gall stalactidau a stalagmidau gyfarfod, gan ffurfio colofn neu biler.

stereoplotiwr Offeryn a ddefnyddir i daflunio **awyrlun** a thrawsnewid lleoliadau gwrthrychau ar y llun yn gyfesurynnau x, y a z. Mae'n plotio'r **cyfesurynnau** hyn fel map.

storfa bwmp Dŵr yn cael ei bwmpio'n ôl i fyny i lyn storio gorsaf **bŵer trydan dŵr** gan ddefnyddio trydan.

strata Haenau o **graig** wedi'u gosod y naill ar ben y llall.

stratosffer Yr haen o'r **atmosffer** sy'n gorwedd yn union uwchben y troposffer ac islaw'r mesosffer a'r ïonosffer. Yn y stratosffer, mae'r tymheredd yn cynyddu wrth fynd yn uwch.

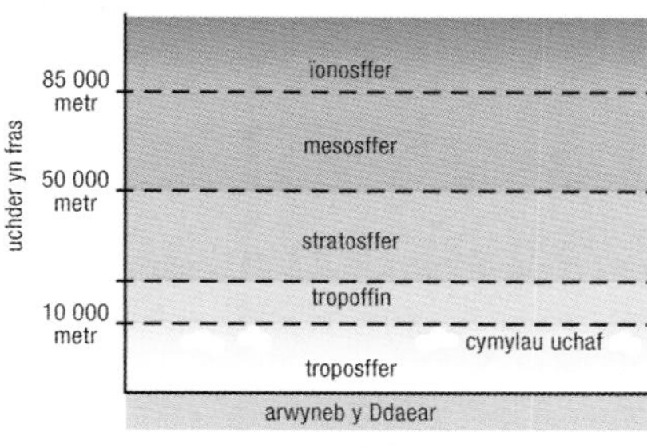

stratosffer

stratws Haen-gwmwl llwyd unffurf yr olwg, sy'n gysylltiedig yn aml â sector cynnes **diwasgedd**. Mae stratws yn fath o **gwmwl** isel a all hongian fel niwlen dros gopaon mynyddoedd.

strwythur cyflogaeth Dosbarthiad y gweithlu rhwng y **sector cynradd**, y **sector eilaidd**, y **sector trydyddol** a'r **sector cwaternaidd** yn yr economi. Mae cyflogaeth gynradd yn digwydd mewn **amaethyddiaeth**, mwyngloddio, coedwigaeth a physgota; cyflogaeth eilaidd mewn diwydiant gweithgynhyrchu; cyflogaeth drydyddol yn y categori adwerthu, gwasanaeth a gweinyddu; cyflogaeth gwaternaidd yn y diwydiannau gwybodaeth ac arbenigedd.

sychder Cyfnod hirfaith pan fydd glawiad yn is nag anghenion rhanbarth.

synclin Cafn mewn **strata** plyg; y gwrthwyneb i **anticlin**. *Gweler* **plyg**.

synhwyro o bell Casglu gwybodaeth trwy gyfrwng dyfeisiau synhwyro electronig neu ddyfeisiau synhwyro eraill mewn lloerenni.

T

tafluniad map Dull sy'n gallu dangos arwyneb crwm y Ddaear ar fap arwyneb gwastad. Gan nad yw'n bosibl dangos holl arweddau'r Ddaear yn fanwl gywir ar arwyneb gwastad, nod rhai tafluniadau yw dangos cyfeiriad yn fanwl gywir ar draul arwynebedd; nod tafluniadau eraill yw dangos siâp y tir a'r cefnforoedd; ac mae eraill yn dangos arwynebedd cywir ar draul siâp manwl gywir.

Un o'r tafluniadau a ddefnyddir amlaf yw *tafluniad Mercator*, a ddyfeisiwyd yn 1569, lle mae pob llinell **ledred** o'r un hyd â'r cyhydedd. Canlyniad hyn yw aflunio'r arwynebedd yn fwy wrth symud o'r cyhydedd tuag at y pegynau. Mae'r tafluniad hwn yn addas ar gyfer siartiau mordwyo.

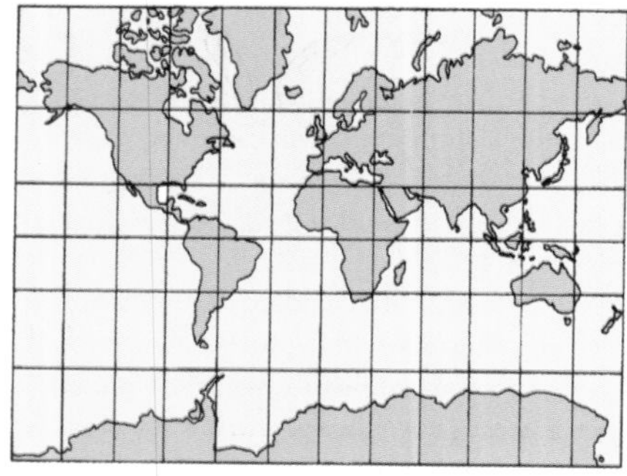

tafluniad map *Tafluniad Mercator.*

Mae *tafluniad Mollweide* yn dangos maint cywir yr eangdiroedd mewn perthynas â'i gilydd ond mae afluniad yn y siâp. Gan nad yw'r arwynebedd yn cael ei aflunio yn nhafluniad Mollweide, mae'n ddefnyddiol ar gyfer dangos dosbarthiadau fel dosbarthiad poblogaeth.

Glôb yw'r unig wir gynrychioliad o arwyneb y Ddaear.

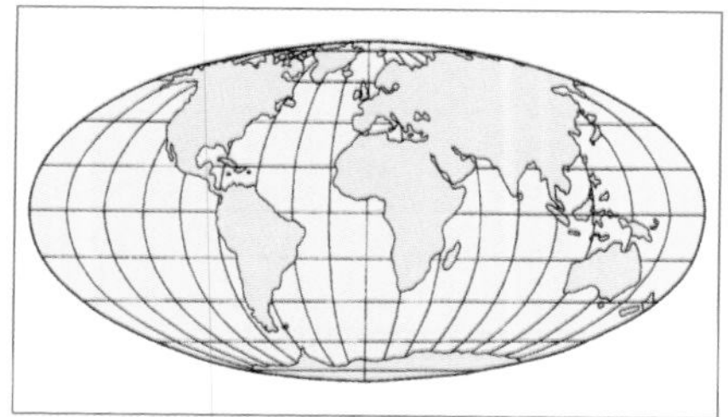

tafluniad map *Tafluniad Mollweide.*

tafod Banc cul, isel o dywod a graean bras wedi ffurfio ger **moryd** trwy broses **drifft y glannau**.

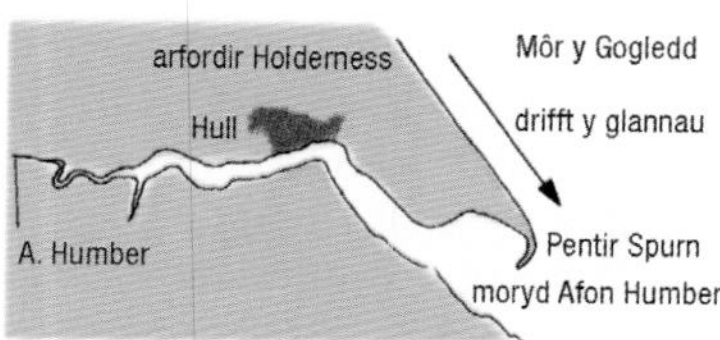

tafod *Pentir Spurn, tafod arfordirol.*

taiga **Coedwigoedd conwydd** eang Siberia a Chanada, yn gorwedd yn uniongyrchol i'r de o'r **twndra** arctig.

talws *Gweler* **sgri**.

tân gwylltir (*bushfire*) Tân heb ei reoli mewn coedwigoedd a glaswelltiroedd.

tanfaethiad Diffyg bwyd digonol, yn wahanol i **ddiffyg maeth** sy'n ganlyniad deiet anghytbwys.

tanwydd ffosil Tanwydd carbon neu hydrocarbon sy'n digwydd yn naturiol, yn arbennig glo, olew, mawn a nwy naturiol. Cafodd y tanwyddau hyn eu ffurfio o organebau cynhanesyddol sydd wedi dadelfennu.

tarddell Nant danddaearol yn dod allan ar yr arwyneb. Mae hyn yn aml yn digwydd lle mae **craig anathraidd** yn gorwedd o dan **graig athraidd** neu **strata** neu **graig hydraidd**.

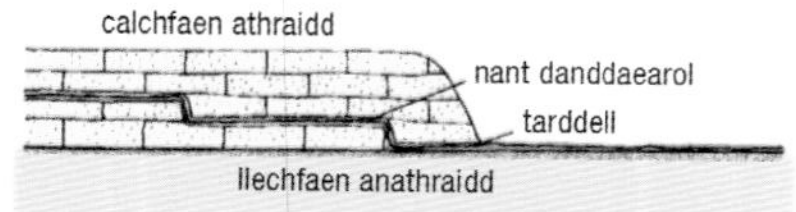

tarddell *Mae dŵr glaw yn mynd i mewn trwy agennau'r calchfaen ac mae tarddell y nant lle mae'r calchfaen yn cwrdd â'r llechfaen.*

tectoneg platiau Y ddamcaniaeth bod **cramen** y Ddaear wedi'i rhannu yn saith plât anhyblyg

mawr, a sawl un llai, a bod y platiau hyn yn symud mewn perthynas â'i gilydd dros haenau uchaf **mantell** y Ddaear. *Gweler* **drifft cyfandirol**. Mae **daeargrynfeydd** a gweithgaredd folcanig yn digwydd ar y ffiniau rhwng y platiau.

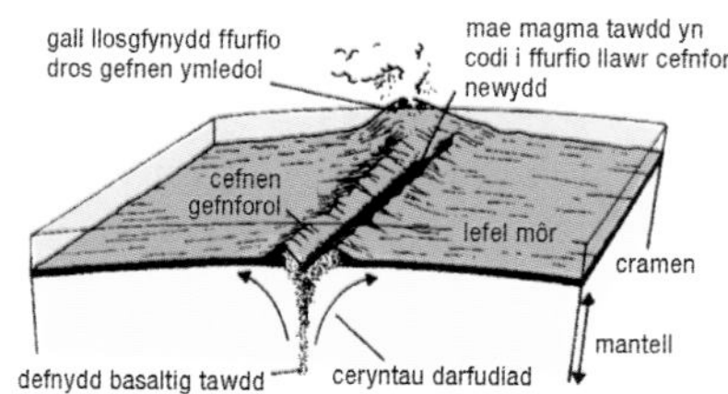

a) Ffin platiau adeiladol

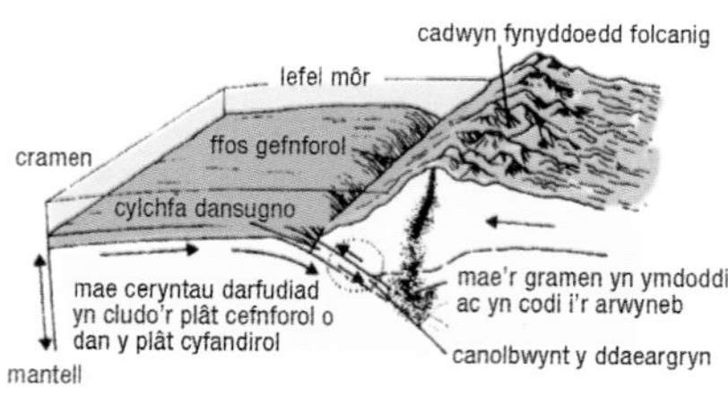

b) Ffin platiau dinistriol

tectoneg platiau

teiffŵn *Gweler* **corwynt**.

teras wyneb y glannau Banc o **waddod** sy'n cronni lle mae graddiant llethr yn newid ar derfyn **llyfndir tonnau**.

Mae defnydd sydd wedi'i symud o waelod clogwyn sy'n encilio yn cael ei gludo gan lif y dŵr yn ôl tua'r môr a'i ddyddodi mewn dŵr dyfnach.

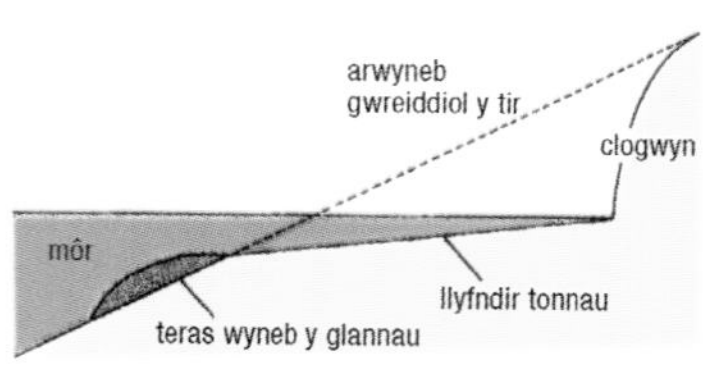

teras wyneb y glannau

terasu Dull gwarchod **pridd** a defnyddio tir lle caiff cyfres o silffoedd gwastad eu creu a gellir eu defnyddio ar gyfer **amaethyddiaeth**. Mae cloddiau carreg yn cynnal y terasau ac yn atal **erydiad pridd**.

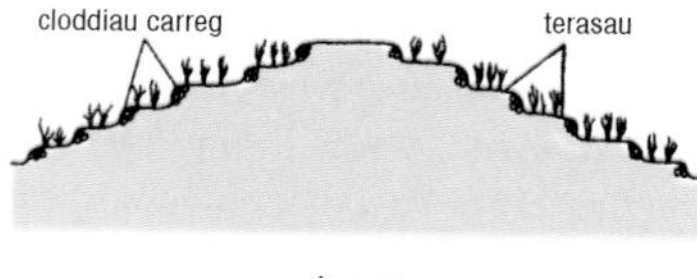

terasu

til *Gweler* **clog-glai**.

tir comin Tir nad yw'n eiddo i unigolyn na sefydliad, ond sydd ar gael, yn hanesyddol, i aelodau o'r gymuned leol.

tirddaliadaeth System o berchenogi neu ddyrannu tir.

tirffurf Arwedd naturiol ar arwyneb y Ddaear, fel mynyddoedd neu ddyffrynnoedd.

tirwedd Y gwahaniaethau mewn uchder rhwng rhannau o arwyneb y Ddaear. Felly, nod map tirwedd yw dangos gwahaniaethau yn uchder tir – er enghraifft, trwy linellau **cyfuchlinedd** neu allwedd lliwiau.

tirwedd ffinrewlifol Tirwedd ffinrewlifol yw tirwedd sydd heb gael ei rhewlifo, ond a gafodd ei heffeithio gan yr **hinsawdd** galed o amgylch ymyl yr iâ.

topograffi Cyfansoddiad y dirwedd weladwy, yn cynnwys nodweddion ffisegol a nodweddion sydd wedi'u gwneud gan bobl.

topograffi carst Ardal **galchfaen** lle mae'r rhan fwyaf o'r **draeniad** yn danddaearol.

torddwr Rhuthr dŵr i fyny'r traeth wrth i don dorri. *Gweler hefyd* **tynddwr** a **drifft y glannau**.

tornado Storm ddinistriol gyda gwyntoedd yn cylchu o amgylch ardal fach o wasgedd hynod isel. Un o nodweddion tornado yw cwmwl tywyll ar ffurf twndis. Gall gwyntoedd sy'n gysylltiedig â thornados gyrraedd buanedd o dros 300 milltir yr awr (480 km/awr).

torri a llosgi *Gweler* **coedwig law drofannol**.

traeth Llain o dir sy'n goleddu'n raddol tuag at y môr. Fel arfer mae traeth yn cael ei adnabod fel yr ardal sy'n gorwedd rhwng llinell benllanw a llinell drai.

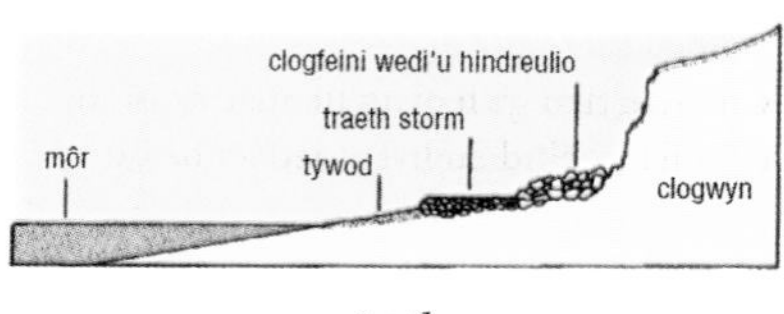

traeth

tramwyfa *Gweler* **culfor**.

trawstoriad Lluniad o drychiad fertigol o linell o dir, wedi'i gymryd o fap. Mae'n darlunio **topograffi** system o **gyfuchlineddau**.

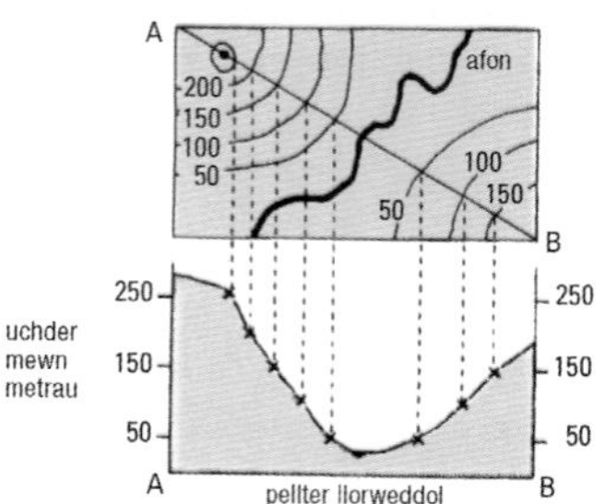

trawstoriad *Map a thrawstoriad cyfatebol.*

trawstrefa Yr arfer o symud anifeiliaid fferm rhwng rhanbarthau sydd â hinsoddau gwahanol. Mae ffermwyr bugeiliol (*gweler* **ffermio bugeiliol**) yn mynd â gyrroedd o anifeiliaid o borfeydd dyffryn yn y gaeaf i borfeydd mynydd yn yr haf. *Gweler hefyd* **alp**.

tref newydd Lleoliad trefol newydd a gafodd ei greu i:
(a) ddarparu tai ychwanegol ar gyfer dinas neu **gytref** fawr;
(b) darparu canolbwynt newydd ar gyfer datblygiad diwydiannol.

tref sianti Ardal o ddatblygiad trefol, sy'n digwydd ar hap a heb ei gynllunio, yn aml o amgylch cyrion dinas. Mae'r dref sianti yn elfen bwysig yn strwythur llawer o ddinasoedd y **Trydydd Byd** fel São Paulo, Ciudad de México, Nairobi, Kolkota a Lagos. Nodwedd y dref sianti yw anheddau dwysedd-uchel/ansawdd-isel, yn aml wedi'u hadeiladu o'r defnyddiau symlaf fel pren sgrap, haearn rhychiog a llen blastig. Mae'r dref sianti yn dioddef hefyd o ddiffyg gwasanaethau safonol fel carthffosiaeth, cyflenwadau dŵr, cyflenwadau pŵer a chasglu sbwriel.

trefoli Y broses lle mae poblogaeth gwlad yn troi'n drefol yn bennaf oherwydd bod pobl o ardaloedd gwledig yn **mudo** i ddinasoedd, ac mae cyflogaeth yn newid o fod yn amaethyddol i fod yn ddiwydiannol.

treuliant Treulio arwyneb y Ddaear gan brosesau **hindreuliad** ac **erydiad**.

triniad mudol *Gweler* **braenaru gwylltir**.

trofannau Y rhanbarth o'r Ddaear sy'n gorwedd rhwng *trofannau Cancr* (23½° G) a *Capricorn* (23½° D). *Gweler* **lledred**.

troposffer *Gweler* **atmosffer**.

trosblyg *Gweler* **plyg**.

trothwy *Gweler* **sil** (ystyr 2).

trwytholchiad Proses lle mae sylweddau hydawdd fel halwynau mwynol yn cael eu golchi allan o haen uchaf y pridd i'r haen isaf gan ddŵr glaw.

Trydydd Byd Term torfol am genhedloedd tlawd Affrica, Asia ac America Ladin, o'i gyferbynnu â 'byd cyntaf' y cenhedloedd datblygedig, cyfalafol ac 'ail fyd' y cenhedloedd datblygedig, comiwnyddol gynt. Mae'r termau ymhell o fod yn foddhaol gan fod amrywiadau cymdeithasol a gwleidyddol mawr o fewn y 'Trydydd Byd'. Yn wir, mae rhai gwledydd lle mae tlodi mor eithafol fel y gellid eu hystyried yn bedwerydd grŵp. Mae termau eraill yn cynnwys 'gwledydd llai economaidd ddatblygedig', 'gwledydd sy'n datblygu' a '**gwledydd incwm isel**'. **Gwledydd newydd eu diwydianeiddio** yw'r rheini â'r datblygiad economaidd mwyaf.

tsiernosem Pridd cyfoethog, dwfn sydd i'w gael yng ngwastadeddau de Rwsia. Mae'r **haenlinau** uchaf yn cynnwys llawer o galch a maetholion planhigion eraill. Yn yr **hinsawdd** sych, tuag i fyny y mae prif symudiad lleithder y **pridd** (*o'i gyferbynnu â* **thrwytholchiad**), ac felly mae calch a maetholion cemegol eraill yn cronni yn rhan uchaf y **proffil pridd**.

tsunami Ton fôr enfawr, sy'n aml yn ddinistriol iawn, wedi'i chynhyrchu gan **ddaeargryn** o dan y môr. Mae tsunamis yn tueddu i ddigwydd ar hyd arfordiroedd Japan a rhannau o'r Cefnfor Tawel, ac maen nhw'n gallu achosi nifer mawr o farwolaethau.

twf poblogaeth Cynnydd ym mhoblogaeth rhanbarth penodol. Gall hyn fod yn ganlyniad cynnydd naturiol (mwy o enedigaethau na marwolaethau) neu fudo i mewn i ranbarth, neu'n gyfuniad o'r ddau.

twff Lludw neu lwch folcanig sydd wedi'i gyfnerthu i ffurfio **craig**.

twndra Gwastadeddau diffrwyth – **craig** noeth yn aml – yng ngogledd pell Gogledd America ac Ewrasia. Amodau isarctig sydd ar y twndra, a'r unig lystyfiant yw llwyni gwydn isel, mwsoglau a chennau.

twyn Tomen neu gefnen o dywod sydd wedi lluwchio. Ar yr arfordir neu mewn diffeithdiroedd y gwelir twyni.

twyn seiff Twyn tywod llinol. Mae'r gefnen o dywod yn gorwedd yn gyfochrog â chyfeiriad y prifwynt, ac mae symudiad troellog y gwynt yn cadw ochrau'r twyn yn serth.

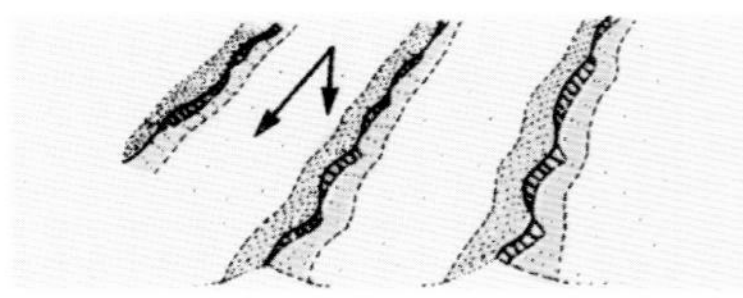

twyni seiff

tynddwr Symudiad dŵr y môr sy'n dychwelyd oddi ar y traeth ar ôl i don dorri. *Gweler hefyd* **drifft y glannau, torddwr**.

---

tywodfaen **Craig waddod** gyffredin wedi ei dyddodi naill ai gan y gwynt neu gan ddŵr. Mae tywodfeini'n amrywio o ran gwead o raen mân i raen bras, ond yn ddieithriad maen nhw'n cynnwys gronynnau **cwarts**, wedi'u smentio gan sylweddau fel calsiwm carbonad neu silica.

tywydd Amodau o ddydd i ddydd – yn ymwneud, er enghraifft, â glawiad, tymheredd a gwasgedd – sy'n cael eu profi mewn lleoliad penodol.

TH

thermomedr bwlb gwlyb a bwlb sych *Gweler* **hygromedr**.

thermomedr uchafbwynt ac isafbwynt Offeryn ar gyfer cofnodi tymereddau uchaf ac isaf dros gyfnod o 24 awr.

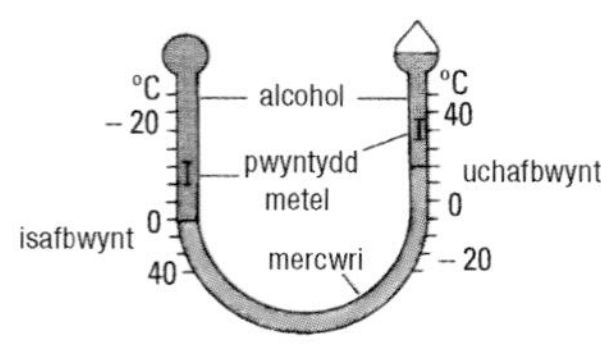

thermomedr uchafbwynt ac isafbwynt

U

ungnwd Tyfu un cnwd yn unig.

uwchbridd Haen uchaf **pridd**. Mae'n cynnwys mwy o ddefnydd organig na'r **isbridd** sydd oddi tano. *Gweler* **haenlin**, **proffil pridd**.

W

wadi Cwrs dŵr sych mewn rhanbarth cras. Gall stormydd glaw achlysurol yn y diffeithdir olygu bod nant dros dro yn ymddangos yn y wadi.

Y

ymdreiddiad Symudiad graddol dŵr i mewn i'r ddaear.

ymfudo Symudiad poblogaeth allan o ardal neu wlad benodol.

ynys Tir, sy'n llai na chyfandir, ac sydd wedi'i amgylchynu'n llwyr gan ddŵr.

ynysfor Grŵp neu gadwyn o ynysoedd.

ysgafell gyfandirol Gwely'r môr, sy'n ffinio ar y cyfandiroedd, ac sydd wedi'i orchuddio â dŵr bas – llai na 200 metr fel arfer. Ar hyd rhai morlinau, mae'r ysgafell gyfandirol mor gul mae bron yn absennol.

ystum afon Tro mawr, yn enwedig yng nghamau canol neu isaf cwrs afon. *Gweler* **gorlifdir**. Canlyniad **erydiad** ochrol yw ystum afon. Mae hyn yn tyfu'n bwysicach nag erydiad fertigol wrth i **raddiant** cwrs afon leihau. Mae prif arweddion nodweddiadol ystum afon i'w gweld yn y diagramau. *Gweler hefyd* **ystumllyn**.

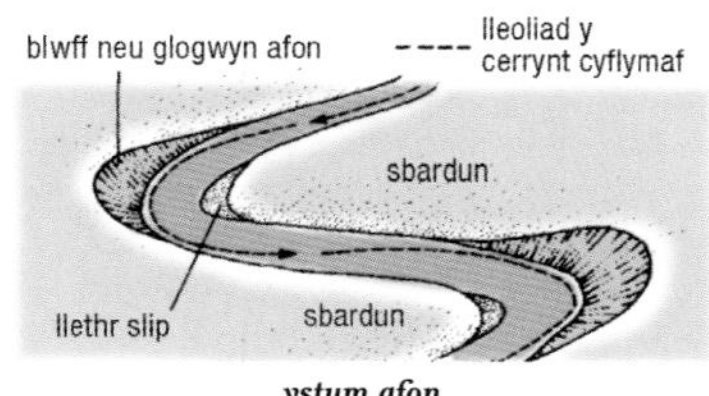

ystum afon

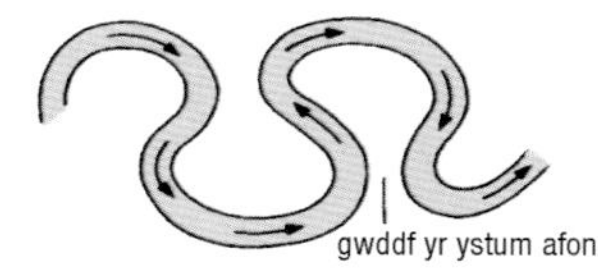

ystum afon Ystumiau afon wedi ffurfio'n llawn.

ystumllyn Llyn, ar ffurf cilgant, sy'n ffurfio o **ystum afon** a gafodd ei adael pan gafodd y gwddf rhwng troeon ei fylchu, gan adael i'r nant lifo'n syth ymlaen, gan osgoi'r ystum afon. Mae silt yn llenwi pennau'r ystum afon yn gyflym, ac yn y diwedd mae'n gwbl ar wahân i'r afon.

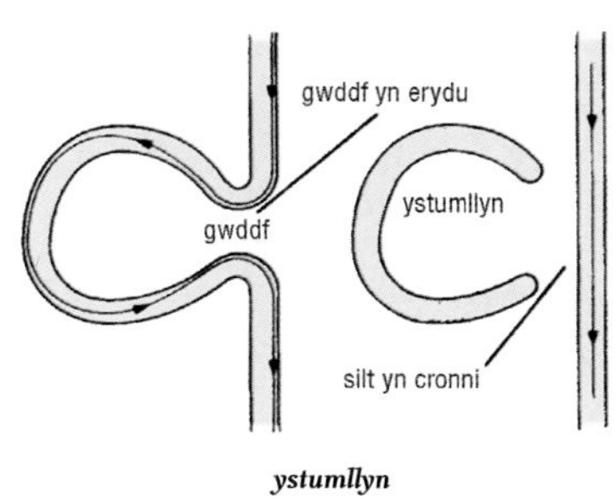

ystumllyn

Z

Zeugen *Creigiau cynnal* mewn rhanbarthau cras. Mae **erydiad** gwynt yn digwydd yn bennaf yn agos at y ddaear, lle mae **cyrathiad** – gan dywod a gludir gan y gwynt – ar ei gryfaf. Mae hyn yn arwain at dandorri ac mae proffil y creigiau cynnal yn datblygu.

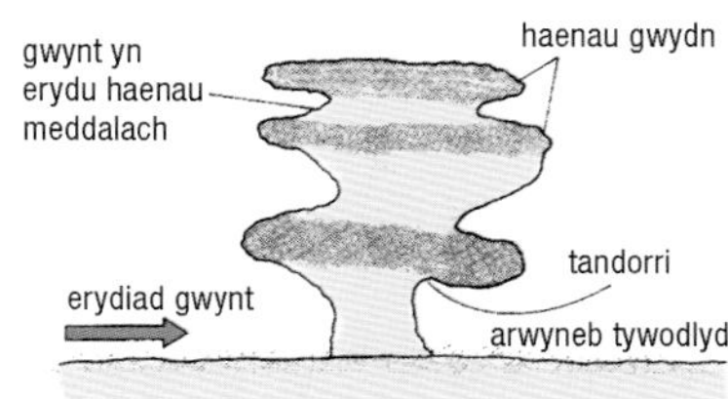

Zeugen

Sut i ddefnyddio'r Mynegai

Mae pob enw sydd ar y mapiau yn yr atlas hwn (ar wahân i ambell le sy'n ymddangos ar fapiau thematig arbennig) wedi'i gynnwys yn y mynegai.

Mae'r enwau **yn nhrefn yr wyddor Gymraeg** (ond gan dderbyn llythrennau sydd heb fod yn yr wyddor honno) ac fe'u rhestrir yn ôl yr egwyddor o lythyren-wrth-lythyren.

Blaenafon
Blaenau Ffestiniog
Blagdon

Lle mae mwy nag un lle o'r un enw, defnyddir enw'r wlad i bennu'r drefn:

Bangor Cymru
Bangor G. Iwerddon
Bangor UDA

Os yw'r ddau le/nodwedd yn yr un wlad yna defnyddir enw'r sir neu'r dalaith hefyd:

Avon a. Bryst. Lloegr
Avon a. Dorset Lloegr
Avon a. S. Gaerloyw Lloegr

Mae pob cofnod yn y mynegai yn dechrau ag enw'r lle neu'r nodwedd, gydag enw'r wlad neu'r rhanbarth lle y mae wedi ei leoli yn dilyn. Dilynir hyn gan rif y dudalen fwyaf addas lle mae'r enw i'w weld ar fap, fel arfer y map graddfa fwyaf. Mae'r cyfeirnod alffanwimerig, y lledred a'r hydred ar ôl rhif y dudalen.

Dilynir enwau nodweddion ffisegol fel afonydd, penrhynau, mynyddoedd a.y.b. gan ddisgrifiad. Cafodd y disgrifiadau eu talfyrru fel arfer i un neu ddwy lythyren: mae'r talfyriadau hyn i'w gweld yn y rhestr isod. Cynhwysir disgrifiad gydag enw tref lle mae perygl drysu rhwng enw tref a nodwedd ffisegol:

Red Lake *tref*

Defnyddir amrywiol fathau o deip er mwyn gwahaniaethu rhwng gwahanol rannau pob cofnod:

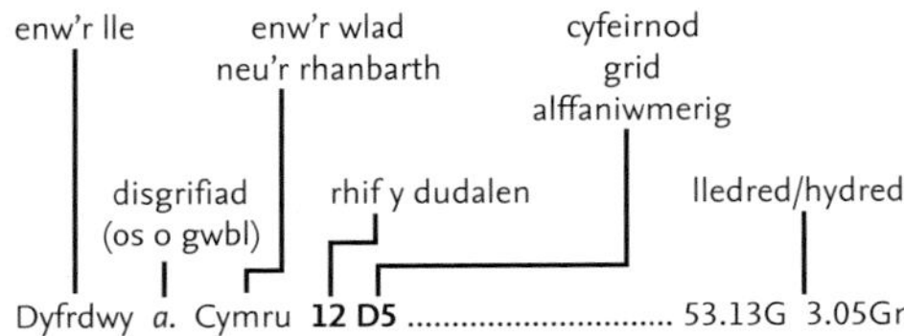

enw'r lle   enw'r wlad   cyfeirnod
neu'r rhanbarth   grid
alffanwimerig

disgrifiad   rhif y dudalen   lledred/hydred
(os o gwbl)

Dyfrdwy *a.* Cymru   **12 D5** 53.13G 3.05Gn

I ddefnyddio'r **cyfeirnod grid alffanwimerig** i ddod o hyd i nodwedd ar fap trowch i'r dudalen gywir ac edrychwch ar y llythrennau a'r rhifau y tu allan i'r ffrâm ar hyd ochrau'r map. Wedi i chi ddod o hyd i'r llythyren a'r rhif cywir dilynwch y blychau grid i fyny ac ar draws nes i chi ddarganfod y blwch grid cywir sy'n cynnwys y nodwedd. Chwiliwch am enw'r nodwedd yn y blwch grid.

Mae'r **cyfeirnod lledred a hydred** yn rhoi disgrifiad mwy manwl gywir o leoliad y nodwedd.

Mae tudalen 1 yr atlas yn disgrifio llinellau lledred a llinellau hydred ac yn egluro sut y cânt eu rhifo a'u rhannu yn raddau a munudau. Mae gan bob enw yn y mynegai gyfeirnod lledred a hydred arbennig er mwyn i chi allu lleoli nodwedd yn fanwl gywir. Mae'r llinellau lledred a'r llinellau hydred ar bob map wedi eu rhifo mewn graddau. Mae'r rhifau hyn i'w gweld wedi eu hargraffu'n ddu ar hyd top, gwaelod ac ochrau'r map.

Rhan o'r map ar dudalen 18 yw'r map bach uchod. Mae'r llinellau lledred a hydred i'w gweld arno.

Cofnod Wexford y mynegai yw:

Wexford Iwerddon **18 E2** 52.20G 6.28Gn

I leoli Wexford dewch o hyd i ledred 52G ac amcangyfrifwch 20 munud i'r gogledd o 52° i ddod o hyd i 52.20G. Yna lleolwch hydred 6Gn ac amcangyfrifwch 28 munud i'r gorllewin o 6° i ddod o hyd i 6.28Gn. Mae'r symbol ar gyfer tref Wexford yn y man lle mae lledred 52.20G a hydred 6.28Gn yn cyfarfod.

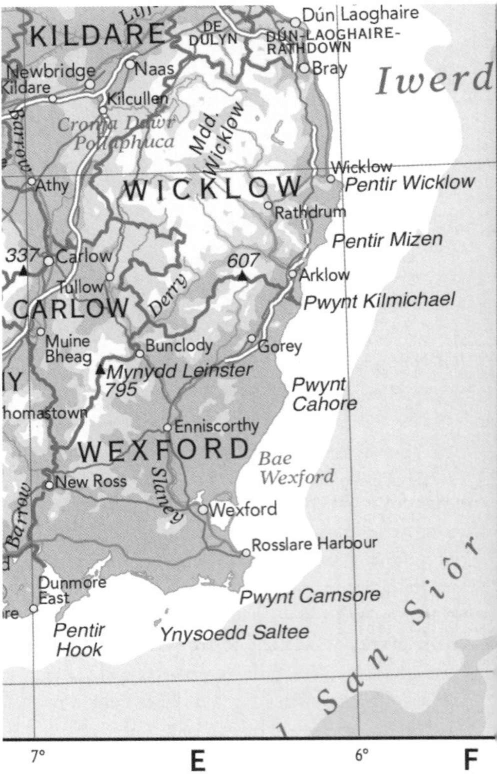

Ar fapiau sydd ar raddfa lai na map Iwerddon nid yw'n bosibl dangos pob llinell lledred a hydred. Bob 5–10 gradd lledred a hydred a ddangosir yn unig. Ar y mapiau hyn rhaid i chi amcangyfrif y graddau a'r munudau er mwyn lleoli nodwedd arbennig.

Byrfoddau

a.	afon	G.	Gogledd	*P. a K.*	Perth a Kinross
A. a B.	Argyll a Bute	G. Affrica	Gogledd Affrica	*P'boro*	Peterborough
Afgh.	Afghanistan	G. America	Gogledd America	PGN	Papua Guinea Newydd
Ala.	Alabama	G. Cefn. Tawel	Gogledd y Cefnfor Tawel	*Pili.*	Pilipinas
Ang.	Angus	G. Cefn. Iwerydd	Gogledd Cefnfor Iwerydd	*pr*	pentir
Ant. yr Isel.	Antilles yr Iseldiroedd	G. Korea	Gogledd Korea	*pt*	pwynt
b.	bae	*Ga.*	Georgia	*rhan.*	rhanbarth mewnol, e.e. sir, talaith
B.C.	British Columbia	*G. C.*	Gogledd Carolina	*S.*	Swydd
Baja Calif.	Baja California	GCA	Gweriniaeth Canolbarth Affrica	*S. Derby*	Swydd Derby
Bangla.	Bangladesh	*Gn.*	Gorllewin	*S. Gaergr.*	Swydd Gaergrawnt
Bos. a Herz.	Bosna a Hercegovina	*Gn. Va.*	Gorllewin Virginia	*S. Gaerloyw*	Swydd Gaerloyw
br.	bryn	*gor.*	gorynys	*S. Gaerlŷr*	Swydd Gaerlŷr
brau.	bryniau	*Guinée Gyhyd.*	Guinée Gyhydeddol	*Sir Gaerh.*	Sir Gaerhirfryn
Bryst.	Dinas Bryste	*Gw. yr Haf*	Gwlad yr Haf	*S. Lincoln*	Swydd Lincoln
Cb. America	Canolbarth America	*Gwer. Canol. Affrica*	Gweriniaeth Canolbarth Affrica	*S. Notts*	Swydd Nottingham
Cefn.	Cefnfor	*Gwer. Dom.*	Gweriniaeth Dominica	*S. Ryd.*	Swydd Rydychen
Cern.	Cernyw	*Gwer. Ddem. Congo*	Gweriniaeth Ddemocrataidd Congo	*S. Warwick*	Swydd Warwick
cf.	culfor	*Hants.*	Hampshire	*Shetl.*	Shetland
Colo.	Colorado	*Ill.*	Illinois	*Suff.*	Suffolk
cr.	cronfa ddŵr	*La.*	Louisiana	*T. a W.*	Tyne a Wear
Cumb.	Cumberland	*Lux.*	Luxembourg	*Tel. Wre.*	Telford a Wrekin
D.	De	*ll.*	llyn	*Tex.*	Texas
D. Affrica	De Affrica	*llosg.*	llosgfynydd	*Tip.*	Tipperary
D. a G.	Dumfries a Galloway	*m.*	mynydd	*Trin. a Tob.*	Trinidad a Tobago
D. America	De America	*Man.*	Manitoba	*Uchel.*	Ucheldir
D. Cefn. Tawel	De'r Cefnfor Tawel	*Mass.*	Massachusetts	UDA	Unol Daleithiau America
D. C.	De Carolina	*Me.*	Maine	*Va.*	Virginia
Del.	Delaware	*mdd.*	mynyddoedd	*Vt.*	Vermont
diff.	diffeithwch	*Mich.*	Michigan	*Water.*	Waterford
Dn.	Dwyrain	*Miss.*	Mississippi	*Wick.*	Wicklow
Dn. Efrog	Riding Dwyreiniol Efrog	*M. N.*	México Newydd	*Wyo.*	Wyoming
Dn. Sussex	Dwyrain Sussex	*Mo.*	Missouri	*Yr Isel.*	Yr Iseldiroedd
Don.	Donegal	*Mor.*	Moray	*ys*	ynys
Dor.	Dorset	*n.*	nodwedd ffisegol, e.e. dyffryn, gwastadedd, ardal ddaearyddol	*ysdd*	ynysoedd
DU	Y Deyrnas Unedig			Ysdd G. Mariana	Ynysoedd Gogledd Mariana
Dur.	Durham	*Nev.*	Nevada	Ysdd Virgin	Ynysoedd Virgin
Dyfn.	Dyfnaint	*Nfld. a Lab.*	Newfoundland a Labrador	Ysdd y Gn.	Ynysoedd y Gorllewin
EAU	Emiradau Arabaidd Unedig	*Norf.*	Norfolk	Ysdd y Sianel	Ynysoedd y Sianel
E. N.	Efrog Newydd	*Northum.*	Northumberland	Ys Manaw	Ynys Manaw
Ess.	Essex	*Oh.*	Ohio	Y Sw.	Y Swistir
Falk.	Falkirk	*Oreg.*	Oregon	Ys Wyth	Ynys Wyth
Fla.	Florida	*Orkn.*	Orkney		
g.	gwlff	*p.*	penrhyn		

a. Ffrainc 9 H2 51°00'G 2°07'Dn
benraa Denmarc 43 B1 55°02'G 9°25'Dn
chen Yr Almaen 46 B4 50°46'G 6°05'Dn
lborg Denmarc 43 B2 57°03'G 9°55'Dn
len Yr Almaen 46 D3 48°50'G 10°06'Dn
lst Gwlad Belg 42 D3 50°56'G 4°03'Dn
ādān Iran 95 G6 30°20'G 48°17'Dn
ādeh Iran 95 H6 31°08'G 52°36'Dn
adla Algeria 84 D5 31°00'G 2°43'Gn
akan Rwsia 55 K3 53°42'G 91°25'Dn
arqū Iran 95 H6 31°06'G 53°13'Dn
ashiri Japan 104 D4 44°01'G 144°15'Dn
aya, Llyn Ethiopia 85 H2 6°17'G 37°51'Dn
aza Rwsia 98 G8 52°40'G 90°06'Dn
beville Ffrainc 44 D7 50°06'G 1°50'Dn
bey, Pentir Yr Alban 15 F2 54°46'G 3°58'Gn
beyfeale Iwerddon 18 B2 52°23'G 9°18'Gn
beyleix Iwerddon 18 D2 52°55'G 7°21'Gn
bot, Sgafell Iâ Antarctica 112 map 2 72°33'D 101°37'Gn
bottabad Pakistan 95 L6 34°10'G 73°13'Dn
éché Tchad 85 G3 13°50'G 20°49'Dn
eokuta Nigeria 84 E2 7°07'G 3°18'Dn
eraeron Cymru 10 C4 52°15'G 4°15'Gn
erchirder Yr Alban 17 G2 57°34'G 2°38'Gn
erdâr Cymru 10 D3 51°43'G 3°27'Gn
erdaron Cymru 10 C4 52°48'G 4°43'Gn
erdaugleddau Cymru 10 B3 51°43'G 5°02'Gn
erdeen UDA 62 G6 45°28'G 98°31'Gn
erdeen Yr Alban 17 G2 57°09'G 2°06'Gn
erdeen, Dinas *rhan.* Yr Alban 20 D5 57°10'G 2°11'Gn
erdeen, Swydd *rhan.* Yr Alban 20 D5 57°21'G 2°32'Gn
erfeldy Yr Alban 17 F1 56°37'G 3°52'Gn
erford Lloegr 13 F2 53°50'G 1°21'Gn
erfoyle Yr Alban 14 E4 56°11'G 4°23'Gn
ergele Cymru 10 D5 53°17'G 3°35'Gn
ergwaun Cymru 10 C3 51°59'G 4°58'Gn
ergwaun, Bae Cymru 10 C4 52°01'G 4°58'Gn
erhonddu Cymru 10 D3 51°57'G 3°24'Gn
erlour Yr Alban 17 F2 57°29'G 3°13'Gn
ermaw Cymru 10 C4 52°43'G 4°03'Gn
ermaw, Bae Cymru 10 C4 52°43'G 4°10'Gn
erporth Cymru 10 C4 52°08'G 4°33'Gn
ersoch Cymru 10 C4 52°50'G 4°30'Gn
ertawe Cymru 10 D3 51°37'G 3°57'Gn
ertawe *rhan.* Cymru 21 D2 51°39'G 3°57'Gn
ertawe, Bae Cymru 10 D3 51°34'G 3°54'Gn
erteifi Cymru 10 C4 52°05'G 4°40'Gn
ertyleri Cymru 10 D3 51°44'G 3°08'Gn
erystwyth Cymru 10 C4 52°25'G 4°05'Gn
hā Saudi Arabia 94 F3 18°13'G 42°29'Dn
djan Côte d'Ivoire 84 D2 5°21'G 4°01'Gn
lene UDA 62 G3 32°26'G 99°45'Gn
ngdon Lloegr 8 D2 51°40'G 1°17'Gn
ngton Yr Alban 15 F3 55°30'G 3°41'Gn
tibi, Llyn Canada 63 J6 48°55'G 80°01'Gn
o (Turku) Y Ffindir 43 E3 60°27'G 22°15'Dn
oyne Yr Alban 17 G2 57°05'G 2°47'Gn
qaiq Saudi Arabia 95 G5 25°56'G 49°42'Dn
ū 'Arīsh Saudi Arabia 94 F3 17°03'G 43°04'Dn
u Dhabi (Abū Zabī) EAU 95 H4 24°28'G 54°20'Dn
u Hamed Sudan 85 H3 19°30'G 33°24'Dn
uja Nigeria 84 E2 9°06'G 7°19'Dn
ū Kamāl Syria 94 F6 34°26'G 40°56'Dn
ū Nujaym Libya 49 G3 30°35'G 15°25'Dn
ū Sunbul Yr Aifft 94 D4 22°21'G 31°38'Dn
ū Zabī (Abu Dhabi) EAU 95 H4 24°28'G 54°20'Dn
yad Sudan 94 C2 13°46'G 26°26'Dn
Cañiza Sbaen 45 A5 42°13'G 8°16'Gn
aponeta México 66 C5 22°30'G 105°25'Gn
apulco México 66 E4 16°55'G 99°52'Gn
arigua Venezuela 72 C7 9°33'G 69°11'Gn
cra Ghana 84 D2 5°33'G 0°12'Gn
crington Lloegr 13 E2 53°45'G 2°22'Gn
Chabag (Kebock, Pentir) Yr Alban 16 C3 58°03'G 6°21'Gn
heloös *a.* Groeg 50 D4 38°20'G 21°06'Dn
hill, Ynys Iwerddon 18 A3 53°56'G 10°00'Gn
hinsk Rwsia 55 K3 56°17'G 90°34'Dn
Chralaig *m.* Yr Alban 16 D2 57°11'G 5°09'Gn
klins, Ynys Bahamas 67 J5 22°18'G 74°08'Gn
e Lloegr 9 G3 52°38'G 1°33'Dn
oncagua, Mynydd Ariannin 73 B3 32°38'D 70°01'Gn
ores (Azores) *rhan.* Portiwgal 116 E3 37°25'G 27°58'Gn
Coruña Sbaen 45 A5 43°22'G 8°24'Gn
aja *a.* Sbaen 45 C4 41°33'G 4°51'Gn
ana Twrci 51 K3 36°59'G 35°19'Dn
apazarı Twrci 51 I5 40°47'G 30°23'Dn
are, Penrhyn Antarctica 112 map 2 71°15'D 170°18'Dn
da, Copa (Sri Pada) Sri Lanka 96 F2 6°50'G 80°30'Dn
Dahnā' *diff.* Saudi Arabia 95 G5 20°56'G 47°16'Dn
Dakhla Gorllewin Sahara 84 C4 23°41'G 15°56'Gn
Dawhah (Doha) Qatar 95 H5 25°17'G 51°33'Dn
derbury Lloegr 8 D3 52°01'G 1°19'Gn
Dir'īyah Saudi Arabia 95 G4 24°45'G 46°34'Dn
dis Ababa Ethiopia 85 H2 8°59'G 38°46'Dn
Dīwānīyah Iraq 94 F6 31°59'G 44°59'Dn
eilade, Ynys Antarctica 112 map 2 67°09'D 69°05'Gn
elaide Awstralia 108 C3 34°56'D 138°40'Dn
élie, Tir *n.* Antarctica 112 map 2 69°21'D 139°02'Dn
en Yemen 94 F2 12°47'G 45°02'Dn
en, Gwlff Somalia/Yemen 85 I3 11°45'G 45°17'Dn
i *ys* Indonesia 103 I3 4°14'D 133°27'Dn
ī Ārk'ay Ethiopia 94 E2 13°27'G 38°03'Dn
īgrat Ethiopia 94 E2 14°17'G 39°27'Dn
i Ugri Eritrea 94 E2 14°55'G 38°50'Dn
ıyaman Twrci 51 M3 37°46'G 38°17'Dn
miralty, Ynysoedd PGN 108 D6 1°54'D 146°29'Dn
our *a.* Ffrainc 44 C3 43°32'G 1°31'Gn
ria, Môr Ewrop 48 F5 44°19'G 13°24'Dn
wa Ethiopia 85 H3 14°07'G 38°56'Dn
wick le Street Lloegr 13 F2 53°34'G 1°12'Gn
ycha *a.* Rwsia 55 O4 66°42'G 136°32'Dn
gea, Môr Groeg/Twrci 50 F4 39°00'G 24°51'Dn
frica Y Byd 78 18°44'G 13°07'Dn
frica, Gweriniaeth Canolbarth Affrica 85 G2 6°25'G 20°12'Dn
frica, Gweriniaeth De Affrica 83 B1 30°06'D 24°04'Dn
ghanistan Asia/Ewrop 95 K6 33°53'G 65°52'Dn
von Twrci 51 I4 38°46'G 30°33'Dn
adez Niger 84 E3 16°57'G 7°59'Dn
adir Moroco 84 D5 30°25'G 9°36'Gn
ano *a.* Japan 104 C3 37°47'G 139°11'Dn
artala India 97 H5 23°50'G 91°16'Dn
de Ffrainc 44 E3 43°18'G 3°28'Dn
en Ffrainc 44 D4 44°12'G 0°38'Dn
ios Dimitrios Groeg 50 E3 37°49'G 23°51'Dn
ios Efstratios *ys* Groeg 50 F4 39°30'G 25°01'Dn
ios Konstantinos Groeg 50 E4 38°45'G 22°51'Dn
ios Nikolaos Groeg 50 F2 35°12'G 25°43'Dn
irwat, Bryniau Sudan 94 E3 16°26'G 35°03'Dn
ra India 96 E6 27°09'G 78°01'Dn
Ağri Twrci 94 F7 39°43'G 43°04'Dn
Agrigento Yr Eidal 48 F4 37°18'G 13°35'Dn
Agrihan *ys* Ysdd G. Mariana 103 L7 18°46'G 145°42'Dn
Aguadilla Puerto Rico 66 Q2 18°26'G 67°09'Gn
Aguadulce Panamá 67 H2 8°15'G 80°33'Gn
Aguascalientes México 66 D5 21°51'G 102°21'Gn
Aguascalientes *rhan.* México 66 D5 21°57'G 102°11'Gn
Aguilar de Campóo Sbaen 45 C5 42°47'G 4°14'Gn
Águilas Sbaen 45 E2 37°25'G 1°35'Gn
Agulhas, Penrhyn D. Affrica 83 B1 34°50'D 20°03'Dn
Ahaggar *n.* Algeria 84 E4 23°10'G 4°23'Dn
Ahar Iran 95 G7 38°27'G 47°02'Dn
Ahaus Yr Almaen 42 G5 52°05'G 7°01'Dn
Ahmadabad India 96 D5 23°02'G 72°37'Dn
Ahmadpur East Pakistan 96 D6 29°08'G 71°15'Dn
Ahvāz Iran 95 G6 31°15'G 48°40'Dn
Aibonito Puerto Rico 66 R2 18°09'G 66°16'Gn
Aifft, Yr Affrica 85 G4 29°53'G 31°16'Dn
Aigialousa Cyprus 51 K2 35°31'G 34°11'Dn
Aigina *ys* Groeg 50 E3 37°41'G 23°31'Dn
Ailsa Craig *ys* Yr Alban 14 D3 55°15'G 5°06'Gn
Aïn Beïda Algeria 48 E4 35°47'G 7°25'Dn
'Aïn Ben Tili Mauritius 84 D4 26°00'G 9°31'Gn
Aïn Sefra Algeria 84 D5 32°42'G 0°35'Gn
Aïr, Massif de l' *mdd.* Niger 84 E3 18°46'G 8°15'Dn
Aird a' Bhàsair (Ardvasar) Yr Alban 16 D2 57°03'G 5°55'Gn
Airdrie Canada 60 G3 51°17'G 114°01'Gn
Airdrie Yr Alban 15 F3 55°52'G 3°58'Gn
Aisne *a.* Ffrainc 44 E6 49°26'G 2°51'Dn
Aitape PGN 103 K3 3°08'D 142°20'Dn
Aix-en-Provence Ffrainc 44 F3 43°32'G 5°27'Dn
Aizkraukle Latvia 47 K7 56°36'G 25°15'Dn
Aizu-wakamatsu Japan 104 C3 37°29'G 139°56'Dn
Ajaccio Ffrainc 44 H2 41°55'G 8°44'Dn
Ajdābiyā Libya 85 G5 30°45'G 20°13'Dn
Akbulak Rwsia 53 F3 50°59'G 55°36'Dn
Akçakale Twrci 51 M3 36°43'G 38°57'Dn
Akdağmadeni Twrci 51 K4 39°39'G 35°54'Dn
Akhalkalaki Georgia 53 E2 41°25'G 43°29'Dn
Akhḑar, Mynydd Oman 95 I4 23°22'G 57°00'Dn
Akhḑar, Mynyddoedd Libya 49 H3 32°10'G 20°49'Dn
Akhisar Twrci 51 G4 38°55'G 27°50'Dn
Akhtubinsk Rwsia 53 E2 48°20'G 46°05'Dn
Akimiski, Ynys Canada 61 J3 53°08'G 81°17'Gn
Akita Japan 104 D3 39°43'G 140°07'Dn
Akkajaure *ll.* Sweden 43 D4 67°41'G 17°29'Dn
Aknoul Moroco 45 D1 34°40'G 3°52'Gn
Akordat Eritrea 85 H3 15°33'G 37°53'Dn
Akpatok, Ynys Canada 61 L4 60°24'G 67°45'Gn
Akranes Gwlad yr Iâ 43 X2 64°19'G 22°05'Gn
Akron UDA 63 J5 41°07'G 81°33'Gn
Aksai Chin Asia/Ewrop 96 E8 35°08'G 79°11'Dn
Aksaray Twrci 51 K4 38°23'G 34°02'Dn
Aksarka Rwsia 52 G4 66°31'G 67°51'Dn
Akşehir Twrci 51 I4 38°21'G 31°24'Dn
Aksu China 98 E6 41°06'G 80°21'Dn
Āksum Ethiopia 94 E2 14°06'G 38°45'Dn
Aktau Kazakhstan 53 F2 43°39'G 51°12'Dn
Aktobe Kazakhstan 53 F3 50°13'G 57°10'Dn
Aktogay Kazakhstan 54 I2 47°06'G 79°42'Dn
Akureyri Gwlad yr Iâ 43 Y2 65°41'G 18°07'Gn
Alabama *a.* UDA 63 I3 31°09'G 87°57'Gn
Alabama *rhan.* UDA 63 I3 32°41'G 86°42'Gn
Alagoinhas Brasil 72 F5 12°07'D 38°17'Gn
Al Aḩmadī Kuwait 95 G5 29°04'G 48°02'Dn
Alakol', Llyn Kazakhstan 98 E7 46°03'G 81°30'Dn
Alakurtti Rwsia 43 G4 66°58'G 30°20'Dn
Alamagan *ys* Ysdd G. Mariana 103 L7 17°35'G 145°52'Dn
Åland, Ynysoedd Y Ffindir 43 D3 60°28'G 19°53'Dn
Alanya Twrci 51 J3 36°33'G 32°00'Dn
Al 'Aqabah Gwlad Iorddonen 94 E5 29°31'G 35°01'Dn
Al Arţāwīyah Saudi Arabia 95 G5 26°30'G 45°21'Dn
Alaşehir Twrci 51 H4 38°21'G 28°30'Dn
Alaska *rhan.* UDA 60 D4 63°41'G 143°45'Gn
Alaska, Cadwyn UDA 60 D4 63°19'G 148°01'Gn
Alaska, Gorynys UDA 60 C3 55°18'G 162°25'Gn
Alaska, Gwlff UDA 60 D3 58°10'G 147°57'Gn
Alausí Ecuador 72 B6 2°10'D 78°52'Gn
Alavus Y Ffindir 43 E3 62°35'G 23°37'Dn
Alaw, Llyn *cr.* Cymru 10 C5 53°21'G 4°25'Gn
Albacete Sbaen 45 E3 39°00'G 1°50'Gn
Alba Iulia România 50 E8 46°05'G 23°36'Dn
Alban, Gororau'r *rhan.* Yr Alban 20 D4 55°40'G 2°44'Gn
Alban, Yr *rhan.* 20 D5 57°01'G 3°53'Gn
Albania Ewrop 50 C5 41°56'G 19°34'Dn
Albany Awstralia 108 A3 34°58'D 117°54'Dn
Albany *a.* Canada 61 J3 52°08'G 81°59'Gn
Albany UDA 63 L5 42°40'G 73°46'Gn
Albatross, Bae Awstralia 103 K1 12°41'D 141°44'Dn
Al Bawītī Yr Aifft 85 G4 28°21'G 28°50'Dn
Al Bayḑā' Libya 85 G5 32°47'G 21°43'Dn
Alberche *a.* Sbaen 45 C3 39°58'G 4°46'Gn
Albert Ffrainc 42 B2 49°59'G 2°39'Dn
Albert, Llyn Gwer. Ddem. Congo/Uganda 83 C5 1°43'G 30°59'Dn
Alberta *rhan.* Canada 60 G3 52°45'G 113°59'Gn
Albert Lea UDA 63 H5 43°39'G 93°22'Gn
Albi Ffrainc 44 E3 43°56'G 2°08'Dn
Al Biyāḑh *n.* Saudi Arabia 95 G4 20°56'G 46°13'Dn
Alborán, Ynys Sbaen 45 D1 35°57'G 3°02'Gn
Albuquerque UDA 62 E4 35°07'G 106°38'Gn
Al Buraymī Oman 95 I4 24°14'G 55°48'Dn
Albury Awstralia 108 D3 36°03'D 146°54'Dn
Alcalá de Henares Sbaen 45 D4 40°29'G 3°21'Gn
Alcalá la Real Sbaen 45 D2 37°28'G 3°55'Gn
Alcañiz Sbaen 45 E4 41°03'G 0°07'Gn
Alcázar de San Juan Sbaen 45 D3 39°23'G 3°11'Gn
Alcester Lloegr 8 D3 52°13'G 1°52'Gn
Alcoi (Alcoy) Sbaen 45 E3 38°42'G 0°27'Gn
Alcoy (Alcoi) Sbaen 45 E3 38°42'G 0°27'Gn
Alcúdia Sbaen 45 G3 39°51'G 3°07'Dn
Aldabra, Ynysoedd Seychelles 85 I1 9°16'D 46°30'Dn
Al-Dammām Saudi Arabia 95 H5 26°24'G 50°10'Dn
Aldan Rwsia 55 N3 58°36'G 125°25'Dn
Aldan *a.* Rwsia 55 N4 63°32'G 128°46'Dn
Aldbrough Lloegr 13 G2 53°50'G 0°07'Gn
Aldeburgh Lloegr 9 G3 52°09'G 1°36'Dn
Alderley Edge Lloegr 13 E2 53°18'G 2°14'Gn
Alderney *ys* Ysdd Channel 11 Z9 49°42'G 2°15'Gn
Aldershot Lloegr 8 E2 51°15'G 0°45'Gn
Aldingham Lloegr 12 D3 54°08'G 3°06'Gn
Aldridge Lloegr 8 D3 52°36'G 1°55'Gn
Aleksandrovsk-Sakhalinskiy Rwsia 55 P3 51°08'G 142°21'Dn
Aleksin Rwsia 47 Q6 54°31'G 37°05'Dn
Alençon Ffrainc 44 D6 48°26'G 0°06'Dn
Aleppo (Halab) Syria 94 E7 36°12'G 37°09'Dn
Alès Ffrainc 44 F4 44°08'G 4°05'Dn
Alessandria Yr Eidal 46 C1 44°55'G 8°38'Dn
Ålesund Norwy 43 A3 62°28'G 6°12'Dn
Aleutia, Cadwyn UDA 60 C3 56°10'G 159°17'Gn
Aleutia, Ynysoedd UDA 60 A3 53°03'G 176°15'Gn
Alexander, Ynys Antarctica 112 map 2 71°13'D 70°20'Gn
Alexander, Ynysfor UDA 60 E3 57°59'G 137°33'Gn
Alexandra, Penrhyn D. Cefn. Iwerydd 73 F1 54°05'D 37°56'Gn
Alexandria România 50 F6 43°58'G 25°20'Dn
Alexandria *La.* UDA 63 H3 31°17'G 92°28'Gn
Alexandria *Va.* UDA 63 K4 38°48'G 77°05'Gn
Alexandria Yr Alban 14 E3 55°59'G 4°35'Gn
Alexandria (Al-Iskandariyyah) Yr Aifft 85 G5 31°13'G 29°56'Dn
Alexandroupoli Groeg 50 F5 40°51'G 25°53'Dn
Aleysk Rwsia 98 E8 52°30'G 82°51'Dn
Al Fayyūm Yr Aifft 85 H4 29°18'G 30°51'Dn
Al Fas (Fez) Moroco 84 D5 34°03'G 4°59'Gn
Alford Lloegr 13 H2 53°16'G 0°11'Dn
Alfreton Lloegr 13 F2 53°06'G 1°23'Gn
Algarve *n.* Portiwgal 45 A2 37°16'G 8°07'Gn
Algeciras Sbaen 45 C2 36°07'G 5°27'Gn
Alger (Al Jazā'ir) Algeria 84 E5 36°45'G 3°03'Dn
Algeria Affrica 84 E4 30°15'G 3°31'Dn
Al Ghayḑah Yemen 95 H3 16°14'G 52°11'Dn
Al Ghurdaqah Yr Aifft 49 J2 27°12'G 33°48'Dn
Al Ghwaybiyah Saudi Arabia 95 G5 25°14'G 49°43'Dn
Algorta Sbaen 45 D5 43°21'G 2°59'Gn
Al Ḩasakah Syria 94 F7 36°30'G 40°44'Dn
Al Ḩibāk *diff.* Saudi Arabia 95 H3 19°55'G 52°51'Dn
Al Hoceima Moroco 48 C4 35°15'G 3°56'Gn
Al Hufūf Saudi Arabia 95 G5 25°22'G 49°35'Dn
Aliağa Twrci 50 G4 38°47'G 26°58'Dn
Aliakmonas *a.* Groeg 50 E5 40°28'G 22°38'Dn
Alicant (Alicante) Sbaen 45 E3 38°21'G 0°29'Gn
Alicante (Alicant) Sbaen 45 E3 38°21'G 0°29'Gn
Alice Springs *tref* Awstralia 108 C4 23°42'D 133°52'Dn
Alingsås Sweden 43 C2 57°56'G 12°33'Dn
Al-Iskandariyyah (Alexandria) Yr Aifft 85 G5 31°13'G 29°56'Dn
Al Ismā'īlīyah Yr Aifft 49 J3 30°35'G 32°17'Dn
Al Jaghbūb Libya 85 G4 29°45'G 24°30'Dn
Al Jahrah Kuwait 95 G5 29°20'G 47°41'Dn
Al Jawf Libya 85 G4 24°12'G 23°18'Dn
Al Jawf Saudi Arabia 94 E5 29°47'G 39°55'Dn
Al Jawsh Libya 48 F3 31°59'G 11°40'Dn
Al Jazā'ir (Alger) Algeria 84 E5 36°45'G 3°03'Dn
Al Jubayl Saudi Arabia 95 G5 27°02'G 49°38'Dn
Aljustrel Portiwgal 45 A2 37°53'G 8°10'Gn
Al Karak Gwlad Iorddonen 94 E6 31°10'G 35°42'Dn
Al Khābūrah Oman 95 I4 23°56'G 57°11'Dn
Al-Khalil (Hebron) Israel 49 J3 31°53'G 34°49'Dn
Al Khārijah Yr Aifft 85 H4 25°24'G 30°33'Dn
Al Khaşab Oman 95 I5 26°11'G 56°14'Dn
Al Khums Libya 48 F3 32°39'G 14°15'Dn
Alkmaar Yr Iseldiroedd 42 D5 52°38'G 4°45'Dn
Al Kūt Iraq 95 G6 32°33'G 45°50'Dn
Allahabad India 96 F6 25°25'G 81°52'Dn
Allakh-Yun' Rwsia 55 O4 61°05'G 138°03'Dn
Allegheny *a.* UDA 63 K5 40°27'G 79°59'Gn
Allegheny, Mynyddoedd UDA 63 J4 36°46'G 82°22'Gn
Allen, Loch Iwerddon 18 C4 54°09'G 8°03'Gn
Allendale Town Lloegr 13 E3 54°54'G 2°15'Gn
Allentown UDA 63 K5 40°37'G 75°30'Gn
Alleppey India 96 E2 9°30'G 76°20'Dn
Aller *a.* Yr Almaen 46 C5 52°57'G 9°11'Dn
Al Līth Saudi Arabia 94 F4 20°09'G 40°17'Dn
Alloa Yr Alban 15 F4 56°07'G 3°47'Gn
Al Madīnah (Medina) Saudi Arabia 94 E4 24°26'G 39°38'Dn
Almaen, Yr Ewrop 46 D4 51°18'G 10°22'Dn
Al Manamāh Bahrain 95 H5 26°12'G 50°35'Dn
Almansa Sbaen 45 E3 38°52'G 1°05'Gn
Al Manşūrah Yr Aifft 49 J3 31°02'G 31°23'Dn
Almanzor *m.* Sbaen 45 C4 40°15'G 5°18'Gn
Al Marj Libya 49 H3 32°30'G 20°53'Dn
Almaty Kazakhstan 54 I2 43°16'G 77°01'Dn
Al Mawşil (Mosul) Iraq 94 F7 36°18'G 43°05'Dn
Almelo Yr Iseldiroedd 42 F5 52°21'G 6°40'Dn
Almendra, Cronfa Ddŵr Sbaen 45 B4 41°17'G 6°14'Gn
Almería Sbaen 45 D2 36°50'G 2°27'Gn
Al'met'yevsk Rwsia 53 F3 54°51'G 52°23'Dn
Almina, Pwynt G. Affrica 45 C1 35°54'G 5°16'Gn
Al Minyā Yr Aifft 85 H4 28°05'G 30°45'Dn
Almodôvar Portiwgal 45 A2 37°31'G 8°04'Gn
Almond *a.* Yr Alban 15 F4 56°25'G 3°28'Gn
Al Mudawwara Gwlad Iorddonen 94 E5 29°19'G 36°02'Dn
Al Mukhā Yemen 94 F2 13°19'G 43°15'Dn
Almuñécar Sbaen 45 D2 36°44'G 3°41'Gn
Alnwick Lloegr 13 F4 55°25'G 1°42'Gn
Alofi Niue 109 I5 19°03'D 169°54'Gn
Alor *ys* Indonesia 103 G2 8°17'D 124°44'Dn
Alor Setar Malaysia 102 C5 6°08'G 100°22'Dn
Alpau, Yr *mdd.* Ewrop 48 F6 45°24'G 6°47'Dn
Alpau Carnig *mdd.* Awstria/Yr Eidal 46 E2 46°40'G 12°43'Dn
Alpau Dinarig *mdd.* Ewrop 50 B7 44°13'G 16°16'Dn
Alpau Morol *mdd.* Ffrainc/Yr Eidal 44 G4 44°16'G 6°56'Dn
Alpau'r De *mdd.* Seland Newydd 109 G2 43°26'D 170°28'Dn
Alpena UDA 63 J6 45°03'G 83°27'Gn
Alpha, Cefnen Cefn. Arctig 112 map 1 86°08'G 134°23'Gn
Alpine UDA 62 F3 30°18'G 103°35'Gn
Al Qa'āmīyāt *n.* Saudi Arabia 95 G3 17°53'G 47°46'Dn
Al Qaddāḩīyah Libya 48 G3 31°23'G 15°15'Dn
Al Qāmishlī Syria 94 F7 37°03'G 41°13'Dn
Al Qaryatayn Syria 51 L2 34°13'G 37°14'Dn
Al Qunfidhah Saudi Arabia 94 F3 19°07'G 41°05'Dn
Al Quşayr Yr Aifft 85 H4 26°07'G 34°13'Dn
Alsace *rhan.* Ffrainc 42 G1 48°22'G 7°24'Dn
Alsager Lloegr 13 E2 53°06'G 2°18'Gn
Alston Lloegr 13 E3 54°49'G 2°26'Gn
Altaelva *a.* Norwy 43 E5 69°57'G 23°20'Dn
Altai, Mynyddoedd Asia/Ewrop 98 F7 48°55'G 87°16'Dn
Altamira Brasil 72 D6 3°14'D 52°14'Gn
Altay China 98 F7 47°48'G 88°10'Dn
Altay Mongolia 98 H7 46°18'G 96°15'Dn
Altiplano *n.* Bolivia 72 C5 16°24'D 69°39'Gn
Altiplano Mexicano *mdd.* México 56 E3 25°47'G 103°50'Gn
Alton Lloegr 8 E2 51°09'G 0°58'Gn
Altoona UDA 63 K5 40°30'G 78°24'Gn
Altötting Yr Almaen 46 E3 48°14'G 12°41'Dn
Altrincham Lloegr 13 E2 53°23'G 2°21'Gn
Altun Shan *mdd.* China 98 F5 37°45'G 86°38'Dn
Alturas UDA 62 B5 41°30'G 120°31'Gn
Al 'Uqaylah Libya 49 G3 30°15'G 19°13'Dn
Al 'Uwaynāt Libya 94 B4 21°44'G 24°51'Dn
Älvdalen Sweden 43 C3 61°13'G 14°04'Dn
Alveley Lloegr 8 C3 52°27'G 2°21'Gn
Älvsbyn Sweden 43 E4 65°40'G 21°00'Dn
Al Wajh Saudi Arabia 94 E5 26°17'G 36°25'Dn
Alwen, Llyn *cr.* Cymru 10 D5 53°05'G 3°35'Gn
Al Widyān *n.* Iraq/Saudi Arabia 94 F6 32°09'G 40°22'Dn
Alyth Yr Alban 17 F1 56°38'G 3°14'Gn
Alytus Lithuania 47 K6 54°23'G 24°03'Dn
Amadeus, Llyn Awstralia 108 C4 24°50'D 131°09'Dn
Amadjuak, Llyn Canada 61 K4 64°57'G 71°09'Gn
Amadora Portiwgal 45 A3 38°46'G 9°14'Gn
Åmål Sweden 43 C2 59°03'G 12°44'Dn
Amamapare Indonesia 103 J3 4°53'D 136°48'Dn
Amami-Ō-shima *ys* Japan 104 A1 28°13'G 129°08'Dn
Amapá Brasil 72 D7 2°02'G 50°50'Gn
Amarillo UDA 62 F4 35°15'G 101°50'Gn
Amasya Twrci 51 K5 40°39'G 35°50'Dn
Amazonas *a.* D. America 72 D7 0°01'G 50°37'Gn
Amazonas, Aberoedd Brasil 72 E7 0°41'G 49°28'Gn
Ambarchik Rwsia 55 R4 69°35'G 162°13'Dn
Ambergate Lloegr 13 F2 53°04'G 1°29'Gn
Ambergris Cay *ys* Belize 66 G4 18°08'G 87°52'Gn
Amble Lloegr 13 F4 55°20'G 1°35'Gn
Ambleside Lloegr 12 E3 54°26'G 2°58'Gn
Ambon Indonesia 103 H3 3°41'D 128°11'Dn
Ambrym *ys* Vanuatu 109 F5 16°12'D 168°13'Dn
Ameland *ys* Yr Iseldiroedd 42 E6 53°28'G 5°48'Dn
Amersfoort Yr Iseldiroedd 42 E5 52°09'G 5°23'Dn
Amersham Lloegr 9 E2 51°41'G 0°36'Gn
Amery, Sgafell Iâ Antarctica 112 map 2 69°33'D 70°52'Dn
Amesbury Lloegr 8 D2 51°10'G 1°47'Gn
Amfissa Groeg 50 E4 38°32'G 22°22'Dn
Amgu Rwsia 104 C5 45°46'G 137°32'Dn
Amgun' *a.* Rwsia 55 O3 53°01'G 139°38'Dn
Amiens Ffrainc 44 E6 49°54'G 2°18'Dn
Amlwch Cymru 10 C5 53°25'G 4°21'Gn
'Ammān Gwlad Iorddonen 94 E6 31°57'G 35°56'Dn
Ammokhostos (Famagusta) Cyprus 51 J2 35°06'G 33°57'Dn
Amol Iran 95 H7 36°27'G 52°20'Dn
Amorgos *ys* Groeg 50 F3 36°49'G 25°54'Dn
Amos Canada 61 K2 48°34'G 78°08'Gn
Ampthill Lloegr 9 E3 52°02'G 0°30'Gn
Amravati India 96 E5 20°56'G 77°45'Dn
Amritsar India 96 D7 31°38'G 74°53'Dn
Amstelveen Yr Iseldiroedd 42 D5 52°19'G 4°52'Dn
Amsterdam Yr Iseldiroedd 42 D5 52°23'G 4°54'Dn
Amstetten Awstria 46 F3 48°08'G 14°52'Dn
Amudar'ya *a.* Asia/Ewrop 54 H2 44°02'G 59°39'Dn
Amund Ringnes, Ynys Canada 61 I5 78°17'G 96°35'Gn
Amundsen, Basn Cefn. Arctig 112 map 1 88°15'G 21°55'Dn
Amundsen, Gwlff Canada 60 F5 70°25'G 121°26'Gn
Amundsen, Môr Antarctica 112 map 2 72°33'D 119°40'Gn
Amundsen, Mynydd Antarctica 112 map 2 67°10'D 100°16'Dn
Amuntai Indonesia 102 F3 2°28'D 115°15'Dn
Amur *a.* Rwsia 55 P3 53°17'G 140°37'Dn
Amwythig (Shrewsbury) Lloegr 8 C3 52°42'G 2°45'Gn
Amwythig, Sir *rhan.* Lloegr 21 D3 52°45'G 2°38'Gn
Anabar *a.* Rwsia 55 M5 73°13'G 113°31'Dn
Anadolu, Mynyddoedd Twrci 51 L5 40°59'G 36°11'Dn
Anadyr' Rwsia 55 S4 64°44'G 177°20'Dn
Anadyr', Gwlff *b.* Rwsia 55 T4 63°56'G 177°42'Gn
'Ānah Iraq 94 F6 34°25'G 41°56'Dn
Anambas, Ynysoedd Indonesia 102 D4 2°59'G 105°25'Dn
Anamur Twrci 51 J3 36°06'G 32°50'Dn
Anapa Rwsia 51 L7 44°54'G 37°20'Dn
Anápolis Brasil 72 E5 16°20'D 48°55'Gn
Añasco Puerto Rico 66 Q2 18°18'G 67°08'Gn
Anatahan *ys* Ysdd G. Mariana 103 L7 16°21'G 145°42'Dn
Anatolia *n.* Twrci 51 J4 38°49'G 28°40'Dn
An Blascaod Mor *ys* Iwerddon 18 A2 52°06'G 10°32'Gn
Anchorage UDA 60 D4 61°12'G 149°52'Gn
Ancona Yr Eidal 48 F5 43°37'G 13°31'Dn
And, Ffiord *cf.* Norwy 43 D5 68°53'G 16°04'Dn
Åndalsnes Norwy 43 A3 62°34'G 7°42'Dn
Andaman, Môr Cefn. India 97 I3 11°31'G 95°14'Dn
Andaman, Ynysoedd India 97 H3 12°37'G 92°38'Dn
Andaman Fach *ys* India 97 H3 10°41'G 92°30'Dn
Anderlecht Gwlad Belg 42 D3 50°49'G 4°18'Dn
Andermatt Y Swistir 46 C2 46°38'G 8°36'Dn
Anderson *a.* Canada 60 F4 69°41'G 128°56'Gn
Anderson UDA 60 D4 64°22'G 149°12'Gn
Andes *mdd.* D. America 73 B6 9°10'D 77°03'Gn
Andhra Pradesh *rhan.* India 96 E4 15°22'G 79°20'Dn
Andkhvoy Afgh. 95 K7 36°54'G 65°05'Dn
Andorra Ewrop 45 F5 42°32'G 1°35'Dn
Andorra la Vella Andorra 45 F5 42°31'G 1°32'Dn
Andover Lloegr 8 D2 51°12'G 1°29'Gn
Andøya *ys* Norwy 43 C5 69°11'G 15°48'Dn
Andreanov, Ynysoedd UDA 56 B4 51°26'G 178°02'Gn
Andreas (Andreays) Ys Manaw 12 C3 54°22'G 4°27'Gn
Andreays (Andreas) Ys Manaw 12 C3 54°22'G 4°27'Gn
Andria Yr Eidal 49 G5 41°14'G 16°18'Dn
Andros *ys* Bahamas 67 I5 24°25'G 78°09'Gn
Andros *ys* Groeg 50 F3 37°53'G 24°57'Dn
Andújar Sbaen 45 C3 38°02'G 4°03'Gn
Anéfis Mali 84 E3 18°02'G 0°32'Dn
Anegada *ys* Ysdd Virgin (DU) 67 L4 18°44'G 64°19'Gn
Aneto *m.* Sbaen 45 F5 42°38'G 0°39'Dn
Angara *a.* Rwsia 55 K3 58°05'G 92°59'Dn
Angarsk Rwsia 99 I8 52°24'G 103°45'Dn
Ånge Sweden 43 C3 62°32'G 15°40'Dn
An Gearasdan (Fort William) Yr Alban 16 D1 56°49'G 5°06'Gn
Ángel de la Guarda, Ynys México 66 B6 29°25'G 113°24'Gn
Ängelholm Sweden 43 C2 56°15'G 12°52'Dn
Angers Ffrainc 44 C5 47°28'G 0°33'Gn
Angola Affrica 83 A3 11°40'D 17°34'Dn
Angola, Basn D. Cefn. Iwerydd 117 F2 26°42'D 0°49'Gn
Angoulême Ffrainc 44 D4 45°39'G 0°10'Dn
Angren Uzbekistan 98 C6 41°02'G 70°07'Dn
Anguilla *rhan.* Cb. America 67 L4 18°14'G 63°02'Gn
Angus *rhan.* Yr Alban 20 D5 56°43'G 2°55'Gn
Anhui *rhan.* China 99 L4 32°10'G 117°07'Dn
Ankara Twrci 51 J4 39°56'G 32°50'Dn
Anlaby Lloegr 13 G2 53°45'G 0°26'Gn
Ann, Penrhyn Antarctica 112 map 2 65°55'D 51°27'Dn
Annaba Algeria 84 E5 36°54'G 7°46'Dn
An Nabk Syria 51 L2 34°01'G 36°44'Dn
An Nafūd *diff.* Saudi Arabia 94 F5 28°28'G 41°17'Dn
An Najaf Iraq 94 F6 31°59'G 44°20'Dn
Annalee *a.* Iwerddon 18 D4 54°02'G 7°23'Gn
Annalong G. Iwerddon 14 D2 54°06'G 5°54'Gn
Annan Yr Alban 15 F2 54°59'G 3°15'Gn
Annan *a.* Yr Alban 15 F2 54°59'G 3°16'Gn
Annapurna *m.* Nepal 96 F6 28°34'G 83°49'Dn
Ann Arbor UDA 63 J5 42°17'G 83°45'Gn
An Nāşirīyah Iraq 95 G6 31°01'G 46°14'Dn
An Nawfalīyah Libya 49 G3 30°46'G 17°50'Dn
Annecy Ffrainc 44 G4 45°54'G 6°08'Dn
Anniston UDA 63 I3 33°39'G 85°43'Gn
Annotto Bay Jamaica 66 P2 18°15'G 76°47'Gn
An Nu'ayrīyah Saudi Arabia 95 G5 27°29'G 48°26'Dn
An Oriant (Lorient) Ffrainc 44 B5 47°45'G 3°22'Gn
Ansbach Yr Almaen 46 D3 49°18'G 10°36'Dn
Anse-la-Raye St Lucia 67 T1 13°58'G 61°03'Gn
Anshan China 99 M6 41°06'G 123°02'Dn
Anshun China 99 J3 26°15'G 105°57'Dn
Anstruther Yr Alban 15 G4 56°13'G 2°42'Gn
Antakya (Antioch) Twrci 51 L3 36°12'G 36°10'Dn
Antalya Twrci 51 I3 36°53'G 30°41'Dn
Antalya, Gwlff Twrci 51 I3 36°40'G 30°58'Dn
Antananarivo Madagascar 83 D3 18°54'D 47°33'Dn
An t-Arar (Arrochar) Yr Alban 14 E4 56°12'G 4°44'Gn
Antarctica Y Byd 112 map 2 71°44'D 118°42'Dn
Antarctig, Gorynys yr Antarctica 112 map 2 64°36'D 68°38'Gn
An Teallach *m.* Yr Alban 16 D2 57°48'G 5°16'Gn
An t-Eilean Sgiathanach (Skye) *ys* Yr Alban 16 C2 57°21'G 6°20'Gn
Antequera Sbaen 45 C2 37°02'G 4°33'Gn

Antibes Ffrainc **44 G3** 43°35'G 7°07'Dn
Anticosti, Ynys Canada **61 L2** 49°27'G 62°59'Gn
Antigua *ys* Antigua **67 L4** 17°02'G 61°43'Gn
Antigua a Barbuda Cb. America **67 L4** 17°20'G 61°20'Gn
Antikythira *ys* Groeg **50 E2** 35°52'G 23°20'Dn
Antilles Lleiaf *ysdd* Y Môr Caribî **67 L4** 12°28'G 67°56'Gn
Antilles Mwyaf *ysdd* Y Môr Caribî **67 H5** 21°05'G 81°40'Gn
Antioch (Antakya) Twrci **51 L3** 36°12'G 36°10'Dn
Antipodes, Ynysoedd Seland Newydd **109 G2** 49°39'D 178°44'Dn
An t-Oban (Oban) Yr Alban **14 D4** 56°25'G 5°28'Gn
Antofagasta Chile **73 B4** 23°37'D 70°22'Gn
Antrim G. Iwerddon **14 C2** 54°43'G 6°12'Gn
Antrim, Canol a De *rhan.* G. Iwerddon **20 B4** 54°53'G 6°06'Gn
Antrim, Mynyddoedd G. Iwerddon **14 C3** 55°05'G 6°16'Gn
Antrim a Newtonabbey *rhan.* G. Iwerddon **21 B4** 54°42'G 6°09'Gn
Antsirabe Madagascar **83 D3** 19°53'D 47°03'Dn
Antsirañana Madagascar **83 D3** 12°19'D 49°17'Dn
Antsohihy Madagascar **83 D3** 14°53'D 47°59'Dn
Antwerpen Gwlad Belg **42 D4** 51°12'G 4°26'Dn
Antwerpen *rhan.* Gwlad Belg **42 D4** 51°17'G 4°46'Dn
Anxi China **98 H6** 40°27'G 95°48'Dn
Anyang China **99 K5** 36°04'G 114°22'Dn
Anzhero-Sudzhensk Rwsia **54 J3** 56°08'G 86°01'Dn
Aomori Japan **104 D4** 40°49'G 140°45'Dn
Aoraki/Mynydd Cook Seland Newydd **109 G2** 43°37'D 170°08'Dn
Apalachee, Bae UDA **63 J2** 29°59'G 84°06'Gn
Aparri Pili. **103 G7** 18°20'G 121°39'Dn
Apatity Rwsia **43 H4** 67°34'G 33°23'Dn
Apeldoorn Yr Iseldiroedd **42 E5** 52°12'G 5°58'Dn
Apia Samoa **109 H5** 13°50'D 171°44'Gn
Apostolos Andreas, Penrhyn Cyprus **51 K2** 35°41'G 34°35'Dn
Appalachia, Mynyddoedd UDA **63 J4** 36°08'G 83°01'Gn
Appennini *mdd.* Yr Eidal **48 F5** 44°37'G 9°47'Dn
Appleby-in-Westmorland Lloegr **13 E3** 54°35'G 2°29'Gn
Appledore Lloegr **11 C3** 51°03'G 4°12'Gn
Aqaba, Gwlff Asia/Ewrop **94 D5** 29°19'G 34°54'Dn
Arabia, Gorynys Asia/Ewrop **85 I4** 20°25'G 46°54'Dn
Arabia, Môr Cefn. India **86 E2** 18°08'G 66°38'Dn
Aracaju Brasil **72 F5** 10°52'D 37°03'Gn
Araçatuba Brasil **73 D4** 21°12'D 50°22'Gn
Aracena, Sierra de *brau.* Sbaen **45 B2** 37°51'G 7°07'Gn
Arad România **50 D8** 46°11'G 21°21'Dn
Arafura, Môr Awstralia/Indonesia **108 C6** 8°39'D 128°05'Dn
Aragón *a.* Sbaen **45 E5** 42°13'G 1°45'Gn
Araguaia *a.* Brasil **72 E6** 5°24'D 48°41'Gn
Araguaína Brasil **72 E6** 7°20'D 48°15'Gn
Araguari Brasil **72 E5** 18°38'D 48°09'Gn
Arak Algeria **84 E4** 25°18'G 3°39'Dn
Arāk Iran **95 G6** 34°05'G 49°42'Dn
Arakan Yoma *mdd.* Myanmar **97 H5** 19°43'G 94°19'Dn
Aral, Môr *ll.* Kazakhstan/Uzbekistan **54 H2** 45°07'G 60°05'Dn
Aral'sk Kazakhstan **54 H2** 46°46'G 61°43'Dn
Aran, Ynys Iwerddon **18 C4** 54°59'G 8°35'Gn
Aran, Ynysoedd Iwerddon **18 B3** 53°07'G 9°44'Gn
Aranda de Duero Sbaen **45 D4** 41°41'G 3°40'Gn
Aranjuez Sbaen **45 D4** 40°02'G 3°36'Gn
Arapgir Twrci **51 M4** 39°02'G 38°29'Dn
Arapis, Pwynt Groeg **50 F5** 40°27'G 24°00'Dn
'Ar'ar Saudi Arabia **94 F6** 30°58'G 40°58'Dn
Araraquara Brasil **73 E4** 21°47'D 48°06'Gn
Ararat, Mynydd Twrci **53 E1** 39°42'G 44°18'Dn
Arasaig (Arisaig) Yr Alban **16 D1** 56°55'G 5°50'Gn
Arberth Cymru **10 C3** 51°48'G 4°45'Gn
Arbīl Iraq **94 F7** 36°11'G 44°01'Dn
Arboga Sweden **43 C2** 59°23'G 15°51'Dn
Arbroath Yr Alban **15 G4** 56°34'G 2°35'Gn
Arbu Lut, Diffeithwch Afgh. **95 J5** 29°57'G 63°56'Dn
Arcachon Ffrainc **44 C4** 44°40'G 1°10'Gn
Arctic Bay *tref* Canada **61 J5** 72°55'G 85°10'Gn
Arctic Red *a.* Canada **60 E4** 67°27'G 133°44'Gn
Arctig, Cefnen Canol y Cefnfor Cefn. Arctig **112** map 1 85°20'G 22°44'Dn
Arctig, Cefnfor Y Byd **112** 75°33'G 156°29'Gn
Ardabīl Iran **95 G7** 38°14'G 48°15'Dn
Ardal y Llynnoedd *n.* Lloegr **12 D3** 54°29'G 3°05'Gn
Ardas *a.* Bwlgaria/Groeg **50 G5** 41°40'G 26°30'Dn
Ardèche *a.* Ffrainc **44 F4** 44°16'G 4°39'Dn
Ardestān Iran **95 H6** 33°20'G 52°21'Dn
Ardglass G. Iwerddon **14 D2** 54°15'G 5°36'Gn
Ardila *a.* Portiwgal **45 B3** 38°10'G 7°28'Gn
Ardnamurchan, Pwynt Yr Alban **16 C1** 56°43'G 6°13'Gn
Ardrishaig Yr Alban **14 D4** 56°01'G 5°27'Gn
Ardrossan Yr Alban **14 E3** 55°39'G 4°49'Gn
Ards, Gorynys G. Iwerddon **14 D2** 54°30'G 5°25'Gn
Ards a Gogledd Down *rhan.* G. Iwerddon **21 C4** 54°36'G 5°39'Gn
Ardvasar (Aird a' Bhàsair) Yr Alban **16 D2** 57°03'G 5°55'Gn
Arecibo Puerto Rico **66 R2** 18°27'G 66°44'Gn
Arena, Pwynt UDA **62 B4** 38°57'G 123°44'Gn
Arendal Norwy **43 B2** 58°27'G 8°46'Dn
Arenig Fawr *br.* Cymru **10 D4** 52°55'G 3°45'Gn
Arequipa Periw **72 B5** 16°23'D 71°32'Gn
Arfordir y Sarn a'r Glynnoedd *rhan.* G. Iwerddon **20 B4** 55°04'G 6°34'Gn
Arganda del Rey Sbaen **45 D4** 40°18'G 3°25'Gn
Argentan Ffrainc **44 C6** 48°45'G 0°01'Gn
Argentino, Llyn Ariannin **73 B1** 50°20'D 72°51'Gn
Argenton-sur-Creuse Ffrainc **44 D5** 46°36'G 1°31'Dn
Argeș *a.* România **50 F7** 44°04'G 26°37'Dn
Argun' *a.* China/Rwsia **99 M8** 53°18'G 121°20'Dn
Argyle, Llyn Awstralia **108 B5** 16°37'D 128°41'Dn
Argyll *n.* Yr Alban **14 D4** 56°08'G 5°19'Gn
Argyll a Bute *rhan.* Yr Alban **20 C5** 55°46'G 5°25'Gn
Århus Denmarc **43 B2** 56°09'G 10°12'Dn
Ariannin D. America **73 C3** 35°00'D 68°00'Gn
Ariannin, Basn D. Cefn. Iwerydd **116 0** 44°12'D 43°31'Gn
Arica Chile **72 B5** 18°29'D 70°20'Gn
Arienas, Loch Yr Alban **14 D4** 56°35'G 5°46'Gn
Arima Trin. a Tob. **67 Y2** 10°36'G 61°14'Gn
Arinos *a.* Brasil **72 D5** 10°25'D 58°13'Gn
Ariquemes Brasil **72 C5** 9°59'D 63°05'Gn
Arisaig (Arasaig) Yr Alban **16 D1** 56°55'G 5°50'Gn
Arisaig, Swnt *cf.* Yr Alban **16 D1** 56°51'G 5°56'Gn
Arizona *rhan.* UDA **62 D3** 34°11'G 111°37'Gn
Arkadelphia UDA **63 H3** 34°09'G 93°03'Gn
Arkaig, Loch Yr Alban **16 D1** 56°58'G 5°13'Gn
Arkansas *a.* UDA **63 H3** 33°49'G 91°08'Gn
Arkansas *rhan.* UDA **63 H4** 35°49'G 92°00'Gn
Arkansas City UDA **62 G4** 37°04'G 97°03'Gn
Arkhangel'sk Rwsia **52 E4** 64°33'G 40°33'Dn
Arkhangel'sk Rwsia **112** map 1 64°33'G 40°33'Dn
Arklow Iwerddon **18 E2** 52°48'G 6°10'Gn
Arkona, Penrhyn Yr Almaen **46 E6** 54°41'G 13°27'Dn
Arles Ffrainc **44 F3** 43°41'G 4°38'Dn
Arlit Niger **84 E3** 18°42'G 7°21'Dn
Arlon Gwlad Belg **42 E2** 49°41'G 5°49'Dn
Armagh G. Iwerddon **14 C2** 54°20'G 6°39'Gn
Armagh *rhan.* G. Iwerddon **18 E4** 54°18'G 6°39'Gn
Armant Yr Aifft **49 J2** 25°37'G 32°32'Dn
Armavir Rwsia **53 E2** 45°01'G 41°06'Dn
Armenia Asia/Ewrop **53 E2** 40°26'G 44°30'Dn
Armenia Colombia **72 B7** 4°30'G 75°39'Gn
Armidale Awstralia **108 E3** 30°32'D 151°41'Dn
Armyans'k Crimea **51 J8** 46°07'G 33°41'Dn
Arnaoutis, Penrhyn Cyprus **51 J2** 35°06'G 32°16'Dn
Arnhem Yr Iseldiroedd **42 E4** 51°59'G 5°55'Dn
Arnhem, Penrhyn Awstralia **108 C5** 12°19'D 136°58'Dn
Arnhem, Tir *n.* Awstralia **108 C5** 13°26'D 133°57'Dn
Arnsberg Yr Almaen **46 C4** 51°23'G 8°04'Dn
Arouca Trin. a Tob. **67 Y2** 10°38'G 61°20'Gn
Ar Ramādī Iraq **94 F6** 33°23'G 43°16'Dn
Arran *ys* Yr Alban **14 D3** 55°35'G 5°20'Gn
Ar Raqqah Syria **94 E7** 35°57'G 39°01'Dn
Arras Ffrainc **44 E7** 50°17'G 2°46'Dn
Arrecife Sbaen **45 Z2** 28°57'G 13°33'Gn
Arriagá México **66 F4** 16°16'G 93°52'Gn
Arrieta Sbaen **45 Z2** 29°08'G 13°28'Gn
Ar Rimāl *n.* Saudi Arabia **95 H4** 21°43'G 52°53'Dn
Arrochar (An t-Arar) Yr Alban **14 E4** 56°12'G 4°44'Gn
Arroyo Puerto Rico **66 R1** 17°58'G 66°04'Gn
Ar Ruţbah Iraq **94 F6** 33°01'G 40°11'Dn
Arta Groeg **50 D4** 39°10'G 20°59'Dn
Artesia UDA **62 F3** 32°52'G 104°25'Gn
Artois *n.* Ffrainc **42 A3** 50°40'G 1°55'Dn
Artois, Collines de l' *brau.* Ffrainc **9 G1** 50°33'G 1°54'Dn
Artsyz Ukrain **51 H7** 45°59'G 29°27'Dn
Aru, Ynysoedd Indonesia **103 I2** 7°14'D 134°38'Dn
Aruba *rhan.* Cb. America **67 K3** 12°30'G 69°56'Gn
Arunachal Pradesh *rhan.* India **97 H6** 28°12'G 94°27'Dn
Arundel Lloegr **9 E1** 50°51'G 0°33'Gn
Arusha Tanzania **83 C4** 3°22'D 36°37'Dn
Aruwimi *a.* Gwer. Ddem. Congo **83 B5** 1°14'G 23°38'Dn
Arvayheer Mongolia **99 I7** 46°08'G 102°47'Dn
Arviat Canada **61 I4** 61°12'G 94°09'Gn
Arvidsjaur Sweden **43 D4** 65°35'G 19°12'Dn
Arvika Sweden **43 C2** 59°39'G 12°37'Dn
Arzamas Rwsia **52 E3** 55°23'G 43°49'Dn
Asad, Cronfa Ddŵr Syria **51 M3** 36°05'G 38°03'Dn
Asahi-dake *llosg.* Japan **104 D4** 43°41'G 142°54'Dn
Asahikawa Japan **104 D4** 43°46'G 142°22'Dn
Asansol India **96 G5** 23°41'G 87°01'Dn
Ascension, Ynys St Helena et al. **78 B2** 7°50'D 14°17'Gn
Åsele Sweden **43 D4** 64°10'G 17°22'Dn
Asenovgrad Bwlgaria **50 F6** 42°00'G 24°52'Dn
Asfordby Lloegr **8 E3** 52°46'G 0°57'Gn
Aşgabat Turkmenistan **54 G1** 37°53'G 58°21'Dn
Ashbourne Iwerddon **18 E3** 53°31'G 6°23'Gn
Ashbourne Lloegr **13 F2** 53°01'G 1°44'Gn
Ashburton *n.* Awstralia **108 A4** 21°43'D 114°54'Dn
Ashburton Lloegr **11 D2** 50°31'G 3°45'Gn
Ashby de la Zouch Lloegr **8 D3** 52°45'G 1°28'Gn
Ashford Lloegr **9 F2** 51°09'G 0°53'Dn
Ashington Lloegr **13 F4** 55°11'G 1°34'Gn
Ashland UDA **63 H6** 46°35'G 90°53'Gn
Ashmore a Cartier, Ynysoedd *rhan.* Cefn. India **108 B5** 12°23'D 122°56'Dn
Ash Shiḩr Yemen **95 G2** 14°46'G 49°36'Dn
Ashton-under-Lyne Lloegr **13 E2** 53°30'G 2°06'Gn
Asia Y Byd **86 0** 54°03'G 102°43'Dn
Asilah Moroco **45 B1** 35°28'G 6°02'Gn
Asipovichy Belarus **47 M5** 53°18'G 28°38'Dn
'Asīr *n.* Saudi Arabia **94 F4** 19°56'G 40°54'Dn
Askern Lloegr **13 F2** 53°37'G 1°09'Gn
Askim Norwy **43 B2** 59°35'G 11°10'Dn
Asmara Eritrea **85 H3** 15°22'G 38°54'Dn
Åsnen *ll.* Sweden **43 C2** 56°37'G 14°50'Dn
Aspang-Markt Awstria **46 G2** 47°33'G 16°05'Dn
Aspatria Lloegr **12 D3** 54°46'G 3°20'Gn
Aspen UDA **62 E4** 39°11'G 106°49'Gn
Assab Eritrea **85 I3** 13°01'G 42°44'Dn
Assam *rhan.* India **97 H6** 26°13'G 92°49'Dn
As Samāwah Iraq **94 G6** 31°15'G 45°19'Dn
As Sarīr *n.* Libya **49 H2** 27°33'G 21°30'Dn
Assen Yr Iseldiroedd **42 F6** 53°00'G 6°33'Dn
As Sidrah Libya **49 G3** 30°37'G 18°20'Dn
Assiniboine, Mynydd Canada **60 G3** 50°53'G 115°38'Gn
As Sulaymānīyah Iraq **95 G7** 35°32'G 45°27'Dn
Assumption *ys* Seychelles **83 D4** 9°44'D 46°31'Dn
As Sūq Saudi Arabia **94 F4** 21°51'G 42°00'Dn
Assynt, Loch Yr Alban **16 D3** 58°11'G 5°05'Gn
Astana Kazakhstan **54 I3** 51°09'G 71°27'Dn
Āstārā Iran **95 G7** 38°26'G 48°52'Dn
Asti Yr Eidal **46 C1** 44°54'G 8°13'Dn
Astorga Sbaen **45 B5** 42°28'G 6°03'Gn
Astoria UDA **62 B6** 46°08'G 123°46'Gn
Astove *ys* Seychelles **83 D4** 10°05'D 47°45'Dn
Astrakhan' Rwsia **53 E2** 46°20'G 48°03'Dn
Asunción Paraguay **73 D4** 25°16'D 57°39'Gn
Asuncion *ys* Ysdd G. Mariana **103 L7** 19°40'G 145°25'Dn
Aswān Yr Aifft **85 H4** 24°02'G 32°56'Dn
Asyūţ Yr Aifft **85 H4** 27°07'G 31°08'Dn
Atacama, Diffeithwch Chile **73 C4** 26°13'D 69°39'Gn
Atafu *ys* Tokelau **109 H6** 8°33'D 172°30'Gn
Atâr Mauritius **84 C4** 20°31'G 13°03'Gn
Atasu Kazakhstan **54 I2** 48°42'G 71°37'Dn
Atatürk, Cronfa Ddŵr Twrci **51 M3** 37°28'G 38°26'Dn
Atbara Sudan **85 H3** 17°43'G 33°55'Dn
Atbara *a.* Sudan **85 H3** 17°40'G 33°58'Dn
Ath Gwlad Belg **42 C3** 50°38'G 3°47'Dn
Athabasca *a.* Canada **60 G3** 58°28'G 111°09'Gn
Athabasca, Llyn Canada **60 H3** 59°17'G 109°24'Gn
Athboy Iwerddon **18 E3** 53°37'G 6°55'Gn
Athen (Athina) Groeg **50 E3** 37°59'G 23°43'Dn
Athenry Iwerddon **18 C3** 53°18'G 8°45'Gn
Atherstone Lloegr **8 D3** 52°35'G 1°33'Gn
Athina (Athen) Groeg **50 E3** 37°59'G 23°43'Dn
Athlone Iwerddon **18 D3** 53°25'G 7°57'Gn
Atholl, Fforest Yr Alban **17 E1** 56°51'G 4°10'Gn
Athos, Mynydd Groeg **50 F5** 40°10'G 24°19'Dn
Athy Iwerddon **18 E2** 52°59'G 6°59'Gn
Ati Tchad **85 F3** 13°14'G 18°20'Dn
Atikokan Canada **63 H6** 48°45'G 91°37'Gn
Atlanta UDA **63 J3** 33°46'G 84°22'Gn
Atlantic City UDA **63 L4** 39°21'G 74°26'Gn
Atlas, Mynyddoedd Affrica **84 D5** 30°13'G 7°41'Gn
Atlas Canol *mdd.* Moroco **48 B3** 32°11'G 6°05'Gn
Atlas Mawr *mdd.* Moroco **84 D5** 30°49'G 8°18'Gn
Atlas Sahara *mdd.* Algeria **84 E5** 34°11'G 5°31'Dn
Aţ Ţā'if Saudi Arabia **94 F4** 21°17'G 40°24'Dn
Attleborough Lloegr **9 G3** 52°31'G 1°01'Dn
Atyrau Kazakhstan **53 F2** 47°08'G 51°56'Dn
Aube *a.* Ffrainc **44 E6** 48°34'G 3°43'Dn
Auchterarder Yr Alban **15 F4** 56°18'G 3°42'Gn
Auchtermuchty Yr Alban **15 F4** 56°18'G 3°14'Gn
Auckland Seland Newydd **109 G3** 36°52'D 174°46'Dn
Auckland, Ynysoedd Seland Newydd **109 F1** 50°43'D 166°12'Dn
Auderville Ffrainc **11 Z9** 49°43'G 1°55'Gn
Audlem Lloegr **8 C3** 52°59'G 2°31'Gn
Audruicq Ffrainc **9 H1** 50°52'G 2°05'Dn
Augher G. Iwerddon **14 B2** 54°25'G 7°08'Gn
Aughton Lloegr **13 F2** 53°22'G 1°19'Gn
Augsburg Yr Almaen **46 D3** 48°22'G 10°52'Dn
Augusta *Ga.* UDA **63 J3** 33°28'G 82°02'Gn
Augusta *Me.* UDA **63 M5** 44°19'G 69°46'Gn
Aulnoye-Aymeries Ffrainc **42 C3** 50°12'G 3°51'Dn
Aurangabad India **96 E4** 19°54'G 75°19'Dn
Aurich Yr Almaen **42 G6** 53°28'G 7°30'Dn
Aurora UDA **62 F4** 39°43'G 104°53'Gn
Auskerry *ys* Yr Alban **17 G4** 59°02'G 2°33'Gn
Austin UDA **62 G3** 30°16'G 97°42'Gn
Authie *a.* Ffrainc **9 G1** 50°22'G 1°37'Dn
Auvergne, Monts d' *mdd.* Ffrainc **44 E4** 45°45'G 2°59'Dn
Auxerre Ffrainc **44 E5** 47°48'G 3°35'Dn
Avallon Ffrainc **44 E5** 47°30'G 3°54'Dn
Avanos Twrci **51 K4** 38°43'G 34°51'Dn
Aveiro Portiwgal **45 A4** 40°39'G 8°38'Gn
Avesta Sweden **43 D3** 60°09'G 16°10'Dn
Aveyron *a.* Ffrainc **44 D4** 44°05'G 1°16'Dn
Aviemore Yr Alban **17 F2** 57°12'G 3°49'Gn
Avignon Ffrainc **44 F3** 43°57'G 4°49'Dn
Ávila Sbaen **45 C4** 40°40'G 4°41'Gn
Avilés Sbaen **45 C5** 43°33'G 5°54'Gn
Avon *a. Bryst.* Lloegr **8 C2** 51°29'G 2°40'Gn
Avon *a. Dor.* Lloegr **8 D1** 50°44'G 1°46'Gn
Avon *a. S. Gaerloyw* Lloegr **8 C3** 52°00'G 2°10'Gn
Avon *a.* Yr Alban **17 F2** 57°25'G 3°22'Gn
Avonmore *a.* Iwerddon **10 A4** 52°48'G 6°08'Gn
Avonmouth Lloegr **8 C2** 51°30'G 2°42'Gn
Āwash Ethiopia **85 I2** 8°59'G 40°10'Dn
Awbārī Libya **84 F4** 26°36'G 12°46'Dn
Awbārī, Idhān *diff.* Libya **48 F2** 28°21'G 10°56'Dn
Awe, Loch Yr Alban **14 D4** 56°16'G 5°14'Gn
Awstralia Ynysoedd y De (Oceania) **108 B4** 27°17'D 129°18'Dn
Awstralia, Basn Gorllewin Cefn. India **117 H2** 17°42'D 102°36'Dn
Awstralia, De *rhan.* Awstralia **108 C3** 30°27'D 132°43'Dn
Awstralia, Geneufor Mawr *g.* Awstralia **108 B3** 33°06'D 129°50'Dn
Awstralia, Gorllewin *rhan.* Awstralia **108 B4** 24°24'D 121°53'Dn
Awstralia, Tiriogaeth Prifddinas *rhan.* Awstralia **108 D3** 35°27'D 148°52'Dn
Awstria Ewrop **46 E2** 47°12'G 13°26'Dn
Axe *a.* Lloegr **11 D2** 50°43'G 3°04'Gn
Axel Heiberg, Ynys Canada **61 I5** 79°47'G 91°17'Gn
Axminster Lloegr **8 C1** 50°47'G 2°59'Gn
Ayacucho Periw **72 B5** 13°10'D 74°13'Gn
Ayagoz Kazakhstan **54 J2** 47°56'G 80°23'Dn
Ayan Rwsia **55 O3** 56°26'G 138°12'Dn
Aydarko'l, Llyn Uzbekistan **54 H2** 41°02'G 66°33'Dn
Aydın Twrci **51 G3** 37°50'G 27°49'Dn
Ayers, Craig (Uluṟu) *br.* Awstralia **108 C4** 25°20'D 131°05'Dn
Aylesbury Lloegr **8 E2** 51°49'G 0°48'Gn
Aylesham Lloegr **9 G2** 51°14'G 1°12'Dn
Aylsham Lloegr **9 G3** 52°48'G 1°15'Dn
Ayr Yr Alban **14 E3** 55°28'G 4°38'Gn
Ayr *a.* Yr Alban **14 E3** 55°28'G 4°38'Gn
Ayr, De Swydd *rhan.* Yr Alban **20 C4** 55°09'G 4°47'Gn
Ayr, Dwyrain Swydd *rhan.* Yr Alban **20 C4** 55°29'G 4°15'Gn
Ayr, Gogledd Swydd *rhan.* Yr Alban **20 C4** 55°44'G 4°44'Gn
Ayre, Pentir Ys Manaw **12 C3** 54°25'G 4°22'Gn
Ayvalık Twrci **50 G4** 39°17'G 26°41'Dn
Azawad *n.* Mali **84 D4** 18°59'G 4°55'Gn
Azerbaijan Asia/Ewrop **53 E2** 40°23'G 48°09'Dn
Azopol'ye Rwsia **52 E4** 65°18'G 45°11'Dn
Azores (Açores) *rhan.* Portiwgal **116 E3** 37°25'G 27°58'Gn
Azov, Môr Rwsia/Ukrain **53 D2** 46°03'G 36°47'Dn
Azrou Moroco **48 B3** 33°26'G 5°14'Gn
Azuero, Gorynys Panamá **67 H2** 7°35'G 80°34'Gn
Azul, Cordillera *mdd.* Periw **72 B6** 8°31'D 75°56'Gn
Az Zaqāzīq Yr Aifft **49 J3** 30°35'G 31°30'Dn
Az Zarqā' Gwlad Iorddonen **94 E6** 32°04'G 36°05'Dn

B

Baardheere Somalia **85 I2** 2°19'G 42°18'Dn
Bābā, Mynyddoedd Afgh. **95 K6** 34°48'G 68°27'Dn
Babadag România **51 H7** 44°54'G 28°42'Dn
Babaeski Twrci **50 G5** 41°26'G 27°06'Dn
Bāb al Mandab *cf.* Affrica/Asia **94 F2** 12°21'G 43°26'Dn
Babar, Ynysoedd Indonesia **103 H2** 7°53'D 129°41'Dn
Babbacombe, Bae Lloegr **11 D2** 50°31'G 3°28'Gn
Babia, Mynydd Gwlad Pwyl **46 H3** 49°35'G 19°32'Dn
Babo Indonesia **103 I3** 2°32'D 133°27'Dn
Babruysk Belarus **47 M5** 53°09'G 29°14'Dn
Bab-Termas *br.* Moroco **45 D1** 34°28'G 3°54'Gn
Babuyan, Ynysoedd Pili. **103 G7** 19°09'G 121°41'Dn
Bacabal Brasil **72 E6** 4°16'D 44°47'Gn
Bacan *ys* Indonesia **103 H3** 0°36'D 127°25'Dn
Bacău România **47 L2** 46°34'G 26°55'Dn
Back *a.* Canada **61 I4** 66°32'G 95°51'Gn
Backwater, Cronfa Ddŵr Yr Alban **17 F1** 56°44'G 3°13'Gn
Bac Liêu Viet Nam **102 D5** 9°18'G 105°43'Dn
Bacolod Pili. **103 G6** 10°39'G 122°57'Dn
Badajoz Sbaen **45 B3** 38°53'G 6°57'Gn
Baden Awstria **46 G3** 48°00'G 16°15'Dn
Baden-Baden Yr Almaen **46 C3** 48°45'G 8°15'Dn
Bad Neuenahr-Ahrweiler Yr Almaen **42 G3** 50°33'G 7°07'Dn
Badulla Sri Lanka **96 F2** 7°00'G 81°03'Dn
Bae Colwyn *tref* Cymru **10 D5** 53°18'G 3°43'Gn
Bae Mackenzie Canada **112** map 1 69°44'G 137°12'Gn
Baffin, Bae *môr* Canada/Grønland **61 L5** 72°51'G 66°20'Gn
Baffin, Ynys Canada **61 L4** 64°57'G 68°47'Gn
Bafoussam Cameroon **84 F2** 5°28'G 10°26'Dn
Bāfq Iran **95 I6** 31°34'G 55°21'Dn
Bafra Twrci **51 K5** 41°34'G 35°55'Dn
Bāft Iran **95 I5** 29°10'G 56°38'Dn
Bagé Brasil **73 D3** 31°20'D 54°06'Gn
Baggy, Pwynt Lloegr **11 C3** 51°08'G 4°16'Gn
Baghdād Iraq **94 F6** 33°18'G 44°22'Dn
Baghlān Afgh. **95 K7** 36°10'G 68°44'Dn
Bahamas Cb. America **67 I6** 24°55'G 77°44'Gn
Baharîya, Gwerddon *n.* Yr Aifft **94 C5** 27°56'G 28°51'Dn
Bahawalpur Pakistan **96 D6** 29°23'G 71°41'Dn
Bahía Blanca Ariannin **73 C3** 38°43'D 62°18'Gn
Bahía Blanca *b.* Ariannin **73 C3** 39°08'D 61°47'Gn
Bahrain Asia/Ewrop **95 H5** 26°29'G 50°51'Dn
Baia Mare România **47 J2** 47°39'G 23°35'Dn
Baicheng China **99 M7** 45°29'G 122°50'Dn
Baie-Comeau Canada **61 L2** 49°13'G 68°10'Gn
Baikal, Llyn Rwsia **55 L3** 52°37'G 107°12'Dn
Baile Atha Cliath (Dulyn) Iwerddon **18 E3** 53°20'G 6°16'Gn
Bailieborough Iwerddon **18 E3** 53°55'G 6°58'Gn
Bain *a.* Lloegr **13 G2** 53°05'G 0°12'Gn
Bainbridge UDA **63 J3** 30°54'G 84°40'Gn
Bairnsdale Awstralia **108 D3** 37°51'D 147°37'Dn
Baiyuda, Diffeithwch Sudan **94 D3** 18°03'G 32°59'Dn
Baja Hwngari **46 H2** 46°12'G 18°57'Dn
Baja California *gor.* México **66 B6** 30°40'G 115°41'Gn
Baja California *rhan.* México **66 A6** 29°49'G 115°07'Gn
Baja California, De *rhan.* México **66 B6** 25°19'G 112°09'Gn
Baker, Llyn Canada **61 I4** 64°09'G 95°23'Gn
Baker, Mynydd *llosg.* UDA **62 B6** 48°46'G 121°47'Gn
Bakersfield UDA **62 C4** 35°22'G 118°59'Gn
Bakharden Turkmenistan **95 I7** 38°27'G 57°24'
Bakhtegan, Llyn Iran **95 H5** 29°18'G 53°52'
Bakırköy Twrci **51 H5** 40°58'G 28°51'
Baku Azerbaijan **53 E2** 40°22'G 49°50'
Bala, Mynyddoedd Bolivia **72 C5** 13°49'D 68°25'
Bala, Y Cymru **10 D4** 52°55'G 3°36'
Balakovo Rwsia **53 E3** 52°00'G 47°47'
Bālā Murghāb Afgh. **95 J7** 35°36'G 63°21'
Balashikha Rwsia **47 Q6** 55°49'G 37°57'
Balashov Rwsia **53 E3** 51°32'G 43°09'
Balaton, Llyn Hwngari **46 G2** 46°46'G 17°32'
Balbina, Cronfa Ddŵr Brasil **72 D6** 1°34'D 59°27'
Balbriggan Iwerddon **18 E3** 53°36'G 6°11'
Balcanau, Mynyddoedd y Bwlgaria/Siberia **50 E6** 43°23'G 22°47'
Baldock Lloegr **9 E2** 51°59'G 0°11'
Baleares, Ynysoedd (Balears) Sbaen **45 F3** 39°28'G 1°30'
Balears (Baleares, Ynysoedd) Sbaen **45 F3** 39°28'G 1°30'
Baleine *a.* Canada **61 L3** 57°57'G 67°37'
Baleshwar India **96 G5** 21°31'G 86°56'
Bali *ys* Indonesia **102 E2** 8°22'D 115°11'
Bali, Môr Indonesia **102 E2** 7°40'D 115°25'
Balige Indonesia **102 B4** 2°19'G 99°04'
Balıkesir Twrci **51 G4** 39°38'G 27°52'
Balīkh *a.* Syria/Twrci **51 M2** 35°56'G 39°03'
Balikpapan Indonesia **102 F3** 1°16'D 116°50'
Balimo PGN **103 K2** 8°02'D 142°58'
Balintore Yr Alban **17 F2** 57°45'G 3°54'
Balivanich Yr Alban **16 B2** 57°28'G 7°22'
Balkhash Kazakhstan **54 I2** 46°50'G 74°59'
Balkhash, Llyn Kazakhstan **54 I2** 45°30'G 73°51'
Ballantrae Yr Alban **14 D3** 55°06'G 5°00'
Ballarat Awstralia **108 D3** 37°35'D 143°52'
Ballater Yr Alban **17 F2** 57°03'G 3°02'
Ballena, Pwynt Chile **73 B4** 25°47'D 70°47'
Ballencleuch Law *br.* Yr Alban **15 F3** 55°20'G 3°41'
Balleny, Ynysoedd Antarctica **112** map 2 66°39'D 163°27'
Balley Chashtal (Castletown) Ys Manaw **12 C3** 54°05'G 4°39'
Balligan, Pwynt Iwerddon **14 C1** 53°59'G 6°06'
Ballina Iwerddon **18 B4** 54°07'G 9°10'
Ballinasloe Iwerddon **18 C3** 53°20'G 8°13'
Ballybay Iwerddon **14 C2** 54°07'G 6°54'
Ballybunnion Iwerddon **18 B2** 52°31'G 9°40'
Ballycastle G. Iwerddon **14 C3** 55°12'G 6°14'
Ballyclare G. Iwerddon **14 D2** 54°45'G 5°59'
Ballygawley G. Iwerddon **14 B2** 54°27'G 7°02'
Ballyhaunis Iwerddon **18 C3** 53°46'G 8°46'
Ballymena G. Iwerddon **14 C2** 54°52'G 6°16'
Ballymoney G. Iwerddon **14 C3** 55°04'G 6°31'
Ballynahinch G. Iwerddon **14 D2** 54°24'G 5°53'
Ballyquintin, Pwynt G. Iwerddon **14 D2** 54°19'G 5°29'
Ballyshannon Iwerddon **18 C4** 54°30'G 8°12'
Balochistan *n.* Pakistan **96 B6** 27°30'G 63°31'
Balsas *a.* México **66 D4** 17°57'G 102°09'
Balta Ukrain **47 M2** 47°56'G 29°37'
Baltasound Yr Alban **17 I5** 60°46'G 0°52'
Bălți Moldova **49 I6** 47°47'G 27°56'
Baltig, Y Môr *g.* Ewrop **43 D1** 55°28'G 16°46'
Baltimore UDA **63 K4** 39°17'G 76°37'
Baltiysk Rwsia **46 H6** 54°39'G 19°53'
Balykshi Kazakhstan **53 F2** 47°03'G 51°53'
Bam Iran **95 I5** 29°07'G 58°22'
Bamaga Awstralia **108 D5** 10°53'D 142°23'
Bamako Mali **84 D3** 12°38'G 7°59'
Bamberg Yr Almaen **46 D3** 49°54'G 10°53'
Bambili Gwer. Ddem. Congo **83 B5** 3°38'G 26°07'
Bambouti GCA **85 G2** 5°24'G 27°12'
Bāmīān Afgh. **95 K6** 34°50'G 67°50'
Bampton *Dyfn.* Lloegr **11 D2** 50°59'G 3°29'
Bampton *S. Ryd.* Lloegr **8 D2** 51°43'G 1°33'
Banabec, Culfor Malaysia/Pili. **102 F5** 7°45'G 116°41'
Banagher Iwerddon **18 D3** 53°11'G 7°59'
Banaz Twrci **51 H4** 38°44'G 29°44'
Banbridge G. Iwerddon **14 C2** 54°21'G 6°16'
Banbury Lloegr **8 D3** 52°04'G 1°20'
Banchory Yr Alban **17 G2** 57°03'G 2°29'
Banda, Môr Indonesia **103 I2** 5°15'D 124°41'
Banda, Ynysoedd Indonesia **103 H3** 4°35'D 129°38'
Banda Aceh Indonesia **102 B5** 5°33'G 95°20'
Bandar-e 'Abbās Iran **95 I5** 27°11'G 56°18'
Bandar-e Anzalī Iran **95 G7** 37°26'G 49°26'
Bandar-e Lengeh Iran **95 H5** 26°34'G 54°53'
Bandar-e Torkeman Iran **95 H7** 36°54'G 53°59'
Bandar Lampung Indonesia **102 D2** 5°25'D 105°17'
Bandar Seri Begawan Brunei **102 E4** 4°57'G 114°58'
Bandırma Twrci **51 G5** 40°21'G 27°57'
Bandon Iwerddon **18 C1** 51°45'G 8°44'
Bandon *a.* Iwerddon **18 C1** 51°45'G 8°38'
Bandundu Gwer. Ddem. Congo **83 A4** 3°17'D 17°23'
Bandung Indonesia **102 D2** 6°55'D 107°35'
Banff Canada **60 G3** 51°11'G 115°35'
Banff Yr Alban **17 G2** 57°40'G 2°31'
Bangalore (Bengaluru) India **96 E3** 12°59'G 77°33'
Bangassou GCA **85 G2** 4°45'G 22°49'
Banggai, Ynysoedd Indonesia **103 G3** 1°43'D 123°35'
Banghāzī Libya **85 G5** 32°06'G 20°05'
Bangka *ys* Indonesia **102 D3** 2°20'D 106°03'
Bangkok (Krung Thep) Gwlad Thai **102 C6** 13°44'G 100°33'
Bangladesh Asia/Ewrop **97 H5** 23°47'G 89°49'
Bangor Cymru **10 C5** 53°14'G 4°08'
Bangor G. Iwerddon **14 D2** 54°39'G 5°40'
Bangor UDA **63 M5** 44°48'G 68°47'
Bangui GCA **85 F2** 4°24'G 18°33'
Bangweulu, Llyn Zambia **83 B3** 11°08'D 29°46'
Bani *a.* Mali **84 D3** 14°30'G 4°13'
Banī Mazār Yr Aifft **49 J2** 28°29'G 30°49'
Banī Suwayf Yr Aifft **49 J2** 29°05'G 31°06'
Banī Walīd Libya **48 F3** 31°46'G 14°01'
Bāniyās Syria **51 K2** 35°11'G 35°57'
Banja Luka Bos. a Herz. **50 B7** 44°46'G 17°12'
Banjarmasin Indonesia **102 E3** 3°19'D 114°35'
Banjul Gambia **84 C3** 13°27'G 16°35'
Banks, Ynys Canada **60 F5** 73°06'G 121°26'
Banks, Ynysoedd Vanuatu **109 F5** 13°55'D 167°13'
Banmi Pakistan **95 L6** 33°00'G 70°36'
Bann *a.* G. Iwerddon **14 C3** 55°09'G 6°42'
Bann *a.* Iwerddon **10 A4** 52°33'G 6°33'
Bannau Brycheiniog *n.* Cymru **10 D3** 51°53'G 3°26'
Bantry Iwerddon **18 B1** 51°41'G 9°27'
Bantry, Bae Iwerddon **18 B1** 51°34'G 9°53'
Baoding China **99 L5** 38°46'G 115°34'
Baoji China **99 J4** 34°21'G 107°09'
Baoshan China **99 H3** 25°07'G 99°05'
Baotou China **99 K6** 40°31'G 110°08'
Ba'qūbah Iraq **94 F6** 33°42'G 44°38'
Bar Montenegro **50 C6** 42°05'G 19°05'
Bara Sudan **94 D2** 13°40'G 30°21'
Baracoa Cuba **67 J5** 20°21'G 74°29'
Baranavichy Belarus **47 L5** 53°08'G 26°02'
Baranīs Yr Aifft **49 K1** 23°53'G 35°27'
Barbacena Brasil **73 E4** 21°13'D 43°45'
Barbados Cb. America **67 M3** 13°09'G 59°25'

Faversham Lloegr 9 F2 51°19'G 0°53'Dn
Faxaflói b. Gwlad yr Iâ 43 X2 64°27'G 22°58'Gn
Fayetteville UDA 63 K4 35°02'G 78°53'Gn
Fdérik Mauritius 84 C4 22°41'G 12°44'Gn
Feale a. Iwerddon 18 B2 52°28'G 9°38'Gn
Fear, Penrhyn UDA 63 K3 33°51'G 77°58'Gn
Fehmarn ys Yr Almaen 46 D6 54°29'G 11°07'Dn
Feira de Santana Brasil 72 F5 12°12'D 38°57'Gn
Feldkirch Awstria 46 C2 47°15'G 9°36'Dn
Felixstowe Lloegr 9 G2 51°58'G 1°21'Dn
Femunden ll. Norwy 43 B3 62°05'G 11°48'Dn
Fenis (Venezia) Yr Eidal 46 E1 45°26'G 12°20'Dn
Fenis, Gwlff Ewrop 46 E1 45°19'G 12°43'Dn
Feniton Lloegr 11 D2 50°47'G 3°16'Gn
Fenni, Y Cymru 10 D3 51°49'G 3°01'Gn
Feodosiya Crimea 49 K6 45°02'G 35°22'Dn
Ferdows Iran 95 I6 33°59'G 58°10'Dn
Fergus Falls tref UDA 62 G6 46°17'G 96°07'Gn
Ferkessédougou Côte d'Ivoire 84 D2 9°36'G 5°12'Gn
Fermanagh ac Omagh rhan. G. Iwerddon 21 B4 54°28'G 7°32'Gn
Fermoy Iwerddon 18 C2 52°08'G 8°17'Gn
Fernando de Noronha ys Brasil 68 E3 3°39'D 33°04'Gn
Ferndown Lloegr 8 D1 50°48'G 1°54'Gn
Ferrara Yr Eidal 46 D1 44°50'G 11°38'Dn
Ferrol Sbaen 45 A5 43°29'G 8°13'Gn
Ferryhill Lloegr 13 F3 54°41'G 1°33'Gn
Fethaland, Pwynt Yr Alban 17 H5 60°39'G 1°18'Gn
Fethard Iwerddon 18 D2 52°28'G 7°42'Gn
Fethiye Twrci 51 H3 36°37'G 29°06'Dn
Fetlar ys Yr Alban 17 I5 60°38'G 0°49'Gn
Feuilles a. Canada 61 K3 58°46'G 70°13'Gn
Feyzābād Afgh. 95 L7 37°07'G 70°35'Dn
Fez (Al Fas) Moroco 84 D5 34°03'G 4°59'Gn
Fianarantsoa Madagascar 83 D2 21°27'D 47°07'Dn
Fife rhan. Yr Alban 20 D5 56°16'G 2°58'Gn
Fife Ness pt Yr Alban 15 G4 56°16'G 2°35'Gn
Figeac Ffrainc 44 E4 44°37'G 2°01'Dn
Figueira da Foz Portiwgal 45 A4 40°10'G 8°51'Gn
Figueres Sbaen 45 G5 42°16'G 2°58'Dn
Figuig Moroco 48 C3 32°08'G 1°15'Gn
Fiji D. Cefn. Tawel 109 G5 17°51'D 177°08'Dn
Filadelfia Paraguay 73 C4 22°22'D 60°03'Gn
Filchner, Sgafell Iâ Antarctica 112 map 2 79°55'D 35°58'Gn
Filey Lloegr 13 G3 54°13'G 0°18'Gn
Filton Lloegr 8 C2 51°30'G 2°35'Gn
Fimbul, Sgafell Iâ Antarctica 112 map 2 70°23'D 0°14'Dn
Findhorn a. Yr Alban 17 F2 57°38'G 3°38'Gn
Finisterre, Penrhyn Sbaen 45 A5 42°53'G 9°17'Gn
Finlay a. Canada 60 F3 56°41'G 124°49'Gn
Finn a. Iwerddon/DU 18 D4 54°50'G 7°28'Gn
Finspång Sweden 43 C2 58°42'G 15°46'Dn
Finstown Yr Alban 17 F4 59°00'G 3°07'Gn
Fintona G. Iwerddon 14 B2 54°29'G 7°19'Gn
Fionn Loch Yr Alban 16 D2 57°46'G 5°28'Gn
Fionnphort Yr Alban 14 C4 56°19'G 6°22'Gn
Firenze Yr Eidal 48 F5 43°46'G 11°16'Dn
Fisher, Culfor Canada 61 J4 63°14'G 83°06'Gn
Flagstaff UDA 62 D4 35°12'G 111°39'Gn
Flamborough Lloegr 13 G3 54°07'G 0°07'Gn
Flamborough, Pentir Lloegr 13 G3 54°07'G 0°03'Gn
Flannan, Ynysoedd Yr Alban 16 B3 58°18'G 7°39'Gn
Flåsjön ll. Sweden 43 C4 64°06'G 15°53'Dn
Flathead, Llyn UDA 62 D6 47°52'G 114°03'Gn
Flat Holm (Echni) ys Cymru 11 D3 51°23'G 3°07'Gn
Fleet Lloegr 8 E2 51°17'G 0°50'Gn
Fleetwood Lloegr 12 D2 53°55'G 3°02'Gn
Flensburg Yr Almaen 46 C6 54°47'G 9°25'Dn
Flevoland rhan. Yr Iseldiroedd 42 E5 52°17'G 5°07'Dn
Flinders a. Awstralia 108 D5 17°37'D 140°35'Dn
Flinders, Cadwyn Awstralia 108 C3 32°24'D 137°57'Dn
Flinders, Ynys Awstralia 108 D3 39°56'D 148°04'Dn
Flin Flon Canada 60 H3 54°46'G 101°51'Gn
Flint UDA 63 J5 43°01'G 83°42'Gn
Florence UDA 63 K3 34°11'G 79°45'Gn
Florencia Colombia 72 B7 1°36'G 75°36'Gn
Flores ys Indonesia 103 G2 8°37'D 119°58'Dn
Flores, Môr Indonesia 102 F2 7°43'D 119°11'Dn
Floresta Brasil 72 F6 8°31'D 38°32'Gn
Florianópolis Brasil 73 E4 27°32'D 48°32'Gn
Florida rhan. UDA 63 J3 30°12'G 83°39'Gn
Florida, Culfor G. Cefn. Iwerydd 67 H5 23°59'G 81°35'Gn
Florida Keys, Ynysoedd UDA 63 J1 24°41'G 81°38'Gn
Florina Groeg 50 D5 40°46'G 21°24'Dn
Florø Norwy 43 A3 61°36'G 5°01'Dn
Flotta ys Yr Alban 17 F3 58°50'G 3°05'Gn
Fly a. PGN 103 K2 8°20'D 142°51'Dn
Foča Bos. a Herz. 50 C6 43°29'G 18°45'Dn
Fochabers Yr Alban 17 F2 57°37'G 3°06'Gn
Focşani România 50 G7 45°42'G 27°11'Dn
Foggia Yr Eidal 49 G5 41°28'G 15°33'Dn
Fogo ys Cabo Verde 84 B3 14°59'G 24°18'Gn
Foinaven br. Yr Alban 16 E3 58°25'G 4°53'Gn
Foix Ffrainc 44 D3 42°58'G 1°36'Dn
Folkestone Lloegr 9 G2 51°05'G 1°10'Dn
Fonseca, Gwlff Cb. America 66 G3 12°59'G 88°11'Gn
Fontainebleau Ffrainc 44 E6 48°25'G 2°43'Dn
Fontur pt Gwlad yr Iâ 43 Z2 66°23'G 14°32'Gn
Førde Norwy 43 A3 61°27'G 5°52'Dn
Fordingbridge Lloegr 8 D1 50°56'G 1°47'Gn
Foreland pr Lloegr 8 D1 50°41'G 1°04'Gn
Foreland, Pwynt Lloegr 11 D3 51°15'G 3°47'Gn
Foreland y Gogledd p. Lloegr 9 G2 51°23'G 1°27'Dn
Forfar Yr Alban 17 G1 56°39'G 2°53'Gn
Forlì Yr Eidal 46 E1 44°14'G 12°02'Dn
Formby Lloegr 12 D2 53°34'G 3°04'Gn
Formentera ys Sbaen 45 F3 38°40'G 1°22'Dn
Formosa Ariannin 73 D4 26°07'D 58°12'Gn
Føroyar rhan. G. Cefn. Iwerydd 34 D5 61°48'G 7°12'Gn
Forres Yr Alban 17 F2 57°37'G 3°37'Gn
Forssa Y Ffindir 43 E3 60°49'G 23°39'Dn
Fort Albany Canada 61 J3 52°13'G 81°41'Gn
Fortaleza Brasil 72 F6 3°43'D 38°32'Gn
Fort Augustus Yr Alban 16 E2 57°09'G 4°41'Gn
Fort Chipewyan Canada 60 G3 58°42'G 111°07'Gn
Fort Collins UDA 62 E5 40°35'G 105°05'Gn
Fort-de-France Martinique 67 L3 14°37'G 61°05'Gn
Fortescue a. Awstralia 108 A4 21°02'D 116°06'Dn
Fort Frances Canada 61 I2 48°37'G 93°24'Gn
Fort Good Hope Canada 60 F4 66°16'G 128°39'Gn
Forth a. Yr Alban 14 F4 56°07'G 3°52'Gn
Forth, Moryd aber Yr Alban 15 F4 56°01'G 3°13'Gn
Fort Lauderdale UDA 63 J2 26°04'G 80°11'Gn
Fort Liard Canada 60 F4 60°14'G 123°24'Gn
Fort McMurray Canada 60 G3 56°43'G 111°21'Gn
Fort McPherson Canada 60 E4 67°33'G 134°44'Gn
Fort Nelson Canada 60 F3 58°45'G 122°39'Gn
Fort Pierce UDA 63 J2 27°18'G 80°24'Gn
Fortrose Yr Alban 17 E2 57°35'G 4°08'Gn
Fort Severn Canada 61 J3 56°00'G 87°39'Gn
Fort-Shevchenko Kazakhstan 53 F2 44°29'G 50°17'Dn
Fort Simpson Canada 60 F4 61°52'G 121°22'Gn
Fort Smith Canada 60 G4 60°00'G 112°13'Gn
Fort Smith UDA 63 H4 35°26'G 94°24'Gn
Fort St John Canada 60 F3 56°15'G 120°49'Gn
Fortuneswell Lloegr 8 C1 50°34'G 2°27'Gn
Fort Wayne UDA 63 I5 41°04'G 85°08'Gn
Fort William (An Gearasdan) Yr Alban 16 D1 56°49'G 5°06'Gn
Fort Worth UDA 62 G3 32°46'G 97°19'Gn
Fort Yukon UDA 60 D4 66°35'G 145°13'Gn
Foshan China 99 K2 23°03'G 113°06'Dn
Fossano Yr Eidal 46 B1 44°33'G 7°43'Dn
Fougères Ffrainc 44 C6 48°21'G 1°12'Gn
Foula ys Yr Alban 17 G5 60°10'G 2°10'Gn
Foulness, Pwynt Lloegr 9 F2 51°37'G 0°57'Dn
Fouta Djallon n. Guinée 84 C3 11°14'G 12°19'Gn
Fowey a. Lloegr 11 C2 50°26'G 4°41'Gn
Fox, Ynysoedd UDA 60 B3 52°45'G 168°53'Gn
Foxe, Basn Canada 61 K4 66°53'G 78°58'Gn
Foxe, Gorynys Canada 61 K4 64°48'G 77°03'Gn
Foxe, Sianel cf. Canada 61 J4 64°56'G 81°03'Gn
Foxford Iwerddon 18 B3 53°58'G 9°07'Gn
Foyle a. Iwerddon/DU 18 D4 54°53'G 7°26'Gn
Foyle, Loch b. Iwerddon/DU 18 D5 55°07'G 7°07'Gn
Foz do Iguaçu Brasil 73 D4 25°30'D 54°32'Gn
Framlingham Lloegr 9 G3 52°13'G 1°21'Dn
Franceville Gabon 84 F1 1°37'D 13°35'Dn
Francistown Botswana 83 B2 21°10'D 27°29'Dn
Frankfort UDA 63 J4 38°12'G 84°53'Gn
Frankfurt am Main Yr Almaen 46 C4 50°07'G 8°41'Dn
Frankfurt an der Oder Yr Almaen 46 F5 52°21'G 14°33'Dn
Franklin D. Roosevelt, Llyn cr. UDA 62 C6 48°16'G 118°09'Gn
Frantsa-Iosifa, Zemlya ysdd Rwsia 54 G5 79°40'G 58°29'Dn
Fraser a. Canada 60 F2 49°19'G 121°38'Gn
Fraser, Ynys Awstralia 108 E4 25°12'D 153°11'Dn
Fraserburgh Yr Alban 17 G2 57°42'G 2°01'Gn
Freckleton Lloegr 12 E2 53°45'G 2°52'Gn
Fredericia Denmarc 43 B1 55°34'G 9°45'Dn
Fredericton Canada 61 L2 45°57'G 66°39'Gn
Frederikshavn Denmarc 43 B2 57°27'G 10°32'Dn
Fredrikstad Norwy 43 B2 59°13'G 10°56'Dn
Freeport City Bahamas 67 I6 26°30'G 78°45'Gn
Freetown Sierra Leone 84 C2 8°29'G 13°14'Gn
Freiburg im Breisgau Yr Almaen 46 B3 48°00'G 7°50'Dn
Fréjus Ffrainc 44 G3 43°26'G 6°45'Dn
Fremantle Awstralia 108 A3 32°05'D 115°42'Dn
Freshwater Lloegr 8 D1 50°41'G 1°31'Gn
Fresno UDA 62 C4 36°46'G 119°46'Gn
Frévent Ffrainc 9 H1 50°16'G 2°17'Dn
Freyming-Merlebach Ffrainc 42 F2 49°09'G 6°48'Dn
Fria Guinée 84 C3 10°25'G 13°34'Gn
Friedrichshafen Yr Almaen 46 C2 47°39'G 9°31'Dn
Friesland (Fryslân) rhan. Yr Iseldiroedd 42 E6 53°08'G 5°48'Dn
Frinton-on-Sea Lloegr 9 G2 51°50'G 1°15'Dn
Frio, Penrhyn Brasil 73 E4 22°51'D 42°02'Gn
Frisa, Loch Yr Alban 14 C4 56°34'G 6°06'Gn
Frizington Lloegr 12 D3 54°32'G 3°30'Gn
Frobisher, Bae Canada 61 L4 63°18'G 67°31'Gn
Frodsham Lloegr 12 E2 53°18'G 2°44'Gn
Frohavet b. Norwy 43 B3 63°52'G 9°12'Dn
Frome Lloegr 8 C2 51°14'G 2°19'Gn
Frome a. Lloegr 8 C1 50°41'G 2°05'Gn
Frome, Llyn Awstralia 108 C3 30°43'D 139°48'Dn
Frøya ys Norwy 43 B3 63°41'G 8°39'Dn
Fruges Ffrainc 9 H1 50°31'G 2°08'Dn
Frýdek-Místek Tsiecia 46 H3 49°41'G 18°21'Dn
Fryslân (Friesland) rhan. Yr Iseldiroedd 42 E6 53°08'G 5°48'Dn
Fuenlabrada Sbaen 45 D4 40°17'G 3°47'Gn
Fuerteventura ys Sbaen 45 Y2 28°36'G 14°04'Gn
Fujairah EAU 95 I5 25°06'G 56°21'Dn
Fujian rhan. China 99 L3 25°52'G 117°59'Dn
Fuji-san llosg. Japan 104 C3 35°22'G 138°43'Dn
Fukui Japan 104 C3 36°04'G 136°13'Dn
Fukuoka Japan 104 B2 33°35'G 130°24'Dn
Fukushima Japan 104 D3 37°45'G 140°28'Dn
Fulda Yr Almaen 46 C4 50°33'G 9°41'Dn
Fulford Lloegr 13 F2 53°56'G 1°04'Gn
Fulham Lloegr 9 E2 51°29'G 0°13'Gn
Funafuti n. Tuvalu 109 G6 8°25'D 179°13'Dn
Funchal Portiwgal 84 C5 32°39'G 16°54'Gn
Fundy, Bae g. Canada 61 L2 44°06'G 67°03'Gn
Fürth Yr Almaen 46 D3 49°29'G 10°57'Dn
Fushun China 99 M6 41°51'G 123°50'Dn
Fuxin China 99 M6 42°02'G 121°41'Dn
Fuyang China 99 L4 32°51'G 115°52'Dn
Fuyu China 99 M7 47°44'G 124°26'Dn
Fuzhou Fujian China 99 L3 26°07'G 119°21'Dn
Fuzhou Jiangxi China 99 L3 27°58'G 116°17'Dn
Fyn ys Denmarc 43 B1 55°38'G 10°17'Dn

FF

Ffens, Y n. Lloegr 9 E3 52°42'G 0°08'Gn
Ffen y Dwyrain n. Lloegr 13 H2 53°05'G 0°04'Dn
Ffen y Gorllewin n. S. Gaergr. Lloegr 9 F3 52°32'G 0°00'Dn
Ffen y Gorllewin n. S. Lincoln Lloegr 13 G2 53°04'G 0°05'Gn
Ffestiniog Cymru 10 D4 52°58'G 3°56'Gn
Ffindir, Gwlff y g. Ewrop 43 E2 59°31'G 22°42'Dn
Ffindir, Y Ewrop 43 F3 63°43'G 26°54'Dn
Ffiord y Gorllewin cf. Norwy 43 C4 67°40'G 13°54'Dn
Fflandrys, Dwyrain rhan. Gwlad Belg 42 C3 50°56'G 3°44'Dn
Fflandrys, Gorllewin rhan. Gwlad Belg 42 B3 50°59'G 2°56'Dn
Fflint, Sir y rhan. Cymru 21 D3 53°11'G 3°07'Gn
Fflint, Y Cymru 10 D5 53°15'G 3°08'Gn
Fforest Ddu mdd. Yr Almaen 46 C2 47°56'G 8°08'Dn
Fforest Newydd gwarchodfa natur Lloegr 8 D1 50°52'G 1°37'Gn
Ffrainc Ewrop 44 E5 46°57'G 2°11'Dn
Ffrisia, Ynysoedd Ewrop 34 E4 53°28'G 4°37'Dn
Ffrisia, Ynysoedd Gogledd Yr Almaen 46 C6 54°52'G 8°02'Dn

G

Gaalkacyo Somalia 85 I2 6°46'G 47°25'Dn
Gabès Tunisia 48 F3 33°53'G 10°07'Dn
Gabès, Gwlff Tunisia 48 F3 34°09'G 10°33'Dn
Gabon Affrica 84 F1 0°56'D 11°32'Dn
Gaborone Botswana 83 B2 24°38'D 25°56'Dn
Gabrovo Bwlgaria 50 F6 42°53'G 25°20'Dn
Gadsden UDA 63 I3 34°03'G 86°04'Gn
Gaer, Y Cymru 10 D3 51°53'G 3°12'Gn
Gaer, Y (Thornbury) Lloegr 8 C2 51°36'G 2°31'Gn
Gafsa Tunisia 48 E3 34°25'G 8°48'Dn
Gagarin Rwsia 47 P6 55°33'G 35°01'Dn
Gagnon Canada 61 L3 51°52'G 68°07'Gn
Gagra Georgia 51 N6 43°18'G 40°16'Dn
Gainesville UDA 63 J2 29°36'G 82°20'Gn
Gainsborough Lloegr 13 G2 53°24'G 0°46'Gn
Gairdner, Llyn Awstralia 108 C3 31°17'D 135°38'Dn
Gair Loch b. Yr Alban 16 D2 57°43'G 5°44'Gn
Gairloch (Geàrrloch) Yr Alban 16 D2 57°44'G 5°42'Gn
Galápagos, Ynysoedd Ecuador 68 B3 0°03'D 89°05'Gn
Galashiels Yr Alban 15 G3 55°37'G 2°49'Gn
Galaţi România 51 H7 45°27'G 28°03'Dn
Gala Water a. Yr Alban 15 G3 55°36'G 2°47'Gn
Galdhøpiggen m. Norwy 43 B3 61°38'G 8°19'Dn
Galeota, Pwynt Trin. a Tob. 67 Z1 10°09'G 60°59'Gn
Galera, Pwynt Trin. a Tob. 67 Z2 10°49'G 60°55'Gn
Galich Rwsia 52 E3 58°22'G 42°20'Dn
Galilea, Môr ll. Israel 49 K3 32°49'G 35°37'Dn
Galina, Pwynt Jamaica 66 P2 18°24'G 76°58'Gn
Gallabat Sudan 94 E2 12°57'G 36°06'Dn
Galle Sri Lanka 96 F2 6°03'G 80°13'Dn
Galley, Pentir Iwerddon 18 C1 51°32'G 8°57'Gn
Gallinas, Pwynt Colombia 67 J3 12°27'G 71°42'Gn
Gallipoli Yr Eidal 49 G5 40°03'G 18°00'Dn
Gallipoli (Gelibolu) Twrci 50 G5 40°25'G 26°39'Dn
Gällivare Sweden 43 E4 67°08'G 20°40'Dn
Galloway, Penrhyn gor. Yr Alban 14 D2 54°55'G 5°07'Gn
Galloway, Pentir p. Yr Alban 14 E2 54°38'G 4°51'Gn
Gallup UDA 62 E4 35°32'G 108°45'Gn
Galston Yr Alban 14 E3 55°36'G 4°23'Gn
Galtat Zemmour Gorllewin Sahara 84 C4 25°07'G 12°24'Gn
Galty, Mynyddoedd Iwerddon 18 C2 52°19'G 8°16'Gn
Galveston UDA 63 H2 29°15'G 94°54'Gn
Galveston, Bae UDA 63 H2 29°19'G 94°46'Gn
Galway Iwerddon 18 B3 53°16'G 9°03'Gn
Galway, Bae Iwerddon 18 B3 53°12'G 9°16'Gn
Galway, Dinas rhan. Iwerddon 18 B3 53°22'G 9°16'Gn
Gambia Affrica 84 C3 13°22'G 16°25'Gn
Gambia a. Gambia 84 C3 13°27'G 14°30'Gn
Gäncä Azerbaijan 53 E2 40°41'G 46°22'Dn
Gandadiwata, Mynydd Indonesia 102 F3 2°46'D 119°23'Dn
Gander Canada 61 M2 48°54'G 54°17'Gn
Gandhidham India 96 D5 23°03'G 70°06'Dn
Gandhinagar India 96 D5 23°15'G 72°39'Dn
Gandía Sbaen 45 E3 38°58'G 0°10'Gn
Ganga (Ganges) a. Bangl./India 96 H5 22°25'G 90°55'Dn
Ganga, Aberoedd Afon Bangl./India 96 G5 21°17'G 88°23'Dn
Ganges (Ganga) a. Bangl./India 96 H5 22°25'G 90°55'Dn
Gannett, Copa UDA 62 E5 43°12'G 109°39'Gn
Gansu rhan. China 98 H6 40°01'G 97°56'Dn
Ganzhou China 99 K3 25°50'G 114°53'Dn
Gao Mali 84 D3 16°16'G 0°02'Gn
Gaoxiong Taiwan 99 M2 22°39'G 120°20'Dn
Gap Ffrainc 44 G4 44°34'G 6°05'Dn
Gar China 98 E4 32°33'G 80°05'Dn
Gara, Loch Iwerddon 18 C3 53°57'G 8°28'Gn
Garabogaz Turkmenistan 53 F2 41°33'G 52°34'Dn
Garabogazköl Turkmenistan 53 F2 41°04'G 52°56'Dn
Garabogazköl, Bae Turkmenistan 53 F2 41°24'G 53°32'Dn
Garanhuns Brasil 72 F6 8°52'D 36°22'Gn
Garcia Sola, Cronfa Ddŵr Sbaen 45 C3 39°14'G 5°02'Gn
Gard a. Ffrainc 44 F3 43°51'G 4°37'Dn
Garda, Llyn Yr Eidal 46 D1 45°28'G 10°33'Dn
Garden City UDA 62 F4 37°59'G 100°53'Gn
Gardēz Afgh. 95 K6 33°36'G 69°14'Dn
Garelochhead Yr Alban 14 E4 56°05'G 4°50'Gn
Garforth Lloegr 13 F2 53°48'G 1°23'Gn
Gargždai Lithuania 43 E1 55°43'G 21°24'Dn
Garissa Kenya 85 H1 0°25'D 39°40'Dn
Garmisch-Partenkirchen Yr Almaen 46 D2 47°30'G 11°06'Dn
Garonne a. Ffrainc 44 C4 44°53'G 0°32'Gn
Garoowe Somalia 85 I2 8°23'G 48°28'Dn
Garoua Cameroon 84 F2 9°20'G 13°25'Dn
Garron, Pwynt G. Iwerddon 14 D3 55°03'G 5°57'Gn
Garry a. Yr Alban 16 E2 57°04'G 4°46'Gn
Garry, Loch Yr Alban 17 E1 56°48'G 4°15'Gn
Garstang Lloegr 12 E2 53°54'G 2°46'Gn
Garvagh G. Iwerddon 14 C2 54°59'G 6°41'Gn
Gary UDA 63 I5 41°35'G 87°20'Gn
Gasa Asia/Ewrop 49 J3 31°22'G 34°19'Dn
Gasa tref Gasa 94 D6 31°31'G 34°26'Dn
Gascoyne a. Awstralia 108 A4 24°44'D 114°03'Dn
Gasgwyn, Gwlff Ffrainc 44 B3 43°43'G 2°00'Gn
Gashua Nigeria 84 F3 12°51'G 11°04'Dn
Gaspé Canada 61 L2 48°48'G 64°32'Gn
Gaspé), Gorynys Canada 61 L2 48°35'G 65°31'Gn
Gastonia UDA 63 J4 35°17'G 81°13'Gn
Gata, Penrhyn Sbaen 45 D2 36°43'G 2°11'Gn
Gatehouse of Fleet Yr Alban 14 E2 54°53'G 4°11'Gn
Gateshead Lloegr 13 F3 54°57'G 1°36'Gn
Gateshead rhan. Lloegr 20 E4 54°57'G 1°36'Gn
Gatineau a. Canada 63 K6 45°27'G 75°42'Gn
Gävle Sweden 43 D3 60°41'G 17°08'Dn
Gaya India 96 G5 24°48'G 85°00'Dn
Gaya Niger 84 E3 11°54'G 3°27'Dn
Gaziantep Twrci 51 L3 37°03'G 37°21'Dn
Gdańsk Gwlad Pwyl 46 H6 54°21'G 18°39'Dn
Gdańsk, Gwlff Gwlad Pwyl/Rwsia 46 H6 54°32'G 19°12'Dn
Gdynia Gwlad Pwyl 46 H6 54°31'G 18°33'Dn
Geal Charn br. Yr Alban 17 F2 57°12'G 3°30'Gn
Geàrrloch (Gairloch) Yr Alban 16 D2 57°44'G 5°42'Gn
Gedaref Sudan 85 H3 14°02'G 35°23'Dn
Gediz a. Twrci 51 G4 38°35'G 26°48'Dn
Geel Gwlad Belg 42 E4 51°09'G 5°00'Dn
Geelong Awstralia 108 D3 38°08'D 144°21'Dn
Gejiu China 99 I2 23°22'G 103°09'Dn
Gela Yr Eidal 48 F4 37°04'G 14°15'Dn
Gelderland rhan. Yr Iseldiroedd 42 F5 52°04'G 6°08'Dn
Gelibolu (Gallipoli) Twrci 50 G5 40°25'G 26°39'Dn
Gelincik, Mynydd Twrci 51 I4 38°03'G 30°42'Dn
Gelli, Y Cymru 10 D4 52°05'G 3°07'Gn
Gelli-gaer Cymru 10 D3 51°40'G 3°15'Gn
Gelsenkirchen Yr Almaen 46 B4 51°33'G 7°06'Dn
Gemlik Twrci 51 H5 40°25'G 29°09'Dn
Genefa (Genève) Y Swistir 48 E6 46°13'G 6°09'Dn
Genefa, Llyn Ffrainc/Y Swistir 44 G5 46°22'G 6°16'Dn
General Santos Pili. 103 H5 6°06'G 125°10'Dn
Genève (Genefa) Y Swistir 48 E6 46°13'G 6°09'Dn
Genil a. Sbaen 45 C2 37°42'G 5°18'Gn
Genk Gwlad Belg 42 E3 50°57'G 5°31'Dn
Genova Yr Eidal 46 C1 44°25'G 8°56'Dn
Genova, Gwlff g. Yr Eidal 48 E5 44°08'G 8°57'Dn
Gent Gwlad Belg 42 C4 51°03'G 3°43'Dn
George a. Canada 61 L3 58°19'G 65°55'Gn
Georgetown Guyana 72 D7 6°49'G 58°09'Gn
George Town Malaysia 102 C5 5°26'G 100°17'Dn
George V, Tir n. Antarctica 112 map 2 71°06'D 149°44'Dn
Georgia Asia/Ewrop 53 E2 41°49'G 43°59'Dn
Georgia rhan. UDA 63 J3 32°55'G 83°28'Gn
Georgia, De ys D. Cefn. Iwerydd 73 F1 53°50'D 36°30'Gn
Georgian, Bae Canada 63 J6 45°17'G 80°51'Gn
Georgia Newydd, Swnt cf. Ysdd Solomon 108 E6 7°21'D 156°36'Dn
Georgina n. Awstralia 108 C4 24°54'D 139°35'Dn
Georgiyevka Kazakhstan 98 E7 49°16'G 81°34'Dn
Georgiyevsk Rwsia 53 E2 44°09'G 43°29'Dn
Gera Yr Almaen 46 E4 50°53'G 12°06'Dn
Geraldton Awstralia 108 A4 28°46'D 114°37'Dn
Gerede Twrci 51 J5 40°48'G 32°12'Dn
Gereshk Afgh. 95 J6 31°49'G 64°33'Dn
Gerlachov, Copa Slofacia 46 I3 49°10'G 20°07'Dn
Getz, Sgafell Iâ Antarctica 112 map 2 74°51'D 134°21'Gn
Gevgelija Macedonia 50 E5 41°09'G 22°30'Dn
Geyik, Mynydd Twrci 51 J3 36°52'G 32°1
Geyve Twrci 51 I5 40°30'G 30°1
Ghadāmis Libya 84 E5 30°07'G 9°3
Ghaem Shahr Iran 95 H7 36°32'G 52°3
Ghaghara a. India 96 F6 25°42'G 84°5
Ghana Affrica 84 D2 8°23'G 0°4
Ghardaïa Algeria 84 E5 32°20'G 3°4
Gharyān Libya 48 F3 32°11'G 13°0
Ghāt Libya 84 F4 24°58'G 10°1
Ghats Dwyreiniol mdd. India 96 E3 15°07'G 78°3
Ghats Gorllewinol mdd. India 96 D3 20°08'G 73°5
Ghazaouet Algeria 48 C4 35°06'G 1°5
Ghaziabad India 96 E6 28°42'G 77°2
Ghaznī Afgh. 95 K6 33°33'G 68°2
Gibraltar Gibraltar 45 C2 36°08'G 5°2
Gibralter, Culfor Moroco/Sbaen 45 B1 35°55'G 5°4
Gibson, Diffeithwch Awstralia 108 B4 24°46'D 123°2
Gien Ffrainc 44 E5 47°41'G 2°3
Gießen Yr Almaen 46 C4 50°35'G 8°4
Gifu Japan 104 C3 35°25'G 136°4
Gigha ys Yr Alban 14 D3 55°41'G 5°4
Gijón (Xixón) Sbaen 45 C5 43°32'G 5°3
Gila a. UDA 62 D3 32°45'G 114°3
Gilgit Pakistan 96 D8 35°55'G 74°1
Gill, Loch Iwerddon 18 C4 54°15'G 8°2
Gillette UDA 62 E5 44°18'G 105°2
Gillingham Dor. Lloegr 8 C2 51°02'G 2°1
Gillingham Medway Lloegr 9 F2 51°23'G 0°3
Gilwern Cymru 10 D3 51°49'G 3°0
Gimbala, Mynydd Sudan 94 B2 13°00'G 24°2
Giresun Twrci 51 M5 40°55'G 38°2
Girona Sbaen 45 G4 41°58'G 2°4
Gironde aber Ffrainc 44 C4 45°31'G 0°5
Girvan Yr Alban 14 E3 55°15'G 4°5
Gisborne Seland Newydd 109 G3 38°39'D 178°0
Giurgiu România 50 F6 43°54'G 25°5
Giza Yr Aifft 85 H4 29°59'G 31°1
Gizhiga Rwsia 55 R4 62°01'G 160°2
Gjirokastër Albania 50 D5 40°04'G 20°0
Gjøvik Norwy 43 B3 60°48'G 10°4
Gladstone Awstralia 108 E4 23°51'D 151°1
Glan a. Yr Almaen 42 G2 49°47'G 7°4
Glan Orllewinol Asia/Ewrop 49 K3 31°52'G 35°1
Glanton Lloegr 13 F4 55°25'G 1°5
Glas, Mynyddoedd Seland Newydd 66 P2 46°01'D 169°1
Glasgow UDA 62 E6 48°10'G 106°3
Glasgow Yr Alban 14 E3 55°52'G 4°1
Glasgow, Dinas rhan. Yr Alban 20 C4 55°52'G 4°1
Glass, Loch Yr Alban 17 E2 57°44'G 4°3
Glastonbury Lloegr 8 C2 51°09'G 2°4
Glazov Rwsia 52 F3 58°09'G 52°4
Gleann Comhan (Glen Coe) n. Yr Alban 16 D1 56°41'G 5°0
Glenarm G. Iwerddon 14 D2 54°58'G 5°5
Glen Coe (Gleann Comhan) n. Yr Alban 16 D1 56°41'G 5°0
Glendale UDA 62 D3 33°32'G 112°1
Glengad, Pentir Iwerddon 18 D5 55°20'G 7°1
Glen Garry n. Yr Alban 16 D2 57°03'G 5°0
Glenluce Yr Alban 14 E2 54°54'G 4°4
Glen Mor n. Yr Alban 17 E2 57°09'G 4°4
Glen Moriston n. Yr Alban 16 E2 57°09'G 4°5
Glennallen UDA 60 D4 62°09'G 145°3
Glenrothes Yr Alban 15 F4 56°12'G 3°1
Glen Shee n. Yr Alban 17 F1 56°48'G 3°2
Glinton Lloegr 9 E3 52°38'G 0°1
Gliwice Gwlad Pwyl 46 H4 50°18'G 18°4
Głogów Gwlad Pwyl 46 G4 51°40'G 16°0
Glomfjord Norwy 43 C4 66°49'G 13°5
Glorieuses, Ynysoedd Cefn. India 83 D3 11°34'D 47°1
Glossop Lloegr 13 F2 53°27'G 1°5
Gloucester (Caerloyw) Lloegr 8 C2 51°52'G 2°1
Glusburn Lloegr 13 F2 53°54'G 1°5
Glyder Fawr m. Cymru 10 C5 53°06'G 4°0
Glynebwy Cymru 10 D3 51°47'G 3°1
Glyn-nedd Cymru 10 D3 51°45'G 3°3
Gmünd Awstria 46 F3 48°47'G 14°5
Gniezno Gwlad Pwyl 46 G5 52°32'G 17°3
Goa rhan. India 96 D4 15°21'G 74°0
Goat Fell br. Yr Alban 14 D3 55°37'G 5°1
Gobabis Namibia 83 A2 22°27'D 18°5
Gobi diff. China/Mongolia 99 J6 44°59'G 107°1
Gobowen Lloegr 8 B3 52°54'G 3°0
Goch Yr Almaen 42 F4 51°40'G 6°0
Godalming Lloegr 9 E2 51°11'G 0°3
Godavari a. India 96 F4 16°56'G 81°4
Godmanchester Lloegr 9 E3 52°19'G 0°1
Goes Yr Iseldiroedd 42 C4 51°30'G 3°5
Gogledd, Penrhyn y Antarctica 112 map 2 70°28'D 166°2
Gogledd, Pwynt y Barbados 67 V2 13°18'G 59°3
Gogledd America Y Byd 56 0 50°19'G 101°2
Gogledd America, Basn UDA 116 D3 35°02'G 58°3
Gogledd Harris n. Yr Alban 16 C2 57°59'G 6°4
Gogledd Tyne rhan. Lloegr 20 E4 55°02'G 1°3
Gogledd Uist ys Yr Alban 16 B2 57°37'G 7°2
Goiânia Brasil 72 E5 16°41'D 49°1
Gökçeada ys Twrci 50 F5 40°12'G 25°4
Göksun Twrci 51 L4 38°02'G 36°3
Gölcük Twrci 51 H5 40°43'G 29°4
Gold Coast tref Awstralia 108 E4 28°03'D 153°2
Golmud China 98 G5 36°21'G 94°5
Golpāyegān Iran 95 H6 33°23'G 50°1
Golspie Yr Alban 17 F2 57°58'G 3°5
Gómez Palacio México 66 D6 25°35'G 103°3
Gonaïves Haiti 67 J4 19°27'G 72°4
Gonbad-e Kavus Iran 95 I7 37°14'G 55°0
Gonder Ethiopia 85 H3 12°37'G 37°2
Gondia India 96 F5 21°29'G 80°1
Gongga Shan m. China 99 I3 29°57'G 101°5
Goole Lloegr 13 G2 53°42'G 0°5
Göppingen Yr Almaen 46 C3 48°43'G 9°3
Gorakhpur India 96 F6 26°45'G 83°2
Gorebridge Yr Alban 15 F3 55°50'G 3°0
Gorey Iwerddon 18 E2 52°40'G 6°1
Gorgān Iran 95 H7 36°50'G 54°2
Gori Georgia 53 E2 41°59'G 44°0
Goris Armenia 95 G7 39°30'G 46°2
Gorizia Yr Eidal 46 E1 45°57'G 13°3
Görlitz Yr Almaen 46 F4 51°09'G 14°5
Gorllewin, Sgafell Iâ'r Antarctica 112 map 2 67°01'D 82°3
Gorllewin Antarctica n. Antarctica 112 map 2 79°46'D 132°0
Gornji Vakuf Bos. a Herz. 50 B6 43°55'G 17°3
Gorno-Altaysk Rwsia 98 F8 51°59'G 85°5
Gornyak Rwsia 98 E8 50°59'G 81°2
Gorontalo Indonesia 103 G4 0°33'G 123°0
Gors, Y Cymru 11 F3 52°52'G 0°0
Gort Iwerddon 18 C3 53°04'G 8°4
Gorynys Seward UDA 60 B4 65°29'G 164°0
Gorzów Wielkopolski Gwlad Pwyl 46 F5 52°44'G 15°1
Gosberton Lloegr 9 E3 52°52'G 0°1
Gosford Awstralia 108 E3 33°25'D 151°2
Gosforth Cumb. Lloegr 12 D3 54°25'G 3°2
Gosforth T. a W. Lloegr 13 F4 55°00'G 1°3

Holbeach, Cors Lloegr **9 F3** 52°51'G 0°02'Dn
Holderness *gor.* Lloegr **13 G2** 53°52'G 0°18'Gn
Holetown Barbados **67 V1** 13°11'G 59°38'Gn
Holguín Cuba **67 I5** 20°54'G 76°14'Gn
Hollabrunn Awstria **46 G3** 48°34'G 16°05'Dn
Holland, De *rhan.* Yr Iseldiroedd **42 D4** 51°57'G 4°28'Dn
Holland, Gogledd *rhan.* Yr Iseldiroedd **42 D5** 52°46'G 4°54'Dn
Hollesley, Bae Lloegr **9 G3** 52°02'G 1°28'Dn
Hollington Lloegr **9 F1** 50°53'G 0°33'Dn
Hollingworth Lloegr **13 F2** 53°28'G 1°59'Gn
Holme-on-Spalding-Moor Lloegr **13 G2** 53°50'G 0°47'Gn
Holmfirth Lloegr **13 F2** 53°34'G 1°47'Gn
Holstebro Denmarc **43 B2** 56°21'G 8°37'Dn
Holsworthy Lloegr **11 C2** 50°49'G 4°21'Gn
Holt Lloegr **9 G3** 52°55'G 1°05'Dn
Holy, Ynys Lloegr **13 F4** 55°41'G 1°47'Gn
Homburg Yr Almaen **42 G2** 49°19'G 7°20'Dn
Home, Bae Canada **61 L4** 68°52'G 67°27'Gn
Homs Syria **94 E6** 34°44'G 36°44'Dn
Homyel' Belarus **47 N5** 52°25'G 31°01'Dn
Honduras Cb. America **66 G3** 14°47'G 86°43'Gn
Honduras, Gwlff Belize/Honduras **66 G4** 16°24'G 87°35'Gn
Hønefoss Norwy **43 B3** 60°10'G 10°14'Dn
Hong Kong China **99 K2** 22°16'G 114°11'Dn
Hong Kong *rhan.* China **99 K2** 22°21'G 114°19'Dn
Honiara Ysdd Solomon **109 E6** 9°26'D 159°57'Dn
Honiton Lloegr **11 D2** 50°48'G 3°11'Gn
Honley Lloegr **13 F2** 53°36'G 1°48'Gn
Honshū *ys* Japan **104 B3** 35°42'G 133°20'Dn
Hood, Mynydd *llosg.* UDA **62 B6** 45°23'G 121°42'Gn
Hood, Pwynt Awstralia **108 A3** 34°19'D 119°33'Dn
Hoogeveen Yr Iseldiroedd **42 F5** 52°43'G 6°30'Dn
Hook Lloegr **8 E2** 51°17'G 0°58'Gn
Hook, Pentir Iwerddon **18 E2** 52°07'G 6°56'Gn
Hoorn Yr Iseldiroedd **42 E5** 52°39'G 5°04'Dn
Hope, Loch Yr Alban **17 E3** 58°27'G 4°39'Gn
Hope, Pwynt UDA **60 B4** 68°21'G 166°49'Gn
Hopedale Canada **61 L3** 55°27'G 60°00'Gn
Hörby Sweden **46 E6** 55°51'G 13°40'Dn
Horley Lloegr **9 E2** 51°10'G 0°10'Gn
Hormigueros Puerto Rico **66 Q2** 18°09'G 67°07'Gn
Hormuz, Culfor Iran/Oman **95 I5** 26°35'G 56°59'Dn
Horn *p.* Gwlad yr Iâ **43 X2** 66°28'G 22°29'Gn
Horn, Yr *p.* Chile **73 C1** 56°04'D 67°17'Gn
Hornavan *ll.* Sweden **43 D4** 66°11'G 17°44'Dn
Horncastle Lloegr **13 G2** 53°12'G 0°07'Gn
Hornepayne Canada **63 J6** 49°13'G 84°47'Gn
Hornsea Lloegr **13 G2** 53°55'G 0°10'Gn
Horodnya Ukrain **47 N4** 51°53'G 31°36'Dn
Horodok Ukrain **47 J3** 49°47'G 23°39'Dn
Horrabridge Lloegr **11 C2** 50°31'G 4°06'Gn
Horsens Denmarc **43 B1** 55°52'G 9°51'Dn
Horsham Awstralia **108 D3** 36°43'D 142°13'Dn
Horsham Lloegr **9 E2** 51°04'G 0°19'Gn
Horten Norwy **43 B2** 59°25'G 10°28'Dn
Horwich Lloegr **12 E2** 53°36'G 2°33'Gn
Hotan China **98 E5** 37°07'G 80°02'Dn
Houffalize Gwlad Belg **42 E3** 50°08'G 5°48'Dn
Houghton le Spring Lloegr **13 F3** 54°50'G 1°28'Gn
Houghton Regis Lloegr **9 E2** 51°54'G 0°31'Gn
Hourn, Loch Yr Alban **16 D2** 57°08'G 5°42'Gn
Houston UDA **63 G2** 29°43'G 95°19'Gn
Hovd Mongolia **98 G7** 47°59'G 91°41'Dn
Hove Lloegr **9 E1** 50°50'G 0°10'Gn
Hoveton Lloegr **9 G3** 52°43'G 1°25'Dn
Hövsgöl, Llyn Mongolia **99 I8** 50°59'G 100°42'Dn
Howden Lloegr **13 G2** 53°45'G 0°52'Gn
Howe, Penrhyn Awstralia **106 E2** 37°30'D 149°57'Dn
Hoy *ys* Yr Alban **17 F3** 58°50'G 3°16'Gn
Høyanger Norwy **43 A3** 61°13'G 6°04'Dn
Hoyerswerda Yr Almaen **46 F4** 51°27'G 14°16'Dn
Höytiäinen *ll.* Y Ffindir **43 G3** 62°46'G 29°43'Dn
Hradec Králové Tsiecia **46 F4** 50°13'G 15°50'Dn
Hrebinka Ukrain **47 O4** 50°06'G 32°26'Dn
Hrodna Belarus **47 J5** 53°41'G 23°49'Dn
Huaibei China **99 L4** 33°57'G 116°51'Dn
Huainan China **99 L4** 32°36'G 117°02'Dn
Huambo Angola **83 A3** 12°46'D 15°44'Dn
Huancayo Periw **72 B5** 12°03'D 75°11'Gn
Huang He *a.* China **99 L5** 37°46'G 118°57'Dn
Huangshi China **99 L4** 30°10'G 115°08'Dn
Huascarán, Nevado de *m.* Periw **72 B6** 9°09'D 77°36'Gn
Hubei *rhan.* China **99 K4** 31°09'G 113°06'Dn
Hubli India **96 E4** 15°21'G 75°08'Dn
Hucknall Lloegr **13 F2** 53°02'G 1°12'Gn
Huddersfield Lloegr **13 F2** 53°39'G 1°47'Gn
Hudiksvall Sweden **43 D3** 61°43'G 17°06'Dn
Hudson *a.* UDA **63 L5** 40°54'G 73°56'Gn
Hudson, Bae *môr* Canada **61 J3** 59°05'G 86°00'Gn
Hudson, Culfor Canada **61 K4** 63°31'G 74°25'Gn
Huê Viet Nam **102 D7** 16°28'G 107°37'Dn
Huelva Sbaen **45 B2** 37°16'G 6°55'Gn
Huércal-Overa Sbaen **45 E2** 37°23'G 1°55'Gn
Huesca Sbaen **45 E5** 42°09'G 0°25'Gn
Hugh Town Lloegr **21 B1** 49°55'G 6°19'Gn
Huila, Llwyfandir **78 C2** 15°03'D 15°15'Dn
Huizhou China **99 K2** 23°05'G 114°25'Dn
Hull Canada **63 K6** 45°27'G 75°45'Gn
Hulun Buir China **99 L7** 49°04'G 119°46'Dn
Hulun Nur *ll.* China **99 L7** 48°32'G 117°11'Dn
Ḥulwān Yr Aifft **49 J2** 29°55'G 31°18'Dn
Humacao Puerto Rico **66 S2** 18°09'G 65°49'Gn
Humber, Aber Afon Lloegr **13 H2** 53°33'G 0°06'Dn
Humboldt *a.* UDA **62 C5** 40°04'G 118°36'Gn
Humpreys, Copa UDA **62 D4** 35°21'G 111°40'Gn
Húnaflói *b.* Gwlad yr Iâ **43 X2** 65°46'G 20°50'Gn
Hunan *rhan.* China **99 K3** 27°26'G 111°22'Dn
Hungerford Lloegr **8 D2** 51°25'G 1°31'Gn
Hunmanby Lloegr **13 G3** 54°11'G 0°19'Gn
Hunsrück *brau.* Yr Almaen **46 B3** 49°47'G 7°00'Dn
Hunstanton Lloegr **9 F3** 52°56'G 0°30'Dn
Huntingdon Lloegr **9 E3** 52°20'G 0°11'Gn
Huntington UDA **63 J4** 38°25'G 82°18'Gn
Huntly Yr Alban **17 G2** 57°27'G 2°47'Gn
Huntsville *Ala.* UDA **63 I3** 34°46'G 86°34'Gn
Huntsville *Tex.* UDA **63 G3** 30°42'G 95°34'Gn
Huron UDA **62 G5** 44°23'G 98°13'Gn
Huron, Llyn Canada/UDA **61 J2** 44°39'G 82°23'Gn
Hurstpierpoint Lloegr **9 E1** 50°56'G 0°11'Gn
Husum Yr Almaen **46 C6** 54°29'G 9°04'Dn
Hutton Rudby Lloegr **13 F3** 54°27'G 1°17'Gn
Huzhou China **99 M4** 30°50'G 120°08'Dn
Hvannadalshnúkur *llosg.* Gwlad yr Iâ **43 Y2** 64°01'G 16°41'Gn
Hvar *ys* Croatia **50 B6** 43°08'G 16°33'Dn
Hwlffordd Cymru **10 C3** 51°48'G 4°58'Gn
Hwngari Ewrop **46 H2** 47°01'G 18°59'Dn
Hwngari, Gwastadedd Hwngari **49 G6** 46°26'G 20°24'Dn
Hyargas Nuur *llyn* Mongolia **98 G7** 49°02'G 93°18'Dn
Hyderabad India **96 E4** 17°24'G 78°28'Dn
Hyderabad Pakistan **96 C6** 25°23'G 68°22'Dn
Hyères Ffrainc **44 G3** 43°07'G 6°08'Dn
Hyrynsalmi Y Ffindir **43 G4** 64°40'G 28°29'Dn
Hythe *Hants.* Lloegr **8 D1** 50°52'G 1°24'Gn
Hythe *Kent* Lloegr **9 G2** 51°04'G 1°05'Dn
Hyvinkää Y Ffindir **43 F3** 60°38'G 24°51'Dn

I

Ialomița *a.* România **50 G7** 44°43'G 27°51'Dn
Iar Connaught *n.* Iwerddon **18 B3** 53°21'G 9°19'Gn
Iași România **49 I6** 47°10'G 27°35'Dn
Ibadan Nigeria **84 E2** 7°24'G 3°55'Dn
Ibagué Colombia **72 B7** 4°24'G 75°13'Gn
Ibar *a.* Kosovo/Serbia **50 D6** 43°43'G 20°45'Dn
Ibb Yemen **94 F2** 13°58'G 44°11'Dn
Ibiza (Eivissa) Sbaen **45 F3** 38°54'G 1°26'Dn
Ibiza (Eivissa) *ys* Sbaen **45 F3** 39°09'G 1°38'Dn
Ibrā' Oman **95 I4** 22°41'G 58°33'Dn
Ibstock Lloegr **8 D3** 52°42'G 1°24'Gn
Ica Periw **72 B5** 14°04'D 75°43'Gn
Icacos, Pwynt Trin. a Tob. **67 X1** 10°04'G 61°55'Gn
Ichinoseki Japan **104 D3** 38°55'G 141°07'Dn
Icklesham Lloegr **9 F1** 50°55'G 0°40'Dn
Idaho *rhan.* UDA **62 D5** 44°08'G 114°08'Gn
Idaho Falls *tref* UDA **62 D5** 43°32'G 112°01'Gn
Idar-Oberstein Yr Almaen **42 G2** 49°42'G 7°18'Dn
Idfū Yr Aifft **49 J1** 24°55'G 32°49'Dn
Idi *m.* Groeg **50 F2** 35°13'G 24°47'Dn
Idlib Syria **51 L2** 35°56'G 36°38'Dn
Ieper (Ypres) Gwlad Belg **42 B3** 50°51'G 2°53'Dn
Iešjávri *ll.* Norwy **43 F5** 69°39'G 24°28'Dn
Igan Malaysia **102 E4** 2°51'G 111°44'Dn
Iggesund Sweden **43 D3** 61°39'G 17°05'Dn
İğneada, Pwynt Twrci **51 H5** 41°53'G 28°03'Dn
Igoumenitsa Groeg **50 D4** 39°30'G 20°17'Dn
Iguaçu *a.* Brasil **73 D4** 25°36'D 54°35'Gn
Iisalmi Y Ffindir **43 F3** 63°34'G 27°11'Dn
IJmuiden Yr Iseldiroedd **42 D5** 52°27'G 4°37'Dn
IJssel *a.* Yr Iseldiroedd **42 E5** 52°35'G 5°50'Dn
IJsselmeer *ll.* Yr Iseldiroedd **42 E5** 52°48'G 5°22'Dn
Ijzer *a.* Gwlad Belg **9 H2** 51°09'G 2°44'Dn
Ikaahuk Canada **60 F5** 71°55'G 125°05'Gn
Ikaria *ys* Groeg **50 G3** 37°39'G 26°13'Dn
Iki *ys* Japan **104 A2** 33°45'G 129°39'Dn
Ilagan Pili. **103 G7** 17°09'G 121°54'Dn
Ilchester Lloegr **8 C2** 51°00'G 2°41'Gn
Ilebo Gwer. Ddem. Congo **83 B4** 4°21'D 20°36'Dn
Île-de-France *rhan.* Ffrainc **42 B1** 48°39'G 2°36'Dn
Ilford Lloegr **9 F2** 51°33'G 0°05'Dn
Ilfracombe Lloegr **11 C3** 51°12'G 4°07'Gn
Ilhéus Brasil **72 F5** 14°46'D 39°02'Gn
Iligan Pili. **103 G5** 8°15'G 124°16'Dn
Ilkeston Lloegr **8 D3** 52°58'G 1°18'Gn
Ilkley Lloegr **13 F2** 53°56'G 1°49'Gn
Illinois *a.* UDA **63 H4** 38°56'G 90°30'Gn
Illinois *rhan.* UDA **63 I4** 39°52'G 89°07'Gn
Illizi Algeria **84 E4** 26°29'G 8°30'Dn
Ilminster Lloegr **8 C1** 50°56'G 2°54'Gn
Iloilo Pili. **103 G6** 10°43'G 122°33'Dn
Ilorin Nigeria **84 E2** 8°30'G 4°34'Dn
Ilovlya Rwsia **53 E2** 49°19'G 43°59'Dn
Imatra Y Ffindir **43 G3** 61°11'G 28°47'Dn
Immingham Lloegr **13 G2** 53°37'G 0°13'Gn
Imola Yr Eidal **46 D1** 44°21'G 11°42'Dn
Imperatriz Brasil **72 E6** 5°33'D 47°26'Gn
Imphal India **97 H5** 24°49'G 93°56'Dn
İmroz Twrci **50 F5** 40°10'G 25°55'Dn
Inarijärvi *ll.* Y Ffindir **43 F5** 68°57'G 27°37'Dn
Inbhirnis (Inverness) Yr Alban **17 E2** 57°29'G 4°13'Gn
Inchard, Loch *b.* Yr Alban **16 D3** 58°27'G 5°04'Gn
Inchkeith *ys* Yr Alban **15 F4** 56°02'G 3°08'Gn
Inch'ŏn De Korea **99 N5** 37°28'G 126°39'Dn
Indalsälven *a.* Sweden **43 D3** 62°32'G 17°24'Dn
Independence UDA **63 H4** 39°07'G 94°26'Gn
Inderbor Kazakhstan **53 F2** 48°33'G 51°44'Dn
India Asia/Ewrop **96 E5** 22°00'G 79°00'Dn
India, Cefnfor Y Byd **117 G2** 25°47'D 33°56'Dn
Indiana *rhan.* UDA **63 I5** 40°09'G 86°01'Gn
Indianapolis UDA **63 I4** 39°46'G 86°10'Gn
Indigirka *a.* Rwsia **55 P5** 71°28'G 149°53'Dn
Indonesia Asia/Ewrop **102 E2** 4°12'D 112°02'Dn
Indore India **96 E5** 22°44'G 75°51'Dn
Indre *a.* Ffrainc **44 D5** 47°14'G 0°12'Dn
Indus *a.* China/Pakistan **98 B3** 24°09'G 67°38'Dn
Indus, Aberoedd Afon Pakistan **96 C5** 24°22'G 67°05'Dn
İnebolu Twrci **51 J5** 41°58'G 33°45'Dn
İnegöl Twrci **51 H5** 40°04'G 29°30'Dn
Infiernillo, Cronfa Ddŵr México **66 D4** 18°41'G 101°57'Gn
Infiesto Sbaen **45 C5** 43°21'G 5°20'Gn
Ingatestone Lloegr **9 F2** 51°40'G 0°23'Dn
Ingleborough *br.* Lloegr **13 E3** 54°10'G 2°24'Gn
Ingleton Lloegr **13 E3** 54°09'G 2°28'Gn
Ingoldmells Lloegr **13 H2** 53°12'G 0°20'Dn
Ingolstadt Yr Almaen **46 D3** 48°46'G 11°27'Dn
Inhambane Moçambique **83 C2** 23°48'D 35°31'Dn
Inhul *a.* Ukrain **47 N2** 46°58'G 31°58'Dn
Inhulets' *a.* Ukrain **47 O2** 46°41'G 32°49'Dn
Inis Bó Finne *ys* Iwerddon **18 A3** 53°38'G 10°14'Gn
Inishowen *gor.* Iwerddon **18 D5** 55°13'G 7°17'Gn
Inishowen, Pentir Iwerddon **14 C3** 55°14'G 6°55'Gn
Inis Meáin *ys* Iwerddon **18 B3** 53°05'G 9°33'Gn
Inis Mór *ys* Iwerddon **18 B3** 53°09'G 9°47'Gn
Inis Muirí *ys* Iwerddon **18 C4** 54°26'G 8°40'Gn
Inis Óirr *ys* Iwerddon **18 B3** 53°04'G 9°30'Gn
Inis Toirc *ys* Iwerddon **18 A3** 53°42'G 10°08'Gn
Inis Trá Tholl *ys* Iwerddon **18 D5** 55°28'G 7°13'Gn
Inis Trá Tholl, Swnt *cf.* Iwerddon **14 B3** 55°27'G 7°28'Gn
Inn *a.* Ewrop **46 D2** 46°55'G 10°29'Dn
Innsbruck Awstria **46 D2** 47°16'G 11°24'Dn
Inny *a.* Iwerddon **18 D3** 53°33'G 7°50'Gn
Inowrocław Gwlad Pwyl **46 H5** 52°48'G 18°16'Dn
In Salah Algeria **84 E4** 27°13'G 2°25'Dn
Insch Yr Alban **17 G2** 57°20'G 2°37'Gn
Inta Rwsia **52 F4** 65°59'G 60°00'Dn
International Falls *tref* UDA **63 H6** 48°36'G 93°25'Gn
Inukjuak Canada **61 K3** 58°28'G 78°04'Gn
Inuvik Canada **60 E4** 68°24'G 133°43'Gn
Inveraray Yr Alban **14 D4** 56°14'G 5°04'Gn
Inverbervie Yr Alban **17 G1** 56°51'G 2°17'Gn
Invercargill Seland Newydd **109 F2** 46°25'D 168°22'Dn
Inverclyde *rhan.* Yr Alban **20 C4** 55°54'G 4°44'Gn
Invergordon Yr Alban **17 E2** 57°42'G 4°10'Gn
Inverkeithing Yr Alban **15 F4** 56°02'G 3°24'Gn
Inverness (Inbhirnis) Yr Alban **17 E2** 57°29'G 4°13'Gn
Inverurie Yr Alban **17 G2** 57°17'G 2°22'Gn
Ioannina Groeg **50 D4** 39°40'G 20°51'Dn
Iona *ys* Yr Alban **14 C4** 56°19'G 6°25'Gn
Ionia, Môr Groeg/Yr Eidal **50 C4** 38°11'G 18°29'Dn
Iorddonen, Gwlad Asia/Ewrop **94 E6** 31°17'G 36°26'Dn
Ios *ys* Groeg **50 F3** 36°44'G 25°22'Dn
Iowa *rhan.* UDA **63 H5** 42°12'G 92°47'Gn
Iowa City UDA **63 H5** 41°40'G 91°32'Gn
Ipoh Malaysia **102 C4** 4°40'G 101°04'Dn
Ipswich Lloegr **9 G3** 52°03'G 1°09'Dn
Iput' *a.* Rwsia **47 N5** 52°30'G 31°37'Dn
Iputs' *a.* Belarus **47 N5** 52°26'G 31°04'Dn
Iqaluit Canada **61 L4** 63°45'G 68°36'Gn
Iquique Chile **73 B4** 20°14'D 70°07'Gn
Iquitos Periw **72 B6** 3°50'D 73°13'Gn
Iraklion Groeg **50 F2** 35°19'G 25°08'Dn
Iran Asia/Ewrop **95 H6** 31°28'G 55°05'Dn
Iran, Cadwyn Indonesia **102 E4** 1°38'G 114°48'Dn
Īrānshahr Iran **95 J5** 27°13'G 60°42'Dn
Irapuato México **66 D5** 20°41'G 101°23'Gn
Iraq Asia/Ewrop **94 F6** 32°50'G 42°21'Dn
Irbid Gwlad Iorddonen **94 E6** 32°34'G 35°51'Dn
Iringa Tanzania **83 C4** 7°48'D 35°43'Dn
Iriri *a.* Brasil **72 D6** 3°52'D 52°37'Gn
Irkutsk Rwsia **55 L3** 52°11'G 104°09'Dn
Irminger, Basn G. Cefn. Iwerydd **112** map 1 58°12'G 40°02'Gn
Iron Mountain UDA **63 I6** 45°49'G 88°04'Gn
Ironwood UDA **63 H6** 46°28'G 90°09'Gn
Irosin Pili. **103 G6** 12°42'G 124°02'Dn
Irrawaddy *a.* Myanmar **97 I4** 16°07'G 95°11'Dn
Irrawady, Aberoedd Afon Myanmar **97 H4** 15°49'G 94°04'Dn
Irsha *a.* Ukrain **47 M4** 50°46'G 29°35'Dn
Irthing *a.* Lloegr **12 E3** 54°55'G 2°49'Gn
Irtysh *a.* Kazakhstan/Rwsia **54 H4** 61°07'G 68°50'Dn
Irún Sbaen **45 E5** 43°20'G 1°48'Gn
Irvine Yr Alban **14 E3** 55°37'G 4°40'Gn
Irvinestown G. Iwerddon **14 B2** 54°28'G 7°37'Gn
Isabela Pili. **103 G5** 6°42'G 121°59'Dn
Isabelia, Cordillera *mdd.* Nicaragua **67 G3** 13°10'G 85°53'Gn
Ísafjörður Gwlad yr Iâ **43 X2** 66°05'G 23°10'Gn
Isar *a.* Yr Almaen **46 E3** 48°49'G 12°59'Dn
Isbister Yr Alban **17 H5** 60°36'G 1°19'Gn
Ise Japan **104 C2** 34°29'G 136°43'Dn
Iseldiroedd, Yr Ewrop **42 E5** 52°35'G 5°33'Dn
Isère, Pwynt Guyane Ffrengig **72 D7** 5°47'G 53°57'Gn
Ishikari, Bae Japan **104 D4** 43°17'G 140°58'Dn
Ishim *a.* Kazakhstan/Rwsia **54 I3** 57°43'G 71°13'Dn
Ishinomaki Japan **104 D3** 38°25'G 141°17'Dn
Isiro Gwer. Ddem. Congo **83 B5** 2°46'G 27°36'Dn
İskenderun Twrci **51 L3** 36°34'G 36°08'Dn
İskenderun, Gwlff *b.* Twrci **51 K3** 36°38'G 35°54'Dn
Iskŭr *a.* Bwlgaria **50 F6** 43°44'G 24°27'Dn
Isla *a. Ang.* Yr Alban **17 F1** 56°32'G 3°22'Gn
Isla *a. Mor.* Yr Alban **17 G2** 57°31'G 2°47'Gn
Islamabad Pakistan **96 D7** 33°41'G 73°03'Dn
Islas Canarias (Ynysoedd Dedwydd, Yr) G. Cefn. Iwerydd **45 X2** 30°08'G 18°27'Gn
Islay *ys* Yr Alban **14 C3** 55°48'G 6°20'Gn
Isnā Yr Aifft **49 J2** 25°16'G 32°30'Dn
Isparta Twrci **51 I3** 37°46'G 30°32'Dn
Israel Asia/Ewrop **49 J3** 32°12'G 34°48'Dn
İstanbul Twrci **51 H5** 41°07'G 28°58'Dn
Istria *gor.* Croatia **46 E1** 45°12'G 13°53'Dn
Itabuna Brasil **72 F5** 14°47'D 39°17'Gn
Itaituba Brasil **72 D6** 4°16'D 56°00'Gn
Itajaí Brasil **73 E4** 26°52'D 48°41'Gn
Itambé, Copa Brasil **72 E5** 18°23'D 43°20'Gn
Itapetininga Brasil **73 E4** 23°36'D 48°03'Gn
Itiquira *a.* Brasil **72 D5** 17°18'D 56°20'Gn
Iul'tin Rwsia **55 T4** 67°51'G 178°47'Gn
Ivalo Y Ffindir **43 F5** 68°39'G 27°32'Dn
Ivano-Frankivs'k Ukrain **47 K3** 48°55'G 24°43'Dn
Ivanovo Rwsia **52 E3** 56°59'G 40°59'Dn
Ivatsevichy Belarus **47 K5** 52°43'G 25°21'Dn
Ivdel' Rwsia **52 G4** 60°39'G 60°26'Dn
Ivittuut Grønland **61 N4** 61°12'G 48°10'Gn
Ivybridge Lloegr **11 D2** 50°23'G 3°55'Gn
Iwaki Japan **104 D3** 37°03'G 140°53'Dn
Iwerddon Ewrop **18 D3** 53°33'G 7°43'Gn
Iwerddon, Gogledd *rhan.* **21 B4** 54°38'G 6°49'Gn
Iwerddon, Môr Iwerddon/DU **18 F3** 53°40'G 5°11'Gn
Iwerddon Newydd *ys* PGN **108 E6** 3°46'D 152°29'Dn
Iwerydd, Cefnfor Y Byd **116 D3** 7°19'D 13°19'Gn
Iwerydd-India-Antarctica, Basn D. Cefn. Iwerydd **112** map 2 64°32'D 14°19'Gn
Iwo Nigeria **84 E2** 7°38'G 4°10'Dn
Ixworth Lloegr **9 F3** 52°18'G 0°50'Dn
Izabal, Llyn Guatemala **66 G4** 15°36'G 89°08'Gn
Izhevsk Rwsia **52 F3** 56°48'G 53°10'Dn
Izhma Rwsia **52 F4** 65°01'G 53°56'Dn
Izmayil Ukrain **49 I6** 45°21'G 28°51'Dn
İzmir (Smyrna) Twrci **50 G4** 38°24'G 27°10'Dn
İzmir, Gwlff Twrci **50 G4** 38°30'G 26°44'Dn
İzmit Twrci **51 H5** 40°46'G 29°56'Dn
Izozog, Corsydd Bolivia **72 C5** 18°20'D 61°45'Gn
Izu-Ogasawara, Ffos *n.* G. Cefn. Tawel **117 I3** 34°34'G 141°53'Dn
Izu-shotō *ysdd* Japan **104 C2** 34°24'G 139°14'Dn
Izyum Ukrain **53 D2** 49°13'G 37°16'Dn

J

Jabalón *a.* Sbaen **45 C3** 38°53'G 4°05'Gn
Jabalpur India **96 E5** 23°10'G 79°57'Dn
Jablah Syria **51 K2** 35°21'G 35°56'Dn
Jaca Sbaen **45 E5** 42°34'G 0°34'Gn
Jackson UDA **63 H3** 32°19'G 90°12'Gn
Jackson, Mynydd Antarctica **112** map 2 71°26'D 63°15'Gn
Jacksonville UDA **63 J3** 30°18'G 81°42'Gn
Jacmel Haiti **67 J4** 18°16'G 72°32'Gn
Jacobabad Pakistan **96 C6** 28°16'G 68°27'Dn
Jādū Libya **48 F3** 31°57'G 12°01'Dn
Jaén Sbaen **45 D2** 37°46'G 3°47'Gn
Jaffna Sri Lanka **96 E2** 9°40'G 80°01'Dn
Jagdalpur India **96 F4** 19°05'G 82°02'Dn
Jahrom Iran **95 H5** 28°25'G 53°35'Dn
Jaipur India **96 E6** 26°56'G 75°49'Dn
Jaisalmer India **96 D6** 26°57'G 70°57'Dn
Jajce Bos. a Herz. **50 B7** 44°21'G 17°16'Dn
Jakarta Indonesia **102 D2** 6°08'D 106°49'Dn
Jakobstad Y Ffindir **43 E3** 63°40'G 22°42'Dn
Jalālābād Afgh. **95 L6** 34°26'G 70°27'Dn
Jalandhar India **96 E7** 31°18'G 75°34'Dn
Jalgaon India **96 E5** 21°01'G 75°34'Dn
Jalisco *rhan.* México **66 D4** 19°59'G 104°18'Gn
Jalna India **96 E4** 19°52'G 75°54'Dn
Jalón *a.* Sbaen **45 E4** 41°47'G 1°02'Gn
Jālū Libya **85 G4** 29°01'G 21°32'Dn
Jamaica Cb. America **67 I4** 17°30'G 77°19'Gn
Jamaica, Sianel *cf.* Haiti/Jamaica **67 I4** 18°29'G 75°24'Gn
Jambi Indonesia **102 C3** 1°38'D 103°37'Dn
James *a.* UDA **62 G5** 42°53'G 97°17'Gn
James, Bae Canada **61 J3** 53°23'G 80°25'Gn
Jamestown UDA **62 G6** 46°53'G 98°43'Gn
Jammu India **96 D7** 32°43'G 74°50'Dn
Jammu a Kashmir Asia/Ewrop **96 E7** 34°06'G 76°59'Dn
Jamnagar India **96 D5** 22°29'G 70°04'Dn
Jampur Pakistan **96 D6** 29°38'G 70°36'Dn
Jämsänkoski Y Ffindir **43 F3** 61°56'G 25°11'Dn
Jamshedpur India **96 G5** 22°46'G 86°12'Dn
Jandía *br.* Sbaen **45 Y2** 28°06'G 14°21
Jan Mayen *rhan.* Cefn. Arctig **34 D6** 70°58'G 8°24
Japan Asia/Ewrop **104 C3** 34°48'G 133°17
Japan, Môr (Môr y Dwyrain) G. Cefn. Tawel **104 C3** 39°13'G 133°37
Japurá *a.* Brasil **72 C6** 3°06'D 64°45
Jardines de la Reina, Ynysfor Cuba **67 I5** 20°46'G 79°01
Järpen Sweden **43 C3** 63°22'G 13°28
Järvenpää Y Ffindir **43 F3** 60°29'G 25°06
Jāsk Iran **95 I5** 25°40'G 57°47
Jason, Gorynys Antarctica **112** map 2 66°07'D 60°20
Jasper Canada **60 G3** 52°53'G 118°05
Jastrzębie-Zdrój Gwlad Pwyl **46 H3** 49°57'G 18°35
Java (Jawa) *ys* Indonesia **102 D2** 8°12'D 107°16
Javarthushuu Mongolia **99 K7** 48°55'G 112°44
Jawa (Java) *ys* Indonesia **102 D2** 8°12'D 107°16
Jawa, Ffos *n.* Cefn. India **117 H2** 8°48'D 104°02
Jawa, Môr Indonesia **102 E3** 4°49'D 111°51
Jawhar Somalia **85 I2** 2°43'G 45°27
Jaya, Copa Indonesia **103 J3** 4°05'D 137°09
Jayapura Indonesia **103 K3** 2°34'D 140°43
Jaz Mūrīān, Hāmūn-e *ll.* Iran **95 I5** 27°32'G 58°47
Jebel Abyad, Llwyfandir Sudan **94 C3** 19°25'G 28°59
Jedburgh Yr Alban **15 G3** 55°29'G 2°33
Jeddah Saudi Arabia **94 E4** 21°37'G 39°10
Jefferson City UDA **63 H4** 38°37'G 92°1
Jelenia Góra Gwlad Pwyl **46 F4** 50°55'G 15°44
Jelgava Latvia **43 E2** 56°39'G 23°44
Jember Indonesia **102 E2** 8°10'D 113°4
Jena Yr Almaen **46 D4** 50°56'G 11°36
Jendouba Tunisia **48 E4** 36°32'G 8°48
Jequié Brasil **72 E5** 13°48'D 40°00
Jequitinhonha *a.* Brasil **72 E5** 15°51'D 38°52
Jérémie Haiti **67 J4** 18°38'G 74°09
Jerez de la Frontera Sbaen **45 B2** 36°41'G 6°08
Jersey *ys* Ysdd Channel **11 Z8** 49°16'G 2°10
Jerwsalem Israel/Y Lan Orllewinol **49 K3** 31°47'G 35°13
Jesup UDA **63 J3** 31°34'G 81°59
Jezercë, Copa Albania **50 C6** 42°26'G 19°50
Jhang Pakistan **95 L6** 31°16'G 72°20
Jhansi India **96 E6** 25°27'G 78°37
Jharkhand *rhan.* India **96 G5** 23°36'G 85°06
Jiamusi China **99 O7** 46°47'G 130°15
Ji'an China **99 K3** 27°09'G 114°56
Jiangmen China **99 K2** 22°36'G 113°06
Jiangsu *rhan.* China **99 L4** 33°10'G 119°42
Jiangxi *rhan.* China **99 L3** 27°21'G 115°22
Jiaozuo China **99 K5** 35°12'G 113°15
Jiaxing China **99 M4** 30°46'G 120°49
Jiayi Taiwan **99 M2** 23°29'G 120°27
Jiehkkevárri *m.* Norwy **43 D5** 69°28'G 19°51
Jieyang China **99 L2** 23°34'G 116°19
Jihlava Tsiecia **46 F3** 49°24'G 15°36
Jilib Somalia **85 I2** 0°30'G 42°47
Jilin China **99 N6** 43°53'G 126°33
Jilin *rhan.* China **99 N6** 43°33'G 125°10
Jilong Taiwan **99 M3** 25°07'G 121°43
Jīma Ethiopia **85 H2** 7°40'G 36°49
Jiménez México **66 D6** 27°08'G 104°57
Jinan China **99 L5** 36°38'G 117°01
Jingdezhen China **99 L3** 29°21'G 117°21
Jinghong China **99 I2** 21°57'G 100°52
Jingmen China **99 K4** 30°58'G 112°10
Jingzhou China **99 K4** 30°17'G 112°17
Jinhua China **99 L3** 29°10'G 119°41
Jining *Nei Mongol* China **99 K6** 40°54'G 113°06
Jining *Shandong* China **99 L5** 35°22'G 116°29
Jinja Uganda **85 H2** 0°26'G 33°12
Jinjiang China **99 L2** 24°49'G 118°37
Jinzhou China **99 M6** 41°02'G 121°10
Jiparaná *a.* Brasil **72 C5** 8°09'D 62°50
Jiu *a.* România **50 E6** 43°47'G 23°48
Jiujiang China **99 L3** 29°43'G 116°00
Jiwani Pakistan **95 J5** 25°02'G 61°45
Jixi China **99 O7** 45°13'G 130°53
Jīzān Saudi Arabia **94 F3** 16°53'G 42°33
João Pessoa Brasil **72 F6** 7°05'D 34°50
Jodhpur India **96 D6** 26°18'G 73°01
Joensuu Y Ffindir **43 G3** 62°36'G 29°46
Jōetsu Japan **104 C3** 37°10'G 138°14
Johannesburg D. Affrica **83 B2** 26°09'D 27°59
John o'Groats Yr Alban **17 F3** 58°38'G 3°04
Johnston Cymru **10 C3** 51°45'G 4°59
Johnstone Yr Alban **14 E3** 55°50'G 4°31
Johor Bahru Malaysia **102 C4** 1°29'G 103°46
Joinville, Ynys Antarctica **112** map 2 63°16'D 55°22
Jokkmokk Sweden **43 D4** 66°37'G 19°49
Jolo *ys* Pili. **103 G5** 5°59'G 121°10
Jones, Swnt *cf.* Canada **61 J5** 75°58'G 88°58
Jönköping Sweden **43 C2** 57°46'G 14°09
Jonquière Canada **61 K2** 48°25'G 71°14
Joplin UDA **63 H4** 37°12'G 94°31
Jörn Sweden **43 E4** 65°03'G 20°03
Jos Nigeria **84 E2** 9°55'G 8°53
Jos, Llwyfandir Nigeria **78 C3** 9°42'G 9°05
Joseph Bonaparte, Gwlff Awstralia **108 B5** 14°08'D 128°39
Juan Fernández, Ynysfor Chile **68 C2** 33°24'D 80°02
Juàzeiro do Norte Brasil **72 F6** 7°11'D 39°14
Juba De Sudan **85 H2** 4°53'G 31°38
Jubaland *n.* Somalia **85 I2** 0°58'G 41°22
Jubba *a.* Somalia **85 I1** 0°15'D 42°37
Júcar *a.* Sbaen **45 E3** 39°09'G 0°13
Juchitán México **66 E4** 16°29'G 95°02
Judenburg Awstria **46 F2** 47°11'G 14°41
Juist *ys* Yr Almaen **42 G6** 53°40'G 7°01
Juliaca Periw **72 B5** 15°28'D 70°11
Juncos Puerto Rico **66 S2** 18°15'G 65°56
Junction City UDA **62 G4** 39°03'G 96°50
Juneau UDA **60 E3** 58°19'G 134°23
Jungfrau *m.* Y Swistir **46 B2** 46°33'G 7°58
Junggar, Basn China **98 F7** 45°02'G 87°38
Jura *mdd.* Ffrainc/Y Swistir **44 F4** 45°38'G 5°26
Jura *ys* Yr Alban **14 D4** 56°02'G 5°56
Jura, Swnt *cf.* Yr Alban **14 D3** 55°51'G 5°49
Jurbarkas Lithuania **47 J6** 55°05'G 22°46
Jūrmala Latvia **47 J7** 56°57'G 23°40
Juruá *a.* Brasil **72 C6** 2°39'D 65°48
Juruena *a.* Brasil **72 D5** 7°21'D 58°08
Jutaí *a.* Brasil **72 C6** 2°45'D 66°58
Juventud, Ynys Cuba **67 H5** 21°27'G 82°50
Jylland *gor.* Denmarc **43 B2** 56°13'G 9°08
Jyväskylä Y Ffindir **43 F3** 62°14'G 25°44

K

K2 *m.* China/Pakistan **98 D5** 35°57'G 76°30
Kabaena *ys* Indonesia **103 G2** 5°14'D 121°54
Kabalo Gwer. Ddem. Congo **83 B4** 6°02'D 26°57
Kābul Afgh. **95 K6** 34°33'G 69°14
Kabwe Zambia **83 B3** 14°27'D 28°27
Kachchh, Gwlff India **96 C5** 22°38'G 69°04

Gwlff Ffrainc 44 E3 43°00'G 3°31'Dn
Town Jamaica 66 O1 17°49'G 77°14'Gn
, Ynysoedd Yr Eidal 48 F4 38°39'G 14°43'Dn
k Rwsia 53 D3 52°37'G 39°36'Dn
ok Lloegr 8 E2 51°04'G 0°48'Gn
Romània 50 D8 46°05'G 21°43'Dn
a. Yr Almaen 42 F4 51°39'G 6°36'Dn
ovsk Kazakhstan 53 G3 52°28'G 62°30'Dn
Gwer. Ddem. Congo 83 B5 2°10'G 21°32'Dn
Portiwgal 45 A3 38°44'G 9°08'Gn
n G. Iwerddon 14 C2 54°31'G 6°02'Gn
n a Castlereagh rhan. G. Iwerddon 21 B4 54°29'G 5°59'Gn
nor, Bae Iwerddon 18 B2 52°55'G 9°26'Gn
rd Lloegr 11 C2 50°27'G 4°28'Gn
re Awstralia 108 E4 28°47'D 153°19'Dn
re Iwerddon 18 D2 52°08'G 7°56'Gn
skea G. Iwerddon 14 B2 54°15'G 7°26'Gn
loegr 8 E2 51°03'G 0°53'Gn
vel Iwerddon 18 B2 52°26'G 9°29'Gn
nia Ewrop 47 J6 55°29'G 23°45'Dn
Abaco ys Bahamas 67 I6 26°54'G 77°50'Gn
orough Lloegr 13 E2 53°39'G 2°06'Gn
Cayman ys Ysdd Cayman 67 H4 19°42'G 80°04'Gn
ampton Lloegr 9 E1 50°49'G 0°32'Gn
Inagua, Ynys Bahamas 67 J5 21°31'G 72°59'Gn
ort Lloegr 9 F3 52°27'G 0°19'Dn
Rock tref UDA 63 H3 34°46'G 92°18'Gn
ou China 99 J2 24°21'G 109°22'Dn
ool Canada 63 N5 44°02'G 64°43'Gn
ool (Lerpwl) Lloegr 12 E2 53°25'G 2°59'Gn
ston Yr Alban 15 F3 55°54'G 3°31'Gn
stone Zambia 83 B3 17°51'D 25°52'Dn
o Yr Eidal 48 F5 43°32'G 10°19'Dn
Lloegr 11 B1 49°58'G 5°12'Gn
, Pwynt Lloegr 11 B1 49°57'G 5°17'Gn
ert (Leeuwarden) Yr Iseldiroedd 42 E6 53°12'G 5°48'Dn
na Slovenija 46 F2 46°03'G 14°30'Dn
an a. Sweden 43 D3 62°18'G 17°23'Dn
oy Sweden 43 C2 56°51'G 13°59'Dn
al Sweden 43 D3 61°50'G 16°06'Dn
Sbaen 45 C5 43°25'G 4°44'Gn
n. Colombia/Venezuela 72 C7 5°54'G 69°50'Gn
Sbaen 45 F4 41°36'G 0°38'Dn
a Sbaen 45 B3 38°15'G 6°01'Gn
George, Mynydd Canada 60 F3 57°50'G 124°57'Gn
minster Canada 60 G3 53°17'G 110°00'Gn
llaco, Volcán llosg. Chile 73 C4 24°42'D 68°33'Gn
Angola 83 A3 12°24'D 13°32'Dn
Alainn (Lochaline) Yr Alban 14 D4 56°32'G 5°47'Gn
line (Loch Àlainn) Yr Alban 14 D4 56°32'G 5°47'Gn
n Inbhir (Lochinver) Yr Alban 16 D3 58°09'G 5°14'Gn
Tuath b. Yr Alban 16 C3 58°15'G 6°17'Gn
Baghasdail (Lochboisdale) Yr Alban 16 B2 57°09'G 7°19'Gn
oisdale (Loch Baghasdail) Yr Alban 16 B2 57°09'G 7°19'Gn
elly Yr Alban 15 F4 56°08'G 3°18'Gn
ilphead Yr Alban 14 D4 56°02'G 5°26'Gn
ver (Loch an Inbhir) Yr Alban 16 D3 58°09'G 5°14'Gn
naben Yr Alban 15 F3 55°08'G 3°26'Gn
naddy (Loch nam Madadh) Yr Alban 16 B2 57°36'G 7°10'Gn
agar m. Yr Alban 17 F1 56°58'G 3°15'Gn
nam Madadh (Lochmaddy) Yr Alban 16 B2 57°36'G 7°10'Gn
anza Yr Alban 14 D3 55°42'G 5°17'Gn
Roag Gorllewinol b. Yr Alban 16 C3 58°15'G 6°57'Gn
, Loch Yr Alban 16 E1 56°56'G 4°58'Gn
bie Yr Alban 15 F3 55°07'G 3°21'Gn
n Lloegr 9 G3 52°32'G 1°29'Dn
noye Pole Rwsia 52 D4 60°44'G 33°34'Dn
r Kenya 85 H2 3°06'G 35°34'Dn
Gwlad Pwyl 46 H4 51°46'G 19°27'Dn
n ysdd Norwy 43 C5 68°06'G 12°44'Dn
, Mynydd Canada 60 D4 60°40'G 140°02'Gn
rheads Lloegr 8 C3 52°55'G 2°23'Gn
ño Sbaen 45 D5 42°28'G 2°26'Gn
a. Ffrainc 44 B5 47°17'G 2°07'Gn
cuador 72 B6 4°00'D 79°14'Gn
baen 45 C2 37°10'G 4°09'Gn
tekojärvi cr. Y Ffindir 43 F4 67°56'G 27°35'Dn
en Gwlad Belg 42 D4 51°06'G 4°00'Dn
n Norwy 43 B3 63°07'G 9°42'Dn
Nigeria 84 E2 7°49'G 6°44'Dn
d ys Denmarc 43 B1 54°47'G 11°21'Dn
Bwlgaria 50 E6 43°49'G 23°14'Dn
mi a. Gwer. Ddem. Congo 83 B4 0°47'G 24°17'Dn
ok ys Indonesia 102 F2 8°34'D 116°23'Dn
Togo 84 E2 6°07'G 1°13'Dn
el Gwlad Belg 42 E4 51°14'G 5°19'Dn
nd, Loch Yr Alban 14 E4 56°04'G 4°37'Gn
nosov, Cefnen Cefn. Arctig 112 map 1 88°44'G 179°43'Gn
Gwlad Pwyl 47 J5 53°11'G 22°05'Dn
n Canada 61 J2 42°59'G 81°14'Gn
n (Llundain) Lloegr 9 E2 51°30'G 0°07'Gn
nderry (Derry) G. Iwerddon 18 D4 54°59'G 7°20'Gn
nderry, Penrhyn Awstralia 108 B5 13°47'D 126°53'Dn
Loch Yr Alban 14 E4 56°06'G 4°51'Gn
Ynys Bahamas 67 I5 23°18'G 75°06'Gn
, Culfor Rwsia 55 S5 70°10'G 178°17'Dn
Ashton Lloegr 8 C2 51°26'G 2°39'Gn
Beach tref UDA 62 C3 33°47'G 118°20'Gn
Bennington Lloegr 8 E3 52°59'G 0°46'Gn
Eaton Lloegr 8 D3 52°54'G 1°16'Gn
ord Iwerddon 18 D3 53°44'G 7°48'Gn
ord rhan. Iwerddon 18 D3 53°45'G 7°41'Gn
orsley Lloegr 13 F4 55°15'G 1°46'Gn
oughton Lloegr 13 F4 55°26'G 1°37'Gn
Island ys UDA 63 L5 40°49'G 72°36'Gn
ac Canada 61 J2 49°47'G 86°33'Gn
idge Lloegr 12 E2 53°50'G 2°36'Gn
Stratton Lloegr 9 G3 52°29'G 1°14'Dn
on Lloegr 12 E2 53°44'G 2°48'Gn
own Lloegr 12 E4 55°00'G 2°58'Gn
yon Ffrainc 42 E2 49°27'G 5°37'Dn
iew UDA 63 H3 32°32'G 94°44'Gn
Xuyên Viet Nam 102 D6 10°22'G 105°26'Dn
earbyen Svalbard 54 C5 78°11'G 15°41'Dn
e-Saunier Ffrainc 44 F5 46°41'G 5°33'Dn
ut, Penrhyn UDA 63 K3 34°37'G 76°33'Gn
Pentir Iwerddon 18 B2 52°33'G 9°56'Gn
ur n. China 98 G6 40°28'G 90°20'Dn
avet b. Norwy 43 E5 70°21'G 21°03'Dn
i Pakistan 95 K6 30°22'G 68°36'Dn
Sbaen 45 E2 37°41'G 1°41'Gn
Howe, Ynys Awstralia 109 E3 31°26'D 158°57'Dn
t (An Oriant) Ffrainc 44 B5 47°45'G 3°22'Gn
Moryd aber Yr Alban 14 D4 56°15'G 5°54'Gn
ne rhan. Ffrainc 42 F1 48°48'G 6°06'Dn
ngeles Chile 73 B3 37°28'D 72°21'Gn
ngeles UDA 62 C3 34°01'G 118°15'Gn
Los Canarreos, Ynysfor Cuba 67 H5 21°44'G 82°12'Gn
Los Chonos, Ynysfor Chile 73 B2 44°59'D 75°31'Gn
Los Estados, Ynys Ariannin 73 C1 54°44'D 64°16'Gn
Los Mochis México 66 C6 25°48'G 108°59'Gn
Los Roques, Ynysoedd Venezuela 67 K3 11°55'G 66°39'Gn
Lossie a. Yr Alban 17 F2 57°43'G 3°17'Gn
Lossiemouth Yr Alban 17 F2 57°43'G 3°17'Gn
Lostwithiel Lloegr 11 C2 50°24'G 4°40'Gn
Lot a. Ffrainc 44 D4 44°19'G 0°20'Dn
Loth Yr Alban 17 G4 59°12'G 2°41'Gn
Lothian, Dwyrain rhan. Yr Alban 20 D4 55°57'G 2°45'Gn
Lothian, Gorllewin rhan. Yr Alban 20 D4 55°54'G 3°31'Gn
Lotta a. Y Ffindir/Rwsia 43 G5 68°40'G 30°14'Dn
Louang Namtha Laos 102 C8 20°57'G 101°25'Dn
Louangphrabang Laos 102 C7 19°54'G 102°10'Dn
Loughborough Lloegr 8 D3 52°46'G 1°12'Gn
Loughrea Iwerddon 18 C3 53°12'G 8°35'Gn
Loughton Lloegr 9 F2 51°39'G 0°04'Dn
Louisiana rhan. UDA 63 H3 30°40'G 91°56'Gn
Louisville UDA 63 I4 38°15'G 85°46'Gn
Loukhi Rwsia 43 H4 66°04'G 33°03'Dn
Lourdes Ffrainc 44 C3 43°06'G 0°02'Gn
Louth rhan. Iwerddon 18 E3 53°53'G 6°31'Gn
Louth Lloegr 13 G2 53°22'G 0°01'Gn
Lovech Bwlgaria 50 F6 43°09'G 24°42'Dn
Lovozero Rwsia 52 D4 68°01'G 34°59'Dn
Lowell UDA 63 L5 42°39'G 71°19'Gn
Lowestoft Lloegr 9 G3 52°29'G 1°45'Dn
Loyal, Loch Yr Alban 17 E3 58°25'G 4°22'Gn
Loyauté, Ynysoedd Nouvelle Calédonie 109 F4 20°23'D 167°17'Dn
Loyne, Loch Yr Alban 16 D2 57°06'G 5°05'Gn
Loznica Serbia 50 C7 44°33'G 19°15'Dn
Lozova Ukrain 53 D2 49°26'G 35°56'Dn
Lu'an China 99 L4 31°45'G 116°33'Dn
Luanda Angola 83 A4 8°50'D 13°14'Dn
Luarca Sbaen 45 B5 43°32'G 6°31'Gn
Luau Angola 83 B3 10°42'D 22°15'Dn
Lubango Angola 83 A3 14°55'D 13°30'Dn
Lubartów Gwlad Pwyl 47 J4 51°28'G 22°37'Dn
Lubbock UDA 62 F3 33°38'G 101°51'Gn
Lübeck Yr Almaen 46 D5 53°52'G 10°42'Dn
Lübeck, Bae Yr Almaen 46 D6 54°03'G 10°47'Dn
Lubin Gwlad Pwyl 46 G4 51°24'G 16°13'Dn
Lublin Gwlad Pwyl 47 J4 51°14'G 22°35'Dn
Lubnaig, Loch Yr Alban 14 E4 56°18'G 4°19'Gn
Lubny Ukrain 47 O4 50°01'G 33°00'Dn
Lubuklinggau Indonesia 102 C3 3°18'D 102°52'Dn
Lubumbashi Gwer. Ddem. Congo 83 B3 11°40'D 27°29'Dn
Lubutu Gwer. Ddem. Congo 83 B4 0°44'D 26°35'Dn
Lucan Iwerddon 10 A5 53°21'G 6°27'Gn
Luce, Bae Yr Alban 14 E2 54°47'G 4°52'Gn
Lucea Jamaica 66 N2 18°26'G 78°12'Gn
Lucena Pili. 103 G6 13°55'G 121°36'Dn
Lucena Sbaen 45 C2 37°25'G 4°29'Gn
Lučenec Slofacia 46 H3 48°21'G 19°41'Dn
Lucknow India 96 F6 26°51'G 80°58'Dn
Lüderitz Namibia 83 A2 26°40'D 15°09'Dn
Ludgershall Lloegr 8 D2 51°15'G 1°37'Gn
Ludhiana India 96 E7 30°55'G 75°55'Dn
Ludlow (Llwydlo) Lloegr 8 C3 52°22'G 2°43'Gn
Ludvika Sweden 43 C3 60°09'G 15°12'Dn
Ludwigsburg Yr Almaen 46 C3 48°54'G 9°12'Dn
Ludwigshafen am Rhein Yr Almaen 46 C3 49°28'G 8°26'Dn
Ludwigslust Yr Almaen 46 D5 53°20'G 11°30'Dn
Luena Angola 83 A3 11°47'D 19°54'Dn
Lufeng China 99 L2 22°58'G 115°41'Dn
Lufkin UDA 63 H3 31°21'G 94°44'Gn
Luga Rwsia 43 G2 58°43'G 29°51'Dn
Luga a. Rwsia 43 G2 59°40'G 28°18'Dn
Lugano Y Swistir 46 C2 46°01'G 8°57'Dn
Lugg a. Cymru 10 E4 52°02'G 2°38'Gn
Lugnaquilla, Mynydd Iwerddon 22 C3 52°58'G 6°28'Gn
Lugo Sbaen 45 B5 43°01'G 7°33'Gn
Lugoj România 50 D7 45°42'G 21°55'Dn
Luhans'k Ukrain 53 D2 48°33'G 39°19'Dn
Luichart, Loch Yr Alban 16 E2 57°37'G 4°48'Gn
Luing ys Yr Alban 14 D4 56°14'G 5°39'Gn
Łuków Gwlad Pwyl 47 J4 51°56'G 22°24'Dn
Luleå Sweden 43 E4 65°35'G 22°10'Dn
Luleälven a. Sweden 43 E4 65°35'G 22°03'Dn
Lüleburgaz Twrci 50 G5 41°25'G 27°21'Dn
Lumberton UDA 63 K3 34°36'G 79°05'Gn
Lunan, Bae Yr Alban 17 G1 56°39'G 2°30'Gn
Lund Sweden 43 C1 55°42'G 13°12'Dn
Lundy ys Lloegr 11 C3 51°11'G 4°39'Gn
Lune a. Lloegr 12 E3 54°03'G 2°49'Gn
Lüneburg Yr Almaen 46 D5 53°15'G 10°25'Dn
Lunéville Ffrainc 44 G6 48°36'G 6°30'Dn
Lungsod ng Quezon Pili. 103 G6 14°37'G 121°03'Dn
Luninyets Belarus 47 L5 52°14'G 26°48'Dn
Luoyang China 99 K4 34°38'G 112°27'Dn
Lupanshui China 99 I3 26°40'G 104°48'Dn
Luquillo Puerto Rico 66 S2 18°23'G 65°44'Gn
Lure Ffrainc 44 G5 47°41'G 6°30'Dn
Lurgainn, Loch Yr Alban 16 D3 58°02'G 5°14'Gn
Lurgan G. Iwerddon 14 C2 54°27'G 6°19'Gn
Lusaka Zambia 83 B3 15°24'D 28°18'Dn
Lushnjë Albania 50 C5 40°57'G 19°42'Dn
Lut, Diffeithwch Iran 95 I6 30°47'G 58°45'Dn
Lutherstadt Wittenberg Yr Almaen 46 E4 51°52'G 12°39'Dn
Luton Lloegr 9 E2 51°53'G 0°25'Gn
Luton rhan. Lloegr 21 E2 51°54'G 0°25'Gn
Luts'k Ukrain 47 K4 50°45'G 25°21'Dn
Lutterworth Lloegr 8 D3 52°27'G 1°12'Gn
Lützow-Holm, Bae Antarctica 112 map 2 68°54'D 37°37'Dn
Luxembourg Ewrop 42 F2 49°49'G 6°01'Dn
Luxembourg rhan. Gwlad Belg 42 E3 50°03'G 5°27'Dn
Luxembourg tref Lux. 42 F2 49°36'G 6°08'Dn
Luxor Yr Aifft 85 H4 25°43'G 32°39'Dn
Luza Rwsia 52 E4 60°38'G 47°16'Dn
Luzern Y Swistir 46 C2 47°03'G 8°18'Dn
Luziânia Brasil 72 E5 16°17'D 47°53'Gn
Luzon ys Pili. 103 G7 15°32'G 120°46'Dn
Luzon, Culfor Pili./Taiwan 102 G8 20°16'G 121°06'Dn
L'viv Ukrain 47 K3 49°50'G 24°02'Dn
Lycksele Sweden 43 D4 64°36'G 18°41'Dn
Lydd Lloegr 9 F1 50°57'G 0°55'Dn
Lyddan, Codiad Iâ ys Antarctica 112 map 2 73°45'D 21°06'Gn
Lydford Lloegr 11 C2 50°39'G 4°06'Gn
Lydney Lloegr 8 C2 51°44'G 2°32'Gn
Lyepyel' Belarus 47 M6 54°53'G 28°42'Dn
Lyme, Bae Lloegr 8 C1 50°39'G 2°59'Gn
Lyme Regis Lloegr 8 C1 50°43'G 2°56'Gn
Lymington Lloegr 8 D1 50°45'G 1°33'Gn
Lynchburg UDA 63 K4 37°24'G 79°09'Gn
Lyndhurst Lloegr 8 D1 50°52'G 1°35'Gn
Lynmouth Lloegr 11 D3 51°14'G 3°50'Gn
Lynn Lake tref Canada 60 H3 56°51'G 101°03'Gn
Lynton Lloegr 11 D3 51°14'G 3°50'Gn
Lyon Ffrainc 44 F4 45°45'G 4°52'Dn
Lyon a. Yr Alban 17 F1 56°37'G 3°58'Gn
Lys'va Rwsia 52 F3 58°08'G 57°48'Dn
Lysychans' Ukrain 53 D2 48°55'G 38°26'Dn
Lysyye Gory Rwsia 53 E3 51°31'G 44°49'Dn
Lytchett Minster Lloegr 8 C1 50°44'G 2°03'Gn
Lytham St Anne's Lloegr 12 D2 53°45'G 3°02'Gn

LL

Llai Cymru 10 D5 53°06'G 3°00'Gn
Llanandras Cymru 10 D4 52°16'G 3°00'Gn
Llanarth Cymru 10 C4 52°12'G 4°18'Gn
Llanbadarn Fawr Cymru 10 C4 52°24'G 4°04'Gn
Llanbedr Pont Steffan Cymru 10 C4 52°07'G 4°05'Gn
Llanberis Cymru 10 C5 53°07'G 4°08'Gn
Llandeilo Cymru 10 D3 51°53'G 3°59'Gn
Llandrindod Cymru 10 D4 52°14'G 3°23'Gn
Llandudno Cymru 10 D5 53°19'G 3°50'Gn
Llandwrog Cymru 10 C5 53°05'G 4°19'Gn
Llandysul Cymru 10 C4 52°03'G 4°18'Gn
Llanegwad Cymru 10 C3 51°52'G 4°09'Gn
Llanelwy Cymru 10 D5 53°15'G 3°27'Gn
Llanelli Cymru 10 C3 51°41'G 4°10'Gn
Llanfair Caereinion Cymru 10 D4 52°39'G 3°20'Gn
Llanfairfechan Cymru 10 D5 53°15'G 3°58'Gn
Llanfairpwllgwyngyll Cymru 10 C5 53°13'G 4°12'Gn
Llanfair-ym-Muallt Cymru 10 D4 52°09'G 3°24'Gn
Llanfair-yn-Neubwll Cymru 10 C5 53°16'G 4°33'Gn
Llanfyllin Cymru 10 D4 52°46'G 3°16'Gn
Llangadog Cymru 10 D3 51°56'G 3°53'Gn
Llangefni Cymru 10 C5 53°15'G 4°19'Gn
Llangeler Cymru 10 C4 52°02'G 4°22'Gn
Llangelynin Cymru 10 C4 52°39'G 4°07'Gn
Llangoed Cymru 10 C5 53°18'G 4°05'Gn
Llangollen Cymru 10 D4 52°58'G 3°10'Gn
Llangurig Cymru 10 D4 52°24'G 3°36'Gn
Llanidloes Cymru 10 D4 52°27'G 3°32'Gn
Llanilltud Fawr Cymru 11 D3 51°25'G 3°29'Gn
Llanllieni (Leominster) Lloegr 8 C3 52°14'G 2°44'Gn
Llanllwchaiarn Cymru 10 D4 52°32'G 3°17'Gn
Llanllyfni Cymru 10 C5 53°03'G 4°17'Gn
Llanrhymni Cymru 11 D3 51°31'G 3°07'Gn
Llanrwst Cymru 10 D5 53°08'G 3°48'Gn
Llansannan Cymru 10 D5 53°11'G 3°36'Gn
Llansawel Cymru 10 D3 51°38'G 3°49'Gn
Llantrisant Cymru 10 D3 51°33'G 3°22'Gn
Llanwnda Cymru 10 C5 53°05'G 4°17'Gn
Llanwnnog Cymru 10 D4 52°32'G 3°27'Gn
Llanybydder Cymru 10 C4 52°04'G 4°09'Gn
Llanymddyfri Cymru 10 D3 51°59'G 3°48'Gn
Llethr, Y br. Cymru 10 D4 52°49'G 3°59'Gn
Llinon (Shannon) a. Iwerddon 18 C2 52°40'G 8°38'Gn
Lloegr rhan. 21 E3 52°48'G 1°24'Gn
Llundain (London) Lloegr 9 E2 51°30'G 0°07'Gn
Llundain Fwyaf rhan. Lloegr 21 E2 51°30'G 0°11'Gn
Llwchwr a. Cymru 10 C3 51°42'G 4°03'Gn
Llwydlo (Ludlow) Lloegr 8 C3 52°22'G 2°43'Gn
Llwyfandir Gwlad yr Iâ G. Cefn. Iwerydd 112 map 1 68°12'G 12°29'Gn
Llwyfandir Iran Iran 86 D3 33°22'G 55°54'Dn
Llwyfandiroedd Uchel Algeria 48 C3 35°09'G 3°52'Dn
Llychlyn n. Ewrop 34 F5 63°42'G 15°00'Gn
Llydaw n. Ffrainc 44 B6 48°10'G 3°22'Gn
Llygad Iwerddon ys Iwerddon 18 E3 53°24'G 6°03'Gn
Llyn Celyn Cymru 10 D4 52°57'G 3°43'Gn
Llyn Trawsfynydd cr. Cymru 10 D4 52°55'G 3°59'Gn
Llŷn, Penrhyn gor. Cymru 10 C4 52°51'G 4°34'Gn

M

Ma'ān Gwlad Iorddonen 94 E6 30°12'G 35°43'Dn
Ma'arrat an Nu'mān Syria 51 L2 35°39'G 36°40'Dn
Maas a. Gwlad Belg/Ffrainc 42 E4 51°08'G 5°51'Dn
Maas (Meuse) a. Yr Iseldiroedd 42 F4 51°43'G 4°53'Dn
Maaseik Gwlad Belg 42 E4 51°05'G 5°48'Dn
Maastricht Yr Iseldiroedd 42 E3 50°51'G 5°42'Dn
Mabalane Moçambique 83 C2 23°51'D 32°39'Dn
Mablethorpe Lloegr 13 H2 53°20'G 0°16'Dn
Macassar, Culfor Indonesia 102 F3 3°46'D 117°32'Dn
Macau China 99 K2 22°15'G 113°34'Dn
Macclesfield Lloegr 13 E2 53°16'G 2°07'Gn
Macdonnell, Cadwyni Awstralia 108 C4 23°33'D 131°18'Dn
Macduff Yr Alban 17 G2 57°40'G 2°30'Gn
Macedo de Cavaleiros Portiwgal 45 B4 41°32'G 6°57'Gn
Macedonia Ewrop 50 D5 41°31'G 21°46'Dn
Maceió Brasil 72 F6 9°36'D 35°40'Gn
Macgillycuddy's Reeks mdd. Iwerddon 18 B1 51°57'G 9°52'Gn
Mach Pakistan 96 C6 29°52'G 67°17'Dn
Machala Ecuador 72 B6 3°17'D 79°57'Gn
Machilipatnam India 96 F4 16°11'G 81°08'Dn
Machrihanish Yr Alban 14 D3 55°25'G 5°44'Gn
Machynlleth Cymru 10 D4 52°35'G 3°51'Gn
Mackay Awstralia 108 D4 21°10'D 149°11'Dn
Mackay, Llyn Awstralia 108 B4 22°36'D 128°28'Dn
Mackenzie a. Canada 60 E4 69°15'G 134°11'Gn
Mackenzie, Bae Antarctica 112 map 2 67°58'D 70°08'Dn
Mackenzie, Mynyddoedd Canada 60 E4 65°04'G 133°03'Gn
Mackenzie King, Ynys Canada 60 G5 77°42'G 111°56'Gn
MacLeod, Llyn Awstralia 108 A4 24°08'D 113°43'Dn
Mâcon Ffrainc 44 F5 46°19'G 4°50'Dn
Macon UDA 63 J3 32°53'G 83°37'Gn
Mac Robertson, Tir n. Antarctica 112 map 2 71°52'D 63°14'Dn
Macroom Iwerddon 18 C1 51°54'G 8°58'Gn
Madadeni D. Affrica 83 C2 27°45'D 30°02'Dn
Madagascar Affrica 83 D3 19°57'D 46°27'Dn
Madeira a. Brasil 72 C6 3°23'D 58°47'Gn
Madeira ysdd G. Cefn. Iwerydd 84 C5 33°15'G 16°57'Gn
Madeley Lloegr 8 C3 52°38'G 2°26'Gn
Madera México 66 C6 29°11'G 108°11'Gn
Madhya Pradesh rhan. India 96 E5 23°13'G 78°33'Dn
Madīnat ath Thawrah Syria 51 M2 35°51'G 38°33'Dn
Madison UDA 63 I5 43°04'G 89°23'Gn
Madona Latvia 47 L7 56°51'G 26°13'Dn
Madrakah, Pwynt p. Oman 95 I3 19°00'G 57°51'Dn
Madras (Chennai) India 96 F3 13°06'G 80°16'Dn
Madre, Morlyn México 66 E6 25°06'G 97°37'Gn
Madre, Sierra mdd. Cb. America 56 F2 16°18'G 93°46'Gn
Madre de Dios a. Periw 72 C5 10°59'D 66°07'Gn
Madrid Sbaen 45 D4 40°26'G 3°40'Gn
Madura ys Indonesia 102 E2 7°02'D 113°23'Dn
Madurai India 96 E2 9°55'G 78°08'Dn
Maebashi Japan 104 C3 36°23'G 139°04'Dn
Maenorbŷr Cymru 10 C3 51°39'G 4°48'Gn
Maesteg Cymru 10 D3 51°36'G 3°40'Gn
Maestra, Sierra mdd. Cuba 67 I4 19°54'G 77°33'Gn
Mafia, Ynys Tanzania 83 C4 7°48'D 39°52'Dn
Mafraq Gwlad Iorddonen 94 E6 32°20'G 36°13'Dn
Magadan Rwsia 55 Q3 59°38'G 151°00'Dn
Magallanes, Culfor Chile 73 B1 53°42'D 71°59'Gn
Magdalena a. Colombia 72 B8 11°06'G 74°52'Gn
Magdalena México 66 B7 30°38'G 110°59'Gn
Magdeburg Yr Almaen 46 D5 52°07'G 11°38'Dn
Magee, Ynys gor. G. Iwerddon 14 D2 54°50'G 5°41'Gn
Magerøya ys Norwy 43 F5 70°59'G 25°40'Dn
Maggiorasca, Mynydd Yr Eidal 46 C1 44°33'G 9°30'Dn
Maggiore, Llyn Yr Eidal 46 C1 45°56'G 8°36'Dn
Maghera G. Iwerddon 14 C2 54°50'G 6°40'Gn
Magherafelt G. Iwerddon 14 C2 54°45'G 6°36'Gn
Maghull Lloegr 12 E2 53°31'G 2°57'Gn
Magilligan, Pwynt G. Iwerddon 14 C3 55°12'G 6°56'Gn
Magnitogorsk Rwsia 53 F3 53°24'G 59°08'Dn
Magwe Myanmar 97 H5 20°07'G 94°57'Dn
Mahābād Iran 95 G7 36°46'G 45°43'Dn
Mahagi Gwer. Ddem. Congo 85 H2 2°16'G 30°55'Dn
Mahajanga Madagascar 83 D3 15°41'D 46°21'Dn
Mahalevona Madagascar 83 D3 15°24'D 49°53'Dn
Maharashtra rhan. India 96 E4 19°29'G 75°59'Dn
Mahé ys Seychelles 85 J1 4°36'D 55°24'Dn
Mahilyow Belarus 47 N5 53°55'G 30°20'Dn
Mahón Sbaen 45 H3 39°53'G 4°15'Dn
Mahrāt, Mynydd Yemen 95 H3 17°07'G 51°07'Dn
Maicao Colombia 67 J3 11°25'G 72°23'Gn
Maidenhead Lloegr 8 E2 51°31'G 0°43'Gn
Maidstone Lloegr 9 F2 51°16'G 0°31'Dn
Maiduguri Nigeria 84 F3 11°50'G 13°08'Dn
Main a. G. Iwerddon 14 C2 54°43'G 6°18'Gn
Mai-Ndombe, Llyn Gwer. Ddem. Congo 83 A4 2°15'D 18°22'Dn
Maine rhan. UDA 63 M6 45°20'G 69°21'Gn
Mainz Yr Almaen 46 C4 50°00'G 8°16'Dn
Maiquetía Venezuela 67 K3 10°32'G 66°56'Gn
Maisons-Laffitte Ffrainc 42 B1 48°57'G 2°09'Dn
Maíz, Ynysoedd Nicaragua 67 H3 12°14'G 83°00'Gn
Maizuru Japan 104 C3 35°28'G 135°24'Dn
Majene Indonesia 102 F3 3°32'D 118°58'Dn
Major, Puig m. Sbaen 45 G3 39°48'G 2°48'Dn
Makale Indonesia 102 F3 3°06'D 119°51'Dn
Makarov, Basn Cefn. Arctig 112 map 1 86°44'G 179°33'Gn
Makarska Croatia 50 B6 43°18'G 17°02'Dn
Makassar Indonesia 102 F2 5°10'D 119°25'Dn
Makat Kazakhstan 53 F2 47°37'G 53°14'Dn
Makgadikgadi, Pant Heli Botswana 83 B2 20°45'D 25°35'Dn
Makhachkala Rwsia 53 E2 42°59'G 47°30'Dn
Makkah (Mecca) Saudi Arabia 94 E4 21°26'G 39°48'Dn
Makran n. Iran/Pakistan 95 J5 26°29'G 60°27'Dn
Makurdi Nigeria 84 E2 7°43'G 8°33'Dn
Mala, Pwynt Panamá 67 H2 7°29'G 79°59'Gn
Malabar, Arfordir n. India 96 D3 11°44'G 74°54'Dn
Malabo Guinée Gyhyd. 84 E2 3°44'G 8°47'Dn
Maladzyechna Belarus 47 L6 54°18'G 26°52'Dn
Málaga Sbaen 45 C2 36°43'G 4°25'Gn
Malahide Iwerddon 18 E3 53°27'G 6°09'Gn
Malaita ys Ysdd Solomon 109 F6 8°58'D 161°09'Dn
Malakal De Sudan 85 H2 9°30'G 31°40'Dn
Malakula ys Vanuatu 109 F5 16°16'D 167°19'Dn
Malang Indonesia 102 E2 7°59'D 112°38'Dn
Malanje Angola 83 A4 9°33'D 16°23'Dn
Mälaren ll. Sweden 43 D2 59°27'G 17°13'Dn
Malatya Twrci 51 M4 38°20'G 38°20'Dn
Malaŵi Affrica 83 C3 11°32'D 33°43'Dn
Malāyer Iran 95 G6 34°17'G 48°48'Dn
Malaysia Asia/Ewrop 102 D4 3°39'G 108°45'Dn
Malaysia Orynysol gor. Malaysia 102 C4 3°59'G 102°43'Dn
Malbork Gwlad Pwyl 46 H6 54°02'G 19°02'Dn
Maldives Cefn. India 96 D2 6°09'G 72°23'Dn
Maldon Lloegr 9 F2 51°44'G 0°40'Dn
Male Maldives 96 D1 4°11'G 73°31'Dn
Maleas, Pwynt Groeg 50 E3 36°26'G 23°12'Dn
Malgomaj ll. Sweden 43 D4 64°44'G 16°15'Dn
Mali Affrica 84 D3 13°54'G 5°34'Gn
Malili Indonesia 103 G3 2°38'D 121°07'Dn
Malin, Pentir Iwerddon 18 D5 55°23'G 7°24'Gn
Mallaig Yr Alban 16 D2 57°00'G 5°50'Gn
Mallawī Yr Aifft 49 J2 27°43'G 30°50'Dn
Mallorca ys Sbaen 45 G3 39°57'G 2°43'Dn
Mallow Iwerddon 18 C2 52°08'G 8°39'Gn
Malmédy Gwlad Belg 42 F3 50°26'G 6°02'Dn
Malmesbury Lloegr 8 C2 51°35'G 2°06'Gn
Malmö Sweden 43 C1 55°36'G 13°01'Dn
Måløy Norwy 43 A3 61°56'G 5°07'Dn
Malozemel'sk, Twndra n. Rwsia 52 F4 67°25'G 49°36'Dn
Malpas Lloegr 12 E2 53°01'G 2°46'Gn
Malpaso m. Sbaen 45 W1 27°44'G 18°01'Gn
Malpelo, Ynys G. Cefn. Tawel 68 B4 3°59'G 81°34'Gn
Malta Ewrop 48 F4 35°49'G 14°18'Dn
Maltby Lloegr 13 F2 53°25'G 1°12'Gn
Malton Lloegr 13 G3 54°08'G 0°48'Gn
Maluku ysdd Indonesia 86 H1 0°30'D 127°26'Dn
Maluku, Môr Indonesia 103 H3 1°10'D 124°36'Dn
Malvern, Bryniau Lloegr 8 C3 52°04'G 2°20'Gn
Malvinas, Islas (Falkland, Ynysoedd) rhan. D. Cefn. Iwerydd 73 D1 50°55'D 59°36'Gn
Malyy Anyuy a. Rwsia 55 R4 68°27'G 161°01'Dn
Mama a. Rwsia 55 P4 66°28'G 143°13'Dn
Mamelodi D. Affrica 83 B2 25°42'D 28°23'Dn
Mamuju Indonesia 102 F3 2°41'D 118°53'Dn
Manacor Sbaen 45 G3 39°34'G 3°13'Dn
Manado Indonesia 103 G4 1°29'G 124°51'Dn
Managua Nicaragua 67 G3 12°09'G 86°16'Gn
Mananjary Madagascar 83 D2 21°14'D 48°20'Dn
Manaus Brasil 72 C6 3°04'D 60°00'Gn
Manavgat Twrci 51 I3 36°48'G 31°26'Dn
Manaw, Ynys rhan. Môr Iwerddon 21 C4 54°15'G 4°39'Gn
Manaw, Ynys Môr Iwerddon 14 E2 54°16'G 4°41'Gn
Manceinion (Manchester) Lloegr 13 E2 53°29'G 2°15'Gn
Manceinion Fwyaf rhan. Lloegr 21 D3 53°31'G 2°22'Gn
Manchester (Manceinion) Lloegr 13 E2 53°29'G 2°15'Gn
Manchuria n. China 99 M7 46°27'G 123°48'Dn
Mand a. India 95 H5 21°42'G 83°15'Dn
Mandala, Copa Indonesia 103 K3 4°42'D 140°17'Dn
Mandalay Myanmar 97 I5 21°58'G 96°04'Dn
Mandalgovĭ Mongolia 99 J7 45°42'G 106°19'Dn
Mandeville Jamaica 66 O2 18°03'G 77°31'Gn
Manfredonia, Gwlff Yr Eidal 50 B5 41°31'G 16°05'Dn
Mangalia România 51 H6 43°49'G 28°34'Dn
Mangalore India 96 D3 12°53'G 74°51'Dn
Mangaung D. Affrica 83 B2 29°09'D 26°16'Dn
Mangoky a. Madagascar 83 D2 23°25'D 45°25'Dn
Mangole ys Indonesia 103 H3 1°51'D 125°32'Dn
Mangotsfield Lloegr 8 C2 51°29'G 2°31'Gn
Manicouagan, Cronfa Ddŵr Canada 61 L3 51°18'G 68°18'Gn
Maniitsoq Grønland 61 M4 65°26'G 52°55'Gn
Manila Pili. 103 G6 14°34'G 121°00'Dn
Manipur rhan. India 97 H5 24°45'G 93°52'Dn
Manisa Twrci 50 G4 38°36'G 27°25'Dn
Manitoba rhan. Canada 60 I3 53°40'G 98°06'Gn
Manitoba, Llyn Canada 60 I3 51°34'G 99°04'Gn
Manizales Colombia 72 B7 5°00'G 75°30'Gn
Manmad India 96 D5 20°16'G 74°27'Dn
Mannheim Yr Almaen 46 C3 49°29'G 8°28'Dn
Manningtree Lloegr 9 G2 51°57'G 1°04'Dn
Manokwari Indonesia 103 I3 0°52'D 134°05'Dn
Manorhamilton Iwerddon 18 C4 54°18'G 8°11'Gn

Manra *ys* Kiribati **109 H6** 4°26'D 171°13'Gn
Manresa Sbaen **45 F4** 41°43'G 1°50'Dn
Mansa Zambia **83 B3** 11°12'D 28°53'Dn
Mansel, Ynys Canada **61 K4** 62°05'G 79°35'Gn
Mansfield Lloegr **13 F2** 53°09'G 1°12'Gn
Mansfield UDA **63 J5** 40°45'G 82°32'Gn
Manston Lloegr **8 C1** 50°56'G 2°16'Gn
Mantova Yr Eidal **46 D1** 45°09'G 10°47'Dn
Manukau Seland Newydd **109 G3** 36°58'D 174°50'Dn
Manzanares Sbaen **45 D3** 39°00'G 3°21'Gn
Manzanilla, Pwynt Trin. a Tob. **67 Y2** 10°32'G 61°02'Gn
Manzhouli China **99 L7** 49°20'G 117°29'Dn
Maoke, Cadwyn Indonesia **103 J3** 3°50'D 136°05'Dn
Mapinhane Moçambique **83 C2** 22°16'D 35°07'Dn
Maputo Moçambique **83 C2** 25°56'D 32°34'Dn
Maraba Brasil **72 E6** 5°23'D 49°08'Gn
Maracaibo Venezuela **72 B8** 10°40'G 71°38'Gn
Maracaibo, Llyn *moryd* Venezuela **72 B7** 9°45'G 71°36'Gn
Maracaju, Serra de *brau.* Brasil **73 D4** 21°59'D 55°53'Gn
Maracay Venezuela **72 C8** 10°16'G 67°35'Gn
Marādah Libya **85 F4** 29°13'G 19°10'Dn
Maradi Niger **84 E3** 13°31'G 7°07'Dn
Marāgheh Iran **95 G7** 37°23'G 46°14'Dn
Marajó, Ynys Brasil **72 E6** 0°45'D 50°38'Gn
Marand Iran **95 G7** 38°26'G 45°46'Dn
Marañón *a.* Periw **72 B6** 4°27'D 73°30'Gn
Marathon Canada **63 I6** 48°43'G 86°23'Gn
Marathonas Groeg **50 E4** 38°09'G 23°58'Dn
Marazion Lloegr **11 B2** 50°07'G 5°28'Gn
Marbella Sbaen **45 C2** 36°31'G 4°52'Gn
Marburg D. Affrica **83 C1** 30°43'D 30°26'Dn
Marburg an der Lahn Yr Almaen **46 C4** 50°48'G 8°46'Dn
March Lloegr **9 F3** 52°33'G 0°05'Dn
Marche-en-Famenne Gwlad Belg **42 E3** 50°14'G 5°21'Dn
Marchtrenk Awstria **46 F3** 48°12'G 14°07'Dn
Mardan Pakistan **95 L6** 34°12'G 72°03'Dn
Mar del Plata Ariannin **73 D3** 37°59'D 57°35'Gn
Mardın Twrci **94 F7** 37°18'G 40°46'Dn
Maree, Loch Yr Alban **16 D2** 57°38'G 5°21'Gn
Maresfield Lloegr **9 F1** 50°59'G 0°05'Dn
Margarita, Ynys Venezuela **72 C8** 11°06'G 63°53'Gn
Margate Lloegr **9 G2** 51°23'G 1°23'Dn
Margery, Bryn *br.* Lloegr **13 F2** 53°28'G 1°43'Gn
Margherita, Copa Gwer. Ddem. Congo/Uganda **83 B5** 0°22'G 29°51'Dn
Mārgow, Diffeithwch Afgh. **95 J6** 30°27'G 62°22'Dn
Marguerite, Bae Antarctica **112** map 2 68°15'D 67°49'Gn
Marhanets' Ukrain **47 P2** 47°40'G 34°37'Dn
Mariana, Ffos *n.* G. Cefn. Tawel **117 0** 10°35'G 141°08'Dn
Mariana, Ynysoedd Gogledd *rhan.* G. Cefn. Tawel **103 K7** 17°15'G 143°32'Dn
Marías, Ynysoedd México **66 C5** 21°25'G 106°33'Gn
Maria van Diemen, Penrhyn Seland Newydd **109 G3** 34°29'D 172°38'Dn
Ma'rib Yemen **95 G3** 15°26'G 45°19'Dn
Maribor Slovenija **46 F2** 46°32'G 15°40'Dn
Marie Byrd, Tir *n.* Antarctica **112** map 2 75°12'D 126°40'Gn
Marie-Galante *ys* Guadeloupe **67 L4** 15°56'G 61°14'Gn
Mariehamn Y Ffindir **43 D3** 60°06'G 19°57'Dn
Mariental Namibia **83 A2** 24°39'D 17°58'Dn
Mariestad Sweden **43 C2** 58°43'G 13°50'Dn
Marijampolė Lithuania **47 J6** 54°33'G 23°22'Dn
Marília Brasil **73 E4** 22°13'D 49°57'Gn
Mar"ina Horka Belarus **47 M5** 53°31'G 28°08'Dn
Maringá Brasil **73 D4** 23°27'D 51°59'Gn
Maritsa *a.* Bwlgaria **50 G5** 41°43'G 26°20'Dn
Mariupol' Ukrain **49 K6** 47°06'G 37°33'Dn
Marka Somalia **85 I2** 1°43'G 44°44'Dn
Markermeer *ll.* Yr Iseldiroedd **42 E5** 52°34'G 5°14'Dn
Market Deeping Lloegr **9 E3** 52°41'G 0°19'Gn
Market Drayton Lloegr **8 C3** 52°54'G 2°29'Gn
Market Harborough Lloegr **8 E3** 52°29'G 0°55'Gn
Markethill G. Iwerddon **14 C2** 54°17'G 6°31'Gn
Market Rasen Lloegr **13 G2** 53°23'G 0°20'Gn
Market Warsop Lloegr **13 F2** 53°12'G 1°09'Gn
Market Weighton Lloegr **13 G2** 53°52'G 0°40'Gn
Markha *a.* Rwsia **55 M4** 63°29'G 118°52'Dn
Marlborough Lloegr **8 D2** 51°25'G 1°44'Gn
Marlborough, Downs *brau.* Lloegr **8 D2** 51°29'G 1°48'Gn
Marlow Lloegr **8 E2** 51°34'G 0°46'Gn
Marmande Ffrainc **44 D4** 44°31'G 0°10'Dn
Marmara, Môr *g.* Twrci **51 H5** 40°43'G 28°26'Dn
Marmaris Twrci **51 H3** 36°50'G 28°15'Dn
Marne *a.* Ffrainc **44 E6** 48°49'G 2°25'Dn
Marne-la-Vallée Ffrainc **44 E6** 48°51'G 2°36'Dn
Maromokotro *m.* Madagascar **83 D3** 14°01'D 48°58'Dn
Marondera Zimbabwe **83 C3** 18°11'D 31°33'Dn
Maroni *a.* Guyane Ffrengig **72 D7** 5°44'G 54°01'Gn
Maroua Cameroon **84 F3** 10°36'G 14°19'Dn
Marple Lloegr **13 E2** 53°24'G 2°04'Gn
Marquette UDA **63 I6** 46°32'G 87°25'Gn
Marquis, Cap *p.* St Lucia **67 U2** 14°03'G 60°53'Gn
Marquises, Ynysoedd Polynesia Ffrengig **114 B2** 8°39'D 139°15'Gn
Marra, Llwyfandir Sudan **94 B2** 13°24'G 24°25'Dn
Marra, Mynydd Sudan **85 G3** 12°54'G 24°11'Dn
Marrakesh Moroco **84 D5** 31°37'G 7°59'Gn
Marsá al 'Alam Yr Aifft **49 J2** 25°04'G 34°50'Dn
Marsa al Burayqah Libya **85 F5** 30°23'G 19°36'Dn
Marsabit Kenya **85 H2** 2°20'G 37°59'Dn
Marsala Yr Eidal **48 F4** 37°48'G 12°26'Dn
Marsá Maţrūḩ Yr Aifft **85 G5** 31°20'G 27°16'Dn
Marseille Ffrainc **44 F3** 43°18'G 5°23'Dn
Marsfjället *m.* Sweden **43 C4** 65°06'G 15°23'Dn
Marshall, Ynysoedd G. Cefn. Tawel **117 J3** 13°59'G 164°53'Dn
Märsta Sweden **43 D2** 59°37'G 17°53'Dn
Martaban Myanmar **97 I4** 16°33'G 97°34'Dn
Martaban, Gwlff Myanmar **97 I4** 16°20'G 96°54'Dn
Martapura Indonesia **102 C3** 4°19'D 104°21'Dn
Martin Slofacia **46 H3** 49°04'G 18°55'Dn
Martinique *rhan.* Cb. America **67 L3** 14°36'G 60°56'Gn
Martin Vaz, Ynys *ysdd* D. Cefn. Iwerydd **68 E2** 20°30'D 28°43'Gn
Martock Lloegr **8 C1** 50°58'G 2°46'Gn
Martok Kazakhstan **53 F3** 50°43'G 56°28'Dn
Mary Turkmenistan **95 J7** 37°34'G 61°52'Dn
Maryborough Awstralia **108 E4** 25°32'D 152°41'Dn
Maryland *rhan.* UDA **63 K4** 38°39'G 76°30'Gn
Maryport Lloegr **12 D3** 54°43'G 3°30'Gn
Masan De Korea **99 N5** 35°14'G 128°36'Dn
Masbate Pili. **103 G6** 12°22'G 123°37'Dn
Masbate *ys* Pili. **103 G6** 12°19'G 123°34'Dn
Mascara Algeria **48 D4** 35°23'G 0°08'Dn
Maseru Lesotho **83 B2** 29°19'D 27°29'Dn
Mashhad Iran **95 I7** 36°18'G 59°35'Dn
Mashkel, Hamun-i- *n.* Pakistan **96 B6** 28°14'G 63°02'Dn
Maşīrah, Gwlff *b.* Oman **95 I3** 20°05'G 58°11'Dn
Maşīrah, Ynys Oman **95 I4** 20°20'G 58°43'Dn
Masjed Soleymān Iran **95 G6** 31°57'G 49°17'Dn
Mask, Loch Iwerddon **18 B3** 53°37'G 9°21'Gn
Mason City UDA **63 H5** 43°09'G 93°12'Gn
Massachusetts *rhan.* UDA **63 L5** 42°23'G 72°18'Gn
Massachusetts, Bae UDA **63 L5** 42°25'G 70°51'Gn
Massakory Tchad **84 F3** 12°59'G 15°43'Dn
Massawa Eritrea **85 H3** 15°37'G 39°27'Dn
Massif Central *mdd.* Ffrainc **44 E4** 45°16'G 3°25'Dn
Mastung Pakistan **95 K5** 29°47'G 66°50'Dn
Masuda Japan **104 B2** 34°40'G 131°50'Dn
Masvingo Zimbabwe **83 C2** 20°04'D 30°50'Dn
Matabele, Uwchdir *n.* Zambia **78 D2** 19°00'D 29°55'Dn
Matadi Gwer. Ddem. Congo **83 A4** 5°49'D 13°29'Dn
Matagami Canada **63 K6** 49°46'G 77°38'Gn
Matam Sénégal **84 C3** 15°39'G 13°16'Gn
Matamoros México **66 E6** 25°53'G 97°34'Gn
Matanzas Cuba **67 H5** 23°04'G 81°34'Gn
Matara Sri Lanka **96 F2** 5°58'G 80°32'Dn
Mataram Indonesia **102 F2** 8°35'D 116°07'Dn
Mataró Sbaen **45 G4** 41°33'G 2°26'Dn
Matā'utu Ysdd Wallis a Futuna **109 H5** 13°17'D 176°10'Gn
Matehuala México **62 F1** 23°40'G 100°38'Gn
Matelot Trin. a Tob. **67 Y2** 10°47'G 61°06'Gn
Mathura India **96 E6** 27°30'G 77°41'Dn
Matlock Lloegr **13 F2** 53°08'G 1°33'Gn
Maţraḩ Oman **95 I4** 23°37'G 58°32'Dn
Matsu, Ynys Taiwan **99 M3** 26°09'G 119°57'Dn
Matsue Japan **104 B3** 35°28'G 133°03'Dn
Matsumoto Japan **104 C3** 36°15'G 137°58'Dn
Matsusaka Japan **104 C2** 34°34'G 136°33'Dn
Matsuyama Japan **104 B2** 33°49'G 132°46'Dn
Matterhorn *m.* Yr Eidal/Y Swistir **46 B1** 45°59'G 7°40'Dn
Matura, Bae Trin. a Tob. **67 Y2** 10°35'G 61°01'Gn
Maturín Venezuela **72 C7** 9°44'G 63°09'Gn
Maubeuge Ffrainc **42 C3** 50°17'G 3°58'Dn
Mauchline Yr Alban **14 E3** 55°31'G 4°23'Gn
Maug, Ynysoedd Ysdd G. Mariana **103 L8** 20°02'G 145°16'Dn
Maughold, Pentir Ys Manaw **12 C3** 54°18'G 4°18'Gn
Maumere Indonesia **103 G2** 8°38'D 122°13'Dn
Maun Botswana **83 B3** 19°57'D 23°25'Dn
Maunabo Puerto Rico **66 S2** 18°01'G 65°55'Gn
Mauritania Affrica **84 C3** 19°51'G 11°35'Gn
Mauritius Cefn. India **115 G2** 20°17'D 57°54'Dn
Mawr Victoria, Diffeithwch Awstralia **108 B4** 28°43'D 128°38'Dn
Mawson, Gorynys Antarctica **112** map 2 68°16'D 154°18'Dn
May, Ynys Yr Alban **15 G4** 56°11'G 2°33'Gn
Maya *a.* Rwsia **55 O4** 60°26'G 134°33'Dn
Mayaguana *ys* Bahamas **67 J5** 22°23'G 72°56'Gn
Mayagüez Puerto Rico **66 Q2** 18°12'G 67°08'Gn
Mayamey Iran **95 I7** 36°27'G 55°40'Dn
Mayar *br.* Yr Alban **17 F1** 56°51'G 3°15'Gn
Mayaro, Bae Trin. a Tob. **67 Z1** 10°12'G 61°00'Gn
Maybole Yr Alban **14 E3** 55°21'G 4°41'Gn
Mayen Yr Almaen **42 G3** 50°19'G 7°13'Dn
Mayenne *a.* Ffrainc **44 C5** 47°30'G 0°32'Gn
Maykop Rwsia **53 E2** 44°36'G 40°07'Dn
Mayo Canada **60 E4** 63°37'G 135°54'Gn
Mayo *rhan.* Iwerddon **18 B3** 53°46'G 9°13'Gn
Mayotte *rhan.* Affrica **83 D3** 12°59'D 45°09'Dn
May Pen Jamaica **66 O1** 17°58'G 77°14'Gn
Mazār-e Sharīf Afgh. **95 K7** 36°42'G 67°05'Dn
Mazatlán México **66 C5** 23°14'G 106°27'Gn
Mažeikiai Lithuania **43 E2** 56°18'G 22°22'Dn
Mazyr Belarus **47 M5** 52°03'G 29°15'Dn
Mbabane Gwlad Swazi **83 C2** 26°20'D 31°09'Dn
Mbandaka Gwer. Ddem. Congo **83 A4** 0°00'D 18°17'Dn
M'banza Congo Angola **83 A4** 6°14'D 14°15'Dn
Mbarara Uganda **85 H1** 0°37'D 30°39'Dn
Mbeya Tanzania **83 C4** 8°53'D 33°26'Dn
Mbuji-Mayi Gwer. Ddem. Congo **83 B4** 6°06'D 23°36'Dn
McCook UDA **62 F5** 40°14'G 100°39'Gn
McGrath UDA **60 C4** 62°52'G 155°37'Gn
McKinley, Mynydd (Denali) UDA **60 C4** 63°05'G 150°20'Gn
M'Clintock, Sianel *cf.* Canada **60 H5** 71°10'G 101°39'Gn
M'Clure, Culfor Canada **60 G5** 74°09'G 114°57'Gn
Mdantsane D. Affrica **83 B1** 32°58'D 27°48'Dn
Mead, Llyn *cr.* UDA **62 D4** 36°12'G 114°24'Gn
Mealasta, Ynys Yr Alban **16 B3** 58°05'G 7°10'Gn
Mealbhaich (Melvich) Yr Alban **17 F3** 58°33'G 3°55'Gn
Meall a' Bhuiridh *m.* Yr Alban **16 E1** 56°37'G 4°51'Gn
Meath *rhan.* Iwerddon **18 E3** 53°41'G 6°35'Gn
Meaux Ffrainc **44 E6** 48°58'G 2°53'Dn
Mecca (Makkah) Saudi Arabia **94 E4** 21°26'G 39°48'Dn
Mechelen Gwlad Belg **42 D4** 51°01'G 4°29'Dn
Mecheria Algeria **48 C3** 33°33'G 0°19'Gn
Meckenheim Yr Almaen **42 G3** 50°37'G 7°02'Dn
Medan Indonesia **102 B4** 3°36'G 98°38'Dn
Medellín Colombia **72 B7** 6°13'G 75°35'Gn
Meden *a.* Lloegr **13 G2** 53°25'G 0°59'Gn
Medenine Tunisia **48 F3** 33°19'G 10°29'Dn
Medetsiz, Mynydd Twrci **51 K3** 37°24'G 34°37'Dn
Mediaş România **50 F8** 46°10'G 24°22'Dn
Medicine Hat Canada **60 G3** 50°03'G 110°41'Gn
Medina (Al Madīnah) Saudi Arabia **94 E4** 24°26'G 39°38'Dn
Medina del Campo Sbaen **45 C4** 41°19'G 4°54'Gn
Mednogorsk Rwsia **53 F3** 51°19'G 57°35'Dn
Medvezh'yegorsk Rwsia **52 D4** 62°55'G 34°29'Dn
Medway *a.* Lloegr **9 F2** 51°21'G 0°27'Dn
Medway *rhan.* Lloegr **21 F2** 51°22'G 0°34'Dn
Meerut India **96 E6** 28°59'G 77°43'Dn
Megara Groeg **50 E4** 38°00'G 23°21'Dn
Meghalaya *rhan.* India **97 H6** 25°29'G 91°13'Dn
Meharry, Mynydd Awstralia **106 C2** 23°01'D 118°42'Dn
Meiktila Myanmar **97 I5** 20°52'G 95°52'Dn
Meiningen Yr Almaen **46 D4** 50°34'G 10°25'Dn
Meißen Yr Almaen **46 E4** 51°10'G 13°28'Dn
Meizhou China **99 L2** 24°17'G 116°09'Dn
Mek'elē Ethiopia **94 E2** 13°30'G 39°29'Dn
Meknès Moroco **84 D5** 33°54'G 5°32'Gn
Mekong *a.* Asia/Ewrop **97 K3** 10°53'G 105°14'Dn
Mekong, Aberoedd Afon Viet Nam **102 D5** 9°27'G 106°46'Dn
Melaka Malaysia **102 C4** 2°09'G 102°17'Dn
Melaka, Culfor Indonesia/Malaysia **102 B5** 5°42'G 98°40'Dn
Melanesia *ysdd* Cefn. Tawel **106 F3** 12°50'D 165°01'Dn
Melbourn Lloegr **9 F3** 52°05'G 0°02'Dn
Melbourne Awstralia **108 D3** 37°49'D 144°59'Dn
Melbourne UDA **63 J2** 28°01'G 80°43'Gn
Melby Yr Alban **17 H5** 60°18'G 1°40'Gn
Melekeok Palau **103 I5** 7°30'G 134°38'Dn
Melilla G. Affrica **48 C4** 35°18'G 2°57'Gn
Melitopol' Ukrain **47 P2** 46°51'G 35°22'Dn
Melksham Lloegr **8 C2** 51°22'G 2°08'Gn
Melrose Yr Alban **15 G3** 55°36'G 2°43'Gn
Meltham Lloegr **13 F2** 53°36'G 1°51'Gn
Melton Mowbray Lloegr **8 E3** 52°46'G 0°53'Gn
Melun Ffrainc **44 E6** 48°32'G 2°39'Dn
Melvich (Mealbhaich) Yr Alban **17 F3** 58°33'G 3°55'Gn
Melville Canada **60 H3** 50°56'G 102°49'Gn
Melville, Bae Grønland **61 L4** 75°32'G 62°07'Gn
Melville, Gorynys Canada **61 J4** 68°09'G 84°12'Gn
Melville, Ynys Awstralia **108 C5** 11°37'D 130°55'Dn
Melville, Ynys Canada **60 H5** 75°14'G 109°26'Gn
Melvin, Loch Iwerddon/DU **18 C4** 54°25'G 8°09'Gn
Memberamo *a.* Indonesia **103 J3** 1°28'D 137°55'Dn
Memmingen Yr Almaen **46 D2** 47°59'G 10°11'Dn
Memphis UDA **63 H4** 35°09'G 90°04'Gn
Mena Ukrain **47 O4** 51°31'G 32°14'Dn
Menai, Afon *cf.* Cymru **10 C5** 53°09'G 4°17'Gn
Mende Ffrainc **44 E4** 44°31'G 3°30'Dn
Mendeleyev, Cefnen Cefn. Arctig **112** map 1 84°24'G 179°28'Gn
Mendī Ethiopia **85 H2** 9°49'G 35°05'Dn
Mendip, Bryniau Lloegr **8 C2** 51°19'G 2°46'Gn
Mendoza Ariannin **73 C3** 32°53'D 68°50'Gn
Menongue Angola **83 A3** 14°38'D 17°41'Dn
Menorca *ys* Sbaen **45 G4** 40°06'G 3°49'Dn
Mentawai, Ynysoedd Indonesia **102 B3** 3°17'D 99°55'Dn
Mentok Indonesia **102 D3** 2°04'D 105°10'Dn
Menzel Bourguiba Tunisia **48 E4** 37°09'G 9°48'Dn
Menzies, Mynydd Antarctica **112** map 2 73°26'D 61°59'Dn
Meppel Yr Iseldiroedd **42 F5** 52°42'G 6°11'Dn
Meppen Yr Almaen **42 G5** 52°41'G 7°18'Dn
Merano Yr Eidal **46 D2** 46°41'G 11°10'Dn
Merauke Indonesia **103 K2** 8°31'D 140°24'Dn
Mere Lloegr **8 C2** 51°05'G 2°16'Gn
Merefa Ukrain **47 Q3** 49°49'G 36°04'Dn
Mergui Myanmar **97 I3** 12°26'G 98°36'Dn
Mergui, Ynysfor Myanmar **97 I3** 12°05'G 97°59'Dn
Mérida México **66 G5** 20°59'G 89°37'Gn
Mérida Sbaen **45 B3** 38°56'G 6°20'Gn
Mérida Venezuela **72 B7** 8°36'G 71°07'Gn
Mérida, Cordillera de *mdd.* Venezuela **67 J2** 7°59'G 71°35'Gn
Meridian UDA **63 I3** 32°23'G 88°40'Gn
Merowe Sudan **85 H3** 18°27'G 31°51'Dn
Merrick *br.* Yr Alban **14 E3** 55°08'G 4°28'Gn
Mersch Lux. **42 F2** 49°45'G 6°07'Dn
Mersi *aber* Lloegr **12 E2** 53°21'G 2°56'Gn
Mersi, Glannau *rhan.* Lloegr **21 D3** 53°32'G 3°06'Gn
Mersin Twrci **51 K3** 36°49'G 34°37'Dn
Merthyr Tudful Cymru **10 D3** 51°45'G 3°23'Gn
Merthyr Tudful *rhan.* Cymru **21 D2** 51°44'G 3°20'Gn
Mértola Portiwgal **45 B2** 37°38'G 7°39'Gn
Merzifon Twrci **51 K5** 40°52'G 35°27'Dn
Merzig Yr Almaen **42 F2** 49°27'G 6°39'Dn
Mesolongi Groeg **50 D4** 38°22'G 21°26'Dn
Mesopotamia *n.* Iraq **85 I5** 35°42'G 42°19'Dn
Messina Yr Eidal **48 G4** 38°11'G 15°33'Dn
Messinia, Gwlff Groeg **50 E3** 36°51'G 22°03'Dn
Mesta *a.* Bwlgaria **50 F5** 41°26'G 24°02'Dn
Meta *a.* Colombia/Venezuela **72 C7** 6°10'G 67°24'Gn
Metheringham Lloegr **13 G2** 53°08'G 0°24'Gn
Methwold Lloegr **9 F3** 52°31'G 0°33'Dn
Metković Croatia **50 B6** 43°03'G 17°40'Dn
Metlika Slovenija **46 F1** 45°39'G 15°19'Dn
Metz Ffrainc **44 G6** 49°07'G 6°11'Dn
Meuse (Maas) *a.* Yr Iseldiroedd **42 F4** 51°43'G 4°53'Dn
Mevagissey Lloegr **11 C2** 50°16'G 4°47'Gn
Mexborough Lloegr **13 F2** 53°30'G 1°17'Gn
Mexicali México **66 A7** 32°39'G 115°28'Gn
México Cb. America **66 C5** 31°47'G 114°01'Gn
México *rhan.* México **66 E4** 19°38'G 99°46'Gn
México, Ciudad de México **66 E4** 19°24'G 99°12'Gn
México, Gwlff México/UDA **66 F5** 22°09'G 95°51'Gn
Meymaneh Afgh. **95 J7** 35°56'G 64°45'Dn
Mezen' Rwsia **52 E4** 65°50'G 44°16'Dn
Mezen' *a.* Rwsia **52 E4** 65°52'G 44°11'Dn
Mezha *a.* Rwsia **47 N6** 55°43'G 31°30'Dn
Mezhdusharskiy, Ynys Rwsia **52 F5** 71°11'G 52°40'Dn
Mezquital *a.* México **66 C5** 21°52'G 105°29'Gn
Miami UDA **63 J2** 25°41'G 80°18'Gn
Miāndowāb Iran **95 G7** 36°58'G 46°07'Dn
Miandrivazo Madagascar **83 D3** 19°30'D 45°29'Dn
Mīāneh Iran **95 G7** 37°24'G 47°40'Dn
Mianwali Pakistan **95 L6** 32°35'G 71°33'Dn
Miass Rwsia **52 G3** 54°58'G 60°05'Dn
Michigan *rhan.* UDA **63 I6** 46°12'G 88°00'Gn
Michigan, Llyn UDA **63 I5** 43°02'G 87°18'Gn
Michipicoten, Ynys Canada **63 I6** 47°41'G 85°48'Gn
Michipicoten River *tref* Canada **63 J6** 47°57'G 84°50'Gn
Michoacán *rhan.* México **66 D4** 18°21'G 102°59'Gn
Michurinsk Rwsia **53 E3** 52°55'G 40°30'Dn
Micoud St Lucia **67 U1** 13°48'G 60°57'Gn
Micronesia *ysdd* Taleithiau Ffederal Micronesia/Palau **117 I3** 11°40'G 147°31'Dn
Micronesia, Taleithiau Ffederal G. Cefn. Tawel **103 K5** 3°37'G 153°49'Dn
Middlesbrough Lloegr **13 F3** 54°34'G 1°14'Gn
Middlesbrough *rhan.* Lloegr **21 E4** 54°33'G 1°14'Gn
Middleton Lloegr **13 E2** 53°33'G 2°12'Gn
Middleton in Teesdale Lloegr **13 E3** 54°38'G 2°05'Gn
Middleton St George Lloegr **13 F3** 54°31'G 1°28'Gn
Middlewich Lloegr **13 E2** 53°12'G 2°27'Gn
Midhurst Lloegr **8 E1** 50°59'G 0°44'Gn
Midi, camlas du *n.* Ffrainc **44 E3** 43°14'G 2°22'Dn
Midland UDA **62 F3** 32°01'G 101°58'Gn
Midleton Iwerddon **18 C1** 51°55'G 8°10'Gn
Midlothian *rhan.* Yr Alban **20 D4** 55°50'G 3°06'Gn
Miekojärvi *ll.* Y Ffindir **43 F4** 66°34'G 24°25'Dn
Mielec Gwlad Pwyl **47 I4** 50°17'G 21°26'Dn
Miercurea-Ciuc România **50 F8** 46°22'G 25°48'Dn
Mikhaylovka Rwsia **53 E3** 50°04'G 43°15'Dn
Mikhaylovskiy Rwsia **98 D8** 51°40'G 79°45'Dn
Mikkeli Y Ffindir **43 F3** 61°41'G 27°17'Dn
Mikun' Rwsia **52 F4** 62°22'G 50°05'Dn
Milano Yr Eidal **46 C1** 45°28'G 9°11'Dn
Milas Twrci **51 G3** 37°18'G 27°46'Dn
Milborne Port Lloegr **8 C1** 50°58'G 2°28'Gn
Mildenhall Lloegr **9 F3** 52°21'G 0°31'Dn
Mildura Awstralia **108 D3** 34°12'D 142°11'Dn
Miles City UDA **62 E6** 46°25'G 105°47'Gn
Milk *a.* Canada/UDA **62 E6** 48°03'G 106°19'Gn
Millárs *a.* Sbaen **45 E3** 39°57'G 0°04'Gn
Millau Ffrainc **44 E4** 44°06'G 3°05'Dn
Mille Lacs, Llynnoedd UDA **63 H6** 46°14'G 93°39'Gn
Milleur, Pwynt Yr Alban **14 D3** 55°01'G 5°07'Gn
Millom Lloegr **12 D3** 54°13'G 3°16'Gn
Millport Yr Alban **14 E3** 55°45'G 4°56'Gn
Milnthorpe Lloegr **12 E3** 54°14'G 2°46'Gn
Milos *ys* Groeg **50 F3** 36°39'G 24°25'Dn
Milton Keynes Lloegr **8 E3** 52°01'G 0°44'Gn
Milton Keynes *rhan.* Lloegr **21 E3** 52°05'G 0°44'Gn
Milwaukee UDA **63 I5** 43°01'G 87°55'Gn
Milwaukee, Dyfnder *n.* Y Môr Caribî **116 D3** 19°35'G 66°30'Gn
Mimizan Ffrainc **44 C4** 44°12'G 1°14'Gn
Mīnāb Iran **95 I5** 27°09'G 57°04'Dn
Minas Indonesia **97 J1** 0°45'G 101°24'Dn
Minatitlán México **66 F4** 18°01'G 94°33'Gn
Minch *cf.* Yr Alban **16 C3** 58°02'G 6°02'Gn
Minch Bach *cf.* Yr Alban **16 B2** 57°32'G 7°00'Gn
Mindanao *ys* Pili. **103 H5** 7°45'G 125°08'Dn
Mindelo Cabo Verde **84 B3** 16°52'G 24°59'Gn
Mindoro *ys* Pili. **103 G6** 12°55'G 121°07'Dn
Mindoro, Culfor Pili. **102 F6** 13°14'G 119°52'Dn
Minehead Lloegr **11 D3** 51°12'G 3°29'Gn
Mingäçevir Azerbaijan **53 E2** 40°46'G 47°03'Dn
Mingulay *ys* Yr Alban **16 B1** 56°49'G 7°37'Gn
Minna Nigeria **84 E2** 9°38'G 6°32'Dn
Minneapolis UDA **63 H5** 44°55'G 93°18'Gn
Minnesota *a.* UDA **63 H5** 44°55'G 93°1
Minnesota *rhan.* UDA **63 H6** 47°08'G 92°4
Miño *a.* Portiwgal/Sbaen **45 A4** 41°56'G 8°4
Minot UDA **62 F6** 48°13'G 101°1
Minsk Belarus **47 L5** 53°53'G 27°3
Minsterley Lloegr **8 C3** 52°38'G 2°5
Mintlaw Yr Alban **17 H2** 57°31'G 1°5
Minto, Mynydd Antarctica **112** map 2 71°47'D 169°4
Miranda de Ebro Sbaen **45 D5** 42°42'G 2°5
Mirandela Portiwgal **45 B4** 41°29'G 7°1
Mirbāţ Oman **95 H3** 16°59'G 54°4
Miri Malaysia **102 E4** 4°27'G 114°0
Mirim, Morlyn Brasil/Uruguay **73 D3** 32°40'D 52°5
Mirnyy Rwsia **55 M4** 62°25'G 114°1
Mirpur Khas Pakistan **96 C6** 25°31'G 69°0
Mirzapur India **96 F6** 25°06'G 82°3
Miskitos, Cayos *ysdd* Nicaragua **67 H3** 14°26'G 82°5
Miskolc Hwngari **46 I3** 48°06'G 20°4
Misoöl *ys* Indonesia **103 I3** 1°53'D 129°5
Mişrātah Libya **84 F5** 32°22'G 15°0
Missinaibi *a.* Canada **61 J3** 50°45'G 81°3
Mississippi *a.* UDA **63 I2** 29°07'G 89°1
Mississippi *rhan.* UDA **63 I3** 32°33'G 89°4
Mississippi, Delta UDA **63 I2** 29°05'G 89°0
Missoula UDA **62 D6** 46°53'G 113°5
Missouri *a.* UDA **63 H4** 38°50'G 90°0
Missouri *rhan.* UDA **63 H4** 38°27'G 92°1
Mistassini, Llyn Canada **61 K3** 51°01'G 73°3
Mistissini Canada **61 K3** 50°25'G 73°5
Mitchell *a.* Awstralia **108 D5** 15°14'D 141°3
Mitchell UDA **62 G5** 43°42'G 98°0
Mitchell, Mynydd UDA **63 J4** 35°51'G 82°2
Mitchelstown Iwerddon **18 C2** 52°16'G 8°1
Mito Japan **104 D3** 36°23'G 140°2
Mittimatalik Canada **61 K5** 72°35'G 77°4
Mitumba, Mynyddoedd Gwer. Ddem. Congo **83 B3** 11°46'D 26°0
Miyako Japan **104 D3** 39°38'G 141°5
Miyazaki Japan **104 B2** 31°54'G 131°2
Mizdah Libya **48 F3** 31°27'G 12°5
Mizen, Pentir *Corc* Iwerddon **18 B1** 51°26'G 9°4
Mizen, Pentir *Wick.* Iwerddon **18 E2** 52°51'G 6°0
Mizoram *rhan.* India **97 H5** 23°18'G 92°5
Mjölby Sweden **43 C2** 58°20'G 15°0
Mława Gwlad Pwyl **46 I5** 53°07'G 20°2
Mljet *ys* Croatia **50 B6** 42°44'G 17°2
Mmabatho D. Affrica **83 B2** 25°52'D 25°3
Mobile UDA **63 I3** 30°40'G 88°0
Mobile, Bae UDA **63 I3** 30°24'G 88°0
Mobridge UDA **62 F6** 45°32'G 100°2
Moçambique Affrica **83 C2** 20°09'D 34°1
Moçambique Moçambique **83 D3** 15°02'D 40°4
Moçambique, Sianel *cf.* Affrica **83 D2** 20°05'D 40°1
Mochudi Botswana **83 B2** 24°25'D 26°0
Mocuba Moçambique **83 C3** 16°51'D 36°5
Modbury Lloegr **11 D2** 50°21'G 3°5
Modena Yr Eidal **46 D1** 44°39'G 10°5
Moelfre Cymru **10 C5** 53°21'G 4°1
Moel Sych *br.* Cymru **10 D4** 52°53'G 3°2
Moffat Yr Alban **15 F3** 55°20'G 3°2
Mogadishu Somalia **85 I2** 2°04'G 45°2
Mohawk *a.* UDA **63 L5** 42°46'G 73°4
Mohyliv Podil's'kyy Ukrain **47 L3** 48°27'G 27°4
Mo i Rana Norwy **43 C4** 66°19'G 14°1
Molde Norwy **43 A3** 62°44'G 7°1
Moldova Ewrop **49 I6** 46°59'G 28°5
Moldoveanu, Copa România **50 F7** 45°36'G 24°4
Molfetta Yr Eidal **50 B5** 41°12'G 16°3
Molopo *n.* Botswana/D. Affrica **83 B2** 28°32'D 20°1
Mombasa Kenya **85 H1** 4°03'D 39°4
Møn *ys* Denmarc **43 C1** 55°00'G 12°2
Môn, Ynys *rhan.* Cymru **21 C3** 53°18'G 4°2
Mona, Sianel *cf.* Gwer. Dom./Puerto Rico **67 K4** 18°01'G 68°0
Mona, Ynys Puerto Rico **67 K4** 18°04'G 67°5
Monach, Swnt *cf.* Yr Alban **16 B2** 57°33'G 7°3
Monach, Ynysoedd Yr Alban **16 B2** 57°32'G 7°4
Monaco Ewrop **44 G3** 43°44'G 7°2
Monadhliath, Mynyddoedd Yr Alban **17 E2** 57°04'G 4°3
Monaghan Iwerddon **18 E4** 54°15'G 6°5
Monaghan *rhan.* Iwerddon **18 E4** 54°10'G 6°5
Monar, Loch Yr Alban **16 D2** 57°25'G 5°0
Monbetsu Japan **104 D4** 44°21'G 143°2
Monchegorsk Rwsia **43 H4** 67°57'G 32°5
Mönchengladbach Yr Almaen **42 F4** 51°12'G 6°2
Monclova México **66 D6** 26°53'G 101°3
Moncton Canada **61 L2** 46°04'G 64°4
Mondego *a.* Portiwgal **45 A4** 40°10'G 8°3
Mondovì Yr Eidal **46 B1** 44°23'G 7°4
Moneymore G. Iwerddon **14 C2** 54°41'G 6°4
Monforte de Lemos Sbaen **45 B5** 42°32'G 7°3
Monga Gwer. Ddem. Congo **83 B5** 4°11'G 22°5
Mongolia Asia/Ewrop **99 I7** 46°59'G 103°4
Mongolia Fewnol (Nei Mongol Zizhiqu) *rhan.* China **99 I6** 40°12'G 103°2
Mongora Pakistan **95 L6** 34°46'G 72°2
Mongu Zambia **83 B3** 15°16'D 23°0
Moniaive Yr Alban **15 F3** 55°12'G 3°5
Monroe UDA **63 H3** 32°30'G 92°0
Monrovia Liberia **84 C2** 6°19'G 10°4
Mons Gwlad Belg **42 C3** 50°27'G 3°5
Montana Bwlgaria **50 E6** 43°25'G 23°1
Montana *rhan.* UDA **62 E6** 46°44'G 109°1
Montargis Ffrainc **44 E5** 47°59'G 2°4
Montauban Ffrainc **44 D4** 44°01'G 1°2
Montbéliard Ffrainc **44 G5** 47°30'G 6°4
Mont-de-Marsan Ffrainc **44 C3** 43°53'G 0°3
Monte-Carlo Monaco **44 G3** 43°44'G 7°2
Montego, Bae Jamaica **66 O2** 18°27'G 77°5
Montego Bay Jamaica **66 O2** 18°28'G 77°5
Montélimar Ffrainc **44 F4** 44°33'G 4°4
Montemorelos México **66 E6** 25°11'G 99°4
Montenegro Ewrop **50 C6** 42°49'G 19°2
Montería Colombia **72 B7** 8°43'G 75°5
Monterrey México **66 D6** 25°42'G 100°1
Montes Claros Brasil **72 E5** 16°42'D 43°4
Montevideo Uruguay **73 D3** 34°52'D 56°1
Monte Vista UDA **62 E4** 37°36'G 106°0
Montgomery UDA **63 I3** 32°23'G 86°1
Mont-Joli Canada **63 M6** 48°35'G 68°1
Montluçon Ffrainc **44 E5** 46°21'G 2°3
Montmagny Canada **63 L6** 46°59'G 70°3
Montpelier UDA **63 L5** 44°16'G 72°3
Montpellier Ffrainc **44 E3** 43°37'G 3°5
Montréal Canada **61 K2** 45°32'G 73°3
Montreuil Ffrainc **9 G1** 50°28'G 1°4
Montrose Yr Alban **17 G1** 56°42'G 2°2
Montroulez (Morlaix) Ffrainc **44 B6** 48°35'G 3°5
Montserrat *rhan.* Cb. America **67 L4** 16°44'G 62°1
Monywa Myanmar **97 I5** 22°05'G 95°0
Monza Yr Eidal **46 C1** 45°35'G 9°1
Monzón Sbaen **45 F4** 41°55'G 0°1

e, Llyn Awstralia 108 A4 29°43'D 117°28'Dn
e a. Canada 61 J3 51°20'G 80°31'Gn
e Jaw Canada 60 H3 50°26'G 105°33'Gn
omin Canada 62 F7 50°09'G 101°41'Gn
onee Canada 61 J3 51°16'G 80°40'Gn
Mali 84 D3 14°30'G 4°11'Gn
Sweden 43 C3 61°00'G 14°32'Dn
nt, Pwynt Jamaica 66 P1 17°55'G 76°10'Gn
, Loch Yr Alban 16 D1 56°57'G 5°43'Gn
rhan. Yr Alban 20 D5 57°30'G 3°16'Gn
, Moryd b. Yr Alban 17 E2 57°31'G 4°11'Gn
ach Yr Almaen 42 G2 49°48'G 7°06'Dn
anoldir, Y Y Byd 48 D4 33°25'G 32°44'Dn
eltaidd, Y Iwerddon/DU 11 A2 50°54'G 6°33'Gn
och, Y Affrica/Asia 94 E4 26°30'G 34°42'Dn
wrel, Tiriogaeth Ynysoedd y rhan. D. Cefn. Tawel
108 E5 29°45'D 159°10'Dn
wrel, Y D. Cefn. Tawel 108 E5 13°27'D 151°06'Dn
en Canada 60 I2 49°12'G 98°07'Gn
Du, Y Asia/Ewrop 51 M6 42°31'G 38°22'Dn
Loch Yr Alban 16 E3 58°18'G 4°53'Gn
ambe Lloegr 12 E3 54°04'G 2°52'Gn
ambe, Bae Lloegr 12 D3 54°07'G 3°04'Gn
e Awstralia 108 D4 29°28'D 149°52'Dn
head PGN 103 K2 8°43'D 141°39'Dn
ia México 66 D4 19°39'G 101°12'Gn
os rhan. México 66 E4 18°47'G 98°59'Gn
a, Sierra mdd. Sbaen 45 B2 37°57'G 6°06'Gn
onhampstead Lloegr 11 D2 50°40'G 3°46'Gn
an City UDA 63 H2 29°43'G 91°25'Gn
annwg, Bro rhan. Cymru 21 D2 51°26'G 3°21'Gn
wyn, Y Rwsia 52 D4 65°51'G 36°58'Dn
apan 104 D4 42°06'G 140°34'Dn
ka Japan 104 D3 39°42'G 141°08'Dn
ton a. Yr Alban 16 E2 57°13'G 4°36'Gn
ix (Montroulez) Ffrainc 44 B6 48°35'G 3°50'Gn
y Lloegr 13 F2 53°45'G 1°36'Gn
Marw, Y ll. Asia/Ewrop 94 E6 31°08'G 35°27'Dn
Melyn, Y G. Cefn. Tawel 99 N5 35°28'G 125°29'Dn
Gwlff Pili. 103 G5 7°02'G 123°11'Dn
co Affrica 84 D5 31°57'G 5°40'Gn
goro Tanzania 83 C4 6°47'D 37°40'Dn
mbe Madagascar 83 D2 21°46'D 43°21'Dn
Mongolia 99 I7 49°28'G 100°08'Dn
ndava Madagascar 83 D2 20°18'D 44°17'Dn
de la Frontera Sbaen 45 C2 37°08'G 5°27'Gn
ni Ysdd Comoro 83 D3 11°39'D 43°14'Dn
ai ys Indonesia 103 H4 2°17'G 128°17'Dn
eth Lloegr 13 F4 55°10'G 1°41'Gn
s Jesup, Penrhyn Grønland 112 map 1 83°39'G 33°21'Gn
, Pwynt Chile 73 B4 27°07'D 70°59'Gn
squillo, Gwlff b. Colombia 67 I2 9°33'G 75°39'Gn
, Penrhyn Antarctica 112 map 2 66°02'D 130°02'Dn
ansk Rwsia 53 E3 53°27'G 41°49'Dn
, Bae Lloegr 11 C3 51°10'G 4°14'Gn
hoe Lloegr 11 C3 51°11'G 4°12'Gn
ywod Mawr, Y diff. Yr Aifft/Libya 49 H2 29°28'G 23°53'Dn
dd, Y (Sianel, Y) cf. Ffrainc/DU 9 E1 49°59'G 1°24'Gn
rn n. Yr Alban 16 D1 56°36'G 5°53'Gn
Dwyrain (Japan, Môr) G. Cefn. Tawel 104 C3
39°13'G 133°37'Dn
Gogledd Ewrop 34 E4 57°53'G 1°52'Dn
orough Lloegr 13 F2 53°20'G 1°22'Gn
ow UDA 62 C6 46°44'G 116°58'Gn
ow (Moskva) Rwsia 52 D3 55°45'G 37°38'Dn
a. Yr Almaen 42 G3 50°22'G 7°36'Dn
le a. Ffrainc 44 G6 49°27'G 6°22'Dn
Tanzania 83 C4 3°23'D 37°20'Dn
en Norwy 43 C4 65°51'G 13°12'Dn
va (Moscow) Rwsia 52 D3 55°45'G 37°38'Dn
uitos, Gwlff b. Panamá 67 H2 8°54'G 81°16'Gn
Norwy 43 B2 59°26'G 10°39'Dn
el Bay tref D. Affrica 83 B1 34°11'D 22°08'Dn
oró Brasil 72 F6 5°08'D 37°15'Gn
ganem Algeria 48 D4 35°55'G 0°06'Dn
r Bos. a Herz. 50 B6 43°20'G 17°49'Dn
(Al Mawşil) Iraq 94 F7 36°18'G 43°05'Dn
atnet ll. Norwy 43 B2 59°51'G 8°06'Dn
a Sweden 43 C2 58°32'G 15°02'Dn
erwell Yr Alban 15 F3 55°48'G 3°59'Gn
Sbaen 45 D2 36°45'G 3°31'Gn
ns Ffrainc 44 E5 46°34'G 3°20'Dn
nein Myanmar 97 I4 16°29'G 97°38'Dn
dou Tchad 84 F2 8°36'G 16°05'Dn
t, Bae Lloegr 11 B2 50°05'G 5°29'Gn
t Gambier tref Awstralia 108 D3 37°52'D 140°48'Dn
t Isa tref Awstralia 108 C4 20°45'D 139°29'Dn
tmellick Iwerddon 18 D3 53°07'G 7°20'Gn
trath Iwerddon 18 D3 53°00'G 7°28'Gn
tsorrel Lloegr 8 D3 52°44'G 1°08'Gn
di, Pant Tchad 94 B3 18°01'G 21°06'Dn
ne a. G. Iwerddon 14 B2 54°50'G 7°28'Gn
ne, Mynyddoedd G. Iwerddon 14 C2 54°06'G 6°11'Gn
a ys Yr Alban 17 H5 60°00'G 1°11'Gn
cron Gwlad Belg 42 C3 50°44'G 3°13'Dn
on Ffrainc 42 E2 49°37'G 5°05'Dn
. Iwerddon 18 B4 54°07'G 9°08'Gn
e Ethiopia 85 H2 3°33'G 39°04'Dn
oq Uzbekistan 53 F2 43°45'G 58°58'Dn
en Tunisia 48 F4 35°45'G 10°28'Dn
sk Rwsia 47 Q5 53°17'G 36°36'Dn
a Tanzania 83 D3 10°19'D 40°09'Dn
Malaysia 102 C4 2°02'G 102°34'Dn
abungo Indonesia 102 C3 1°28'D 102°07'Dn
inga, Mynyddoedd Zambia 78 D2 12°47'D 31°24'Dn
Wenlock Lloegr 8 C3 52°36'G 2°33'Gn
ys Yr Alban 16 C1 56°50'G 6°14'Gn
sh, Mynydd Iwerddon 14 A3 55°06'G 8°00'Gn
e Roe ys Yr Alban 17 H5 60°21'G 1°25'Gn
n a. China 104 A5 46°15'G 129°31'Dn
njiang China 99 N6 44°32'G 129°34'Dn
rnu Twrci 51 I5 40°27'G 31°13'Dn
a Moçambique 83 C3 11°41'D 39°35'Dn
Twrci 51 H3 37°12'G 28°21'Dn
mmad Qol Sudan 94 E4 20°54'G 37°07'Dn
hausen Yr Almaen 46 D4 51°13'G 10°27'Dn
g-Hofmann, Mynyddoedd Antarctica 112 map 2
71°41'D 2°15'Dn
s Y Ffindir 43 F4 64°48'G 25°58'Dn
e Bheag Iwerddon 18 E2 52°42'G 6°58'Gn
irk Yr Alban 15 E3 55°31'G 4°04'Gn
eag br. Yr Alban 16 C3 58°22'G 6°18'Gn
chevo Ukrain 47 J3 48°27'G 22°43'Dn
lla Yemen 95 G2 14°32'G 49°07'Dn
nje, Mynydd Malaŵi 83 C3 15°58'D 35°35'Dn
e a. Yr Almaen 46 E4 51°52'G 12°15'Dn
acén m. Sbaen 45 D2 37°02'G 3°18'Gn
ouse Ffrainc 44 G5 47°45'G 7°20'Dn
ys Yr Alban 14 D4 56°27'G 5°58'Gn
Pentir Yr Alban 17 G4 59°23'G 2°53'Gn
Swnt cf. Yr Alban 14 C4 56°37'G 6°01'Gn
ghareirk, Mynyddoedd Iwerddon 18 B2 52°22'G 9°17'Gn
Mullaghcleevaun br. Iwerddon 10 A5 53°06'G 6°24'Gn
Mullet, Gorynys Iwerddon 18 A4 54°10'G 10°07'Gn
Mullingar Iwerddon 18 D3 53°31'G 7°20'Gn
Multan Pakistan 96 D7 30°11'G 71°28'Dn
Mumbai (Bombay) India 96 D4 18°58'G 72°50'Dn
Muna ys Indonesia 103 G2 4°56'D 122°30'Dn
Muna a. Rwsia 55 N4 67°51'G 123°04'Dn
München Yr Almaen 46 D3 48°08'G 11°35'Dn
Mundesley Lloegr 9 G3 52°53'G 1°26'Dn
Mundford Lloegr 9 F3 52°31'G 0°39'Dn
Munger India 96 G6 25°22'G 86°28'Dn
Münster Yr Almaen 46 B4 51°57'G 7°38'Dn
Muojärvi ll. Y Ffindir 43 G4 65°55'G 29°38'Dn
Muonio Y Ffindir 43 E4 67°57'G 23°40'Dn
Muonioälven a. Y Ffindir/Sweden 43 E4 67°10'G 23°33'Dn
Murallón, Mynydd Chile 73 B2 49°50'D 73°27'Gn
Murashi Rwsia 52 E3 59°24'G 48°58'Dn
Murchison n. Awstralia 108 A4 27°39'D 114°09'Dn
Murcia Sbaen 45 E2 37°59'G 1°06'Gn
Mureşul a. România 50 D8 46°11'G 20°29'Dn
Muret Ffrainc 44 D3 43°28'G 1°20'Dn
Müritz, Llyn Yr Almaen 46 E5 53°25'G 12°43'Dn
Murmansk Rwsia 52 D4 68°57'G 33°07'Dn
Murmansk, Arfordir n. Rwsia 52 D4 69°15'G 33°36'Dn
Murom Rwsia 52 E3 55°34'G 42°04'Dn
Muroran Japan 104 D4 42°19'G 140°58'Dn
Murray a. Awstralia 108 C3 35°22'D 139°18'Dn
Murray Bridge Awstralia 108 C3 35°07'D 139°17'Dn
Murrumbidgee a. Awstralia 108 D3 34°42'D 143°13'Dn
Murwara India 96 F5 23°50'G 80°23'Dn
Murzūq Libya 84 F4 25°56'G 13°57'Dn
Mürzzuschlag Awstria 46 F2 47°37'G 15°41'Dn
Musala m. Bwlgaria 50 E6 42°11'G 23°35'Dn
Muscat Oman 95 I4 23°36'G 58°35'Dn
Musgrave, Cadwyni Awstralia 108 C4 26°17'D 131°01'Dn
Muskogee UDA 63 G4 35°47'G 95°23'Gn
Musmar Sudan 94 E3 18°13'G 35°40'Dn
Musoma Tanzania 83 C4 1°32'D 33°47'Dn
Musselburgh Yr Alban 15 F3 55°57'G 3°03'Gn
Mustafakemalpaşa Twrci 51 H5 40°02'G 28°23'Dn
Mut Twrci 51 J3 36°39'G 33°26'Dn
Mūţ Yr Aifft 85 G4 25°28'G 28°58'Dn
Mutare Zimbabwe 83 C3 18°58'D 32°40'Dn
Mutis, Mynydd Indonesia 103 G2 9°34'D 124°13'Dn
Mutsu Japan 104 D4 41°17'G 141°10'Dn
Mutuali Moçambique 83 C3 14°51'D 37°01'Dn
Muyezerskiy Rwsia 52 D4 63°57'G 32°01'Dn
Muzaffargarh Pakistan 95 L6 30°04'G 71°11'Dn
Muzaffarpur India 96 G6 26°05'G 85°28'Dn
Mwanza Tanzania 83 C4 2°30'D 32°56'Dn
Mwene-Ditu Gwer. Ddem. Congo 83 B4 7°01'D 23°27'Dn
Mweru, Llyn Gwer. Ddem. Congo/Zambia 83 B4
9°03'D 28°49'Dn
Mwmbwls, Y Cymru 10 C3 51°34'G 4°00'Gn
Myanmar Asia/Ewrop 97 I5 22°37'G 95°02'Dn
Mykolayiv Ukrain 49 J6 46°57'G 32°02'Dn
Myla Rwsia 52 F4 65°26'G 50°46'Dn
Mynwy a. England/Wales 8 C2 51°49'G 2°43'Gn
Mynwy, Sir rhan. Cymru 21 D2 51°47'G 2°58'Gn
Mynydd Crwn, Y Awstralia 108 E3 30°24'D 152°15'Dn
Mynydd Fairweather Canada/UDA 60 E3 58°54'G 137°29'Gn
Mynydd Glas, Copa Jamaica 66 P2 18°03'G 76°36'Gn
Mynyddoedd Du Cymru 10 D3 51°58'G 3°08'Gn
Mynyddoedd Gleision UDA 62 C6 44°20'G 118°27'Gn
Mynyddoedd yr Arfordir Canada 60 F3 52°40'G 127°48'Gn
Myronivka Ukrain 47 N3 49°39'G 30°59'Dn
Myrtle Beach tref UDA 63 K3 33°43'G 78°54'Gn
Mysore India 96 E3 12°18'G 76°39'Dn
My Tho Viet Nam 102 D6 10°21'G 106°22'Dn
Mytilini Groeg 50 G4 39°07'G 26°33'Dn
Mzuzu Malaŵi 83 C3 11°27'D 34°02'Dn

N

Naas Iwerddon 18 E3 53°13'G 6°40'Gn
Naberezhnyye Chelny Rwsia 52 F3 55°42'G 52°21'Dn
Nabeul Tunisia 48 F4 36°28'G 10°45'Dn
Nacala Moçambique 83 D3 14°34'D 40°41'Dn
Nador Moroco 48 C4 35°11'G 2°56'Gn
Nadvoitsy Rwsia 52 D4 63°54'G 34°17'Dn
Nadym Rwsia 54 I4 65°29'G 72°34'Dn
Næstved Denmarc 43 B1 55°14'G 11°46'Dn
Nafplio Groeg 50 E3 37°34'G 22°49'Dn
Naga Pili. 103 G6 13°37'G 123°11'Dn
Naga, Tir rhan. India 97 H6 25°56'G 94°21'Dn
Nagano Japan 104 C3 36°38'G 138°11'Dn
Nagaoka Japan 104 C3 37°26'G 138°51'Dn
Nagaon India 97 H6 26°21'G 92°40'Dn
Nagasaki Japan 104 A2 32°46'G 129°52'Dn
Nagercoil India 96 E2 8°11'G 77°26'Dn
Nagha Kalat Pakistan 95 K5 27°24'G 65°08'Dn
Nagorno-Karabakh rhan. Azerbaijan 53 E2 39°51'G 46°46'Dn
Nagoya Japan 104 C3 35°10'G 136°53'Dn
Nagpur India 96 E5 21°10'G 79°05'Dn
Naguabo Puerto Rico 66 S2 18°12'G 65°47'Gn
Nagurskoye Rwsia 54 F6 80°49'G 47°18'Dn
Nagykanizsa Hwngari 46 G2 46°28'G 16°59'Dn
Naha Japan 99 N3 26°12'G 127°39'Dn
Nahanni Ddeheuol a. Canada 60 F4 61°03'G 123°18'Gn
Nahāvand Iran 95 G6 34°12'G 48°22'Dn
Na h-Eileanan Siâr (Ynysoedd y Gorllewin) rhan.
Yr Alban 20 B5 58°15'G 6°33'Gn
Nailsworth Lloegr 8 C2 51°42'G 2°13'Gn
Nain Canada 61 L3 56°31'G 61°31'Gn
Nā'īn Iran 95 H6 32°50'G 53°03'Dn
Nairn Yr Alban 17 F2 57°35'G 3°52'Gn
Nairn a. Yr Alban 17 F2 57°35'G 3°52'Gn
Nairobi Kenya 85 H1 1°17'D 36°48'Dn
Najafābād Iran 95 H6 32°37'G 51°20'Dn
Najd n. Saudi Arabia 94 F5 25°40'G 41°06'Dn
Najrān Saudi Arabia 94 F3 17°32'G 44°13'Dn
Nakhodka Rwsia 55 O2 42°48'G 132°54'Dn
Nakhon Ratchasima Gwlad Thai 102 C6 14°57'G 102°08'Dn
Nakhon Sawan Gwlad Thai 102 C7 15°40'G 100°06'Dn
Nakhon Si Thammarat Gwlad Thai 102 B5 8°25'G 99°58'Dn
Nakina Canada 63 I7 50°10'G 86°43'Gn
Nakonde Zambia 83 C4 9°20'D 32°46'Dn
Nakskov Denmarc 43 B1 54°49'G 11°09'Dn
Nakuru Kenya 85 H1 0°16'D 36°05'Dn
Nal'chik Rwsia 53 E2 43°29'G 43°38'Dn
Nālūt Libya 84 F5 31°51'G 10°59'Dn
Namak, Kavīr-e n. Iran 95 I6 34°26'G 57°32'Dn
Namakzar-e Shadad n. Iran 95 I6 30°44'G 58°01'Dn
Namangan Uzbekistan 98 C6 40°59'G 71°38'Dn
Namaqua, Tir Mawr n. Namibia 83 A2 26°29'D 16°25'Dn
Nam Co ll. China 98 G4 30°42'G 90°35'Dn
Nam Đinh Viet Nam 102 D8 20°25'G 106°10'Dn
Namib, Diffeithwch Namibia 83 A2 25°21'D 15°06'Dn
Namibe Angola 83 A3 15°11'D 12°10'Dn
Namibia Affrica 83 A2 23°22'D 15°55'Dn
Namlea Indonesia 103 H3 3°16'D 127°06'Dn
Namp'o G. Korea 99 N5 38°43'G 125°23'Dn
Nampula Moçambique 83 C3 15°07'D 39°15'Dn
Namsos Norwy 43 B4 64°28'G 11°31'Dn
Namur Gwlad Belg 42 D3 50°28'G 4°52'Dn
Namur rhan. Gwlad Belg 42 D3 50°16'G 4°53'Dn
Nan Gwlad Thai 102 C7 18°47'G 100°47'Dn
Nanaimo Canada 62 B6 49°10'G 123°56'Gn
Nanao Japan 104 C3 37°03'G 136°58'Dn
Nanchang China 99 L3 28°42'G 115°58'Dn
Nanchong China 99 J4 30°46'G 106°04'Dn
Nancy Ffrainc 44 G6 48°42'G 6°11'Dn
Nanjing China 99 L4 32°04'G 118°50'Dn
Nan Ling mdd. China 99 K2 24°59'G 111°08'Dn
Nanning China 99 J2 22°49'G 108°24'Dn
Nanortalik Grønland 61 N4 60°09'G 45°15'Gn
Nanping China 99 L3 26°41'G 118°09'Dn
Nansen, Basn Cefn. Arctig 112 map 1 82°43'G 24°08'Dn
Nantes (Naoned) Ffrainc 44 C5 47°13'G 1°33'Gn
Nantes à Brest, Camlas Ffrainc 44 B5 47°42'G 2°07'Gn
Nantong China 99 M4 31°59'G 120°56'Dn
Nantucket, Ynys UDA 63 M5 41°17'G 69°59'Gn
Nantwich Lloegr 13 E2 53°04'G 2°31'Gn
Nant-y-Moch, Cronfa Ddŵr Cymru 10 D4 52°28'G 3°54'Gn
Nanyang China 99 K4 33°01'G 112°35'Dn
Nao, Penrhyn Sbaen 45 F3 38°44'G 0°13'Dn
Naoned (Nantes) Ffrainc 44 C5 47°13'G 1°33'Gn
Napaimiut UDA 60 C4 61°38'G 158°24'Gn
Napier Seland Newydd 109 G3 39°30'D 176°53'Dn
Napoli Yr Eidal 48 F5 40°51'G 14°15'Dn
Narbonne Ffrainc 44 E3 43°11'G 3°01'Dn
Narborough Norf. Lloegr 9 F3 52°41'G 0°35'Dn
Narborough S. Gaerlŷr Lloegr 8 D3 52°34'G 1°13'Gn
Narmada a. India 96 D5 21°40'G 72°50'Dn
Narodnaya, Mynydd Rwsia 52 F4 64°59'G 60°03'Dn
Naro-Fominsk Rwsia 47 Q6 55°22'G 36°45'Dn
Närpes Y Ffindir 43 E3 62°29'G 21°21'Dn
Narva Estonia 43 G2 59°22'G 28°11'Dn
Narvik Norwy 43 D5 68°26'G 17°25'Dn
Nar'yan-Mar Rwsia 52 F4 67°40'G 53°10'Dn
Naryn Kyrgyzstan 98 D6 41°19'G 75°56'Dn
Nasareth Israel 49 K3 32°40'G 35°18'Dn
Nashik India 96 D5 20°01'G 73°47'Dn
Nashville UDA 63 I4 36°11'G 86°46'Gn
Näsijärvi ll. Y Ffindir 43 E3 61°35'G 23°44'Dn
Nassau Bahamas 67 I6 25°05'G 77°23'Gn
Nassau ys Ysdd Cook 109 I5 11°32'D 165°22'Gn
Nasser, Llyn cr. Yr Aifft 85 H4 23°08'G 32°46'Dn
Nässjö Sweden 43 C2 57°39'G 14°43'Dn
Nata Botswana 83 B2 20°12'D 26°10'Dn
Natal Brasil 72 F6 5°44'D 35°10'Gn
Natchez UDA 63 H3 31°35'G 91°24'Gn
Natron, Llyn Tanzania 83 C4 2°18'D 36°02'Dn
Natuna, Ynysoedd Indonesia 102 D4 4°56'G 108°06'Dn
Natuna Besar ys Indonesia 102 D4 3°55'G 108°11'Dn
Nauru D. Cefn. Tawel 109 F6 0°30'D 166°56'Dn
Navalmoral de la Mata Sbaen 45 C3 39°53'G 5°32'Gn
Navan Iwerddon 18 E3 53°39'G 6°41'Gn
Navapolatsk Belarus 47 M6 55°32'G 28°40'Dn
Naver a. Yr Alban 17 E3 58°31'G 4°13'Gn
Naver, Loch Yr Alban 17 E3 58°17'G 4°24'Gn
Navlya Rwsia 47 P5 52°49'G 34°31'Dn
Navojoa México 66 C6 27°04'G 109°32'Gn
Nawabshah Pakistan 96 C6 26°14'G 68°24'Dn
Naxçıvan Azerbaijan 95 G7 39°13'G 45°24'Dn
Naxos ys Groeg 50 F3 37°02'G 25°35'Dn
Nayarit rhan. México 66 D5 22°07'G 104°45'Gn
Nay Pyi Taw Myanmar 97 I4 19°44'G 96°11'Dn
Nazas a. México 66 D6 25°34'G 104°55'Gn
Naze, Y pt Lloegr 9 G2 51°52'G 1°17'Dn
Nazilli Twrci 51 H3 37°55'G 28°19'Dn
Nazrēt Ethiopia 85 H2 8°32'G 39°16'Dn
Nazwá Oman 95 I4 22°56'G 57°31'Dn
N'dalatando Angola 83 A4 9°18'D 14°56'Dn
Ndélé GCA 85 G2 8°25'G 20°39'Dn
Ndeni ys Ysdd Solomon 109 F5 10°41'D 166°07'Dn
N'Djamena Tchad 84 F3 12°08'G 15°03'Dn
Ndola Zambia 83 B3 12°58'D 28°39'Dn
Neagh, Loch G. Iwerddon 14 C2 54°40'G 6°24'Gn
Nea Liosia Groeg 50 E4 38°04'G 23°42'Dn
Neapoli Groeg 50 E3 36°31'G 23°04'Dn
Nebitdag Turkmenistan 95 H7 39°27'G 54°17'Dn
Neblina, Copa Brasil 72 C7 0°49'G 66°13'Gn
Nebraska rhan. UDA 62 F5 41°30'G 100°06'Gn
Neckar a. Yr Almaen 44 H6 49°31'G 8°27'Dn
Nedd a. Cymru 10 D3 51°39'G 3°49'Gn
Needham Market Lloegr 9 G3 52°09'G 1°03'Dn
Needles UDA 62 D3 34°50'G 114°36'Gn
Needles, Y n. Lloegr 8 D1 50°40'G 1°37'Gn
Neftekamsk Rwsia 52 F3 56°06'G 54°14'Dn
Nefyn Cymru 10 C4 52°56'G 4°31'Gn
Negotin Serbia 50 E7 44°13'G 22°33'Dn
Negra, Penrhyn pt Periw 68 B3 6°05'D 81°21'Gn
Negril Jamaica 66 N2 18°16'G 78°21'Gn
Negro a. Ariannin 73 C2 41°01'D 62°48'Gn
Negro a. D. America 72 C6 3°08'D 59°57'Gn
Negro, Penrhyn Moroco 45 C1 35°41'G 5°16'Gn
Negros ys Pili. 103 G5 10°07'G 123°02'Dn
Neijiang China 99 J3 29°35'G 105°04'Dn
Nei Mongol Zizhiqu (Mongolia Fewnol) rhan. China
99 I6 40°12'G 103°26'Dn
Neiße a. Yr Almaen/Gwlad Pwyl 46 F5 52°04'G 14°46'Dn
Neiva Colombia 72 B7 2°55'G 75°15'Gn
Nek'emtē Ethiopia 85 H2 9°05'G 36°32'Dn
Neksø Denmarc 46 F6 55°03'G 15°08'Dn
Nelidovo Rwsia 47 O7 56°14'G 32°47'Dn
Nellore India 96 E3 14°27'G 79°59'Dn
Nelson Canada 60 G2 49°29'G 117°17'Gn
Nelson a. Canada 61 I3 56°58'G 92°45'Gn
Nelson Lloegr 13 E2 53°50'G 2°13'Gn
Nelson Seland Newydd 109 G2 41°17'D 173°15'Dn
Nelspruit D. Affrica 83 C2 25°28'D 30°59'Dn
Neman Rwsia 47 J6 55°02'G 22°02'Dn
Neman a. Rwsia 47 J6 55°03'G 22°14'Dn
Nementcha, Mynyddoedd Algeria 48 E3 34°55'G 6°50'Dn
Nemuro Japan 104 E4 43°17'G 145°30'Dn
Nenagh Iwerddon 18 C2 52°52'G 8°12'Gn
Nene a. Lloegr 9 F3 52°49'G 0°13'Dn
Nenjiang China 99 N7 49°04'G 125°12'Dn
Nepal Asia/Ewrop 96 F6 28°59'G 82°06'Dn
Nephin br. Iwerddon 18 B4 54°01'G 9°22'Gn
Neris a. Lithuania 43 F1 54°55'G 23°53'Dn
Ness a. Yr Alban 17 E2 57°29'G 4°14'Gn
Ness, Loch Yr Alban 17 E2 57°10'G 4°37'Gn
Neston Lloegr 12 D2 53°17'G 3°04'Gn
Nestos a. Groeg 50 F5 40°51'G 24°48'Dn
Netley Lloegr 8 D1 50°52'G 1°21'Gn
Nettilling, Llyn Canada 61 K4 66°30'G 70°39'Gn
Neubrandenburg Yr Almaen 46 E5 53°33'G 13°15'Dn
Neufchâteau Gwlad Belg 42 E2 49°51'G 5°27'Dn
Neumünster Yr Almaen 46 C6 54°05'G 9°59'Dn
Neunkirchen Yr Almaen 42 G2 49°21'G 7°10'Dn
Neuquén Ariannin 73 C3 38°57'D 68°03'Gn
Neuruppin Yr Almaen 46 E5 52°56'G 12°48'Dn
Neustrelitz Yr Almaen 46 E5 53°22'G 13°04'Dn
Neuwied Yr Almaen 46 B4 50°26'G 7°28'Dn
Nevada rhan. UDA 62 C4 39°03'G 117°06'Gn
Nevada, Sierra mdd. Sbaen 45 D2 37°04'G 3°20'Gn
Nevada, Sierra mdd. UDA 62 B5 40°07'G 121°00'Gn
Nevel' Rwsia 47 M7 56°01'G 29°55'Dn
Nevers Ffrainc 44 E5 47°00'G 3°09'Dn
Nevinnomyssk Rwsia 49 L5 44°38'G 41°56'Dn
Nevis, Loch Yr Alban 16 D2 57°00'G 5°42'Gn
Nevşehir Twrci 51 K4 38°37'G 34°43'Dn
New Addington Lloegr 9 E2 51°21'G 0°01'Gn
New Alresford Lloegr 8 D2 51°05'G 1°10'Gn
Newark UDA 63 L5 40°44'G 74°24'Gn
Newark-on-Trent Lloegr 13 G2 53°04'G 0°48'Gn
New Bern UDA 63 K4 35°05'G 77°03'Gn
Newbiggin-by-the-Sea Lloegr 13 F4 55°11'G 1°31'Gn
Newbridge Iwerddon 18 E3 53°11'G 6°48'Gn
New Brunswick (Nouveau-Brunswick) rhan. Canada
61 L2 46°41'G 66°28'Gn
Newburgh Yr Alban 15 F4 56°21'G 3°14'Gn
Newbury Lloegr 8 D2 51°24'G 1°19'Gn
Newcastle Awstralia 108 E3 32°56'D 151°44'Dn
Newcastle G. Iwerddon 14 D2 54°13'G 5°53'Gn
Newcastleton Yr Alban 15 G3 55°11'G 2°49'Gn
Newcastle-under-Lyme Lloegr 13 E2 53°01'G 2°13'Gn
Newcastle upon Tyne Lloegr 13 F3 54°59'G 1°37'Gn
Newcastle upon Tyne, Dinas Lloegr 20 E4 54°59'G 1°37'Gn
Newcastle West Iwerddon 18 B2 52°27'G 9°03'Gn
New Cumnock Yr Alban 14 E3 55°23'G 4°11'Gn
New Delhi India 96 E6 28°40'G 77°10'Dn
Newent Lloegr 8 C2 51°56'G 2°24'Gn
Newfoundland ys Canada 61 M2 48°30'G 56°04'Gn
Newfoundland a Labrador rhan. Canada 61 M3
55°44'G 56°53'Gn
New Galloway Yr Alban 14 E3 55°05'G 4°08'Gn
New Glasgow Canada 63 N6 45°35'G 62°35'Gn
New Hampshire rhan. UDA 63 L5 44°02'G 71°34'Gn
Newhaven Lloegr 9 F1 50°48'G 0°03'Dn
New Haven UDA 63 L5 41°18'G 72°56'Gn
New Jersey rhan. UDA 63 L4 39°57'G 74°26'Gn
New Liskeard Canada 63 K6 47°31'G 79°41'Gn
Newmarket Lloegr 9 F3 52°15'G 0°25'Dn
Newmarket-on-Fergus Iwerddon 18 C2 52°46'G 8°53'Gn
New Mexico rhan. UDA 62 E3 34°32'G 105°55'Gn
New Milton Lloegr 8 D1 50°45'G 1°40'Gn
Newnham Lloegr 8 C2 51°48'G 2°27'Gn
New Orleans UDA 63 H2 29°58'G 90°03'Gn
New Pitsligo Yr Alban 17 G2 57°36'G 2°12'Gn
Newport Ess. Lloegr 9 F2 51°59'G 0°13'Dn
Newport Tel. Wre. Lloegr 8 C3 52°46'G 2°22'Gn
Newport Ys Wyth Lloegr 8 D1 50°42'G 1°17'Gn
Newport News UDA 63 K4 37°00'G 76°26'Gn
Newport Pagnell Lloegr 8 E3 52°05'G 0°43'Gn
New Providence ys Bahamas 67 I6 25°03'G 77°25'Gn
Newquay Lloegr 11 B2 50°25'G 5°04'Gn
New Romney Lloegr 9 F1 50°59'G 0°56'Dn
New Ross Iwerddon 18 E2 52°23'G 6°57'Gn
Newry G. Iwerddon 14 C2 54°10'G 6°20'Gn
Newry, Camlas G. Iwerddon 14 C2 54°16'G 6°21'Gn
Newry, Mourne a Down rhan. G. Iwerddon 21 C4
54°13'G 5°56'Gn
Newton Abbot Lloegr 11 D2 50°32'G 3°37'Gn
Newton Aycliffe Lloegr 13 F3 54°37'G 1°34'Gn
Newtonhill Yr Alban 17 G2 57°02'G 2°09'Gn
Newton-le-Willows Lloegr 12 E2 53°27'G 2°38'Gn
Newton Mearns Yr Alban 14 E3 55°46'G 4°20'Gn
Newtonmore Yr Alban 17 E2 57°04'G 4°07'Gn
Newton St Cyres Lloegr 11 D2 50°46'G 3°35'Gn
Newton Stewart Yr Alban 14 E2 54°58'G 4°29'Gn
Newtownabbey G. Iwerddon 14 D2 54°39'G 5°54'Gn
Newtownabbey rhan. G. Iwerddon 21 C4 54°44'G 5°59'Gn
Newtownards G. Iwerddon 14 D2 54°35'G 5°41'Gn
Newtownbutler G. Iwerddon 14 B2 54°10'G 7°21'Gn
Newtown St Boswells Yr Alban 15 G3 55°35'G 2°40'Gn
Newtownstewart G. Iwerddon 14 B2 54°43'G 7°22'Gn
New York (Efrog Newydd) UDA 63 L5 40°41'G 73°59'Gn
New York (Efrog Newydd) rhan. UDA 63 K5 42°43'G 75°14'Gn
Neyrīz Iran 95 H5 29°12'G 54°19'Dn
Neyshābūr Iran 95 I7 36°12'G 58°46'Dn
Ngaoundéré Cameroon 84 F2 7°20'G 13°34'Dn
Nguigmi Niger 84 F3 14°14'G 13°05'Dn
Ngulu n. Micronesia 103 J5 8°28'G 137°37'Dn
Nha Trang Viet Nam 102 D6 12°15'G 109°12'Dn
Niamey Niger 84 E3 13°31'G 2°07'Dn
Niangara Gwer. Ddem. Congo 83 B5 3°40'G 27°52'Dn
Nias ys Indonesia 102 B4 1°03'G 97°36'Dn
Nicaragua Cb. America 67 G3 13°13'G 85°57'Gn
Nicaragua, Llyn Nicaragua 67 G3 11°31'G 85°21'Gn
Nice Ffrainc 44 G3 43°42'G 7°17'Dn
Nicobar, Ynysoedd India 97 H2 8°03'G 93°53'Dn
Nicosia (Lefkosia) Cyprus 51 J2 35°10'G 33°22'Dn
Nicoya, Gwlff b. Costa Rica 67 H2 10°04'G 85°04'Gn
Nidd a. Lloegr 13 F3 54°01'G 1°13'Gn
Nidzica Gwlad Pwyl 46 I5 53°22'G 20°26'Dn
Niedersachsen rhan. Yr Almaen 42 G5 52°43'G 8°53'Dn
Nienburg Yr Almaen 46 C5 52°38'G 9°13'Dn
Niers a. Yr Almaen 42 E4 51°42'G 5°57'Dn
Nieuwpoort Gwlad Belg 42 B4 51°08'G 2°45'Dn
Niğde Twrci 51 K3 37°59'G 34°41'Dn
Niger Affrica 84 E3 17°03'G 10°05'Dn
Niger a. Affrica 84 E2 11°39'G 8°42'Gn
Nigeria Affrica 84 E2 9°09'G 7°54'Dn
Nigg, Bae Yr Alban 17 E2 57°43'G 4°05'Gn
Niigata Japan 104 C3 37°55'G 139°03'Dn
Nijmegen Yr Iseldiroedd 42 E4 51°50'G 5°52'Dn
Nikel' Rwsia 43 G5 69°24'G 30°13'Dn
Nikol'sk Rwsia 52 E3 59°32'G 45°27'Dn
Nikopol' Ukrain 47 P2 47°34'G 34°24'Dn
Niksar Twrci 51 L5 40°35'G 36°57'Dn
Nikšić Montenegro 50 C6 42°46'G 18°56'Dn
Nikumaroro n. Kiribati 109 H6 4°43'D 174°31'Gn
Nîl a. Affrica 85 H5 30°11'G 31°06'Dn
Nîl Albert a. De Sudan/Uganda 85 H2 3°35'G 32°02'Dn
Nilgiri, Bryniau India 96 E3 11°13'G 76°31'Dn
Nîl Las a. Ethiopia/Sudan 85 H3 15°38'G 32°30'Dn
Nîl Wen a. Affrica 85 H3 15°38'G 32°30'Dn
Nîmes Ffrainc 44 F3 43°51'G 4°22'Dn
Ningbo China 99 M3 29°54'G 121°34'Dn
Ningxia Huizu Zizhiqu rhan. China 99 J5 37°11'G 105°28'Dn
Niobrara a. UDA 62 G5 42°46'G 98°02'Gn
Nioro Mali 84 D3 15°14'G 9°36'Gn
Niort Ffrainc 44 C5 46°20'G 0°28'Gn
Nipigon Canada 61 J2 49°00'G 88°17'Gn
Nipigon, Llyn Canada 61 J2 49°43'G 88°33'Gn
Nipissing, Llyn Canada 63 K6 46°15'G 79°39'Gn
Niš Serbia 50 D6 43°19'G 21°54'Dn
Nith a. Yr Alban 15 F3 55°02'G 3°36'Gn
Nitra Slofacia 46 H3 48°19'G 18°05'Dn
Niue rhan. D. Cefn. Tawel 109 I5 19°03'D 169°45'Gn
Nivelles Gwlad Belg 42 D3 50°36'G 4°20'Dn
Nizamabad India 96 E4 18°41'G 78°07'Dn

ena UDA 62 C3 34°11'G 118°08'Gn
ni România 47 L2 47°15'G 26°44'Dn
a, Ynys (Ynys y Pasg) Chile 116 C2 27°05'D 109°17'Gn
Pakistan 95 J5 25°15'G 63°28'Dn
Yr Almaen 46 E3 48°34'G 13°25'Dn
Fundo Brasil 73 D4 28°18'D 52°24'Gn
y Belarus 47 L6 55°07'G 26°50'Dn
Colombia 72 B7 1°11'G 77°17'Gn
onia n. Ariannin/Chile 73 B1 51°44'D 71°19'Gn
way Lloegr 8 C2 51°32'G 2°34'Gn
on UDA 63 L5 40°54'G 74°09'Gn
s Puerto Rico 66 R2 18°01'G 66°01'Gn
India 96 G6 25°37'G 85°09'Dn
Albania 50 C5 40°40'G 19°39'Dn
Morlyn Brasil 73 D3 30°39'D 50°58'Gn
de Minas Brasil 72 E5 18°36'D 46°30'Gn
Groeg 50 D4 38°14'G 21°45'Dn
, Gwlff b. Groeg 50 D4 38°15'G 21°26'Dn
gton Lloegr 13 G2 53°41'G 0°01'Gn
rainc 44 C3 43°18'G 0°22'Gn
Afonso Brasil 72 F6 9°20'D 38°13'Gn
Yr Eidal 46 C1 45°11'G 9°09'Dn
lar Kazakhstan 54 I3 52°18'G 77°02'Dn
rad Ukrain 47 P3 48°31'G 35°53'Dn
skaya Rwsia 49 K6 46°09'G 39°47'Dn
noy, Cadwyn brau. Rwsia 52 G4 69°33'G 60°39'Dn
ndú Uruguay 73 D3 32°19'D 58°05'Gn
lzhik Bwlgaria 50 F6 42°12'G 24°20'Dn
a. Canada 60 G3 58°54'G 111°50'Gn
haven Lloegr 9 E1 50°48'G 0°00'Gn
River tref Canada 60 G3 56°15'G 117°17'Gn
Mynydd UDA 62 E4 38°26'G 109°13'Gn
. UDA 63 I3 30°10'G 89°37'Gn
sovo 50 D6 42°39'G 20°17'Dn
ra Rwsia 52 F4 65°09'G 57°13'Dn
ra a. Rwsia 52 F4 68°13'G 53°54'Dn
ra, Môr Rwsia 52 F4 69°47'G 54°14'Dn
UDA 62 F3 31°23'G 103°30'Gn
a. UDA 62 F2 29°50'G 101°28'Gn
lwngari 46 H2 46°05'G 18°13'Dn
Juan Caballero Paraguay 73 D4 22°29'D 55°44'Gn
s Yr Alban 15 F3 55°39'G 3°12'Gn
Canada 60 E4 68°03'G 134°26'Gn
urt ny hInshey) Ys Manaw 12 C3 54°13'G 4°41'Gn
us, Bae Seland Newydd 109 G2 43°20'D 172°49'Dn
Myanmar 97 I4 17°20'G 96°29'Dn
ll, Bae Lloegr 9 G2 51°19'G 1°21'Dn
y De Antarctica 112 map 2 90°00'D 0°00'
y Gogledd UDA 112 map 1 64°45'G 147°20'Gn
ol, Llwyfandir Antarctica 112 map 2 87°44'D 36°18'Gn
, Llyn Estonia/Rwsia 43 F2 58°38'G 27°28'Dn
ngan Indonesia 102 D2 6°53'D 109°40'Dn
s, Môr Groeg 50 F2 36°11'G 25°24'Dn
Mont m. Ffrainc 44 G4 44°16'G 6°43'Dn
ys Indonesia 103 G3 1°24'D 122°59'Dn
Ffindir 43 E4 66°47'G 23°59'Dn
s Brasil 73 D3 31°46'D 52°19'Gn
s, Rio das a. Brasil 73 D4 27°35'D 51°24'Gn
Moçambique 83 D3 12°59'D 40°32'Dn
Zambia 83 B3 16°31'D 27°22'Dn
, Ynys Tanzania 83 C4 5°25'D 39°46'Dn
oke Canada 63 K6 45°49'G 77°06'Gn
ury Lloegr 9 F2 51°09'G 0°19'Dn
Trin. a Tob. 67 Y1 10°10'G 61°28'Gn
ra m. Sbaen 45 D4 40°51'G 3°56'Gn
Nevada, Copa México 66 E5 23°46'G 99°50'Gn
nda de Bracamonte Sbaen 45 C4 40°55'G 5°11'Gn
âg Cymru 10 D5 53°11'G 3°02'Gn
h Cymru 11 D3 51°26'G 3°10'Gn
Gwlff Chile 73 B2 47°18'D 75°35'Gn
dw (Birkenhead) Lloegr 12 D2 53°23'G 3°01'Gn
e Cymru 10 C3 51°41'G 4°17'Gn
aer pr Cymru 10 B4 52°02'G 5°08'Gn
ug (Penkridge) Lloegr 8 C3 52°43'G 2°07'Gn
e, Bryn br. Lloegr 13 E2 53°52'G 2°18'Gn
ebury Lloegr 13 E2 53°30'G 2°19'Gn
eton UDA 62 C6 45°39'G 118°48'Gn
Cymru 10 C3 51°40'G 4°55'Gn
, Sir rhan. Cymru 21 C2 51°55'G 4°48'Gn
aik Yr Alban 15 F3 55°50'G 3°13'Gn
dge (Pencrug) Lloegr 8 C3 52°43'G 2°07'Gn
aendewi pr Cymru 10 B3 51°54'G 5°20'Gn
hes, Y brau. Lloegr 13 E3 54°23'G 2°18'Gn
ylvania rhan. UDA 63 K5 41°18'G 78°00'Gn
, Cap Iâ n. Canada 61 L4 67°10'G 66°02'Gn
yn Gobaith Da D. Affrica 83 A1 34°22'D 18°29'Dn
yn Johnson, Dyfnder n. G. Cefn. Tawel 117 0 10°26'G 126°39'Dn
yn Mawr pt Cymru 10 C4 52°51'G 4°43'Gn
yn y De Ddwyrain Awstralia 108 D2 43°38'D 146°55'Dn
yn y Dwyrain Seland Newydd 109 G3 37°40'D 178°33'Dn
yn y Gogledd Norwy 43 F5 71°10'G 25°47'Dn
yn y Gogledd Seland Newydd 109 G3 34°25'D 173°03'Dn
yn y Gogledd Orllewin Awstralia 108 A4 21°49'D 114°12'Dn
h Lloegr 12 E3 54°40'G 2°45'Gn
n Lloegr 11 B2 50°10'G 5°06'Gn
cola UDA 63 I3 30°27'G 87°13'Gn
cola, Mynydd Antarctica 112 map 2 85°24'D 73°42'Gn
ton Canada 62 C6 49°30'G 119°35'Gn
Du Lloegr 11 B2 50°00'G 5°07'Gn
e, Pwynt Lloegr 11 B2 50°35'G 5°00'Gn
nd, Bryniau Yr Alban 15 F3 55°43'G 3°30'Gn
nd, Moryd cf. Yr Alban 17 F3 58°43'G 3°16'Gn
nd, Skerries ysdd Yr Alban 17 G3 58°41'G 2°54'Gn
wyn Cymru 10 C3 51°45'G 4°34'Gn
-bont ar Ogwr Cymru 11 D3 51°30'G 3°35'Gn
-bont ar Ogwr rhan. Cymru 21 D2 51°34'G 3°33'Gn
Fan br. Cymru 10 D3 51°53'G 3°26'Gn
Gadair br. Cymru 10 D4 52°42'G 3°55'Gn
-Ghent br. Lloegr 13 E3 54°10'G 2°15'Gn
ogarth pr Cymru 10 D5 53°21'G 3°52'Gn
Rwsia 53 E3 53°12'G 45°01'Dn
nce Lloegr 11 B2 50°07'G 5°32'Gn
ina, Gwlff b. Rwsia 55 R4 62°05'G 163°30'Dn
UDA 63 I5 40°41'G 89°37'Gn
ebnoye Rwsia 52 G4 62°59'G 65°11'Dn
a Colombia 72 B7 4°45'G 75°41'Gn
eux Ffrainc 44 D4 45°11'G 0°43'Dn
Sierra de mdd. Venezuela 67 J2 9°09'G 73°12'Gn
Moreno Ariannin 73 B2 46°36'D 71°02'Gn
D. America 72 B5 5°50'D 77°14'Gn
-Chile, Ffos n. D. Cefn. Tawel 116 D2 9°16'D 81°56'Gn
, Pwynt Nicaragua 67 H3 12°23'G 83°30'Gn
Rwsia 52 F3 58°01'G 56°14'Dn
k Bwlgaria 50 E6 42°36'G 23°02'Dn
ne Ffrainc 42 B2 49°56'G 2°56'Dn
gnan Ffrainc 44 E3 42°42'G 2°54'Dn
nporth Lloegr 11 B2 50°21'G 5°09'Gn
ore Lloegr 8 C3 52°07'G 2°04'Gn
Awstralia 108 A3 31°56'D 115°47'Dn
Perth Yr Alban 15 F4 56°24'G 3°26'Gn
Perth a Kinross rhan. Yr Alban 20 C5 56°37'G 4°07'Gn
Perugia Yr Eidal 48 F5 43°07'G 12°23'Dn
Pervomays'k Ukrain 47 N3 48°03'G 30°51'Dn
Pescara Yr Eidal 48 F5 42°27'G 14°12'Dn
Pesebre, Pwynt Sbaen 45 Y2 28°07'G 14°29'Gn
Peshawar Pakistan 96 D7 33°59'G 71°34'Dn
Peshkopi Albania 50 D5 41°41'G 20°26'Dn
Peterborough Canada 61 K2 44°18'G 78°20'Gn
Peterborough Lloegr 9 E3 52°34'G 0°14'Gn
Peterborough rhan. Lloegr 21 E3 52°36'G 0°16'Gn
Peterhead Yr Alban 17 H2 57°31'G 1°47'Gn
Peterlee Lloegr 13 F3 54°46'G 1°20'Gn
Petersfield Lloegr 8 E2 51°00'G 0°56'Gn
Petersville UDA 60 C4 62°30'G 150°46'Gn
Petit Mécatina a. Canada 61 M3 50°40'G 59°25'Gn
Petrich Bwlgaria 50 E5 41°24'G 23°12'Dn
Petrolina Brasil 72 E6 9°22'D 40°25'Gn
Petropavlovsk Kazakhstan 54 H3 54°51'G 69°06'Dn
Petropavlovsk-Kamchatskiy Rwsia 55 Q3 53°01'G 158°44'Dn
Petroşani România 50 E7 45°25'G 23°23'Dn
Petrozavodsk Rwsia 52 D4 61°48'G 34°19'Dn
Petworth Lloegr 9 E1 50°59'G 0°36'Gn
Pevensey Lloegr 9 F1 50°49'G 0°21'Dn
Pewsey Lloegr 8 D2 51°20'G 1°46'Gn
Pforzheim Yr Almaen 46 C3 48°53'G 8°42'Dn
Phan Thiêt Viet Nam 102 D6 10°57'G 108°07'Dn
Phatthalung Gwlad Thai 102 C5 7°39'G 100°06'Dn
Phayao Gwlad Thai 102 B7 19°10'G 99°57'Dn
Phet Buri Gwlad Thai 102 B6 13°06'G 99°56'Dn
Philadelphia UDA 63 K4 39°57'G 75°10'Gn
Philippeville Gwlad Belg 42 D3 50°12'G 4°33'Dn
Philippines (Pilipinas) Asia/Ewrop 103 G6 15°36'G 122°55'Dn
Phitsanulok Gwlad Thai 102 C7 16°50'G 100°18'Dn
Phnom Penh Cambodia 102 C6 11°33'G 104°54'Dn
Phoenix UDA 62 D3 33°31'G 112°07'Gn
Phoenix, Ynysoedd Kiribati 109 H6 2°43'D 173°22'Gn
Phôngsali Laos 102 C8 21°40'G 102°06'Dn
Phrae Gwlad Thai 102 C7 18°07'G 100°12'Dn
Phuket Gwlad Thai 102 B5 7°53'G 98°23'Dn
Piacenza Yr Eidal 46 C1 45°03'G 9°42'Dn
Piatra Neamț România 47 L2 46°56'G 26°22'Dn
Piave a. Yr Eidal 46 E1 45°32'G 12°44'Dn
Picardie n. Ffrainc 44 D6 49°47'G 1°35'Dn
Picardie rhan. Ffrainc 42 B2 49°42'G 2°54'Dn
Pickering Lloegr 13 G3 54°15'G 0°47'Gn
Pickering, Dyffryn n. Lloegr 13 G3 54°13'G 0°45'Gn
Piedras Negras México 66 D6 28°40'G 100°34'Gn
Pieksämäki Y Ffindir 43 F3 62°18'G 27°10'Dn
Pielinen ll. Y Ffindir 43 G3 63°14'G 29°41'Dn
Pierre UDA 62 F5 44°23'G 100°23'Gn
Pierreville Trin. a Tob. 67 Y1 10°16'G 60°59'Gn
Pietermaritzburg D. Affrica 83 C2 29°36'D 30°23'Dn
Pietrosa m. România 47 K2 47°34'G 24°41'Dn
Pihlajavesi ll. Y Ffindir 43 G3 61°45'G 28°46'Dn
Pijijiapan México 66 F4 15°46'G 93°14'Gn
Pîl, Y Cymru 11 D3 51°32'G 3°42'Gn
Piła Gwlad Pwyl 46 G5 53°09'G 16°45'Dn
Pilipinas (Philippines) Asia/Ewrop 103 G6 15°36'G 122°55'Dn
Pilipinas, Ffos y n. G. Cefn. Tawel 117 I3 15°40'G 123°45'Dn
Pimperne Lloegr 8 C1 50°53'G 2°08'Gn
Pinang ys Malaysia 102 C5 5°21'G 100°11'Dn
Pınarbaşı Twrci 51 L4 38°44'G 36°25'Dn
Pinar del Río Cuba 67 H5 22°25'G 83°43'Gn
Pindos, Mynyddoedd Groeg 50 D4 39°56'G 20°56'Dn
Pine Bluff UDA 63 H3 34°16'G 92°02'Gn
Pinega Rwsia 52 E4 64°41'G 43°24'Dn
Pineios a. Groeg 50 E4 39°53'G 22°43'Dn
Pingdingshan China 99 K4 33°45'G 113°18'Dn
Pingxiang Guangxi China 99 J2 22°03'G 106°50'Dn
Pingxiang Jiangxi China 99 K3 27°42'G 113°52'Dn
Pinsk Belarus 47 L5 52°08'G 26°06'Dn
Pionerskiy Rwsia 52 G4 61°08'G 62°51'Dn
Piotrków Trybunalski Gwlad Pwyl 46 H4 51°25'G 19°41'Dn
Pipmuacan, Cronfa Ddŵr Canada 63 L6 49°37'G 70°33'Gn
Piraeus Groeg 50 E3 37°56'G 23°38'Dn
Pirot Serbia 50 E6 43°09'G 22°34'Dn
Pisa Yr Eidal 48 F5 43°42'G 10°24'Dn
Písek Tsiecia 46 F3 49°19'G 14°10'Dn
Pisuerga a. Sbaen 45 C4 41°34'G 4°50'Gn
Pisz Gwlad Pwyl 47 I5 53°38'G 21°48'Dn
Pitcairn, Ynys Ysdd Pitcairn 116 B2 25°03'D 130°06'Gn
Pitcairn, Ynysoedd rhan. D. Cefn. Tawel 116 B2 23°35'D 126°31'Gn
Piteå Sweden 43 E4 65°19'G 21°30'Dn
Piteşti România 50 F7 44°52'G 24°53'Dn
Pitlochry Yr Alban 17 F1 56°42'G 3°44'Gn
Pittsburgh UDA 63 K5 40°26'G 79°59'Gn
Plasencia Sbaen 45 B4 40°02'G 6°05'Gn
Platinum UDA 60 B3 58°59'G 161°48'Gn
Platte a. UDA 62 G5 41°04'G 95°53'Gn
Platte Ddeheuol a. UDA 62 F5 41°08'G 100°47'Gn
Platte Ogleddol a. UDA 62 F5 41°10'G 100°48'Gn
Plauen Yr Almaen 46 E4 50°30'G 12°08'Dn
Plavsk Rwsia 47 Q5 53°42'G 37°18'Dn
Playa Blanca Sbaen 45 Z2 28°52'G 13°50'Gn
Plenty, Bae g. Seland Newydd 109 G3 37°37'D 176°59'Dn
Plesetsk Rwsia 52 E4 62°43'G 40°18'Dn
Pleven Bwlgaria 50 F6 43°25'G 24°37'Dn
Płock Gwlad Pwyl 46 H5 52°33'G 19°43'Dn
Pločno m. Bos. a Herz. 50 B6 43°36'G 17°35'Dn
Ploieşti România 50 G7 44°56'G 26°02'Dn
Plomb du Cantal m. Ffrainc 44 E4 45°03'G 2°46'Dn
Plovdiv Bwlgaria 50 F6 42°10'G 24°44'Dn
Plungė Lithuania 47 I6 55°55'G 21°51'Dn
Plymouth Lloegr 11 C2 50°22'G 4°08'Gn
Plymouth rhan. Lloegr 21 C2 50°24'G 4°08'Gn
Plympton Lloegr 11 C2 50°23'G 4°03'Gn
Plymstock Lloegr 11 C2 50°21'G 4°06'Gn
Plzeň Tsiecia 46 E3 49°45'G 13°23'Dn
Pô Burkina Faso 84 D3 11°11'G 1°08'Gn
Po a. Yr Eidal 46 E1 45°02'G 12°11'Dn
Pobeda, Mynydd Rwsia 55 P4 65°12'G 145°54'Dn
Pocatello UDA 62 D5 42°54'G 112°25'Gn
Pochep Rwsia 47 O5 52°56'G 33°27'Dn
Pocklington Lloegr 13 G2 53°56'G 0°47'Gn
Poços de Caldas Brasil 73 E4 21°48'D 46°31'Gn
Podgorica Montenegro 50 C6 42°27'G 19°17'Dn
Podkamennaya Tunguska a. Rwsia 55 K4 61°36'G 90°08'Dn
Podol'sk Rwsia 52 D3 55°25'G 37°34'Dn
Pointe-à-Pitre Guadeloupe 72 C8 16°15'G 61°32'Gn
Pointe-Noire Congo 84 F1 4°48'D 11°51'Dn
Point Fortin Trin. a Tob. 67 X1 10°07'G 61°40'Gn
Poitiers Ffrainc 44 D5 46°35'G 0°20'Dn
Pokaran India 96 D6 26°56'G 71°54'Dn
Polatlı Twrci 51 J4 39°35'G 32°08'Dn
Polatsk Belarus 47 M6 55°29'G 28°47'Dn
Polegate Lloegr 9 F1 50°49'G 0°15'Dn
Pol-e Khomrī Afgh. 95 K7 35°58'G 68°42'Dn
Polis Cyprus 51 J2 35°01'G 32°25'Dn
Pôl Magnetig y De (2014) Cefnfor y De 112 map 2 64°20'D 136°52'Dn
Pôl Magnetig y Gogledd (2014) Cefn. Arctig 112 map 1 85°56'G 148°55'Gn
Polokwane D. Affrica 83 B2 23°54'D 29°27'Dn
Polperro Lloegr 11 C2 50°20'G 4°31'Gn
Poltava Ukrain 47 P3 49°36'G 34°34'Dn
Polygyros Groeg 50 E5 40°23'G 23°27'Dn
Polykastro Groeg 50 E5 40°59'G 22°34'Dn
Polynesia ysdd Cefn. Tawel 116 B2 16°20'D 154°11'Gn
Polynesia Ffrengig rhan. D. Cefn. Tawel 114 B2 18°43'D 147°32'Gn
Pombal Portiwgal 45 A3 39°55'G 8°37'Gn
Ponce Puerto Rico 67 K4 18°00'G 66°37'Gn
Ponferrada Sbaen 45 B5 42°33'G 6°36'Gn
Ponta do Sol Cabo Verde 84 B3 17°10'G 25°05'Gn
Ponta Grossa Brasil 73 D4 25°03'D 50°07'Gn
Pont-à-Mousson Ffrainc 42 F1 48°54'G 6°03'Dn
Pontardawe Cymru 10 D3 51°43'G 3°51'Gn
Pontarfynach Cymru 10 D4 52°23'G 3°51'Gn
Pontefract Lloegr 13 F2 53°41'G 1°18'Gn
Ponteland Lloegr 13 F4 55°03'G 1°44'Gn
Pontevedra Sbaen 45 A5 42°27'G 8°37'Gn
Pontianak Indonesia 102 D3 0°02'D 109°20'Dn
Pontoise Ffrainc 44 E6 49°03'G 2°06'Dn
Pontycymer Cymru 10 D3 51°37'G 3°35'Gn
Pontypridd Cymru 10 D3 51°36'G 3°20'Gn
Pont-y-pŵl Cymru 10 D3 51°42'G 3°02'Gn
Poole Lloegr 8 D1 50°43'G 1°59'Gn
Poole rhan. Lloegr 21 E2 50°44'G 1°57'Gn
Poole, Bae Lloegr 8 D1 50°40'G 1°55'Gn
Pooley Bridge Lloegr 12 E3 54°37'G 2°49'Gn
Poopó, Llyn Bolivia 72 C5 18°50'D 67°05'Gn
Popigay a. Rwsia 55 L5 72°56'G 106°10'Dn
Poplar Bluff UDA 63 H4 36°47'G 90°23'Gn
Popocatépetl, Volcán llosg. México 66 E4 19°02'G 98°38'Gn
Poprad Slofacia 46 I3 49°04'G 20°18'Dn
Porbandar India 96 C5 21°38'G 69°37'Dn
Pori Y Ffindir 43 E3 61°29'G 21°48'Dn
Porlock Lloegr 11 D3 51°13'G 3°36'Gn
Poronaysk Rwsia 55 P2 49°16'G 143°03'Dn
Porsanger, Ffiord cf. Norwy 43 F5 70°19'G 25°18'Dn
Porsangerhalvøya gor. Norwy 43 F5 70°45'G 25°01'Dn
Porsgrunn Norwy 43 B2 59°08'G 9°39'Dn
Porsuk a. Twrci 51 I4 39°41'G 31°58'Dn
Portadown G. Iwerddon 14 C2 54°25'G 6°26'Gn
Portaferry G. Iwerddon 14 D2 54°23'G 5°32'Gn
Portage la Prairie Canada 60 I2 49°58'G 98°19'Gn
Portalegre Portiwgal 45 B3 39°18'G 7°25'Gn
Port an Eilein (Port Ellen) Yr Alban 14 C3 55°38'G 6°11'Gn
Port Angeles UDA 62 B6 48°06'G 123°25'Gn
Port Antonio Jamaica 66 P2 18°10'G 76°27'Gn
Port Arthur UDA 63 H2 29°51'G 93°58'Gn
Port Ascaig (Port Askaig) Yr Alban 14 C3 55°51'G 6°06'Gn
Port Askaig (Port Ascaig) Yr Alban 14 C3 55°51'G 6°06'Gn
Port Augusta Awstralia 108 C3 32°29'D 137°45'Dn
Port-au-Prince Haiti 67 J4 18°33'G 72°19'Gn
Portavogie G. Iwerddon 14 D2 54°27'G 5°26'Gn
Port Blair India 97 H3 11°40'G 92°45'Dn
Port-de-Paix Haiti 67 J4 19°57'G 72°50'Gn
Port Elizabeth D. Affrica 83 B1 33°57'D 25°37'Dn
Port Ellen (Port an Eilein) Yr Alban 14 C3 55°38'G 6°11'Gn
Port Erin Ys Manaw 12 C3 54°05'G 4°45'Gn
Port-Gentil Gabon 84 E1 0°44'D 8°48'Dn
Port Glasgow Yr Alban 14 E3 55°56'G 4°41'Gn
Port Harcourt Nigeria 84 E2 4°46'G 7°01'Dn
Port Hedland Awstralia 108 A4 20°23'D 118°37'Dn
Port Hope Simpson Canada 61 M3 52°31'G 55°47'Gn
Portimão Portiwgal 45 A2 37°08'G 8°32'Gn
Port Isaac, Bae Lloegr 11 C2 50°36'G 4°49'Gn
Portishead Lloegr 8 C2 51°29'G 2°46'Gn
Portiwgal Ewrop 45 B3 39°41'G 7°57'Gn
Portknockie Yr Alban 17 G2 57°42'G 2°51'Gn
Portland Awstralia 108 D3 38°21'D 141°34'Dn
Portland Me. UDA 63 L5 43°41'G 70°17'Gn
Portland Oreg. UDA 62 B6 45°29'G 122°38'Gn
Portland, Geneufor moryd Jamaica 66 O1 17°44'G 77°02'Gn
Portland, Pwynt Jamaica 66 O1 17°42'G 77°09'Gn
Portland, Ynys gor. Lloegr 8 C1 50°33'G 2°25'Gn
Portland Bill pr Lloegr 8 C1 50°30'G 2°30'Gn
Portlaoise Iwerddon 18 D3 53°02'G 7°18'Gn
Portlethen Yr Alban 17 G2 57°04'G 2°08'Gn
Port Lincoln Awstralia 108 C3 34°43'D 135°49'Dn
Port Macquarie Awstralia 108 E3 31°25'D 152°53'Dn
Port Maria Jamaica 66 P2 18°22'G 76°54'Gn
Port Morant Jamaica 66 P1 17°55'G 76°19'Gn
Port Moresby PGN 108 D6 9°28'D 147°12'Dn
Port na h-Aibhne (Portnahaven) Yr Alban 14 C3 55°41'G 6°30'Gn
Portnahaven (Port na h-Aibhne) Yr Alban 14 C3 55°41'G 6°30'Gn
Port Ness (Port Nis) Yr Alban 16 C3 58°30'G 6°14'Gn
Port Nis (Port Ness) Yr Alban 16 C3 58°30'G 6°14'Gn
Porto Portiwgal 45 A4 41°11'G 8°36'Gn
Porto Alegre Brasil 73 D3 30°03'D 51°11'Gn
Porto Esperidião Brasil 72 D5 15°50'D 58°32'Gn
Port of Spain Trin. a Tob. 67 L3 10°37'G 61°30'Gn
Portogruaro Yr Eidal 46 E1 45°46'G 12°50'Dn
Porto-Novo Benin 84 E2 6°29'G 2°38'Dn
Porto Santana Brasil 72 D6 0°01'D 51°09'Gn
Porto-Vecchio Ffrainc 44 H2 41°35'G 9°16'Dn
Porto Velho Brasil 72 C6 8°47'D 63°54'Gn
Portoviejo Ecuador 72 A6 1°06'D 80°28'Gn
Portpatrick Yr Alban 14 D2 54°51'G 5°07'Gn
Port Pirie Awstralia 108 C3 33°10'D 138°02'Dn
Portree (Portrìgh) Yr Alban 16 C2 57°25'G 6°12'Gn
Portrìgh (Portree) Yr Alban 16 C2 57°25'G 6°12'Gn
Portrush G. Iwerddon 14 C3 55°12'G 6°39'Gn
Port Said (Bûr Sa'îd) Yr Aifft 85 H5 31°16'G 32°18'Dn
Portsmouth Lloegr 8 D1 50°48'G 1°06'Gn
Portsmouth rhan. Lloegr 21 E2 50°50'G 1°04'Gn
Portsmouth UDA 63 J4 38°44'G 82°59'Gn
Portsoy Yr Alban 17 G2 57°41'G 2°41'Gn
Portstewart G. Iwerddon 14 C3 55°11'G 6°43'Gn
Port Sudan (Būr Sūdān) Sudan 85 H3 19°36'G 37°12'Dn
Port Talbot Cymru 10 D3 51°36'G 3°48'Gn
Portumna Iwerddon 18 C3 53°06'G 8°13'Gn
Port Vila Vanuatu 109 F5 17°44'D 168°17'Dn
Port William Yr Alban 14 E2 54°46'G 4°35'Gn
Porthaethwy Cymru 10 C5 53°13'G 4°10'Gn
Porthcawl Cymru 11 D3 51°29'G 3°42'Gn
Porthleven Lloegr 11 B2 50°05'G 5°19'Gn
Porthmadog Cymru 10 C4 52°56'G 4°08'Gn
Porth Madryn Ariannin 73 C2 42°46'D 65°01'Gn
Porth Tywyn Cymru 10 C3 51°41'G 4°16'Gn
Posadas Ariannin 73 D4 27°23'D 55°52'Gn
Poso Indonesia 103 G3 1°23'D 120°45'Dn
Potenza Yr Eidal 49 F5 40°38'G 15°48'Dn
P'ot'i Georgia 53 E2 42°09'G 41°40'Dn
Potiskum Nigeria 84 F3 11°42'G 11°04'Dn
Potosí Bolivia 72 C5 19°36'D 65°47'Gn
Potsdam Yr Almaen 46 E5 52°24'G 13°04'Dn
Poulaphuca, Cronfa Ddŵr Iwerddon 18 E3 53°09'G 6°31'Gn
Poulton-le-Fylde Lloegr 12 E2 53°51'G 2°59'Gn
Poŭthĭsăt Cambodia 102 C6 12°32'G 103°56'Dn
Powell, Llyn cr. UDA 62 D4 37°34'G 110°37'Gn
Powick Lloegr 8 C3 52°10'G 2°15'Gn
Powys rhan. Cymru 21 D3 52°23'G 3°25'Gn
Poyang Hu ll. China 99 L3 29°05'G 116°22'Dn
Požarevac Serbia 50 D7 44°37'G 21°11'Dn
Poza Rica México 66 E5 20°35'G 97°26'Gn
Poznań Gwlad Pwyl 46 G5 52°25'G 16°56'Dn
Pozoblanco Sbaen 45 C3 38°23'G 4°50'Gn
Prabumulih Indonesia 102 C3 3°26'D 104°14'Dn
Prachuap Khiri Khan Gwlad Thai 102 B6 11°49'G 99°49'Dn
Praha Tsiecia 46 F4 50°04'G 14°26'Dn
Praia Cabo Verde 84 B3 14°55'G 23°29'Gn
Prapat Indonesia 102 B4 2°43'G 98°55'Dn
Prawle, Pwynt Lloegr 11 D2 50°12'G 3°44'Gn
Preparis, Ynys Myanmar 97 H3 14°52'G 93°37'Dn
Přerov Tsiecia 46 G3 49°27'G 17°27'Dn
Presidente Prudente Brasil 73 D4 22°10'D 51°23'Gn
Prešov Slofacia 46 I3 48°59'G 21°16'Dn
Prespa, Llyn Ewrop 50 D5 40°52'G 21°03'Dn
Presque Isle tref UDA 63 M6 46°41'G 68°01'Gn
Prestatyn Cymru 10 D5 53°20'G 3°24'Gn
Preston Dor. Lloegr 8 C1 50°39'G 2°25'Gn
Preston Sir Gaerh. Lloegr 12 E2 53°46'G 2°42'Gn
Prestonpans Yr Alban 15 G3 55°58'G 2°59'Gn
Prestwick Yr Alban 14 E3 55°30'G 4°37'Gn
Pretoria (Tshwane) D. Affrica 83 B2 25°44'D 28°13'Dn
Preveza Groeg 50 D4 38°57'G 20°45'Dn
Pribilof, Ynysoedd UDA 112 map 1 56°53'G 170°01'Gn
Prievidza Slofacia 46 H3 48°47'G 18°38'Dn
Prijedor Bos. a Herz. 50 B7 44°59'G 16°43'Dn
Prijepolje Serbia 50 C6 43°23'G 19°39'Dn
Prilep Macedonia 50 D5 41°21'G 21°33'Dn
Primorsko-Akhtarsk Rwsia 51 M8 46°03'G 38°10'Dn
Prince Albert Canada 60 H3 53°12'G 105°44'Gn
Prince Albert, Mynydd mdd. Antarctica 112 map 2 77°50'D 161°03'Dn
Prince Alfred, Penrhyn Canada 60 F5 74°20'G 124°47'Gn
Prince Charles, Mynyddoedd Antarctica 112 map 2 72°55'D 66°11'Dn
Prince Charles, Ynys Canada 61 K4 67°48'G 76°12'Gn
Prince Edward, Ynysoedd Cefn. India 117 F1 45°51'D 39°03'Dn
Prince Edward Island rhan. Canada 61 L2 46°41'G 63°09'Gn
Prince George Canada 60 F3 53°55'G 122°46'Gn
Prince of Wales, Ynys Awstralia 108 D5 10°43'D 142°09'Dn
Prince of Wales, Ynys Canada 61 I5 72°27'G 99°08'Gn
Prince of Wales, Ynys UDA 60 E3 55°38'G 132°45'Gn
Prince Patrick, Ynys Canada 60 G5 76°57'G 118°47'Gn
Prince Rupert Canada 60 E3 54°19'G 130°19'Gn
Princes Risborough Lloegr 8 E2 51°43'G 0°50'Gn
Princess Elizabeth, Tir n. Antarctica 112 map 2 71°34'D 79°30'Dn
Prince's Town Trin. a Tob. 67 Y1 10°13'G 61°22'Gn
Príncipe ys São Tomé a Príncipe 84 E2 1°38'G 7°24'Dn
Pripyat a. Ukrain 47 N4 51°16'G 30°16'Dn
Pripyat, Corsydd Belarus/Ukrain 47 K4 51°39'G 24°34'Dn
Priština Kosovo 50 D6 42°40'G 21°10'Dn
Privas Ffrainc 44 F4 44°44'G 4°36'Dn
Prizren Kosovo 50 D6 42°13'G 20°43'Dn
Probolinggo Indonesia 102 E2 7°46'D 113°13'Dn
Probus (Lamprobus) Lloegr 11 C2 50°18'G 4°57'Gn
Providence UDA 63 L5 41°50'G 71°25'Gn
Providence, Penrhyn Seland Newydd 109 F2 46°01'D 166°28'Dn
Providencia, Ynys Y Môr Caribî 67 H3 13°21'G 81°20'Gn
Provins Ffrainc 44 E6 48°34'G 3°18'Dn
Provo UDA 62 D5 40°17'G 111°41'Gn
Prudhoe Bay tref UDA 60 D5 70°18'G 148°10'Gn
Prüm Yr Almaen 42 F3 50°13'G 6°25'Dn
Pruszków Gwlad Pwyl 46 I5 52°10'G 20°49'Dn
Prut a. Ewrop 47 L2 45°28'G 28°12'Dn
Prydain, Ynysoedd Ewrop 116 E4 55°17'G 1°05'Gn
Prydain Newydd ys PGN 108 D6 5°52'D 150°10'Dn
Pryluky Ukrain 47 O4 50°35'G 32°24'Dn
Przemyśl Gwlad Pwyl 47 J3 49°47'G 22°46'Dn
Psara ys Groeg 50 F4 38°37'G 25°35'Dn
Psebay Rwsia 51 N7 44°07'G 40°47'Dn
Psel a. Rwsia/Ukrain 47 P4 51°05'G 35°15'Dn
Pskov Rwsia 43 G2 57°49'G 28°19'Dn
Pskov, Llyn Estonia/Rwsia 43 F2 58°02'G 27°56'Dn
Pucallpa Periw 72 B6 8°22'D 74°35'Gn
Pudozh Rwsia 52 D4 61°49'G 36°32'Dn
Pudsey Lloegr 13 F2 53°48'G 1°40'Gn
Puducherry India 96 E3 11°55'G 79°49'Dn
Puebla México 66 E4 19°02'G 98°12'Gn
Puebla rhan. México 66 E4 18°04'G 98°39'Gn
Pueblo UDA 62 F4 38°17'G 104°38'Gn
Puente-Genil Sbaen 45 C2 37°23'G 4°46'Gn
Puerto Ángel México 66 E4 15°42'G 96°31'Gn
Puerto de la Estaca Sbaen 45 X1 27°47'G 17°54'Gn
Puerto del Rosario Sbaen 45 Z2 28°30'G 13°52'Gn
Puertollano Sbaen 45 C3 38°41'G 4°06'Gn
Puerto Montt Chile 73 B2 41°27'D 72°58'Gn
Puerto Natales Chile 73 B1 51°35'D 72°24'Gn
Puerto Peñasco México 66 B7 31°19'G 113°32'Gn
Puerto Princesa Pili. 102 F5 9°45'G 118°45'Dn
Puerto Rico rhan. Cb. America 67 K4 17°45'G 66°34'Gn
Puerto Vallarta México 66 C5 20°40'G 105°14'Gn
Pula Croatia 46 E1 44°53'G 13°51'Dn
Pulborough Lloegr 9 E1 50°57'G 0°30'Gn
Pułtusk Gwlad Pwyl 46 I5 52°42'G 21°05'Dn
Pumlumon br. Cymru 10 D4 52°28'G 3°47'Gn
Pune India 96 D4 18°32'G 73°51'Dn
Puning China 99 L2 23°18'G 116°09'Dn
Punjab rhan. India 96 E7 30°50'G 75°25'Dn
Punt, Gwlad n. Somalia 85 I2 7°37'G 49°15'Dn
Punta, Copa Puerto Rico 66 R2 18°10'G 66°34'Gn
Punta Arenas Chile 73 B1 53°09'D 70°57'Gn
Punta Gorda Nicaragua 67 H3 11°30'G 83°47'Gn
Punto Fijo Venezuela 67 J3 11°39'G 70°11'Gn
Pur a. Rwsia 54 I4 67°33'G 77°53'Dn
Purari a. PGN 108 D6 7°46'D 145°11'Dn
Purbeck, Ynys gor. Lloegr 8 C1 50°39'G 2°01'Gn
Puri India 96 G4 19°49'G 85°51'Dn
Purmerend Yr Iseldiroedd 42 D5 52°31'G 4°57'Dn
Purt ny hInshey (Peel) Ys Manaw 12 C3 54°13'G 4°41'Gn
Purus a. Brasil/Periw 72 C6 3°42'D 61°28'Gn
Pusan De Korea 99 N5 35°09'G 129°03'Dn
Pustoshka Rwsia 47 M7 56°20'G 29°22'Dn
Putian China 99 L3 25°27'G 118°59'Dn
Puting, Pwynt p. Indonesia 102 E3 3°32'D 111°47'Dn
Putrajaya Malaysia 102 C4 2°55'G 101°39'Dn
Puttalam Sri Lanka 96 E2 8°01'G 79°50'Dn
Putumayo a. Colombia 72 B6 2°43'D 70°03'Gn
Puvurnituq Canada 61 K4 60°02'G 77°17'Gn
Puy de Dôme m. Ffrainc 44 E4 45°46'G 2°58'Dn
Puy de Sancy m. Ffrainc 44 E4 45°31'G 2°49'Dn
Pwllheli Cymru 10 C4 52°53'G 4°25'Gn
Pwyl, Gwlad Ewrop 46 H4 52°07'G 19°27'Dn
Pyaozero, Llyn Rwsia 43 G4 66°11'G 30°47'Dn
Pyapon Myanmar 97 I4 16°16'G 95°41'Dn
Pyasina a. Rwsia 55 J5 73°35'G 86°19'Dn
Pyatigorsk Rwsia 53 E2 44°02'G 43°03'Dn

Pyè Myanmar 97 I4 18°49'G 95°13'Dn
Pyhäjoki *a.* Y Ffindir 43 F4 64°28'G 24°15'Dn
Pyhäselkä *ll.* Y Ffindir 43 G3 62°31'G 29°41'Dn
Pyinmana Myanmar 97 I4 19°45'G 96°15'Dn
Pylos Groeg 50 D3 36°55'G 21°42'Dn
P'yŏngyang G. Korea 99 N5 39°01'G 125°44'Dn
Pyramid, Llyn UDA 62 C5 40°09'G 119°37'Gn
Pyreneau *mdd.* Ewrop 45 G5 42°30'G 2°00'Dn
Pyrgos Groeg 50 D3 37°40'G 21°27'Dn
Pyrod, Pen *pr* Cymru 10 C3 51°34'G 4°21'Gn
Pyryatyn Ukrain 47 O4 50°14'G 32°30'Dn

Q

Qamanittuaq Canada 61 I4 64°17'G 95°43'Gn
Qamdo China 98 H4 31°13'G 97°08'Dn
Qarshi Uzbekistan 95 K7 38°52'G 65°48'Dn
Qasigiannguit Grønland 61 M4 68°48'G 51°11'Gn
Qatar Asia/Ewrop 95 H5 25°25'G 51°57'Dn
Qattara, Pant Yr Aifft 85 G4 29°48'G 27°06'Dn
Qāyen Iran 95 I6 33°42'G 59°05'Dn
Qazax Azerbaijan 53 E2 41°06'G 45°21'Dn
Qazvīn Iran 95 G7 36°17'G 49°58'Dn
Qeshm Iran 95 I5 26°57'G 56°15'Dn
Qiemo China 98 F5 38°05'G 85°33'Dn
Qijiaojing China 98 G6 43°25'G 91°38'Dn
Qilian Shan *mdd.* China 98 H5 39°21'G 97°06'Dn
Qinā Yr Aifft 85 H4 26°08'G 32°45'Dn
Qingaut (Bathurst Inlet) Canada 60 H4 66°50'G 108°10'Gn
Qingdao China 99 M5 36°05'G 120°24'Dn
Qinghai *rhan.* China 98 H5 36°07'G 96°31'Dn
Qinghai Hu *ll.* China 99 I5 36°49'G 100°06'Dn
Qinhuangdao China 99 L5 39°56'G 119°38'Dn
Qinzhou China 99 J2 21°59'G 108°39'Dn
Qionghai China 99 K1 19°15'G 110°27'Dn
Qiqihar China 99 M7 47°13'G 123°58'Dn
Qom Iran 95 H6 34°38'G 50°51'Dn
Qo'ng'irot Uzbekistan 53 F2 43°04'G 58°51'Dn
Qornet es Saouda *m.* Libanus 51 L2 34°18'G 36°06'Dn
Quang Ngai Viet Nam 102 D7 15°07'G 108°49'Dn
Quantock, Bryniau Lloegr 11 D3 51°10'G 3°15'Gn
Quanzhou China 99 K3 25°57'G 111°05'Dn
Quba Azerbaijan 53 E2 41°22'G 48°31'Dn
Quchan Iran 95 I7 36°59'G 58°29'Dn
Québec Canada 61 K2 46°48'G 71°15'Gn
Québec *rhan.* Canada 61 K3 54°45'G 74°31'Gn
Quebradillas Puerto Rico 66 R2 18°28'G 66°50'Gn
Queenborough Lloegr 9 F2 51°25'G 0°45'Dn
Queen Charlotte, Swnt *cf.* Canada 60 F3 51°24'G 129°09'Gn
Queen Charlotte, Ynysoedd (Haida Gwaii) *B.C.* Canada 60 E3 53°59'G 133°20'Gn
Queen Elizabeth, Tir *n.* Antarctica 112 map 2 85°18'D 52°00'Gn
Queen Elizabeth, Ynysoedd Canada 61 I4 76°31'G 107°31'Gn
Queen Mary, Tir *n.* Antarctica 112 map 2 68°53'D 94°59'Dn
Queen Maud, Gwlff Canada 60 H4 68°13'G 102°08'Gn
Queen Maud, Mynydd Antarctica 112 map 2 86°33'D 141°07'Gn
Queen Maud, Tir *n.* Antarctica 112 map 2 73°23'D 7°39'Dn
Queensland *rhan.* Awstralia 108 D4 22°37'D 144°17'Dn
Quelimane Moçambique 83 C3 17°53'D 36°53'Dn
Querétaro México 66 D5 20°37'G 100°22'Gn
Querétaro *rhan.* México 66 E5 20°51'G 99°50'Gn
Quetta Pakistan 96 C7 30°13'G 67°00'Dn
Quetzaltenango Guatemala 66 F3 14°50'G 91°30'Gn
Quibala Angola 83 A3 10°44'D 14°59'Dn
Quibdó Colombia 72 B7 5°39'G 76°38'Gn
Quilon India 96 E2 8°53'G 76°36'Dn
Quimper (Kemper) Ffrainc 44 A5 47°59'G 4°06'Gn
Quintana Roo *rhan.* México 66 G4 18°44'G 88°47'Gn
Quito Ecuador 72 B6 0°14'D 78°30'Gn
Quoich, Loch Yr Alban 16 D2 57°03'G 5°18'Gn
Quoile *a.* G. Iwerddon 14 D2 54°21'G 5°42'Gn
Quy Nhơn Viet Nam 102 D6 13°47'G 109°14'Dn
Quzhou China 99 L3 28°57'G 118°52'Dn

R

Raahe Y Ffindir 43 F4 64°41'G 24°29'Dn
Raalte Yr Iseldiroedd 42 F5 52°23'G 6°17'Dn
Raasay *ys* Yr Alban 16 C2 57°23'G 6°02'Gn
Raasay, Swnt *cf.* Yr Alban 16 C2 57°26'G 6°06'Gn
Raba Indonesia 102 F2 8°28'D 118°46'Dn
Rabat Moroco 84 D5 34°01'G 6°49'Gn
Rābigh Saudi Arabia 94 E4 22°49'G 39°02'Dn
Rabyānah, Môr Tywod *diff.* Libya 94 B4 24°33'G 20°59'Dn
Race, Penrhyn Canada 61 M2 46°38'G 53°09'Gn
Rach Gia Viet Nam 102 D5 10°01'G 105°05'Dn
Radom Gwlad Pwyl 46 I4 51°24'G 21°09'Dn
Radomsko Gwlad Pwyl 46 H4 51°04'G 19°27'Dn
Radstock Lloegr 8 C2 51°17'G 2°27'Gn
Rafḩā' Saudi Arabia 94 F5 29°33'G 43°25'Dn
Rafsanjān Iran 95 I6 30°24'G 55°59'Dn
Ragusa Yr Eidal 48 F4 36°55'G 14°44'Dn
Rahachow Belarus 47 N5 53°05'G 30°03'Dn
Rahimyar Khan Pakistan 96 D6 28°24'G 70°18'Dn
Raichur India 96 E4 16°13'G 77°22'Dn
Rainier, Mynydd *llosg.* UDA 62 B6 46°54'G 121°44'Gn
Raipur India 96 F5 21°14'G 81°40'Dn
Rajahmundry India 96 F4 16°59'G 81°47'Dn
Rajanpur Pakistan 95 L5 29°06'G 70°19'Dn
Rajasthan *rhan.* India 96 D6 26°35'G 73°51'Dn
Rajkot India 96 D5 22°17'G 70°49'Dn
Rajshahi Bangl. 96 G5 24°22'G 88°36'Dn
Rakhiv Ukrain 47 K3 48°03'G 24°12'Dn
Rakitnoye Rwsia 47 P4 50°50'G 35°50'Dn
Rakvere Estonia 43 F2 59°21'G 26°22'Dn
Raleigh UDA 63 K4 35°47'G 78°37'Gn
Ramapo, Dyfnder *n.* G. Cefn. Tawel 117 I3 30°59'G 142°13'Dn
Rame, Pentir Lloegr 11 C2 50°19'G 4°15'Gn
Rāmhormoz Iran 95 G6 31°10'G 49°35'Dn
Râmnicu Vâlcea România 50 F7 45°07'G 24°22'Dn
Ramsbottom Lloegr 13 E2 53°39'G 2°19'Gn
Ramsey Lloegr 9 E3 52°27'G 0°06'Gn
Ramsey (Rhumsaa) Ys Manaw 12 C3 54°19'G 4°23'Gn
Ramsey, Bae Ys Manaw 12 C3 54°20'G 4°22'Gn
Ramsgate Lloegr 9 G2 51°20'G 1°25'Dn
Rancagua Chile 73 B3 34°11'D 70°44'Gn
Ranchi India 96 G5 23°22'G 85°20'Dn
Randers Denmarc 43 B2 56°27'G 10°03'Dn
Rangoon (Yangôn) Myanmar 97 I4 16°48'G 96°10'Dn
Rangpur Bangl. 97 G6 25°46'G 89°16'Dn
Rankin Inlet Canada 61 I4 62°52'G 92°03'Gn
Rannoch, Gwaun *n.* Yr Alban 16 E1 56°38'G 4°46'Gn
Rannoch, Loch Yr Alban 17 E1 56°41'G 4°23'Gn
Ranong Gwlad Thai 102 B5 9°57'G 98°38'Dn
Rantauprapat Indonesia 102 B4 2°07'G 99°50'Dn
Raoul, Ynys Ysdd Kermadec 109 H4 29°16'D 177°57'Gn
Rapallo Yr Eidal 46 C1 44°21'G 9°14'Dn
Raphoe Iwerddon 14 B2 54°52'G 7°35'Gn
Rapid City UDA 62 F5 44°04'G 103°14'Gn
Ras Dejen *m.* Ethiopia 85 H3 13°14'G 38°23'Dn
Rasht Iran 95 G7 37°16'G 49°34'Dn
Ras Koh *mdd.* Pakistan 95 K5 28°33'G 64°24'Dn
Ras Tannūrah Saudi Arabia 95 H5 26°38'G 50°10'Dn
Rat Buri Gwlad Thai 102 B6 13°31'G 99°50'Dn
Rathdrum Iwerddon 18 E2 52°56'G 6°14'Gn
Rathenow Yr Almaen 46 E5 52°37'G 12°20'Dn
Rathfriland G. Iwerddon 14 C2 54°14'G 6°09'Gn
Rathkeale Iwerddon 18 C2 52°31'G 8°56'Gn
Rathlin, Ynys G. Iwerddon 14 C3 55°17'G 6°10'Gn
Rathluirc Iwerddon 18 C2 52°21'G 8°41'Gn
Ratne Ukrain 47 K4 51°40'G 24°32'Dn
Rattray, Pentir Yr Alban 17 H2 57°37'G 1°49'Gn
Rättvik Sweden 43 C3 60°53'G 15°08'Dn
Rauma Y Ffindir 43 E3 61°08'G 21°31'Dn
Raunds Lloegr 9 E3 52°20'G 0°32'Gn
Ravenna Yr Eidal 46 E1 44°25'G 12°13'Dn
Ravensthorpe Awstralia 108 B3 33°34'D 120°01'Dn
Rawaki *ys* Kiribati 109 H6 3°42'D 170°40'Gn
Rawalpindi Pakistan 96 D7 33°35'G 73°03'Dn
Rawicz Gwlad Pwyl 46 G4 51°37'G 16°51'Dn
Rawlins UDA 62 E5 41°48'G 107°13'Gn
Rawson Ariannin 73 C2 43°15'D 65°06'Gn
Rawtenstall Lloegr 13 E2 53°42'G 2°17'Gn
Rayleigh Lloegr 9 F2 51°35'G 0°36'Dn
Razgrad Bwlgaria 50 G6 43°32'G 26°30'Dn
Ré, Ynys Ffrainc 44 C5 46°10'G 1°22'Gn
Reading Lloegr 8 E2 51°27'G 0°58'Gn
Reading *rhan.* Lloegr 21 E2 51°27'G 0°59'Gn
Reboly Rwsia 43 G3 63°50'G 30°48'Dn
Rechytsa Belarus 47 N5 52°22'G 30°26'Dn
Recife Brasil 72 F6 8°02'D 34°48'Gn
Red *a.* UDA 63 H3 31°05'G 91°44'Gn
Red, Llynnoedd UDA 63 H6 48°03'G 94°44'Gn
Red Bluff UDA 62 B5 40°11'G 122°14'Gn
Redcar Lloegr 13 F3 54°37'G 1°03'Gn
Redcar a Cleveland *rhan.* Lloegr 21 E4 54°33'G 1°02'Gn
Red Deer Canada 60 G3 52°16'G 113°49'Gn
Redding UDA 62 B5 40°36'G 122°29'Gn
Redditch Lloegr 8 D3 52°19'G 1°56'Gn
Redhill Lloegr 9 E2 51°14'G 0°10'Gn
Red Lake *tref* Canada 61 I3 51°01'G 93°50'Gn
Redruth Lloegr 11 B2 50°14'G 5°14'Gn
Ree, Loch Iwerddon 18 D3 53°32'G 7°59'Gn
Regensburg Yr Almaen 46 E3 49°01'G 12°06'Dn
Reggane Algeria 84 E4 26°46'G 0°09'Dn
Reggio di Calabria Yr Eidal 49 G4 38°06'G 15°39'Dn
Reggio nell'Emilia Yr Eidal 46 D1 44°41'G 10°38'Dn
Regina Canada 60 H3 50°27'G 104°37'Gn
Reigate Lloegr 9 E2 51°14'G 0°12'Gn
Reims Ffrainc 44 F6 49°15'G 4°03'Dn
Reindeer, Llyn Canada 60 H3 57°24'G 102°23'Gn
Reinosa Sbaen 45 C5 42°59'G 4°07'Gn
Reiphólsfjöll *br.* Gwlad yr Iâ 43 X2 65°41'G 22°20'Gn
Reliance Canada 60 H4 62°43'G 109°06'Gn
Relizane Algeria 48 D4 35°44'G 0°40'Dn
Rena Norwy 43 B3 61°08'G 11°22'Dn
Renfrew, Dwyrain Swydd *rhan.* Yr Alban 20 C4 55°46'G 4°21'Gn
Renfrew, Swydd *rhan.* Yr Alban 20 C4 55°52'G 4°31'Gn
Reni Ukrain 51 H7 45°27'G 28°18'Dn
Rennell *ys* Ysdd Solomon 109 F5 11°40'D 160°18'Dn
Rennes (Roazhon) Ffrainc 44 C6 48°07'G 1°41'Gn
Reno UDA 62 C4 39°32'G 119°48'Gn
Reno *a.* Yr Eidal 46 E1 44°35'G 12°17'Dn
Republican *a.* UDA 62 G4 39°06'G 96°52'Gn
Repulse Bay *tref* Canada 61 J4 66°32'G 86°08'Gn
Resistencia Ariannin 73 D4 27°24'D 58°59'Gn
Reșița România 50 D7 45°18'G 21°53'Dn
Resolute Canada 61 I5 74°41'G 94°46'Gn
Resolution, Ynys Canada 61 L4 61°34'G 64°52'Gn
Retford Lloegr 13 G2 53°19'G 0°57'Gn
Rethel Ffrainc 42 D2 49°31'G 4°23'Dn
Rethymno Groeg 50 F2 35°21'G 24°28'Dn
Réunion *rhan.* Cefn. India 117 G2 21°07'D 54°58'Dn
Reus Sbaen 45 F4 41°09'G 1°06'Dn
Reutlingen Yr Almaen 46 C3 48°30'G 9°12'Dn
Revillagigedo, Ynysoedd México 66 B4 18°34'G 112°24'Gn
Rewa India 96 F5 24°32'G 81°18'Dn
Reykjanes, Cefnen G. Cefn. Iwerydd 112 map 1 55°51'G 34°08'Gn
Reykjavík Gwlad yr Iâ 43 X2 64°08'G 21°55'Gn
Reynosa México 66 E6 26°04'G 98°17'Gn
Rēzekne Latvia 43 F2 56°31'G 27°20'Dn
Rhein *a.* Yr Almaen 46 B4 51°51'G 6°03'Dn
Rheine Yr Almaen 42 G5 52°17'G 7°28'Dn
Rheinland-Pfalz *rhan.* Yr Almaen 42 G2 49°46'G 7°27'Dn
Rhode Island *rhan.* UDA 63 L5 41°40'G 71°35'Gn
Rhône *a.* Ffrainc/Y Swistir 44 F3 43°37'G 4°40'Dn
Rhumsaa (Ramsey) Ys Manaw 12 C3 54°19'G 4°23'Gn
Riau, Ynysoedd Indonesia 102 C4 0°40'G 103°54'Dn
Ribble *a.* Lloegr 13 E2 53°45'G 2°45'Gn
Ribe Denmarc 43 B1 55°20'G 8°46'Dn
Ribeirão Preto Brasil 73 E4 21°12'D 47°48'Gn
Rîbnița Moldova 47 M2 47°46'G 29°00'Dn
Richfield UDA 62 D4 38°47'G 112°05'Gn
Richland UDA 62 C6 46°19'G 119°17'Gn
Richmond Lloegr 13 F3 54°24'G 1°44'Gn
Richmond UDA 63 K4 37°34'G 77°28'Gn
Riesa Yr Almaen 46 E4 51°19'G 13°17'Dn
Rifstangi *pt* Gwlad yr Iâ 43 Y2 66°33'G 16°13'Gn
Rīga Latvia 43 F2 56°56'G 24°07'Dn
Riga, Gwlff *b.* Estonia/Latvia 43 E2 57°55'G 23°29'Dn
Rigside Yr Alban 15 F3 55°36'G 3°47'Gn
Riihimäki Y Ffindir 43 F3 60°44'G 24°47'Dn
Riiser-Larsen, Sgafell Iâ Antarctica 112 map 2 74°25'D 17°42'Gn
Rijeka Croatia 50 A7 45°20'G 14°26'Dn
Rimini Yr Eidal 48 F5 44°04'G 12°34'Dn
Rimouski Canada 61 L2 48°27'G 68°32'Gn
Rimsdale, Loch Yr Alban 17 E3 58°17'G 4°10'Gn
Ringkøbing Denmarc 43 B2 56°05'G 8°15'Dn
Ringvassøya *ys* Norwy 43 D5 69°55'G 18°56'Dn
Ringwood Lloegr 8 D1 50°51'G 1°47'Gn
Riobamba Ecuador 72 B6 1°41'D 78°42'Gn
Rio Branco Brasil 72 C5 10°01'D 67°48'Gn
Rio Claro Trin. a Tob. 67 Y1 10°14'G 61°09'Gn
Río Cuarto Ariannin 73 C3 33°08'D 64°21'Gn
Rio de Janeiro Brasil 73 E4 22°55'D 43°17'Gn
Río Gallegos Ariannin 73 C1 51°39'D 69°15'Gn
Rio Grande *tref* Brasil 73 D3 32°04'D 52°08'Gn
Rio Grande *a.* México/UDA 67 E6 25°57'G 97°10'Gn
Ríohacha Colombia 72 B8 11°32'G 72°58'Gn
Rio Verde Brasil 72 D5 17°48'D 50°55'Gn
Ripley Lloegr 13 F2 53°03'G 1°24'Gn
Ripon Lloegr 13 F3 54°08'G 1°32'Gn
Rishton Lloegr 13 E2 53°46'G 2°25'Gn
Riva del Garda Yr Eidal 46 D1 45°53'G 10°50'Dn
Riverside UDA 62 C3 33°57'G 117°24'Gn
Rivière-du-Loup Canada 61 L2 47°50'G 69°32'Gn
Rivne Ukrain 47 L4 50°37'G 26°14'Dn
Riyadh Saudi Arabia 95 G4 24°41'G 46°41'Dn
Rize Twrci 51 N5 41°02'G 40°30'Dn
Rizhao China 99 L5 35°19'G 119°33'Dn
Rjuvbrokkene *m.* Norwy 43 A2 59°12'G 7°06'Dn
Roadford, Cronfa Ddŵr Lloegr 11 C2 50°42'G 4°13'Gn
Roanne Ffrainc 44 F5 46°03'G 4°05'Dn
Roanoke UDA 63 K4 37°16'G 79°58'Gn
Roanoke *a.* UDA 63 K4 36°02'G 76°22'Gn
Roazhon (Rennes) Ffrainc 44 C6 48°07'G 1°41'Gn
Robertsfors Sweden 43 E4 64°12'G 20°52'Dn
Roberval Canada 61 K2 48°31'G 72°14'Gn
Robson, Mynydd Canada 60 G3 53°07'G 119°08'Gn
Roca, Penrhyn Portiwgal 45 A3 38°47'G 9°29'Gn
Rocha Uruguay 73 D3 34°30'D 54°19'Gn
Rochdale Lloegr 13 E2 53°37'G 2°10'Gn
Rochefort Ffrainc 44 C4 45°57'G 0°58'Gn
Rochefort Gwlad Belg 42 E3 50°10'G 5°13'Dn
Rochester Lloegr 9 F2 51°23'G 0°30'Dn
Rochester *E. N.* UDA 63 K5 43°09'G 77°38'Gn
Rochester *Minn.* UDA 63 H5 44°02'G 92°27'Gn
Rochford Lloegr 9 F2 51°35'G 0°42'Dn
Rockall, Banc *n.* G. Cefn. Iwerydd 112 map 1 57°17'G 15°03'Gn
Rockefeller, Llwyfandir Antarctica 112 map 2 80°03'D 135°38'Gn
Rockford UDA 63 I5 42°17'G 89°04'Gn
Rockhampton Awstralia 108 E4 23°23'D 150°34'Dn
Rockies *mdd.* Canada/UDA 60 F3 40°57'G 107°58'Gn
Rockingham, Fforest Lloegr 9 E3 52°31'G 0°32'Gn
Rocky Point Jamaica 66 O1 17°49'G 77°09'Gn
Rodel (Roghadal) Yr Alban 16 C2 57°45'G 6°58'Gn
Rodez Ffrainc 44 E4 44°22'G 2°34'Dn
Rodopi, Mynyddoedd Bwlgaria/Groeg 50 E5 41°52'G 23°41'Dn
Rodos Groeg 51 H3 36°26'G 28°13'Dn
Rodos *ys* Groeg 51 H3 36°15'G 28°10'Dn
Roe *a.* G. Iwerddon 14 C3 55°06'G 6°58'Gn
Roermond Yr Iseldiroedd 42 E4 51°12'G 5°59'Dn
Roeselare Gwlad Belg 42 C3 50°56'G 3°08'Dn
Roghadal (Rodel) Yr Alban 16 C2 57°45'G 6°58'Gn
Rojo, Penrhyn *p.* Puerto Rico 66 Q1 17°58'G 67°13'Gn
Rokiškis Lithuania 43 F1 55°57'G 25°35'Dn
Rolla UDA 63 H4 37°56'G 91°46'Gn
Roma *ys* Indonesia 103 H2 7°29'D 127°22'Dn
Roma (Rhufain) Yr Eidal 48 F5 41°54'G 12°30'Dn
Romain, Penrhyn UDA 63 K3 32°59'G 79°27'Gn
Roman România 47 L2 46°55'G 26°55'Dn
România Ewrop 49 H6 46°07'G 24°36'Dn
Romanzof, Penrhyn UDA 60 B4 61°49'G 166°06'Gn
Rombas Ffrainc 42 F2 49°15'G 6°05'Dn
Romford Lloegr 9 F2 51°35'G 0°11'Dn
Romney, Cors Lloegr 9 F2 51°03'G 0°54'Dn
Romny Ukrain 47 O4 50°45'G 33°28'Dn
Romsey Lloegr 8 D1 50°59'G 1°30'Gn
Rona *ys Na h-Eileanan Siâr* Yr Alban 16 D4 59°08'G 5°49'Gn
Rona *ys Uchel.* Yr Alban 16 D2 57°33'G 5°57'Gn
Ronaldsay, De *ys* Yr Alban 17 G3 58°47'G 2°54'Gn
Ronaldsay, Gogledd *ys* Yr Alban 17 G4 59°24'G 2°26'Gn
Ronaldsay, Moryd Gogledd *cf.* Yr Alban 17 G4 59°20'G 2°29'Gn
Ronas, Bryn *br.* Yr Alban 17 H5 60°32'G 1°27'Gn
Ronda Sbaen 45 C2 36°44'G 5°10'Gn
Rondonópolis Brasil 72 D5 16°29'D 54°38'Gn
Ronech (Steep Holm) *ys* Lloegr 8 B2 51°20'G 3°06'Gn
Rønne Denmarc 43 C1 55°06'G 14°43'Dn
Ronne, Mynediad *cf.* Antarctica 112 map 2 71°28'D 78°57'Gn
Ronne, Sgafell Iâ Antarctica 112 map 2 77°35'D 60°38'Gn
Ronse Gwlad Belg 42 C3 50°45'G 3°36'Dn
Roosendaal Yr Iseldiroedd 42 D4 51°31'G 4°28'Dn
Roosevelt, Ynys danrewlifol Antarctica 112 map 2 79°23'D 161°54'Gn
Roque de los Muchachos *llosg.* Sbaen 45 X2 28°45'G 17°51'Gn
Roquefort Ffrainc 44 C4 44°02'G 0°19'Gn
Roraima, Mynydd Guyana 72 C7 5°15'G 60°44'Gn
Røros Norwy 43 B3 62°34'G 11°23'Dn
Rosario Ariannin 73 C3 32°56'D 60°41'Gn
Roscô (Roscoff) Ffrainc 44 B6 48°43'G 3°59'Gn
Roscoff (Roscô) Ffrainc 44 B6 48°43'G 3°59'Gn
Roscommon Iwerddon 18 C3 53°38'G 8°11'Gn
Roscommon *rhan.* Iwerddon 18 C3 53°49'G 8°16'Gn
Roscrea Iwerddon 18 D2 52°57'G 7°48'Gn
Roseau Dominica 67 L4 15°17'G 61°23'Gn
Roseburg UDA 62 B5 43°13'G 123°21'Gn
Roseires, Cronfa Ddŵr Sudan 94 D2 11°33'G 34°31'Dn
Rosenheim Yr Almaen 46 E2 47°51'G 12°08'Dn
Roșiori de Vede România 50 F7 44°07'G 25°00'Dn
Roslavl' Rwsia 47 O5 53°57'G 32°51'Dn
Ross, Môr Antarctica 112 map 2 75°00'D 177°22'Dn
Ross, Sgafell Iâ Antarctica 112 map 2 81°14'D 175°27'Gn
Rossan, Pwynt Iwerddon 18 C4 54°42'G 8°48'Gn
Rossel, Ynys PGN 108 E5 11°20'D 154°10'Dn
Rossington Lloegr 13 F2 53°29'G 1°03'Gn
Rosslare Harbour Iwerddon 18 E2 52°15'G 6°20'Gn
Ross Mull *gor.* Yr Alban 14 C4 56°18'G 6°19'Gn
Rosso Mauritius 84 C3 16°32'G 15°48'Gn
Ross-on-Wye (Rhosan ar Wy, Y) Lloegr 8 C2 51°55'G 2°35'Gn
Rossosh' Rwsia 53 D3 50°12'G 39°33'Dn
Røssvatnet *ll.* Norwy 43 C4 65°46'G 14°19'Dn
Rostock Yr Almaen 46 E6 54°05'G 12°07'Dn
Rostov-na-Donu Rwsia 53 D2 47°13'G 39°44'Dn
Roswell UDA 62 F3 33°21'G 104°30'Gn
Rota *ys* Ysdd G. Mariana 103 L6 14°09'G 145°17'Dn
Rote *ys* Indonesia 103 G1 10°44'D 123°04'Dn
Rothbury Lloegr 13 F4 55°19'G 1°54'Gn
Rother *a.* Lloegr 8 E1 50°57'G 0°32'Gn
Rotherham Lloegr 13 F2 53°26'G 1°21'Gn
Rothes Yr Alban 17 F2 57°32'G 3°12'Gn
Rothesay Yr Alban 14 D3 55°50'G 5°03'Gn
Rothwell Lloegr 8 E3 52°25'G 0°48'Gn
Rotterdam Yr Iseldiroedd 42 D4 51°55'G 4°30'Dn
Rotuma *ys* Fiji 109 G5 12°29'D 177°05'Dn
Roubaix Ffrainc 44 E7 50°42'G 3°10'Dn
Rouen Ffrainc 44 D6 49°26'G 1°06'Dn
Round, Bryn *br.* Lloegr 13 F3 54°24'G 1°05'Gn
Rousay *ys* Yr Alban 17 F4 59°11'G 3°08'Gn
Rouyn-Noranda Canada 63 K6 48°14'G 79°02'Gn
Rovaniemi Y Ffindir 43 F4 66°29'G 25°42'Dn
Rovigo Yr Eidal 46 D1 45°04'G 11°47'Dn
Rovinj Croatia 46 E1 45°05'G 13°38'Dn
Royale, Ynys UDA 63 I6 48°02'G 88°38'Gn
Royal Leamington Spa Lloegr 8 D3 52°17'G 1°32'Gn
Royal Tunbridge Wells Lloegr 9 F2 51°08'G 0°16'Dn
Royal Wootton Bassett Lloegr 8 D2 51°32'G 1°54'Gn
Royan Ffrainc 44 C4 45°38'G 1°01'Gn
Royston Lloegr 9 E3 52°03'G 0°01'Gn
Royton Lloegr 13 E2 53°34'G 2°07'Gn
Rub' al Khālī *diff.* Saudi Arabia 95 G3 18°39'G 47°10'Dn
Rubha Coigeach *pt* Yr Alban 16 D3 58°06'G 5°28'Gn
Rubha Hunish *pt* Yr Alban 16 C2 57°42'G 6°24'Gn
Rubha Reidh *pt* Yr Alban 16 D2 57°52'G 5°51'Gn
Rubtsovsk Rwsia 54 J3 51°33'G 81°09'Dn
Rudnya Rwsia 47 N6 54°57'G 31°06'Dn
Rudnyy Kazakhstan 54 H3 52°57'G 63°07'Dn
Rufiji *a.* Tanzania 83 C4 8°02'D 39°17'Dn
Rugby Lloegr 8 D3 52°22'G 1°16'Gn
Rugby UDA 62 F6 48°20'G 100°01'Gn
Rugeley Lloegr 8 D3 52°46'G 1°56'Gn
Rügen *ys* Yr Almaen 46 E6 54°23'G 13°27'Dn
Ruhr *a.* Yr Almaen 42 F4 51°26'G 6°
Rukwa, Llyn Tanzania 83 C4 8°09'D 32°
Rum *ys* Yr Alban 16 C1 56°59'G 6°
Ruma Serbia 50 C7 45°01'G 19°
Rum Cay *ys* Bahamas 67 J5 23°42'G 74°
Runcorn Lloegr 12 E2 53°20'G 2°
Rundu Namibia 83 A3 17°54'D 19°
Ruoqiang China 98 F5 38°58'G 88°
Ruse Bwlgaria 50 F6 43°49'G 25°
Rushden Lloegr 9 E3 52°17'G 0°
Ruteng Indonesia 102 G2 8°35'D 120°
Rutland *rhan.* Lloegr 21 E3 52°42'G 0°
Rutland Water *cr.* Lloegr 8 E3 52°39'G 0°4
Ruza Rwsia 47 Q6 55°42'G 36°1
Ruzayevka Rwsia 53 E3 54°03'G 44°
Ružomberok Slofacia 46 H3 49°05'G 19°1
Rwanda Affrica 85 G1 2°16'D 29°
Rwsia Asia/Ewrop 54 I4 57°12'G 40°
Rwsia, Uwchdiroedd Canolbarth *brau.* Rwsia 47 Q6 54°27'G 36°
Ryan, Loch *b.* Yr Alban 14 D3 55°01'G 5°
Ryazan' Rwsia 53 D3 54°37'G 39°
Rybachiy, Gorynys Rwsia 52 D4 69°48'G 32°
Rybinsk Rwsia 52 D3 58°03'G 38°
Rybinsk, Cronfa Ddŵr Rwsia 52 D3 58°21'G 38°
Rybnik Gwlad Pwyl 46 H4 50°06'G 18°
Ryde Lloegr 8 D1 50°44'G 1°
Rye Lloegr 9 F1 50°57'G 0°
Rye *a.* Lloegr 13 G3 54°10'G 0°
Rye, Bae Lloegr 9 F1 50°55'G 0°
Ryōtsu Japan 104 C3 38°04'G 138°
Ryūkyū, Ynysoedd Japan 99 M2 24°13'G 124°
Rzeszów Gwlad Pwyl 47 J4 50°02'G 22°
Rzhev Rwsia 52 D3 56°16'G 34°

Rh

Rhaeadr Gwy Cymru 10 D4 52°18'G 3°
Rhaglan Cymru 10 E3 51°46'G 2°
Rhisga Cymru 10 D3 51°37'G 3°
Rhiwabon Cymru 10 D4 52°59'G 3°
Rhondda *n.* Cymru 10 D3 51°39'G 3°
Rhondda Cynon Taf *rhan.* Cymru 21 D2 51°36'G 3°
Rhosan ar Wy, Y (Ross-on-Wye) Lloegr 8 C2 51°55'G 2°
Rhufain (Roma) Yr Eidal 48 F5 41°54'G 12°
Rhuthun Cymru 10 D5 53°07'G 3°
Rhydaman Cymru 10 D3 51°48'G 3°
Rhydychen (Oxford) Lloegr 8 D2 51°45'G 1°
Rhydychen, Swydd *rhan.* Lloegr 21 E2 51°54'G 1°
Rhyl, Y Cymru 10 D5 53°19'G 3°

S

Saale *a.* Yr Almaen 46 D4 51°57'G 11°
Saarbrücken Yr Almaen 46 B3 49°15'G 6°
Saaremaa *ys* Estonia 43 E2 58°14'G 22°
Saarland *rhan.* Yr Almaen 42 F2 49°28'G 6°
Saarlouis Yr Almaen 42 F2 49°20'G 6°
Sab' Ābār Syria 51 L1 33°42'G 37°
Šabac Serbia 50 C7 44°46'G 19°
Sabadell Sbaen 45 G4 41°33'G 2°
Sabah *rhan.* Malaysia 102 F5 5°27'G 116°
Saban, Ynysfor Cuba 67 H5 23°18'G 80°
Sabhā Libya 84 F4 27°02'G 14°
Sabinas México 66 D6 27°52'G 101°
Sable, Penrhyn Canada 61 L2 43°25'G 65°
Sable, Penrhyn UDA 63 J2 25°08'G 81°
Sable, Ynys Canada 61 M2 43°57'G 59°
Şabyā Saudi Arabia 94 F3 17°09'G 42°
Sabzevār Iran 95 I7 36°12'G 57°
Sacramento UDA 62 B4 38°34'G 121°
Sacramento, Mynyddoedd UDA 62 E3 34°23'G 106°
Sado *a.* Portiwgal 45 A3 38°25'G 8°
Sadoga-shima *ys* Japan 104 C3 37°56'G 138°
Säffle Sweden 43 C2 59°08'G 12°
Saffron Walden Lloegr 9 F3 52°02'G 0°
Safi Moroco 84 D5 32°19'G 9°
Safonovo *Arkhangel'skaya Oblast'* Rwsia 52 E4 65°41'G 48°
Safonovo *Smolenskaya Oblast'* Rwsia 47 O6 55°07'G 33°
Sagar India 96 E5 23°50'G 78°
Sagres Portiwgal 45 A2 37°01'G 8°
Sahand, Kūh-e *m.* Iran 95 G7 37°38'G 46°
Sahara *diff.* Affrica 84 E4 25°00'G 16°
Sahara, Gorllewin Affrica 84 C4 22°14'G 15°
Saidpur Bangl. 96 G6 25°46'G 88°
Saimaa *ll.* Y Ffindir 43 G3 61°15'G 28°
Sain Ffraid, Bae Cymru 10 B3 51°48'G 5°
St Abb, Pentir Yr Alban 15 G3 55°55'G 2°
St Agnes Lloegr 11 B2 50°19'G 5°
St Agnes *ys* Lloegr 11 A1 49°53'G 6°
St Alban, Pentir Lloegr 8 C1 50°35'G 2°
St Albans Lloegr 9 E2 51°45'G 0°
St-Amand-les-Eaux Ffrainc 42 C3 50°26'G 3°
St-Amand-Montrond Ffrainc 44 E5 46°44'G 2°
St Andrews Yr Alban 15 G4 56°20'G 2°
St Ann, Pentir Cymru 10 B3 51°41'G 5°
St Anne Ysdd Channel 11 Z9 49°43'G 2°
St Ann's Bay Jamaica 66 O2 18°26'G 77°
St Anthony Canada 61 M3 51°20'G 55°
St Austell Lloegr 11 C2 50°20'G 4°
St Austell, Bae Lloegr 11 C2 50°19'G 4°
St-Barthélemy *rhan.* Cb. America 67 L4 17°54'G 62°
St Bees Lloegr 12 D3 54°30'G 3°
St Bees, Pentir Lloegr 12 D3 54°31'G 3°
St Bernard, Bwlch Mawr *n.* Y Swistir 44 G4 46°30'G 9°
St Brelade Ysdd Channel 11 Z8 49°11'G 2°
St-Brieg (St-Brieuc) Ffrainc 44 B6 48°31'G 2°
St-Brieuc (St-Brieg) Ffrainc 44 B6 48°31'G 2°
St Catherine, Pwynt Lloegr 8 D1 50°34'G 1°
St Cloud UDA 63 H6 45°34'G 94°
St Columb Major Lloegr 11 C2 50°26'G 4°
St-Denis Ffrainc 42 B1 48°57'G 2°
St-Dié Ffrainc 44 G6 48°17'G 6°
St-Dizier Ffrainc 44 F6 48°39'G 4°
Saintes Ffrainc 44 C4 45°45'G 0°
St-Étienne Ffrainc 44 F4 45°26'G 4°
Saintfield G. Iwerddon 14 D2 54°27'G 5°
St Gallen Y Swistir 46 C2 47°26'G 9°
St-Gaudens Ffrainc 44 D3 43°07'G 0°
St George's Grenada 67 L3 12°04'G 61°
St Germans Lloegr 11 C2 50°24'G 4°
St Gofan, Pen *pr* Cymru 10 C3 51°36'G 4°
St Helena *ys* St Helena et al. 116 E2 15°54'D 5°
St Helena, Bae D. Affrica 83 A1 32°43'D 18°
St Helens Lloegr 12 E2 53°27'G 2°
St Helens, Mynydd *llosg.* UDA 62 B6 46°08'G 122°
St Helier Ysdd Channel 11 Z8 49°11'G 2°
St Ives *Cern.* Lloegr 11 B2 50°13'G 5°
St Ives *S. Gaergr.* Lloegr 9 E3 52°20'G 0°

Shelby UDA 62 D6 48°29'G 111°48'Gn
Shelikof, Culfor UDA 60 C3 57°27'G 155°17'Gn
Shelikov, Gwlff Rwsia 55 Q4 60°40'G 157°23'Dn
Shenyang China 99 M6 41°46'G 123°24'Dn
Shenzhen China 99 K2 22°33'G 114°09'Dn
Shepetivka Ukrain 47 L4 50°11'G 27°04'Dn
Sheppey, Ynys Lloegr 9 F2 51°24'G 0°46'Dn
Shepshed Lloegr 8 D3 52°46'G 1°18'Gn
Shepton Mallet Lloegr 8 C2 51°11'G 2°33'Gn
Sherborne Lloegr 8 C1 50°57'G 2°31'Gn
Sherbrooke Canada 61 K2 45°24'G 71°54'Gn
Shereiq Sudan 94 D3 18°42'G 33°40'Dn
Sheridan UDA 62 E5 44°48'G 106°55'Gn
Sheringham Lloegr 9 G3 52°57'G 1°13'Dn
's-Hertogenbosch Yr Iseldiroedd 42 E4 51°41'G 5°19'Dn
Sherwood, Fforest Lloegr 13 F2 53°04'G 1°07'Gn
Shetland *rhan.* Yr Alban 20 E7 60°14'G 0°57'Gn
Shetland, Ynysoedd Yr Alban 17 I5 60°36'G 0°47'Gn
Shetpe Kazakhstan 53 F2 44°08'G 52°07'Dn
Sheyenne *a.* UDA 62 G6 47°03'G 96°50'Gn
Shiant, Ynysoedd Yr Alban 16 C2 57°53'G 6°25'Gn
Shibām Yemen 95 G3 15°56'G 48°37'Dn
Shiel, Loch Yr Alban 16 D1 56°47'G 5°35'Gn
Shieldaig (Sildeag) Yr Alban 16 D2 57°31'G 5°39'Gn
Shifnal Lloegr 8 C3 52°40'G 2°22'Gn
Shihezi China 98 F6 44°14'G 86°03'Dn
Shijiazhuang China 99 K5 38°00'G 114°30'Dn
Shikarpur India 96 E3 14°16'G 75°22'Dn
Shikarpur Pakistan 95 K5 27°57'G 68°39'Dn
Shikoku *ys* Japan 104 B2 33°08'G 133°49'Dn
Shikoku, Mynyddoedd Japan 104 B2 33°26'G 132°53'Dn
Shildon Lloegr 13 F3 54°38'G 1°39'Gn
Shilega Rwsia 52 E4 64°04'G 44°06'Dn
Shillong India 97 H6 25°33'G 91°53'Dn
Shimoga India 96 E3 13°56'G 75°35'Dn
Shimonoseki Japan 104 B2 33°57'G 130°57'Dn
Shin, Loch Yr Alban 17 E3 58°09'G 4°38'Gn
Shingū Japan 104 C2 33°43'G 136°00'Dn
Shining Tor *br.* Lloegr 13 E2 53°16'G 2°00'Gn
Shipley Lloegr 13 F2 53°50'G 1°47'Gn
Shipston on Stour Lloegr 8 D3 52°04'G 1°37'Gn
Shirane, Mynydd Japan 104 C3 35°40'G 138°13'Dn
Shīrāz Iran 95 H5 29°37'G 52°31'Dn
Shire *a.* Malaŵi 83 C3 17°42'D 35°19'Dn
Shizuishan China 99 J5 38°58'G 106°27'Dn
Shizuoka Japan 104 C2 34°58'G 138°23'Dn
Shklow Belarus 47 N6 54°13'G 30°17'Dn
Shkodër Albania 50 C6 42°04'G 19°31'Dn
Shkodër, Llyn Albania/Montenegro 50 C6 42°14'G 19°12'Dn
Sho'rchi Uzbekistan 95 K7 37°59'G 67°46'Dn
Shostka Ukrain 47 O4 51°51'G 33°29'Dn
Shpola Ukrain 47 N3 49°01'G 31°23'Dn
Shreveport UDA 63 H3 32°29'G 93°46'Gn
Shrewsbury (Amwythig) Lloegr 8 C3 52°42'G 2°45'Gn
Shuangjiang China 99 H2 23°28'G 99°49'Dn
Shubarkudyk Kazakhstan 53 F2 49°05'G 56°28'Dn
Shumagin, Ynysoedd UDA 60 C3 55°09'G 161°01'Gn
Shumen Bwlgaria 50 G6 43°16'G 26°56'Dn
Shuqrah Yemen 95 G2 13°22'G 45°41'Dn
Shushtar Iran 95 G6 32°01'G 48°49'Dn
Shwebo Myanmar 97 I5 22°33'G 95°44'Dn
Shwegyin Myanmar 97 I4 17°55'G 96°52'Dn
Shymkent Kazakhstan 54 H2 42°19'G 69°38'Dn
Siahan, Cadwyn Pakistan 95 J5 27°15'G 64°07'Dn
Sianel, Y (Môr Udd, Y) *cf.* Ffrainc/DU 9 E1 49°59'G 1°24'Gn
Sianel Ten Degree *cf.* India 97 H2 9°54'G 92°53'Dn
Sianel y Gogledd *cf.* Northern Ireland/Scotland 14 C3 55°23'G 6°13'Gn
Šiauliai Lithuania 43 E1 55°56'G 23°19'Dn
Šibenik Croatia 50 A6 43°44'G 15°54'Dn
Siberia *n.* Rwsia 55 M4 65°18'G 115°57'Dn
Siberia, Gwastadedd Gorllewin Rwsia 54 J4 62°39'G 80°21'Dn
Siberia, Iseldir Gogledd *n.* Rwsia 55 L5 73°26'G 103°17'Dn
Siberia, Llwyfandir Canolbarth Rwsia 55 M4 67°03'G 110°35'Dn
Siberia, Môr Dwyrain Rwsia 55 P5 72°59'G 148°21'Dn
Siberut *ys* Indonesia 102 B3 1°23'D 98°55'Dn
Sibi Pakistan 95 K5 29°33'G 67°51'Dn
Sibiu România 50 F7 45°48'G 24°10'Dn
Sibolga Indonesia 102 B4 1°45'G 98°47'Dn
Sibsey Lloegr 13 H2 53°02'G 0°01'Dn
Sibu Malaysia 102 E4 2°17'G 111°51'Dn
Sibut GCA 85 F2 5°44'G 19°05'Dn
Sichuan *rhan.* China 99 I4 30°05'G 103°11'Dn
Sicilia *ys* Yr Eidal 48 F4 38°21'G 14°09'Dn
Sidi Bel Abbès Algeria 84 D5 35°12'G 0°38'Gn
Sidi Kacem Moroco 48 B3 34°14'G 5°43'Gn
Sidlaw, Bryniau Yr Alban 15 F4 56°26'G 3°21'Gn
Sidley, Mynydd Antarctica 112 map 2 76°47'D 125°54'Gn
Sidmouth Lloegr 11 D2 50°41'G 3°14'Gn
Sidney UDA 62 F5 41°12'G 103°09'Gn
Sidon Libanus 49 K3 33°33'G 35°23'Dn
Siedlce Gwlad Pwyl 47 J5 52°10'G 22°17'Dn
Siegen Yr Almaen 46 C4 50°52'G 8°01'Dn
Sierra Leone Affrica 84 C2 8°35'G 11°58'Gn
Sierra Madre Deheuol *mdd.* México 66 D4 18°07'G 101°24'Gn
Sierra Madre Dwyreiniol *mdd.* México 66 D6 26°41'G 101°44'Gn
Sierra Madre Gorllewinol *mdd.* México 66 C6 28°46'G 108°51'Gn
Sierra Nevada del Cocuy *m.* Colombia 67 J2 6°28'G 72°19'Gn
Sighetu Marmației România 47 J2 47°56'G 23°54'Dn
Sighișoara România 50 F8 46°14'G 24°47'Dn
Siglufjörður Gwlad yr Iâ 43 Y2 66°08'G 18°52'Gn
Sigüenza Sbaen 45 D4 41°05'G 2°37'Gn
Siguiri Guinée 84 D3 11°26'G 9°11'Gn
Sihanoukville Cambodia 102 C6 10°37'G 103°32'Dn
Siilinjärvi Y Ffindir 43 F3 63°05'G 27°40'Dn
Siirt Twrci 94 F7 37°55'G 41°58'Dn
Sikar India 96 E6 27°38'G 75°09'Dn
Sikasso Mali 84 D3 11°19'G 5°40'Gn
Sikeston UDA 63 I4 36°51'G 89°34'Gn
Sikhote-Alin', Cadwyn Rwsia 55 O2 43°58'G 133°53'Dn
Sikkim *rhan.* India 96 G6 27°31'G 88°27'Dn
Sil *a.* Sbaen 45 B5 42°28'G 7°42'Gn
Sildeag (Shieldaig) Yr Alban 16 D2 57°31'G 5°39'Gn
Siletiteniz, Llyn Kazakhstan 98 C8 53°11'G 72°53'Dn
Sili Cymru 11 D3 51°24'G 3°13'Gn
Silifke Twrci 51 J3 36°22'G 33°56'Dn
Siling Co *ll.* China 98 F4 31°47'G 88°41'Dn
Silistra Bwlgaria 50 G7 44°07'G 27°16'Dn
Silivri Twrci 51 H5 41°04'G 28°16'Dn
Siljan *ll.* Sweden 43 C3 60°53'G 14°44'Dn
Šilutė Lithuania 47 I6 55°21'G 21°28'Dn
Silver City UDA 62 E3 32°45'G 108°19'Gn
Silverstone Lloegr 8 D3 52°05'G 1°02'Gn
Silverton Lloegr 11 D2 50°49'G 3°29'Gn
Simav Twrci 51 H4 39°05'G 28°58'Dn
Simēn *mdd.* Ethiopia 94 E2 13°12'G 38°09'Dn
Simeulue *ys* Indonesia 102 B4 2°40'G 95°59'Dn
Simferopol' Crimea 49 J5 44°57'G 34°07'Dn
Simojärvi *ll.* Y Ffindir 43 F4 66°01'G 27°15'Dn
Simplon, Bwlch Y Swistir 46 C2 46°15'G 8°02'Dn
Simpson, Diffeithwch Awstralia 108 C4 24°59'D 136°50'Dn
Simrishamn Sweden 46 F6 55°33'G 14°21'Dn
Sinai *gor.* Yr Aifft 85 H4 29°13'G 33°47'Dn
Sinaloa *rhan.* México 66 C6 25°42'G 108°11'Gn
Sincelejo Colombia 72 B7 9°17'G 75°24'Gn
Sinclair, Bae Yr Alban 17 F3 58°30'G 3°07'Gn
Sindor Rwsia 52 F4 62°52'G 51°54'Dn
Sines Portiwgal 45 A2 37°58'G 8°52'Gn
Singa Sudan 94 D2 13°09'G 33°54'Dn
Singapore Asia/Ewrop 102 C4 1°27'G 104°32'Dn
Singapore *tref* Singapore 102 C4 1°19'G 103°51'Dn
Singaraja Indonesia 102 F2 8°07'D 115°06'Dn
Singida Tanzania 83 C4 4°50'D 34°45'Dn
Singkawang Indonesia 102 D4 0°55'G 108°59'Dn
Sinj Croatia 50 B6 43°42'G 16°38'Dn
Sinkat Sudan 94 E3 18°45'G 36°49'Dn
Sinop Twrci 51 K6 42°02'G 35°08'Dn
Sint Maarten *ys* St Maarten 67 L4 18°02'G 63°04'Gn
Sion Mills G. Iwerddon 14 B2 54°47'G 7°28'Gn
Sioux City UDA 62 G5 42°32'G 96°23'Gn
Sioux Falls *tref* UDA 62 G5 43°32'G 96°43'Gn
Sioux Lookout Canada 61 I3 50°06'G 91°56'Gn
Sipacate Guatemala 66 F3 13°56'G 91°09'Gn
Siparia Trin. a Tob. 67 X1 10°07'G 61°30'Gn
Siping China 99 M6 43°04'G 124°24'Dn
Siple, Mynydd Antarctica 112 map 2 73°16'D 125°49'Gn
Siple, Ynys Antarctica 112 map 2 73°55'D 124°10'Gn
Sipura *ys* Indonesia 102 B3 2°12'D 99°39'Dn
Sira *a.* Norwy 43 A2 58°16'G 6°24'Dn
Siret *a.* România 50 H7 45°25'G 28°02'Dn
Sīrjān Iran 95 I5 29°27'G 55°40'Dn
Sirte Libya 85 F5 31°12'G 16°38'Dn
Sirte, Gwlff Libya 85 F5 31°21'G 18°27'Dn
Şirvan Azerbaijan 53 E1 39°56'G 48°56'Dn
Sisak Croatia 50 B7 45°29'G 16°23'Dn
Sisimiut Grønland 61 M4 66°56'G 53°40'Gn
Sisophon Cambodia 102 C6 13°35'G 102°58'Dn
Sīstan, Daryācheh-ye *n.* Afgh./Iran 95 J6 31°30'G 61°15'Dn
Sisteron Ffrainc 44 F4 44°12'G 5°57'Dn
Siteia Groeg 50 G2 35°12'G 26°06'Dn
Sitka UDA 60 E3 57°03'G 135°18'Gn
Sittard Yr Iseldiroedd 42 E3 50°59'G 5°51'Dn
Sittingbourne Lloegr 9 F2 51°20'G 0°44'Dn
Sittwe Myanmar 97 H5 20°08'G 92°53'Dn
Sivas Twrci 51 L4 39°43'G 37°00'Dn
Siverek Twrci 51 M3 37°44'G 39°21'Dn
Sivrihisar Twrci 51 I4 39°27'G 31°32'Dn
Sīwah Yr Aifft 85 G4 29°13'G 25°30'Dn
Six Cross Roads Barbados 67 W1 13°05'G 59°30'Gn
Sjælland *ys* Denmarc 43 B1 55°23'G 11°46'Dn
Skadovs'k Ukrain 51 J8 46°07'G 32°54'Dn
Skaftárós *moryd* Gwlad yr Iâ 43 Y1 63°41'G 17°47'Gn
Skagen Denmarc 43 B2 57°43'G 10°35'Dn
Skagerrak *cf.* Denmarc/Norwy 43 B2 57°27'G 8°13'Dn
Skagway UDA 60 E3 59°29'G 135°18'Gn
Skara Sweden 43 C2 58°23'G 13°26'Dn
Skarżysko-Kamienna Gwlad Pwyl 46 I4 51°07'G 20°53'Dn
Skegness Lloegr 13 H2 53°09'G 0°20'Dn
Skellefteå Sweden 43 E4 64°45'G 20°58'Dn
Skellefteälven *a.* Sweden 43 E4 64°42'G 21°07'Dn
Skelmersdale Lloegr 12 E2 53°33'G 2°46'Gn
Skerries Iwerddon 18 E3 53°35'G 6°06'Gn
Ski Norwy 43 B2 59°43'G 10°50'Dn
Skibbereen Iwerddon 18 B1 51°33'G 9°16'Gn
Skiddaw *br.* Lloegr 12 D3 54°39'G 3°09'Gn
Skien Norwy 43 B2 59°12'G 9°36'Dn
Skikda Algeria 84 E5 36°54'G 6°57'Dn
Skipton Lloegr 13 E2 53°58'G 2°01'Gn
Skive Denmarc 43 B2 56°34'G 9°02'Dn
Skokholm, Ynys Cymru 10 B3 51°41'G 5°16'Gn
Skomer, Ynys Cymru 10 B3 51°44'G 5°20'Gn
Skopje Macedonia 50 D5 41°59'G 21°27'Dn
Skövde Sweden 43 C2 58°23'G 13°51'Dn
Skovorodino Rwsia 55 N3 54°05'G 123°52'Dn
Skye (An t-Eilean Sgiathanach) *ys* Yr Alban 16 C2 57°21'G 6°20'Gn
Skyros *ys* Groeg 50 F4 38°53'G 24°35'Dn
Slagelse Denmarc 43 B1 55°24'G 11°22'Dn
Slamet *llosg.* Indonesia 102 D2 7°15'D 109°13'Dn
Slaney *a.* Iwerddon 18 E2 52°25'G 6°34'Gn
Slatina România 50 F7 44°26'G 24°22'Dn
Slave *a.* Canada 60 G4 61°17'G 113°31'Gn
Slave Lake *tref* Canada 60 G3 55°17'G 114°47'Gn
Slavonski Brod Croatia 50 C7 45°10'G 18°01'Dn
Slavyansk-na-Kubani Rwsia 51 M7 45°16'G 38°08'Dn
Slawharad Belarus 47 N5 53°27'G 31°00'Dn
Sleaford Lloegr 9 E4 53°00'G 0°24'Gn
Sleat, Swnt *cf.* Yr Alban 16 D2 57°02'G 5°53'Gn
Sleights Lloegr 13 G3 54°27'G 0°40'Gn
Slieve Anierin *br.* Iwerddon 14 B2 54°05'G 7°59'Gn
Slieve Beagh *br.* Iwerddon/DU 14 B2 54°20'G 7°12'Gn
Slievecallan *br.* Iwerddon 18 B2 52°51'G 9°16'Gn
Slieve Car *br.* Iwerddon 18 B4 54°04'G 9°40'Gn
Slieve Donard *br.* G. Iwerddon 14 D2 54°11'G 5°55'Gn
Slievenamon *br.* Iwerddon 18 D2 52°26'G 7°34'Gn
Slieve Snaght *br.* Iwerddon 18 D5 55°12'G 7°20'Gn
Sligo Iwerddon 18 C4 54°17'G 8°28'Gn
Sligo *rhan.* Iwerddon 18 C4 54°07'G 8°30'Gn
Sligo, Bae Iwerddon 18 C4 54°18'G 8°55'Gn
Sliven Bwlgaria 50 G6 42°41'G 26°19'Dn
Slobozia România 50 G7 44°34'G 27°23'Dn
Slofacia Ewrop 46 H3 48°45'G 19°35'Dn
Slonim Belarus 47 K5 53°05'G 25°19'Dn
Slough Lloegr 9 E2 51°31'G 0°36'Gn
Slough *rhan.* Lloegr 21 E2 51°30'G 0°35'Gn
Slovenija Ewrop 46 F1 46°09'G 14°37'Dn
Slov"yans'k Ukrain 53 D2 48°51'G 37°37'Dn
Slovyechna *a.* Belarus 47 M4 51°39'G 29°43'Dn
Sluch *a.* Ukrain 47 L4 51°37'G 26°39'Dn
Słupsk Gwlad Pwyl 46 G6 54°27'G 17°02'Dn
Slutsk Belarus 47 L5 53°01'G 27°32'Dn
Slyne, Pentir Iwerddon 18 A3 53°24'G 10°14'Gn
Slyudyanka Rwsia 99 I8 51°28'G 103°36'Dn
Smarhon' Belarus 47 L6 54°29'G 26°25'Dn
Smila Ukrain 47 N3 49°12'G 31°54'Dn
Smoky *a.* UDA 60 G3 56°08'G 117°20'Gn
Smøla *ys* Norwy 43 A3 63°23'G 7°59'Dn
Smolensk Rwsia 53 D3 54°47'G 32°04'Dn
Smolikas *m.* Groeg 50 D5 40°05'G 20°56'Dn
Smolyan Bwlgaria 50 F5 41°35'G 24°41'Dn
Smyrna (İzmir) Twrci 50 G4 38°24'G 27°10'Dn
Snæfell *m.* Gwlad yr Iâ 43 Z2 64°48'G 15°35'Gn
Snaefell *br.* Ys Manaw 12 C3 54°16'G 4°28'Gn
Snaith Lloegr 13 F2 53°41'G 1°01'Gn
Snake *a.* UDA 62 C6 46°13'G 118°59'Gn
Snåsa Norwy 43 C4 64°15'G 12°23'Dn
Sneek (Snits) Yr Iseldiroedd 42 E6 53°02'G 5°40'Dn
Snettisham Lloegr 9 F3 52°53'G 0°30'Dn
Snežnik *m.* Slovenija 46 F1 45°35'G 14°26'Dn
Śniardwy, Llyn Gwlad Pwyl 47 I5 53°46'G 21°42'Dn
Snits (Sneek) Yr Iseldiroedd 42 E6 53°02'G 5°40'Dn
Snizort, Loch *b.* Yr Alban 16 C2 57°33'G 6°28'Gn
Snøtinden *m.* Norwy 43 C4 66°38'G 13°57'Dn
Snov *a.* Ukrain 47 N4 51°32'G 31°32'Dn
Soay *ys* Yr Alban 16 C2 57°09'G 6°15'Gn
Sobradinho, Cronfa Ddŵr Brasil 72 E5 10°14'D 42°24'Gn
Sobral Brasil 72 E6 3°41'D 40°19'Gn
Sochi Rwsia 53 D2 43°36'G 39°44'Dn
Société, Ynysoedd Polynesia Ffrengig 116 B2 17°22'D 152°28'Gn
Socorro, Ynys México 66 B4 18°51'G 110°58'Gn
Socotra *ys* Yemen 95 H2 12°29'G 53°52'Dn
Sodankylä Y Ffindir 43 F4 67°25'G 26°34'Dn
Söderhamn Sweden 43 D3 61°18'G 17°04'Dn
Södertälje Sweden 43 D2 59°12'G 17°38'Dn
Sodo Ethiopia 85 H2 6°51'G 37°47'Dn
Sofiya Bwlgaria 50 E6 42°41'G 23°19'Dn
Sogne, Ffiord *moryd* Norwy 43 A3 61°05'G 5°33'Dn
Soham Lloegr 9 F3 52°20'G 0°20'Dn
Soignies Gwlad Belg 42 D3 50°35'G 4°04'Dn
Soissons Ffrainc 44 E6 49°23'G 3°20'Dn
Söke Twrci 50 G3 37°45'G 27°23'Dn
Sokhumi Georgia 53 E2 43°00'G 41°02'Dn
Sokoto Nigeria 84 E3 13°05'G 5°15'Dn
Sokoto *a.* Nigeria 84 E3 11°23'G 4°09'Dn
Solapur India 96 E4 17°41'G 75°55'Dn
Solent, Y *cf.* Lloegr 8 D1 50°45'G 1°23'Gn
Solihull Lloegr 8 D3 52°25'G 1°47'Gn
Solikamsk Rwsia 52 F3 59°42'G 56°44'Dn
Sol'-Iletsk Rwsia 53 F3 51°06'G 54°58'Dn
Sollefteå Sweden 43 D3 63°10'G 17°17'Dn
Solomon, Môr D. Cefn. Tawel 108 E6 7°40'D 151°08'Dn
Solomon, Ynysoedd D. Cefn. Tawel 109 F6 7°13'D 157°49'Dn
Solway, Moryd *aber* Yr Alban 15 F2 54°48'G 3°33'Gn
Solwezi Zambia 83 B3 12°11'D 26°25'Dn
Soma Twrci 50 G4 39°10'G 27°36'Dn
Somali, Gwlad *rhan.* Somalia 85 I2 9°24'G 45°54'Dn
Somalia Affrica 85 I2 3°56'G 46°23'Dn
Sombor Serbia 50 C7 45°47'G 19°07'Dn
Somerset, Ynys Canada 61 I5 73°19'G 93°22'Gn
Somerton Lloegr 8 C2 51°03'G 2°44'Gn
Sommen *ll.* Sweden 43 C2 58°00'G 15°17'Dn
Sønderborg Denmarc 46 C6 54°55'G 9°48'Dn
Sondrio Yr Eidal 46 C2 46°10'G 9°52'Dn
Songea Tanzania 83 C3 10°39'D 35°38'Dn
Songkhla Gwlad Thai 102 C5 7°10'G 100°35'Dn
Songyuan China 99 M7 45°05'G 124°53'Dn
Sơn La Viet Nam 102 C8 21°19'G 103°55'Dn
Sonora *a.* México 66 B6 28°47'G 111°54'Gn
Sonora *rhan.* México 66 B6 29°42'G 110°36'Gn
Soria Sbaen 45 D4 41°47'G 2°26'Gn
Soroca Moldova 49 I6 48°09'G 28°17'Dn
Sorochinsk Rwsia 53 F3 52°21'G 52°59'Dn
Sorol *n.* Micronesia 103 K5 8°10'G 140°22'Dn
Sorong Indonesia 103 I3 0°53'D 131°17'Dn
Soroti Uganda 85 H2 1°43'G 33°36'Dn
Sørøya *ys* Norwy 43 E5 70°34'G 22°32'Dn
Sorraia *a.* Portiwgal 45 A3 39°02'G 8°50'Gn
Sorsele Sweden 43 D4 65°31'G 17°33'Dn
Sortavala Rwsia 43 G3 61°42'G 30°41'Dn
Soshanguve D. Affrica 83 B2 25°31'D 28°06'Dn
Sosna *a.* Rwsia 47 R5 52°41'G 38°54'Dn
Sosneado *m.* Ariannin 73 C3 34°44'D 69°59'Gn
Sosnogorsk Rwsia 52 F4 63°36'G 53°53'Dn
Sosnovka Rwsia 52 E4 66°30'G 40°34'Dn
Sosnowiec Gwlad Pwyl 46 H4 50°17'G 19°08'Dn
Sos'va Rwsia 52 G3 59°08'G 61°48'Dn
Soufrière St Lucia 67 T1 13°50'G 61°05'Gn
Souk Ahras Algeria 48 E4 36°17'G 7°59'Dn
Souk el Arbaâ du Rharb Moroco 45 C1 34°41'G 6°00'Gn
Sŏul De Korea 99 N5 37°32'G 127°00'Dn
Souris *a.* Canada 62 G6 49°41'G 99°40'Gn
Sousse Tunisia 48 F4 35°50'G 10°37'Dn
Soustons Ffrainc 44 C3 43°45'G 1°20'Gn
Southam Lloegr 8 D3 52°15'G 1°23'Gn
Southampton Lloegr 8 D1 50°55'G 1°24'Gn
Southampton *rhan.* Lloegr 21 E2 50°56'G 1°24'Gn
Southampton, Ynys Canada 61 J4 64°31'G 85°04'Gn
South Anston Lloegr 13 F2 53°21'G 1°13'Gn
South Bank Lloegr 13 F3 54°35'G 1°10'Gn
South Bend UDA 63 I5 41°40'G 86°13'Gn
Southborough Lloegr 9 F2 51°09'G 0°16'Dn
South Cave Lloegr 13 G2 53°46'G 0°36'Gn
Southend *rhan.* Lloegr 21 F2 51°33'G 0°42'Dn
Southend-on-Sea Lloegr 9 F2 51°32'G 0°43'Dn
Southery Lloegr 9 F3 52°32'G 0°24'Dn
South Kirkby Lloegr 13 F2 53°36'G 1°19'Gn
Southminster Lloegr 9 F2 51°40'G 0°50'Dn
South Molton Lloegr 11 D3 51°01'G 3°50'Gn
South Ockendon Lloegr 9 F2 51°31'G 0°18'Dn
Southport Awstralia 108 E4 27°56'D 153°23'Dn
Southport Lloegr 12 D2 53°39'G 3°00'Gn
South Shields Lloegr 13 F3 54°59'G 1°26'Gn
Southwell Lloegr 13 G2 53°05'G 0°58'Gn
Southwold Lloegr 9 G3 52°19'G 1°41'Dn
South Woodham Ferrers Lloegr 9 F2 51°39'G 0°37'Dn
South Wootton Lloegr 9 F3 52°46'G 0°26'Dn
Sovetsk Rwsia 47 I6 55°05'G 21°53'Dn
Sovetskiy Rwsia 52 G4 61°26'G 63°30'Dn
Soweto D. Affrica 83 B2 26°15'D 27°50'Dn
Sozh *a.* Ewrop 47 N4 51°57'G 30°49'Dn
Spalding Lloegr 9 E3 52°47'G 0°09'Gn
Span Head *br.* Lloegr 11 D3 51°07'G 3°49'Gn
Sparks UDA 62 C4 39°32'G 119°46'Gn
Sparti Groeg 50 E3 37°04'G 22°26'Dn
Spartivento, Penrhyn Yr Eidal 48 E4 37°56'G 16°05'Dn
Spas-Demensk Rwsia 47 P6 54°25'G 34°03'Dn
Spatha, Pwynt Groeg 50 E2 35°41'G 23°44'Dn
Speightstown Barbados 67 V1 13°14'G 59°38'Gn
Spencer, Gwlff *aber* Awstralia 108 C3 34°54'D 136°27'Dn
Spennymoor Lloegr 13 F3 54°42'G 1°35'Gn
Sperrin, Mynyddoedd G. Iwerddon 14 B2 54°47'G 7°09'Gn
Spey *a.* Yr Alban 17 F2 57°39'G 3°06'Gn
Speyer Yr Almaen 44 H6 49°19'G 8°24'Dn
Spijkenisse Yr Iseldiroedd 42 D4 51°50'G 4°19'Dn
Spilsby Lloegr 13 H2 53°10'G 0°06'Dn
Spitsbergen *ys* Svalbard 54 C5 78°37'G 16°06'Dn
Split Croatia 50 B6 43°31'G 16°27'Dn
Spofforth Lloegr 13 F2 53°57'G 1°27'Gn
Spokane UDA 62 C6 47°38'G 117°22'Gn
Sporades Gogleddol *ysdd* Groeg 50 E4 39°15'G 23°27'Dn
Spratly, Ynysoedd Môr De China 102 E6 10°01'G 114°21'Dn
Spree *a.* Yr Almaen 46 E5 52°32'G 13°13'Dn
Springfield *Ill.* UDA 63 I4 39°48'G 89°39'Gn
Springfield *Mass.* UDA 63 L5 42°05'G 72°35'Gn
Springfield *Mo.* UDA 63 H4 37°16'G 93°18'Gn
Sprowston Lloegr 9 G3 52°39'G 1°19'Dn
Spurn, Pentir Lloegr 13 H2 53°34'G 0°05'Dn
Srebrenica Bos. a Herz. 50 C7 44°07'G 19°19'Dn
Srednekolymsk Rwsia 55 Q4 67°32'G 153°38'Dn
Sretensk Rwsia 55 M3 52°08'G 117°41'Dn
Sri Aman Malaysia 102 E4 1°12'G 111°30'Dn
Sri Jayewardenepura Kotte Sri Lanka 96 E2 6°55'G 79°54'Dn
Sri Lanka Asia/Ewrop 96 F2 7°29'G 80°42'Dn
Srinagar India 96 D7 34°05'G 74°4
Sri Pada (Adda, Copa) Sri Lanka 96 F2 6°50'G 80°3
Stadskanaal Yr Iseldiroedd 42 F5 52°59'G 6°5
Staffa *ys* Yr Alban 14 C4 56°26'G 6°2
Stafford Lloegr 8 C3 52°48'G 2°0
Stafford, Swydd *rhan.* Lloegr 21 D3 52°52'G 2°0
Staines Lloegr 9 E2 51°26'G 0°3
Stalbridge Lloegr 8 C1 50°57'G 2°2
Stalham Lloegr 9 G3 52°46'G 1°3
Stalowa Wola Gwlad Pwyl 47 J4 50°34'G 22°0
Stamford Lloegr 9 E3 52°39'G 0°2
Stamford Bridge Lloegr 13 G2 53°59'G 0°5
Standish Lloegr 12 E2 53°35'G 2°4
Stanley Lloegr 13 F3 54°52'G 1°4
Stanley Ysdd Falkland 73 D1 51°43'D 57°5
Stannington Lloegr 13 F4 55°06'G 1°4
Stanovoy, Cadwyn Rwsia 55 N3 57°21'G 120°4
Stansted Mountfitchet Lloegr 9 F2 51°54'G 0°1
Stanton Lloegr 9 F3 52°19'G 0°5
Staraya Russa Rwsia 52 D3 57°59'G 31°2
Stara Zagora Bwlgaria 50 F6 42°26'G 25°3
Stargard Szczeciński Gwlad Pwyl 46 F5 53°20'G 15°0
Starogard Gdański Gwlad Pwyl 46 H5 53°58'G 18°3
Starokostyantyniv Ukrain 47 L3 49°45'G 27°1
Start, Bae Lloegr 11 D2 50°18'G 3°3
Start, Pwynt Lloegr 11 D2 50°13'G 3°3
Staryya Darohi Belarus 47 M5 53°02'G 28°1
Staryy Oskol Rwsia 53 D3 51°18'G 37°5
Stavanger Norwy 43 A2 58°58'G 5°4
Staveley Lloegr 13 F2 53°16'G 1°2
Stavropol' Rwsia 53 E2 45°03'G 41°5
Stavropol, Ucheldiroedd *brau.* Rwsia 53 E2 45°05'G 42°3
Steenwijk Yr Iseldiroedd 42 F5 52°47'G 6°0
Steep Holm (Ronech) *ys* Lloegr 8 B2 51°20'G 3°0
Stefansson, Ynys Canada 60 H5 73°21'G 105°3
Steinfurt Yr Almaen 42 G5 52°09'G 7°2
Steinkjer Norwy 43 B4 64°01'G 11°3
Stenness, Loch Yr Alban 17 F4 59°00'G 3°1
Steòrnabhagh (Stornoway) Yr Alban 16 C3 58°13'G 6°2
Sterling UDA 62 F5 40°39'G 103°0
Sterlitamak Rwsia 53 F3 53°36'G 55°5
Stevenage Lloegr 9 E2 51°54'G 0°1
Stewart Canada 60 F3 55°57'G 129°5
Stewart *a.* Canada 60 E4 63°18'G 139°2
Stewart, Ynys Seland Newydd 109 F2 47°09'D 167°5
Stewarton Yr Alban 14 E3 55°41'G 4°3
Steyning Lloegr 9 E1 50°53'G 0°2
Steyr Awstria 46 F3 48°02'G 14°2
Stikine *a.* Canada 60 E3 56°41'G 132°1
Stilton Lloegr 9 E3 52°29'G 0°1
Stinchar *a.* Yr Alban 14 D3 55°06'G 5°0
Stirling Yr Alban 15 F4 56°07'G 3°5
Stirling *rhan.* Yr Alban 20 C5 56°17'G 4°2
Stjørdalshalsen Norwy 43 B3 63°28'G 10°5
Stob Choire Claurigh *m.* Yr Alban 16 E1 56°50'G 4°5
Stockholm Sweden 43 D2 59°20'G 18°0
Stockport Lloegr 13 E2 53°24'G 2°0
Stockton UDA 62 B4 37°57'G 121°1
Stockton-on-Tees Lloegr 13 F3 54°34'G 1°1
Stockton-on-Tees *rhan.* Lloegr 21 E4 54°34'G 1°2
Stœ̆ng Trêng Cambodia 102 D6 13°32'G 105°5
Stoer, Pwynt Yr Alban 16 D3 58°16'G 5°2
Stoke-on-Trent Lloegr 13 E2 53°00'G 2°1
Stoke-on-Trent *rhan.* Lloegr 21 D3 53°01'G 2°1
Stokesay Lloegr 8 C3 52°26'G 2°5
Stokesley Lloegr 13 F3 54°28'G 1°1
Stolin Belarus 47 L4 51°53'G 26°5
Stone Lloegr 8 C3 52°54'G 2°0
Stonehaven Yr Alban 17 G1 56°58'G 2°1
Stony Rapids *tref* Canada 60 H3 59°15'G 105°5
Stora Lulevatten *ll.* Sweden 43 D4 67°09'G 19°2
Storavan *ll.* Sweden 43 D4 65°40'G 18°1
Støren Norwy 43 B3 63°02'G 10°1
Stornoway (Steòrnabhagh) Yr Alban 16 C3 58°13'G 6°2
Storr *br.* Yr Alban 16 C2 57°31'G 6°1
Storrington Lloegr 9 E1 50°55'G 0°2
Storsjön *ll.* Sweden 43 C3 63°13'G 14°1
Storskrymten *m.* Norwy 43 B3 62°22'G 9°0
Storuman Sweden 43 D4 65°05'G 17°0
Storuman *ll.* Sweden 43 D4 65°11'G 16°5
Stotfold Lloegr 9 E3 52°01'G 0°1
Stour *a. Dor.* Lloegr 8 D1 50°44'G 1°4
Stour *a. Kent* Lloegr 9 G2 51°18'G 1°2
Stour *a. S. Warwick* Lloegr 8 D3 52°11'G 1°4
Stourbridge Lloegr 8 C3 52°27'G 2°0
Stour Fawr *a.* Lloegr 9 G2 51°20'G 1°1
Stourport-on-Severn Lloegr 8 C3 52°20'G 2°1
Stowbtsy Belarus 47 L5 53°28'G 26°4
Stowmarket Lloegr 9 F3 52°11'G 0°5
Stow-on-the-Wold Lloegr 8 D2 51°56'G 1°4
Strabane G. Iwerddon 14 B2 54°50'G 7°2
Stradbroke Lloegr 9 G3 52°19'G 1°1
Stralsund Yr Almaen 46 E6 54°18'G 13°0
Stranda Norwy 43 A3 62°18'G 6°5
Strangford, Loch G. Iwerddon 14 D2 54°28'G 5°3
Stranraer Yr Alban 14 D2 54°54'G 5°0
Strasbourg Ffrainc 44 G6 48°35'G 7°4
Stratford-upon-Avon Lloegr 8 D3 52°11'G 1°4
Strathaven Yr Alban 15 E3 55°41'G 4°0
Strathbeg, Loch Yr Alban 17 H2 57°37'G 1°5
Strathbogie *n.* Yr Alban 17 G2 57°26'G 2°5
Strathmore *a.* Yr Alban 16 E3 58°25'G 4°3
Strathspey *n.* Yr Alban 17 F2 57°11'G 3°4
Strathy, Pwynt Yr Alban 17 E3 58°36'G 4°0
Stratton Lloegr 11 C2 50°50'G 4°3
Stratton St Margaret Lloegr 8 D2 51°35'G 1°4
Straubing Yr Almaen 46 E3 48°54'G 12°3
Straumnes *pt* Gwlad yr Iâ 43 X2 66°26'G 23°1
Streatley Lloegr 8 D2 51°32'G 1°0
Street Lloegr 8 C2 51°07'G 2°4
Strelka Rwsia 55 Q4 61°52'G 152°1
Stretham Lloegr 9 F3 52°21'G 0°1
Strimonas *a.* Groeg 50 E5 40°48'G 23°5
Stromboli, Ynys Yr Eidal 48 G4 38°45'G 15°1
Stromness Yr Alban 17 F3 58°58'G 3°1
Strömsund Sweden 43 C3 63°52'G 15°3
Stronsay *ys* Yr Alban 17 G4 59°08'G 2°3
Stronsay, Moryd *cf.* Yr Alban 17 G4 59°06'G 2°5
Stroud Lloegr 8 C2 51°45'G 2°1
Struer Denmarc 43 B2 56°29'G 8°3
Strule *a.* G. Iwerddon 14 B2 54°43'G 7°2
Struma *a.* Bwlgaria 50 E5 41°23'G 23°2
Strumica Macedonia 50 E5 41°26'G 22°3
Stryy Ukrain 47 J3 49°15'G 23°5
Studley Lloegr 8 D3 52°16'G 1°5
Stupino Rwsia 47 R6 54°54'G 38°0
Sturge, Ynys Antarctica 112 map 2 67°35'D 164°2
Sturry Lloegr 9 G2 51°18'G 1°0
Sturt, Diffeithwch Awstralia 108 D4 28°20'D 141°1
Stuttgart Yr Almaen 46 C3 48°47'G 9°1
Styr *a.* Belarus/Ukrain 47 L5 52°08'G 26°3
Suakin Sudan 85 H3 19°06'G 37°1

Tizi Ouzou Algeria 48 D4 36°41'G 4°05'Dn
Tiznit Moroco 84 D4 29°42'G 9°43'Gn
Tiztoutine Moroco 45 D1 34°59'G 3°10'Gn
Tlaxcala México 66 E4 19°21'G 98°13'Gn
Tlaxcala *rhan.* México 66 E4 19°35'G 98°20'Gn
Tlemcen Algeria 84 D5 34°54'G 1°19'Gn
Toamasina Madagascar 83 D3 18°09'D 49°22'Dn
Toba, Llyn Indonesia 102 B4 2°26'G 98°59'Dn
Tobago *ys* Trin. a Tob. 67 L3 11°17'G 60°38'Gn
Tobar Mhoire (Tobermory) Yr Alban 16 C1 56°38'G 6°04'Gn
Tobelo Indonesia 103 H4 1°43'G 128°00'Dn
Tobermory (Tobar Mhoire) Yr Alban 16 C1 56°38'G 6°04'Gn
Toboali Indonesia 102 D3 3°01'D 106°27'Dn
Tobol *a.* Kazakhstan/Rwsia 54 H3 58°10'G 68°13'Dn
Tobol'sk Rwsia 54 H3 58°14'G 68°16'Dn
Tocantins *a.* Brasil 72 E6 1°49'D 49°13'Gn
Todmorden Lloegr 13 E2 53°43'G 2°06'Gn
Toft Yr Alban 17 H5 60°28'G 1°13'Gn
Togian, Ynysoedd Indonesia 103 G3 0°18'D 121°29'Dn
Togo Affrica 84 E2 8°27'G 1°11'Dn
Toirbheartan (Torridon) Yr Alban 16 D2 57°33'G 5°31'Gn
Tok UDA 60 D4 63°21'G 143°01'Gn
Tokara-rettō *ysdd* Japan 104 A1 28°34'G 129°00'Dn
Tokat Twrci 51 L5 40°19'G 36°32'Dn
Tokelau *rhan.* D. Cefn. Tawel 109 H6 8°30'D 171°28'Gn
Tokushima Japan 104 B2 34°04'G 134°34'Dn
Tōkyō Japan 104 C3 35°40'G 139°46'Dn
Tōkyō *rhan.* Japan 104 C3 35°22'G 139°03'Dn
Tôlañaro Madagascar 83 D2 25°02'D 46°58'Dn
Toleda Bend, Cronfa Ddŵr UDA 63 H3 31°38'G 93°43'Gn
Toledo Sbaen 45 C3 39°52'G 4°01'Gn
Toledo UDA 63 J5 41°39'G 83°33'Gn
Toledo, Mynyddoedd Sbaen 45 C3 39°39'G 4°54'Gn
Toliara Madagascar 83 D2 23°22'D 43°39'Dn
Tolitoli Indonesia 103 G4 1°02'G 120°49'Dn
Tollesbury Lloegr 9 F2 51°45'G 0°50'Dn
Tolsta, Pentir Yr Alban 16 C3 58°21'G 6°10'Gn
Toluca México 66 E4 19°18'G 99°39'Gn
Tol'yatti Rwsia 53 E3 53°31'G 49°26'Dn
Tomakomai Japan 104 D4 42°38'G 141°36'Dn
Tomanivi *m.* Fiji 109 G5 17°37'D 178°00'Dn
Tomaszów Lubelski Gwlad Pwyl 47 J4 50°28'G 23°25'Dn
Tomaszów Mazowiecki Gwlad Pwyl 46 I4 51°32'G 20°01'Dn
Tombigbee *a.* UDA 63 I3 31°11'G 87°57'Gn
Tombua Angola 83 A3 15°50'D 11°50'Dn
Tomelloso Sbaen 45 D3 39°09'G 3°00'Gn
Tomini, Gwlff Indonesia 102 G3 0°22'D 120°15'Dn
Tomsk Rwsia 54 J3 56°30'G 85°01'Dn
Tonbridge Lloegr 9 F2 51°12'G 0°17'Dn
Tondano Indonesia 103 G4 1°18'G 124°55'Dn
Tønder Denmarc 46 C6 54°57'G 8°52'Dn
Tone *a.* Lloegr 8 C2 51°04'G 2°56'Gn
Tonelagee *br.* Iwerddon 10 A5 53°03'G 6°23'Gn
Tonga D. Cefn. Tawel 109 H4 20°05'D 173°45'Gn
Tongatapu, Grŵp *ysdd* Tonga 109 H4 21°07'D 174°45'Gn
Tongeren Gwlad Belg 42 E3 50°47'G 5°28'Dn
Tonghua China 99 N6 41°43'G 125°57'Dn
Tongking, Gwlff China/Viet Nam 99 J2 20°22'G 108°16'Dn
Tongliao China 99 M6 43°31'G 122°14'Dn
Tongling China 99 L4 30°55'G 117°52'Dn
Tongue (Tunga) Yr Alban 17 E3 58°29'G 4°25'Gn
Tongue, Swnt *moryd* Yr Alban 17 E3 58°28'G 4°27'Gn
Tonle Sap *ll.* Cambodia 102 C6 12°39'G 104°17'Dn
Tonopah UDA 62 C4 38°04'G 117°14'Gn
Tønsberg Norwy 43 B2 59°17'G 10°23'Dn
Toowoomba Awstralia 108 E4 27°33'D 151°58'Dn
Topeka UDA 63 G4 39°04'G 95°36'Gn
Topozero, Llyn Rwsia 43 H4 65°42'G 32°00'Dn
Topsham Lloegr 11 D2 50°41'G 3°28'Gn
Tor, Bae Lloegr 11 D2 50°25'G 3°32'Gn
Torbat-e Heydarīyeh Iran 95 I7 35°13'G 59°06'Dn
Torbat-e Jām Iran 95 J7 35°15'G 60°34'Dn
Torbay *rhan.* Lloegr 21 D2 50°26'G 3°34'Gn
Tordesillas Sbaen 45 C4 41°31'G 4°59'Gn
Torenberg *br.* Yr Iseldiroedd 42 E5 52°14'G 5°52'Dn
Torfaen *rhan.* Cymru 21 D2 51°44'G 3°05'Gn
Torino Yr Eidal 46 B1 45°04'G 7°41'Dn
Tormes *a.* Sbaen 45 B4 41°18'G 6°27'Gn
Torne, Llyn Sweden 43 D5 68°23'G 18°56'Dn
Torneälven *a.* Sweden 43 E4 65°49'G 24°09'Dn
Tornio Y Ffindir 43 F4 65°50'G 24°11'Dn
Toronto Canada 61 K2 43°40'G 79°23'Gn
Toropets Rwsia 47 N7 56°30'G 31°38'Dn
Toros, Mynyddoedd Twrci 51 J3 37°00'G 32°09'Dn
Torpoint Lloegr 11 C2 50°22'G 4°12'Gn
Torquay Lloegr 11 D2 50°28'G 3°31'Gn
Torrecerredo *m.* Sbaen 45 C5 43°12'G 4°49'Gn
Torremolinos Sbaen 45 C2 36°37'G 4°30'Gn
Torrens, Llyn Awstralia 108 C3 30°32'D 137°28'Dn
Torreón México 66 D6 25°31'G 103°27'Gn
Torres, Culfor Awstralia 108 D6 9°50'D 142°11'Dn
Torres, Ynysoedd Vanuatu 109 F5 13°08'D 166°17'Dn
Torres Vedras Portiwgal 45 A3 39°06'G 9°15'Gn
Torrevella (Torrevieja) Sbaen 45 E2 37°59'G 0°40'Gn
Torrevieja (Torrevella) Sbaen 45 E2 37°59'G 0°40'Gn
Torridge *a.* Lloegr 11 C2 50°59'G 4°11'Gn
Torridon (Toirbheartan) Yr Alban 16 D2 57°33'G 5°31'Gn
Torridon, Loch *b.* Yr Alban 16 D2 57°37'G 5°50'Gn
Tortosa Sbaen 45 F4 40°50'G 0°32'Dn
Toruń Gwlad Pwyl 46 H5 53°01'G 18°37'Dn
Tory, Ynys Iwerddon 18 C5 55°16'G 8°13'Gn
Torzhok Rwsia 52 D3 57°02'G 34°57'Dn
Tosno Rwsia 43 G2 59°33'G 30°54'Dn
Tosya Twrci 51 K5 40°59'G 34°04'Dn
Totland Lloegr 8 D1 50°41'G 1°32'Gn
Tot'ma Rwsia 52 E3 59°59'G 42°46'Dn
Totnes Lloegr 11 D2 50°26'G 3°41'Gn
Totton Lloegr 8 D1 50°55'G 1°29'Gn
Tottori Japan 104 B3 35°29'G 134°14'Dn
Toubkal, Mynydd Moroco 84 D5 31°03'G 7°56'Gn
Touggourt Algeria 84 E5 33°06'G 6°04'Dn
Toulon Ffrainc 44 F3 43°08'G 5°56'Dn
Toulouse Ffrainc 44 D3 43°37'G 1°26'Dn
Toungoo Myanmar 97 I4 18°56'G 96°24'Dn
Touraine *n.* Ffrainc 44 D5 47°14'G 0°21'Dn
Tournai Gwlad Belg 42 C3 50°36'G 3°24'Dn
Tournon-sur-Rhône Ffrainc 44 F4 45°04'G 4°50'Dn
Tours Ffrainc 44 D5 47°23'G 0°42'Dn
Tove *a.* Lloegr 8 E3 52°05'G 0°50'Gn
Towada Japan 104 D4 40°36'G 141°12'Dn
Towcester Lloegr 8 E3 52°08'G 0°59'Gn
Townsville Awstralia 108 D5 19°15'D 146°49'Dn
Towori, Bae Indonesia 103 G3 2°02'D 121°30'Dn
Toyama Japan 104 C3 36°41'G 137°13'Dn
Toyama, Bae Japan 104 C3 36°54'G 137°14'Dn
Toyota Japan 104 C3 35°05'G 137°10'Dn
Tozeur Tunisia 48 E3 33°55'G 8°06'Dn
Tozew Gwlad Pwyl 46 H6 54°06'G 18°48'Dn
Trabzon Twrci 51 M5 40°59'G 39°44'Dn
Traeth Coch *b.* Cymru 10 C5 53°19'G 4°11'Gn
Trafalgar, Penrhyn Sbaen 45 B2 36°11'G 6°02'Gn
Tralee Iwerddon 18 B2 52°16'G 9°42'Gn
Tralee, Bae Iwerddon 18 B2 52°18'G 9°57'Gn
Trallwng, Y Cymru 10 D4 52°40'G 3°09'Gn
Tramore Iwerddon 18 D2 52°10'G 7°09'Gn
Tranås Sweden 43 C2 58°02'G 14°59'Dn
Trangan *ys* Indonesia 103 I2 6°37'D 134°09'Dn
Transilvania, Alpau *mdd.* România 47 J1 45°15'G 22°25'Dn
Trapani Yr Eidal 48 F4 38°01'G 12°31'Dn
Traunsee *ll.* Awstria 46 E2 47°55'G 13°47'Dn
Traverse City UDA 63 I5 44°46'G 85°37'Gn
Travnik Bos. a Herz. 50 B7 44°14'G 17°40'Dn
Trawsantarctig, Mynyddoedd Antarctica 112 map 2 73°59'D 156°44'Dn
Trebišov Slofacia 47 I3 48°39'G 21°44'Dn
Trecelyn Cymru 10 D3 51°40'G 3°09'Gn
Tredegar Cymru 10 D3 51°46'G 3°15'Gn
Trefaldwyn Cymru 10 D4 52°34'G 3°09'Gn
Trefdraeth Cymru 10 C4 52°01'G 4°50'Gn
Trefdraeth, Bae Cymru 10 C4 52°02'G 4°53'Gn
Treffynnon Cymru 10 D5 53°17'G 3°13'Gn
Treforys Cymru 10 D3 51°40'G 3°56'Gn
Trefyclo Cymru 10 D4 52°20'G 3°03'Gn
Trefynwy Cymru 10 E3 51°49'G 2°43'Gn
Tregaron Cymru 10 D4 52°13'G 3°56'Gn
Treig, Loch Yr Alban 16 E1 56°48'G 4°44'Gn
Trelew Ariannin 73 C2 43°13'D 65°15'Gn
Trelleborg Sweden 43 C1 55°22'G 13°10'Dn
Tremadog, Bae Cymru 10 C4 52°52'G 4°16'Gn
Trenčín Slofacia 46 H3 48°53'G 18°02'Dn
Trent *a.* Lloegr 13 G2 53°38'G 0°43'Gn
Trento Yr Eidal 46 D2 46°04'G 11°08'Dn
Trenton UDA 63 L5 40°13'G 74°47'Gn
Tresco *ys* Lloegr 11 A1 49°57'G 6°19'Gn
Tres Puntas, Penrhyn Ariannin 73 C2 47°08'D 65°53'Gn
Treviso Yr Eidal 46 E1 45°40'G 12°15'Dn
Trevose, Pentir Lloegr 11 B2 50°33'G 5°06'Gn
Trier Yr Almaen 46 B3 49°45'G 6°38'Dn
Trieste Yr Eidal 46 E1 45°39'G 13°46'Dn
Trikala Groeg 50 D4 39°33'G 21°46'Dn
Trim Iwerddon 18 E3 53°33'G 6°47'Gn
Trincomalee Sri Lanka 96 F2 8°35'G 81°14'Dn
Tring Lloegr 8 E2 51°48'G 0°39'Gn
Trinidad *ys* Trin. a Tob. 67 L3 10°27'G 61°13'Gn
Trinidad UDA 62 F4 37°11'G 104°30'Gn
Trinidad a Tobago Cb. America 67 L3 10°49'G 61°00'Gn
Trinidade *ys* Brasil 68 E2 20°32'D 29°20'Gn
Tripoli Groeg 50 E3 37°31'G 22°23'Dn
Tripoli Libanus 49 K3 34°26'G 35°52'Dn
Tripoli (Tarābulus) Libya 84 F5 32°53'G 13°11'Dn
Tripolitania *n.* Libya 48 F3 31°18'G 10°55'Dn
Tripura *rhan.* India 97 H5 23°48'G 91°44'Dn
Tristan da Cunha *ys* St Helena et al. 116 E2 36°59'D 12°12'Gn
Trnava Slofacia 46 G3 48°22'G 17°36'Dn
Trobriand, Ynysoedd PGN 108 E6 8°20'D 151°01'Dn
Troisdorf Yr Almaen 42 G3 50°49'G 7°09'Dn
Trois-Rivières Canada 61 K2 46°21'G 72°35'Gn
Troitsk Rwsia 53 G3 54°08'G 61°36'Dn
Trollhättan Sweden 43 C2 58°16'G 12°18'Dn
Tromsø Norwy 43 D5 69°39'G 18°57'Dn
Trondheim Norwy 43 B3 63°25'G 10°22'Dn
Troödos, Mynydd Cyprus 51 J2 34°56'G 32°51'Dn
Troon Yr Alban 14 E3 55°32'G 4°40'Gn
Trossachs *brau.* Yr Alban 14 E4 56°13'G 4°26'Gn
Trostan *br.* G. Iwerddon 14 C3 55°03'G 6°09'Gn
Troup, Pentir Yr Alban 17 G2 57°42'G 2°18'Gn
Trout, Llyn Canada 63 H7 51°15'G 93°06'Gn
Trowbridge Lloegr 8 C2 51°19'G 2°12'Gn
Troyes Ffrainc 44 F6 48°18'G 4°05'Dn
Trubchevsk Rwsia 47 O5 52°35'G 33°47'Dn
Trujillo Periw 72 B6 8°07'D 79°02'Gn
Truro Canada 61 L2 45°22'G 63°13'Gn
Truro Lloegr 11 B2 50°16'G 5°03'Gn
Tsaratanana, Uwchdiroedd *mdd.* Madagascar 83 D3 13°44'D 48°59'Dn
Tsetserleg Mongolia 99 I7 47°19'G 101°29'Dn
Tshchik, Cronfa Ddŵr Rwsia 51 M7 45°07'G 39°28'Dn
Tshwane (Pretoria) D. Affrica 83 B2 25°44'D 28°13'Dn
Tsiecia Ewrop 46 F3 49°38'G 15°37'Dn
Tsimlyansk, Cronfa Ddŵr Rwsia 53 E2 47°46'G 42°14'Dn
Tsna *a.* Belarus 47 L5 52°09'G 27°01'Dn
Tsu Japan 104 C2 34°43'G 136°31'Dn
Tsuchiura Japan 104 D3 36°04'G 140°12'Dn
Tsugarū-kaikyō *cf.* Japan 104 D4 41°16'G 140°21'Dn
Tsumeb Namibia 83 A3 19°14'D 17°43'Dn
Tsumis Park Namibia 83 A2 23°47'D 17°31'Dn
Tsuruga Japan 104 C3 35°38'G 136°04'Dn
Tsushima *ysdd* Japan 104 A2 34°24'G 129°23'Dn
Tuam Iwerddon 18 C3 53°31'G 8°51'Gn
Tuamotu, Ynysoedd Polynesia Ffrengig 116 B2 14°29'D 142°50'Gn
Tuapse Rwsia 53 D2 44°06'G 39°04'Dn
Tuban Indonesia 102 E2 6°54'D 112°04'Dn
Tubbercurry Iwerddon 18 C4 54°03'G 8°43'Gn
Tübingen Yr Almaen 46 C3 48°31'G 9°04'Dn
Tubruq Libya 85 G5 32°04'G 23°58'Dn
Tucson UDA 62 D3 32°14'G 110°54'Gn
Tucumcari UDA 62 F4 35°12'G 103°44'Gn
Tucuruí Brasil 72 E6 3°42'D 49°44'Gn
Tucuruí, Cronfa Ddŵr Brasil 72 E6 4°26'D 49°07'Gn
Tudela Sbaen 45 E5 42°04'G 1°36'Gn
Tuela *a.* Portiwgal 45 B4 41°38'G 7°08'Gn
Tuguegarao Pili. 103 G7 17°37'G 121°43'Dn
Tuhangbesi, Ynysoedd Indonesia 103 G2 5°09'D 123°37'Dn
Tui Sbaen 45 A5 42°03'G 8°38'Gn
Tukums Latvia 43 E2 56°58'G 23°10'Dn
Tula Rwsia 53 D3 54°12'G 37°37'Dn
Tulcea România 51 H7 45°10'G 28°48'Dn
Tul'chyn Ukrain 47 M3 48°41'G 28°50'Dn
Tulít'a Canada 60 F4 64°55'G 125°31'Gn
Tullamore Iwerddon 18 D3 53°17'G 7°30'Gn
Tulle Ffrainc 44 D4 45°16'G 1°46'Dn
Tullow Iwerddon 18 E2 52°48'G 6°44'Gn
Tullybrack *br.* G. Iwerddon 14 B2 54°23'G 7°52'Gn
Tulsa UDA 62 G4 36°09'G 95°58'Gn
Tumaco Colombia 72 B7 1°48'G 78°49'Gn
Tumba, Llyn Gwer. Ddem. Congo 83 A4 0°52'D 18°05'Dn
Tumkur India 96 E3 13°23'G 77°07'Dn
Tummel *a.* Yr Alban 17 F1 56°39'G 3°40'Gn
Tummel, Loch Yr Alban 17 F1 56°42'G 3°58'Gn
Tump Pakistan 95 J5 26°05'G 62°22'Dn
Tumucumaque, Serra *brau.* Brasil 72 D7 1°59'G 56°09'Gn
Tunapuna Trin. a Tob. 67 Y2 10°37'G 61°23'Gn
Tunceli Twrci 51 M4 39°06'G 39°33'Dn
Tundzha *a.* Bwlgaria 50 G5 41°39'G 26°33'Dn
Tunga (Tongue) Yr Alban 17 E3 58°29'G 4°25'Gn
Tunis Tunisia 48 F4 36°48'G 10°12'Dn
Tunisia Affrica 48 E3 34°52'G 9°24'Dn
Tunja Colombia 72 B7 5°30'G 73°22'Gn
Tunnsjøen *ll.* Norwy 43 C4 64°42'G 13°24'Dn
Tuolumne *a.* UDA 62 B4 37°36'G 121°10'Gn
Tura Rwsia 55 L4 64°16'G 100°15'Dn
Turabah Saudi Arabia 94 F4 21°15'G 41°40'Dn
Turbat Pakistan 96 B6 25°59'G 63°03'Dn
Turbo Colombia 67 I2 8°05'G 76°43'Gn
Turda România 47 J2 46°34'G 23°47'Dn
Turgutlu Twrci 50 G4 38°29'G 27°42'Dn
Turhal Twrci 51 L5 40°23'G 36°04'Dn
Turia *a.* Sbaen 45 E3 39°26'G 0°18'Gn
Turinsk Rwsia 52 G3 58°04'G 63°42'Dn
Turkana, Llyn Ethiopia/Kenya 85 H2 4°30'G 36°08'Dn
Turkmenabat Turkmenistan 54 H1 39°05'G 63°34'Dn
Turkmenbaşy Turkmenistan 53 F2 40°02'G 52°59'Dn
Turkmenistan Asia/Ewrop 87 D4 40°50'G 58°26'Dn
Turks, Ynysoedd Ysdd Turks a Caicos 67 J5 21°25'G 71°09'Gn
Turks a Caicos, Ynysoedd *rhan.* Cb. America 67 J5 21°59'G 71°36'Gn
Turku (Åbo) Y Ffindir 43 E3 60°27'G 22°15'Dn
Turnhout Gwlad Belg 42 D4 51°19'G 4°57'Dn
Turnu Măgurele România 50 F6 43°45'G 24°51'Dn
Turpan China 98 F6 42°52'G 89°12'Dn
Turquino, Copa Cuba 67 I5 20°02'G 76°51'Gn
Turriff Yr Alban 17 G2 57°32'G 2°28'Gn
Tuscaloosa UDA 63 I3 33°11'G 87°30'Gn
Tutbury Lloegr 8 D3 52°51'G 1°41'Gn
Tuticorin India 96 E2 8°49'G 78°09'Dn
Tuttlingen Yr Almaen 46 C2 47°59'G 8°49'Dn
Tutuila *ys* Samoa America 109 H5 14°16'D 170°33'Gn
Tuvalu D. Cefn. Tawel 109 G6 7°24'D 178°20'Dn
Tuxford Lloegr 13 G2 53°14'G 0°54'Gn
Tuxpan México 66 E5 20°58'G 97°22'Gn
Tuxtla Gutiérrez México 66 F4 16°46'G 93°08'Gn
Tuz, Llyn Twrci 51 J4 38°42'G 33°24'Dn
Tuzla Bos. a Herz. 50 C7 44°33'G 18°42'Dn
Tver' Rwsia 52 D3 56°50'G 35°54'Dn
Tweed *a.* England/Scotland 13 E4 55°45'G 2°06'Gn
Twin Falls *tref* UDA 62 D5 42°35'G 114°27'Gn
Twnnel y Sianel Ffrainc/DU 9 G2 51°04'G 1°24'Dn
Twrci Asia/Ewrop 51 I4 39°19'G 34°21'Dn
Twyford Lloegr 8 E2 51°29'G 0°52'Gn
Tyddewi Cymru 10 B3 51°53'G 5°16'Gn
Tyler UDA 63 G3 32°22'G 95°18'Gn
Tynda Rwsia 55 N3 55°07'G 124°44'Dn
Tyne *a.* Yr Alban 15 G3 56°00'G 2°36'Gn
Tyne a Wear *rhan.* Lloegr 20 E4 54°56'G 1°16'Gn
Tyne Ddeheuol *a.* Lloegr 13 E3 54°58'G 1°29'Gn
Tyne Ddeheuol *rhan.* Lloegr 20 E4 54°59'G 2°08'Gn
Tynemouth Lloegr 13 F4 55°01'G 1°25'Gn
Tyne Ogleddol *a.* Lloegr 13 E4 54°59'G 2°08'Gn
Tyne Ogleddol *rhan.* Lloegr 20 E4 55°02'G 1°36'Gn
Tynset Norwy 43 B3 62°16'G 10°47'Dn
Tyrus Libanus 49 K3 33°15'G 35°14'Dn
Tyumen' Rwsia 54 H3 57°09'G 65°28'Dn
Tywi *a.* Cymru 10 C3 51°48'G 4°20'Gn
Tywyn, Cilfach *moryd* Cymru 10 C3 51°38'G 4°18'Gn

U

Uaupés Brasil 72 C6 0°06'D 67°02'Gn
Ubangi *a.* Affrica 85 F1 0°34'D 17°40'Dn
Úbeda Sbaen 45 D3 38°01'G 3°22'Gn
Uberaba Brasil 73 E4 19°46'D 47°53'Gn
Uberlândia Brasil 72 E5 18°56'D 48°14'Gn
Ubon Ratchathani Gwlad Thai 102 C7 15°14'G 104°53'Dn
Ucayali *a.* Periw 72 B6 4°28'D 73°29'Gn
Ucheldir *rhan.* Yr Alban 20 C5 57°38'G 4°59'Gn
Uchur *a.* Rwsia 55 O3 57°19'G 131°17'Dn
Uckfield Lloegr 9 F1 50°58'G 0°06'Dn
Uda *a.* Rwsia 55 O3 54°41'G 135°18'Dn
Udaipur India 96 D5 24°35'G 73°44'Dn
Uddevalla Sweden 43 B2 58°21'G 11°57'Dn
Uddjaure *ll.* Sweden 43 D4 65°56'G 17°52'Dn
Udine Yr Eidal 46 E2 46°04'G 13°14'Dn
Udon Thani Gwlad Thai 102 C7 17°22'G 102°50'Dn
Udupi India 96 D3 13°21'G 74°44'Dn
Ueda Japan 104 C3 36°24'G 138°15'Dn
Uele *a.* Gwer. Ddem. Congo 83 B5 4°08'G 22°26'Dn
Uelzen Yr Almaen 46 D5 52°58'G 10°34'Dn
Ufa Rwsia 53 F3 54°44'G 55°58'Dn
Uganda Affrica 85 H2 2°34'G 32°37'Dn
Ugie Ogleddol *a.* Yr Alban 17 H2 57°32'G 1°55'Gn
Uglegorsk Rwsia 55 P2 49°02'G 142°02'Dn
Uig (Uige) Yr Alban 16 C2 57°35'G 6°21'Gn
Uíge Angola 83 A4 7°36'D 15°05'Dn
Uige (Uig) Yr Alban 16 C2 57°35'G 6°21'Gn
Uinta, Mynyddoedd UDA 62 D5 40°36'G 110°59'Gn
Uist, De *ys* Yr Alban 16 B2 57°17'G 7°22'Gn
Ukhta Rwsia 52 F4 63°33'G 53°46'Dn
Ukiah UDA 62 B4 39°09'G 123°13'Gn
Ukmergė Lithuania 47 K6 55°15'G 24°46'Dn
Ukrain Ewrop 47 N3 49°23'G 31°18'Dn
Ulaangom Mongolia 98 G7 49°57'G 92°09'Dn
Ulan Bator Mongolia 99 J7 47°48'G 106°58'Dn
Ulanhot China 99 M7 46°04'G 122°03'Dn
Ulan-Khol Rwsia 53 E2 45°26'G 46°51'Dn
Ulan-Ude Rwsia 55 L3 51°49'G 107°38'Dn
Uliastay Mongolia 98 H7 47°36'G 96°48'Dn
Ulithi *n.* Micronesia 103 J6 10°07'G 139°40'Dn
Ullabol (Ullapool) Yr Alban 16 D2 57°54'G 5°10'Gn
Ullapool (Ullabol) Yr Alban 16 D2 57°54'G 5°10'Gn
Ullswater *ll.* Lloegr 12 E3 54°34'G 2°54'Gn
Ullŭng-do *ys* De Korea 104 B3 37°30'G 130°55'Dn
Ulm Yr Almaen 46 C3 48°25'G 9°59'Dn
Ulster, Camlas Iwerddon/DU 14 B2 54°14'G 7°01'Gn
Ulster, Canol *rhan.* G. Iwerddon 21 B4 54°40'G 6°42'Gn
Uludağ *m.* Twrci 51 H5 40°06'G 29°17'Dn
Ulundi D. Affrica 83 C2 28°19'D 31°25'Dn
Uluru (Ayers, Craig) *br.* Awstralia 108 C4 25°20'D 131°05'Dn
Ulva *ys* Yr Alban 14 C4 56°28'G 6°13'Gn
Ulverston Lloegr 12 D3 54°12'G 3°05'Gn
Ul'yanovsk Rwsia 53 E3 54°19'G 48°21'Dn
Uman' Ukrain 47 N3 48°45'G 30°14'Dn
Umba Rwsia 52 D4 66°41'G 34°23'Dn
Umboi *ys* PGN 108 D6 5°41'D 147°54'Dn
Umeå Sweden 43 E3 63°50'G 20°17'Dn
Umeälven *a.* Sweden 43 D4 63°46'G 20°19'Dn
Umm Durmān (Omdurman) Sudan 85 H3 15°38'G 32°28'Dn
Umm Keddada Sudan 94 C2 13°35'G 26°42'Dn
Umm Ruwaba Sudan 94 D2 12°52'G 31°10'Dn
Umm Sa'ad Libya 85 G5 31°36'G 25°03'Dn
Umtata D. Affrica 83 B1 31°35'D 28°47'Dn
Umuarama Brasil 73 D4 23°46'D 53°19'Gn
Una *a.* Bos. a Herz./Croatia 50 B7 45°16'G 16°56'Dn
'Unayzah Saudi Arabia 94 F5 26°05'G 43°59'Dn
Unecha Rwsia 47 O5 52°51'G 32°41'Dn
Ungava, Bae Canada 61 L3 59°16'G 67°29'Gn
Ungava, Gorynys Canada 61 K4 60°46'G 74°25'Gn
Unimak, Ynys UDA 60 B3 54°58'G 164°02'Gn
Unol Daleithiau America G. America 62 G4 38°59'G 99°57'Gn
Unst *ys* Yr Alban 17 I5 60°46'G 0°53'Gn
Upa *a.* Rwsia 47 Q6 54°01'G 36°20'Dn
Upavon Lloegr 8 D2 51°18'G 1°48'Gn
Upemba, Llyn Gwer. Ddem. Congo 83 B4 8°39'D 26°29'Dn
Upernavik Grønland 61 M5 72°47'G 56°09'Gn
Upington D. Affrica 83 B2 28°28'D 21°15'Dn
Upolu *ys* Samoa 109 H5 14°04'D 171°39'
Upper Klamath, Llyn UDA 62 B5 42°22'G 121°53'
Upper Tean Lloegr 8 D3 52°57'G 1°59'
Uppingham Lloegr 8 E3 52°35'G 0°43'
Uppsala Sweden 43 D2 59°51'G 17°38'
Upton upon Severn Lloegr 8 C3 52°04'G 2°13'
Ural *a.* Kazakhstan/Rwsia 53 F2 46°55'G 51°46'
Ural, Mynyddoedd Rwsia 54 H4 66°50'G 63°48'
Ural'sk Kazakhstan 53 F3 51°11'G 51°24'
Uranium City Canada 60 H3 59°31'G 108°43'
Urawa Japan 104 C3 35°51'G 139°39'
Ure *a.* Lloegr 13 F3 54°05'G 1°20'
Urengoy Rwsia 54 I4 65°55'G 78°13'
Urganch Uzbekistan 54 H2 41°32'G 60°39'
Urie *a.* Yr Alban 17 G2 57°16'G 2°22'
Urla Twrci 50 G4 38°17'G 26°46'
Urmia, Llyn Iran 94 G7 37°57'G 45°17'
Uruapan México 66 D4 19°25'G 102°04'
Urubamba *a.* Periw 72 B5 10°46'D 73°47'
Uruguaiana Brasil 73 D4 29°45'D 57°03'
Uruguay *a.* Ariannin/Uruguay 73 D4 33°52'D 58°25'
Uruguay D. America 73 D3 32°45'D 55°56'
Ürümqi China 98 F6 43°44'G 87°34'
Urziceni România 50 G7 44°43'G 26°37'
Usa *a.* Rwsia 52 F4 65°58'G 56°48
Uşak Twrci 51 H4 38°40'G 29°24'
Ushuaia Ariannin 73 C1 54°46'D 68°19'
Usinsk Rwsia 52 F4 66°01'G 57°36'
Usogorsk Rwsia 52 E4 63°26'G 48°41'
Usol'ye-Sibirskoye Rwsia 55 L3 52°40'G 103°30'
Ussuriysk Rwsia 55 O2 43°48'G 131°57'
Ust'-Ilimsk Rwsia 55 L3 58°02'G 102°42
Ust'-Ilych Rwsia 52 F4 62°33'G 56°43'
Ústí nad Labem Tsiecia 46 F4 50°40'G 14°03'
Ust'-Kamchatsk Rwsia 55 R3 56°15'G 162°32'
Ust'-Kamenogorsk Kazakhstan 54 J2 49°52'G 82°46'
Ust'-Kara Rwsia 52 G4 69°13'G 64°59'
Ust'-Kulom Rwsia 52 F4 61°41'G 53°42'
Ust'-Kut Rwsia 55 L3 56°45'G 105°42'
Ust'-Maya Rwsia 55 O4 60°27'G 134°31'
Ust'-Olenek Rwsia 55 M5 72°55'G 119°44'
Ust'-Tsil'ma Rwsia 52 F4 65°26'G 52°10'
Ustyurt, Llwyfandir Kazakhstan/Uzbekistan 53 F2 43°29'G 56°11'
Utah *rhan.* UDA 62 D4 39°34'G 111°34'
Utara, Ynys Indonesia 102 C3 2°42'D 100°05'
Utena Lithuania 47 K6 55°30'G 25°36
Utica UDA 63 K5 43°06'G 75°15'
Utiel Sbaen 45 E3 39°34'G 1°11'
Utrecht Yr Iseldiroedd 42 E5 52°05'G 5°07'
Utrecht *rhan.* Yr Iseldiroedd 42 E5 52°07'G 5°12'
Utrera Sbaen 45 C2 37°11'G 5°46'
Utsunomiya Japan 104 C3 36°34'G 139°54'
Utta Rwsia 53 E2 46°26'G 46°02'
Uttaradit Gwlad Thai 102 C7 17°37'G 100°04'
Uttarakhand *rhan.* India 96 E7 30°12'G 79°18'
Uttar Pradesh *rhan.* India 96 E6 26°59'G 80°34'
Uttoxeter Lloegr 8 D3 52°54'G 1°52'
Utuado Puerto Rico 66 R2 18°17'G 66°42'
Uusikaupunki Y Ffindir 43 E3 60°48'G 21°25'
Uvs, Llyn Mongolia 98 G8 50°20'G 92°39'
Uwajima Japan 104 B2 33°13'G 132°34'
Uwchdiroedd Cymru *brau.* Cymru 10 D4 52°37'G 3°40'
Uwchdiroedd y De *brau.* Yr Alban 14 E3 55°14'G 4°32'
Uxbridge Lloegr 9 E2 51°33'G 0°29'
Uyuni, Pant Heli Bolivia 73 C4 20°13'D 67°36'
Uzbekistan Asia/Ewrop 87 E4 42°39'G 60°19'
Uzhhorod Ukrain 47 J3 48°37'G 22°17'
Užice Serbia 50 C6 43°51'G 19°51'
Uzlovaya Rwsia 53 D3 53°59'G 38°11'
Uzunköprü Twrci 50 G5 41°15'G 26°41'

V

Vaal *a.* D. Affrica 83 B2 29°05'D 23°39'
Vaasa Y Ffindir 43 E3 63°06'G 21°38'
Vác Hwngari 46 H2 47°47'G 19°09'
Vadodara India 96 D5 22°18'G 73°13'
Vadsø Norwy 43 G5 70°05'G 29°44'
Vaduz Liechtenstein 46 C2 47°08'G 9°32'
Værøy *ys* Norwy 43 C4 67°39'G 12°36'
Vaganski Vrh *m.* Croatia 50 A7 44°22'G 15°30'
Váh *a.* Slofacia 46 H2 47°46'G 18°08'
Vaiaku Tuvalu 109 G6 8°28'D 179°10'
Vaitupu *ys* Tuvalu 109 G6 7°27'D 178°43'
Valdai, Bryniau Rwsia 34 H4 56°59'G 32°52'
Valdepeñas Sbaen 45 D3 38°46'G 3°22'
Valdés, Gorynys Ariannin 73 C2 42°31'D 63°25'
Valdez UDA 60 D4 61°07'G 146°16'
Valdivia Chile 73 B3 39°50'D 73°13'
Val-d'Or Canada 61 K2 48°06'G 77°47'
Valdosta UDA 63 J3 30°51'G 83°18'
Valdres *n.* Norwy 43 B3 60°56'G 9°13'
Valence Ffrainc 44 F4 44°56'G 4°54'
Valencia Sbaen 45 E3 39°29'G 0°21'
Valencia Venezuela 72 C8 10°10'G 67°59'
Valencia, Gwlff Sbaen 45 F3 39°28'G 0°02'
Valencia de Alcántara Sbaen 45 B3 39°25'G 7°14'
Valenciennes Ffrainc 44 E7 50°21'G 3°32'
Valera Venezuela 72 B7 9°14'G 70°35'
Valier, Mont *m.* Ffrainc 44 D3 42°48'G 1°05'
Valinco, Gwlff *b.* Ffrainc 44 H2 41°40'G 8°52'
Valjevo Serbia 50 C7 44°17'G 19°55'
Valka Latvia 43 F2 57°46'G 26°00'
Valkeakoski Y Ffindir 43 F3 61°15'G 24°03'
Valkenswaard Yr Iseldiroedd 42 E4 51°21'G 5°27'
Valkyrie, Cromen *n.* Antarctica 112 map 2 76°24'D 32°36'
Valladolid Sbaen 45 C4 41°39'G 4°43'
Valle de la Pascua Venezuela 67 K2 9°10'G 65°57'
Valledupar Colombia 72 B8 10°30'G 73°16'
Valletta Malta 48 F4 35°54'G 14°30'
Valparaíso Chile 73 B3 33°03'D 71°36'
Vals, Penrhyn Indonesia 103 J2 8°27'D 137°39'
Vammala Y Ffindir 43 E3 61°20'G 22°56'
Van Twrci 94 F7 38°30'G 43°22'
Van, Llyn Twrci 94 F7 38°37'G 42°47'
Vanadzor Armenia 53 E2 40°49'G 44°28'
Vancouver Canada 60 F2 49°16'G 123°08'
Vancouver, Ynys Canada 60 F2 49°28'G 125°39'
Van Diemen, Gwlff *b.* Awstralia 103 I1 11°54'D 132°00'
Vänern *ll.* Sweden 43 C2 59°05'G 13°36'
Vänersborg Sweden 43 C2 58°23'G 12°20'
Vangaindrano Madagascar 83 D2 23°22'D 47°34'
Vanimo PGN 103 K3 2°42'D 141°18'
Vännäs Sweden 43 D3 63°55'G 19°46'
Vannes (Gwened) Ffrainc 44 B5 47°39'G 2°45'
Vantaa Y Ffindir 43 F3 60°18'G 24°57'
Vanua Levu *ys* Fiji 109 G5 16°10'D 179°40'
Vanuatu D. Cefn. Tawel 109 F5 16°05'D 167°04'
Varanasi India 96 F6 25°20'G 83°04'
Varanger, Ffiord *cf.* Norwy 43 G5 70°04'G 29°07'

W

Canllawiau Golygyddol

Atgynhyrchwyd y canllawiau isod o ragair Dafydd Orwig, golygydd *Yr Atlas Cymraeg* a gomisiynwyd gan CBAC. Maent yn cynnwys mân amrywiadau i adlewyrchu rhai gwahaniaethau o ran cynnwys rhwng *Yr Atlas Cymraeg* (1987), *Yr Atlas Cymraeg Newydd* (1999) ac *Atlas y Byd* (2018).

Wrth lunio'r canllawiau golygyddol roeddem yn ymwybodol o'r ffactorau a ganlyn:

(a) yr angen am atlas Cymraeg i ymestyn tiriogaeth yr iaith;

(b) yr angen i barchu enwau tramor yn eu priod ieithoedd;

(c) y ffaith ein bod yn byw yng nghysgod un o ieithoedd grymusaf y byd a bod defnyddwyr yr atlas hwn yn mynd i weld mapiau Saesneg yn amlach o lawer na rhai Cymraeg.

Gan hynny cyfaddawd rhwng safbwyntiau simplistig yn aml yw rhai o'n polisïau.

Dyma grynodeb o'r prif ganllawiau:

1. GWLEDYDD
(a) Lle bo enw traddodiadol Cymraeg, ei ddefnyddio, e.e. Ariannin, Libanus, Seland Newydd.

(b) Cymreigio ambell enw neu ran o enw, e.e. Emiradau Arabaidd Unedig, Gogledd Korea, Guinée Gyhydeddol.

(c) Lle nad oes enw Cymraeg nac ymgais i Gymreigio'r enw:

(i) Gwyddor Rufeinig – cadw'r sillafiad cywir gan gynnwys yr acenion, e.e. Brasil, Grønland, México, Zimbabwe.

(ii) Gwyddor Anrufeinig – cadw'r fersiwn ryngwladol a arddelir gan y gwledydd, e.e. Afghanistan, Kuwait, Libya, Saudi Arabia.

2. TALEITHIAU, SIROEDD AC ATI
(a) Lle bo enw traddodiadol Cymraeg, ei ddefnyddio, e.e. Caint, Dwyrain a Gorllewin Fflandrys, Gwlad yr Haf.

(b) Cymreigio ambell enw neu ran o enw, e.e. De Cymru Newydd, Gogledd a De Dakota, Dwyrain Berkshire.

(c) Yn gyffredinol cadw at y brodorol, swyddogol, e.e. Mato Grosso, Noord-Brabant, Nord-Pas-de-Calais, Queensland.

3. ARWEDDION FFISEGOL
(a) Cyfieithu'r elfennau cyntaf lle mae hynny'n ymarferol, e.e. Llyn Leksozero (Rwsia), Mynydd Cinto (Ffrainc), Penrhyn Roca (Portiwgal).

(b) Wrth gyfieithu'r elfennau cyntaf penderfynwyd cadw'r ail neu'r drydedd elfen yn y gwreiddiol, e.e. Aberoedd Amazonas, Llyn Great Slave, Mynyddoedd Salmon River, Penrhyn Dos Bahías. Ymysg yr eithriadau y mae rhai arweddion ac enwau lliw iddynt, e.e. Mynyddoedd Gleision.

(c) Pan fo ardal fynyddig yn gyfyngedig i un wlad tueddir i gadw enw'r wlad arni, e.e. Appennini, Massif Central, Rockies. Ceir rhai eithriadau, e.e. Fforest Ddu. Pan fo'r mynyddoedd yn croesi ffin, ac felly iddynt ddau enw, penderfynwyd Cymreigio, e.e. Alpau Morol, Carpatiau, Dolomitiau.

4. ANHEDDAU
A. Gwyddor Rufeinig
(a) Lle bo enw traddodiadol Cymraeg ar anheddiad a tu allan i Gymru, fe'i rhoddir mewn cromfachau o dan neu ar ôl yr enw brodorol, swyddogol, e.e. Köln (Cwlen), Oxford (Rhydychen), Venezia (Fenis).

(b) Yn gyffredinol cedwir at y ffurfiau swyddogol, e.e. Antwerpen, Ciudad de México, München, Québec.

(c) Lle bo dwy iaith yn gyd-swyddogol, defnyddir y ddau enw gan roi'r un rhyngwladol yn gyntaf, e.e., Bilbao (Bilbo), Pretoria (Tshwane).

(ch) Rhoddir triniaeth arbennig i'r gwledydd Celtaidd gan roi llawer o enwau anheddau yn y ddwy iaith, gan nodi'r ffurf frodorol mewn cromfachau. [Yn *Yr Atlas Cymraeg*, 1987, bu'n bosibl cynnwys ffurfiau Gwyddeleg enwau anheddau yng Ngweriniaeth Iwerddon, gan ddilyn patrwm (c) uchod. Gan fod graddfa'r map o Iwerddon yn llai o lawer yn *Yr Atlas Cymraeg Newydd* ac yn *Atlas y Byd* ni fu'n ymarferol bosibl ymgorffori'r ffurfiau Gwyddeleg, ac eithrio ar gyfer Corc a Dulyn.]

B. Gwyddor Anrufeinig
(a) Lle bo enw traddodiadol Cymraeg (o'r Beibl fel rheol) fe'i rhoddir mewn cromfachau ar ôl yr enw swyddogol, e.e. Antakya (Antioch), Izmir (Smyrna).

(b) Derbyniwyd ffurf argraffiad Saesneg yr atlas ar y mwyafrif o enwau anheddau yn Asia. Mae enwau anheddau China mewn Pin Yin.

(c) Gyda'r Arabeg derbyniwyd llawer o'r enwau fel y maent ond rhoddir trawslythreniad cydnabyddedig o'r Arabeg uwchben y fersiwn arferol i rai trefi pwysig gan nodi'r ffurf arferol mewn cromfachau, e.e. Al-Iskandariyyah (Alexandria), Tarābulus (Tripoli).